Blackgosi Master SHIN

2026 100% 무료강의

고졸 검정고시 기출문제집

해설편

저자 블랙고시마스터 신

2021~2025년 **5개년 총 10회** 기출문제 **전과목** 수록!

선택과목 **도덕, 기술가정, 체육, 음악, 미술** 모두 포함

유튜브 채널 "검정고시마스터 SHIN"
저자 직강 무료 강의 전체제공

목차 contents

필수 과목

고등학교 졸업학력
검정고시

국어
정답 및 해설

정답표

2021년 1회

01	④	02	①	03	③	04	③	05	②
06	④	07	④	08	④	09	①	10	①
11	②	12	①	13	③	14	②	15	②
16	③	17	②	18	①	19	②	20	④
21	③	22	②	23	②	24	③	25	③

2021년 2회

01	①	02	④	03	④	04	③	05	②
06	③	07	①	08	②	09	①	10	④
11	①	12	③	13	①	14	④	15	①
16	②	17	③	18	②	19	①	20	②
21	④	22	③	23	①	24	③	25	④

2022년 1회

01	④	02	③	03	③	04	③	05	④
06	①	07	②	08	②	09	③	10	②
11	③	12	④	13	①	14	③	15	①
16	①	17	②	18	②	19	④	20	④
21	①	22	②	23	①	24	④	25	②

2022년 2회

01	④	02	③	03	④	04	①	05	②
06	①	07	③	08	④	09	②	10	①
11	③	12	②	13	④	14	②	15	①
16	③	17	④	18	③	19	③	20	①
21	④	22	①	23	③	24	②	25	④

2023년 1회

01	③	02	①	03	④	04	③	05	②
06	④	07	④	08	③	09	④	10	②
11	④	12	②	13	①	14	④	15	①
16	③	17	①	18	②	19	①	20	②
21	②	22	③	23	①	24	③	25	④

2023년 2회

01	②	02	②	03	③	04	④	05	①
06	①	07	④	08	④	09	①	10	③
11	①	12	③	13	②	14	④	15	②
16	②	17	①	18	②	19	②	20	④
21	②	22	③	23	④	24	③	25	④

2024년 1회

01	①	02	①	03	④	04	③	05	④
06	②	07	③	08	②	09	②	10	①
11	①	12	③	13	②	14	④	15	④
16	②	17	①	18	①	19	①	20	②
21	④	22	④	23	②	24	③	25	③

2024년 2회

01	③	02	③	03	④	04	③	05	②
06	①	07	①	08	④	09	①	10	②
11	②	12	④	13	②	14	①	15	②
16	②	17	④	18	④	19	③	20	②
21	①	22	④	23	③	24	④	25	③

2025년 1회

01	③	02	②	03	②	04	③	05	②
06	③	07	③	08	②	09	②	10	④
11	①	12	②	13	④	14	①	15	②
16	③	17	③	18	①	19	④	20	①
21	④	22	①	23	④	24	④	25	①

2025년 2회

01	①	02	②	03	③	04	③	05	②
06	①	07	①	08	②	09	②	10	②
11	①	12	②	13	④	14	③	15	④
16	①	17	④	18	②	19	③	20	①
21	③	22	③	23	②	24	④	25	④

정답 및 해설

중세국어 기출작품 알아보기
세종, <월인석보>

□ : 종성에 음가 없는 'ㅇ'을 받쳐 적은 동국정운식 한자음

世·솅宗종御·엉製·졩 訓·훈民민正·졍音흠
임금이몸소 지은 글   백성을 가르치는 바른 소리

나·랏:말ㅆ·미 中듕國·귁에 달·아 文문字·쭝·와로 서르
말씀+이(주격조사)   이어적기   비교 부사격조사

ᄉᆞᄆᆞᆺ디 아·니홀·씨·이런 젼·ᄎᆞ·로 어·린 百·빅姓·셩·이
8종성법(기본형은 ᄉᆞᄆᆞᆺ다)   까닭으로 어리석은   주격조사 '이'

니르·고·져·훓배 이·셔·도 ᄆᆞ·ᄎᆞᆷ:내 제·ᄠᅳ·들 시·러
두음법칙 적용× 바+ㅣ(주격조사)   ᄠᅳᆮ+을(목적격조사)

펴·디 :몯ᄒᆞᆯ·노·미 하·니·라 ·내·이·ᄅᆞᆯ 爲·윙·ᄒᆞ·야:어엿·비
구개음화가 일어나지않음 많다. 나+ㅣ(주격조사)   가엾게, 불쌍히

너·겨·새·로·스·믈여·듧 字·ᄍᆞᆼ·ᄅᆞᆯ 밍·ᄀᆞ·노니 :사ᄅᆞᆷ :마·다
쓰임에사용함에 ᄡᅳ+ᅳ옴에   만드니

:히·ᅇᅧ :수·비 니·겨·날·로 ·ᄡᅮ·메 便뼌安한·킈 ᄒᆞ·고·져
하여금   ·ᅙᆞ 'ㅂ의사용   □ : 모음 조화가 적용된 예
ᄒᆞᆯ ᄯᆞᄅᆞ·미니·라   □ : 어두 자음군

★ 현대어 풀이

우리나라 말이 중국과 달라 한자와는 서로 통하지
아니하여서   자주정신

이런 까닭으로 어리석은 백성이 말하고자 하는 바가 있
어도 마침내 제 뜻을 펴지 못하는 사람이 많다.

내가 이것을 가엾게 생각하여 새로 스물여덟 글자를
만드니,   애민정신

모든 사람들로 하여금 쉽게 익혀서 날마다 쓰는 데 편
하게 하고자 할 따름이다.
          실용정신

✓ 갈래 : 훈민정음의 서문
✓ 성격 : 설명적, 교시적
✓ 주제 : 훈민정음 창제의 취지와 목적.
✓ 의의
  • 15세기 국어의 모습을 알 수 있는 자료임.
  • 세종 대왕의 한글 창제 정신이 잘 드러나 있음.

음운·표기상 특징	해당하는 예
현대 국어에서는 쓰이지 않는 음운이 사용되었다.	말:ㅆ·미·(·),수·ᄫᅵ·니(ᄫ)
이어적기를 했다. 방점을 찍었다.	말:ㅆ·미, ᄠᅳ·들, 노·미, ᄯᆞᄅᆞ미·니라.
어두 자음군이 사용되었다.	ᄠᅳ·들·, 뿌·메·

✓ 특징
1) 동국정운식 한자 표기
   예 世·솅·宗종御·엉·製·졩·訓·훈·民민正·졍·音흠
2) 방점(소리의 높낮이) 표기 예 ·, :
3) 어두 자음군 사용 예 ᄠᅳ, 뿌
4) 이어적기, 끊어적기
5) 주격조사 'ㅣ'가 사용 예 배(바+'ㅣ')
6) 8종성법 예 ᄉᆞᄆᆞᆺ디
7) 의미의 이동
   • 어린 : 어리석은 → 나이가 어린
   • 어엿비 : 불쌍하게 → 예쁘게
8) 의미의 축소
   • 노미 : 보통사람 → 남자를 낮추어 가리키는 말
9) 현대 국어 표기에 없는 글자 예 ᄉᆞ(아래아), ᄫᅵ(순경음 비읍),
10) 모음조화가 지켜지고, 두음법칙과 구개음화를 사용하지 않음

✎ 현대시 기출작품 알아보기
김수영, <눈>

겨울 밤에 내리는 눈을 대상으로 하여 부정적인 현실의 암담함을 극복하고 순수하고 정의로운 삶을 살고자 하는 의지가 나타난 시

✓ 시어의 의미
- 기침 : 불순물을 뱉어 내는 정화 행위
- 젊은 시인 : 불의와 타협하지 않고 순수성을 회복하려는 사람
- 죽음을 잊어버린 영혼과 육체 : 죽음을 무릅쓰고 부정적인 현실에 맞서며 살아가는 존재

✓ 시의 특징 및 구성
- 반복과 변형을 통한 점층적 강조 : 운율 형성 및 순수한 삶에 대한 화자의 강한 열망

1연·3연	2연·4연
눈은 살아 있다 반복	기침을 하자 반복
눈 : 생명력, 양심, 순수	가래 : 불순물, 속물성, 비양심
~있다 : 평서형 문장	~하자 : 청유형 문장

✎ 현대소설 기출작품 알아보기
황석영, <삼포 가는 길>

1. 핵심정리

✓ 갈래 : 단편 소설, 사실주의 소설, 여로형 소설
✓ 성격 : 사실적, 현실 비판적
✓ 배경
  ① 시간 : 1970년대의 겨울날
  ② 공간 : 공사장에서 삼포로 가는 길
✓ 시점 : 전지적 작가 시점
✓ 주제 : 산업화 과정에서 소외된 사람들의 애환과 연대 의식
✓ 특징
  ① '정 씨'가 고향을 찾아가는 여로를 중심으로 사건이 전개됨.
  ② 여운을 남기는 방식으로 결말을 처리함.

2. 인물 소개

✓ 정 씨
교도소에서 출감한 후 공사장에서 노동하며 살아가는 인물. 고향인 삼포로 돌아가려 하지만 고향이 변해 버린 까닭에 돌아갈 곳을 상실함.

✓ 영달
일자리를 찾아 객지를 정처 없이 떠도는 노동자. 무뚝뚝해 보이지만 마음은 따뜻함.

✓ 백화
술집 작부로 산전수전을 다 겪으며 세상을 살아온 인물. 인정이 많음.

'길'의 처음	'길'의 끝
고립된 인간관계	교감을 나눔.

과거의 '삼포'		현재의 '삼포'
- 고기잡이, 감자, 나룻배 - 떠도는 자들의 영원한 마음의 고향 - 포근한 안식처	산업화 근대화 →	- 방둑, 관광호텔을 짓는 공사, 신작로 - 성격이 바뀐 농어촌 - 본원적 가치가 훼손되어 버린 고향

3. 전체 줄거리

✓ 발단
영달은 공사가 중단되자 밀린 밥값을 떼어먹고 도망치다가, 고향인 삼포를 찾아가는 정 씨를 만나 동행하게 된다.

✓ 전개
두 사람은 찬샘이라는 마을의 국밥집에서 술집 작부인 백화가 도망쳤다는 이야기를 듣게 되고, 그녀를 잡아 오면 만 원을 주겠다는 술집 주인의 제안을 받는다. 둘은 삼포로 가는 기차를 타기 위해 감천으로 향하던 중 백화를 만나 동행을 하고, 백화의 과거 이야기를 들으며 그녀를 이해하고 동정심을 갖게 된다.

✓ 절정
영달에게 호감을 갖게 된 백화는 기차역에 도착하자 자신의 고향으로 함께 가자고 제안한다. 하지만 영달은 이를 거절하고, 자신이 가진 돈을 털어 기차표와 먹을거리를 사 주며 그녀를 혼자 보낸다.

✓ 결말
정 씨와 영달은 대합실에서 만난 한 노인에게 삼포가 공사판으로 변했다는 이야기를 듣게 되고, 영달은 공사판이 생겼다며 좋아하나 정 씨는 고향을 잃었다는 사실에 실망한다.

📌 고전시가 기출작품 알아보기
윤선도, <오우가>

조선 후기의 시인 고산 윤선도가 지은 연작 시조집에 수록된 6수의 시조이다.

✓ 시의 구성
제 1수에서는 다섯가지 자연물인 물, 돌, 소나무, 대나무, 달을 벗으로 삼는 내용이고 제 2수부터 제6수까지는 이 다섯 자연물의 아름다움을 찬양하는 내용이다.

＊ 현대어 풀이

내 벗이 몇인가 하니 수석과 송죽이라
동산에 달 오르니 그 더욱 반갑구나
두어라 이 다섯(물, 돌, 소나무, 대나무, 달) 밖에 또 더하여 무엇하리
<제1수>

구름빛이 좋다 하나 검게 되기를 자주 한다
바람 소리 맑다 하나 그칠 때가 많다
좋고도 그치지 않는 것은 물 뿐인가 하노라
<제2수>

꽃은 무슨 일로 피면서 쉽게 지고
풀은 어이하여 푸르는 듯 누렇게 되는가
아마도 변하지 않는 것은 바위 뿐인가 하노라
<제3수>

더우면 꽃 피고 추우면 잎 지거늘
솔아 너는 어찌 눈 서리를 모르는가
땅속 깊은 밑바닥에 뿌리 곧은 줄을 그것을 보고 아노라
<제4수>

나무도 아닌 것이 풀도 아닌 것이
곧은 것은 누가 시켰으며 속은 어찌 비었느냐
저렇게 사시에 푸르니 그를 좋아하노라
<제5수>

작은 것이 높이 떠서 만물을 다 비추니
밤중에 밝은 빛이 너만한 깃이 또 있느냐
보고도 말을 아니 하니 내 벗인가 하노라
<제6수>

📌 한문수필 기출작품 알아보기
정약용, <수오재기>

✓ 제재 : '수오재'라는 집의 이름
✓ 주제 : 참된 자아를 지키는 것의 중요성
✓ 특징 : 관념적인 '나의 마음'을 구체화 하여 그것과 대화하는 방식으로 글을 구성하고, 자신의 과거를 반성하면서 되돌아 보는 과정에서 얻음 깨달음을 말해준다.

01	④	02	①	03	③	04	③	05	②
06	④	07	④	08	④	09	①	10	①
11	②	12	①	13	③	14	②	15	②
16	③	17	②	18	①	19	④	20	④
21	③	22	②	23	②	24	③	25	③

01 | ④ 가는 말이 고와야 오는 말이 곱다는 속담은 내가 남에게 말이나 행동을 좋게 해야 남도 나에게 좋게 한다는 뜻이다.

⚠ 선지 더 알아보기

모기도 모이면 천둥소리 난다
: 힘없고 미약한 것이라도 많이 모이면 큰 힘을 낼 수 있다는 뜻

사촌이 땅을 사면 배가 아프다
: 가까운 사람이 잘되는 것을 기뻐해 주지는 않고 오히려 시기하고 질투한다는 뜻

털어서 먼지 안 나는 사람 없다
: 아무리 깨끗한 사람이라도 먼지가 하나도 없는 사람은 없기에, 허물이 없는 사람은 한 사람도 없다는 뜻

02 | ① 사과는 자기의 잘못을 인정하고 상대방에게 용서를 비는 행위로, 사과하는 말하기를 할 때에는 상대의 기분을 상하게 한 자신의 행동을 명확하게 인식하고 정중하고 공손하게 마음을 전달해야 한다. 소윤이는 입은 미안하다고 하지만, 표정과 말투를 보면 자신의 잘못을 인정하지 않고 진정성 없는 사과를 하고 있다.

🔍 개념 더 보기 사과하는 말하기의 방법과 태도

- 상대방에게 피해를 주거나 기분을 상하게 한 자신의 행동을 정확하게 인식하고 자신의 잘못을 솔직하게 인정한다.
- 상대방의 기분을 살피면서 뉘우치는 마음을 정중하고 공손하게 전달한다.
- 자신의 행동을 합리화하거나 다른 사람을 탓하지 않는다.
- 같은 잘못을 되풀이하지 않겠다는 다짐을 덧붙인다.

03 | ③ 옮기고 [옴기고] 는 음절 끝소리 규칙에 의해 'ㄼ'이 'ㅁ'으로 발음된다.

⚠ 선지 더 알아보기

앉지 [안찌], 안고 [안꼬], 감고서 [감꼬서]

🔍 개념 더 보기 표준발음법 24항

어간 받침 'ㄴ(ㄵ), ㅁ(ㄻ)' 뒤에 결합되는 어미의 첫소리 'ㄱ, ㄷ, ㅅ, ㅈ'은 된소리로 발음한다.
- 신고[신꼬] 　 - 삼고[삼ː꼬]
- 껴안다[껴안따] 　 - 더듬지[더듬찌]
- 앉고[안꼬] 　 - 닮고[담ː꼬]
- 얹다[언따] 　 - 젊지[점ː찌]
다만, 피동, 사동의 접미사 '-기-'는 된소리로 발음하지 않는다.
- 안기다 　 - 감기다
- 굶기다 　 - 옮기다

04 | ③ 잡혔다, 풀렸다, 사용된다는 주어가 남의 행동에 의해 동작을 당하는 것으로 피동표현이다. 철수가(주어) 업었다(동작)는 것은 주어가 자기의 힘으로 한 것이기에 능동 표현이다.

🔍 개념 더 보기 피동 표현

능동은 주어가 동작을 제 힘으로 하는 것을 뜻하며, 피동은 주어가 다른 주체에 의해서 동작을 당하는 것을 뜻한다.

피동 접사의 예
히- : 잡히다, 넓히다, 업히다, 먹히다
리- : 풀리다, 물리다
기- : 신기다, 안기다
이- : 꺾이다

05 | ② "(점원이 손님에게) 여기 주문하신 음료 나왔습니다." 가 옳은 표현이다.

06 | ④

> **[훈민정음 언해]**
>
> ㉠나·랏:말쏘·미中듕國·귁·에달·아文문字·쭝·와·로 서르스뭇·디아·니홀·씨·이런젼·츠·로어·린百·빅 姓·셩·이니르·고·져 ㉡·홇·배이·셔·도무·춤:내 제㉢·뜯·들시·러펴·디:몯홇 ㉣·노·미하·니·라
>
> — 『월인석보(月印釋譜)』 —

㉠: 방점을 사용하여 소리의 높낮이를 표시하였다.

㉡: '憶'이 표기에 사용되었다.

㉢: 어두 자음군이 존재하였다.

㉣: 이어적기로 '놈이'를 '노미'로 썼다. 그리고 주격조사 ' ㅣ'도 쓰였다.

07 | ④ '잊힐 권리' 란 정보의 주체가 온라인상 자신과 관련된 모든 정보에 대한 삭제 및 확산 방지를 요구할 수 있는 자기 결정권 및 통제권리이다. '잊힐 권리'를 법적으로 허용 해야 하는 이유는 개인이 일일이 정보를 삭제 하기 힘들고, 정보가 한 번 유출되면 회수하기가 어렵다. 또한, 원하지 않는 개인정보의 지속적 노출이 정신적 피해를 줄 수 있기 때문이다.

08 | ④ ㉣ 효과적은 적절한 표현이므로 고칠 필요가 없다.

09 | ① 이 시는 "눈은 살아있다.", "기침을 하자" 등 시구의 반복으로 시적 의미를 강조하고 있다.

10 | ① '순수한 생명력을 지닌 존재'를 표현한 시어는 눈이다.

11 | ② 참여시는 문학이 사회문제를 고발하고 해결하는 데에 적극적으로 참여해야 한다는 관점에서 창작된 시이다. 시인 김수영은 4.19 혁명을 기점으로 현실 비판 의식을 나타낸 참여시를 쓰기 시작했다. 이 사실로 보아 그는 불의에 저항하는 삶을 추구했다는 것을 알 수 있다.

12 | ① 윗글은 대화를 통해 인물들이 처한 상황을 나타내고 있다.

13 | ③ ㉠, ㉡, ㉣은 '정 씨'의 말이고, ㉢은 '영달이'의 말이다.

14 | ② 백화는 두 사람과 헤어지는 것을 아쉬워 하면서 그들과 함께 할 때 솔직하지 못했던 자신의 모습을 헤어지는 순간에 드러내면서 그들을 향한 애정을 표현 하고 있다.

15 | ② <오우가>는 평시조이고 연시조이다. 시조의 특징 중 하나인 종장의 첫 음보를 3음절로 맞추고 있다.

16 | ③ 구름, 바람은 가변성을 나타내고 물은 영원성을 나타내면서 서로 대비 되게 표현 했으며, 물의 영원성을 예찬하고 있다.

17 | ② '수오재기'는 한문 수필로 교술갈래이다. 교술 갈래는 글쓴이의 경험이나 성찰을 바탕으로 하여 감동이나 교훈을 전달하는 문학의 한 갈래이다.

개념 더보기 │ 교술갈래

개념	- '알려주기'의 표현 양식 - 글쓴이의 경험이나 성찰을 바탕으로 하여 감동이나 교훈을 전달하는 문학의 한 갈래
종류	수필, 서간, 일기, 기행문 등
특성	- 다른 문학 갈래에 비해 글의 형식이 자유로움 - 글쓴이가 자신의 경험, 생각, 느낌 등을 직접 드러내는 방식으로 서술됨. - 자기 고백적이며 글쓴이의 개성이 잘 드러남
구성요소	글쓴이의 경험, 깨달음, 인생관, 가치관, 개성 등

18 | ① 내 집, 내 동산의 꽃나무와 과실나무, 성현의 경전은 글쓴이가 지키지 않아도 되지만, '나'는 지켜야 하는 것이다.

19 | ④ 수오재기의 주제는 참된 자아를 지키는 것이 중요하다는 것이다.

20 | ④ "2004년 과학잡지 사이언스에 영국 플리머스 대학의 리처드 톰슨 교수가 바닷속 미세 플라스틱이 1960년대 이후로 계속 증가 해 왔다는 내용의 논문을 발표했다." 이 문장을 통해 미세 플라스틱의 증가하고 있다는 정보의 출처를 밝혔다는 것을 알 수 있다.

21 | ③ "내장을 제거 하지 않고 통째로 먹는 작은 물고기나 조개를 즐기는 이들은 수산물의 체내에서 미처 배출 되지 못한 미세 플라스틱을 함께 섭취할 위험이 높아지는 셈이다." 이 문장을 통해 미세 플라스틱에 오염된 해양 생물을 인간이 섭취하는 것이 인간에게 위험이 될 수도 있다는 것을 알 수 있다.

22 | ② "남의 관심을 쏠리게 하다"의 의미를 가진 끌다이다.

상자가 무거워 들거나 끌기 힘들다.
→바닥에 댄 채로 잡아당겨 움직이다.

자동차를 끌기 힘들다.
→탈 것을 움직이게 하다.

시간을 끌기 힘들다.
→시간이 오래 걸리게 하다.

23 | ② "어떻게 살 것인가?" 라는 질문에 신나게 살기, 의미 있게 살기, 몰두 하며 살기로 대답하면서 글을 전개하고 있다.

24 | ③ "접근 하다"는 가까이 다가가다, 매우 친하고 가까운 관계를 가진다를 뜻한다.

25 | ③ "감각적인 즐거움은 덜하더라도 원대한 목표를 위해 헌신 하는 것 또한 매우 의미 있는 사람의 될 것입니다." 이 문장을 통해 감각적인 즐거움만을 위해 사는 삶이 의미 있는 삶이 아니라는 것을 알 수 있다.

2021년 2회 요점정리

📌 중세국어 기출작품 알아보기
<용비어천가> 제2장

✓ 용비어천가(龍飛御天歌) - 15세기

불휘 기픈 남·곤 번름매 아니 뮐·씨

(곶)됴코 여름 하└·니

시미 기픈 므른 □므래 아니 그츨씬

내히 이러 바른래 가└ 니

★ 현대어 풀이

뿌리가 깊은 나무는 바람에 움직이지 아니하므로, 꽃
좋고 열매 많습니다.
샘이 깊은 물은 가뭄에 그치지 아니하므로, 내[川]가 이
루어져 바다에 갑니다.

✓ 특징
1) 'ㅎ' 종성 체언 예 내히(내ㅎ + ㅣ)
2) 방점(소리의 높낮이) 표기
3) 이어적기 예 기픈, 므른
4) 수격조사 'ㅣ'가 사용 예 시미
5) 모음조화가 지켜짐
6) 두음법칙과 구개음화 적용 되지 않음

📌 현대시 기출작품 알아보기
고재종, <첫사랑>

▪ 시의 특징

✓ 역설적 표현
• 말이 되지 않는 표현 "아름다운 상처"
• 상처 = 눈꽃(첫사랑)이 녹아 없어진 자리에 피어난 봄꽃
• 눈꽃이 녹아 없어졌다 = 첫사랑의 아픈 이별
• 상처가 봄꽃으로 피어난 것은 아름다운 상처로의 승화
✓ 눈꽃과 첫사랑의 공통점
• 쉽게 이루어지지 않고, 노력과 인내(헌신)을 통해 이
루어지고, 더 나은 모습이 되는 데 도움을 줌
✓ 계절의 변화 및 시간의 흐름 : 겨울 (눈) → 봄 (봄꽃)
✓ 음성상징어 : "싸그락 싸그락, 난분분 난분분"
✓ 직유법 : 같이, 듯이, 처럼으로 표현 "햇솜 같은 마음"
✓ 의인법 : 사람이 아닌 것을 사람으로 표현 "두드려, 춤추
었겠지, 미끄러지고, 마음을 퍼부어 준"
✓ 설의법 : 냐?, 랴? 물음표 표현 "않았으랴?"

📌 현대소설 기출작품 알아보기
윤흥길, <아홉 켤레의 구두로 남은 사내>

1. 핵심 정리

✓ 갈래 : 중편 소설, 세태 소설
✓ 성격 : 사실적, 현실 비판적
✓ 배경
① 시간 : 1970년대 후반
② 공간 : 성남 지역
✓ 시점 : 1인칭 관찰자 시점
✓ 주제 : 산업 사회에서 소외된 계층의 어려운 삶
✓ 특징
① 과거와 현재가 교차됨.
② 상징적인 사물을 통해 인물의 내면 심리를 표현함.

2. 인물 소개

✓ **권 씨**
선량한 소시민이었으나 시위 사건의 주동자로 몰려 경찰의 감시대상이 되어 도시 빈민으로 전락함. 가난한 생활 속에서도 늘 구두를 깨끗이 닦아 놓으며 끝까지 자존심을 잃지 않으려고 노력함.

✓ **'나' (오 선생)**
셋방살이를 하다 어렵게 집을 마련한 학교 교사. 이 작품의 서술자로 온건한 성격의 소유자임. 주변의 소외된 이웃을 외면하지 못하면서도 자신의 안락한 삶도 유지하고 싶어 함. (1인칭 관찰자 시점)

3. 전체줄거리

✓ **발단**
고생 끝에 집을 마련 한 '나'는 문간방에 세를 놓는다. 어느 날 임신한 아내와 두 남매를 거느린 권 씨가 이사를 온다. 그는 시위 주동자였다는 이유로 감옥에 다녀온 뒤 경찰의 주목을 받는 사람이었다.

✓ **전개**
권 씨는 일자리를 구하지 못해 공사판에 나가 막일을 하면서도 구두만은 반짝반짝 윤이나게 닦아신고 다닌다. '나'는 권 씨가 전과자가 된 사연을 듣게 된다.

✓ **위기**
얼마 후 권 씨의 아내가 아이를 낳다 수술을 하게 되고, 권 씨가 '나'에게 수술비를 빌리러 온다. '나'는 이를 거절했다가 뒤늦게 자신의 잘못을 깨닫고 돈을 구하여 병원으로 가서 권 씨의 아내가 해산할 수 있게 돕는다.

✓ **절정**
권 씨는 강도로 돌변하여 '나'의 집에 침입하고, 자신의 정체가 '나'에게 탄로 났다고 느끼고 자존심이 상한 채 나간다.

✓ **결말**
권 씨는 아홉 켤레의 구두만 남긴 채 자취를 감춘다.

고전시가 기출작품 알아보기
작자 미상, < 가시리 >

• 시의특징

✓ 332조, 3음보 율격
✓ 소극적, 자기희생적, 순종적
✓ 반복법 사용
✓ 후렴구의 효과 : 운율 형성, 시 전체에 통일성 부여, 형태적 안정감, 분연의 기능

＊ 현대어 풀이

가시렵니까 가시렵니까 나난
버리고 가시렵니까 나난
위 증즐가 대평성대

나더러는 어찌 살라 하고
버리고 가시렵니까 나난
위 증즐가 대평성대

잡으면 (내곁에) 둘 수 있겠지만
(임이) 서운하면 아니 올까봐
위 증즐가 대평성대

서러운 임을 보내옵나니 나난
가시는 듯 (바로) 다시 오소서 나난
위 증즐가 대평성대

✎ 고전소설 기출작품 알아보기
조위한, <최척전>

1. 핵심 정리

✓ 갈래 : 한문 소설, 애정 소설, 전기 소설, 군담 소설
✓ 성격 : 사실적, 불교적
✓ 시점 : 전지적 작가 시점
✓ 배경
  ① 시간 : 조선 시대 (16세기)
  ② 공간 : 조선의 남원, 일본, 중국, 안남(베트남)
✓ 제재 : 최척 가족의 이산과 재회
✓ 주제 : 전란으로 인한 가족의 이산과 재회
✓ 특징
  ① '만남 - 이별 - 재회'를 반복해서 구성함.
  ② 시대적 상황과 전쟁으로 인한 민중의 고통을 사실
     적으로 표현함.

2. 인물소개

✓ **최척**
  쇠락한 양반집 아들. 전란과 이산의 고통 속에서도 사
  랑과 행복을 쟁취하는 의지적 인물이다.

✓ **옥영**
  전란을 피해 남원으로 오게 된 서울 양반가의 규수. 강
  인한 의지와 지혜로 역경을 극복하는 인물이다.

✓ **여공(여유문)**
  최척을 도와주며 의형제를 맺을 정도로 신임하는 인물.
  자신의 누이를 최척에게 시집보내려고 하나 최척이 이
  를 거절한다.

✓ **돈우**
  왜군으로 옥영의 처지를 가련하게 여겨 도와주는 인자한
  성품의 인물. 옥영이 여자인 사실을 알지 못한다.

3. 전체줄거리

✓ **발단**
  남원에 사는 최척과 옥영이 사랑에 빠지고, 옥영은 혼
  사를 반대하는 어머니를 설득하여 마침내 둘은 약혼을
  하게 된다.

✓ **전개**
  의병으로 참전한 최척이 돌아오지 않자 옥영의 어머니
  는 부자의 아들인 양생을 사위로 맞으려 하지만 옥영은
  최척을 기다려 혼인한다. 이후 맏아들 몽석이 태어나고,
  정유재란으로 가족들은 뿔뿔이 흩어진다.

✓ **위기**
  옥영은 왜병의 포로로 일본에 잡혀가고, 최척은 중국으
  로 건너가 살게 된다. 떠돌아다니던 최척은 우연히 안
  남(베트남)에서 아내 옥영을 만나 중국 항주에 정착하
  여 행복한 생활을 누린다.

✓ **절정**
  호족의 침입으로 최척은 가족과 다시 이별하고, 명나라
  군사로 출전했다가 청군의 포로가 된다. 그는 포로수용
  소에서 맏아들 몽석을 극적으로 만난다.

✓ **결말**
  부자는 함께 수용소를 탈출하여 고향으로 향하고, 옥영
  은 천신만고 끝에 고국으로 돌아와 일가가 다시 해후
  하여 단란한 삶을 누리게 된다.

01	①	02	④	03	④	04	③	05	②
06	③	07	①	08	②	09	②	10	④
11	①	12	③	13	①	14	④	15	①
16	②	17	③	18	②	19	①	20	②
21	④	22	③	23	①	24	③	25	④

01 | ① '겸양의 격률'은 공손성의 원리 중 자신에 대한 칭찬은 최소화 하고 비방을 최대화하는 원리이다. 선생님의 칭찬에 대해 영호가 자신을 낮추는 표현을 사용했다.

02 | ④ 손녀가 '혼자 먹는 밥'의 줄임말인 '혼밥'이라는 단어를 사용해서 말하고 있는데 할머니께서는 그 단어를 이해하시는 것이 어렵다.

03 | ④ 위에서 소개한 표준발음법은 자음동화 중 하나인 유음화 현상으로 'ㄴ'이 'ㄹ' 과 만났을 때 'ㄹ'로 바뀌는 현상이다. 신라 [실라], 논리 [놀리], 설날 [설랄]이 그 예이다. 종로[종노]는 비음화 현상의 예이다.

개념 더 보기 — 표준 발음법 제20항

'ㄴ'은 'ㄹ'의 앞이나 뒤에서 [ㄹ]로 발음한다.
(1) 난로[날 : 로], 대관령[대 : 괄령], 신라[실라], 천리[철리], 광한루[광 : 할루]
(2) 칼날[칼랄], 물난리[물랄리], 줄넘기[줄럼끼], 할는지[할른지]

[붙임] 첫소리 'ㄴ'이 'ㅀ, ㄾ' 뒤에 연결되는 경우에도 이에 준한다.
- 닳는 [달른], 뚫는 [뚤른], 핥네 [할레]

다만, 다음과 같은 단어들은 'ㄹ'을 [ㄴ]으로 발음한다.
- 의견란[의 : 견난]
- 상견례[상견녜]
- 임진란[임 : 진난]
- 횡단로[횡단노]
- 생산량[생산냥]
- 이원론[이 : 원논]
- 결단력[결딴녁]
- 입원료[이붠뇨]
- 공권력[공꿘녁]
- 구근류[구근뉴]
- 동원령[동 : 원녕]

04 | ③ ① 그 약속은 **반드시** 지키겠다.
② 우체국에서 부모님께 편지를 **부쳤다**.
④ 김장을 하려고 배추를 소금물에 **절였다**.

05 | ② (가)는 과거시제로, ㉠ 읽었다 와 ㉢ 읽은이 사건이 일어나는 시점이 말하는 시점인 현재보다 앞서 일어난 사건의 시제인 과거 시제다.

선지 더 알아보기

㉡ **읽는다.** : 현재시제
㉣ **읽어야겠다.** : 미래시제

06 | ③ ㉢ – 시미 : 심 + 이(주격 조사) 주격 조사 'ㅣ'를 사용하고 있다.

07 | ① 목줄 미착용 반려견 출입과 공원 내 쓰레기 불법 투기와는 전혀 관련이 없으므로 적절 하지 않다. 공원 내 쓰레기 불법 투기의 해결방안은 불법 투기의 원인과 관련해서 제시하는 것이 좋다. 첫번째 원인이 공중 도덕 준수에 대한 시민 의식 부족이여서 공중도덕 준수를 위한 시민 대상 캠페인 실시라는 방안은 적절하고, 두 번째 원인이 공원측 관리 소홀이니까 불법 투기 CCTV 단속과 지도요원 배치가 적절하다.

08 | ② '왜냐하면'으로 시작하는 문장의 끝에는 반드시 '~(이)기 때문이다.' 등 인과를 받아주는 말이 붙어야 한다. 그러므로 ㄴ은 그대로 쓰는 것이 옳다.

09 | ② 이 시는 나뭇가지를 향한 눈의 헌신적인 사랑을 그리고 있다. 화자는 한 겨울 나뭇가지에 쌓인 눈과 봄이 되면 아름다운 꽃을 피워내는 자연 현상 속에서 사랑의 의미를 발견한다. 시간의 흐름에 따라, 자연 현상을 통해 시상을 전개하고 있다. '싸그락 싸그락' '난분분 난분분'으로 눈 날리는 모습을 표현함으로써 운율감을 형성함과 동시에 눈꽃을 피우기 위한 눈의 노력을 감각적으로 표현하고 있다. 또한, 비유적 표현(직유법 – 햇솜 같은, 의인법 – 사람이 아닌 '눈'이 도전을 한다)을 통해 시적 의미를 형상화 하고 있다.

10 | ④ ㉠, ㉡, ㉢은 나뭇가지에 쌓이는 눈꽃을 피우기 위한 '눈'의 노력이고, ㉣은 순간적인 사랑, 이루기 쉽지 않은 사랑을 뜻한다.

11 | ① ⓐ에 사용된 표현은 역설적인 표현이다. 상처는 눈꽃(첫사랑)이 녹아 없어진 자리에 피어난 봄꽃으로 눈꽃이 녹아 없어졌다는 것은 첫사랑의 아픈 이별을 뜻하고, 상처가 봄꽃으로 피어 난 것은 아름다운 상처로 승화시켰음을 보여준다.

12 | ③ 이 소설은 1인칭 관찰자 시점으로 '나=오선생' 의 시각으로 사건을 서술 하고 있다.

13 | ① '나=오선생'은 강도가 권씨 인 것을 알고 있기 때문에 강도를 보고 무서워 하지도 않고, 강도의 행위를 대해 두려움을 느끼지 않고 있다.

14 | ④ '권씨'는 '나'의 말을 통해 자신의 정체를 들켰다고 판단 했고 이에 자존심이 상해서 분개하며 도망 갔다.

15 | ① 이 시는 "위 증즐가 태평성대" 라는 후렴구의 반복을 통해 운율을 형성하고, 형태적 안정감을 누리고 있다.

16 | ② 2연은 떠나는 임에 대한 원망(하소연)이 고조 되고 있다.

17 | ③ "최척의 통소 소리에 바다와 하늘이 애처로운 빛을 띠고 구름과 안개도 수심에 잠긴 듯 했다." 이 구절을 통해 아내를 그리워 하고 자신의 신세를 한탄 하는 감정을 자연물에 이입하여 작품의 분위기를 드러 내고 있음을 알 수 있다.

18 | ② [A]는 최척의 아내가 지은 시로 최척에게 혹 저 배에 아내가 있는 게 아닐까?라는 궁금승을 사아 냈고, 아내는 이 시를 읊었기에 최척의 목소리를 들을 수 있었다. 결국 이 시는 최척과 아내가 다시 만나는 재회의 계기가 되었다.

19 | ① "최척은 홀로 선창에 기대 자신의 신세를 생각하다가, 짐 꾸러미 안에서 통소를 꺼내 슬픈 곡조의 노래를 한 곡 불어" 이 문장을 통해 '최척'은 자신의 처지를 떠올리며 통소를 불고 있다는 1번이 옳은 것을 알 수 있다.

20 | ② - "외부 효과란 누군가의 행동이 타인에게 이익이나 손실을 발생시키는 것을 말한다"→ 개념을 풀이하여 화제를 제시 하고 있다.
- "예컨대"→ 구체적인 사례를 활용하여 이해를 돕고 있다.
- "누이 좋고 매부 좋은 외부 경제는 권장할 일이다"→ 속담을 활용하여 설명 대상의 특성을 제시하고 있다.

21 | ④ 피구세의 한 종류인 죄악세를 설탕세로 예를 들어 설명하고 있는데 설탕세는 본인의 건강을 해치는 것은 물로 사회적으로도 부정적 외부효과를 유발하기에 이를 억제하기 위해 세금을 부과 한다고 한다. 그렇기에 죄악세는 부정적 외부 효과를 억제 하기 위해 물리는 세금이 맞다.

22 | ③ ©인 고안은 연구하여 새로운 안을 생각해 내는 것을 뜻한다.

23 | ① 1문단에 보면 우리가 할 수 있는 일은 무엇일까요? 라는 질문과 바로 심폐 소생술입니다 라는 답으로 중심 화제를 제시하고 있음을 알 수 있다.

24 | ③ 심폐 소생술 교육을 받아야 하는 이유를 실제 상황이 발생했을 때 당황하지 않고 심폐 소생술을 실행 하기 위함이라고 글에 적혀 있다.

25 | ④ - 재산을 침해 당하지 아니하도록 감시하여 막다의 의미에서의 '지키다'
- 길목이나 통과 지점 따위를 주의를 기울여 살피다의 의미에서의 '지키다'
- 규정을 어기지 아니하고 그대로 실행하다의 의미에서의 '지키다'
- 안전을 보호하다의 의미에서의 '지키다'로 생명을 지키다 , 건강을 지키다로 쓰였다.

✿ 중세 국어 기출 작품 알아보기
<소학언해>

✓ 소학언해(小學諺解) – 16세기

孔·공子·지 曾증子·즈ᄃᆞ·려 닐·러 ᄀᆞᆯ ᄋᆞ·
주격조사 'ㅣ'   에게
주체 높임 선어말어미   의미축소(몸 전체→안면)

샤·ᄃᆡ·몸·이며 얼굴·이며 머·리털·이·며

·술 흔 父부母:모·씌 받ᄌᆞ·온 거·시·라
ᄒᆞ옳 종성 체언   소실(ᄫ)→순경음 비읍 사라짐
겹: 객체 높임 선어말 어미

敢:감·히 헐·워 샹히·오·디아·니:홈·이
★ 모음조화 파괴

:효·도·이 비·르·소미·오   비릇옴이오
명사형 어미 '-옴/-움' 혼란

몸·을 셰·워 道:도·를行·ᄒᆡᆼ·ᄒᆞ·야

일 :홈·을 後:후世:셰·예 :베퍼·뼈
끊어적기

父·부母:모룰 : 현 뎌케 :홈·이 :효·도·이

ᄆᆞ·ᄎᆞᆷ·이니·라
끊어적기

✦ 현대어 풀이

공자께서 증자에게 일러 말씀하시기를, 몸과 형체와 머리털과 살은 부모께 받은 것이라, 감히 헐게 하여 상하게 하지 아니함이 효도의 시작이고, 입신(출세)하여 도를 행하여 이름을 후세에 날려 이로써 부모를 드러나게 함이 효도의 끝이니라.

입신양명, 유방백세, 출장입상

✓ 특징
1) 어두자음군
2) 방점(소리의 높낮이) 표기
3) 이어적기, 끊어적기
4) 주격조사 'ㅣ'가 사용
5) 'ㅎ' 종성체언
6) 모음조화 파괴
5) 명사형 어미 '옴'이 쓰임
*모음조화란 양성모음은 양성모음끼리, 음성모음은 음성모음끼리 이어지는 현상이다.

✓ 중세국어의 모음체계
- 양성모음 : ㆍ, ㅗ, ㅏ
- 음성모음 : ㅡ, ㅜ, ㅓ
- 중성모음 : ㅣ

✿ 현대시 기출 작품 알아보기
윤동주, <자화상>

일제강점기라는 암울한 현실 속에서 우물을 들여다 보는 행위를 통해 자신을 성찰하는 시

▸ 시어의 의미

✓ 자화상 : 스스로의 얼굴을 바라보며 자아성찰
✓ 우물 : 자아 성찰의 매개체
✓ 자연 : 초라한 자아와 대조 되는 아름다운 대상
✓ 사나이 : 우물 속에 비친 자신의 모습 (현실 자아)

▸ 시의 특징

1) ㅂ니다 평서문 사용 및 산문적 서술
2) 수미상관 구성 : 처음과 끝의 문장 구조가 비슷

✿ 고전 시가 기출 작품 알아보기
월명사, <제망매가>

죽은 누이를 위한 추모 노래로 10구체 향가

▸ 시어의 의미

✓ 이른 바람에 = 요절
✓ 떨어질 잎 = 죽은 누이
✓ 한 가지 = 같은 부모
✓ 미타찰 = 불교 극락세계

▸ 시의 특징

✓ 아아, 미타찰에서 만날 나 도를 닦아 기다리겠노라 는 9 - 10행으로 낙구이다. 낙구는 감탄사로 시작하는 영탄적 표현이다.
✓ 이에 저에 떨어질 잎처럼 은 직유법으로 ~처럼, ~같이, ~듯이를 사용한 비유법이다.
✓ 화자는 스님으로 누이와 이별한 슬픔을 종교적으로 극복하고자 한다.

삶과 죽음의 길은
여기 있으므로 머뭇거리고
나는 간다는 말도
못다 이르고 어찌 갑니까
어느 가을 이른 바람에
여기 저기에 떨어질 잎처럼
한 가지에 나고
가는 곳을 모르겠구나
아아, 미타찰(극락세계)에서 만날 나는
도를 닦으며 기다리겠노라

현대소설 기출 작품 알아보기
양귀자, <마지막 땅>

1. 핵심정리

- 갈래 : 현대소설 , 단편소설 , 세태소설 , 연작소설
- 성격 : 세태적, 일상적, 비판적
- 배경
  ① 시간 : 1980년대
  ② 공간 : 원미동
- 시점 : 전지적 작가시점
- 제재 : 땅을 둘러싼 강노인과 원미동 사람들과의 갈등
- 주제 : 자본주의적 도시화의 세태와 땅의 가치에 대한 인식(급속한 도시화로 인해 전통적 가치가 몰락하고 물질주의가 팽배한 사회 현실 속에서 땅의 진정한 가치에 대한 인식을 드러내고 있다)
- 특징
  ① 1980년대 원미동이라는 구체적 공간을 배경으로 평범한 사람들의 일상적인 삶을 다룸
  ② 원미동 사람들의 소박한 삶을 사실감 있게 드러냄

2. 인물소개

- 강노인

원미동의 땅부자로, 농사를 짓는 것을 좋아하고 땅을 팔지 않겠다고 고집하는 인물이다. 젊어서부터 돈이 생기면 농사 지을 땅을 사 모은, 뼛속까지 농사꾼인 사람이다. 자신의 땅에 대한 신념(전통적 가치, 정신적 가치)를 지키려고 하며, 도시화와 물질주의에 반대하는 태도를 보인다. 이 때문에 아내와 자식들, 동네 주민들과 갈등을 겪는다.

- 강노인 아내

처녀로, 상처(아내가 죽음하여 딸(희자)까지 있는 강 노인에게 시집을 왔다. 이유는 그녀의 아버지가 성실한 강만성을 인정해서였고, 무엇보다 땅 많은 젊은 지주였기 때문이다. 땅을 팔아 자식들의 뒷바라지를 하며, 힘든 농사는 손 놓고 싶어하는 인물로 강 노인의 농사와 땅에 대한 고집에 불만이 있다.

- 강 노인 자식들 (4남 1녀)

강 노인의 땅을 팔아서 돈을 벌고 싶은 인물들이다. 큰딸 희자는 서울에 사는데 남편인 최서방은 사기꾼으로 계속 장인의 돈을 뜯어낸다. 첫째 아들 용규는 강 노인의 땅을 판 돈으로 이층집을 지었으나 강 노인과 의논 없이 집을 담보로 사업 자금 대출을 받았다. 그래도 사업이 잘 풀리지 않자 강 노인의 땅을 팔아 빚을 갚을 생각을 한다. 둘째 아들 용민은 강 노인이 땅 판 돈으로 상가 주택을 지어 주었으나 변변한 직장도 없어 형 용규 일을 돕고 지낸다. 셋째 아들 용철은 똑똑 했으나 대학에서 데모를 하다가 제적 되고 군입대를 했다. 막내 아들 용문은 허약하고 공부를 싫어하지만 온순하여 강 노인의 말을 잘 듣는다.

- 동네 주민들

강 노인 땅 개발을 통해 집값을 올리고 싶은 인물이다. 또한 강 노인의 친환경 유기농 농사로 인해 똥냄새, 벌레들로 힘들어한다. 그래서 강 노인을 따돌리고 강 노인의 밭에 쓰레기, 연탄재 등을 투척하며 복수하고, 시청에도 계속 민원을 제기한다.

- 강남 부동산 부부(박씨와 고흥댁)

부동산 박씨와 고흥댁은 강 노인의 땅 매매를 성사 시키기 위해 강 노인에게 감언이설을 늘어놓고 설득 시키는 인물로 땅을 팔면 동네가 발전할 것이라고 말하며 땅을 팔지 않으려는 강 노인을 회유 하려고 한다.

✓ 도로 청소원 김씨
경국이 엄마(강 노인 큰며느리)가 반상회에서 시아버지 강 노인이 땅을 팔기로 했다는 말을 했다고 강 노인에게 전달하는 인물이다.

3. 전체 줄거리

✓ **발단**
원미동 땅값이 황금 값이 되었지만 강노인은 자신의 땅팔기를 거부하고 그 자리에 농사를 지음

✓ **전개**
강노인은 땅을 팔라는 주위의 회유를 무시한 채 농사를 짓고 이 때문에 동네 사람들과 갈등을 겪음

✓ **위기**
강노인의 농사문제로 불만이 있는 동네사람들은 강노인을 압박하며 농사 중단을 요구함

✓ **절정**
강노인이 땅을 팔것이라는 소문이 퍼지면서 며느리와 아들에게 돈을 빌려준 동네 사람들이 몰려옴

✓ **결말**
강노인은 땅을 팔기로 마음 먹고 부동산으로 향하다가 자신의 밭에 물을 주어야겠다는 생각에 집으로 발걸음을 돌림

✿ 고전소설 기출 작품 알아보기
작자 미상, <심청전>

✓ 갈래 : 윤리 소설, 설화 소설, 판소리계 소설
✓ 성격 : 교훈적, 비현실적, 환상적
✓ 시점 : 전지적 작가 시점
✓ 배경
　① 시간 : 중국 송나라 말
　② 공간 : 황주 도화동
✓ 제재 : 심청의 효
✓ 주제
　① 부모에 대한 지극한 효심
　② 인과응보
✓ 특징
　① 유교적 덕목인 '효'를 강조함.
　② 유불선 사상이 복합적으로 드러남.
　③ 현실 세계를 중심으로 펼쳐지는 전반부와 환상적인 이야기 중심의 후반부로 내용이 구분됨.

● 인물소개

✓ **심청**
신녀 서왕모의 딸로 죄를 지어 인간 세상에 심 봉사의 딸로 태어난다. 효성이 지극하여 아버지 심 봉사의 눈을 뜨게 하려고 인당수 제물이 되었다가 황후가 되어 행복하게 산다.

✓ **심학규**
심청의 아버지. 눈이 먼 봉사로 곤궁한 삶을 살아가나 딸 심청의 효성으로 눈을 뜨고 행복한 삶을 산다.

✓ **곽씨 부인**
심청의 어머니. 심청을 낳고 7일 만에 죽은 뒤 천상의 옥진 부인이 되어 용궁에서 딸 심청과 재회한다.

● 전체 줄거리

✓ **발단**
심학규라는 봉사와 곽씨 부인이 살고 있었는데, 기이한 태몽을 꾸고 잉태한 곽씨 부인이 딸 심청을 낳고 7일 만에 죽는다. 심 봉사는 어린 딸을 동냥젖을 얻어 먹여 키우고, 심청은 자라서 심 봉사를 극진히 봉양한다.

✓ **전개**
어느 날 물에 빠진 심 봉사는 자신을 구해 준 몽은사 중이 공양미 삼백 석을 시주하면 눈을 뜰 수 있다고 하자 그 말을 믿고 시주를 약속한다. 이 사실을 알게 된 심청은 남경 상인들의 인당수 제물로 자신의 몸을 팔아 공양미 삼백 석을 몽은사로 보내고 심 봉사와 이별한다.

✓ **위기**
인당수에 이르러 몸을 던진 심청은 용왕에게 구출되어 어머니 곽씨 부인과 재회하고, 이후 연꽃 속에 들어가 다시 세상으로 환생한다.

✓ **절정**
뱃사람들이 연꽃을 신기하게 여겨 천자에게 바치자 천자는 그 속에서 나온 심청을 아내로 맞이한다. 황후가 된 심청은 아버지 심 봉사를 그리워하여 맹인 잔치를 벌인다.

✓ **결말**
맹인 잔치 소식을 듣고 상경한 심 봉사는 우여곡절을 겪은 끝에 심청과 재회하여 눈을 뜨게 된다.

01	④	02	③	03	③	04	③	05	④
06	①	07	②	08	②	09	③	10	②
11	③	12	④	13	③	14	③	15	①
16	①	17	②	18	②	19	④	20	④
21	①	22	②	23	①	24	④	25	②

01 | ④ 준수는 민우에게 색연필을 빌려 달라고 부탁을 하는 입장에서 민우에게 막무가내로 색연필을 요구하고, 민우의 상황은 배려 하지 않은 채 자신의 상황만 이야기한다. 이러한 준수의 말하기는 민우의 기분을 상하게 하는 표현이다.

02 | ③ 은희는 민수의 거절에 민수의 사정을 공감하며 춤 동작은 우리가 도와 준다는 해결 방안과 함께 자신의 요구사항에 있어서도 한 발자국 물러서서 이번 주만이라도 강당을 쓸 수 있게 허락을 구하고 있다.

03 | ③ 강릉[강능], 담력[담녁], 항로[항노]로 음운의 변동이 일어나지만, 송년[송년]은 음운의 변동 없이 그대로 발음 한다.

♬ **개념 더 보기** 　**표준발음법 제19항**

받침 'ㅁ, ㅇ' 뒤에 연결되는 'ㄹ'은 [ㄴ]으로 발음한다.
- 담력[담ː녁]　　　　 - 대통령[대ː통녕]
- 침략[침ː냑]　　　　 - 강릉[강능]
- 항로[항ː노]

[붙임] 받침 'ㄱ, ㅂ' 뒤에 연결되는 'ㄹ'도 [ㄴ]으로 발음한다.
- 막론[막논→망논]
- 십리[십니→심니]
- 백리[백니→뱅니]
- 협력[협녁→혐녁]

04 | ③ "아버지께서는", "어머니께서는", "할아버지께서는" 에서 문장의 주어를 높이고 있기에 주체 높임법이 쓰였고, "선생님께"는 문장의 부사어를 높이는 객체 높임법이다.

05 | ④ 끊어적기란 어법에 맞게 적는 것을 의미하는데 원형을 밝혀 적는다고 생각하면 된다. 지금 우리가 쓰는 글이 끊어적기이다. '몸이며', '얼굴이며', '머리털이며'는 끊어적기 한 것이고, '거시라'는 소리나는 대로 이어적기로 이것을 어법에 맞는 끊어적기로 고치면 '것이라'가 되고, 현재 우리는 끊어적기로 '것이라'고 쓴다.

06 | ① '집에서 보약을 달이다.'가 옳은 표현이다. '다리다'는 '옷이나 천 따위의 주름이나 구김을 펴고 줄을 세우기 위해 다리미나 인두로 문지르다.'라는 의미로 '다리미로 옷을 다리다.'에 쓰인다.

07 | ② 대구법은 유사한 문장의 구조가 반복 되는 것이고, 비유법은 직유법, 은유법, 의인법 등이 있다. '봄날처럼 따뜻한 말씨, 보석처럼 빛나는 세상' 은 '처럼'을 사용한 직유법과 문장 구조가 반복된 대구법이 모두 나타나 있는 문구다.

08 | ② '그러나'는 앞문장과 뒷문장이 대조적일 때 쓰는 접속어다. ㉡의 위치가 한지의 특징과 양지의 특징의 차이점을 비교하고 있는 내용에 필요한 접속어 자리이기에 '그러나'가 옳다.

09 | ③ 이 시는 설의적 표현이 쓰이지 않았다. 설의적 표현은 의문형 표현으로 냐? 랴? 느냐? 느뇨? 등의 물음표와 함께 쓰이는 표현이다. ㅂ니다 평서문을 사용해 산문적 서술을 한 시로 오고 가는 행위의 반복을 통해 시상을 전개 하고 있고, 시각직 심상을 사용해 대상을 선명 하게 나타내고 있다. 우물 속에는 달이 밝고 구름이 흐르고 하늘이 펼치고 파아란 바람이 불고 가을이 있고→시각적 심상, 추억처럼→직유법

10 | ② 2연은 우물 속의 평화로운 풍경에 대한 내용이다.

⚠ **선지 더 알아보기**

1연 : 우물을 찾아 자아를 성찰함
2연 : 우물 속의 평화로운 풍경
3연 : 초라한 자신에 대한 부끄러움과 미움
4연 : 자신에 대한 연민
5연 : 자아에 대한 미움과 그리움
6연 : 추억 속 자아에 대한 그리움

11 | ③ ‘자화상’ 일제강점기라는 암울한 현실 속에서 우물을 들여다 보는 행위를 통해 지식인으로서 현실에 저항하지 못하는 자신의 모습을 성찰하는 시이다.

12 | ④ “*자그마한 체구에 검은 테 안경을 쓰고, 머리는 기름 발라 착 달라붙게 빗어 넘긴*” 박씨의 외양 묘사를 통해 강 노인의 못마땅함을 보여 주고 있다.

13 | ① 박 씨와 고흥댁이 강 노인에게 유사장에게 땅을 파는 게 어떻겠냐고 설득하는 내용의 대화를 통해 유사장이 강노인의 땅을 마음에 두고 있음을 알 수 있다.

14 | ③ 유 사장이 동네 발전에 애쓴 것을 언급하며 강 노인이 유사장에게 땅을 팔기를 원하는 마음을 간접적으로 드러내고 있다.

15 | ① 이 작품은 10구체 향가로 낙구는 9-10행을 가리킨다. 낙구의 시작은 “*아아,*”라는 영탄적 표현이다.

16 | ① ㉠에 나타난 화자의 태도는 대상과 재회를 염원하고 있다.

17 | ② 심청은 하직 인사 후에 아버지에게 인당수 제물로 몸을 팔았다는 이실직고를 한다. 그러므로 심청이가 아버지에게 하직 인사를 하기 위해 사당으로 들어갔다는 것은 옳지 않다.

18 | ② 큰 수레를 타고 가는 심청이를 꿈에서 본 심 봉사는 그 꿈이 우리집에 있을 좋은 일을 뜻한다고 말하는데, 심청이가 이 꿈이 자신의 죽음을 암시함을 알고 둘러대는 것을 보아, 심봉사의 꿈은 심청의 앞날에 일어날 일을 알려준다고 볼 수 있다.

19 | ④ ‘*참말이냐, 참말이냐? 애고 애고*’ *못 가리라, 못 가리라*’의 반복적인 표현을 통해 심청이를 이렇게 죽게 놔둘 수 없는 심봉사의 안타까운 마음을 드러내고 있다.

20 | ④ 이 글은 읽기의 종류를 소개하고 설명하는 글이다. 서로 다른 읽기 방법을 절충해 새로운 읽기 방법을 모색하는 글이 아니다.

21 | ① ‘그러나’는 앞문장과 뒷문장이 대조적일 때 쓰는 접속어다. ㉠의 위치가 묵독의 특징과 음독의 특징의 차이점을 비교 하고 있는 내용에 필요한 접속어 자리이기에 ‘그러나’가 옳다.

22 | ② 속독은 중요한 내용을 중심으로 글을 빠르게 읽는 방법이고, 발췌독은 글에서 필요한 부분만 찾아 읽는 방법이다.

23 | ① ‘예를 들어’의 앞 뒤 문장을 읽어보면 다양한 영역이 조합되어 종합적으로 사물을 인지하는 것에 대해 구체적인 사례를 들어 설명 하고 있음을 알 수 있다. 또한, 이 글의 시작을 “*우리 눈에 보이는 것들은 정말 ‘눈에 보이는 대로’ 만 존재 할까?*”라는 질문을 통해 시작해서 독자의 호기심을 유발하고 있다.

24 | ④ 고릴라를 보지 못한 이유는 ‘무주의 맹시’ 때문이다. 이는 물체를 보면서도 주의를 기울이지 않아서 인지하지 못하는 경우를 말한다.

25 | ② 손상은 ‘병이 들거나 다침’이라는 뜻이다.

🖋 중세국어 기출작품 알아보기
세종, <월인석보>

□ : 종성에 음가 없는 'ㅇ'을 받쳐 적은 동국정운식 한자음

世·솅宗종御·엉製·졩 訓·훈民민正·졍音흠
　　임금이 몸소 지은 글　　백성을 가르치는 바른 소리

나·랏:말쓰미 中듕國·귁·에 달·아 文문字·쫑·와 로·서르
　말씀+이(주격조사)　이어적기　　비교 부사격조사
ㅅ뭇디 아·니홀·씨·이런 젼·ᄎ·로 어·린 百·빅·姓·셩·이
　8종성법(기본형은 ㅅ몿다)　까닭으로 어리석은　　주격조사 '이'
니르·고·져·훓배 이·셔·도 ᄆ·ᄎᆷ:내 제·ᄠ·들 시·러
　두음법칙 적용×　바ㅣ(주격조사)　　ᄠᅳᆯ+을(목적격조사)
펴·디:몯훓·노·미 하·니·라·내이·를 爲·윙·ᄒ·야:어엿·비
　구개음화가 일어나지않음　많다.　나ㅣ(주격조사)　　가엾게, 불쌍히.
너·겨·새·로·스·믈여·듧 字·쫑·롤 밍·ᄀ·노니·:사ᄅᆷ:마·다
　ᄡᅳᆷ에사용함에·ᄡᅳ+움+에.　　만드니
:히·여 :수·비 니·겨·날·로·ᄡᅮ·메 便뼌安한·킈 ᄒ·고·져
　하여금　'ㅸ '의사용　　　：모음 조화가 적용된 예
훓 ᄯᆞᄅᆞ·미니·라　　◯ : 어두 자음군

✱ 현대어 풀이

우리나라 말이 중국과 달라 한자와는 서로 통하지 아니하여서　자주정신

이런 까닭으로 어리석은 백성이 말하고자 하는 바가 있어도 마침내 제 뜻을 펴지 못하는 사람이 많다.

내가 이것을 가엾게 생각하여 새로 스물여덟 글자를 만드니,　애민정신

모든 사람들로 하여금 쉽게 익혀서 날마다 쓰는 데 편하게 하고자 할 따름이다.　실용정신

✓ 갈래 : 훈민정음의 서문
✓ 성격 : 설명적, 교시적
✓ 주제 : 훈민정음 창제의 취지와 목적.
✓ 의의
　• 15세기 국어의 모습을 알 수 있는 자료임.
　• 세종 대왕의 한글 창제 정신이 잘 드러나 있음.

음운·표기상 특징	해당하는 예
현대 국어에서는 쓰이지 않는 음운이 사용되었다.	말:쓰미·(·),수:뷩·니(ㅸ)
이어적기를 했다. 방점을 찍었다.	말:쓰미·, ᄠᅳ·들·, 노·미·, ᄯᆞᄅᆞ미·니라·
어두 자음군이 사용되었다.	ᄠᅳ·들·, ᄲᅮ·메·

✓ 특징
　1) 동국정운식 한자 표기
　　예 世솅·宗종御엉·製졩·訓훈·民민正졍·音흠
　2) 방점(소리의 높낮이) 표기 예 ·, :
　3) 어두 자음군 사용 예 ᄠ, ᄲ
　4) 이어적기, 끊어적기
　5) 주격조사 'ㅣ'가 사용 예 배(바+'ㅣ')
　6) 8종성법 예 ㅅ뭇디·
　7) 의미의 이동
　　• 어린 : 어리석은→ 나이가 어린
　　• 어엿비 : 불쌍하게→ 예쁘게

　8) 의미의 축소
　　• 노미 : 보통사람→ 남자를 낮추어 가리키는 말

　9) 현대 국어 표기에 없는 글자 예 ㅅ(아래아), 뷩(순경음 비읍),
　10) 모음조화가 지켜지고, 두음법칙과 구개음화를 사용하지 않음

🖋 현대시 기출 작품 알아보기
정호승, '슬픔이 기쁨에게'

슬픔에 대한 성찰을 통해 이기적인 삶에 대한 자세 반성, 소외된 이웃들과 더불어 살아가는 삶을 강조하는 시

▪ 시어의 의미

✓ 어둠 : 소외된 삶
✓ 가마니 한장 : 최소한의 관심
✓ 눈물 : 타인에 대한 사랑과 배려
✓ 기다림 : 슬픔과 같은 의미로 소외된 이웃에게 공감 하는 시간
✓ 함박눈 : 사회적 약자의 어려움과 고난

슬픔	기쁨
이타적 소외된 이웃을 향한 관심	이기적 타인에게 무관심

· 시의 내용

- ✓ 1 – 6행 : 이기적인 '너'에게 슬픔을 주고자 함
- ✓ 7 – 13행 : 무관심한 '너'에게 기다림을 주고자 함
- ✓ 14 – 19행 : 슬픔의 힘을 이야기 하며 '너'와 함께 걸어가
  고자 함

고전시가 기출작품 알아보기
황진이, '동짓달 기나긴 밤에'

임을 기다리는 애타는 마음을 담아 쓴 평시조

· 시조의 특징

- ✓ 초장, 중장, 종장으로 구성
- ✓ 종장 첫 단어 3음절

· 시의 특징

- ✓ 추상적 개념(시간)을 구체적 사물로 표현
- ✓ 음성상징어 사용으로 표현 효과 증대

현대소설 기출작품 알아보기
박완서, <엄마의 말뚝 2>

1. 핵심정리

- ✓ 갈래 : 중편 소설, 연작 소설, 전후 소설
- ✓ 성격 : 자전적, 회고적, 사실적
- ✓ 배경
  ① 시간 : 6 · 25 전쟁 당시와 현재
  ② 공간 : 서울
- ✓ 시점 : 1인칭 주인공 시점
- ✓ 주제 : 전쟁의 상처와 분단 문제의 극복 의지
- ✓ 특징
  ① 세 편의 연작으로 되어 있는 소설 중의 한 편
  ② 현재 시점에서 과거를 회상하는 역순행적 구성

2. 인물소개

- ✓ 엄마
  일제 강점기에 남편을 잃고 두 자녀를 서울로 데려와
  교육시키며 험한 세상을 당차게 살아가는 의지적 인물
  전쟁 중에 비참하게 죽은 아들 때문에 생긴 한을 가슴
  에 안고 살아감.

- ✓ '나'
  어린 시절 서울로 올라와 신교육을 받음. 어른이 되어
  5남매의 어머니로서 평범한 전업주부로 살아감.

- ✓ 오빠
  총명하며 어머니에게 효도하는 착한 아들이었으나, 6·25
  전쟁 중에 인민군 장교의 총에 맞아 목숨을 잃음.

3. 전체줄거리

- ✓ 발단
  '나'가 집을 비운 사이 첫아이가 화상을 입는 사고를 당
  하고, 그 후 '나'는 집에서 일어난 크고 작은 사고가 '나'
  의 몸과 마음이 집에서 떠나 있을 때 일어났다고 믿게
  된다.

- ✓ 전개
  어느 날 외출했다가 돌아온 '나'는 가족들에게 친정어
  머니가 눈길에서 넘어져 다치셨다는 소식을 전해 듣고,
  어머니가 계신 병원으로 간다.

- ✓ 위기
  어머니는 다리가 부러져 수술을 받고, 수술 후 마취가
  풀리면서 허공에 대고 소리치는 등 이상한 행동을 보
  인다. 환각 속에서 6 · 25 전쟁 때 아들을 죽인 군관의
  모습을 본 것이다.

- ✓ 절정
  '나'의 오빠는 인민군 치하에서 어쩔 수 없이 의용군에
  지원했다가 심신이 피폐해진 채로 겨우 탈출했으나, 곧
  군관에게 발각되어 총을 맞고 숨졌다.

- ✓ 결말
  어머니는 정신을 차린 후, 자신이 죽으면 시신을 화장하
  여 오빠의 유골을 뿌린 곳에 뿌려 달라고 부탁한다.

📌 한문수필 기출작품 알아보기
이규보, <이옥설>

✓ 갈래 : 한문 수필, 설(說)
✓ 성격 : 교훈적, 경험적, 유추적
✓ 제재 : 행랑채를 수리한 일
✓ 주제 : 잘못을 미리 알고 고쳐 나가는 자세의 중요성
✓ 특징
 ① '사실 - 의견'의 구성 방식을 취함.
 ② 유추의 방법으로 글을 전개함.

첫번째 문단	행랑채 수리 : 일상생활에의 구체적 경험제시	대상 자체의 분석

유추(경험에서 얻은 깨달음의 적용)

두번째 문단	사람의 경우 - 자신의 잘못을 알고도 고치지 않으면 점점 더 나빠짐.	대상이 가진 의미 유추

유추 및 확장(깨달음의 확대 적용)

세 번째 문단	정치의 경우 - 백성을 좀먹는 무리를 내버려 두면 나라가 위태로워짐. - 늦기 전에 잘못을 바로잡아야 정치가 올바르게 됨.	대상의 의미 확장

01	④	02	③	03	④	04	①	05	②
06	①	07	③	08	④	09	②	10	①
11	③	12	②	13	④	14	②	15	①
16	③	17	④	18	③	19	③	20	①
21	④	22	①	23	③	24	②	25	④

01 | ④ '영준'은 정우 입장에서 공감하며 정우의 기분을 고려해 위로하고 있다.

02 | ③ '겸양의 격률'은 공손성의 원리 중 자신에 대한 칭찬은 최소화 하고 비방을 최대화하는 원리이다. 민아의 칭찬에 대해 나래가 자신을 낮추는 표현을 사용한 ③이 옳다.

03 | ④ 표준발음법 제17항은 구개음화에 대한 설명이다. 끝이[끄치], 굳이[구지], 여닫이[여다지]는 구개음화이고, 밭이랑[반니랑]은 'ㄴ'첨가 [밭니랑]→음절끝소리 규칙, [받니랑]→비음화 [반니랑] 으로 발음 된다.

🔍 **개념 더 보기**　　**표준발음법 제17항**

받침 'ㄷ, ㅌ(ㄾ)'이 조사나 접미사의 모음 'ㅣ'와 결합되는 경우에는, [ㅈ, ㅊ]으로 바꾸어서 뒤 음절 첫소리로 옮겨 발음한다.
- 곧이듣다[고지듣따]　　- 땀받이[땀바지]
- 굳이[구지]　　- 밭이[바치]
- 미닫이[미다지]　　- 벼훑이[벼훌치]

[붙임] 'ㄷ' 뒤에 접미사 '히'가 결합되어 '티'를 이루는 것은 [치]로 발음한다.
- 굳히다[구치다]
- 닫히다[다치다]
- 묻히다[무치다]

04 | ① '갈게'의 발음은 [갈께] 지만, 표기는 '갈게'가 옳다.

⚠ **선지 더 알아보기**

웬지(×)→왠지(○) : 오늘은 왠지 기분이 좋다.
어떻해(×)→어떡해(○) : 그렇게 마음대로 하면 어떡해.
덥든지(×)→덥던지(○) : 날씨가 얼마나 덥던지 땀이 났다.

05 | ② (가)는 현재 시제로, ㉠내린다와 ㉢웃는다는 사건이 일어나는 시점과 말하는 시점이 일치하는 현재 시제이다.

⚠ **선지 더 알아보기**

㉡ 근심하던 : 과거시제
㉣ 없겠다. : 미래시제

06 | ① 3문단은 궁중요리였던 떡볶이부터 1950년대, 1970년대, 2000년대까지 시간 순서대로 떡볶이의 변모 과정을 소개하고 있다.

07 | ③ ㉢은 달렸는데로 그대로 놔두는 것이 문맥상 매끄러운 표현이므로 고치지 않아도 된다.

08 | ④ ㉣은 어두자음군으로 단어의 첫머리에 2개의 자음이 올 수 있었다.

09 | ② 이 시는 역설적 표현을 활용하여 주제를 드러내고 있다. *"사랑보다 소중한 슬픔을 주겠다"* 는 슬픔에 대한 일반적인 통념을 뒤집은 역설적 표현이다.

10 | ① 이 시의 화자는 소외된 이웃들과 더불어 살아가는 삶을 강조 하기 때문에 이웃과 더불어 사는 삶을 추구한다.

11 | ③ '할머니, 동사자, 추위에 떠는 사람들'은 소외된 이웃을 말하고, '너'는 기쁨으로 이기적이고, 타인에게 무관심한 청자를 뜻한다.

12 | ② 이 글은 임종을 앞둔 어머니가 '나'에게 유언을 하는 현재 시점에서 '오빠'의 유골을 갈 수 없는 고향을 향해 뿌렸던 과거를 회상하는 역순행적 구성이다.

13 | ④   '오빠'의 죽음을 자신의 탓이라고 생각해 시어머님과 살림을 합쳐 함께 살고 있는 '올케'에게 늘 기가 죽어 있었던 '어머니'이지만, '어머니'가 오빠의 화장 문제에 있어서는 자신의 의견을 강하게 주장했다.

14 | ②   어머니에게 한 줌의 먼지와 바람은 어머니를 짓밟고 아들을 빼앗아 간, 분단이라는 괴물을 거역할 수 있는 유일한 수단이였다는 내용을 통해 ㉠의 의미는 분단의 비극에 맞서려는 의지라고 볼 수 있다.

15 | ①   추상적인 기다림이라는 시간을 동짓달 기나긴 밤이라는 시어를 통해 자르고, 넣었다가, 펼 수 있는 구체적인 사물로 표현하고 있다.

16 | ③   임이 다시 돌아오는 그 날 밤을 기다리고 있는 화자는 임과 함께 더 많은 시간을 보내기를 소망하고 있다.

17 | ④   이 글은 한문 수필로 글쓴이의 체험과 깨달음을 통해 교훈을 드러내고 있다. 글쓴이는 '집을 수리하는 경험'을 통해 잘못을 알고 바로 고치는 것이 중요하다는 깨달음을 얻었다. 그 깨달음을 '사람' 그리고 더 나아가 '정치'로 의미를 점차 확장하며 강조하고 있다.

18 | ③   ㉮는 잘못을 알고도 바로 고치지 않은 상황을 나타내는데, ㉡은 잘못을 알고도 고치지 않았고, ㉣은 백성에게 심한 해가 될 것을 알았지만 머뭇거리고 개혁하지 않았음으로 ㉮와 유사한 상황이다.

19 | ③   '까마귀 날자 배 떨어진다' 라는 속담은 아무 상관 없는 일이 동시에 일어나 억울한 의심을 받을 때 쓰는 말이다.

20 | ①   대조는 반대되는 것으로 차이점을 비교하는 방식이다. 공동체 사회를 형성 할 수 있었던 과거의 주거 형태와 공동체 사회의 성격이 약화된 현대 주거 형태를 대조적으로 나타내고 있다.

21 | ④   "아파트 주민들은 유사한 집단으로 보이지만, 그 안에서의 생활 모습은 공유 할 만한 것이 거의 없다"고 적혀 있음으로, ④가 틀렸음을 알 수 있다.

22 | ①   앞 문장에 대한 결론, 결과를 뒷 문장에서 이야기 할 때 쓰는 접속사가 '그래서'이다. 과거에는 개인이 생활을 하는 집과 일을 하는 장소가 멀리 떨어져 있지 않았다에 대한 결론이 사람들은 매일 두 공간 사이를 오가며 그곳에서 다양한 일을 경험했다는 것이기에 '그래서'라는 연결어가 정답이다.

23 | ③   "인공지능이 마침내 인간의 의식 현상을 구현해 낸다고 하더라도 인간과 인공지능은 여전히 구분 될 것이다." 3문단에 있는 이 문장을 통해 3번 보기가 틀렸음을 알 수 있다.

24 | ②   ㉡인 통제는 일정한 방침이나 목적에 따라 행위를 제한하거나 제약하는 것을 뜻한다.

25 | ④   사람만 가지고 있는 감정과 의지 즉, 인간 고유의 속성을 발휘해 유연성과 창의성으로 대응하는 것이 인공지능 시대에 우리가 가야 할 사람의 길이다.

📌 중세 국어 기출 작품 알아보기
< 소학언해 >

✓ 소학언해(小學諺解) – 16세기

주격조사 'ㅣ'

孔·공子·직 曾증子·ᄌ드·려닐·러 글 ᄋᆞ·

주체 높임 선어말어미 / 의미축소(몸 전체→안면)

샤·디·몸·이며 얼굴·이며 머·리털·이·며

줍: 객체 높임 선어말어미

· 술 훈 父부母:모·씌 받ᄌ·온 거·시·라

히읗 종성 체언 / 소실(본)→ 순경음 비읍 사라짐

敢:감·히 헐·워 샹히·오·디아·니:홈·이

★ 모음조화 파괴

:효·도·이 비·르·소미·오 비릇옴이오

명사형 어미 '-옴/-움' 혼란

몸·을셰·워 道:도·를行·힝·ᄒ·야

일 :홈·을後:후世:셰·예:베퍼·뻐

끊어적기

父·부母:모를 :현 뎌케 :홈·이 :효·도 이

관형격 조사

ᄆᆞ·ᄎᆞᆷ·이니·라

끊어적기

★ 현대어 풀이

공자께서 증자에게 일러 말씀하시기를, 몸과 형체와 머리털과 살은 부모께 받은 것이라, 감히 헐게 하여 상하게 하지 아니함이 효도의 시작이고, 입신(출세)하여 도를 행하여 이름을 후세에 날려 이로써 부모를 드러나게 함이 효도의 끝이니라.

입신양명, 유방백세, 출장입상

✓ 특징
1) 어두자음군
2) 방점(소리의 높낮이) 표기
3) 이어적기, 끊어적기
4) 주격조사 'ㅣ' 가 사용
5) 'ㅎ' 종성체언
6) 모음조화 파괴
5) 명사형 어미 '옴' 이 쓰임

*모음조화란 양성모음은 양성모음끼리, 음성모음은 음성모음끼리 이어지는 현상이다.

✓ 중세국어의 모음체계
• 양성모음: ·, ㅗ, ㅏ
• 음성모음: ㅡ, ㅜ, ㅓ
• 중성모음: ㅣ

📌 현대시 기출작품 알아보기
이육사, <절정>

견디기 어려운 극한 상황에서 오히려 그것을 받아들이는 강인함을 표현한 시

▪ 시의특징

✓ 역설적 표현 "강철로 된 무지개":차가운 금속성을 가진 강철과 황홀한 무지개 이미지를 결합시켜 비극적이면서도 황홀한 느낌을 표현

▪ 시의구성

북방 – 수평적 극한	기
고원 – 수직적 극한	승
극한 상황에 대한 인식	전
극한 상황 극복 의지	결

📌 고전시가 기출작품 알아보기
정극인, <상춘곡>

정극인이 벼슬에서 물러나 고향인 전라도 태인에 거처하면서 지은 것으로 알려져 있는 가사로 봄 경치를 감상하며 느낀 즐거움과 안빈낙도를 담았다.

▪ 시의특징

✓ 제목인 '상춘곡'은 봄을 기리는 노래라는 뜻
✓ 봄철에 경험할 수 있는 온갖 즐거움을 시각, 청각, 후각, 촉각, 미각을 모두 동원하여 감각적으로 형상화하고 있다.
✓ 물아일체 :자연과 내가 하나가 됨

✎ 현대소설 기출작품 알아보기
김유정, <봄봄>

1. 핵심정리

✓ 갈래 : 단편소설, 순수소설, 해학소설, 농촌소설

✓ 성격 : 토속적, 해학적

✓ 배경
  ① 시간적 : 1930년대
  ② 공간적 : 강원도 농촌 마을(점순이네 집)

✓ 시점
  1인칭 주인공 시점(이 작품은 머슴인 '나'의 입장에서 사건을 관찰하고 서술하게 함으로써 강한 해학성을 띤다. 무지하고 어수룩한 '나'가 독자에게 사건을 보고하게 함으로써 독자는 '나'의 어수룩함과 우스꽝스러움을 생생하게 느낄 수 있는 것이다. 독자는 '나'의 인물됨과 성격을 가장 직접적으로 전달받을 수 있으며 그의 중재를 통해 사건을 간접 경험하게 된다)

✓ 구성 : 역순행적 구성

✓ 표현상 특징
  • 아이러니의 구조, 육감적인 언어의 사용, 노골적인 표현과 거칠고 서투른 행동 묘사
  • 해학적이고 토속적인 문장
  • 사건의 시간과 서술의 순서가 일치하지 않는 역순행적 구성을 사용함.
  • 1930년대 농촌의 현실을 인물 간의 갈등을 중심으로 해학적으로 풀어냄.

✓ 갈등구조 : 장인(봉필)과 나 사이에, 3년 7개월 동안 해결되지 않는 혼인 문제가 얽혀 갈등이 고조됨.

✓ 제목 : 만물이 약동하는 계절, 이성 간의 가슴 설레는 사랑의 감정을 샘솟게 하는 계절

✓ 주제
  ⇒ 시골 남녀의 순박한 사랑, 농촌 사회의 구조적 모순과 부조리한 현실 풍자, 나(어수룩함)와 장인(교활하고 의뭉스러움) 사이의 해학적 갈등과 일시적 화해

2. 인물소개

✓ 나
  순박하고 어리숙한 인물로, 장인과 결혼문제로 크게 다투는데 본인의 의사보다는 점순이의 의사가 많이 반영된 결과이다. 때문에 점순이가 화를 낼 때 나는 어찌해야 할 바를 모르고 당황한다. 우직하며 순박하다.

✓ 장인(봉필)
  딸만 셋을 둔 마름으로 마을에서 인심을 잃고 사는 사람이다. 데릴사위를 바꿔치기 하면서 노동력을 착취하는데 일 잘하는 '나'를 놓치기도 싫고 셋째 딸이 여섯 살밖에 먹지 않아서 점순이와 '나'를 결혼시켜 내보내고 다시 데릴사위를 들일 처지도 못되어 고민을 한다. 계산적이며 탐욕스럽고 교활하다.

✓ 점순
  소극적인 태도를 지닌 '나'를 배후에서 조종하여 아버지와 싸움을 붙여놓고 종국에는 아버지의 편을 드는 다소 능동적인 인물이다. 야무지고 당돌하다.

3. 전체 줄거리

봉필이는 악랄하기로 유명한 마름이다. 그는 머슴 대신 데릴사위를 열이나 갈아치웠다가 재작년 가을에 맏딸을 시집보냈다. 점순이도 세 번째 데릴사위감을 들였다. 나는 그의 세 번째 데릴사위이다. 네 번째 놈을 들이려다가 장인은 내가 일도 잘하고 어수룩하니까 붙들어 둔다. 그러나 여섯 살인 셋째 딸이 열살은 되어야 데릴사위를 들일 수 있어서 장인은 나를 결혼시켜 주지 않는다. 나는 데릴사윗감으로 봉필이네 집에서 사경 한 푼 안 받고 일한 지 벌써 삼 년하고 일곱 달이 되었다. 작년에 내가 사나흘 누워 있자 장인은 울상이 되어 결혼시켜 준다고 나를 달랜 일이 있다. 그러나 기한을 정하지 않고 점순이가 자라면 성례를 하기로 한 애초의 계약 때문에 달리 방법이 없었던 것이다.

어제 화전밭을 갈 때 점순이가 밤낮 일만 할 것이냐고 했다. 나는 모를 붓다가 점순이가 먹고 키가 큰다면 모르지만 장인님의 배만 불릴 것을 생각하니 화가 난다. 나는 배가 아프다고 핑계를 대고 논둑으로 올라간다. 논 가운데서 이상한 눈초리로 노려보던 장인은 화가 나서 논둑으로 오르더니 내 멱을 움켜 잡고 뺨을 친다. 장인은 내게 큰소리를 칠 계제가 못되어 한 대 때려놓고 어찌할 바를 모른다. 장인을 혼내주고 집으로 가고 싶지만 남부끄러워 그렇게 할 수도 없다.

나는 장인이 될 봉필이를 구장댁으로 끌고 간다. 구장님은 당사자가 혼인하고 싶다는데 빨리 성례를 시켜주라고 한다. 봉필씨는 점순이가 덜 컸다는 핑계를 또 한 번 내세운다. 이틀 뒤에 점순이는 구장댁에 갔다가 그냥 오는 법이 어디 있느냐면서 얼굴이 빨개져서 안으로 들어간다. 나는 점순이에게 병신이라는 소리까지 듣고 난 후, 어떻게든지 결판을 내야겠다고 생각한다.

일터로 나가려다 말고 나는 바깥마당 공석 위에 드러눕는다. 대문간으로 나오던 장인은 징역을 보내겠다고 겁을 주나 징역 가는 것이 병신이라는 말보다 낫다고 생각한 나는 말대꾸만 한다. 화가 난 장인은 지게 막대기로 배를 찌르고 발길로 옆구리를 차고 볼기짝을 후려 갈긴다. 나는 점순이가 보고 있음을 의식하고 벌떡 일어나서 수염을 잡아 챈다. 바짝 약이 오른 장인은 나의 사타구니를 잡고 늘어진다. 할아버지까지 부르다가 거의 까무러치자 장인은 나의 사타구니를 놓아준다. 나는 엉금엉금 기어가서 장인의 사타구니를 잡고 늘어진다. 장인이 할아버지라고 하다가 점순이를 부른다. 점순이는 내게 달려든다. 나는 점순이의 알 수 없는 태도에 넋을 잃는다.

☝ 고전소설 기출작품 알아보기
작자 미상, <춘향전>

1. 핵심정리

- ✓ 갈래 : 판소리계 소설, 염정 소설
- ✓ 성격 : 해학적, 풍자적, 평민적
- ✓ 시점 : 전지적 작가 시점
- ✓ 배경
  - ① 시간 : 조선 숙종 때
  - ② 공간 : 전라도 남원
- ✓ 제재 : 춘향의 정절
- ✓ 주제
  - ① 신분을 초월한 남녀 간의 사랑
  - ② 불의한 지배 계층에 대한 서민의 항거
  - ③ 신분적 갈등의 극복을 통한 인간 해방
- ✓ 특징
  - ① 해학과 풍자에 의한 골계미가 나타남.
  - ② 서술자의 편집자적 논평이 자주 드러남.
  - ③ 판소리의 영향으로 운문체와 산문체가 혼합됨.

2. 인물소개

- ✓ 춘향
유교적 이념에 충실하여 정절을 지키는 여인으로, 신분적 제약을 뛰어넘어 사랑을 성취하려는 적극적이고 의지적인 인물이다.
- ✓ 이몽룡
처음에는 미숙하고 철없는 도령이었지만, 춘향과 이별한 후에 성숙해져 사랑의 약속을 지키는 의리 있는 인물로 변모한다.
- ✓ 월매
춘향의 모친으로, 수다스럽고 능청스러우며, 현실적이고 이해타산에 민감한 인물이다.
- ✓ 변학도
극악무도하기보다는 어리석고 혐오와 조소의 대상이 되는 인물로, 부패한 지방 수령의 전형적 인물이다.
- ✓ 방자
이몽룡의 몸종으로, 양반을 풍자·우롱하면서 작품에 활기를 불어넣어 희극미를 창출하는 인물이다.

3. 전체줄거리

- ✓ 발단
춘향의 자태에 첫눈에 반한 이몽룡은 춘향과 백년가약을 맺지만 이내 아버지를 따라 한양으로 떠나게 된다.
- ✓ 전개
남원에 새로 부임한 사또 변학도는 춘향에게 수청을 강요하고, 이를 거절한 춘향은 옥에 갇힌다.
- ✓ 위기
어사가 되어 남원에 돌아온 이몽룡은 춘향의 소식을 듣게 되고, 자신의 신분을 감춘 채 걸인의 행색을 하고 춘향을 만난다.
- ✓ 절정
변학도의 생일잔치에 찾아간 이몽룡은 암행어사로 출두하고, 변학도는 봉고파직을 당한다.
- ✓ 결말
옥에서 풀려난 춘향은 이몽룡을 따라 서울로 올라가고, 두 사람은 백년해로한다.

01	③	02	①	03	④	04	③	05	②
06	④	07	④	08	③	09	④	10	②
11	④	12	②	13	①	14	④	15	①
16	③	17	①	18	②	19	①	20	②
21	②	22	③	23	①	24	③	25	④

01 | ③ 지역 방언이란 한 언어에서 지역적으로 분화되어 지역에 따라 다르게 쓰는 말이다. 지역 방언의 예로 '부추'가 지역에 따라 다르게 표현 하는 것을 나타내고 있다.

02 | ① '발 없는 말이 천리 간다.'는 속담은 말은 비록 발이 없지만 천리 밖까지도 순식간에 퍼진다는 뜻이다. '화살은 쏘고 주워도, 말은 하고 못 줍는다.'는 속담은 화살은 쏘고 다시 주워 올 수 있으나, 말은 하고 나면 다시 주워 담을 수 없다는 뜻이다. '가루는 칠수록 고와지고, 말은 할수록 거칠어진다.' 는 속담은 가루는 체에 칠수록 고와지지만 말은 길어질수록 거칠어지고 마침내는 말다툼까지 가게 된다는 뜻이다. 이 3개의 속담은 결국 말을 신중하게 하고, 말을 조심하라는 뜻을 가지고 있다.

03 | ④ 업혔다, 물렸다, 잡혔다는 주어가 남의 행동에 의해 동작을 당하는 것으로 피동표현이다. 그가(주어) 밝혔다(동작)는 것은 주어가 자기의 힘으로 한 것이기에 능동 표현이다.

04 | ③ '닭을'은 [달글]로 발음 된다.

개념 더 보기 표준발음법 제14항

제14항 겹받침이 모음으로 시작된 조사나 어미, 접미사와 결합되는 경우에는, 뒤엣것만을 뒤 음절 첫소리로 옮겨 발음한다.(이 경우, 'ㅅ'은 된소리로 발음함.)

- 넋이[넉씨]
- 곬이[골씨]
- 없어[업ː써]
- 앉아[안자]
- 핥아[할타]
- 닭을[달글]
- 읊어[을퍼]
- 젊어[절머]
- 값을[갑쓸]

05 | ② '선생님께서'는 문장의 주어를 높이고 있기에 주체 높임법이 쓰였고, '어머니를 모시고' '아버지께 여쭤보세요' '할아버지를 찾아 뵙고 싶습니다'. 는 문장의 목적어나 부사어를 높이는 객체 높임법이 쓰였다.

06 | ④ 주장을 뒷받침하기 위한 구체적인 설문 조사 결과가 글에 나와 있지 않다. 자신이 배탈난 이야기를 통해 문제 상황을 드러내고, 교내 식품 안전 지킴이 제도를 도입 해 달라는 해결 방안을 제시하고, 이 제도 도입 후의 효과를 제시하고 있다.

07 | ④ '하지만'은 앞문장과 뒷문장이 대조적일 때 쓰는 접속어다. ㉣은 어린이 식생활 안전 관리 특별법 소개와 함께 우리 학교 매점의 태도를 나타내는 문장 사이에 위치한다. 법과 그 법을 지키지 않는 사실에 대해 언급하고 있으므로 '하지만이나 '그러나'와 같은 접속어가 옳다.

08 | ③

㉠孔·공子·지曾중子·ᄌᄃ·려닐·러ᄀᆞᆯᄋ·샤·딕·몸·이며
얼굴·이며머·리털·이·며·술·흔㉡父·부母:모·끠받ᄌ·온
거·시·라敢:감·히헐·워샹히·오·디아·니:홈·이:효·도·의
비·르·소미·오·몸·을셰·워道:도·를行ᄒᆡᆼ·ᄒ·야㉢일:홈·을
後:후世:셰·예:베퍼·뻐㉣父·부母:모롤:현·뎌케:홈·이
:효·도·의ᄆ·춤·이니·라 부모(양성)+룰(양성)→모음조화 ○

– 『소학언해』 (1587) –

㉠:모음 뒤에서 주격 조사 'ㅣ'가 사용되있다.
㉡:어두 자음군이 사용되었다.
㉢:끊어 적기로 표기되었다.
㉣:조사가 모음 조화에 따라 표기되었다.

09 | ④ *매운 계절, 북방, 고원, 서릿발 칼날진* 은 극한 상황을 뜻하는 시어이고, *무지개*는 역설적 표현을 통해 이겨내겠다는 의지를 표현하는 시어이다.

10 | ② 이 시는 극한 싱황의 점층적 고조가 나타난나. 매운 계절(일제강점하의 가혹한 현실)의 채찍(탄압과 시련)에 갈겨 마침내 북방(수평적 공간의 극한 지점)으로 휩쓸려 오다 하늘도 그만 지쳐 끝난 고원(수직적 공간의 극한 지점) 서릿발 칼날진 그 위(생존의 극한 상황)에서다. 이러한 상징적 표현을 사용하여 화자의 상황을 부각하고 있다.

11 | ④ 이 시는 견디기 어려운 극한 상황에서 오히려 그것을 받아들이는 강인함을 표현한 시로 일제 강점기라는 시대적 상황을 고려 했을 때 꺾이지 않는 항일 의지를 나타낸다.

12 | ② 이 소설은 1인칭 주인공 시점으로 작품 속의 주인공인 '나'가 서술자이다.

13 | ① (가)에 나타난 구장은 '나'의 말이 옳다고 수긍하며 설득을 시작한다.

14 | ④ ㉣의 뒷 문장까지 읽어보면 '나'는 '뭉태'의 말에 동의 하지 않음을 알 수 있다.

15 | ① 위의 시는 4음보 율격이다. 음보란 시에서 운율을 이루는 기본 단위인데 자연스럽게 끊어 읽는 단위이다. 한 행을 3번씩 끊어 읽으면 3음보, 4번씩 끊어 읽으면 4음보이다.

16 | ③ 이 시는 자연에 묻혀 사는 즐거움과 봄 경치에 대해 말하고 있다. 화자는 세속적 공간을 떠나 자연에 묻혀 살고 있고, 옛사람의 풍류와 비교하며 자부심을 드러내고 있으며, 아름다운 봄의 풍경을 감사하며 흥취를 느끼고 있다.

17 | ① 춘향전은 판소리계 소설로 판소리로 공연 되기도 하였다.

18 | ② (가)는 유사한 문장 구조를 반복해 운율감을 드러내고 있고 음성 상징어를 활용하고 있지 않다.

19 | ① "내 수청도 거역할까?"라는 어사또의 말에 춘향이는 "그런 분부 마옵시고 어서 바삐 죽여 주오"라고 대답하는 것을 통해 '춘향'은 '어사또'의 수청 제안을 거절했다는 것을 알 수 있다.

20 | ② (나)의 중심내용은 사회적 약자에게 그림의 떡인 도시 시설이다.

21 | ② 실제 공원을 '찾는', 산을 '찾는'에서 '찾다'의 의미는 '어떤 사람을 만나거나 어떤 곳을 보러 그와 관련된 장소로 옮겨 가다' 이다.

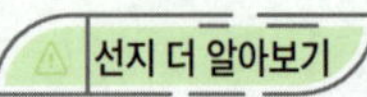

국산품을 '찾는' 손님이 많다.
: '어떤 것을 구하다.'

떨어진 바늘을 '찾는' 일은 어렵다.
: '현재 주변에 없는 것을 여기저기 뒤지거나 살피다.'

마음의 안정을 '찾는' 것이 좋겠다.
: '원상태를 회복하다.'

22 | ③ (가)의 내용은 도시 공원이 일반인 뿐 아니라 사회적 약자들도 동등하게 이용 할 수 있는 공간이 되도록 하는 방향성을 두고 사회적 약자를 배려한 도시공원 계획이 우선적으로 마련되어야 한다는 것임으로 대중교통을 이용해 접근하기 쉬운 곳에 공원을 배치 하고, 공원 내에 바닥 조명을 설치하여 방향 유도 체계를 만들고, 사회적 약자들이 공원 내에서 쉽게 이동 할 수 있도록 동선을 설계하는 것이 구체적인 방안이라고 볼 수 있다.

23 | ① 타인과 소통하며 이해를 확장하기 위한 활동을 선택하는 문제에서 이 글의 핵심 내용을 요약한다는 것은 개인 스스로 할 수 있는 활동이므로 맞지 않다. 토의, 토론, 인터뷰는 혼자서는 할 수 없고 함께 하는 사람이 있어야 함으로 타인과 소통하는 활동이라고 할 수 있다.

24 | ③ ㉮는 잊힐 권리를 법적으로 보장했을 때 발생할 수 있는 부작용으로 예를 들어 힘 있는 정치인이나 거대 기업이 자신의 허물은 노출되지 않도록 막고, 유리한 정보만 온라인상에서 공유되도록 할 수도 있다는 것이다. 그러므로 '잊힐 권리'를 인정하면 정보 비공개로 인해 공익이 저해 될 수 있다는 3번 보기가 정답이다.

25 | ④ '수용하게'를 '받아들이게'로, '구속되지'를 '얽매이지'로, '노출되길'을 '드러나길'로 바꾸는 것이 적절하지만 '확실하게'는 그대로 놔두는 것이 적절하다.

📌 중세국어 기출작품 알아보기
<용비어천가> 제2장

✓ 용비어천가(龍飛御天歌) - 15세기

깊은→기픈 　'이어적기' 　대구법, 비유법
　　　　　　　→모음조화
불휘 기픈 남·곤 ᄇᆞᄅᆞ매 아니 뮐·ᄊᆡ

종성부용초성, 8종성법× 　✻하다=많다 　~때문에
조선 　(곶)됴코 여름 하ᄂᆞ·니 　시련, 고난
　　주격조사 　=열매 　　모음조화

샘이 　**시미 기픈 므른 ᄀᆞᄆᆞ래 아니 그츨ᄊᆡ**

　　　　　모음조화
내히 이러 바ᄅᆞ래 가ᄂᆞ니
ᄒ 종성체언

✱ 현대어 풀이

뿌리가 깊은 나무는 바람에 움직이지 아니하므로, 꽃 좋고 열매 많습니다.
샘이 깊은 물은 가뭄에 그치지 아니하므로, 내[川]가 이루어져 바다에 갑니다.

✓ 특징
1) 'ᅙ' 종성 체언 예 내히(내ᄒ + ㅣ)
2) 방점(소리의 높낮이) 표기
3) 이어적기 예 기픈 므른
4) 주격조사 'ㅣ'가 사용 예 시미
5) 모음조화가 지켜짐
6) 두음법칙과 구개음화 적용 되지 않음

📌 현대시 기출작품 알아보기
김소월, <진달래꽃>

✓ 주제 : 이별의 정한
✓ 시의 특징
- 7 · 5 조, 3음보의 민요적 율격 사용
- '~우리다' 반복 기법을 통해 운율 형성
- 반어적 표현(표현 할 내용이 실제의 의미와는 반대로 표현되는 방식) "죽어도 아니 눈물 흘리우리다"
- 진달래 꽃 = 화자 자신, 임을 향한 사랑
- 수미상관 구조 : 첫 연과 마지막 연이 동일한 혹은 비슷한 형태를 띄는 형식

📌 고전시가 기출작품 알아보기
송순, <십년을 경영하여>

✓ 갈래 : 평시조, 정형시
✓ 주제 : 자연 귀의와 안빈낙도의 삶
- 안분지족 : 자기 분수에 만족하고 살아감
- 안빈낙도 : 가난하면서 편안한 마음으로 도를 즐겨 지킴
- 물아일체 : 자연물과 자아가 하나가 됨
✓ 특징
- 근경(가까운 거리)에서 원경(먼거리)으로 시선 이동
- 의인법 : 사람이 아닌 것을 사람처럼 표현

✱ 현대어 풀이

십 년을 살면서 초가삼간 지어 냈으니
(그 초가삼간에) 나 한 간, 달 한 간, 맑은 바람 한 간을 맡겨 두고
강산은 들일 곳이 없으니 이대로 둘러 두고 보리라.

✤ 고전시가 기출작품 알아보기
윤선도, <만흥>

√ 갈래 : 평시조, 정형시
√ 주제 : 자연과 물아일체한 삶의 즐거움
√ 말씀도 웃음도 없다의 주체 = 자연

★ 현대어 풀이

잔 들고 혼자 앉아 먼 산을 바라보니
그리워 하던 님이 온들 반가움이 이정도랴
말씀도 웃음도 없지만 못내 좋아하노라

✤ 현대소설 기출작품 알아보기 – 김원일, <도요새에 관한 명상>

1. 핵심정리

√ 갈래 : 중편 소설, 환경 소설, 가족 소설
√ 성격 : 비판적, 사실적, 생태학적
√ 배경
  ① 시간 : 1970년대 후반(회상 부분은 6 · 25 전쟁 전후)
  ② 공간 : 동진강 유역(도요새의 도래지)
√ 시점 : 1인칭 주인공 시점(인물별)→전지적 작가 시점
√ 주제 : 비극적 역사 현실과 산업화의 폐해에 따른 인간성 회복
√ 특징
  ① 전체 4부로 되어 있으며 각 부분마다 서술 시점을 달리함.
  ② 당대 사회의 문제점을 다양하게 보여 줌.

2. 인물 소개

√ **아버지**
  분단으로 인한 실향민으로 이북에 두고 온 가족에 애착을 가지고 있으며, 현재의 삶에 만족하지 못함.

√ **어머니**
  일확천금을 꿈꾸지만 이루지 못하고, 자식에 대한 기대가 무너져 절망하는 인물

√ **병국**
  장남. 어릴 적 수재였으나, 학생 운동으로 인해 제적당함. 이상을 추구하는 인물로 환경 문제에 적극적임.

√ **병식**
  병국의 동생. 재수생으로, 현실적이고 이해타산적인 인물

3. 전체 줄거리

√ **1부**
  병식의 시점. 재수생인 '나'(병식)는 강가에서 새를 밀렵하여 번 돈을 유흥비로 쓰면서 생활한다. 촉망받는 수재였으나 학생 운동을 하다 퇴학당한 형(병국)에게 실망을 한다.

√ **2부**
  병국의 시점. 대학에서 제적을 당한 '나'(병국)는 낙향하여 자책감을 가지고 생활한다. 그러던 중 자연 문제와 동진강의 새 떼에 관심을 갖고 동진강 주변의 생태계 파괴 원인을 밝히려고 노력한다.

√ **3부**
  아버지의 시점. 북에 가족을 두고 온 '나'(아버지)는 적극적이고 억척스러운 아내와 대조적인 성격으로 갈등을 한다. 병국이 낸 진정서 때문에 비료 회사 사람들과 군인들이 찾아오고, 병국에게 환경 오염의 심각성과 병식의 새 밀렵에 대한 이야기를 듣게 된다.

√ **4부**
  전지적 작가 시점. 병국은 새 밀렵 행위 문제로 병식과 격렬하게 다투게 된다. 이후 병국은 술집 안에서 들려오는 통일에 대한 아버지의 희망을 듣고, 도요새의 비상을 바라고 따라가지만 놓치고 만다.

✤ 고전소설 기출작품 알아보기
<홍계월전>

1. 핵심정리

√ 갈래 : 영웅 소설, 군담 소설
√ 성격 : 영웅적, 일대기적
√ 시점 : 전지적 작가 시점
√ 배경
  ① 시간 : 명나라 때
  ② 공간 : 중국 형주, 벽파도, 황성
√ 제재 : 홍계월의 영웅성
√ 주제 : 여성인 홍계월의 영웅적 활약상
√ 특징
  ① 영웅의 일대기 구조를 지님.
  ② 신분을 감추기 위한 남장 화소가 사용됨.
√ 의의 : 여성이 보조적인 위치에서 벗어나 남자보다 우월한 능력을 가진 영웅으로 등장함.

2. 인물 소개

✓ **홍계월**

여성임에도 불구하고 비범한 능력을 가진 영웅의 모습을 보여 준다. 남성들과의 경쟁에서도 위축되지 않고 자신의 능력을 발휘한다.

✓ **여보국**

홍계월의 남편으로, 어릴 때부터 홍계월과 같이 지내며 무술과 병법을 익힌다. 남존여비 사상을 가진 권위적인 인물이다.

✓ **영춘**

보국의 첩으로, 보국이 자신을 사랑함을 믿고 거만하게 굴다 비참한 최후를 맞는다.

3. 전체 줄거리

✓ **발단**

홍무와 양 부인이 도적의 난을 피하려다 무남독녀인 계월을 잃고 뿔뿔이 흩어지게 된다.

✓ **전개**

계월이 여공에게 구원을 받아 평국이란 이름으로 자라고 과거를 쳐서 계월은 장원, 여공의 아들 보국은 부장원으로 급제한다. 계월은 전쟁에 나가 공을 세우고 부모를 다시 만난다.

✓ **위기**

계월이 여자임이 밝혀지나 천자가 용서하고 보국과 혼인할 것을 명한다.

✓ **절정**

계월은 천자의 명으로 보국과 혼인하지만 계월이 보국의 애첩을 죽인 일로 불화를 겪는다.

✓ **결말**

계월은 두 차례에 걸쳐 국가의 위기를 구하고, 대사마 대장군의 작위를 받아 보국과 함께 나라에 충성하며 오랫동안 낙을 누린다.

01	②	02	②	03	③	04	④	05	①
06	①	07	④	08	④	09	①	10	③
11	②	12	③	13	③	14	④	15	②
16	①	17	①	18	②	19	②	20	①
21	②	22	③	23	④	24	③	25	④

01 | ② 전문어는 학술이나 전문 분야에서 사용하는 어휘다. 전공의와 신경외과장의 대화를 통해 이데마, 만니톨, 엔시드 등 의료계 종사자들만 알고 있는 전문어를 사용하고 있음을 알 수 있다.

02 | ② '관용의 격률'은 화자 자신에게 혜택을 주는 표현은 최소화 하고, 자신의 부담은 최대화 하는 원리이다. 자료를 이해하지 못한 책임을 자신에게 돌림으로써 자신의 부담을 최대화한다.

03 | ③ 신라[실라]는 유음화로 'ㄴ'이 'ㄹ' 과 만났을 때 'ㄹ'로 바뀌는 현상이다. 그러므로 앞자음 'ㄴ'이 뒤 자음 'ㄹ'과 조음방법이 같아진다.

04 | ④ 앞말의 본뜻이 유지되고 있는 것은 그 원형을 밝혀 적는다는 것은 어법에 맞게 적는다는 뜻으로 단추가 아래로 떨어지는 것은 떨어지다의 본래 의미로 사용하고 있기에 어법에 맞게 적은 '단추가 떨어지다' 가 옳은 표현이다.

개념 더 보기 — 한글맞춤법 제15항

제15항 용언의 어간과 어미는 구별하여 적는다.
[붙임 1] 두 개의 용언이 어울려 한 개의 용언이 될 적에, 앞말의 본뜻이 유지되고 있는 것은 그 원형을 밝히어 적고, 그 본뜻에서 멀어진 것은 밝히어 적지 아니한다.
(1) 앞말의 본뜻이 유지되고 있는 것
- 넘어지다
- 늘어나다
- 늘어지다
- 돌아가다
- 되짚어가다
- 들어가다
- 떨어지다
- 벌어지다
- 엎어지다
- 접어들다
- 틀어지다
- 흩어지다

(2) 본뜻에서 멀어진 것
- 드러나다
- 사라지다
- 쓰러지다

05 | ① 직접 인용 표현인 "너의 취미가 뭐야?"를 간접 인용 표현으로 바꿀 때 '너'가 '나'로 바뀌고, 조사 '고'가 붙게 된다. '나의 취미가 뭐냐고' 가 옳은 표현이다.

06 | ① 동물 실험에 반대하는 근거로 옳은 것은 동물 실험을 대체할 실험방안이 있다는 것이다. ②, ③, ④번은 선지는 동물 실험에 찬성하는 근거들이다.

07 | ④ ㄹ은 앞문장의 '불편한 경우' 와 뒷문장의 '전보다 쉽게' 라는 말이 대조 되는 상황이므로 '그러나'로 바꾸는 것이 옳다.

08 | ④ ㄹ 내히는 '냇물이'로 해석 된다. '내 히'는 '내ㅎ + ㅣ'로 조사와 결합할 때 'ㅎ'이 덧붙는 'ㅎ'종성체언이 쓰였다.

09 | ① 이 시는 '~우리다' 종결 어미를 반복해 리듬감을 형성하고 있고, '죽어도 아니 눈물 흘리우리다' 반어적 표현을 활용하여 화자의 감정을 강조 하고, 1연과 4연이 비슷한 형태를 띄는 수미상관 구조를 통해 형태적 안정감을 형성 하고 있다.

10 | ③ ㄱ은 사랑하는 임에게 밟힘으로써 자기 희생을 통해 이별의 한을 숭고한 사랑으로 표현하고 있다.

11 | ① 우리나라 민요인 '아리랑'도 3음보이고, 김소월의 진달래꽃도 3음보 율격을 가졌다. 음보란 시에서 운율을 이루는 기본 단위인데 자연스럽게 끊어 읽는 단위이다. 한 행을 3번씩 끊어 읽으면 3음보, 4번씩 끊어 읽으면 4음보이다.

12 | ③ 이 시의 화자는 자연과 더불어 사는 삶에 만족하면서 사는 사람으로, 시의 내용상 초가집을 지어서 사는 것을 보아 자연 속에서 소박하게 살아가는 사람이다.

13 | ② 윗글의 '강산'은 자연으로 보기의 '뫼' 역시 같은 자연을 뜻하는 단어이다.

14 | ④ "사흘 사이 동진강 하구 삼각주에서 갑자기 새들이 집단으로 죽기에 그 이유를 좀 알아보려던 게…."
라고 말하는 병국의 말을 통해 '병국'은 새들의 떼죽음에 의혹을 품고 있다는 것을 알 수 있다.

15 | ② [A]에서 "땟국 앉은 꾀죄죄한 그의 몰골, 움푹 꺼진 동태눈"의 단어를 통해 병국의 처지를 외양 묘사를 통해 보여 주고 있음을 알 수 있다.

16 | ① ㉠은 '윤소령'을 가리키는 지시어고, ㉡, ㉢, ㉣은 '병국'을 가리키는 단어들이다.

17 | ① 천자의 말을 통해 '평국=계월'을 평가하는 천자의 생각을 알 수 있다.

18 | ② '평국=계월'은 비록 천자를 속였으나, 천자로부터 능력을 인정 받아 용서 받고 보국과 혼인까지 하게 된다.

19 | ② ㉠은 '평국=계월'이 천자에게 올린 상소문으로, 천자를 속인 죄에 대해 벌을 내려달라고 청하고 있다.

20 | ① 1문단을 보면 가진 게 별로 없는데도 기꺼이 나누는 삶을 산다는 것을 손님을 접대한다, 돗자리를 꺼내온다, 달걀을 수줍게 내민다 등 비슷한 상황을 열거하고 있고, 예를 들어 구체적으로 설명하고 있다. 2문단에서도 늘 몸을 움직여야만 한다라는 문장을 설명하기 위해 구체적인 예를 들면서 열거법을 사용하고 있다.

21 | ② 윗글을 통해 부탄의 마을 치몽은 가진 것이 별로 없어도 나누고, 생활에 필요한 모든 것은 몸을 써야만 얻을 수 있지만 그러한 불편함 속에서 살아 있음을 느끼는 삶을 살아가고 있다는 것을 알 수 있다.

22 | ③ 유기적이라는 단어의 뜻은 생물체처럼 전체를 구성하고 있는 각 부분이 서로 밀접하게 관련을 가지고 있어서 떼어낼 수 없는 것이다. 부탄에서 일과 놀이는 떼어 낼 수 있는 것이 아닌 하나로 연결 되어 있다. 이것을 표현 하기 위해서는 유기적이라는 단어가 ㉡에 들어가는 것이 적절하다.

23 | ④ 이 글은 라면을 끓여 먹은 경험을 제시하면서 설명을 하고, 과학 용어 '대류현상', '알파화'를 이용해 설명하고 있고, 다른 대상인 '봉지라면'과 대조해서 설명 하고 있다.

24 | ③ "면발의 표면적을 넓혀 뜨거운 물에 더 많이 닿게 하기 위해서이다."
2문단 두번째 문장을 통해 면발이 납작해지면 뜨거운 물에 닿는 표면적이 넓어진다는 것을 알 수 있다.

25 | ④ ㉠의 이유를 "위아래의 밀집도가 다른 컵라면의 면발 형태는 뜨거운 물의 대류 현상을 원활하게 하여 물을 계속 끓이지 않아도 면이 고르게 익도록 하는 과학의 산물이다."라는 2문단의 마지막 문장에서 확인 할 수 있다.

🔖 중세국어 기출작품 알아보기
세종 <월인석보>

□ : 종성에 음가 없는 'ㅇ'을 받쳐 적은 동국정운식 한자음

世·솅宗종御·엉製·졩 訓·훈民민正·졍音흠
임금이 몸소 지은 글　　백성을 가르치는 바른 소리

나·랏:말쏘미 中듕國·귁·에 달·아 文문字·쫑·와·로·서르
말쏨+이(주격조사) ─이어적기　비교 부사격조사
ᄉ·뭇디 아·니홀·씨·이런 젼·ᄎ·로 어·린 百·빅·姓·셩·이
8종성법(기본형은 ᄉ못다)　까닭으로 어리석은　주격조사'이'
니르·고·져·홇배 이·셔·도 ᄆ·ᄎᆷ:내 제·ᄠᅳ·들 시·러
두음법칙 적용×　바ㅣ(주격조사)　ᄠᅳᆯ+을(목적격조사)
펴·디:몯홇·노·미 하·니·라·내이·롤 爲·윙·ᄒ·야:어엿·비
구개음화가 일어나지않음　많다.　나ㅣ(주격조사)　가엾게, 불쌍히.
너·겨·새·로·스·믈여·듧 字·쫑·롤 밍·ᄀ·노니·:사ᄅᆷ :마·다
ᄡ에 사용함에, ᄡ+움+에　만드니
:히· 여 :수·빙 니·겨·날·로·ᄡᅮ·메 便뼌安한·킈 ᄒ·고·져
하여금　'ㅸ'의 사용
홇 ᄯᄅᆞ ·미니·라

▨ : 모음 조화가 적용된 예
◯ : 어두 자음군

✳ 현대어 풀이

[1] 우리나라 말이 [2] 중국과 달라 [3] 한자와는 서로 통하지 아니하여서 　자주정신

[4] 이런 까닭으로 어리석은 백성이 말하고자 하는 바가 있어도 [5] 마침내 제 뜻을 펴지 못하는 사람이 많다.

[6] 내가 이것을 가엾게 생각하여 [7] 새로 스물여덟 글자를 만드니, 　애민정신

[8] 모든 사람들로 하여금 쉽게 익혀서 날마다 쓰는 데 편하게 하고자 할 따름이다. 　실용정신

✓ 갈래 : 훈민정음의 서문
✓ 성격 : 설명적, 교시적
✓ 주제 : 훈민정음 창제의 취지와 목적
✓ 의의
　• 15세기 국어의 모습을 알 수 있는 자료
　• 세종 대왕의 한글 창제 정신이 잘 드러남

음운·표기상 특징	해당하는 예
현대 국어에서는 쓰이지 않는 음운이 사용되었다.	말:쏘미·(•),수:빙·니(ㅸ)
이어적기를 했다. 방점을 찍었다.	말:쏘미·, ᄠᅳ·들·, 노·미·, ᄡᄅᆞ미·니라·
어두 자음군이 사용되었다.	ᄠᅳ·들·, 뿌·메·

✓ 특징
　1) 동국정운식 한자 표기
　　예 世·솅·宗종御엉·製졩·訓훈·民민正졍·音흠
　2) 방점(소리의 높낮이) 표기 예 ·, :
　3) 어두 자음군 사용 예 ᄠᅳ, 뿌
　4) 이어적기, 끊어적기
　5) 주격조사 'ㅣ'가 사용 예 배(바 + 'ㅣ')
　6) 8종성법 예 ᄉ뭇디·
　7) 의미의 이동
　　• 어린 : 어리석은 → 나이가 어린
　　• 어엿비 : 불쌍하게 → 예쁘게
　8) 의미의 축소
　　• 노미 : 보통사람 → 남자를 낮추어 가리키는 말
　9) 현대 국어 표기에 없는 글자 예 ᄉ(아래아), 빙(순경음 비읍),
　10) 모음조화가 지켜지고, 두음법칙과 구개음화를 사용하지 않음

🔖 현대시 기출작품 알아보기
김춘수, <꽃>

무의미한 관계가 이름을 불러 주는, 존재에 의미를 부여하는 대상을 인식하는 행위로 인해 서로에게 '꽃'으로 설명 되는 가치 있고 의미 있는 존재가 되는 것을 보여주는 시

시어의 의미

✓ 무의미한 존재 : 몸짓
✓ 유의미한 존재 : 꽃, 무엇, 눈짓

시의 구성

✓ 1연 : 대상을 인식 하기 전의 무의미한 존재
✓ 2연 : 대상을 인식한 후의 유의미한 존재
✓ 3연 : 의미 있는 존재가 되고 싶은 '나'
✓ 4연 : 상호 의미 있는 존재가 되고 싶은 '우리'

✍ 고전시가 기출작품 알아보기
이조년, < 이화에 월백하고 ~ >

백색의 이미지(이화, 월백, 은한)와 청각적 이미지로 봄 밤의 애상감을 담아낸 평시조

＊ 현대어 풀이

하얗게 핀 배 꽃에 달빛이 은은히 비치고 은하수는 삼경(밤11시~새벽1시)일 때
하나의 나뭇가지에 봄의 마음을 두견새가 알까마는
정이 많은 것도 병인 듯 하여 잠 못 들어 하노라

▪ 시의 특징

✓ 두견새는 고전 작품에서 주로 슬픔을 표현 할 때 쓰는 시어이다.
✓ (사람이 아닌) 나뭇가지가 (사람이 할 수 있는) 마음을 가진다는 표현으로 의인법이 사용 되었다.

✍ 현대소설 기출작품 알아보기
성석제, < 황만근은 이렇게 말했다 >

1. 핵심정리

✓ 갈래 : 단편 소설, 농촌 소설
✓ 성격 : 해학적, 풍자적, 향토적
✓ 배경
　① 시간 : 1997년
　② 공간 : '신대리'라는 농촌 마을
✓ 시점 : 전지적 작가 시점
✓ 주제 : 황만근의 생애와 그의 행적
✓ 특징
　① 바보형의 우직한 인물을 통해 이기적인 세태를 비판함.
　② '전(傳)'의 양식을 창조적으로 재구성함.

2. 인물 소개

✓ **황만근**
마을의 궂은일을 도맡아 하지만 늘 마을 사람들의 무시와 비웃음을 받으며 살아감. 어수룩한 인물로 그려지지만 다른 사람을 위해 자신을 희생할 줄 아는 인물임.

✓ **민 씨**
도시에서 귀농한 인물로 마을 사람들과 달리 황만근의 훌륭한 성품을 알아봄. 황만근의 사후에 황만근을 위해 묘지명을 쓰고 다시 도시로 돌아감.

✓ **마을 사람들**
이기적이고 타산적임. 황만근을 무시했지만 그가 마을의 힘든 일을 대신한다는 점에서 없어서는 안 될 존재로 생각함.

✓ **어머니**
매우 게으르고 생활력이 없어 황만근의 봉양 덕에 살아감.

3. 전체 줄거리

✓ **발단**
황만근이 실종됐다는 소식에 마을 사람들은 황만근의 집으로 모인다. 하지만 그를 진심으로 걱정하는 사람은 민 씨뿐, 다른 사람들은 별로 신경을 쓰지 않는다.

✓ **전개**
황만근은 어려서부터 말투가 어눌하고 행동이 엉뚱해서 마을 사람들에게 놀림을 받아 왔으나, 실상은 누구보다도 성실하고 인정 많은 사람이었다. 그는 어머니와 아들을 정성을 다해 돌보며 마을의 온갖 궂은일을 도맡아 한다.

✓ **위기**
농민 궐기 대회를 앞둔 전날 밤 이장은 황만근에게 군청까지 경운기를 타고 참가할 것을 당부한다.

✓ **절정**
황만근은 민 씨와 술을 마시며 큰돈을 벌기 위해 무리해서 농사를 짓고 그러다 빚을 내는 이웃들의 태도를 비판한다. 그러고는 민 씨가 잠든 사이에 경운기를 몰고 군청으로 떠나고 그 후로 돌아오지 않는다.

✓ **결말**
결국 황만근은 죽어서 돌아온다. 경운기를 몰고 돌아오는 길에 사고를 당한 것이다. 민 씨는 황만근을 긍정적으로 평가한 묘지명을 쓰고 다시 도시로 돌아간다.

✓ 갈래 : 고전 수필, 한문 수필, 기행문
✓ 성격 : 논리적, 설득적, 사색적, 교훈적
✓ 구성 : 기 - 승 - 전 - 결의 4단 구성, 문답식 구성
✓ 제재 : 광활한 요동 벌판
✓ 주제 : 광활한 요동 벌판에서 느낀 감회와 생각
✓ 특징
  • 문답 형식으로 구성
  • 작가의 창의적 발상이 돋보임
  • 적절한 비유와 구체적인 예를 통해 실감나게 묘사함

'통곡할 만한 자리'에 드러난 대상을 바라보는 관점

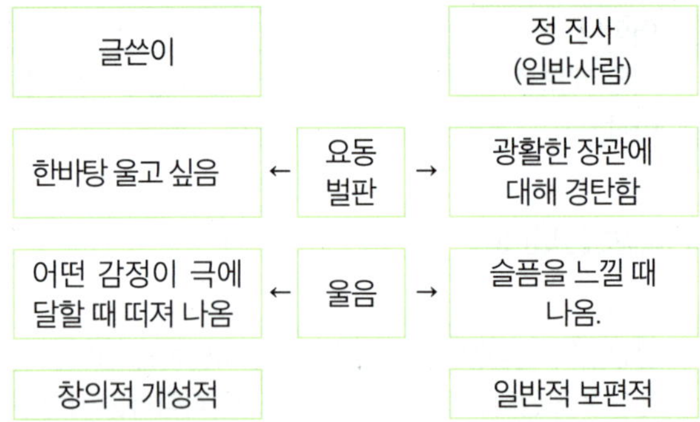

• 작품의 구성

✓ 기 : '나'가 요동 벌판을 보고 한바탕 통곡하기 좋은 곳이
   라고 함
✓ 승 : 정 진사가 통곡하기 좋은 곳이라고 말한 이유를 묻자
   '나'는 칠정이 극에 달하면 울게 된다고 답함
✓ 전 : 정 진사가 칠정 중에서 어느 정을 골라 울어야 하는
   가를 묻자 '나'가 넓은 곳에 처한 즐거움에 울어야
   한다고 하면서 광활한 요동 벌판이 통곡할 만한 자
   리임을 다시 한번 확인함
✓ 결 : 일행과 함께 옛 요동으로 들어감

2024년 1회

01	①	02	①	03	④	04	③	05	④
06	②	07	③	08	②	09	②	10	①
11	①	12	③	13	②	14	④	15	④
16	②	17	①	18	③	19	①	20	①
21	④	22	④	23	②	24	③	25	③

01 | ① '동의 표현'에 어울리는 비언어적 표현은 '고개를 끄덕이며'가 옳다.

 **표현 전략**

언어적 표현: 어휘, 문장 등 독립적으로 쓰여 의미 작용을 하는 하나의 기호 또는 그 결합체
준언어적 표현: 언어 표현에 직접적으로 매개되어 의미 작용을 하는 표현(발음, 고저, 어조, 속도, 크기 등)
비언어적 표현: 언어 표현과는 독립적으로 의미 작용을 할 수 있는 표현(자세, 동작, 표정, 옷차림 등)

02 | ① 직원은 웨이팅, 메뉴, 셰프, 시그니처, 에스코트 등 외국어를 지나치게 많이 사용하고 있다.

03 | ④ 굳다 [굳따], 낙지 [낙찌], 답사 [답싸]는 표준발음법 제23항에 의해 된소리로 발음한다.

표준발음법 제23항

받침 'ㄱ(ㄲ, ㅋ, ㄳ, ㄺ), ㄷ(ㅅ, ㅆ, ㅈ, ㅊ, ㅌ), ㅂ(ㅍ, ㄼ, ㄿ, ㅄ)' 뒤에 연결되는 'ㄱ, ㄷ, ㅂ, ㅅ, ㅈ'은 된소리로 발음한다.

예

- 국밥[국빱]
- 닭장[닥짱]
- 있던[읻떤]
- 밭갈이[받까리]
- 깎다[깍따]
- 칡범[칙뻠]
- 꽂고[꼳꼬]
- 솥전[솓쩐]
- 받이[넉빠지]
- 뻗대다[뻗때다]
- 꽃다발[꼳따발]
- 곱돌[곱똘]
- 삯돈[삭똔]
- 옷고름[옫꼬름]
- 낯설다[낟썰다]
- 덮개[덥깨]
- 옆집[엽찝]
- 값지다[갑찌다]
- 넓죽하다[넙쭈카다]
- 읊조리다[읍쪼리다]

04 | ③ '드리시게'는 격식체 중에서 하게체를 사용한 것으로 예문과 바르게 연결 했다.

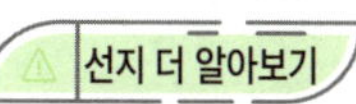 **선지 더 알아보기**

할머니께서 진지를 드셨습니다. → 하십시오체
어머니께서도 공원에 가신다하오. → 하오체
아버지를 모시고 큰댁에 다녀왔어요. → 해요체

05 | ④ 표준 국어대사전에 따르면, '물체의 거죽으로 툭 비어져 나오다. 튀어나오다. 어떠한 현상이 두드러지게 커지거나 갑자기 생겨나다' 를 뜻하는 단어는 '불거지다'이고, '붉어지다'는 '빛깔이 점점 붉게 되어가다'를 뜻하는 단어이다. 커다랗게 불거진 소문으로 쓰일 때는 '불거지다'를 사용하는 것이 옳다.

06 | ② (나)에 축제 날짜 및 장소가 적혀 있지 않으므로 답은 2번이다.

07 | ③ 청유형은 무엇을 하자고 이끄는 뜻을 나타내는 종결 어미. '-자', '-(으)ㅂ시다.', '-세'따위가 붙고, 비유법은 직유법, 은유법, 의인법 등이 있다. '활짝 핀 봄꽃처럼'에서 '처럼'을 사용한 직유법을 확인할 수 있고, '즐겨봅시다'에서 '-(으)ㅂ시다.'가 붙은 청유형을 사용했음을 알 수 있다.

08 | ② 중세국어에서는 두음법칙을 지키지 않았음으로 ②은 틀렸다.

09 | ② 이 시는 4음보의 율격을 가졌고, 색채 이미지(이화, 월백, 은한)를 표현하고 있다. 시조라서 초장, 중장, 종장의 형태로 이루어져 있다.

10 | ① 하얀 배꽃에 달빛이 비치는 것을 보고 있는 화자가 아름다움과 함께 뭔가 울컥하는 감정도 동시에 느끼고 있다. 그 때 화자가 느끼는 감정이 애상감이다.

11 | ① '민씨'와 '이장'의 대화를 통해 갈등이 드러나고 있다. '이장'이 황만근에게 경운기를 타고 농민 궐기 대회를 가라고 했고, '민씨'는 황만근을 보낸, 굳이 경운기를 태워 보낸 '이장'이 못마땅해서 '이장'에게 그 이유를 묻고, 아직 돌아 오지 않은 황만근에 대해 말하고 있다.

12 | ③ '민씨'가 도시에서 농촌으로 귀농했다는 것과 농민 궐기대회의 원인이 농가 부채 탕감 촉구인 것을 '이장'의 말을 통해 알 수 있다.

13 | ② 글의 내용과 문장의 흐름을 보아 ㉠, ㉢, ㉣은 '황만근'을 가리키는 말이고, ㉡은 '이장' 자기 자신을 가리키는 말이다.

14 | ④ 글쓴이는 하늘과 사이의 툭 트인 경계를 보며 통곡에 대한 통념을 반박하면서 통곡과 관련된 내용을 나열하여 설명 하고 있다.

15 | ④ ㉣은 통곡하기 좋은 곳이라고 말한 이유를 물어본 '정 진사'의 질문에 대한 '나'의 대답으로 '나'는 칠정이 극에 달하면 울게 된다고 답했다.

16 | ② "사람들은 다만 칠정 가운데서 오직 슬플 때만 우는 줄로 알 뿐, 칠정 모두가 울음을 자아낸다는 것을 모르지." 라는 '나'의 대답을 통해 '나'는 인간의 칠정이 사무치면 울음과 연결 된다고 생각 하는 것을 알 수 있다.

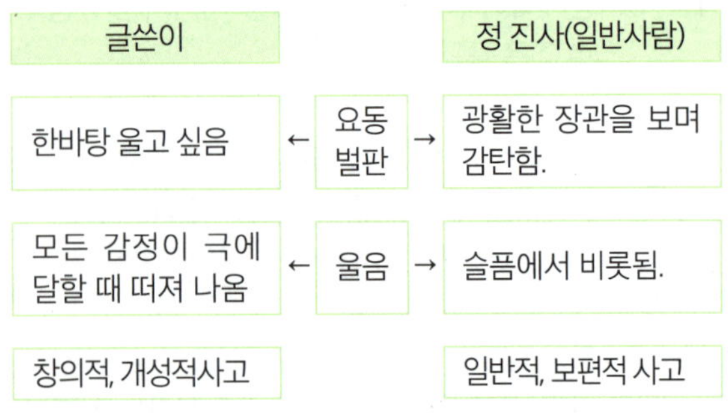

글쓴이		정 진사(일반사람)
한바탕 울고 싶음	← 요동 벌판	광활한 장관을 보며 감탄함.
모든 감정이 극에 달할 때 떠져 나옴	← 울음	슬픔에서 비롯됨.
창의적, 개성적 사고		일반적, 보편적 사고

17 | ① "그의 꽃이 되고 싶다. 무엇이 되고 싶다. 하나의 눈짓이 되고 싶다." 와 같은 유사한 시구를 반복하여 운율을 형성하고 있다.

18 | ③ 이 시는 무의미한 존재가 존재에 의미를 부여하여 대상을 인식 하는 행위로 인해 유의미한 존재가 되는 내용인데 이 글의 화자가 추구하는 삶의 모습은 타인과 진정한 관계를 맺는 삶이다.

19 | ① - ㉠은 인식의 대상으로 '꿰기 전'이 아니라 '구슬'로 보는 것이 옳다.
- ㉡은 무의미한 존재로 '돌멩이'가 옳다. 이름을 불러 주었다는 것이 존재에 의미를 부여하여 대상을 인식하는 행위인데
- ㉢은 구슬을 엮어 주었다는 표현으로 무의미한 구슬에 의미 부여를 한 행위이다. 꽃은 의미 있는 존재로 구슬이 보배가 되었다는 이 표현으로 보아 보배는 의미 있는 존재가 되었음을 나타내고 있다.

20 | ① 평균을 대푯값으로 사용할 때 부정적인 결과의 가능성에 대해 이야기 하면서 우리나라와 하와이의 월별 평균 기온을 예로 들어서 평균만으로 자료를 판단 해서는 안되며, 자료의 범위를 정해 다양한 요소를 고려 해야 한다고 주장했다.

21 | ④ ㉮의 앞문장을 보면 평균의 시대가 가고 있는 이유는 현대사회는 점점 더 많은 변수들에 의해 다변화 되는 양상을 보이고 있기 때문이다.

22 | ④ 다변화는 일의 방법이나 모양이 다양하고 복잡해 지는 것을 의미 한다.

23 | ② 화제를 앞의 내용과 관련시키면서 다른 방향으로 이끌어 나갈 때 쓰는 접속부사나 앞의 내용과 상반되는 내용을 이끌 때 쓰는 접속 부사가 '그런데'이다. ㉠에는 '그런데'가 적절하다.

24 | ③ "분류 기호가 낮은 책부터 왼쪽에서 오른쪽 방향으로 책을 꽂는다. 맨 위층에 있는 책일수록 분류 기호가 낮고 아래로 갈수록 커진다."
이 문장들을 통해 같은 책장 아래층에 있는 책이 위층에 있는 책보다 분류 기호가 높다는 것을 알게 되었다.

25 | ③ 분류기호가 315.741 로 동일하므로 도서기호를 비교하면 되는데 국어사전처럼 ㄱ, ㄴ, ㄷ의 순서로 비교하면 된다. 우리가 꽂을 책이 'ㅂ123ㅌ'이라서 ㅁ과 ㅅ 사이에 꽂으면 되므로 정답은 ③이다.

중세국어 기출작품 알아보기
<소학언해>

✓ 소학언해(小學諺解) - 16세기

孔·공子· 지(主격조사 'ㅣ') 曾증子· 주든· 려 닐· 러 골 ♡·

샤· 딘· 몸· 이며 얼굴· 이며 머· 리털· 이· 며

·술 혼 父부母:모· 씌 받즈· 온 거· 시· 라

敢:감· 히 헐· 워 샹히· 오· 디아· 니· :홈· 이

★ 모음조화 파괴
:효· 도· 이 비· 르· 소미· 오 (비른옴이오)
명사형 어미 '-옴/-움' 혼란

몸· 을 세· 워 道:도· 를 行· 힝· 호· 야

일 :홈· 을 後 :후世: 셰· 예· 베퍼· 뼈
끊어적기

父· 부母:모를 : 현 뎌케 :홈· 이 :효· 도· 이
관형격 조사

무· 춤· 이니· 라
끊어적기

✱ 현대어 풀이

공자께서 증자에게 일러 말씀하시기를, 몸과 형체와 머리털과 살은 부모께 받은 것이라, 감히 헐게 하여 상하게 하지 아니함이 효도의 시작이고, 입신(출세)하여 도를 행하여 이름을 후세에 날려 이로써 부모를 드러나게 함이 효도의 끝이니라.

입신양명, 유방백세, 출장입상

✓ 특징
1) 어두자음군
2) 방점(소리의 높낮이) 표기
3) 이어적기, 끊어적기
4) 주격조사 'ㅣ' 가 사용
5) 'ㅎ' 종성체언
6) 모음조화 파괴
5) 명사형 어미 '옴' 이 쓰임
*모음조화란 양성모음은 양성모음끼리, 음성모음은 음성모음끼리 이어지는 현상이다.

✓ 중세국어의 모음체계
- 양성모음 : ·, ㅗ, ㅏ
- 음성모음 : ㅡ, ㅜ, ㅓ
- 중성모음 : ㅣ

현대시 기출작품 알아보기
이육사, <광야>

광활한 공간과 현실 초월적인 시간을 바탕으로, 일제 강점기의 암담한 현실을 극복하고자 하는 의지와 조국의 광복을 염원하는 미래 지향적인 신념을 드러낸 저항시

▶ 핵심정리

✓ 갈래 : 자유시, 서정시
✓ 성격 : 미래 지향적, 저항적, 의지적, 상징적, 참여적
✓ 주제 : 조국 광복 실현의 의지와 소망
✓ 특징 : 독백적인 어조를 사용해 내면의 신념과 의지를 드러냄. 대조적인 표현 (눈↔매화)을 사용하여 현실 극복의 의지를 표현. 의문, 감탄, 명령 등과 같은 종결 어미를 사용해 화자의 강한 의지를 나타냄. 광활한 공간과 유구한 시간을 조화 시켜 시상을 전개 하고 있음.

▶ 시 전개방식

✓ 1~3연 : 과거, 역사와 문명의 시작
✓ 4연 : 현재, 암담한 현실 극복 의지
- "지금은 눈 내리고"
  : 일제 강점기의 어려움
- "매화 향기 홀로 아득한데"
  : 매화는 봄의 도래와 함께 광복에 대한 희망을 나타냄
- "내 여기 가난한 노래의 씨를 뿌려라"
  : 독립에 대한 의지를 '가난한 노래의 씨'로 표현
✓ 5연 : 미래, 새로운 역사에 대한 기대와 확신
- "백마 타고 오는 초인" : 미래의 지도자이자 구원자

지은이와 집필 연대는 알려져 있지 않으며, 인조 때의 병자호란을 배경으로, 실재 인물이었던 이시백과 그 아내 박씨라는 가공 인물을 주인공으로 삼아 여러 가지 이야기를 엮은 서사 문학

줄거리

인조 대왕 때에 서울의 노재상 이득춘이 노년에 아들을 낳아 시백이라고 했습니다. 시백의 나이 열여섯 살이 되어 금강산 박처사의 딸과 박씨와 결혼했는데요. 박씨는 그 모습이 흉측해서 시아버지만이 극진히 위할 뿐 남편은 물론 온 집안의 조롱과 천대 대상이 되었습니다.

박씨는 할 수 없이 후원에 피화당을 짓고 계집종인 계화와 외롭게 지냈습니다. 그러나 원래 슬기롭고 도술이 탁월한 박씨는 하룻밤에 시아버지의 조복을 짓고, 비루먹은 말을 천리말로 키워 집안을 일으키고, 시백을 장원 급제 시키는 등 놀라운 재주를 보였습니다. 하지만 남편의 구박과 천대는 여전했습니다. 그러다 결혼한 지 3년 만에 박씨가 허물을 벗어 하룻밤 사이에 절세미인이 되고, 남편의 사랑을 독차지하자 집안은 행복해졌습니다. 호왕(胡王)이 여자 자객인 기흥대를 우리나라에 잠입시켜 우의정 이시백과 의주 부윤인 임경업 등을 죽이려는 것을 박씨가 미리 알고 퇴치했습니다. 아울러 병자호란이 일어나자 남편을 졸라 국왕에게 방비책을 진언했지만, 그것이 좌절되자 서울에 침입한 호국(胡國) 장졸을 무수히 죽여 큰 공을 세웠답니다. 세 차례에 걸친 싸움에서도 승리하고 전쟁이 끝나자 국왕은 박씨에게 절충부인을 봉하고 많은 상금을 내렸으며, 박씨 부부는 11남매를 두고 나이 90이 되도록 행복하게 살았습니다.

등장인물

✓ 박씨부인

주인공인 박씨부인은 기인한 능력과 예지력을 지니고 있습니다. 그리고 그 능력은 시아버지가 내일 당장 입어야 할 관복을 하룻밤 사이에 지어 놓는 것은 물론, 매일 세 말씩의 쌀을 먹고, 보잘 것 없어 보이는 말이 천리마라는 것도 알아냅니다. 과거 보러 가는 남편에게 신기한 연적을 주어 장원 급제 시키며, 전쟁이 날 것을 미리 알고 피화당을 짓고는 그에 대비하며, 승리를 이끌어 내는 기인한 능력의 영웅호걸입니다.

✓ 이시백

'사서삼경, 시서백가'에 두루 통하며 계교와 술법이 장안 제일이자, 봉의 머리요 용의 얼굴이라 반드시 재상을 할 상으로 촉망받는 인물입니다. 하지만 초인간적인 능력을 지닌 박씨에 비해 평범한 인물로, 겉모습으로 사람을 평가하기도 합니다. 아울러 박씨 도움으로 장원 급제에 이르고 용맹을 떨치기도 합니다. 역사적으로 볼 때, 이시백은 조선 시대 정치가로 병자호란 때 병조 판서로 남한산성을 지켰습니다. 풍채가 당당하고 힘이 셌으며, 항상 나라를 위하는 마음이 넘쳤습니다.

✓ 박처사

박씨부인의 부친으로, 거동이 비범하고 신기한 일이 많은 기인한 인물입니다. '백학을 타고 공중에서 내려와 당에 오르'는 것은 물론, '당에 내려 솟아 공중을 향하'는 모습에서 선계의 도인처럼 묘사됩니다. 아울러 박씨에게 '네 이제는 액운이 다했으니 허물을 고치라'고 할 정도로 앞날을 내다보는 혜안까지 가지고 있습니다.

✓ 이득춘

이시백의 부친으로, 시백이 박씨를 용모가 추하다는 이유로 돌보지 않자 이를 질타할 만큼 인품이 따뜻하고 혜안을 지녔습니다. 성혼 과정에서 갑작스럽게 찾아온 박 처사의 비범함을 알아보고 금강산까지 찾아가 성혼을 하는 것은 물론 며느리의 추한 용모를 두고 "오늘날 신부를 보니 내 집에 복이 많고 네 몸에 무궁한 경사 있을 것이니 어찌 기쁘지 아니하랴"라며 말하고, 제갈공명의 처 황씨에 비유하며 비범함을 예사롭지 않게 지켜봅니다.

✓ 계화

박씨의 시비로, 피화당에서 박씨를 모시며, 허물을 멋은 부인의 모습을 승상께 아뢰는 것뿐만 아니라 병란 때는 도술로써 용율대를 죽이기도 합니다.

✓ 임경업

중국 호왕이 "우리나라에 조선 장수 임경업을 당할 장수가 없으니 어찌하면 좋으리요?"할 만큼 용맹이 뛰어난 장군으로, 1624년에 이괄의 난이 일어나자 이를 진압하여 일등 공신이 되었습니다. 이후 1636년 병자호란이 일어나자 우리나라로 쳐들어온 후금(청나라)을 맞아 백마산성에서 치열한 전투를 벌여 잘 막아내는 등 많은 성과를 거두었습니다. 하지만 그 뒤 반역 사건에 연루되었다 하여 김자점의 음모로 죽임을 당했습니다.

✓ 김자점

박씨의 지략을 두고, "어찌 요망한 계집의 말을 듣고 북방을 비우고 동을 막으리이까? 이는 다 나라를 망할 말이라, 어찌 지혜 있다 하오리까?" 라고 말해 조선이 위기에 빠지게 하는 간신으로 등장합니다. 실제로 김자점은 조선 시대의 정치가, 병자호란 때 도원수로 토산 싸움에서 참패한 죄로 축출되었다가 다시 중용되었지만 효종 때 반역 행위가 드러나 사형을 당했습니다.

✓ 기홍대

시백과 임경업을 죽이기 위해 호국에서 보낸 여자로, 기생 풍화로 위장해 시백의 집에 잠입해 미인계로 시백을 유혹하려 하지만 박씨부인에 의해 쫓겨납니다.

✓ 상공부인

시백의 어머니로, 못생긴 며느리가 싫어 하인에게 "밥을 적게 주라"고 할 정도로 박씨를 박대합니다.

♬ 고전 시가 기출작품 알아보기
작자 미상, < 두터비 파리를 물고 ~ >

양반들의 횡포와 허장성세를 풍자하는 사설시조

▪ 핵심 정리

✓ 성격 : 우의적, 풍자적, 희화적
✓ 표현 : 대조법, 의인법, 상징법
　두터비 : 탐관오리,
　파리 : 힘 없는 백성
　백송골 : 중앙관리

★ 현대어 해석

두꺼비 파리를 물고 두엄 위에 올라 앉아
건너 산 바라보니 매가 떠있거늘 가슴이 놀라 풀썩 뛰어 내딛었다가 두엄 아래 자빠지고
마침 날쌘 나이기에 다행이지 다칠 뻔 하였구나

♬ 희곡 기출작품 알아보기
김애란 원작, 최민석 외 각본 < 두근두근 내 인생 >

▪ 시나리오의 특성

✓ 인물, 사건, 배경으로 구성되며 갈등을 중심으로 사건이 전개 된다.
✓ 서술자의 개입 없이 주로 등장인물의 대사와 행동으로 표현한다.
✓ 상영을 전제로 하므로 촬영을 고려한 시나리오 용어가 사용된다.
✓ 등장인물 수에 제한이 없다.
✓ 시간과 공간의 제약이 적고, 장면의 변화가 자유롭다.
✓ 컷(cut)과 장면 (scene) 단위로 구성된다.

컷	카메라가 한 번의 연속 촬영으로 찍은 장면, 숏 (shot)
장면	1) 영화의 최소단위. 같은 장소와 시간 내에서 이루어지는 일련의 행동이나 대사가 이루어지는 부분 2) 하나 또는 여러개의 컷으로 구성 3) 'S#'으로 표시

▪ 등장인물

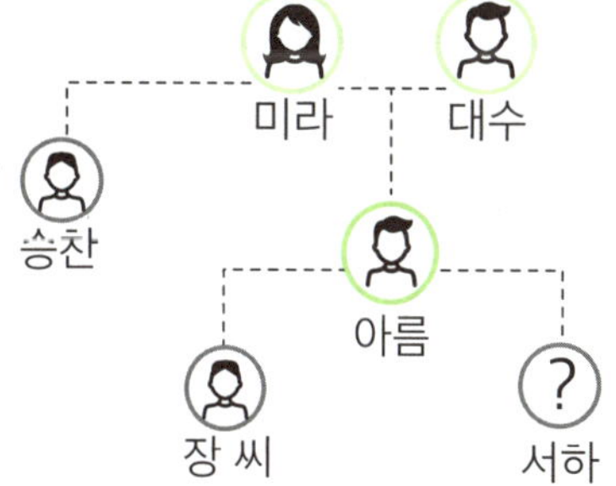

✓ 미라

33세, 어린 나이에 아름이를 낳았지만 씩씩하고 당찬 엄마이다. 어려운 형편에도 힘든 기색 없이 아름이를 보살핀다.

✓ 대수

33세, 어린 나이에 동갑내기인 미라를 만나서 결혼했다. 사랑하는 가족을 위해서 힘든 일도 마다하지 않는다.

✓ 아름

3세 때 조로증 판정을 받은 실제 나이 16세. 신체 나이 80세의 소년. 속이 깊고, 다양한 분야의 책을 읽으며 많은 것을 배우려고 노력한다.

√ **승찬**

미라의 동창이자 방송국의 연출자. 아름이를 주인공으로 한 프로그램을 제작하여 그 후원금으로 아름이의 병원비를 마련하는 데 도움을 준다.

√ **장 씨**

치매에 걸린 아버지를 모시고 사는 아름이네 옆집 할아버지. 아름이에게 형같이 의지가 되는 존재로, 아이처럼 천진난만한 면이 있다.

√ **서하**

아름이가 출연한 프로그램을 보고 아름이에게 전자 우편을 보낸 16세 소녀, 아름이의 마음을 설레게 하지만, 자신의 정체를 쉽게 드러내지 않는다.

작품의 구성

발단	힘든 투병 생활 속에서도 '아름'과 엄마 '미라'는 밝고 당당하게 살아감
전개	'아름'은 방송 출연 후 '서하'라는 또래 여자아이에게 이메일을 받고, 이후 계속 편지를 주고받으며 가까워짐
절정	'서하'의 정체를 알게 된 후, '아름'은 마음에 깊은 상처를 입고 감정이 폭발하여 부모와 갈등
하강	서먹했건 '아름'과 '대수'는 하늘 공원에 가서 자연스럽게 화해하고, 별똥별을 보면서 즐거운 시간을 보내던 도중에 '아름'이 시력을 잃음
대단원	가족과 함께 보신각 제야의 종 타종 행사를 보러 가던 길에 '아름'이 숨을 거둠

이 작품은 조로증으로 죽음을 앞둔 소년이 주인공이다. 1인칭 주인공 시점이다. 소년의 짧은 생을 통해 사랑의 의미와 인생의 아름다움을 전하고 있다. 미라와 대수는 17살에 아들 '아름'을 낳았고, 16살 '아름'은 여든 살 노인의 몸으로 살아간다. 부모보다 늙어버린 아들과 아들보다 젊은 부모라는 설정이 독특하다. <두근두근 내 인생>은 평범하지 않은 부모와 아들의 슬픈 이야기지만 서로 사랑하며 당당하게 살아가는 못브을 보여주는 사랑의 이야기다. 제목이 그렇게 말하고 있다. '두근두근'은 기대감으로 마음이 설렐 때 쓰는 의태어이다. 일상적인 행복을 누릴 수 없는 소년의 이야기를 통해 두근두근한 삶의 아름다움과 어려운 상황에서도 서로를 위하며 살아가는 가족의 소중함이라는 주제를 전달하고 있다.

*조로증 : 인간 노화의 모든 단계가 10년 미만의 기간동안 나타나는 가속화된 노화 증후군

01	③	02	③	03	④	04	③	05	②
06	①	07	①	08	④	09	①	10	②
11	②	12	④	13	④	14	①	15	②
16	②	17	④	18	④	19	③	20	②
21	①	22	④	23	③	24	④	25	③

01 | ③ 질문 형식으로 대화를 하면 상대에게 부담을 줄일 수 있다.

🔍 개념 더 보기   공손성의 원리

공손하고 예절 바르게 주고받는 말의 태도를 기반으로 대화 참여자들 사이의 사회적인 관계를 형성하고 유지시키는 기능을 한다.

1) 요령의 격률 : 상대방에게 부담이 되는 표현은 최소화하고, 상대방에게 이익이 되는 표현을 최대화하는 방법이다.

🔳 1) 혹시 시간 좀 내주실 수 있으십니까?
  2) 죄송하지만 질문을 드려도 될까요?
  직접적인 요구보다 질문의 형식을 취함으로써 상대방에게 거절 할 수 있는 선택의 여지를 주어 상대방의 부담을 최대한 줄여주고 있다.

2) 관용의 격률 : 말하는 사람의 입장에서, 자신에게 이익이 되는 표현은 최소화하고, 자신에게 부담이 되는 표현을 최대화하는 방법이다.(자신의 탓으로 돌림)

🔳 1) 제가 잠시 딴 생각을 해서 그러는데, 다시 말씀 해 주시겠어요?
  2) 안 들립니다. 좀 더 크게 말해 주세요
  위 발화에서 첫번째 발화는 못 들은 책임을 자신에게 돌려 자신의 부담을 최대화 하는 대신 상대의 부담을 최소화 하고 있는 정중한 표현이다.

3) 찬동의 격률 : 상대방을 비하하는 표현을 최소화하고, 상대방을 칭찬하는 표현은 최대화하는 방법이다.

4) 겸양의 격률 : 말하는 사람의 입장에서, 자신을 칭찬하는 표현은 최소화하고, 자신을 낮추는 표현은 최대화하는 방법이다.

🔳 가 : 너는 참 공부를 열심히 하는구나, 대단해
  나 : 아니야, 게을러서 이제라도 조금 하는 것 뿐이야
  친구의 칭찬에 대해 자신을 낮추는 겸양의 격률을 보이고 있다. 우리말 문화에서 상대의 칭찬에 대해 천만에도, 별말씀을 다하십니다, 여러모로 부족합니다 등의 표현을 사용하는 것이 겸양의 격률의 예이다.

5) 동의의 격률 : 상대방의 의견과 불일치하는 표현은 최소화하고, 상대방의 의견과 일치하는 표현은 최대화하는 방법이다. 일단 상대방의 의견을 존중해줌으로써 상대방과의 일치를 강조하고 나서 자신의 견해를 밝히는 동의의 격률은 상대와의 갈등이나 대립을 피하는 바람직한 방법이다.

02 | ③ 발표자는 발표 주제인 판다에 대해 청중이 알고 있는지 질문을 던지면서 확인 하고 있다.

03 | ④ 다만 'ㄱ, ㅂ' 받침 뒤에서 나는 된소리는 같은 음절이나 비슷한 음절이 겹쳐서 나는 경우가 아니면 된소리로 적지 아니한다는 규정에 따라 ④은 얼마 전 다친 상처에 딱지가 앉았다. 가 옳은 표현이다. ㄱ 받침 뒤에 같은 음절이나 비슷한 음절 겹친 경우가 아니기 때문에 된소리로 적으면 안된다.

🔍 개념 더 보기   한글 맞춤법 제 5항

제 5항 한 단어 안에서 뚜렷한 까닭 없이 나는 된소리는 다음 음절의 첫소리를 된소리로 적는다.
(1) 두 모음 사이에서 나는 된소리

– 소쩍새	– 어깨
– 오빠	– 으뜸
– 아끼다	– 기쁘다
– 깨끗하다	– 어떠하다
– 해쓱하다	– 가끔
– 거꾸로	– 부썩
– 어찌	– 이따금

(2) 'ㄴ, ㄹ, ㅁ, ㅇ' 받침 뒤에서 나는 된소리

– 산뜻하다	– 잔뜩
– 살짝	– 훨씬
– 담뿍	– 움찔
– 몽땅	– 엉뚱하다

다만 'ㄱ, ㅂ' 받침 뒤에서 나는 된소리는, 같은 음절이나 비슷한 음절이 겹쳐 나는 경우가 아니면 된소리 적지 아니한다.

– 국수	– 깍두기
– 딱지	– 색시
– 싹둑(~싹둑)	– 법석
– 갑자기	– 몹시

04 | ③ 피동 표현은 주어가 다른 주체에 의해 동작을 당하는 것이다.

들판이 눈으로 덮였다

: 피동 접미사 '-이-'가 쓰였고, 동작을 당하는 '들판'에 초점이 있다.

눈가에 눈물이 맺혔다

: 피동 접미사 '-히-'가 쓰였고, 동작을 당하는 '눈가'에 초점이 있다.

과일이 그릇에 담겼다

: 피동 접미사 '-기-'가 쓰였고, 동작을 당하는 '과일'에 초점이 있다.

05 | ② '얼굴이며' 는 끊어적기의 예이다. 소학언해는 끊어적기와 이어적기의 혼용인데 이어적기의 예는 '거시라' 이다.

 소학언해 해설

소학언해(小學諺解)권 제2 선조(宣祖) 20년(1587년)

(동국정운식 한자음 폐지)+공자 주격조사 'ㅣ'

孔 · 공子 · 지 曾증子 · 즈ᄃᆞ · 려 닐 · 러

(=말씀하시기를, 끊어적기)　　　(두음법칙 적용 안 됨 닐어< 닐러)

글 ᄋᆞ · 샤 · 디 · 몸 · 이며 얼굴 · 이며 머 · 리털 · 이 · 며

ᄋᆞ · 샤 주체높임 (선어말 어미)　(끊어적기)　의미축소(몸 전체→안면)

· 술 혼 父 부 母 :모 · 씌 받ᄌ · 온 거 · 시 · 라 (이어적기)

ㅎ 종성체언　　　(받은, 받+ 객체 높임 ㅸ (순경음비읍)소실)

敢 :감 · 히 헐 · 워 샹히 · 오 · 디아 · 니 :홈 · 이 :효 · 도 ·

(헐게하여: 사동형)　(=상하게 하지, 구개음화 사용 안됨)

이 비 · 르 · 소미 · 오 몸 · 을 셰 · 워 道 :도 · 를行 ·

(이어적기, 명사형 어미 '옴'과 '움' 혼란. 모음조화 파괴:비릇(다)+옴+이오(비르수미오))

힝 · ᄒ · 야 일 :홈 · 을 後 :후世 : 셰 · 예 :베퍼 · 뻐

(=이름, 끊어적기)　　(입신양명, 유방백세, 출장입상) (뻐(=이로서,以를 직역한 표현)

父 · 부母 :모롤 : 현 뎌케 :홈 · 이 :효 · 도 이

(=현저하게, 현더→현져→현저, (끊어적기)　　관형격 조사 구개음화 사용안됨)

ᄆᆞ · 춤 · 이니 · 라

(=마침이니라, 끊어적기)

06 | ① 개인 정보 유출은 사이버 범죄에 속하므로 사이버 범죄에 쉽게 노출 되지 않기 위해서 개인 정보 보호에 힘쓰는 것이 옳다.

07 | ① 이렇게 많은 문제점이 있음에도 모든 연결을 끊는 것은 어렵다로 고치는 것이 매끄러우므로 조사를 '을'로 바꾼다.

다다익선 : 많으면 많을수록 좋다는 뜻이다.
과유불급 : 정도를 지나침은 미치지 못함과 같다는 뜻으로, 지나치거나 모자라지 않고 한쪽으로 치우치지 않는 상태가 중요하다는 말이다.

08 | ④

① 축하[추카] : 음운 축약, 두 형태소가 서로 만날 때, 앞 뒤 형태소의 두 음운이 합쳐져서 하나의 음운이나 음절로 발음 되는 현상이다. 여기선 자음 축약이 ㄱ+ㅎ = ㅋ 으로 일어났다.

② 밥집[밥찝] : 된소리 되기, 받침 'ㄱ(ㄲ, ㅋ, ㄳ, ㄺ), ㄷ(ㅅ, ㅆ, ㅈ, ㅊ, ㅌ), ㅂ(ㅍ, ㄼ, ㄿ, ㅄ)' 뒤에 연결되는 'ㄱ, ㄷ, ㅂ, ㅅ, ㅈ'은 된소리로 발음한다.

③ 굳이[구지] : 구개음화, 받침 'ㄷ, ㅌ(ㄾ)'이 조사나 접미사의 모음 'ㅣ'와 결합되는 경우에는, [ㅈ, ㅊ]으로 바꾸어서 뒤 음절 첫소리로 옮겨 발음한다.

 비음화

받침 'ㄱ(ㄲ, ㅋ, ㄳ, ㄺ), ㄷ(ㅅ, ㅆ, ㅈ, ㅊ, ㅌ, ㅎ), ㅂ(ㅍ, ㄼ, ㄿ, ㅄ)'이 비음 'ㄴ, ㅁ'앞에서 비음[ㅇ, ㄴ, ㅁ]으로 바뀌는 현상을 말한다.
예 국물[궁물], 닫는[단는], 밥물[밤물]

받침 'ㅁ, ㅇ' 뒤에 연결되는 'ㄹ'은 [ㄴ]으로 발음한다.
예 담력[담 : 녁], 침략[침냑], 강릉[강능], , 종로[종노], 대통령[대통녕]

09 | ① 화자는 광야에서, 태초부터 미래까지의 시간 변화에 따른 광야의 모습을 제시하며 시간의 흐름에 따라 시상을 전개 하고 있다.

10 | ② 1연은 태초의 광야, 즉 천지 창조의 순간을 묘사한다. "닭 우는 소리" 조차 들리지 않는 적막한 공간은 광야의 신성함과 장엄함을 드러낸다. 2연은 의인화를 통해 광야의 형성 과정을 역동적으로 표현하고, "차마 이곳을 범하던 못하였으리라"라는 구절에서 광야의 신성불가침성을 강조한다. 이는 우리 민족의 삶의 터전이자 역사의 무대인 광야에 대한 경외심을 드러내는 동시에 일제의 침략을 비판하는 의도를 내포하고 있다. 3연은 "끊임없는 광음"과 "부지런한 계절"을 통해 시간의 흐름과 자연의 순환을 묘사하고, "큰 강물이 비로소 길을 열었다"는 구절로 문명의 발전과 역사의 시작을 알린다. 5연은 미래에 대한 확신과 염원이 나타나는 연으로 백마는 영웅의 등장을 상징하며, 초인은 조국 광복을 이끌어낼 미래의 지도자를 말한다.

11 | ② 4연은 현재의 시련과 극복의지가 나타나는데 "지금 눈 내리고"는 일제 강점기라는 암울한 현실과 민족의 고통을 상징하고 "매화 향기 홀로 아득하니"라는 구절은 시련 속에서도 굴하지 않는 강인한 민족정신과 독립에 대한 염원을 드러낸다. "내 여기 가난한 노래의 씨를 뿌려라"는 화자의 자기희생적인 의지를 통해 미래를 위한 희망의 씨앗을 뿌리겠다는 결연한 의지를 보여준다.

12 | ④ "이윽고 공중으로 두 줄기 무지개가 일어나며, ~얼음이 얼어"를 통해 초월적 능력을 발휘하는 박씨가 있다.

고전 소설의 특징

(1) 주제

고전 소설의 주제는 대체로 '권선징악'과 '인과응보', '영웅적 인물의 활약상', '가족 간의 우애', '위기를 극복한 남녀 간의 사랑' 등으로 구분할 수 있다. 대부분의 고전 소설은 이러한 주제가 이야기의 바탕을 이루면서 세부 이야기만 달라진다는 특성이 있다.

(2) 구성

㉠ 평면적 구성

고전 소설에서는 사건이 대부분 시간의 흐름을 따라 전개된다.

㉡ 일대기적 구성(＝전기(傳記)적 구성)

주인공이 태어나서 죽을 때까지의 사건이 흐르는 순서에 따라 전개된다. 평면적 구성의 하나이다.

㉢ 영웅의 일대기적 구성(＝영웅 서사 구조)

영웅적인 주인공의 일대기를 다루는 작품은, '왕족이나 귀족 같은 고귀한 혈통→보통 사람과는 다른 비정상적인 출생→남들보다 훨씬 뛰어난 능력을 타고남.→죽을 고비를 맞고 가족과 헤어짐.→조력자의 도움으로 위기를 극복하고 양육됨.→어른이 된 후 또다시 위기를 맞이함.→위기를 극복하고 승리함.' 과 같이 일정한 서사 구조에 따라 사건이 전개된다.

㉣ 이원적 구성

소설의 배경이 신선이 사는 '천상계'와 인간이 사는 '지상계'로 나누어진 구성을 말한다. 고전소설에는 천상계 인물인 주인공이 죄를 짓고 지상계로 내려왔다가 시련을 극복하고 영웅이 되어 다시 천상계로 돌아간다는 설정이 자주 등장한다.

적강구조 : 이원적 구성은 적강 소설에서 많이 나타나는데, '적강'은 천상계 인물이 지상계로 내려오거나, 지상계에서 사람으로 태어나는 것을 뜻한다. 이러한 이야기 구조를 '적강구조'라고 하며, '적강구조'를 가진 소설을 '적강 소설'이라고 한다.

(3) 인물

㉠ 평면적 인물

고전 소설에서는 인물의 성격이 소설의 처음부터 끝까지 변하지 않는다.

㉡ 전형적 인물

고전소설에서는 특정 신분이나 집단을 대변하는 인물 유형인 전형적인 인물이 많이 등장한다. 그 예로 조선 시대 여성의 유교적 윤리 의식을 대표하던 열녀, 고난과 시련을 극복하는 영웅, 양반과 봉건적 사회를 풍자하고 조롱하는 평민 등이 있다.

예 사랑을 지켜내는 열녀

: <춘향전>의 춘향 등

시련과 고난을 이겨내는 영웅

: <홍길동전>의 홍길동, <박씨전>의 박씨 부인등

양반을 풍자하고 조롱하는 평민

: <춘향전>의 방자, <배비장전>의 방자 등

- **고전소설의 자주 나오는 인물 유형**

  재자가인형 인물 : '재주 있는 남자와 아름다운 여자'를 이르는 말이다. 고전 소설의 주인공은 외모와 능력이 뛰어난 재자가인형 인물로 설정되는 경우가 많다.

  예 <숙영낭자전>의 주요 인물

  : 백선군, 숙영낭자 → 뛰어난 외모와 인품, 지혜를 겸비한 재자가인형 인물

ⓒ **초월적 인물**

  인간의 세계를 뛰어넘는 능력을 지닌 인물 유형이다. 이원적 구성의 경우 천상계의 인물이 초월적 인물이 된다. 주로 하늘의 선녀, 용궁의 용왕 등과 같이 신이한 힘을 가진 존재로 그려진다.

(4) 사건

㉠ **우연성**

  고전 소설에서는 현대 소설과 달리 사건이 필연적인 상황이나 원인 없이 우연하게 발생하는 경우가 많다.

  길동이 서당에서 글을 읽다가 문득 책상을 밀치고 탄식하며 말했다. "대장부가 세상에 나서 공맹을 본받지 못하면 차라리 병법을 외워, 대장군의 인장을 허리춤에 비스듬히 차고 동과 서로 정벌하여, 나라에 큰 공을 세우고 이름을 만대에 빛내는 것이 장부로서 흔쾌히 할 일이다. 나는 어찌하여 한 몸이 외롭고, 아버지와 형이 있건만 아버지와 형이라고 부르지도 못하니 심장이 터질 것 같구나. 어찌 원통 하지 아니하리오!" 말을 마치고 뜰에 내려가서 검술을 공부하였다. 마침 공이 또한 달빛을 구경하다가 길동이 배회하는 것을 보고 즉시 불러 물었다.

  길동이 있던 뜰에 공(길동 아버지)이 우연히 나타나 서로 만나게 됨.

  허균, <홍길동전>

ⓛ **비현실성(= 전기성(傳奇性))**

  고전 소설에서는 현실적으로 일어나기 어려운, 신기하고 이상한 사건을 다루는 경우가 많다. 등장인물이 비범하거나 초월적인 능력을 발휘하기도 한다.

  마음이 불안하여 책을 놓고 보더니, 홀연 광풍이 창틈으로 들어와 생이 쓴 관을 벗겨 공중에 솟았다가 방 가운데 떨어뜨리니, 생이 그 관을 태우고 주역을 내어 점괘를 보니 괴이한 일이 눈 앞에 보이는지라. 마음에 냉소하고 촛불을 돋우고 밤새기를 기다리더니, 삼경이 지난 후에 방 안에 음산한 바람이 일어나거늘, 둔갑술을 베풀어몸을 감추고 그 거동을 살폈다.

  작자미상, <소대성전>

  광풍 : 미친듯이 사납게 휘몰아치는 거센 바람.
  삼경 : 밤 11시에서 새벽 1시 사이

(5) 문체

㉠ **문어체**

  일상적인 대화에서는 거의 쓰이지 않고 주로 글에서만 쓰이는 특정적인 버릇(= 글투, 문투)이 나타나는 문체이다. 고전 소설은 한문 문어체의 영향을 받아 '-(이)ㄴ지라', '-더라', '가로되', '왈' 등의 표현이 자주 나타난다.

  여러 날 만에 금강산을 찾아가니, 풍경도 좋거니와 때도 마침 삼춘이라. 좌우 산천 바라보니 각색 화초 만발한데 봉접은 펄펄 날아 꽃을 보고 춤을 추고, 수양버들은 늘어졌는데 황금 같은 꾀꼬리는 환우성이 더욱 좋다. 경치를 구경하며 점점 들어가니 사람 발자취가 없는지라.

  작자 미상, <박씨전>

  삼춘 : 봄의 석 달.
  봉접 : 벌과 나비를 아울러 이르는 말.
  환우성 : 새가 지저귀는 소리.

ⓛ **운문체(= 율문투)**

  운율이 느껴지는 문장이 연속된 낭송하기 좋은 문체이다. 주로 판소리의 영향을 받은 소설에서 나타나는 특징이다.

  장끼란 놈 하는 말이, "콩 먹고 다 죽을까? 고서를 볼작시면 콩 태 자 든 이마다 오래 살고 귀히 되니라. 태고적 천황씨는 일만 팔천 세를 살아 있고, 태호복희씨는 풍성이 상승하여 십오 대를 전해있고, 한 태조, 당 태종은 풍진 세계 창업 지주되었으니, 오곡 백곡 잡곡 중에 콩태자가 제일이라. 궁팔십 강태공은 달팔십 살아있고, 시중천자 이태백은 기경 상천하여 있고, 북방의 태을성은 별 중의 으뜸이라."

  작자 미상, <장끼전>

(6) 서술자의 개입(= 편집자적 논평)

  작품 밖의 서술자가 작품에 개입하여 인물과 사건에 대한 판단이나 생각, 느낌을 직접 서술하는 것으로 전지적 작가 시점에서 주로 나타난다. 편집자적 논평이라고도 하며, 문장의 형태는 주로 설의적 의문문(-랴, -쏘냐, -리오)으로 나타난다.

  이때 천자는 백사장 엎어져 있고 한담이 칼을 들고 천자를 치려 했다. 원수가 이때를 당해 평생의 기력을 다해 호통을 지르니, 천사마도 평생의 용맹을 다 부리고 변화 좋은 장성검도 삼삽삼천에 어린 조화를 다 부리었다. 원수 닿는 곳에 강산도 무너지고 하해도 뒤엎어지는 듯하니, 귀신인들 아니 울며 혼백인들 아니 울리오.

  작자 미상, <유충렬전>

13 | ② ㉠ 조그만 계집, ㉢ 박부인, ㉣ 내 는 박씨 부인을 가리키고 ㉡ 왕대비는 왕대비를 가리킨다.

14 | ① "너희 놈이 본디 간사하여 넘치는 죄를 지었으나" 이 문장을 통해 박씨가 오랑캐가 큰 죄를 지었다고 말하고 있음을 알 수 있다. "박씨가 시비 계화를 시켜 외치기를, 박씨가 또 계화를 시켜 외치기"를 이 문장을 통해 박씨가 계화를 통해 자신의 의사를 전달하고 있음도 알 수 있다. 또한, "박씨는 우리 세자, 대군을 부디 태평히 모셔 가라" 고 직접적으로 말하고 있다.

15 | ② 시조의 기본 형식은 3장 6구 45자 내외이며, 음수율은 3 · 4조, 4 · 4조를 기본으로 한다. 음보율은 4음보이며, 종장의 첫 음보는 3음절을 지키는 것을 원칙으로 한다. '두터비 파리를 물고'는 사설 시조로 시조의 특징 외에 중장이 초장과 종장에 비해 긴 특징을 가지고 있다.

🔍 개념 더 보기 　시조의 종류

평시조 : 가장 일반적인 기본 형태의 시조이다. 다양한 내용과 형식적인 특징으로 시조의 대표적인 형식으로 자리잡고 있다. 단형 시조라고도 부른다.

엇시조 : 초장 · 중장 · 종장 가운데 어느 한 장이나 두 장이 평시조의 정형보다 약간 길어진 시조이다. 여기서 '엇'은 일부 음보가 더 길어지거나 짧아지는 것을 뜻합니다. 중형 시조라고도 부른다.

연시조 : 두 개 이상의 평시조가 하나의 제목으로 엮어져 있는 시조이다. 여러 수의 시조가 연속적으로 이어지는 형태이고 주로 한 가지 주제에 사설시조 등 여러 개의 시조가 연결되어 내용이 길고 복잡하며, 깊이 있는 서사 구조를 담고 있다.

사설시조 : 평시조의 틀에서 두 구 이상에서 틀을 벗어나 각각 그 자수가 10자 이상으로 늘어난 시조이다. 형식은 일반적으로 초장·종장이 짧고, 중장이 대중없이 길며, 종장의 첫 구만이 겨우 시조의 형태를 지니는 것과, 3장 중에서 2장이 여느 시조보다 긴 것이 있다. 일반적인 시조에 비해 보다 다양한 주제를 담고 자유로운 표현이 가능하다. 장형 시조라고도 한다.

16 | ② 이 시는 두꺼비가 힘없는 파리를 입에 물고 괴롭히다가 눈을 들어 하늘을 보니 흰 송골매가 떠있는지라 화들짝 놀라 도망치다가 거름 더미 아래로 자빠졌는데 자신이 날쌨기 망정이지 그렇지 않았다면 피멍이 들 뻔했다며 허세를 떨고 있는 탐관오리를 해학적으로 그리고 있는 풍자시다.

17 | ④ 이 글은 시나리오로 S#, 컷 투(cut to) 등 시나리오 용어를 사용하고 있다.

S# : Scene Number	장면 표시 번호
NAR. : Narration	장면이 나타나지 않으면서 장면의 진행에 따라 그 내용이나 줄거리를 장면 밖에서 해설 하는 것
E. : Effect	효과음. 주로 화면 밖에서의 음향이나 대사를 활용한 효과
Ins. : Insert	장면과 장면 사이에 다른 장면이나 글자 또는 사진을 끼워 넣는 것
Cut to.	컷으로 한 장면에서 다음 장면으로 넘어가는 것
C.U. : Close Up	어떤 배경이나 인물이 두드러지게 화면을 확대하는 것
DIS. : Dissolve	한 화면이 사라짐과 동시에 다른 화면이 나타나도록 장면을 전환하는 것
Montage	따로따로 촬영한 화면을 떼붙여 편집하는 것
F.I. : Fade In	화면이 처음에 어둡다가 점차 밝아지는 것
F.O. : Fade Out	화면이 처음에 밝았다가 점차 어두워지는 것
O.L. : Over Lap	앞 화면에 뒤의 화면이 포개어지는 것
PAN. : Panning	카메라를 상하좌우로 이동하는 것

18 | ④ 편지를 통해 아름이는 서하에게 동질감이 생기면서 서하와 마음을 트고 진실된 이야기를 나누며 호감을 느끼게 된다.

19 | ③ '서하'는 아름이에게 전자 우편(e-mail)을 보
낸 인물이고, 지문 뒷 이야기를 참고하면 허구
적 인물로, 서하는 아름이와 같은 또래의 암을
앓고 있는 아이가 아닌 서른이 넘은 무명 시나
리오라이터 남자라는 게 밝혀진다.

20 | ② 이 글은 인간 배아 복제를 포함한 배아 연구를
찬성하는 입장과 반대하는 입장을 제시 하고
있다.

21 | ① ㉮의 앞문장인 *"과학의 발전은 인위적으로 막
아서는 안되며, 과학자의 자유로운 연구를 보
장해야 한다는 논리이다."*를 통해 인간 배아
복제를 포함한 배아 연구를 정부가 규제 하면
안된다는 주장을 하고 있음을 알 수 있다.

22 | ④ 쟁점의 사전적 의미는 서로 다투는 중심이 되
는 점이고, 어떤 일을 서로 양보하여 협의하는
것은 타협이다.

23 | ③ 2문단에서 이용후생 학파와 경세치용 학파의 서
양화법을 대하는 태도를 설명하면서 *"그들의 학
문적 지향이 다르듯"* 이라고 학문적 지향이 다름
을 직접적으로 드러냈다.

24 | ④ 역접 접속사인 '하지만'은 앞의 문장의 내용과
반대되거나 대립되거나 앞의 문장과 일치하지
않는 내용을 연결한다. ㉠의 위치에서 앞문장
은 서양화법은 조선 후기의 그림에 영향을 끼
쳤다는 내용이고 뒷문장은 서양 화법의 유행이
오래 지속 되지 않았다는 내용이기에 앞의 문
장의 내용과 반대되는 글의 진행이므로 역접
접속사인 '하지만'을 쓰는 것이 옳다.

25 | ③ [A]를 통해 정신적인 것을 추구하는 동양인과 눈
에 보이는 현상에 집중하는 서양인의 삶에 대한
태도가 동양화와 서양화의 회화적 표현에 드러난
것을 알 수 있다.

📌 중세국어 기출작품 알아보기
<용비어천가> 제2장

✓ 용비어천가(龍飛御天歌) - 15세기

깊은→기픈　'이어적기'　　대구법, 비유법
모음조화
불휘 기픈 남·고 볼롬매 아니 뮐·씨
종성부용초성, 8종성법×　＊하다=많다　~때문에
조선　**곶됴코 여름 하ᄂ·니**　시련, 고난
주격조사　=열매　모음조화
샘이　**식미 기픈 므른 ᄀ모래 아니 그츨씨**
모음조화
내히 이러 바로래 가ᄂ니
ㅎ종성체언

* 현대어 풀이

뿌리가 깊은 나무는 바람에 움직이지 아니하므로,
꽃 좋고 열매 많습니다.
샘이 깊은 물은 가뭄에 그치지 아니하므로,
내[川]가 이루어져 바다에 갑니다.

✓ 특징
1) 'ㅎ' 종성 체언 예 내히(내ㅎ + ㅣ)
2) 방점(소리의 높낮이) 표기
3) 이어적기 예 기픈 므른
4) 주격조사 'ㅣ'가 사용 예 시미
5) 모음조화가 지켜짐
6) 두음법칙과 구개음화 적용 되지 않음

✓ 중세국어의 모음체계
 • 양성모음 : ·, ㅗ, ㅏ
 • 음성모음 : ㅡ, ㅜ, ㅓ
 • 중성모음 : ㅣ

📌 고전시가 기출작품 알아보기
정철, <속미인곡>

▪ 핵심 정리

✓ 갈래 : 가사
 ① 조선시대 한글로 된 운문 문학
 ② 서사적 요소와 서정적 표현이 함께 담긴 장르
 ③ 3·4조, 4·4조의 리듬감을 갖는 운문체
✓ 주제 : 임금에 대한 충신의 그리움과 충절 (겉으로는 여인의 사랑 이야기처럼 보이지만, 실제로는 충신의 절의를 노래한 우의적 작품)
✓ 특징 :
 ① 우의적 표현 : 여성 화자의 사랑 이야기를 통해 충신의 마음을 간접적으로 표현
 ② 자연물 활용 : 달, 바람, 구름, 물 등 자연물을 통해 감정과 상황을 묘사
 ③ 정서 표현 : 그리움, 외로움, 충성심, 희망 등의 감정이 반복적으로 나타남
 ④ 운율 : 3·4조 또는 4·4조 등 리듬감 있는 운문 형식
 ⑤ 구성 : 임금과 함께했던 과거 회상 → 현재의 외로움 → 충성심 표현

▪ 시 본문

저기 가는 저 각시 본 듯도 하구나
천상 백옥경을 어찌하여 이별하고 해 다 져 저문 날에 누굴 보러 가시는가
어와 너로구나 이내 사설 들어 보오
내 모습 이 거동이 임이 사랑함직 한가마는 어쩐지 날 보시고 너로다 여기심에
나도 임을 믿어 딴생각 전혀 없어
아양이며 교태며 어지럽게 하였던지
반기시는 낯빛이 예와 어찌 다르신가
누워 생각하고 일어나 앉아 헤아리니
내 몸의 지은 죄 산같이 쌓였 으니
하늘을 원망하며 사람을 탓하겠는가
서러워 생각하니 조물주의 탓이로다
그것일랑 생각 마오 맺힌 일이 있습니다
임을 모셔 봐서 임의 일을 내 알거니
물 같은 몸이 편하실 때 몇 날일까
봄추위 여름더위 어떻게 지내시며
가을철 겨울철은 누가 모셨는가
죽조반 조석 진지 예전과 같이 올리시나
기나긴 밤에 잠은 어찌 주무시나

갑녀)

저기 가는 저 여인, 어디서 본 것 같은데…
하늘의 아름다운 궁전인 백옥경을 왜 떠나
해가 다 지고 어두운 이때에 누구를 만나러 가십니까?

을녀)

아아, 너였구나. 내 얘기 좀 들어 보렴.
내 모습과 행동이 임께서 사랑할 만도 한데
왜 그런지 나를 보시고 하찮은 존재라고 여기시니…
나도 임을 믿고 다른 생각 없이 한결같이 대했는데
그저 정성을 다해 애교도 부리고 정답게 모셨을 뿐인
데…
임의 얼굴빛이 예전과는 어찌 이리도 달라지셨을까?
누워도 생각나고, 일어나도 떠오르니…
나의 잘못이 산처럼 쌓였으니,
어찌 감히 하늘이나 다른 사람을 원망하겠는가?
너무 서러워 생각해 보니, 결국 운명을 만든 조물주의
탓이겠지요.

갑녀)

그러나 그것은 그만 잊고,
하고 싶은 말이 따로 있습니다.
내가 임을 오래 모셔 보았기에,
임의 삶이 어떤지 잘 알고 있습니다.
늘 바쁘고 수고로우신 몸이 편하신 날이 몇 날이나 되
셨겠습니까?
봄에는 추위, 여름에는 더위 속에 어떻게 지내셨을지
걱정됩니다.
가을과 겨울엔 누가 임을 정성껏 모셨는지 궁금하고,
아침저녁 식사는 예전처럼 잘 올려지고 있는지도 걱정
됩니다.
그렇게 긴 밤에는 잠은 잘 주무시는지요?

✐ 현대소설 기출작품 알아보기
이청준, <흰 철쭉>

▸ 핵심 정리

✓ 갈래 : 현대소설
✓ 성격 : 현실적, 비극적, 상징적
✓ 배경
　① 시대적 배경 : 1970 - 80년대, 서울 강남 지역의 재개발
　② 사회적 배경 : 이산가족과 분단 문제, 산업화와 개발
　　로 인한 사회적 변화와 이로 인한 고통
✓ 시점 : 1인칭 관찰자 시점
✓ 주제 :
　① 남북 분단과 이산가족의 고통을 중심으로 한 분단의
　　비극
　② 흰 철쭉은 고향과 부모에 대한 그리움을 상징
✓ 특징
　① 흰 철쭉은 작품의 핵심 상징으로, 주인공들의 감정선
　　과 사회적 고통을 상징한다.
　② 문체는 간결하고 담백하다. 과장되지 않으며, 이야
　　기를 차분하게 풀어내어 독자가 작품의 감정을 자
　　연스럽게 느낄 수 있게 한다.
　③ 산업화와 개발 시대 속에서 소외된 사람들의 고통
　　을 현실적으로 묘사한다.

▸ 주요 인물 소개

✓ 나
차분하고 이성적인 인물로, 자신의 내면을 드러내지 않
지만, 아주머니의 이야기를 들은 후 감정이입하고, 그
와 함께 그녀의 고통을 조금이나마 이해하려는 노력을
한다. 부부가 처한 상대방에 대한 공감과 연민을 나타
내는 중요한 역할을 한다. '나'는 아주머니의 사연을 외
부에서 관찰하는 인물로서, 이야기의 흐름에 따라 조금
씩 감정을 변화시키고 깊이 있는 공감으로 나아가며
독자에게 사건을 전달한다.

아내

다정하고 감수성이 풍부한 인물이다. 아주머니의 아픔을 먼저 감지하고, 그녀가 지나온 고통에 대해 애정을 보인다. 또한, 이웃과의 연대를 소중하게 여기는 마음을 가지며, 상대방을 배려하고, 돕고자 하는 마음이 강한 인물이다. 아내는 '나'와는 달리 감정적으로 더 직관적인 반응을 보이며, 이야기의 전개에서 감성적인 연결을 이끌어내는 역할을 한다. 그녀는 흰 철쭉을 이전 집 주인의 기억을 소중히 여길 줄 아는 인물로, 이야기를 연민의 시각에서 이끌어 나간다.

아주머니

차분하고 인내심 있는 인물로, 기다림과 고통을 오래 견뎌온 사람이다. 고향과 가족을 잃은 슬픔을 흰 철쭉을 통해 조금이나마 위로받으려 하며, 그 꽃을 통해 과거와의 연결을 이어가고자 한다. 아주머니는 자신의 슬픔을 다른 이에게 쉽게 드러내지 않으며, 자연스럽고 겸손한 태도로 살아간다. 아주머니는 분단과 이산가족의 아픔을 대표하는 인물로, 고향과 어머니의 그리움, 사회적 변화 속에서의 소외감을 상징한다. 그녀의 흰 철쭉은 단순한 꽃을 넘어, 희망과 그리움의 상징으로 등장한다. 또한, 그녀는 자연스럽게 주변 사람들에게 영향을 주며, 결국 '나'와 아내의 삶에 큰 영향을 미친다.

◦ 전체 줄거리 요약

이청준의 『흰 철쭉』은 재개발이 진행되는 서울 강남의 한 집을 배경으로 하는 이야기이다. 이 집에 살고 있는 '나'와 아내는 마당에 있는 흰 철쭉나무를 통해 이전 집 주인인 아주머니와의 인연을 맺게 된다.

어느 날, 아내는 마당 밖에서 흰 철쭉꽃을 바라보는 한 아주머니의 모습을 발견하고, 그에 대해 이야기한다. 이 아주머니는 해방 이전 북쪽 고향에 있던 가족과 이산가족이 되어 살아온 실향민으로, 고향에 대한 그리움과 상실감을 간직한 인물이다. 그녀는 자신이 시집 와 살고 있던 집 마당에 철쭉나무를 심던 어머니의 마음을 떠올리며 매년 봄마다 그 꽃을 보러 찾아온다.

이 철쭉은 아주머니에게 고향과 어머니의 상징이며, 그녀는 그 꽃을 바라보며 과거의 기억을 되새긴다. 그러나 시간이 지나면서 재개발로 인해 집을 떠나야 하는 상황에 처하게 되고, 결국 그녀는 이 집을 떠날 수밖에 없었다. 떠날 때, 아주머니는 그 철쭉을 옮기려고도 했지만 "일 년에 한 번씩 피어나는 꽃을 보며 더 바랄 것이 없다"며 끝내 고향의 기억을 간직한 채 떠난다.

몇 년 후, 부부는 아주머니를 다시 만나게 되고, 그녀는 다시 한 번 철쭉꽃을 보러 마당을 찾는다. 하지만 세월이 지나면서 아주머니의 건강이 악화되었고, 결국 봄날 그녀는 더 이상 찾아오지 않게 된다. 부부는 여러 해가 지나도 그녀의 소식을 듣지 못하고, 이산가족 찾기 방송을 통해서도 그녀를 알 수 없었다.

작품은 마지막에 아주머니의 생사를 알지 못한 채, 아내가 철쭉꽃을 바라보며 아주머니의 넋이 되어 새로 돌아온 것 같다고 생각하는 장면으로 끝이 난다. 이 장면에서 흰 철쭉은 여전히 고향과 어머니에 대한 그리움을 떠올리게 하며, 세대 간의 연결과 비극적인 분단의 아픔을 상징적으로 표현한다.

✿ 현대시 기출작품 알아보기
신경림, <목계장터>

◦ 핵심 정리

- 갈래 : 자유시, 서정시
- 성격 : 서정적, 향토적, 비유적
- 제재 : 떠도는 민중의 삶

◦ 시의 구성

- 1~7행 : 유랑하는 화자의 운명에 대한 인식
- 8~14행 : 고된 삶의 애환과 휴식에 대한 소망
- 15~16행 : 방랑과 정착 사이에서 갈등하는 화자

◦ 특징

- 대립적 심상의 시어를 통해 시상을 전개함
- 4음보(3·4조)의 민요적 율격과 '~고', '~네' 등의 어미 반복을 통해 운율을 형성함
- 비슷한 통사 구조의 반복을 통해 운율 형성과 의미 강조
- 토속적 정감을 불러 일으키는 어휘를 통해 주제를 형상화함
- '~하고' '~하네' '~라네' 등의 어미를 반복하여 달관의 태도를 드러냄

▪ 핵심 정리

✓ 갈래 : 설화(민담)

✓ 성격 : 비현실적, 교훈적

✓ 제재 : 사랑의 성취

✓ 주제 : 의지와 노력으로 사랑을 성취하는 과정

✓ 특징

　① 신이담(神異譚) 가운데 변신담에 속함.

　② 변신 모티프와 여성의 수난과 극복 모티프를 담고
　　있음.

탄생과 결연	어떤 노파가 구렁이 아들을 낳음. 구렁이 아들을 이웃집의 막내딸이 좋다고 하고 둘은 혼인을 함. 첫날밤에 구렁이는 허물을 벗고 신선처럼 멋진 남자 신선비가 됨.
시련과 이별	신선비는 막내딸에게 허물을 주면서 남에게 절대로 보이면 안 된다고 당부함. 그러나 두 언니가 질투심에 허물을 태우자, 신선비는 멀리 떠남
시험과 재결합	막내딸은 남편을 찾으러 지하 세계로 들어감. 그러나 신선비는 새 각시를 맞을 예정이었는데, 막내딸은 세 여자와 내기를 하여 이기고, 신선비와 다시 결합하여 행복하게 살게 됨.

2025년 1 회

01	③	02	②	03	②	04	③	05	②
06	③	07	③	08	②	09	②	10	④
11	①	12	③	13	④	14	①	15	①
16	③	17	③	18	④	19	④	20	①
21	④	22	①	23	④	24	④	25	①

01 | ③ 이 대화에서 준희는 민서의 감정을 배려하지 않고, 직설적으로 비난하는 어조를 사용한다. 민서는 속상한 감정을 표현하며 공감을 기대하고 있는데, 준희는 공감이나 배려 없이 비판적인 태도를 보이고 있다. 그래서 정답은 ③ 상대방의 기분을 고려하지 않고 있다 이다.

02 | ② "스무 벌 이상 구입하면" 이라는 조건을 제시하며 할인 가능 여부를 묻고 있기 때문에 ② 조건을 제시하며 자신의 요구를 전달하고 있다가 정답이다.

03 | ② ②번 '괜찮은'은 'ㄶ + ㅇ'이므로 위의 규칙에 해당 되지 않는다.

선지 더 알아보기

① 하얗게 [하야케]
③ 닳도록 [달토록]
④ 싫지만 [실치만]

04 | ③ 진행상은 어떤 동작이 시간의 흐름 속에서 계속 이루어지고 있음을 나타내는 동작상이다. 즉, 지금 하고 있는 중이라는 뜻을 담고 있다. ③ '먹어 버렸다'는 이미 완료된 동작이라서 진행상이 아니다.

선지 더 알아보기

시들어 간다 : 점차적으로 시들어 가는 진행 중인 변화이다.
하는 중이다 : 현재 어떤 행위가 진행 되고 있음을 의미한다.
듣고 있다 : 지금 음악을 듣고 있는 중을 나타낸다.

05 | ② '봬었다'가 아니라 적절한 표현은 '뵀다'이다. 뵀다는 '보다'의 높임말인 '뵙다'의 활용형, 할머니(객체)를 높인다.

선지 더 알아보기

닫히다 : '닫다'의 피동형으로 문이 저절로 닫히는 상태
붙였다 : '붙이다'는 무엇을 다른 것에 달라붙게 하다는 뜻
늘었다 : 옷 가게에 손님이 자주 왔다는 의미

06 | ③ ㉠ ㅂ·ㄹ·매 : 현재 쓰이지 않는 ·(아래 아)가 사용되었다.
㉡ 시·미 : 글자 왼쪽의 방점으로 성조가 표시되었다.
㉢ 므·른 : 끊어 적기가 아닌 이어 적기로 표기되었다.
㉣ 바·ㄹ·래 : 조사가 모음 조화에 따라 나타났다.

07 | ③ (나)의 글에서 보행 중 휴대 전화 사용을 제한하는 근거로 보행 중 교통사고가 증가한 통계 자료와 목과 허리의 디스크 발병률이 높아진다는 것을 내세우고 있다. 이 글에서 돌발 상황에 대처하는 능력이 떨어진다는 근거는 나타나 있지 않다.

08 | ② ⓑ 또 : 보행중 휴대 전화 사용을 제한하는 또 하나의 근거이기에 '또'가 알맞다.

09 | ② 속미인곡은 후렴구가 없다.

선지 더 알아보기

① 설의적 표현 : '가시는가', '다르신가', '탓하겠는가', '몇 날일까', '모셨는가', '올리시나', '주무시나'
③ 4음보의 율격 : 속미인곡은 조선시대 가사 갈래인데 4음보로 된 소절이 운율감 있게 여러 개 이어져 있는 작품(= 4음보 운율의 연속체인 작품)'만을 가사라고 한다.
④ 두 명의 화자가 대화하는 형식을 취한다 : 속미인곡은 갑녀가 질문을 던져서 을녀의 하소연을 유발한다.

10 | ④ ㉣ 은 갑녀의 말로 님(임금)의 안부를 물어본다.

㉠ 천상 백옥경을 어찌하여 이별하고
　해석) 임금이 계시는 대궐을 어찌하여 이별하고 / 을녀가
　　백옥경을 떠난 까닭을 갑녀가 궁금해 하고 있다.

㉡ 아양이며 교태며 어지럽게 하였던지
　해석) 아양과 교태를 부리며 지나치게 굴었던지 / 임의
　　태도가 변한 이유로 추측 하고 있다.

㉢ 내 몸의 지은 죄 산같이 쌓였으니
　해석) 내 몸이 지은 죄가 산같이 쌓였으니 / 이별을 자신
　　의 죄 때문이라 자책한다.

㉣ 기나긴 밤에 잠은 어찌 주무시나
　해석) 기나긴 밤에 잠은 잘 주무시는가? / 임금의 안부를
　　묻는다.

11 | ① "아주머니는 원래 일정 말기에 ~ 사방으로 흩어져 떠나갔다는 것이었다." 이 부분을 통해 인물의 사연을 요약적으로 진술하고 있음을 알 수 있다.

12 | ② 아주머니는 결혼을 하면서 이 곳으로 이사를 왔고, 흰 철쭉은 친정 밭에 있던 것인데 어느 봄에 친정어머니가 딸아이(아주머니) 집에 오면서 심어 주고 간 것이다.

① 아주머니의 친정집은 황해도에 있었다.
　"아주머니는 원래 일정 말기에 황해도 안악 마을의 한
　농촌 마을에서~"
③ 동네 사람들은 땅값이 올라 집을 팔고 사방으로 떠났다.
　"인근 땅값이 느닷없이 두 곱 세 곱으로 치솟는 바람
　에, 아주머니네를 포함한 온 동네가 마치 횡재라도 만
　난 듯 다투어 집과 땅을 팔고 너나없이 사방으로 흩어
　져 떠나갔다는 것이었다."
④ 아주머니네는 결국 집값으로 받은 돈을 거의 다 축내 버
　렸다.
　"아주머니네는 그때 이미 집값으로 받은 돈을 이 일 저
　일로 거의 다 축내 버리고"

13 | ④ "해마다 흰 꽃을 피워 주어 아주머니는 그것으로 이 30여 년을 고향 식구들 대하듯 마음을 달래 왔노라고 하였다."
㉠ 철쭉은 고향 식구에 대한 그리움을 달래 주는 자연물이다.

14 | ① 이 시에는 화자가 의도했던 것과는 상반되는 표현을 사용해 오히려 자신의 진짜 속마음을 부각 하는 방법인 반어적 표현이 나타나지 않았다.

② 특정한 종결 어미 : "되라 하네", "되라네", "붙으라네"
③ 향토적 소재 : 목계장터, 방물장수, 민물새우 끓어 넘는
　토방 툇마루
④ 수미상관 : 처음과 마지막이 동일한 혹은 비슷한 형태를
　띠는 것
　처음) 하늘은 날더러 구름이 되라 하고 땅은 날더러 바
　　람이 되라 하네
　마지막) 하늘은 날더러 바람이 되라 하고 산은 날더러
　　잔돌이 되라 하네
이 시의 처음과 마지막이 비슷한 형태를 가졌다.

15 | ① '산서리'와 '물여울'은 모두 가혹한 시대 현실을 의미한다.

16 | ③ ㉠ 구름, ㉡ 방물장수, ㉣ 떠돌이는 장돌뱅이의 떠도는 삶을 뜻하고 ㉢ 토방은 향토적 소재이다.

17 | ③ 이 글은 구렁이가 사람이 되는 변신설화로 비현실적인 요소가 반영 되어 있다.

18 | ④ "남편을 잃은 막내딸은 중의 옷차림을 하고서 남편을 찾아 길을 나섰다. 농부 대신 논을 갈아 주고서 길을 묻고, 까치한테 벌레를 잡아 주고 길을 묻고, 할머니의 빨래를 대신 해 주고서 길을 물었다."
이 문장을 통해 ④ 막내딸이 남편을 찾기 위해 농부 대신 논을 갈아 줌이 정답임을 알 수 있다.

19 | ④ ㉠, ㉡, ㉢은 구렁이가 사람이 된 신선비를 가리키고, ㉣은 막내딸이 길을 묻는 새 쫓는 아이이다.

20 | ① "이 업체는 미국, 영국, 호주의 여러 도시를 대상으로 하여, 보행 환경을 점수화하고"를 통해 보행환경을 점수화하는 방법을 설명하고 있다.

21 | ④ "이 업체에서 제공하는 점수는 도시 계획을 수립하려는 시 정부뿐만 아니라 각종 언론, 학계, 부동산 업계 등 다양한 분야에서 활용된다."
이 문장을 통해 ④ '미국의 한 민간 기업'에서 제공하는 보행 환경 점수는 시 정부의 도시 계획 수립에만 활용된다가 일치하지 않은 선지이므로 정답임을 알 수 있다.

22 | ① ㉠ 주목 : 관심을 가지고 주의 깊게 살핌. 또는 그 시선.

23 | ④ "폐암과 간암이 늦게 발견되는 것도 폐와 간에 통점이 거의 없기 때문이다."
이 문장을 통해 ④ 폐와 간에는 통점이 없기 때문에 폐암과 간암은 일찍 발견된다가 일치하지 않은 선지이므로 정답임을 알 수 있다.

24 | ④ "통증 신호를 뇌로 전달하는 통각 신경은 다른 감각 신경에 비해 매우 가늘어 신호를 느리게 전달한다."
이 문장을 통해 ㉠의 이유가 ④ 통각 신경이 신호를 느리게 전달하기 때문에라는 것을 알 수 있다.

25 | ① "반면"은 두 가지 상황이나 관점을 비교하거나 대조할 때 사용하는 접속부사이다. 일반적으로 앞 문장과는 상반되는 내용이 이어질 때 쓰인다. (㉮)의 앞 부분은 "통점이 빽빽하게 배치되면 아픈 부위를 보다 정확하게 알 수 있다"이고, (㉮)의 뒷 부분은 "내장 기관에는 통점이 1제곱센티 미터당 4개에 불과해 아픈 부위를 정확히 알기 어렵다"라고 하는 반대의 글이 적혀 있다. 그러므로 ㉮에 들어갈 말로 ① 반면이 가장 적절하다.

☆ 중세국어 기출작품 알아보기
세종, <월인석보>

□ : 종성에 음가 없는 'ㅇ'을 받쳐 적은 동국정운식 한자음

世·솅宗종御·엉製·졩 訓·훈民민正·졍音흠
　　　임금이 몸소 지은 글　　백성을 가르치는 바른 소리

나·랏:말쓰미 中듕國·귁·에 달·아 文문字·쫑·와·로·서르
　말씀+이(주격조사) ── 이어적기　　비교 부사격조사

스·뭇디 아·니홀·씨·이런 젼·ᄎ·로 어·린 百·빅·姓·셩·이
　8종성법(기본형은 스 몿다)　까닭으로 어리석은　　주격조사 '이'

니르·고·져·홇·배 이·셔·도 무·ᄎᆞᆷ:내 제·ᄠ·들 시·러
　두음법칙 적용 ×　바+ㅣ(주격조사)　　　　뜻+을(목적격조사)

펴·디:몯홇·노·미 하·니·라·내·이·를 爲·윙·ᄒᆞ·야:어엿·비
　구개음화가 일어나지 않음　많다.　나+ㅣ(주격조사)　　가엾게, 불쌍히.

너·겨·새·로·스·믈여·듧 字·쫑·를 밍·ᄀ·노니· :사름 :마·다
　　쓸에 사용함에.ᄡ-+-움+에　　　만드니

:히·여 :수·ᄫᅵ 니·겨·날·로·ᄡᅮ·메 便뼌安한·킈 ᄒᆞ·고·져
　하여금　　'ㅸ'의 사용

홇 ᄯᆞᄅᆞ·미니·라

■ : 모음 조화가 적용된 예
○ : 어두 자음군

★ 현대어 풀이

[1] 우리나라 말이 [2] 중국과 달라 [3] 한자와는 서로 통하지 아니하여서　　　자주정신

[4] 이런 까닭으로 어리석은 백성이 말하고자 하는 바가 있어도 [5] 마침내 제 뜻을 펴지 못하는 사람이 많다.

[6] 내가 이것을 가엾게 생각하여 [7] 새로 스물여덟 글자를 만드니,　　애민정신

[8] 모든 사람들로 하여금 쉽게 익혀서 날마다 쓰는 데 편하게 하고자 할 따름이다.
　　　　　실용정신

✓ 갈래 : 훈민정음의 서문
✓ 성격 : 설명적, 교시적
✓ 주제 : 훈민정음 창제의 취지와 목적.
✓ 의의
　• 15세기 국어의 모습을 알 수 있는 자료임.
　• 세종 대왕의 한글 창제 정신이 잘 드러나 있음.

음운·표기상 특징	해당하는 예
현대 국어에서는 쓰이지 않는 음운이 사용되었다.	말:쓰미·(·),수:ᄫᅵ·니(ㅸ)
이어적기를 했다. 방점을 찍었다.	말:쓰미·, ᄠ·들·, 노·미·, ᄡᆞᄅᆞ미·니라·
어두 자음군이 사용되었다.	ᄠ·들·, 뿌·메·

✓ 특징
　1) 동국정운식 한자 표기
　　예 世솅·宗종御엉·製졩·訓훈·民민正졍·音흠
　2) 방점(소리의 높낮이) 표기 예 ·, :
　3) 어두 자음군 사용 예 ᄠ, ᄡ
　4) 이어적기, 끊어적기
　5) 주격조사 'ㅣ'가 사용 예 배(바+'ㅣ')
　6) 8종성법 예 스 뭇디
　7) 의미의 이동
　　• 어린 : 어리석은→나이가 어린
　　• 어엿비 : 불쌍하게→예쁘게
　8) 의미의 축소
　　• 노미 : 보통사람→남자를 낮추어 가리키는 말
　9) 현대 국어 표기에 없는 글자 예 ㆍ(아래아), ㅸ(순경음 비읍)
　10) 모음조화가 지켜지고, 두음법칙과 구개음화를 사용하지 않음

☆ 고전시가 기출작품 알아보기
작자 미상, < 가시리 >

• 시의 특징

✓ 332조, 3음보 율격
✓ 소극적, 자기희생적, 순종적
✓ 반복법 사용
✓ 후렴구의 효과 : 운율 형성, 시 전체에 통일성 부여, 형태적 안정감, 분연의 기능

* 현대어 풀이

가시렵니까 가시렵니까 나난
버리고 가시렵니까 나난
위 증즐가 대평성대

나더러는 어찌 살라 하고
버리고 가시렵니까 나난
위 증즐가 대평성대

잡으면 (내곁에) 둘 수 있겠지만
(임이) 서운하면 아니 올까봐
위 증즐가 대평성대

서러운 임을 보내옵나니 나난
가시는 듯 (바로) 다시 오소서 나난
위 증즐가 대평성대

♪ 현대소설 기출작품 알아보기
양귀자, <비 오는 날이면 가리봉동에 가야한다>

▸ 핵심정리

- ✓ 갈래 : 단편 소설, 연작 소설
- ✓ 성격 : 사실적, 비판적, 성찰적
- ✓ 배경
  - ① 시간 - 1980년대
  - ② 공간 - 부천 원미동
- ✓ 제재 : 욕실 바닥 공사
- ✓ 주제 : 오해로 인한 타자와의 갈등과 타자 이해를 통한 화해
- ✓ 특징
  - ① 실제 공간을 배경으로 하여 소시민의 삶을 사실적으로 그려 냄.
  - ② 등장인물의 대화와 행동을 중심으로 사건을 전개함.

▸ 인물 소개

- ✓ 그
  부천 원미동의 연립 주택 집주인, 소심하지만 부끄러움을 아는 이성적 인물.

- ✓ 아내
  인색할 정도로 알뜰한 주부, 꼼꼼하게 잘 따지고 금전적 문제에 민감한 현실적인 인물.

- ✓ 임 씨
  전형적인 도시 빈민 노동자, 겨울에는 연탄장수로, 여름에는 막일꾼으로 일함. 일처리가 꼼꼼하며 책임감이 강하며 정직한 인물.

▸ 전체줄거리

부천 원미동의 연립 주택은 '그'와 '아내'가 생애 처음으로 마련한 집으로 그들이 애착을 갖는 곳이다. 이 소설에 나타나는 '그'는 집을 소유하고, 나름대로의 안정적인 생활을 하고 있는 소시민이다. 그러나 수입이 많지 않기 때문에 작은 돈도 아까워하는 모습을 보인다. 집 공사 때문에 이웃에게 임 씨를 소개받은 '그'와 '아내'는 임 씨의 본업이 연탄 배달부이며 여름에만 잡일을 하는 막일꾼이라는 것을 알게 되고, 임 씨가 견적한 것에 비해 일이 쉽게 끝나가는 것 같자 임 씨가 공사 비용을 일부러 높게 견적한 것이 아닌지 의심한다. '그'와 '아내'는 임 씨가 솜씨도 없으며 대충 일하고 높은 가격의 돈을 받아갈 것이라고 의심하면서 임 씨의 공사를 감독한다. 공사를 감독하면서 나눈 임 씨와의 대화를 통해 임 씨가 경기도 이천에서 농사를 짓다가 도시로 나와 어려운 삶을 살고 있음을 알게 된다. 더불어 비 오는 날에는 가리봉동으로 간다는 아리송한 말을 듣게 된다. 임 씨는 옥상 공사까지 꼼꼼하게 마무리해 주고 견적이 한 일에 비해 크게 매겨졌다면 견적보다 적은 돈을 받는다. 이에 '그'와 '아내'는 자신들이 임 씨를 오해했음을 깨닫고 스스로를 성찰한다. '그'는 임 씨가 비 오는 날이면 가리봉동에 가는 사연을 듣고, 불평등한 사회에서 힘들게 일하고 있는 임 씨를 동정하고 자신의 소시민성을 성찰함.

▸ 소설의 짜임

발단	그와 아내는 생애 처음으로 자기 집을 장만하여 이사하지만 집에 잦은 하자가 생겨 수리에 돈이 많이 들어간다.
전개	어느 날 목욕탕 욕실 바닥에서 물이 새는 문제가 생겨 지물포 주인의 소개로 임 씨에게 일을 맡긴다.
위기	임 씨의 본래 직업은 연탄장수이고, 부업으로 집수리를 한다는 것을 알게된 그와 아내는 임 씨를 믿지 못하고 그가 공사비를 부풀릴 것이라고 생각한다.
절정	예상과 달리 임 씨가 깔끔하게 공사를 마치고 양심적으로 견적보다 적은 돈을 받자, 그와 아내는 임 씨를 오해한 스스로를 부끄러워한다.
결말	임 씨와 술자리를 가지게 된 그는 임 씨가 비 오는 날이면 떼인 연탄값을 받기 위해 가리봉동에 간다는 이야기를 들으며 임 씨의 처지를 안타까워한다.

📌 현대시 기출작품 알아보기
김영랑, <모란이 피기까지는>

● 핵심정리

✓ 갈래 : 자유시, 서정시, 순수시
✓ 성격 : 유미적, 탐미적, 낭만적, 상징적
✓ 제재 : '모란'의 개화와 낙화
✓ 주제 : 소망에 대한 바람과 기다림
✓ 특징
　① 수미상관의 구조를 통해 주제 의식을 강조함
　② 역설과 도치의 표현을 통해 화자의 심경(아름다움에
　　 의 도취와 그것의 덧없음에 대한 슬픔)을 잘 보여줌.
　③ 세련된 시어와 부드러운 어조를 통해 문학적 아름
　　 다움과 섬세함을 표현함.

● 시상전개

1~2행	3~10행	11~12행
기다림	슬픔, 상실감	기다림

모란 - 봄		찬란한 슬픔의 봄
소망, 보람		모란이 피는 기쁨 모란이 치는 슬픔

● 작품구성

1~2행	'모란'이 피기를 기다림.
3~10행	'모란'이 시들어 사라진 후 슬픔과 상실감을 느낌.
11~12행	'모란'이 피기를 기다림.

● 시어의 상징적 의미

모란	화자가 추구하는 아름다움(소망, 희망, 보람, 삶의 가치 등)
봄	소망의 대상인 '모란'이 피는 시기, 소망이 이루어지는 계절
보람	'모란'이 피었을 때 느끼는 기쁨
삼백 예순 날	슬픔의 깊이, 정감의 깊이
찬란한 슬픔의 봄	'모란'이 피는 기쁨과 '모란'이 지는 슬픔이 복합되어 있는 상황

● 시의 표현

섬세하고 부드러운 어조와 경어체의 사용	'있을 테요', '잠길 테요', '우옵네다' → 섬세한 정서를 표현하고, 부드러운 어감을 형성함.
감각적 묘사	'뚝뚝' → '모란'이 낙화하는 모습을 감각적으로 표현함.
과장법	'모란이 지고 말면 그 뿐 내 한해는 다 가고 말아' → 모란이 지는 것을 인생 전체를 잃어버리는 것으로 과장하여 표현
역설법	'찬란한 슬픔의 봄을' → 아름다움에의 황홀한 도취와 그것의 덧없음에 대한 슬픔이 복합되어 있는 상황을 나타냄.

📌 고전소설 기출작품 알아보기
김시습, <이생규장전>

● 핵심정리

✓ 갈래 : 고전 소설, 한문 소설, 명혼 소설
✓ 성격 : 전기적, 비극적, 낭만적
✓ 시점 : 전지적 작가 시점
✓ 배경 : 고려말 / 고려의 개성
✓ 제재 : 남녀간의 사랑
✓ 주제 : 죽음을 초월한 남녀 간의 애절한 사랑
✓ 특징
　① 비현실적이며 신비로운 내용을 다룸
　② 작품에 시 삽입을 통해 효과적으로 인물의 심리 전달
　③ '만남 - 이별'을 반복하는 구조로 사건이 전개됨
　④ 유 - 불 - 선 사상이 혼재하여 나타남

· 작품의 짜임

구조	중심내용	구성단계	행복/불행
전반부	이생과 최 씨의 만남과 사랑	발단	행복
전반부	이생 부모의 반대로 인한 이별	전개1	불행
전반부	부모의 반대 극복한 뒤 결혼함	전개2	행복
후반부	홍건적의 난으로 인해 최 씨가 죽음	위기	불행
후반부	살아있는 이생과 죽은 최 씨의 재회	절정	행복
후반부	이생과 최 씨가 영원한 이별을 함	결말	불행

· 주인공의 만남과 이별

첫번째 만남	이별의 원인	첫 번째 이별
이생과 최 씨가 만나 사랑을 함.	봉건적 사회 제도 →	이생 부모의 반대로 헤어짐

두 번째 만남		두 번째 이별
이생과 최 씨가 부모의 반대를 극복하고 혼인함.	홍건적의 난 전쟁 →	이생과 최 씨가 헤어지게 되고, 최 씨가 도적에게 죽임을 당함.

세 번째 만남		세 번째 이별
이생과 최 씨가 재회함.	귀신의 명부 →	이생과 최 씨가 영원히 헤어짐.

· 인물 소개

✓ **이생**
시문에 능하고 수려한 외모를 지닌 선비로, 최랑과의 적극적인 사랑을 통해 고통스러운 상황을 극복해 나가는 인물이다.

✓ **최랑**
진보적인 성격의 여인으로, 홍건적의 위협 앞에서도 절개를 지키며, 이생과의 사랑을 쟁취하기 위해 능동적으로 사고하고 적극적으로 행동하는 인물이다.

· 전체 줄거리

✓ **발단**
이생(李生)은 어느 봄날 서당에 갔다 오던 중 우연히 담 너머로 최씨 집안의 아름다운 처녀를 보게 된다.

✓ **전개**
사랑에 빠진 두 사람은 시를 주고받는데, 이를 눈치챈 이생의 부모에 의해 둘은 헤어지게 된다. 최랑이 상사병에 걸리자 최랑의 부모는 이생의 부모를 설득하여 두 사람을 혼인시킨다.

✓ **위기**
홍건적의 난이 일어나 이생은 간신히 목숨을 보전했으나, 최랑은 정조를 지키다가 끝내 홍건적의 손에 죽임을 당한다.

✓ **절정**
이생이 가족의 생사를 알 수 없어 슬퍼하던 중 최랑의 환신(幻身)이 돌아오고, 이생은 그녀가 이미 죽은 줄 알면서도 3년 동안 행복하게 산다.

✓ **결말**
최랑은 자신의 유골을 거두어 장사 지내 줄 것을 부탁하며 이생에게 영원한 이별을 고한다. 이생은 아내의 유언에 따라 장사를 지내 주고, 이내 병들어 죽는다.

01	①	02	②	03	③	04	③	05	②
06	①	07	②	08	③	09	②	10	②
11	①	12	②	13	④	14	③	15	④
16	①	17	④	18	④	19	③	20	①
21	③	22	③	23	②	24	④	25	④

01 | ① 1) 내일 이모랑 "할머니의 선물"을 사러 가자
2) 내일 "이모랑 할머니 선물"을 사러 가자
이렇게 2가지 의미로 해석 될 수 있으므로 이 문장은 중의적 표현이다.

출제 의도

이 문제는 문장의 의미가 모호해지는 원인, 특히 중의적 표현의 사용 여부를 이해하고 있는지를 묻는 문제이다.

핵심 개념 정리

중의적 표현이란 하나의 문장이 두 가지 이상으로 해석될 수 있는 표현을 말하며, 의사소통 과정에서 의미 혼란을 일으키는 문제점이 있다.

02 | ② 동생은 영화 제안을 단순히 거절하는 것이 아니라, 발표 준비라는 구체적인 이유를 들어 참여할 수 없음을 밝히고 있다.

출제 의도

이 문제는 대화 상황에서 말하는 사람의 의도와 말하기 방법을 파악할 수 있는지를 묻는 문제이다. 특히 제안을 어떻게 거절하고 있는지에 주목해야 한다.

핵심 개념 정리

말하기 방법은 단순히 말의 내용이 아니라, 어떤 태도와 방식으로 자신의 의사를 전달하는지를 기준으로 판단한다. 제안을 거절할 때는 이유 제시 여부가 중요한 판단 기준이 된다.

03 | ③ (나) 글 내용 대응 분석
1) 서론에서 환경 훼손, 지역 주민 소득 문제 제시 → ㉠ 반영
2) 대중교통 · 자전거 이용 언급 → ㉡ 반영
3) 지역 주민 운영 숙박 시설, 지역 상품 구매 언급 → 지역 경제 관련 내용은 있음. 그러나 '지역의 역사 알기 프로그램 참여'에 대한 내용은 나타나지 않음
4) 결론에서 공정 여행의 의의 제시 → ㉣ 반영
따라서 (가)의 내용 중 (나)에 반영되지 않은 것은 '지역의 역사 알기 프로그램 참여'인 ③번이다.

출제 의도

이 문제는 (가)의 작문 개요에 제시된 내용 요소가 (나)의 글에 실제로 반영되었는지를 확인하는 문제이다. 즉, 개요-본문 대응 관계를 정확히 파악하는지를 묻는다.

04 | ③ ① ㉠ '훼손하기도 하고' → '훼손되기도'
'자연이 훼손하기도 하고' (×)
'자연이 훼손되기도 하고' (○)
→ 주어-서술어 호응을 고려한 수정으로 적절하다.
② ㉡ '자가용으로 여행을 할 때는 안전띠를 매야 한다.'
→ 공정 여행 실천 방법과 관련 없는 내용으로 통일성을 해치므로 삭제한다.
③ ㉢ '그러나' → '그런데'
앞 문장은 지역 상품 구매, 뒷 문장은 그로 인한 긍정적 결과를 말한다.
대조 관계가 아니므로 '그러나' (×)
상황에 어울리지 않으므로 '그런데' (×)
따라서 고쳐쓰기 방안으로 적절하지 않은 것은 ③번이다.
④ ㉣ '활성화하는데' → '활성화하는 데'
→ 의존 명사 '데'의 띄어쓰기 규정에 맞는 수정으로 적절하다.

출제 의도

이 문제는 글에 표시된 ㉠~㉣의 표현에 대해 문맥 · 문법 · 담화 흐름에 맞는 고쳐쓰기 방안을 판단하는 문제이다.

05 | ② ㄱ. (글을) 쓰- + -어 → 써
　　　어간 : 쓰- (ㅡ로 끝남)
　　　어미 : -어
　　　'ㅡ' 탈락 → 맞음
　　ㄹ. (문을) 잠그- + -아 → 잠가
　　　어간 : 잠그- (ㅡ로 끝남)
　　　어미 : -아
　　　'ㅡ' 탈락 → 맞음
따라서 제시된 음운 변동인 'ㅡ 탈락'이 적용된
예로 알맞은 것은 ② ㄱ,ㄹ이다.

출제 의도

이 문제는 모음 탈락 중에서도 특히 'ㅡ' 탈락 조건을 정확
히 이해하고 있는지를 묻는 문제이다.

핵심 개념 정리

모음 'ㅡ'로 끝나는 어간이 모음 '아/어'로 시작하는 어미와
결합하면 어간의 'ㅡ'가 탈락한다.

06 | ① 깻잎
　　구성 : 깨 + 잎
　　앞말 : 모음으로 끝남
　　뒷말 : 모음 '잎'
　　발음 : [깬닙]
　　⇒ 분석
　　　앞말 받침에서 ㄴ 소리
　　　모음 '잎' 앞에서 ㄴ이 하나 더 첨가
　　　→ 결과적으로 ㄴㄴ 소리가 남

출제 의도

이 문제는 한글 맞춤법 제30항에 제시된 사이시옷 사용 조
건 중 ㉠(ㄴㄴ 소리)에 해당하는 예를 찾는 문제이다.

핵심 개념 정리

사이시옷은 다음 조건을 모두 만족할 때 적는다. 순우리말
로 된 합성어 앞말이 모음으로 끝남. 뒷말의 첫소리가 모
음 앞에서 'ㄴㄴ' 소리로 발음되는 경우

선지 더 알아보기

맷돌
구성 : 매 + 돌,
발음 : [맫또올]
　　이는 합성어에서 사이시옷이 쓰여 뒷말 첫소리가 된
　　소리로 발음되는 경우에 해당하므로, 표기에서도 사
　　이시옷을 넣어 '맷돌'로 적는다.
㉠은 "모음 앞에서"가 조건이므로 틀렸다.

잇몸
구성 : 이 + 몸,
발음 : [인몸], ㄴ 하나만 첨가로 (2) 규정이다.

훗날
발음 : [훈날], 이는 합성어에서 사이시옷이 들어가면 'ㄴ'첨가가
　　일어나 [훈날]로 발음된다.

07 | ① 아버지께서 신문을 보신다.
　　주체 : 아버지
　　'께서', '-시-' 사용 → 주체를 높이고 있으므로
　　적절하다.

출제 의도

이 문제는 주체 높임법의 개념을 정확히 이해하고 있는지
를 묻는 문제이다. 특히 누구를 높이고 있는지(주체 vs 상
대)를 구분하는 능력이 핵심이다.

핵심 개념 정리

주체 높임법이란 문장에서 동작이나 상태의 주체를 높이
는 표현 방식이다. 주로 다음과 같은 표현이 사용된다.
주체 높임 선어말 : 어미 -시-
높임 주격 조사 : -께서
주체 높임 특수 어휘 : 계시다, 드시다 등

선지 더 알아보기

② 그는 착한 사람이었습니다.
　→ 말끝 '-습니다'는 상대 높임법
③ 저는 어르신을 뵐 낯이 없습니다.
　→ '뵐'은 객체(어르신)를 높이는 객체 높임법
④ 아이가 할머니께 편지를 읽어 드렸다.
　→ '드리다'는 객체 높임 표현으로 객체 높임법

08 | ② ⓛ : 현대 국어에 없는 자음자가 쓰였다.
→ 제시된 부분의 'ㅁ', 'ㅊ', 'ㄴ' 등은 모두 현대 국어에도 존재하는 자음이다.
→ 실제로 중세 국어에는 현대 국어에 쓰이지 않는 ㆁ, ㆆ, ㅿ 등의 자음이 있으나, ⓛ에 해당하는 부분에서는 그런 자음이 나타나지 않는다.

이 문제는 『훈민정음 언해본』의 일부를 통해 중세 국어의 표기·음운·문법적 특징을 이해하고 있는지를 묻는 문제이다.

자료 분석 — 제시된 자료의 중세 국어 특징

1) 모음으로 끝나는 체언 뒤 조사 사용
   - 현대 국어와 주격 조사 사용이 다르다.
   - '가'가 없던 시절이라, 모음 뒤에서는 '이'나 'ㅣ' 형태가 쓰였다. (예 '부텨 + 이' → '부톄')
2) 현대 국어와 다른 자음 표기
   지금은 사라진 'ㅿ(반치음)', 'ㆁ(옛이응)', 'ㆆ(여린히읗)', 'ㅸ(ㅂ순경음)' 등이 사용되었다.
3) 어두자음군 존재
   단어 첫머리에 서로 다른 자음이 나란히 오는 어두자음군이 존재했다. (예 'ㅳ들', 'ㅴ굴' 등)
4) 연철(소리나는 대로 적기)
   당시에는 받침 뒤에 모음으로 시작하는 조사가 오면, 받침을 다음 글자의 초성으로 옮겨 적는 연철(이어적기) 방식이 일반적이었다. 이는 귀에 들리는 소리를 가장 정직하게 글자로 옮긴 것이라 볼 수 있다.

선지 더 알아보기

① ⓐ : 모음으로 끝나는 체언 뒤에서 주격 조사 '이'가 쓰였다.
→ 중세 국어에서는 모음으로 끝나는 체언 뒤에도 '이'가 사용되었다.
③ ⓒ : 단어의 첫머리에 두 개의 자음이 올 수 있었다.
→ 어두자음군은 중세 국어의 특징이다.
④ ⓔ : 소리 나는 대로 이어 적기를 하였다.
→ "노미" = "놈이"
중세 국어에서는 사람을 가리키는 단어였으나 현대에서는 남자를 낮추어 부르는 말로 의미가 축소 되었다.

09 | ② 제시된 작품을 보면 각 연마다 다음 구절이 반복된다.
"위 증즐가 대평성대(大平盛代)"
이 구절은 운율 형성과 정서 강조를 위한 후렴구이다. 따라서 이 작품의 특징으로 가장 적절한 설명은 ② '동일한 후렴구가 반복되고 있다'이다.

이 문제는 고려 가요 〈가시리〉의 형식적 특징, 특히 후렴구의 사용을 이해하고 있는지를 묻는다.

10 | ② 작품 전반에서 화자는 '님'을 떠나보내는 상황에 놓여 있으며, *"가시리 가시리잇고 나는"*, *"설온 님 보내옵노니 나는"*과 같은 표현을 통해 이별의 슬픔과 애절함을 드러낸다. 따라서 화자는 임과의 이별을 안타까워하는 정서를 지니고 있으므로 ②번이 정답이다.

이 문제는 작품 속 화자의 정서와 태도를 정확히 파악했는지를 묻는다.

11 | ① 지문에서 임 씨는 공사비를 줄인 이유를 분명히 설명한다. 공사가 처음 예상보다 간단해졌고, 일부는 서비스로 처리했기 때문에 공사비를 줄였다고 설명하고 있다.

이 문제는 윗글에 나타난 인물 '임 씨'의 행동과 말을 바탕으로, 그에 대한 사실 판단이 적절한지를 묻는 문제이다.

12 | ② [A]에서는 다음과 같은 특징이 두드러진다.
   - 인물 간의 직접 대화가 중심
   - 대화를 통해 인물의 성격, 태도, 갈등이 자연스럽게 드러남
   - 설명보다 말과 반응을 통해 상황을 보여 줌
따라서 [A]의 서술 방식으로 가장 적절한 것은 ②번이다.

이 문제는 [A] 부분에서 사용된 서술 방식을 파악하는 문제로, 사건을 어떻게 보여 주는지에 주목해야 한다.

13 │ ④ '임 씨'는 공사를 성실하게 마무리했다. 공사비를 줄여 받았음에도 불구하고 불만을 드러내지 않았고, 오히려 대금을 결제하는 아내가 더 놀라고 당황했다. 이 장면은 임 씨의 양심적 태도와 성실성을 보여 준다. '임 씨'가 공사를 성실히 해 준 것에 고마움을 느껴서 '임 씨'를 일층 현관까지 내려가 배웅 했다.

> **출제 의도**
>
> 이 문제는 ㉠의 행동에 담긴 인물의 내적 동기(이유)를 파악하는 문제이다. 즉, 겉으로 드러난 행동 뒤에 있는 정서를 묻는다.

14 │ ③ 이 시는 '모란이 피기까지는'으로 시작하여 다시 같은 구절로 마무리되는 수미상관 구조를 취하고 있다. 이러한 구조는 시의 중심 정서를 처음과 끝에서 다시 확인하게 하여 의미의 통일성과 구조적 안정감을 준다.

> **출제 의도**
>
> 이 문제는 시에 사용된 구조적 특징과 그 효과를 파악하는 문제이다. 감각 표현이나 어조 뿐 아니라, 시 전체의 구성 방식까지 주목해야 한다.

15 │ ④ ㉠: "찬란한 슬픔의 봄을"

'찬란한' → 밝고 긍정적인 의미
'슬픔' → 부정적 정서
⇒ 서로 모순되는 의미의 단어가 결합되어 있다.

이는 단순한 감정 표현이 아니라, 삶의 진실을 더 깊이 드러내기 위한 역설적 표현이다.
따라서 ㉠에 사용된 표현 방법으로 가장 적절한 것은 ④번이다.

> **출제 의도**
>
> 이 문제는 ㉠에 사용된 표현 방법의 성격, 특히 겉보기 의미와 실제 의미의 차이를 파악하는지를 묻는다.

16 │ ① 화자는 '모란이 피기까지는' 계속해서 기다린다고 말하고, 모란이 지는 순간에는 삶의 허무와 슬픔을 받아들인다. 즉, 화자의 삶은 기다림 · 인내 · 소망의 태도로 요약된다. 따라서 윗글에 나타난 화자의 삶의 모습과 가장 가까운 것은 ①번이다.

> **출제 의도**
>
> 이 문제는 시 속 화자의 태도를 바탕으로 화자가 추구하는 삶의 모습을 파악하는 문제이다.

17 │ ④ 〈이생규장전〉은 죽은 여인이 귀신으로 다시 나타나고, 산 사람과 교류하며 사랑을 이어간다는 점에서 비현실적 요소(귀신 · 사후 세계)를 적극 활용한 작품이다. 이러한 비현실적 설정은 사랑의 순수함, 인간의 정과 절개라는 주제 의식을 강조하는 데 기여한다. 따라서 윗글에 대한 설명으로 가장 적절한 것은 ④번이다.

> **출제 의도**
>
> 이 문제는 윗글 전체의 핵심 특징, 특히 작품이 어떤 방식으로 주제를 드러내는지를 파악하는 문제이다.

18 │ ④ 이생은 그녀의 유골을 거두어 부모의 묘소 곁에 부장을 하였다. 장례를 지낸 뒤에도 이생은 여인을 추모하고 생각하다가, 병을 얻어 수개월 만에 세상을 떠났다.
이생은 여인을 깊이 사랑한다. 여인은 죽은 뒤에도 귀신이 되어 나타난다. 결국 이별 후에도 이생은 여인을 잊지 못하고 병들어 죽는다.

> **출제 의도**
>
> 이 문제는 윗글의 내용을 바탕으로 사실과 일치하는 진술을 고르는 문제이다. 과도한 추론이 아니라 지문 근거 확인이 핵심이다.

19 | ③ 여인이 이야기 하며 운다. "저와 그대의 연분"
ⓐ '그대' : 이생

"부디 낭자는 인간 세상에 남아서 백년 뒤에 나와 함께 흙이 됨이 어떻겠소?"
ⓑ '나' : 이생

"다만 저의 유해가 아무 곳에 흩어져 있으니,"
ⓒ '저의 유해' : 여인

"낭군님, 부디 몸조심하세요."
ⓓ '낭군님' : 이생

㉠, ㉡, ㉣는 이생을 가리키고, ㉢은 여인을 가리키므로 정답은 3번이다.

20 | ① 지문은 '통섭(統攝)'과 같은 핵심 용어를 제시하고, 이 단어를 한자를 통해 의미를 풀이하고 있다. 따라서 정답은 ①번이다.

지문이 어떤 방식으로 내용을 전개하는지(설명 방식)를 파악하는 문제다.

21 | ③ 속담 "열두 가지 재주에 저녁거리가 간데없다."는 성공을 위해 한 분야에 집중하라는 조언으로 자주 인용된다. 그래서 "한 우물을 파라(전문성)" 와 같은 메시지로 연결된다. 따라서 정답은 ③번이다.

㉮에 들어갈 말을 앞뒤 문맥으로 복원하는 문제다.

22 | ③ ㉠, ㉡, ㉣은 통섭(통섭형 인재)의 개념 범주에 묶이는데, ㉢은 통섭과 구별되는 대상(팔방미인)이어서 의미가 다르다. 그래서 ③번이 정답이다.

표시된 표현(㉠~㉣)이 가리키는 의미가 같은 범주인지/다른 범주인지 구분하는 문제다.

23 | ② (가) : 한옥에 '통(通)'의 원리가 적용된다는 개괄적 설명
(나) : 통의 원리를 구현하는 첫 번째 방법 제시
(다) : 통의 원리를 구현하는 두 번째 방법 제시
(라) : (다)에서 제시한 구조가 작동하는 원리와 결과 설명
즉, (나)와 (다)는 방식을 나누어 설명하는 부분이다.
② (나)와 (다) : 한옥에서 통의 원리를 구현하는 방식을 나누어 제시 → 글의 핵심 전개 방식과 일치

이 문제는 (가)~(라)가 어떤 방식으로 내용을 조직·전개하고 있는지를 파악하는 문제이다.

24 | ④ "둘 가운데 찬 것은 대청 뒤에서 부는 바람이다" 이 문장은 앞에서 언급한 두 가지 바람을 전제로 하고, 그중 하나를 비교·선택하는 내용이다.
㉣ : '중문으로 들어오는 바람'과 '대청 뒤에서 부는 바람'이 언급된 직후 그 다음에 "둘 가운데 찬 것은 …"이 오는 것이 가장 자연스럽다.

이 문제는 제시된 문장을 어디에 넣어야 문맥이 가장 자연스러운지를 판단하는 문제이다.

25 | ④ (가)에서의 '부르다'는 '어떤 대상을 특정한 이름이나 평가로 지칭하다'라는 의미이다. ④번 보기인 *사람들은 그를 불운한 천재라고 불렀다.* 는 명명 · 지칭의 의미로 정답이다.

이 문제는 밑줄 친 표현 '부르다'가 어떤 의미로 쓰였는지를 문맥 속에서 파악하는 문제이다.

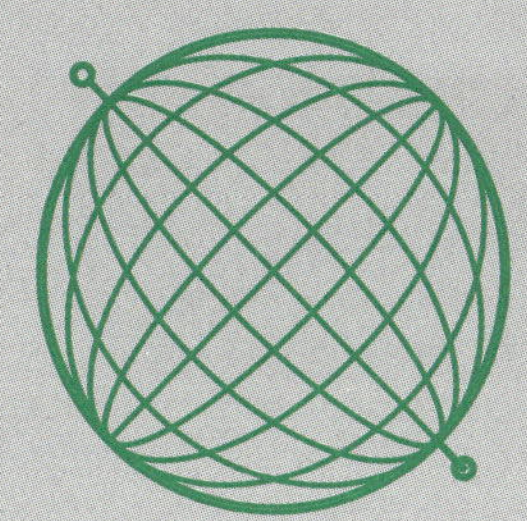

고등학교 졸업학력
검정고시

수학
정답 및 해설

정답표

2021년 1회

01	④	02	②	03	②	04	①	05	④
06	④	07	③	08	①	09	①	10	①
11	④	12	②	13	③	14	②	15	③
16	④	17	①	18	①	19	②	20	③

2021년 2회

01	④	02	②	03	①	04	④	05	①
06	③	07	①	08	①	09	①	10	①
11	③	12	④	13	④	14	③	15	①
16	③	17	④	18	②	19	①	20	②

2022년 1회

01	④	02	②	03	③	04	③	05	④
06	①	07	③	08	①	09	②	10	③
11	④	12	②	13	①	14	④	15	③
16	①	17	①	18	③	19	②	20	①

2022년 2회

01	③	02	③	03	④	04	①	05	②
06	④	07	③	08	②	09	④	10	①
11	②	12	②	13	③	14	①	15	②
16	④	17	①	18	③	19	④	20	②

2023년 1회

01	④	02	①	03	③	04	②	05	①
06	④	07	①	08	①	09	②	10	④
11	③	12	④	13	②	14	②	15	②
16	③	17	①	18	②	19	③	20	④

2023년 2회

01	③	02	②	03	①	04	③	05	②
06	④	07	④	08	①	09	④	10	②
11	③	12	②	13	①	14	④	15	③
16	②	17	①	18	②	19	④	20	①

2024년 1회

01	④	02	②	03	③	04	③	05	①
06	④	07	①	08	③	09	②	10	③
11	①	12	④	13	②	14	①	15	②
16	②	17	①	18	③	19	①	20	④

2024년 2회

01	①	02	④	03	②	04	②	05	①
06	③	07	④	08	③	09	②	10	②
11	①	12	④	13	④	14	①	15	④
16	①	17	②	18	③	19	④	20	③

2025년 1회

01	③	02	①	03	①	04	③	05	②
06	①	07	④	08	④	09	④	10	①
11	②	12	④	13	④	14	④	15	②
16	③	17	①	18	①	19	②	20	②

2025년 2회

01	①	02	④	03	②	04	①	05	③
06	③	07	②	08	④	09	②	10	③
11	①	12	④	13	②	14	④	15	③
16	①	17	②	18	②	19	③	20	①

정답 및 해설

2021년 1 회

01	④	02	②	03	②	04	①	05	④
06	④	07	③	08	①	09	①	10	①
11	④	12	②	13	③	14	②	15	③
16	④	17	①	18	①	19	②	20	③

01 | ④

문제 푸는 Tip 다항식

x^2은 x^2끼리
x는 x끼리 　더하기!
숫자는 숫자끼리

풀이 과정

A=	x^2		+1
+B=		x	+2
A+B=	x^2	+x	+3

02 | ②

문제 푸는 Tip 항등식

$x^2 = x^2$
$x = x$ 　같습니다.
숫자는 숫자

좌변＝우변, 계수 비교
어려운 단어는 생각하지 말고 문제 푸는 방법만 기억하기!

풀이 과정

$$x^2 + ax + 2 = x^2 + 3x + b$$

$x^2 = x^2$
$ax = 3x$
$2 = b$

$\therefore a = 3,\ b = 2$
$a + b = 3 + 2 = 5$

03 | ②

문제 푸는 Tip 나누었을 때, 나머지

$(x-1)$로 나누었을 때 x에 1 넣기

풀이 과정

$$\underset{\underset{1}{2\times x^2}\quad \underset{1}{4\times x}}{2x^2 + 4x - 3}$$

$2 \times 1^2 + 4 \times 1 - 3$
$= 2 + 4 - 3$
$= 6 - 3$
$= 3$

04 | ①

문제 푸는 Tip 인수분해

$(a^3 - b^3) = (a-b)(a^2 + ab + b^2)$
공식암기!

풀이 과정

$a^3 - b^3 = (a-b)(a^2 + ab + b^2)$
$x^3 - 2^3 = (x-2)(x^2 + x \times 2 + 2^2)$
$\qquad = (x-2)(x^2 + 2x + 4)$
문제에서 $(x-a)(x^2 + 2x + 4)$
$\therefore a = 2$

05 | ④

복소수 i

i 는 i 끼리
i 없는 건 i 없는 것 끼리 ⟶ 계산

$(x - 4) + yi = 1 + 4i$
$x - 2 = 1 + 2$
$x = 3$
$yi = 4$
$y = 4$
$\therefore x = 3,\ y = 4$

06 | ④

이차방정식 근과 계수의 관계

$ax^2 + bx + c = 0$
$\alpha + \beta =$ 두 근의 합 $= -\dfrac{b}{a}$
$\alpha\beta =$ 두 근의 곱 $= \dfrac{c}{a}$
공식암기!

$(\ )x^2 - 3x + 2 = 0$
$\alpha\beta = \dfrac{c}{a} = \dfrac{2}{1} = 2$
$\therefore 2$

x^2 앞에 아무것도 없는게 아니라 1이 생략되어 있어요.
그래서 $a = 1$이예요.

07 | ③

이차함수 최댓값, 최솟값

y축의 숫자만 본다.
제일 큰 숫자 = 최댓값
제일 작은 숫자 = 최솟값
그래프 그림 때문에 쫄지 마세요.
오히려 좋은 거예요. 쉬워요!

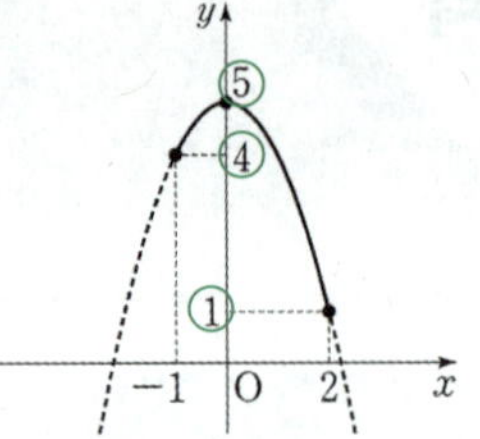

y축의 숫자 5, 4, 1중 가장 큰 수는 5이므로 최댓값 = 5

08 | ①

삼차방정식과 사차방정식

한 근이 2일 때 ⇒ x에 2 넣기

$x^3 - 2x^2 + ax + 4 = 0$
$x \times x \times x \quad -2 \times x \times x \quad a \times x$
$\quad 2\ 2\ 2 \qquad\quad 2\ 2 \qquad\quad 2$
$2^3 - 2 \times 2^2 + a \times 2 + 4 = 0$
$8 - 8 + 2a + 4 = 0$
$+ 2a + 4 = 0$
$2a + 4 = 0\ -4$
$2a = -4$

i) 약분 할 수 있으면

$$\dfrac{2^1 a}{2_1} = \dfrac{-4^2}{2_1}$$

$a = -2$

ii) 약분 못하면

$2a = -4$
$2 \times a = -4$
구구단 $2 \times 2 = 4$를 생각
$\therefore a = -2$
$(-) \times (+) = (-)$
$(+) \times (-) = (-)$라서 $(-)$ 꼭 붙이기

09 | ①

문제 푸는 Tip 부등식

① $\dfrac{ax}{a} > \dfrac{b}{a}$ $\therefore\ x > \dfrac{b}{a}$

② $x + a > b - a$
   $x > b$

* 부등호나 등호를 넘어가면 문자 혹은
숫자의 연산자가 바뀐다.

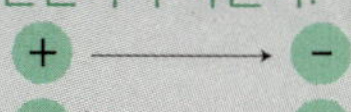

$+ \longrightarrow -$
$- \longrightarrow +$
$\times \longrightarrow \div$
$\div \longrightarrow \times$

풀이 과정

$\begin{cases} 3x > 6 \\ x < 10 - x \end{cases}$

① $3x > 6$

   $3 \times x > 6 \div 3$

   $\therefore\ x > 2$

② $x < 10 - x$

문자끼리 < 숫자끼리

   $x + x < 10$
   $2x < 10$

   $2 \times x < 10 \div 2$

$\therefore\ x < 5$

연립방정식은 공통부분이 답이다.

   $x > 2$와 $x < 5$의 공통부분

   $2 < x < 5$
   $2 < x < a$

   $\therefore\ a = 5$

10 | ①

문제 푸는 Tip 절댓값 부등식

$|x + a| \le b$
$\Rightarrow -b \le x + a \le +b$

풀이 과정

$|x + 1| \le 2$

$-2 \le |x + 1| \le +2$
$\ \ -1 \qquad\qquad\ -1$

$\therefore -3 \le x \le 1$

$\therefore a = 1$

11 | ④

문제 푸는 Tip 두 점 사이의 거리

$A(x_1,\ y_1),\ B(x_2,\ y_2)$

거리 $= \sqrt{(x_2 - x_1)^2 + (y_2 - y_1)^2}$

풀이 과정

$A(-1,\ 2),\ B(1,\ 4)$

$\sqrt{(1 - (-1))^2 + (4 - 2)^2}$
$= \sqrt{(1 + 1)^2 + (4 - 2)^2}$
$= \sqrt{2^2 + 2^2}$
$= \sqrt{4 + 4}$
$= \sqrt{8}$
$= \sqrt{4}\,\sqrt{2}$
$= 2\sqrt{2}$

* $\sqrt{4} = \sqrt{2^2} = 2$

12 | ②

문제 푸는 Tip 직선의 방정식

$y = ax + b$

a는 기울기, b는 y절편

평행이다 → 기울기가 같다

수직이다 → 기울기 × 기울기 = -1

$y = (\ )x + 1$에 수직이고

$1 \times \square = -1$

$\therefore \square = -1$

$(0, 2)$는 y절편이 2

기울기가 -1이고, y절편이 2인 직선의 방정식

$\therefore y = -x + 2$

13 | ③

 원의 방정식

$(x - a)^2 + (y - b)^2 = r^2$

$r =$ 반지름

$(a, b) =$ 원 중심

문제에서 점을 주면 식에 점을 넣는다.

원 중심$(-2, 1)$, 원점$(0, 0)$을 지난다.

$(x - (-2))^2 + (y - 1)^2 = r^2$

$(0 + 2)^2 + (-1)^2 = r^2$

$4 + 1 = r^2$

$r^2 = 5$

$\therefore (x + 2)^2 + (y - 1)^2 = 5$

14 | ②

 평행이동

점(x, y)을 x축 방향으로 a만큼, y축 방향으로 b만큼 평행이동한 점의 좌표는?

$(x + a, y + b)$

$(2, 1)$

$\rightarrow x$축 -2, y축 2

$(2 - 2, 1 + 2)$

$= (0, 3)$

15 | ③

 집합

기호 외우기!
① $A \cap B = A$와 B의 교집합, 공통
② $A \cup B = A$와 B의 합집합, All
③ $A^c = A$의 여집합, A 빼고 나머지
④ $A - B = A$와 B의 차집합
　　A에서 B빼기$=A$에서 $A \cap B$ 빼기

$A = \{1, 3, 4\}$, $B = \{2, 4, 5\}$

$A \cup B = \{1, 2, 3, 4, 5\}$

A와 B의 합집합, All

같은 숫자는 1번만 쓰기

$n(A \cup B) = 5$

$^*n = $ number, A와 B의 합집합의 개수

16 | ④

 명제

명제 : 참(옳다)과 거짓(틀리다)를 판단 할 수 있는 문장이나 식.

명제는 p이면 q이다, $p \rightarrow q$ 라고 표현한다.

i) 역인 명제는 p와 q의 자리를 바꾼다.

$\Rightarrow q$이면 p이다, $q \rightarrow p$

ii) 대우인 명제는 p와 q의 자리를 바꾸고 Not($\sim$)을 붙인다.

$\Rightarrow \sim q$이면 $\sim p$이다, $\sim q \rightarrow \sim p$

대우 : 자리바꾸고 Not 붙이기

$x = 2$이면 $x^2 = 4$이다.

자리바꾸기

$\therefore x^2 \neq 4$이면 $x \neq 2$이다.

not의 의미 $= \rightarrow \neq$

이다　아니다

17 | ①

   함수

$(g \circ f)(x)$ 에서 $f(x)$ 가 1번 그 다음이 g
그림에서 화살표 따라서 잘 따라가기

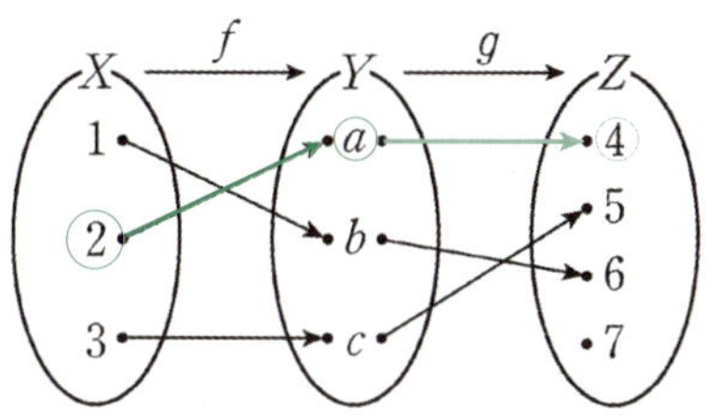

$(g \circ f)(2) = g(f(2)) = g(a) = 4$

① $f(2) = a$

② $g(a) = 4$

18 | ①

   무리함수

$y = \sqrt{x} \xrightarrow[\substack{x축\ a \\ y축\ b}]{} y = \sqrt{x-a+b}$
평행이동
점을 주면 무조건 식에 넣기!

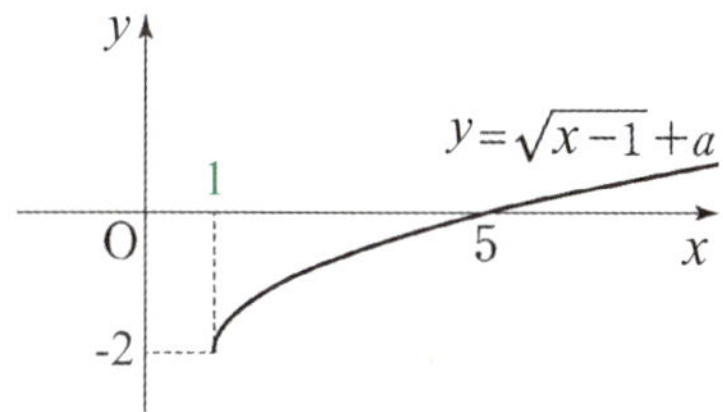

x축으로 1만큼 y축으로 -2만큼 평행이동한 그래프

$y = \sqrt{x} \implies y = \sqrt{x-1} - 2$
$$y = \sqrt{x-1} + a$$

$\therefore\ a = -2$

19 | ②

   순열

순열: 순서있게 나열, 일렬로 나열
$_3P_2 = 3 \times 2 = 6$
$_4P_2 = 4 \times 3 = 12$
$_5P_2 = 5 \times 4 = 20$

$_3P_2$: 3개 중 2개를 선택해서 일렬로 나열하는 경우의 수

$$\underset{\substack{② \\ 3부터\ 시작 \\ 1씩\ 작아짐}}{_3}P_{\underset{2칸}{2}} = 3 \times 2 = 6$$

①칸수 ③곱하기

20 | ③

   조합

조합: 순서없이 뽑기, 선택하기
$_3C_2 = \dfrac{3 \times 2}{2 \times 1} = 3$
$_4C_2 = \dfrac{4 \times 3}{2 \times 1} = 6$
$_5C_2 = \dfrac{5 \times 4}{2 \times 1} = 10$
$_4C_3 = \dfrac{4 \times 3 \times 2}{3 \times 2 \times 1} = 4$
$_5C_3 = \dfrac{5 \times 4 \times 3}{3 \times 2 \times 1} = 10$
$_6C_3 = \dfrac{5 \times 4 \times 3}{3 \times 2 \times 1} = 20$

$$_4C_2 = \frac{_4P_2}{2!} = \frac{\overset{2}{4} \times 3}{\underset{1}{2} \times 1} = 6$$

01	④	02	②	03	①	04	④	05	①
06	③	07	①	08	②	09	①	10	①
11	③	12	④	13	④	14	③	15	①
16	③	17	④	18	②	19	①	20	②

01 | ④

🔍 문제 푸는 Tip **다항식**

x^2은 x^2끼리
x는 x끼리
숫자는 숫자끼리   더하기!

✏️ 풀이 과정

풀이 ①

$$A = 2x^2 + x$$
$$-B = -x^2 + x$$
$$A - B = x^2 + 2x$$

풀이 ②

$A - B = (2x^2 + x) - (x^2 - x)$
$2x^2 + x - x^2 + x$
$= x^2 + 2x$

02 | ②

🔍 문제 푸는 Tip **항등식**

$x^2 = x^2$
$x = x$ 같습니다.
숫자는 숫자

좌변 = 우변, 계수 비교
어려운 단어는 생각 마시고 문제푸는 방법만 기억하기!

✏️ 풀이 과정

$x^2 + 3x - 7 = x^2 + ax + b$
$x^2 = x^2$
$3x = ax$
$-7 = b$
$\therefore a = 3, b = -7$
$a + b = 3 - 7 = -4$

03 | ①

🔍 문제 푸는 Tip **나머지 정리**

$(x - 1)$로 $\Rightarrow x$에 1 넣기
나누어 떨어질 때는 $\Rightarrow = 0$ 붙이기

✏️ 풀이 과정

$1^3 - 2 \times 1 + a = 0$
$1 - 2 + a = 0$
$-1 + a = 0$
$\therefore a = 1$

04 | ④

🔍 문제 푸는 Tip **인수분해**

$a^3 + b^3 = (a + b)(a^2 - ab + b^2)$
공식암기!

✏️ 풀이 과정

$a^3 + b^3 = (a + b)(a^2 - ab + b^2)$
$x^3 + 3^3 = (x + 3)(x^2 - x \times 3 + 3^2)$
$= (x + 3)(x^2 - 3x + 9)$
$= (x + 3)(x^2 - 3x + a)$
$\therefore a = 9$

05 | ①

🔍 문제 푸는 Tip **복소수**

숫자는 숫자끼리
i 는 i 끼리
$i^2 = -1, i^4 = 1$

✏️ 풀이 과정

$i(1 + 2i) = a + i$
$i + 2i^2 = a + i$
$\quad\quad -1$
$i + 2 \times -1 = a + i$
$-2 + i = a + i$
$\therefore a = -2$

06 | ③

문제 푸는 Tip 이차방정식 근과 계수의 관계

$$ax^2 + bx + c = 0$$
$$\alpha + \beta = \text{두 근의 합} = -\frac{b}{a}$$
$$\alpha\beta = \text{두 근의 곱} = \frac{c}{a}$$
공식암기!

풀이 과정

$$(\ )x^2(-4)x(-5) = 0$$
$$(a)x^2(+b)x(+c) = 0$$
$$a = 1,\ b = -4,\ c = -5$$

$$\text{공식})\ \alpha + \beta = -\frac{b}{a} = -\frac{-4}{1} = +4$$

07 | ①

문제 푸는 Tip 이차함수 최댓값, 최솟값

y축의 숫자만 본다.
제일 큰 숫자 = 최댓값
제일 작은 숫자 = 최솟값
그래프 그림 때문에 쫄지 마세요.
오히려 좋은 거예요. 쉬워요!

풀이 과정

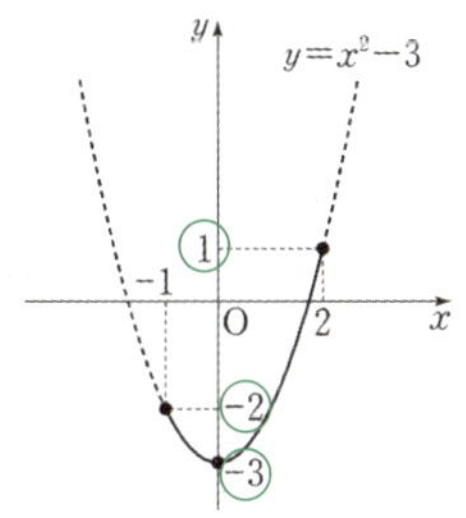

y축의 숫자 1, -2, -3 중 가장 작은 수는 -3이므로
$\therefore$ 최솟값 $= -3$

08 | ②

문제 푸는 Tip 삼차방정식과 사차방정식

한 근이 1일 때 $\Rightarrow x$에 1넣기

풀이 과정

$$x^3 + ax^2 - 2x - 1 = 0$$
$$1^3 + a \times 1^2 - 2 \times 1 - 1 = 0$$
$$1 + a - 2 - 1 = 0$$
$$a - 2 = 0$$
$$\therefore a = 2$$

09 | ①

문제 푸는 Tip 부등식

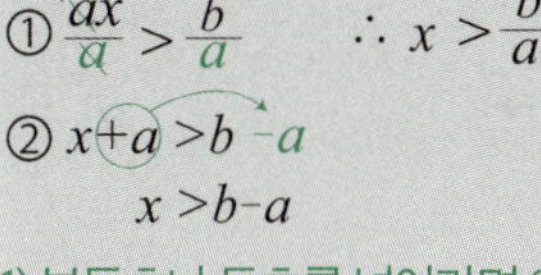

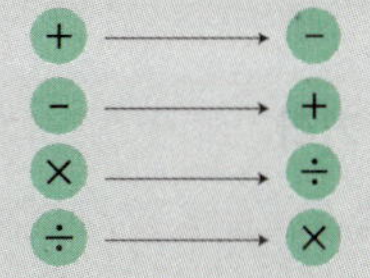

① $\dfrac{ax}{a} > \dfrac{b}{a}$ $\therefore x > \dfrac{b}{a}$
② $x + a > b - a$
    $x > b - a$

1) 부등호나 등호를 넘어가면 연산자가 바뀐다.

$+ \longrightarrow -$
$- \longrightarrow +$
$\times \longrightarrow \div$
$\div \longrightarrow \times$

2) 곱셈과 나눗셈에서 (-)부호를 가졌으면, 부등호의
방향이 바뀐다.
$$c < 0,\ ac \geq bc$$
$$\frac{ac}{c} \geq \frac{bc}{c}$$
$$\therefore\ a \leq b$$

풀이 과정

풀이 1)
$$3x < 2x + 5$$
$$3x - 2x < 5$$
$$\therefore x < 5$$

풀이 2)

$$4x > 3x - 1$$
$$4x - 3x > -1$$
$$\therefore x > -1$$

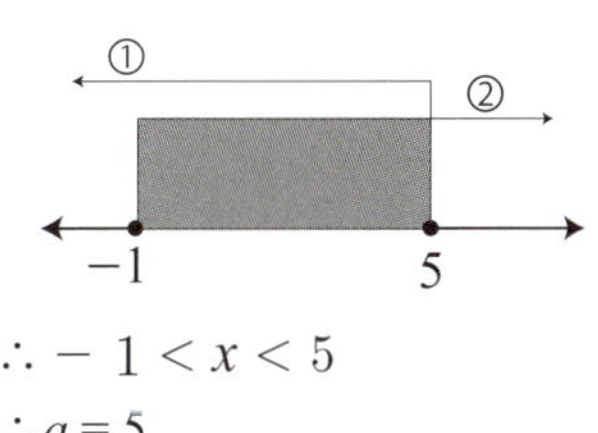

$$\therefore -1 < x < 5$$
$$\therefore a = 5$$

10 | ①

절댓값 부등식

$$|x+a| \leq b$$
$$\Rightarrow -b \leq x+a \leq +b$$

$$-2 \leq x-2 \leq 2$$
$$+2 \quad +2 \quad +2$$
$$0 \leq x \leq 4$$

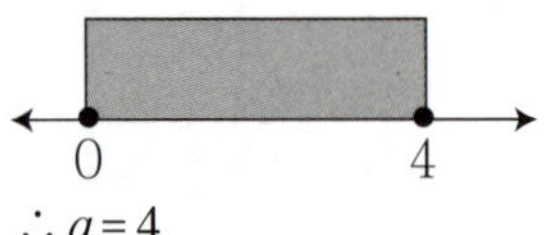

$$\therefore a = 4$$

11 | ③

두 점 사이의 거리

$$A(x_1, y_1), B(x_2, y_2)$$
$$거리 = \sqrt{(x_2 - x_1)^2 + (y_2 - y_1)^2}$$

$$A = (-2, 1) \quad B(2, 4)$$
$$\sqrt{(2-(-2))^2 + (4-1)^2}$$
$$= \sqrt{(2+2)^2 + (4-1)^2}$$
$$= \sqrt{4^2 + 3^2} = \sqrt{16+9}$$
$$= \sqrt{25} = \sqrt{5^2} = 5$$

12 | ④

직선의 방정식

$$y = ax + b$$
$a = $기울기, $b = y$절편

기울기 (a) 구하기

평행이다 → 기울기가 같다.

수직이다 → 기울기 × 기울기 = -1

y절편 (b) 구하기

$(0, b)$에서 $b = y$절편이다.

점 (x_1, y_1)을 식에 대입해서 b를 구한다.

$$y = 2x + 3$$
↓
기울기

평행 = 기울기가 같다.

기울기가 2이다.

점$(0, 6) \Rightarrow y$절편이 6이다.

기울기가 2이고, y절편이 6인 직선의 방정식은

$y = 2x + 6$이다.

13 | ④

원의 방정식

$$(x-a)^2 + (y-b)^2 = r^2$$
$r = $반지름
$(a, b) = $원 중심

문제에서 점을 주면 식에 점을 넣는다.

지름의 양 끝 점의 중점이 원의 중심이다.

$A(-1, -1) \ B(3, 3)$의 중점

$$\left(\frac{-1+3}{2}, \ \frac{-1+3}{2} \right) = (1, 1)$$

원 중심 $(1, 1)$인 원의 방정식은

$$(x-1)^2 + (y-1)^2 = r^2$$

$(3, 3)$을 지나면 $(3, 3)$을 x자리에 대입해서 r^2 구하기

$$(3-1)^2 + (3-1)^2 = r^2$$
$$2^2 + 2^2 = r^2$$
$$4 + 4 = r^2$$
$$\therefore r^2 = 8$$

그러므로 원의 방정식은

$(x-1)^2 + (y-1)^2 = 8$이다.

14 | ③

 대칭이동

x축에 대하여 대칭이동
⇒ y부호 반대

$(2, 5)$
→ x축 대칭이동
$(2, -5)$

15 | ①

 집합

기호 외우기!
① $A \cap B$ = A와 B의 교집합, 공통
② $A \cup B$ = A와 B의 합집합, All
③ A^{c} = A의 여집합, A 빼고 나머지
④ $A - B$ = A와 B의 차집합
　　A에서 B빼기=A에서 $A \cap B$ 빼기

$n(A \cap B)$ = A와 B의 교집합 원소의 개수

n = number, A와 B의 교집합의 개수

$A \cap B$ = A와 B의 교집합은 공통인 원소 = $\{1, 2\}$

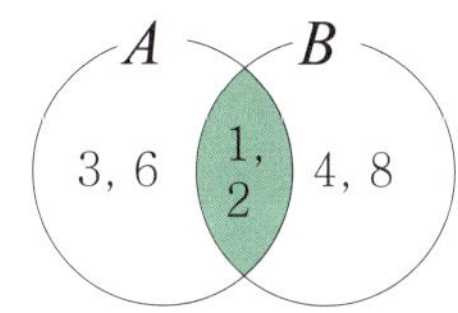

$A \cap B = \{1, 2\}$
교집합의 원소의 개수는 2개라서 답은 2이다.

16 | ③

 명제

명제 : 참(옳다)과 거짓(틀리다)를 판단 할 수 있는 문장이나 식.
명제는 p이면 q이다, $p \to q$ 라고 표현한다.

- 역인 명제는 p와 q의 자리를 바꾼다.
⇒ q이면 p이다, $q \to p$

- 대우인 명제는 p와 q의 자리를 바꾸고 Not(~)을 붙인다.
⇒ ~q이면 ~p이다, ~$q \to$ ~p

역은 자리바꾸기

명제 : $x = 1$ 이면 $x^3 = 1$이다.

역 : $x^3 = 1$ 이면 $x = 1$이다.

17 | ④

 함수

$(g \circ f)(x)$ 에서 $f(x)$ 가 1번 그 다음이 g
그림에서 화살표 따라서 잘 따라가기

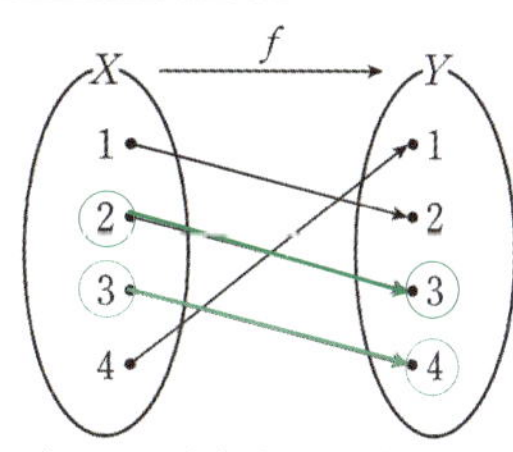

$(f \circ f)(2) = f(f(2))$
$f(2) = 3$
$= f(3) = 4$

18 | ②

$$y = \frac{1}{x}$$

→ 평행이동 x축 a, y축 b

$$y = \frac{1}{x - a} + b$$

점을 주면 무조건 식에 넣기!

$$y = \frac{1}{x - a} + 4$$

점근선 $x = 3$, $y = 4$은 x축으로 3만큼,
y축으로 4만큼 평행이동했다는 뜻이다.

$$y = \frac{1}{x} \rightarrow \text{평행이동 } x\text{축 } 3, y\text{축 } 4$$

$$y = \frac{1}{x - 3} + 4$$

$$y = \frac{1}{x - 3} + 4 \Rightarrow y = \frac{1}{x - a} + 4$$

$$\therefore a = 3$$

19 | ①

순열: 순서있게 나열, 일렬로 나열

$$_3P_2 = 3 \times 2 = 6$$
$$_4P_2 = 4 \times 3 = 12$$
$$_5P_2 = 5 \times 4 = 20$$

4개의 종목 중 2개의 종목을 택하여 일렬로 나열
⇒ 순열 공식 사용

①칸수 2칸   ③곱하기
$$_4P_2 = 4 \otimes 3 = 12$$

② 4부터 시작 1씩 작아짐

20 | ②

조합: 순서없이 뽑기, 선택하기

$$_3C_2 = \frac{3 \times 2}{2 \times 1} = 3$$

$$_4C_2 = \frac{4 \times 3}{2 \times 1} = 6$$

$$_5C_2 = \frac{5 \times 4}{2 \times 1} = 10$$

$$_4C_3 = \frac{4 \times 3 \times 2}{3 \times 2 \times 1} = 4$$

$$_5C_3 = \frac{5 \times 4 \times 3}{3 \times 2 \times 1} = 10$$

$$_6C_3 = \frac{5 \times 4 \times 3}{3 \times 2 \times 1} = 20$$

- 5개의 정다면체에서 2개의 정다면체를 선택
  ⇒ 순서×, 조합공식 사용

$$_5C_2 = \frac{_5P_2}{2!} = \frac{5 \times \overset{2}{4}}{\underset{1}{2} \times 1} = 10$$

참고 ! = 팩토리얼	
1!	$= 1$
2!	$= 2 \times 1$
3!	$= 3 \times 2 \times 1$
4!	$= 4 \times 3 \times 2 \times 1$
5!	$= 5 \times 4 \times 3 \times 2 \times 1$

01	④	02	②	03	③	04	③	05	④
06	①	07	③	08	①	09	②	10	③
11	②	12	②	13	④	14	④	15	③
16	①	17	①	18	②	19	②	20	①

01 | ④

🔍 문제 푸는 Tip   **다항식**

x^2은 x^2끼리
x는 x끼리   더하기!
숫자는 숫자끼리

✏️ 풀이 과정

풀이 ①

$$
\begin{array}{r}
A = \quad x^2 \quad +2x \\
+\ )\ B = 2x^2 \qquad\qquad -1 \\
\hline
A+B = 3x^2 \quad +2x \quad -1
\end{array}
$$

풀이 ②

$A + B = (x^2 + 2x) + (2x^2 - 1)$

x^2는 x^2끼리 계산

$x^2 + 2x^2 = 3x^2$

$\qquad = 3x^2 + 2x - 1$

02 | ②

🔍 문제 푸는 Tip   **항등식**

$x^2 = x^2$
$x = x$ 같습니다.
숫자는 숫자

좌변 = 우변, 계수 비교
어려운 단어는 생각하지 말고 문제 푸는 방법만 기억하기!

✏️ 풀이 과정

풀이 ①

$(x+1)(x-1) = x^2 + a$

$x^2 - x + x - 1 = x^2 + a$

$x^2 - 1 = x^2 + a$

$x^2 = x^2$

$-1 = a$

$\therefore a = -1$

풀이 ②

$(x+y)(x-y) = x^2 - y^2$

$(x+1)(x-1)$은 공식에 의해 $x^2 - 1^2$

03 | ③

🔍 문제 푸는 Tip   **조립제법**

$x^3 - 2x^2 - x + 5$를 $(x-1)$로 나눈 몫과 나머지 구하기

✏️ 풀이 과정

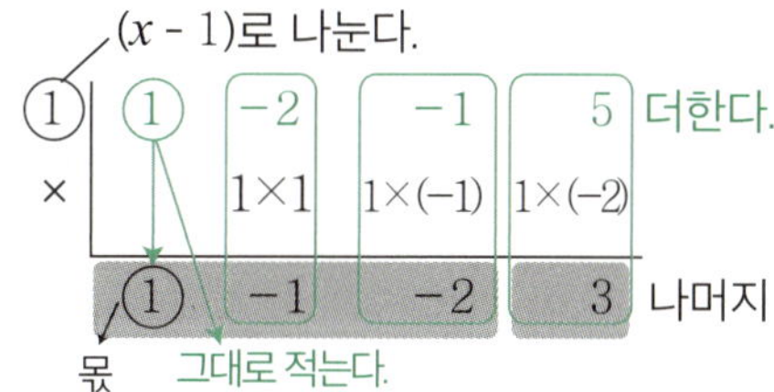

1) 계수들만 적는다. ⇒ 1 - 2 - 1 5 이렇게 적는다.

2) $(x-1)$로 나눈나. ⇒ 1을 적는나.

3) 첫 숫자는 그대로 적는다.

4) 곱해서 적는다. ⇒ 1×1을 - 2 밑에 적는다.

5) 더한다. ⇒ - 2와 1×1을 더해서 - 1

6) 곱해서 적는다. ⇒ 1×(- 1)을 - 1 밑에 적는다.

7) 더한다. ⇒ - 1과 1×(- 1)을 더해서 - 2

8) 곱해서 적는다. ⇒ 1×(- 2)를 5 밑에 적는다.

9) 더한다. ⇒ 5와 (- 2)를 더해서 3

몫은 $x^2 - x - 2$이고 나머지는 3이다.

04 | ③

 인수분해

$$x^3 - 3x^2 y + 3xy^2 - y^3 = (x-y)^3$$

$$x^3 - 3x^2 y + 3xy^2 - y^3 = (x-y)^3$$
$$x^3 - 3 \times x^2 \times 3 + 3 \times x \times 3^2 - 3^3 = (x-3)^3$$
$$x^3 - 9x^2 + 27x - 27 = (x-3)^3$$
$$= (x-a)^3$$
$$\therefore a = 3$$

05 | ④

 복소수

숫자는 숫자끼리
i 는 i 끼리
$i^2 = -1$, $i^4 = 1$

$$2 - i + i^2 = a - i$$
$i^2 = -1$ 이므로
$$2 - i - 1 = a - i$$
$$1 - i = a - i$$
$$\therefore a = 1$$

06 | ①

 이차방정식 근과 계수의 관계

$$ax^2 + bx + c = 0$$
$$\alpha + \beta = \text{두 근의 합} = -\frac{b}{a}$$
$$\alpha\beta = \text{두 근의 곱} = \frac{c}{a}$$
공식암기!

$(1)\, x^2 + 3x - 4 = 0$
$$\alpha + \beta = -\frac{b}{a} = -\frac{3}{1} = -3$$

x^2 앞에는 1이 생략되어 있어요.

07 | ③

 이차함수 최댓값, 최솟값

y축의 숫자만 본다.
제일 큰 숫자 = 최댓값
제일 작은 숫자 = 최솟값
그래프 그림 때문에 쫄지마세요.
오히려 좋은 거에요. 쉬워요!

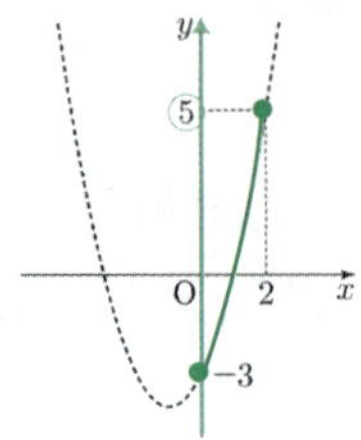

y축의 숫자 5와 -3 중에서 가장 큰 수는 5이므로 최댓값은 5이다.

08 | ①

 삼차방정식과 사차방정식

한 근이 1일 때 ⇒ x에 1넣기

$x^3 - 2x + a = 0$
한 근이 2일 때 x에 2넣기
$$2^3 - 2 \times 2 + a = 0$$
$$8 - 4 + a = 0$$
$$4 + a = 0$$
$$\therefore a = -4$$

09 | ②

 연립방정식

문제에서 주는 해인 x와 y를 대입해서 a와 b를 구한다.

$$\begin{cases} x+y=3 \\ x^2+y^2=a \end{cases}$$

$x=2,\ y=b$

i) $x=2$를 대입해서 y를 구한다.

$x+y=3$

$2+y=3$

$\therefore y=1=b$

ii) $x=2,\ y=1$을 대입해서 a를 구한다.

$2^2-1^2=a$

$4-1=a$

$\therefore a=3$

$a=3,\ b=1$ 이므로

$\therefore a+b=3+1=4$

10 | ③

 이차부등식

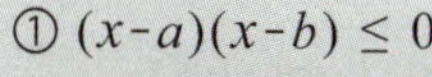
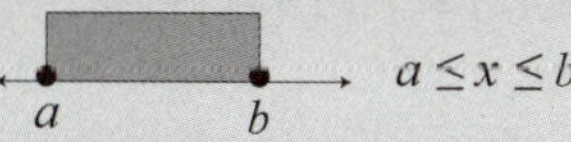
① $(x-a)(x-b) \leq 0$
　　$a \leq x \leq b$

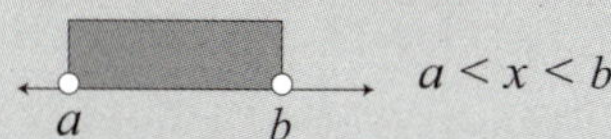
② $(x-a)(x-b) < 0$
　　$a < x < b$

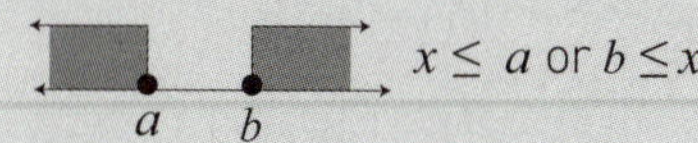
③ $(x-a)(x-b) \geq 0$
　　$x \leq a$ or $b \leq x$

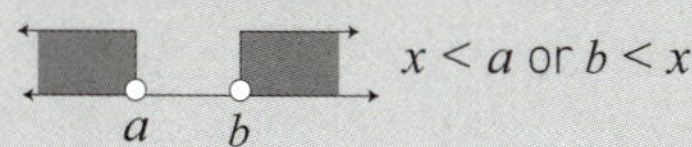
④ $(x-a)(x-b) > 0$
　　$x < a$ or $b < x$

$(x+3)(x-1)\leq 0$

$-3 \leq x \leq 1$

11 | ④

 두 점의 중점(M)

$A(x_1,\ y_1),\ B(x_2,\ y_2)$ 일 때

$$M=\left(\frac{x_1+x_2}{2},\ \frac{y_1+y_2}{2}\right)$$

$A(1,\ 2)\ B(3,\ -4)$

$$M\left(\frac{1+3}{2},\ \frac{2-4}{2}\right)$$

$$=\left(\frac{4}{2},\ \frac{-2}{2}\right)$$

$$=(2,\ -1)$$

12 | ②

 직선의 방정식

$y=ax+b$

a는 기울기, b는 y절편

기울기 a 구하기

평행이다→기울기가 같다.

수직이다→기울기×기울기$=-1$

y절편 b 구하기

$(0,\ b)$에서 $b=y$절편이다.

점 $(x_1,\ y_1)$을 식에 대입해서 b를 구한다.

$y=-2x+5$에 평행

평행＝기울기가 같다.

기울기가 -2이다.

점$(0,\ 1)\Rightarrow y$절편이 1이다.

기울기가 -2이고, y절편이 1인 직선의 방정식은

$y=-2x+1$이다.

13 | ④

 원의 방정식

$(x-a)^2 + (y-b)^2 = r^2$

r = 반지름

$(a,\ b)$ = 원 중심

문제에서 점을 주면 식에 점을 넣는다.
지름의 양 끝 점의 중점이 원의 중심이다.

원 중심$(2,\ 1)$ 반지름 $r=3$인 원의 방정식

$(x-2)^2 + (y-1)^2 = 3^2$

$\therefore\ (x-2)^2 + (y-1)^2 = 9$

14 | ④

 대칭이동

원점에 대한 대칭이동

x와 y의 부호 반대

$(-2,\ 1)$

→원점 대칭 이동 $x,\ y$부호 반대

$(+2,\ -1)$

15 | ③

 집합

기호 외우기!
① $A \cap B$ = A와 B의 교집합, 공통
② $A \cup B$ = A와 B의 합집합, All
③ A^c = A의 여집합, A 빼고 나머지
④ $A - B$ = A와 B의 차집합
　　 A에서 B빼기 = A에서 $A \cap B$ 빼기

풀이 ①

$A - B = A - A \cap B$
$\qquad = \{1,\ 3,\ 4,\ 5\} - \{4\} = \{1,\ 3,\ 5\}$

풀이 ② 벤다이어그램으로 풀기

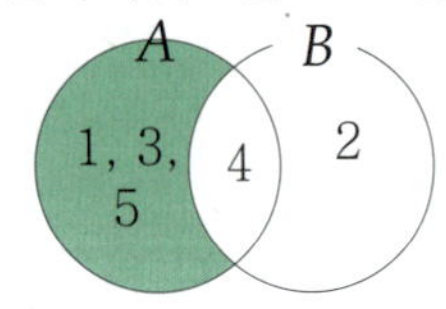

$A - B = \{1,\ 3,\ 5\}$

16 | ①

 명제

명제 : 참(옳다)과 거짓(틀리다)를 판단 할 수 있는 문장이
　　 나 식.

명제는 p이면 q이다, $p \to q$ 라고 표현한다.

역인 명제는 p와 q의 자리를 바꾼다.

⇒q이면 p이다, $q \to p$

대우인 명제는 p와 q의 자리를 바꾸고 Not($\sim$)을 붙인다.

⇒ $\sim q$이면 $\sim p$이다, $\sim q \to \sim p$

역은 자리바꾸기

　 명제: 정삼각형이면 이등변삼각형이다.

　 역: 이등변삼각형이면 정삼각형이다.

17 | ①

 역함수

$f^{-1}(x)$ 는 $f(x)$의 역함수이다.

$X \underset{f^{-1}}{\overset{f}{\rightleftarrows}} Y$ 에서 역함수 $f^{-1}(x)$는 Y에서 X로 거꾸로 간다.

$f^{-1}(4)$ 는 Y의 4에서 거꾸로 가서 X의 1이다.

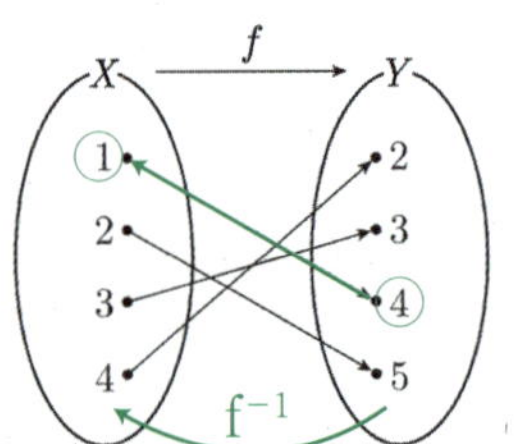

18 | ③

 무리함수

$$y = \sqrt{x} \xrightarrow[\binom{x\text{축 } a}{y\text{축 } b}]{} y = \sqrt{x-a}+b$$

평행이동

점을 주면 무조건 식에 넣기!

$y = \sqrt{x}$

→ x축 2, y축 3

$y = \sqrt{x-2}+3$

$y = \sqrt{x-2}+3 = \sqrt{x-a}+b$

$a = 2$, $b = 3$

$\therefore a+b = 2+3 = 5$

19 | ②

 팩토리얼!

$1! = 1$
$2! = 2 \times 1$
$3! = 3 \times 2 \times 1$
$4! = 4 \times 3 \times 2 \times 1$
$5! = 5 \times 4 \times 3 \times 2 \times 1$

여행지 3곳을 순서대로 여행하는 것은 3!과 같다.

$3! = 3 \times 2 \times 1 = 6$

20 | ①

 조합

조합: 순서없이 뽑기, 선택하기

$$_3C_2 = \frac{3 \times 2}{2 \times 1} = 3$$

$$_4C_2 = \frac{4 \times 3}{2 \times 1} = 6$$

$$_5C_2 = \frac{5 \times 4}{2 \times 1} = 10$$

$$_4C_3 = \frac{4 \times 3 \times 2}{3 \times 2 \times 1} = 4$$

$$_5C_3 = \frac{5 \times 4 \times 3}{3 \times 2 \times 1} = 10$$

$$_6C_3 = \frac{5 \times 4 \times 3}{3 \times 2 \times 1} = 20$$

4종류의 꽃에서 3종류의 꽃을 선택
⇒순서×, 조합공식 사용

$$_4C_3 = \frac{_4P_3}{3!} = \frac{4 \times 3 \times 2}{3 \times 2 \times 1} = 4$$

참고 ! = 팩토리얼	
1!	$= 1$
2!	$= 2 \times 1$
3!	$= 3 \times 2 \times 1$
4!	$= 4 \times 3 \times 2 \times 1$
5!	$= 5 \times 4 \times 3 \times 2 \times 1$

01	③	02	③	03	④	04	①	05	②
06	④	07	③	08	②	09	④	10	①
11	②	12	②	13	③	14	①	15	②
16	④	17	①	18	③	19	④	20	②

01 | ③

🖊 문제 푸는 Tip **다항식**

x^2은 x^2끼리
x는 x끼리   더하기!
숫자는 숫자끼리

🖊 풀이 과정

풀이 ①

$$-\begin{array}{l} A = 2x^2 + x \\ B = \qquad -x + 1 \\ \hline A - B = 2x^2 \qquad - 1 \end{array}$$

풀이 ②

$$A - B = (2x^2 + x) - (x + 1)$$
$$= 2x^2 + x - x - 1$$
$x - x = 0$ 이므로
$$= 2x^2 - 1$$

02 | ③

🖊 문제 푸는 Tip **항등식**

$x^2 = x^2$
$x = x$ 같습니다.
숫자는 숫자

좌변 = 우변, 계수 비교
어려운 단어는 생각하지 말고 문제푸는 방법만 기억하기!

🖊 풀이 과정

$$x^2 + ax - 2 = x^2 + 5x + b$$
$$x^2 = x^2$$
$$ax = 5x$$
$$-2 = b$$
$$\therefore a = 5, \ b = -2$$
$$a + b = 5 - 2 = 3$$

03 | ④

🖊 문제 푸는 Tip **나머지 정리**

$(x-1)$로⇒x에 1넣기
나누어 떨어질 때는⇒ $= 0$ 붙이기

🖊 풀이 과정

$$1^3 + 3 \times 1 + 4 = 나머지$$
$$1 + 3 + 4 = 8$$
$$\therefore 나머지 = 8$$

04 | ①

🖊 문제 푸는 Tip **인수분해**

$$x^3 + 3x^2y + 3xy^2 + y^3 = (x + y)^3$$
공식암기!

🖊 풀이 과정

$$x^3 + 3x^2y + 3xy^2 + y^3 = (x + y)^3$$
$$x^3 + 3 \times x^2 \times 2 + 3 \times x \times 2^2 + 2^3 = (x + 2)^3$$
$$x^3 + 6x^2 + 12x + 8 = (x + 2)^3$$
$$\therefore a = 2$$

05 | ②

🖊 문제 푸는 Tip **켤레복소수**

$a + bi$의 켤레복소수는 i의 계수의 부호가 반대다.
$a - bi$가 $a + bi$의 켤레복소수이다.

🖊 풀이 과정

$3 - 2i$의 켤레복소수는 i의 계수의 부호 반대로 $3 + 2i$이다.
$$3 + ai = 3 + 2i$$
$$\therefore a = 2$$

06 | ④

문제 푸는 Tip 이차방정식 근과 계수의 관계

$$ax^2 + bx + c = 0$$
$$\alpha + \beta = \text{두 근의 합} = -\frac{b}{a}$$
$$\alpha\beta = \text{두 근의 곱} = \frac{c}{a}$$
공식암기!

풀이 과정

$$x^2 + 5x + 4 = 0$$
$$\therefore \ \alpha\beta = \frac{c}{a} = \frac{4}{1} = 4$$

x^2 앞에는 1이 생략되어 있어요.

07 | ③

문제 푸는 Tip 이차함수 최댓값, 최솟값

y축의 숫자만 본다.
제일 큰 숫자 = 최댓값
제일 작은 숫자 = 최솟값
그래프 그림 때문에 쫄지 마세요.
오히려 좋은 거예요. 쉬워요!

풀이 과정

y축 숫자 3, 2, -1 중 3이 제일 커서 최댓값은 3이다.

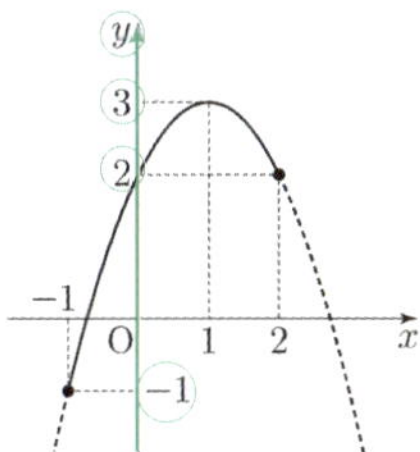

08 | ②

문제 푸는 Tip 삼차방정식과 사차방정식

한 근이 1일 때 ⇒ x에 1넣기

풀이 과정

$$x^3 + ax^2 - 3x - 2 = 0$$
한 근이 1일 때 x에 1넣기
$$1^3 + a \times 1^2 - 3 \times 1 - 2 = 0$$
$$1 + a - 3 - 2 = 0$$
$$a - 4 = 0$$
$$\therefore a = 4$$

09 | ④

문제 푸는 Tip 연립방정식

문제에서 주는 해인 x와 y를 대입해서 a와 b를 구한다.

풀이 과정

$$\begin{cases} x + y = 4 \\ x^2 - y^2 = a \end{cases} , \quad x = 3, \ y = b$$

① $x + y = 4$에 $x = 3$ 넣기
$$3 + y = 4$$
$$\therefore y = 1 = b$$
② $x^2 - y^2 = a$에 $x = 3, \ y = 1$ 넣기
$$3^2 - 1^2 = a$$
$$(3 \times 3) - (1 \times 1) = 9 - 1 = 8$$
$$a = 8, \ b = 1$$
$$\therefore a + b = 8 + 1 = 9$$

10 | ①

문제 푸는 Tip 절댓값 부등식

$$|x + a| \le b$$
$$\Rightarrow -b \le x + a \le +b$$

풀이 과정

$$|x - 3| \le 3$$

$$-3 \le |x - 3| \le +3$$
$$+3 \quad\quad +3 \quad\quad +3$$
$$\therefore 0 \le x \le 6$$

$$\therefore a = 0$$

🔍 문제 푸는 Tip — 두 점의 중점(M)

$A(x_1,\ y_1),\ B(x_2,\ y_2)$ 일 때

$$M = \left(\frac{x_1 + x_2}{2},\ \frac{y_1 + y_2}{2} \right)$$

✏️ 풀이 과정

$A(-3,\ -2)\ B(1,\ 4)$

$$M = \left(\frac{-3+1}{2},\ \frac{-2+4}{2} \right)$$

$$= \left(\frac{-2}{2},\ \frac{2}{2} \right)$$

$$= (-1,\ 1)$$

12 | ②

🔍 문제 푸는 Tip — 직선의 방정식

$y = ax + b$

a는 기울기, b는 y절편

기울기 (a) 구하기

　평행이다→기울기가 같다.

　수직이다→기울기×기울기 = -1

y절편 (b) 구하기

　$(0, b)$에서 $b = y$절편이다.

　점 (x_1, y_1)을 식에 대입해서 b를 구한다.

✏️ 풀이 과정

i) 기울기(a) 구하기

　$y = 1x - 1$에 수직이다.

　$1 \times \square = -1$

　$\therefore \square = -1$

ii) y절편(b) 구하기

　$(0, 3)$에서 y절편은 3이다.

　기울기가 -1이고 y절편이 3인 방정식은

　$y = -x + 3$

13 | ③

🔍 문제 푸는 Tip — 원의 방정식

$(x-a)^2 + (y-b)^2 = r^2$

$r =$ 반지름

$(a, b) =$ 원 중심

문제에서 점을 주면 식에 점을 넣는다.

✏️ 풀이 과정

원 중심$(3, -1)$, 원점 $(0, 0)$

$(x - 3)^2 + (y - (-1))^2 = r^2$

$(0 - 3)^2 + (0 + 1)^2 = r^2$

$(-3)^2 + (1)^2 = r^2$

$(-3 \times -3) + (1 \times 1) = r^2$

$9 + 1 = r^2$

$r^2 = 10$

$\therefore (x - 3)^2 + (y + 1)^2 = 10$

14 | ①

🔍 문제 푸는 Tip — 평행이동

점 (x, y)을 x축 방향으로 a만큼, y축 방향으로 b만큼 평행 이동한 점의 좌표는 $(x + a, y + b)$

✏️ 풀이 과정

점 $(3, 4)$

$\rightarrow x$축 -1, y축 -3

$(3 - 1, 4 - 3)$

$= (2, 1)$

15 | ②

🔍 문제 푸는 Tip — 집합

기호 외우기!

① $A \cap B = A$와 B의 교집합, 공통

② $A \cup B = A$와 B의 합집합, All

③ $A^c = A$의 여집합, A 빼고 나머지

④ $A - B = A$와 B의 차집합

　A에서 B빼기 $= A$에서 $A \cap B$ 빼기

풀이 ①

$$A - B = A - A \cap B$$
$$= \{1,\ 2,\ 3,\ 4\} = \{1,\ 2\}$$

풀이 ②

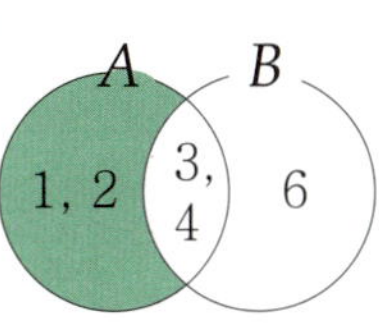

$$A - B = \{1,\ 2\}$$
$$n(A - B) = 2$$

$n =$ number, $A - B$의 원소의 개수는 2개다.

16 | ④

  명제

명제: 참(옳다)과 거짓(틀리다)를 판단 할 수 있는 문장이나 식.

명제는 p**이면** q**이다,** $p \to q$ 라고 표현한다.

역인 명제는 p와 q의 자리를 바꾼다.

⇒ q**이면** p**이다,** $q \to p$

대우인 명제는 p와 q의 자리를 바꾸고 Not(~)을 붙인다.

⇒ $\sim q$**이면** $\sim p$**이다,** $\sim q \to \sim p$

명제: $x = 2$이면 $x^3 = 8$이다.

대우: $x^3 \neq 8$이면 $x \neq 2$이다.

17 | ①

  역함수

$f^{-1}(x)$는 $f(x)$의 역함수이다.

$X \overset{f}{\underset{f^{-1}}{\rightleftarrows}} Y$ 에서 역함수 $f^{-1}(x)$는 Y에서 X로 거꾸로 간다.

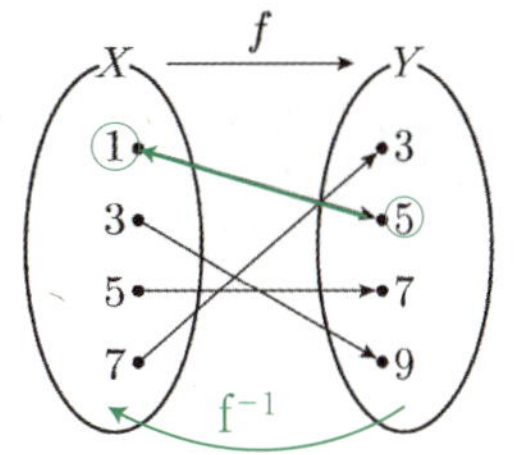

$f^{-1}(5)$는 Y의 5에서 거꾸로 가서 X의 1이다.

$$\therefore f^{-1}(5) = 1$$

18 | ③

  유리함수

$$y = \frac{1}{x}$$
→ 평행이동 x축 a, y축 b
$$y = \frac{1}{x - a} + b$$
점을 주면 무조건 식에 넣기!

$y = \dfrac{1}{x}$ → 평행이동 x축 a만큼 이동한 식은 $y = \dfrac{1}{x - a}$ 이다.

$$y = \frac{1}{x - a}$$
$$y = \frac{1}{x - 1}$$
$$\therefore a = 1$$

19 | ④

문제 푸는 Tip 순열

순열: 순서있게 나열, 일렬로 나열

$_3P_2 = 3 \times 2 = 6$

$_4P_2 = 4 \times 3 = 12$

$_5P_2 = 5 \times 4 = 20$

풀이 과정

4점의 작품 중 3개의 작품을 택하여 일렬로 나열
⇒순열 공식 사용

계산은

①칸수 3칸 ③곱하기

$_4P_3 = 4 \otimes 3 \otimes 2 = 24$

②4부터 1씩 작아짐

20 | ②

문제 푸는 Tip 조합

조합: 순서없이 뽑기, 선택하기

$_3C_2 = \dfrac{3 \times 2}{2 \times 1} = 3$

$_4C_2 = \dfrac{4 \times 3}{2 \times 1} = 6$

$_5C_2 = \dfrac{5 \times 4}{2 \times 1} = 10$

$_4C_3 = \dfrac{4 \times 3 \times 2}{3 \times 2 \times 1} = 4$

$_5C_3 = \dfrac{5 \times 4 \times 3}{3 \times 2 \times 1} = 10$

$_6C_3 = \dfrac{5 \times 4 \times 3}{3 \times 2 \times 1} = 20$

풀이 과정

5개의 방과후 프로그램에서 3개의 프로그램을 선택
⇒순서×, 조합공식 사용

$$_5C_3 = \frac{_5P_3}{3!} = \frac{5 \times 4 \times 3}{3 \times 2 \times 1} = 10$$

참고 ! = 팩토리얼	
1!	$= 1$
2!	$= 2 \times 1$
3!	$= 3 \times 2 \times 1$
4!	$= 4 \times 3 \times 2 \times 1$
5!	$= 5 \times 4 \times 3 \times 2 \times 1$

01	④	02	①	03	③	04	②	05	①
06	④	07	①	08	①	09	②	10	④
11	①	12	④	13	②	14	②	15	②
16	③	17	①	18	②	19	③	20	④

01 | ④

문제 푸는 Tip 다항식

x^2은 x^2끼리
x는 x끼리   더하기!
숫자는 숫자끼리

풀이 과정

풀이 ①

$A=$	x^2	$+2x$
$+ \quad B=$	$2x^2$	$-x$
$A+B=$	$3x^2$	$+x$

풀이 ②

$$A + B = (x^2 + 2x) + (2x^2 - x)$$
$$= 3x^2 + x$$

02 | ①

문제 푸는 Tip 항등식

$x^2 = x^2$
$x = x$ 같습니다.
숫자는 숫자

좌변 = 우변, 계수 비교
어려운 단어는 생각하지 말고 문제푸는 방법만 기억하기!

풀이 과정

$x^2 + ax + 3 = x^2 + 5x + b$
$x^2 = x^2$
$ax = 5x$
$3 = b$
$\therefore a = 5, b = 3$
$a - b = 5 - 3 = 2$

03 | ③

문제 푸는 Tip 나머지 정리

$(x - 1)$로 ⇒ x에 1넣기
나누어 떨어질 때는 ⇒ = ( ) 붙이기

풀이 과정

$(x - 1)$로 나누었을 때, x에 1넣기
$2x^3 + 3x^2 - 1$
$2 \times 1^3 + 3 \times 1^2 - 1 = $ 나머지
$2 + 3 - 1 = 4$
$\therefore$ 나머지 $= 4$

04 | ②

문제 푸는 Tip 인수분해

$x^3 - 3x^2y + 3xy^2 - y^3 = (x - y)^3$
공식암기!

풀이 과정

$x^3 - 3x^2y + 3xy^2 - y^3 = (x - y)^3$
$x^3 - 3 \times x^2 \times 2 + 3 \times x \times 2^2 - 2^3 = (x - 2)^3$
$x^3 - 6x^2 + 12x - 8 = (x - 2)^3$
$\therefore a = 2$

05 | ①

문제 푸는 Tip 켤레복소수

$a + bi$의 켤레복소수는 i의 계수의 부호가 반대다.
$a - bi$가 $a + bi$의 켤레복소수이다.

풀이 과정

$5 + 4i$의 켤레복소수는 i의 계수의 부호 반대로 $5 - 4i$이다.
$5 - 4i = a + bi$
$\therefore a = 5, b = -4$
$a + b = 5 - 4 = 1$

06 | ④

이차방정식 근과 계수의 관계

$$ax^2 + bx + c = 0$$
$$\alpha + \beta = \text{두 근의 합} = -\frac{b}{a}$$
$$\alpha\beta = \text{두 근의 곱} = \frac{c}{a}$$
공식암기!

풀이 과정

① 공식으로 풀기

$1 \, x^2 - 7x + a = 0$
$a \quad b \quad c$

두 근의 곱 $= \alpha\beta = \dfrac{c}{a} = \dfrac{a}{1} = a$

두 근이 3, 4

$3 \times 4 = a$

$\therefore a = 12$

② 숫자 넣어 보기

근 $= x$의 값

$x^2 - 7x + a = 0$

x자리에 근인 3 or 4 넣기

i) $x = 3$일 때

$3^2 - 7 \times 3 + a = 0$

$9 - 21 + a = 0$

$-12 + a = 0$

$\therefore a = 12$

ii) $x = 4$일 때

$4^2 - 7 \times 4 + a = 0$

$16 - 28 + a = 0$

$-12 + a = 0$

$\therefore a = 12$

07 | ①

이차함수 최댓값, 최솟값

y축의 숫자만 본다.
제일 큰 숫자 = 최댓값
제일 작은 숫자 = 최솟값
그래프 그림 때문에 쫄지 마세요.
오히려 좋은 거예요. 쉬워요!

풀이 과정

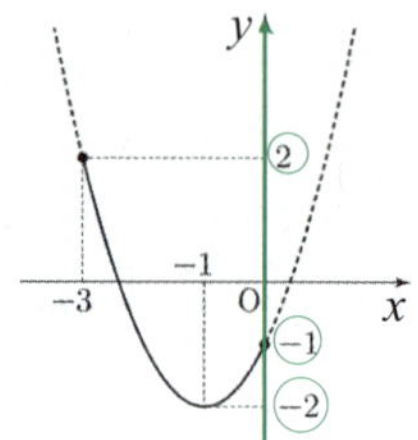

y축 숫자 2, -1, -2 중 -2가 제일 작아서 최솟값은 -2이다.

08 | ①

삼차방정식과 사차방정식

한 근이 1일 때 $\Rightarrow x$에 1넣기

풀이 과정

$x^4 + 2x^2 + a = 0$

한 근이 1일 때, x에 1넣기

$1^4 + 2 \times 1^2 + a = 0$

$1 + 2 + a = 0$

$3 + a = 0$

$\therefore a = -3$

09 | ②

問題 푸는 Tip **연립방정식**

문제에서 주는 해인 x와 y를 대입해서 a와 b를 구한다.

풀이 과정

$$\begin{cases} x+y=6 \\ xy=a \end{cases}, \quad x=4,\ y=b$$

① $x+y=6$ 식에서 x에 4를 넣는다.

$\qquad 4+y=6$

$\qquad \therefore y=2$

② $xy=a$ 식에 x와 y를 넣어 a를 구한다.

$\qquad x=4,\ y=2$

$\qquad 4\times2=a$

$\qquad \therefore a=8$

$\therefore a+b=8+2=10$

10 | ④

문제 푸는 Tip **이차부등식**

① $(x-a)(x-b)\le0$
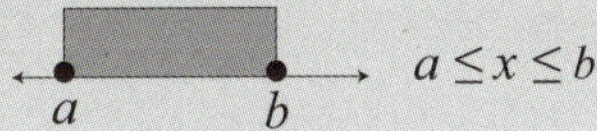
$a\le x\le b$

② $(x-a)(x-b)<0$
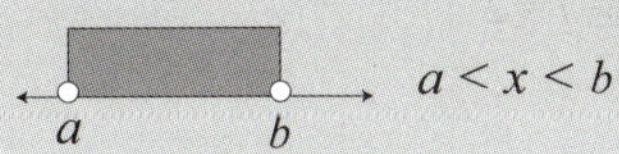
$a<x<b$

③ $(x-a)(x-b)\ge0$
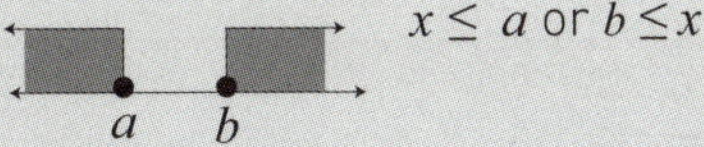
$x\le a$ or $b\le x$

④ $(x-a)(x-b)>0$
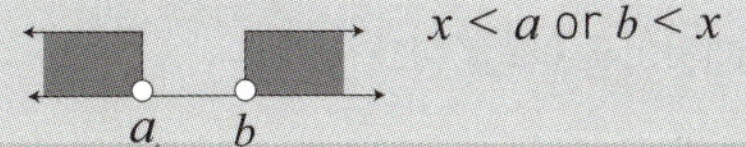
$x<a$ or $b<x$

풀이 과정

$(x+3)(x-2)\ge0$

$x+3=0$

$\therefore x=-3$

$x-2=0$

$\therefore x=2$

이차부등식 공식 ③에 의해 x는 작은 수 보다는 적고, 큰 수 보다는 크다.

$\therefore x\le-3$ 또는 $2\le x$

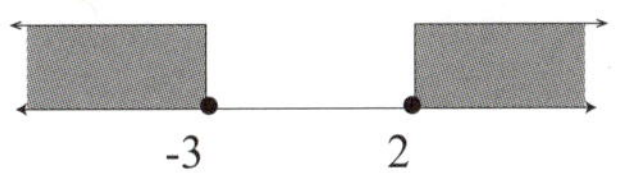

11 | ③

문제 푸는 Tip **내분점, 외분점**

1) 수직선에 칸 수를 그려본다.

2) **공식사용**

　i) 수직선 위에서 내분점, 외분점

　　내분하는 점 P의 좌표

$$P\left(\frac{mx_2+nx_1}{m+n}\right)$$

　　외분하는 점 Q의 좌표

$$Q\left(\frac{mx_2-nx_1}{m-n}\right)\ (단,\ m\ne n)$$

　ii) 좌표평면 위에서 내분점, 외분점

　　내분하는 점 P의 좌표

$$P\left(\frac{mx_2+nx_1}{m+n},\ \frac{my_2+ny_1}{m+n}\right)$$

　　외분하는 점 Q의 좌표

$$Q\left(\frac{mx_2-nx_1}{m-n},\ \frac{my_2-ny_1}{m-n}\right)(단,\ m\ne n)$$

[내분점 P]

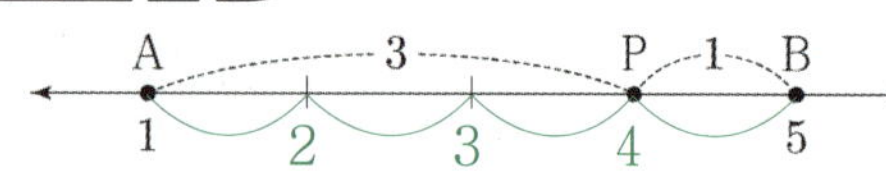

$$A(x_1, y_1) \quad B(x_2, y_2) \quad A(x_1, y_1) \quad B(x_2, y_2)$$

x좌표: $\dfrac{mx_2 + nx_1}{m+n}$ 　y좌표: $\dfrac{my_2 + ny_1}{m+n}$

$$\rightarrow P\left(\dfrac{mx_2 + nx_1}{m+n}, \ \dfrac{my_2 + ny_1}{m+n}\right)$$

[외분점 Q]

x좌표: $\dfrac{mx_2 - nx_1}{m-n}$ 　y좌표: $\dfrac{mx_2 - nx_1}{m-n}$

$$\rightarrow Q\left(\dfrac{mx_2 - nx_1}{m-n}, \ \dfrac{my_2 - ny_1}{m-n}\right)$$

✎ 풀이 과정

① 수직선에 칸수를 그려본다.
　3이라서 3칸, 1이라서 1칸 그러므로 P의
　좌표는 4다.

② 공식사용

$$P\left(\frac{mx_2 + nx_1}{m+n}\right)$$

$A(1), B(5)$를 3:1 로 내분하는 점

$$P\left(\frac{15+1}{3+1}\right) = \frac{16}{4} = 4$$

12 | ④

💡 문제 푸는 Tip　직선의 방정식

$y = ax + b$

a는 기울기, b는 y절편

기울기 (a) 구하기
　평행이다→기울기가 같다.
　수직이다→기울기×기울기 = -1
y절편 (b) 구하기
　$(0, b)$에서 $b = y$절편이다.
　점 (x_1, y_1)을 식에 대입해서 b를 구한다.

✎ 풀이 과정

i) 기울기가 3이라서 a가 3이다.
　$y = 3x + b$
ii) y절편 (b) 구하기
　점 $(-2, 1)$을 식에 넣어서 b구하기
　$y = 3x + b$
　　1　　-2
　$1 = 3 \times -2 + b$
　$1 = -6 + b$
　$1 + 6 = b$
　$\therefore b = 7$
　$\therefore y = 3x + 7$

13 | ②

💡 문제 푸는 Tip　원의 방정식

$(x-a)^2 + (y-b)^2 = r^2$

$r = $ 반지름

$(a, b) = $ 원 중심

문제에서 점을 주면 식에 점을 넣는다.
y축에 접한다는 것은 원의 반지름이 원 중심의 x좌표와 같다.

✎ 풀이 과정

원 중심$(2, 1)$ 반지름 $r = 2$
$(x-2)^2 + (y-1)^2 = 2^2$
$\therefore (x-2)^2 + (y-1)^2 = 4$

14 | ②

💡 문제 푸는 Tip　대칭이동

y축에 대하여 대칭이동 x부호 반대

✎ 풀이 과정

$(2, 4) \rightarrow y$축 대칭이동 $(-2, 4)$

15 | ②

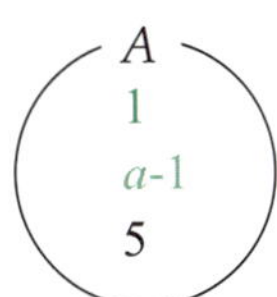 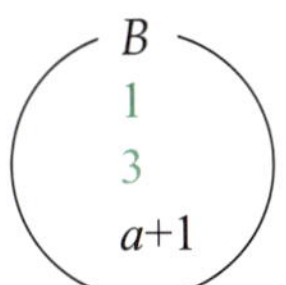

> 🔍 문제 푸는 Tip **집합**

A의 원소가 B의 원소가 같을 때 $A = B$라고 한다.

> ✏️ 풀이 과정

$$
\begin{array}{cc}
A & B \\
1 & 1 \\
a\text{-}1 & 3 \\
5 & a\text{+}1
\end{array}
$$

풀이 ①

$a-1=3+1$

$\therefore a=4$

풀이 ②

$5 = a+1$

$5-1=a$

$\therefore a=4$

16 | ③

> 🔍 문제 푸는 Tip **명제**

명제 : 참(옳다)과 거짓(틀리다)를 판단 할 수 있는 문장이
나 식.

명제는 p이면 q이다, $p \to q$ 라고 표현한다.

역인 명제는 p와 q의 자리를 바꾼다.

⇒ q이면 p이다, $q \to p$

대우인 명제는 p와 q의 자리를 바꾸고 Not(~)을 붙인다.

⇒ ~q이면 ~p이다, ~$q \to$ ~p

> ✏️ 풀이 과정

명제 : 평행사변형이면 사다리꼴이다.

1. 자리바꾸고
2. not 붙이고

명제 : 사다리꼴이면 평행사변형어다.
　　　 아니면　　　 (이)아니다.

∴ 사다리꼴이 아니면 평행사변형이 아니다.

17 | ①

> 🔍 문제 푸는 Tip **함수**

$(g \circ f)(x)$ 에서 $f(x)$ 가 1번 그 다음이 g
그림에서 화살표 따라서 잘 따라가기

> ✏️ 풀이 과정

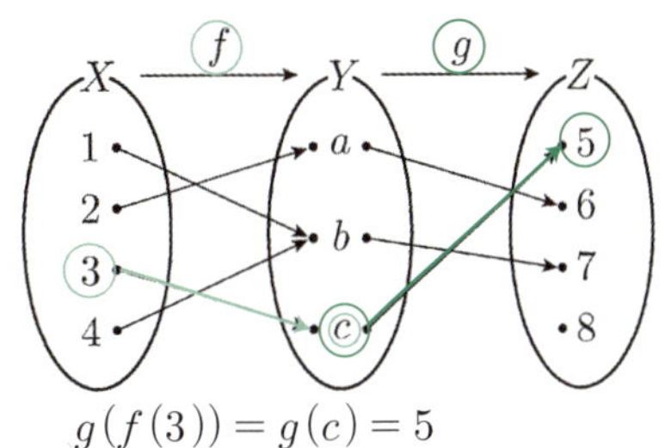

$g(f(3)) = g(c) = 5$

18 | ②

> 🔍 문제 푸는 Tip **유리함수**

$y = \dfrac{1}{x}$

→ 평행이동 x축 a, y축 b

$y = \dfrac{1}{x-a} + b$

점을 주면 무조건 식에 넣기!

> ✏️ 풀이 과정

$y = \dfrac{1}{x-2} \; (-1)$

y축으로 -1만큼 평행이동

x축으로 2만큼 평행이동

$a = 2$

$b = -1$

$\therefore a+b = 2-1 = 1$

19 | ③

문제 푸는 Tip — 순열

순열: 순서있게 나열, 일렬로 나열
$$_3P_2 = 3 \times 2 = 6$$
$$_4P_2 = 4 \times 3 = 12$$
$$_5P_2 = 5 \times 4 = 20$$

풀이 과정

3명의 수학자 중 2명을 택하여 각각 1면과 2면에 싣는다.
순서가 있다. ⇒ 순열 공식 사용

① 칸수 2칸　③ 곱하기
$$_3P_2 = \underset{\text{② 3부터 1씩 작아짐}}{3 \otimes 2} = 6$$

20 | ④

문제 푸는 Tip — 조합

조합: 순서없이 뽑기, 선택하기
$$_3C_2 = \frac{3 \times 2}{2 \times 1} = 3$$
$$_4C_2 = \frac{4 \times 3}{2 \times 1} = 6$$
$$_5C_2 = \frac{5 \times 4}{2 \times 1} = 10$$
$$_4C_3 = \frac{4 \times 3 \times 2}{3 \times 2 \times 1} = 4$$
$$_5C_3 = \frac{5 \times 4 \times 3}{3 \times 2 \times 1} = 10$$
$$_6C_3 = \frac{5 \times 4 \times 3}{3 \times 2 \times 1} = 20$$

풀이 과정

4과목 중에서 2과목을 선택 ⇒ 순서×, 조합 공식 사용

$$_4C_2 = \frac{_4P_2}{2!} = \frac{\overset{2}{4} \times 3}{\underset{1}{2} \times 1} = 6$$

참고 ! = 팩토리얼	
1!	$= 1$
2!	$= 2 \times 1$
3!	$= 3 \times 2 \times 1$
4!	$= 4 \times 3 \times 2 \times 1$
5!	$= 5 \times 4 \times 3 \times 2 \times 1$

01	③	02	②	03	①	04	③	05	②
06	④	07	④	08	①	09	④	10	③
11	③	12	①	13	①	14	④	15	①
16	②	17	①	18	②	19	④	20	①

01 | ③

문제 푸는 Tip 다항식

x^2은 x^2끼리
x는 x끼리   더하기!
숫자는 숫자끼리

풀이 과정

$A + 2B$에서 $2B$를 먼저 구하고 A와 더해야 한다.
$$2B = 2 \times B = 2 \times (x^2 - 1)$$
$$= 2x^2 - 2$$

풀이①

A=	$2x^2$	$+x$	
+) 2B=	$2x^2$		-2
A+2B=	$4x^2$	$+x$	-2

풀이 ②
$$A + 2B = (2x^2 + x) + (2x^2 - 2)$$
$$= 4x^2 + x - 2$$

02 | ②

문제 푸는 Tip 항등식

$x^2 = x^2$
$x = x$ 같습니다.
숫자는 숫자

좌변 = 우변, 계수 비교
어려운 단어는 생각하지 말고 문제푸는 방법만 기억하기!

풀이 과정

$$A^2 = A \times A$$
$$(x-2)^2 = (x-2)(x-2)$$

$$= x^2 - 2x - 2x + 4$$
$$= x^2 - 4x + 4$$
$$x^2 - 4x + 4 = x^2 - 4x + a$$
$$x^2 = x^2$$
$$-4x = -4x$$
$$4 = a$$
$$\therefore a = 4$$

03 | ①

문제 푸는 Tip 나머지정리

$(x - 1)$로 ⇒ x에 1넣기
나누어 떨어질 때는⇒ = 0 붙이기

풀이 과정

$(x - 1)$로 나눌 때, x에 1넣기
$x^3 - 3x + 7 =$ 나머지
$1^3 - 3 \times 1 + 7 =$ 나머지
$1 - 3 + 7 = 5$
$\therefore$ 나머지 = 5

04 | ③

문제 푸는 Tip 인수분해

$x^3 + 3x^2y + 3xy^2 + y^3 = (x + y)^3$
공식암기!

풀이 과정

$$x^3 - 3x^2y + 3xy^2 - y^3 = (x - y)^3$$
$$x^3 - 3 \times x^2 \times 3 + 3 \times x \times 3^2 - 3^3 = (x - 3)^3$$
$$x^3 - 9x^2 + 27x - 27 = (x - 3)^3$$
$$= (x - a)^3$$
$$\therefore a = 3$$

05 | ②

> **문제 푸는 Tip** 복소수

숫자는 숫자끼리
i 는 i 끼리 ┐ 계산
$i^2 = -1$, $i^4 = 1$

> **풀이 과정**

$i(2+i) = 2i + i^2$

$i^2 = -1$

$a + 2i = -1 + 2i$

$\therefore \ a = -1$

06 | ④

> **문제 푸는 Tip** 이차방정식

i) 공식
$ax^2 + bx + c = 0$
$\alpha + \beta =$ 두 근의 합 $= -\dfrac{b}{a}$
$\alpha\beta =$ 두 근의 곱 $= \dfrac{c}{a}$
ii) 근 대입하기
x에 근을 넣어서 푼다.

> **풀이 과정**

① 공식으로 풀기

$x^2 - (\alpha + \beta)x + \alpha\beta = 0$

$x^2 - (2+4)x + 2 \times 4 = 0$

$x^2 - 6x + 8 = 0$

$x^2 - 6x + a = x^2 - 6x + 8$

$\therefore a = 8$

② 근 대입하기

두 근이 2, 4 이므로 x자리에 2랑 4넣기

$x^2 - 6x + a = 0$

 i) 근이 2 $\Rightarrow x$에 2 넣기

$2^2 - 6 \times 2 + a = 0$

$(2 \times 2) - 12 + a = 0$

$4 - 12 + a = 0$

$-8 + a = 0$

$\therefore a = 8$

 ii) 근이 4 $\Rightarrow x$에 4 넣기

$4^2 - 6 \times 4 + a = 0$

$(4 \times 4) - 24 + a = 0$

$16 - 24 + a = 0$

$-8 + a = 0$

$\therefore a = 8$

07 | ④

> **문제 푸는 Tip** 이차함수 최댓값, 최솟값

y축의 숫자만 본다.
제일 큰 숫자 = 최댓값
제일 작은 숫자 = 최솟값
그래프 그림 때문에 쫄지 마세요.
오히려 좋은 거예요. 쉬워요!

> **풀이 과정**

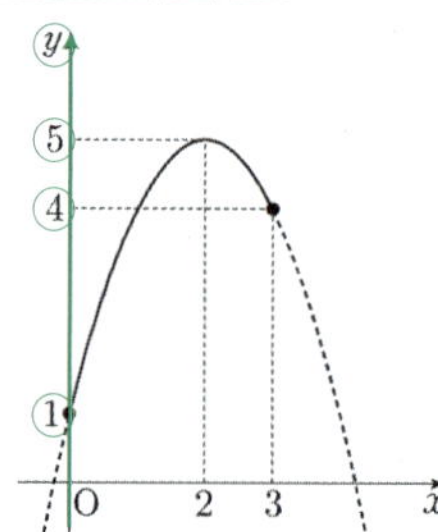

y축 숫자 중 5가 제일 커서 최댓값은 5이다.

08 | ①

> **문제 푸는 Tip** 삼차방정식과 사차방정식

한 근이 1일 때 $\Rightarrow x$에 1넣기

> **풀이 과정**

$x^4 - 3x^2 + a = 0$

한 근이 2일때 x에 2넣기

$2^4 - 3 \times 2^2 + a = 0$

$(2 \times 2 \times 2 \times 2) - 3 \times (2 \times 2) + a = 0$

$16 - 12 + a = 0$

$4 + a = 0$

$\therefore a = -4$

09 | ④

 문제 푸는 Tip **연립방정식**

문제에서 주는 해인 x와 y를 대입해서 a와 b를 구한다.

 풀이 과정

$$\begin{cases} x + 2y = 10 \\ x^2 + y^2 = a \end{cases}$$

$x = 2,\ y = b$

i) $x + 2y = 10$ 식의 x자리에 2넣기

$2 + 2y = 10 - 2$

$2y = 8$

$2 \times y = 8$

$\therefore y = 4 = b$

ii) $x^2 + y^2 = a$ 식의 x자리에 2, y자리에 4넣기

$2^2 + 4^2 = a$

$(2 \times 2) + (4 \times 4) = a$

$4 + 16 = a$

$\therefore a = 20$

$a = 20,\ b = 4$

$\therefore a + b = 20 + 4 = 24$

10 | ③

 문제 푸는 Tip **이차부등식**

① $(x-a)(x-b) \leq 0$

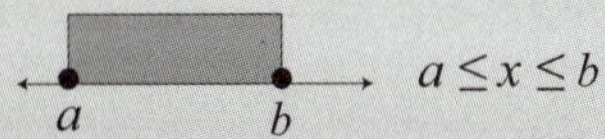

$a \leq x \leq b$

② $(x-a)(x-b) < 0$

$a < x < b$

③ $(x-a)(x-b) \geq 0$

$x \leq a \text{ or } b \leq x$

④ $(x-a)(x-b) > 0$

$x < a \text{ or } b < x$

 풀이 과정

$(x+1)(x-4) \leq 0$

$x + 1 = 0$

$\therefore x = -1$

$x - 4 = 0$

$\therefore x = 4$

이차부등식 공식 ①에 의해 x는 작은 수 보다 크거나 같고, 큰 수 보다 작거나 같다.

$\therefore -1 \leq x \leq 4$

11 | ③

 문제 푸는 Tip **내분점, 외분점**

1) 수직선에 칸 수를 그려본다.

2) **공식사용**

i) **수직선 위에서 내분점, 외분점**

내분하는 점 P의 좌표

$$P\left(\frac{mx_2 + nx_1}{m + n} \right)$$

외분하는 점 Q의 좌표

$$Q\left(\frac{mx_2 - nx_1}{m - n} \right) \text{(단, } m \neq n)$$

ii) **좌표평면 위에서 내분점, 외분점**

내분하는 점 P의 좌표

$$P\left(\frac{mx_2 + nx_1}{m + n},\ \frac{my_2 + ny_1}{m + n} \right)$$

외분하는 점 Q의 좌표

$$Q\left(\frac{mx_2 - nx_1}{m - n},\ \frac{my_2 - ny_1}{m - n} \right) \text{(단, } m \neq n)$$

[내분점 P]

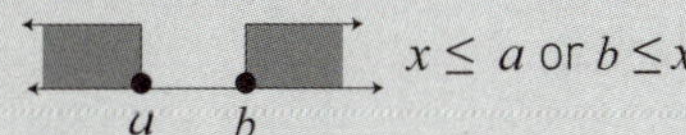

$m : n \qquad m : n$

$A(x_1, y_1) \quad B(x_2, y_2) \quad A(x_1, y_1) \quad B(x_2, y_2)$

x좌표: $\dfrac{mx_2 + nx_1}{m + n} \qquad y$좌표: $\dfrac{my_2 + ny_1}{m + n}$

$$\rightarrow P\left(\frac{mx_2 + nx_1}{m + n},\ \frac{my_2 + ny_1}{m + n} \right)$$

[외분점 Q]

x좌표: $\dfrac{mx_2 - nx_1}{m - n} \qquad y$좌표: $\dfrac{my_2 - ny_1}{m - n}$

$$\rightarrow Q\left(\frac{mx_2 - nx_1}{m - n},\ \frac{my_2 - ny_1}{m - n} \right)$$

① 좌표평면에 칸 수를 그려본다.

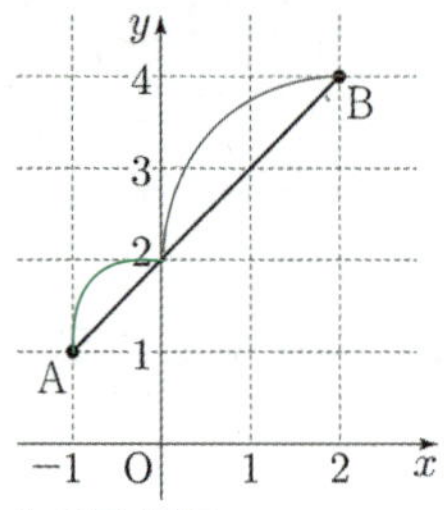

1:2로 내분

$\therefore$ P $(0, 2)$

② 공식사용

$A(-1, 1)$ $B(2, 4)$를 1:2로 내분한 점

$$P\left(\frac{mx_2 + nx_1}{m+n}, \ \frac{my_2 + ny_1}{m+n}\right)$$

$$P\left(\frac{1 \times 2 + 2 \times 1}{1+2}, \ \frac{1 \times 4 + 2 \times 1}{1+2}\right)$$

$$= \left(\frac{2 + (-2)}{1+2}, \ \frac{4+2}{1+2}\right)$$

$\therefore P(0, 2)$

12 | ②

 직선의 방정식

$y = ax + b$

a는 기울기, b는 y절편

기울기 (a) 구하기

평행이다→기울기가 같다.

수직이다→기울기×기울기 = -1

y절편 (b) 구하기

$(0, b)$에서 $b = y$절편이다.

점 (x_1, y_1)을 식에 대입해서 b를 구한다.

$y = ax + b$

i) 기울기 a 구하기

 $y = ()x + 2$에 수직

 기울기×기울기 = -1

 $1 \times a = -1$

 $\therefore a = -1$

ii) y절편 b 구하기

 $y = -x + b$식에 점 $(4, 0)$ 대입하기

 $0 \quad 4$

 $0 = -4 + b$

 $\therefore b = 4$

기울기 = a = -1, y절편 = b = 4인 직선의 방정식

 $\therefore y = -x + 4$

13 | ①

 원의 방정식

$(x-a)^2 + (y-b)^2 = r^2$

r = 반지름

(a, b) = 원 중심

문제에서 점을 주면 식에 점을 넣는다.

y축에 접한다는 것은 원의 반지름이 원 중심의 x좌표와 같다는 뜻이다.

원 중심 $(3, 1)$, 반지름 1

$(x-3)^2 + (y-1)^2 = 1^2$

 $\therefore (x-3)^2 + (y-1)^2 = 1$

14 | ④

 대칭이동

$y = x$에 대하여 대칭이동

x와 y자리 바꾸기

$(2, 3) \rightarrow y = x$ 대칭이동 $(3, 2)$

15 | ③

문제 푸는 Tip 집합

기호 외우기!
① $A \cap B$ = A와 B의 교집합, 공통
② $A \cup B$ = A와 B의 합집합, All
③ A^c = A의 여집합, A 빼고 나머지
④ $A - B$ = A와 B의 차집합
  A에서 B빼기=A에서 $A \cap B$ 빼기

풀이 과정

i) A와 B의 공통부분 찾기
  $A = \{1,\ 3,\ 6\}$, $B = \{3,\ 5,\ 6\}$
  $\therefore A \cap B = \{3,\ 6\}$
ii) 벤다이어그램으로 답 구하기

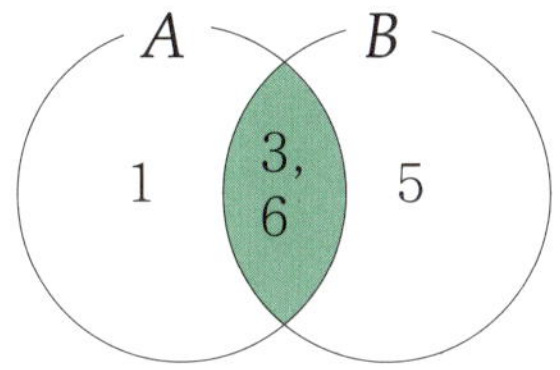

$\therefore A \cap B = \{3,\ 6\}$

16 | ②

문제 푸는 Tip 명제, 진리집합

전체집합 U에서 어떤 조건이 참이 되도록 하는 모든 원소들의 집합을 그 조건의 진리집합이라고 한다.
📑 전체집합 $U = \{1,\ 2,\ 3,\ 4,\ 5,\ 6\}$
  "x는 홀수이다"
  이 조건의 진리집합은 $\{1,\ 3,\ 5\}$이다.

풀이 과정

$U = \{1,\ 2,\ 3,\ 4,\ 5,\ 6\}$
"x는 짝수이다."
이 조건의 진리집합은 $\{2,\ 4,\ 6\}$이다.

17 | ①

문제 푸는 Tip 역함수

$f^{-1}(x)$는 $f(x)$의 역함수이다.
$X \xrightarrow[f^{-1}]{f} Y$ 에서 역함수 $f^{-1}(x)$는 Y에서 X로 거꾸로 간다.

풀이 과정

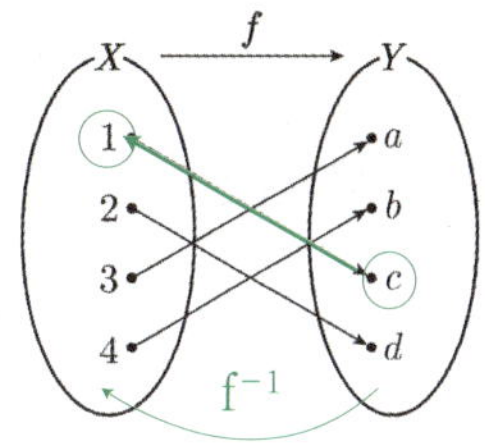

$f^{-1}(c)$는 c에서 Y의 거꾸로 가서 X의 1이다.

18 | ②

문제 푸는 Tip 무리함수

$$y = \sqrt{x} \xrightarrow[\ \binom{x\text{축}\ a}{y\text{축}\ b}\ ]{} y = \sqrt{x-a} + b$$
평행이동
점을 주면 무조건 식에 넣기!

풀이 과정

$y = \sqrt{x}\ \rightarrow x$축 1, y축 4 $y = \sqrt{x-1} + 4$
$y = \sqrt{x-1} + 4 = \sqrt{x-a} + b$
$a = 1$, $b = 4$ 이므로
$\therefore a + b = 1 + 4 = 5$

문제 푸는 Tip — 경우의 수

합의 공식
"*or*", "또는", "~거나~"일 때는 더하기

곱의 공식
"*and*", "그리고" 일 때는 곱하기

풀이 과정

입구에서 쉼터를 가고, 쉼터에서 전망대를 간다.
"고"⇒"그리고", 곱하기
입구에서 쉼터가는 방법이 4가지
쉼터에서 전망대가는 방법이 2가지
$4 \times 2 = 8$
∴ 입구에서 쉼터를 거쳐 전망대를 가는 방법은 8가지이다.

20 | ①

문제 푸는 Tip — 조합

조합: 순서없이 뽑기, 선택하기
$$_3C_2 = \frac{3 \times 2}{2 \times 1} = 3$$
$$_4C_2 = \frac{4 \times 3}{2 \times 1} = 6$$
$$_5C_2 = \frac{5 \times 4}{2 \times 1} = 10$$
$$_4C_3 = \frac{4 \times 3 \times 2}{3 \times 2 \times 1} = 4$$
$$_5C_3 = \frac{5 \times 4 \times 3}{3 \times 2 \times 1} = 10$$
$$_6C_3 = \frac{5 \times 4 \times 3}{3 \times 2 \times 1} = 20$$

풀이 과정

6종류의 과일에서 2종류의 과일을 선택
⇒ 순서×, 조합공식 사용

$$_6C_2 = \frac{_6P_2}{2!} = \frac{6 \times 5}{2 \times 1} = 15$$

참고 !=팩토리얼	
1!	$= 1$
2!	$= 2 \times 1$
3!	$= 3 \times 2 \times 1$
4!	$= 4 \times 3 \times 2 \times 1$
5!	$= 5 \times 4 \times 3 \times 2 \times 1$

01	④	02	②	03	③	04	③	05	①
06	④	07	①	08	③	09	②	10	③
11	①	12	④	13	②	14	①	15	②
16	②	17	①	18	③	19	①	20	④

01 | ④

🔍 문제 푸는 Tip   **다항식**

x^2은 x^2끼리
x는 x끼리   더하기!
숫자는 숫자끼리

✏️ 풀이 과정

풀이 ①

A=	$3x^2$	$+x$
+) B=	x^2	$+3x$
A+B=	$4x^2$	$+4x$

풀이 ②
$$A + B = (3x^2 + x) + (x_2 + 3x)$$
$$= 4x^2 + 4x$$

02 | ②

🔍 문제 푸는 Tip   **항등식**

$x^2 = x^2$
$x = x$ 같습니다.
숫자는 숫자

좌변 = 우변, 계수 비교
어려운 단어는 생각 하지말고 문제푸는 방법만 기억하기!

✏️ 풀이 과정

$$x^2 + x + 3 = x^2 + ax + b$$
$$x^2 = x^2$$
$$x = ax$$
$$3 = b$$
$$\therefore a = 1, \ b = 3$$
$$\therefore a + b = 1 + 3 = 4$$

03 | ③

🔍 문제 푸는 Tip   **나머지정리**

$(x-1)$로 ⇒ x에 1넣기
나누어 떨어질 때는 ⇒ $= 0$ 붙이기

✏️ 풀이 과정

$(x-1)$로 나누었을 때 x에 1넣기
$$x^3 + 2x^2 + 2$$
$$1^3 + 2 \times 1^2 + 2 = 나머지$$
$$(1 \times 1 \times 1) + 2 \times (1 \times 1) + 2$$
$$= 1 + 2 + 2 = 5$$
$$\therefore 나머지 = 5$$

04 | ③

🔍 문제 푸는 Tip   **인수분해**

$$x^3 + 3x^2 y + 3xy^2 + y^3 = (x + y)^3$$
공식암기!

✏️ 풀이 과정

$$x^3 + 3x^2 y + 3xy^2 + y3 = (x + y)^3$$
$$x^3 + 3 \times x^2 \times 1 + 3 \times x \times 1^2 + 1^3 = (x + 1)^3$$
$$x^3 + 3x^2 + 3x + 1 = (x + a)^3$$
$$\therefore a = 1$$

05 | ①

🔍 문제 푸는 Tip   **켤레복소수**

$a + bi$의 켤레복소수는 i의 계수의 부호가 반대다.
$a - bi$가 $a + bi$의 켤레복소수이다.

✏️ 풀이 과정

$4 + 3i$의 켤레복소수는 i의 계수의 부호 반대로 $4 - 3i$이다.
$$4 - 3i = a + bi$$
$$\therefore a = 4, \ b = -3$$
$$\therefore a + b = 4 - 3 = 1$$

문제 푸는 Tip 이차방정식

i) 공식
$$ax^2 + bx + c = 0$$
$$\alpha + \beta = \text{두 근의 합} = -\frac{b}{a}$$
$$\alpha\beta = \text{두 근의 곱} = \frac{c}{a}$$

ii) 근 대입하기
x에 근을 넣어서 푼다.

풀이 과정

① 공식으로 풀기
$$x^2 - (\alpha + \beta)x + \alpha\beta = 0$$
$$x^2 - (1 + 3)x + 1 \times 3 = 0$$
$$x^2 - 4x + 3 = 0$$
$$x^2 - ax + 3 = x^2 - 4x + 3$$
$$\therefore a = 4$$

② 근 대입하기
두 근이 1, 3 이므로 x자리에 1랑 3넣기
$$x^2 - ax + 3 = 0$$
i) 근이 1일 때 ⇒ x에 1넣기
$$1^2 - a \times 1 + 3 = 0$$
$$1 - a + 3 = 0$$
$$4 - a = 0$$
$$4 = a$$
$$\therefore a = 4$$
ii) 근이 3일 때 ⇒ x에 3넣기
$$3^2 - a \times 3 + 3 = 0$$
$$3 \times 3 - 3a + 3 = 0$$
$$9 - 3a + 3 = 0$$
$$12 - 3a = 0$$
$$12 = 3a$$
$$12 = 3 \times a$$
$$\therefore a = 4$$

07 | ①

문제 푸는 Tip 이차함수 최댓값, 최솟값

y축의 숫자만 본다.
제일 큰 숫자 = 최댓값
제일 작은 숫자 = 최솟값
그래프 그림 때문에 쫄지 마세요.
오히려 좋은 거예요. 쉬워요!

풀이 과정

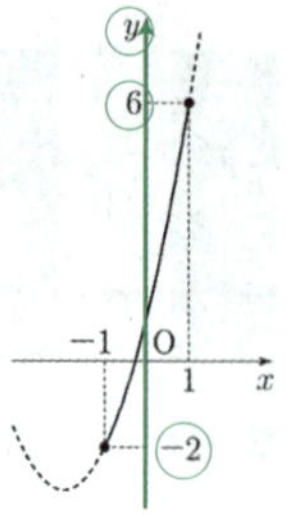

y축 숫자 6, -2 중 -2가 제일 작아서 최솟값은 -2이다.

08 | ③

문제 푸는 Tip 삼차방정식 사차방정식

한 근이 1일 때 ⇒ x에 1넣기

풀이 과정

$$x^4 + 2x - a = 0$$
한 근이 1일 때 x에 1넣기
$$1^4 + 2 \times 1 - a = 0$$
$$(1 \times 1 \times 1 \times 1) + 2 - a = 0$$
$$1 + 2 - a = 0$$
$$3 - a = 0$$
$$3 = a$$
$$\therefore a = 3$$

09 | ②

문제 푸는 Tip 연립방정식

문제에서 주는 해인 x와 y를 대입해서 a와 b를 구한다.

풀이 과정

$$\begin{cases} 2x + y = 8 \\ x^2 - y^2 = a \end{cases}$$

$x = 3, \ y = b$

i) $2x + y = 8$식의 x자리에 3넣기
$$2 \times 3 + y = 8$$
$$6 + y = 8$$
$$y = 8 - 6$$
$$\therefore y = 2$$

ii) $x^2 - y^2 = a$식의 x자리에 3, y자리에 2넣기

$3^2 - 2^2 = a$

$(3 \times 3) - (2 \times 2) = a$

$9 - 4 = a$

$\therefore a = 5$

$a = 5,\ b = 2$

$\therefore a + b = 5 + 2 = 7$

10 | ③

 이차부등식

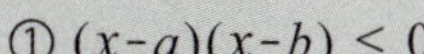

① $(x-a)(x-b) \leq 0$

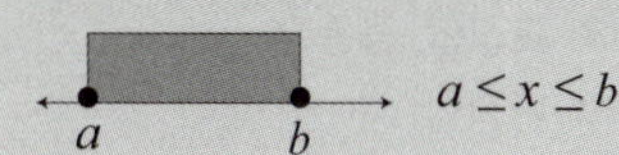
$a \leq x \leq b$

② $(x-a)(x-b) < 0$

$a < x < b$

③ $(x-a)(x-b) \geq 0$

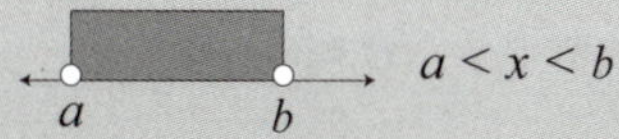
$x \leq a$ or $b \leq x$

④ $(x-a)(x-b) > 0$

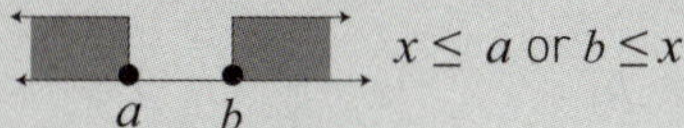
$x < a$ or $b < x$

$(x-2)(x-4) \leq 0$

$x - 2 = 0$

$x = 2$

$x - 4 = 0$

$x = 4$

이차부등식 공식 ①에 의해 x는 작은 수 보다 크거나 같고, 큰 수 보다 작거나 같다.

$\therefore 2 \leq x \leq 4$

11 | ①

 내분점, 외분점

1) 수직선에 칸 수를 그려본다.

2) 공식사용

i) 수직선 위에서 내분점, 외분점

내분하는 점 P의 좌표

$$P\left(\frac{mx_2 + nx_1}{m + n}\right)$$

외분하는 점 Q의 좌표

$$Q\left(\frac{mx_2 - nx_1}{m - n}\right) \text{(단, } m \neq n\text{)}$$

ii) 좌표평면 위에서 내분점, 외분점

내분하는 점 P의 좌표

$$P\left(\frac{mx_2 + nx_1}{m + n},\ \frac{my_2 + ny_1}{m + n}\right)$$

외분하는 점 Q의 좌표

$$Q\left(\frac{mx_2 - nx_1}{m - n},\ \frac{my_2 - ny_1}{m - n}\right) \text{(단, } m \neq n\text{)}$$

[내분점 P]

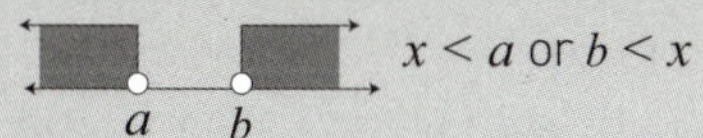

x좌표: $\dfrac{mx_2 + nx_1}{m + n}$ y좌표: $\dfrac{my_2 + ny_1}{m + n}$

$\rightarrow P\left(\dfrac{mx_2 + nx_1}{m + n},\ \dfrac{my_2 + ny_1}{m + n}\right)$

[외분점 Q]

x좌표: $\dfrac{mx_2 - nx_1}{m - n}$ y좌표: $\dfrac{mx_2 - nx_1}{m - n}$

$\rightarrow Q\left(\dfrac{mx_2 - nx_1}{m - n},\ \dfrac{my_2 - ny_1}{m - n}\right)$

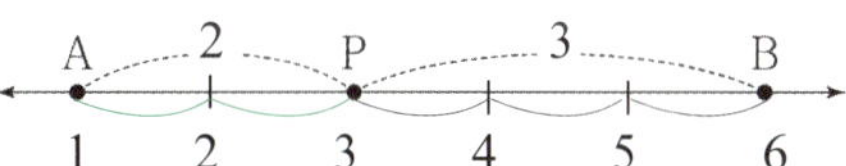

i) 수직선에 칸 수를 그려본다.

2라서 2칸

3이라서 3칸

그러므로 P의 좌표는 3이다.

ii) 공식사용

$$P\left(\frac{mx_2 + nx_1}{m + n}\right)$$

$A(1)$, $B(6)$를 2:3으로 내분하는 점

$$P\left(\frac{2 \times 6 + 3 \times 1}{2 + 3}\right) = \frac{12 + 3}{5} = \frac{15}{5} = 3$$

문제 푸는 Tip — 직선의 방정식

$y = ax + b$

a는 기울기, b는 y절편

i) 기울기 (a) 구하기

  평행이다→기울기가 같다.

  수직이다→기울기×기울기 = - 1

ii) y절편 (b) 구하기

  $(0, b)$에서 $b = y$절편이다.

  점 (x_1, y_1)을 식에 대입해서 b를 구한다.

풀이 과정

$y = ax + b$

i) 기울기 a 구하기

  $y = (\ )x - 3$에 평행

  평행하면 기울기가 같다.

  기울기 $a = 1$

ii) y절편 b구하기

  $(0, 4)$를 지난다.

  $(0, b)$에 $b = y$절편이다.

  y절편 $b = 4$

기울기 $= a = 1$, y절편 $= b = 4$인 직선의 방정식

  $\therefore y = x + 4$

---

13 | ②

문제 푸는 Tip — 원의 방정식

$(x - a)^2 + (y - b)^2 = r^2$

  $r = $ 반지름

  $(a, b) = $ 원 중심

문제에서 점을 주면 식에 점을 넣는다.

x, y축에 동시에 접하면 반지름은 원 중심 좌표의 절댓값이다.

풀이 과정

원 중심 $(-2, 2)$, 반지름 $|-2| = 2$ or $|2| = 2$

$(x - (-2))^2 + (y - 2)^2 = 2^2$

  $\therefore (x + 2)^2 + (y - 2)^2 = 4$

---

14 | ①

문제 푸는 Tip — 대칭이동

원점에 대하여 대칭이동 x와 y 부호 모두 반대

풀이 과정

$(3, 2) \to$ 원점 대칭이동 $(-3, +2)$

---

15 | ②

문제 푸는 Tip — 집합

기호 외우기!

① $A \cap B = A$와 B의 교집합, 공통

② $A \cup B = A$와 B의 합집합, All

③ $A^c = A$의 여집합, A 빼고 나머지

④ $A - B = A$와 B의 차집합

  A에서 B빼기$=A$에서 $A \cap B$ 빼기

풀이 과정

i) $A - B = A - (A \cap B)$

  $A = \{1, 2, \cancel{3}, \cancel{4}\}$, $B = \{3, 4\}$

  $\therefore A - B = \{1, 2\}$

ii) 벤다이어그램으로 풀기

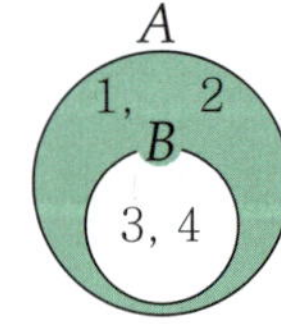

  $\therefore A - B = \{1, 2\}$

16 | ②

명제, 진리집합

전체집합 U에서 어떤 조건이 참이 되도록 하는 모든 원소들의 집합을 그 조건의 진리집합이라고 한다.

예 전체집합 $U = \{1, 2, 3, 4, 5, 6\}$
"x는 홀수이다"
이 조건의 진리집합은 $\{1, 3, 5\}$이다.

$U = \{x \mid x$는 9 이하의 자연수$\}$
　$= \{1, 2, 3, 4, 5, 6, 7, 8, 9\}$
"x는 3의 배수이다."
이 조건의 진리집합은 $\{3, 6, 9\}$이다.

17 | ①

함수

$(g \circ f)(x)$에서 $f(x)$가 1번 그 다음이 g
그림에서 화살표 따라서 잘 따라가기

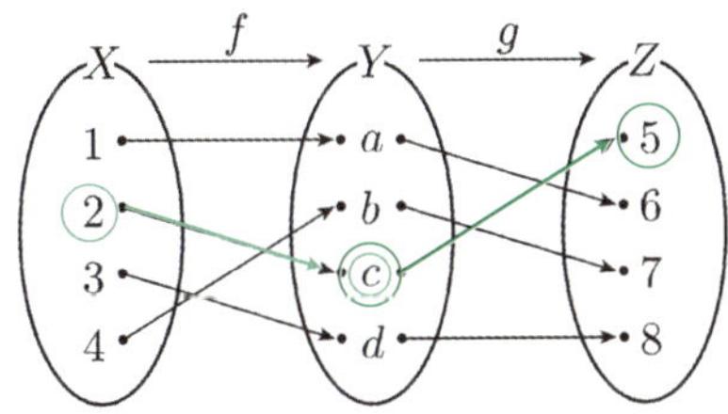

$g(f(2)) = g(c) = 5$

18 | ③

유리함수

$y = \dfrac{1}{x}$
→ 평행이동 x축 a, y축 b
$y = \dfrac{1}{x - a} + b$
점을 주면 무조건 식에 넣기!

$y = \dfrac{1}{x - 2} + 3$

y축으로 3만큼 평행이동
x축으로 2만큼 평행이동

$a = 2$
$b = 3$
$\therefore a + b = 2 + 3 = 5$

19 | ①

순열

순열: 순서있게 나열, 일렬로 나열
$_3P_2 = 3 \times 2 = 6$
$_4P_2 = 4 \times 3 = 12$
$_5P_2 = 5 \times 4 = 20$

4개의 포스터 중 2개의 포스터를 택하여 출입문의 상단과 하단에 각각 붙인다.
순서가 있다. ⇒ 순열 공식 사용

① 칸수 2칸　③ 곱하기
$_4P_2 = 4 \times 3 = 12$
② 4부터 1씩 작아짐

문제 푸는 Tip **조합**

조합: 순서없이 뽑기, 선택하기

$$_3C_2 = \frac{3 \times 2}{2 \times 1} = 3$$

$$_4C_2 = \frac{4 \times 3}{2 \times 1} = 6$$

$$_5C_2 = \frac{5 \times 4}{2 \times 1} = 10$$

$$_4C_3 = \frac{4 \times 3 \times 2}{3 \times 2 \times 1} = 4$$

$$_5C_3 = \frac{5 \times 4 \times 3}{3 \times 2 \times 1} = 10$$

$$_6C_3 = \frac{5 \times 4 \times 3}{3 \times 2 \times 1} = 20$$

풀이 과정

4종류의 수학 수행과제에서 3종류의 과제를 선택
⇒ 순서×, 조합공식 사용

$$_4C_3 = \frac{_4P_3}{3!} = \frac{4 \times 3 \times 2}{3 \times 2 \times 1} = 4$$

참고 ! = 팩토리얼	
1!	$= 1$
2!	$= 2 \times 1$
3!	$= 3 \times 2 \times 1$
4!	$= 4 \times 3 \times 2 \times 1$
5!	$= 5 \times 4 \times 3 \times 2 \times 1$

01	①	02	④	03	②	04	②	05	①
06	③	07	④	08	④	09	②	10	②
11	①	12	④	13	④	14	①	15	④
16	①	17	②	18	③	19	④	20	③

01 | ①

문제 푸는 Tip 다항식

x^2은 x^2끼리
x는 x끼리 　　더하기!
숫자는 숫자끼리

풀이 과정

$$
\begin{array}{rrrr}
\text{A}= & 2x^3 & +3x & \\
-\ \text{B}= & & -3x & +2 \\
\hline
\text{A}-\text{B}= & 2x^3 & +0 & -2
\end{array}
$$

$\text{A}-\text{B}=2x^3-2$

02 | ④

문제 푸는 Tip 나머지 정리

$(x-1)$로⇒x에 1넣기, $(x-2)$로⇒x에 2넣기
나누어 떨어질 때는⇒$=0$ 붙이기

풀이 과정

$(x-2)$로⇒x에 2넣기
나누어 떨어질 때⇒$=0$ 붙이기
$2^3-3\times 2^2+a=0$
$8-12+a=0$
$-4+a=0$
$\therefore a=4$

03 | ②

문제 푸는 Tip 인수분해

$(a^3-b^3)=(a-b)(a^2+ab+b^2)$
공식암기!

풀이 과정

$(x^3-y^3)=(x-y)(x^2+\underline{xy}+y^2)$
$x^3-3^3=(x-3)(x^2+\underline{ax}+3^2)$
$x=x,\ y=3$
$\underline{xy=ax}$ 일 때 $y=3$이므로 $xy=3x=ax$
$3x=ax$
$\therefore a=3$

04 | ②

문제 푸는 Tip 켤레복소수

$a+bi$의 켤레복소수는 i의 계수의 부호가 반대다.
$a-bi$가 $a+bi$의 켤레복소수이다.

풀이 과정

$5-3i$의 켤레복소수는 i의 계수의 부호가 반대인 $5+3i$
이다.
$5+ai=5+3i$
$\therefore a=3$

05 | ①

문제 푸는 Tip 이차방정식 판별식과 근의 개수

$ax^2+bx+c=0$
판별식 $D=b^2-4ac=0$
i) 서로 다른 두 실근　　　$D>0$　　실근 2개
ii) 중근　　　　　　　　　$D=0$　　중근 1개
iii) 서로 다른 두 허근　　$D<0$　　허근 2개

풀이 과정

$x^2-2x+a=0$
$a=1,\ b=-2,\ c=a$
$D=b^2-4ac$
　$=(-2)^2-4\times 1\times a$
　$=4-4a$
위의 식이 중근을 가질 때, $D=0$
$D=4-4a=0$
$4=4a$
$\therefore a=1$

06 | ③

이차방정식 근과 계수의 관계

$$ax^2 + bx + c = 0$$

$\alpha + \beta =$ 두 근의 합 $= -\dfrac{b}{a}$

$\alpha\beta =$ 두 근의 곱 $= \dfrac{c}{a}$

공식암기!

$ax^2 + bx + c = 0$

$()x^2 \ -x \ -6 = 0$

$a = 1,\ b = -1,\ c = -6$

$\alpha + \beta = -\dfrac{b}{a} = -\dfrac{-1}{1} = +1$

07 | ④

이차함수 최댓값, 최솟값

y축의 숫자만 본다.
제일 큰 숫자＝최댓값
제일 작은 숫자＝최솟값
그래프 그림 때문에 쫄지 마세요.
오히려 좋은 거예요. 쉬워요!

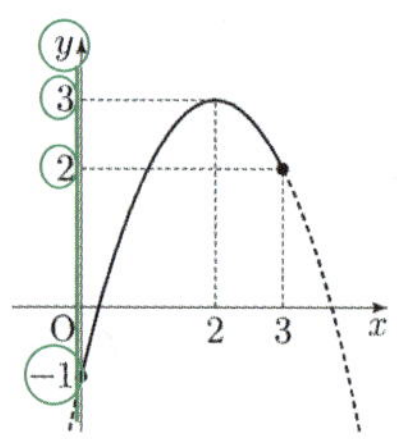

y축 숫자 3, 2, -1 중 가장 큰 수인 3이 최댓값이다.

08 | ③

절댓값 부등식

$|x + a| \geq b$

i) $x + a \geq b$ $\qquad$ ii) $-(x+a) \geq b$
$\quad x \geq b - a$ $\qquad\qquad -x - a \geq b$
$\qquad\qquad\qquad\qquad\quad -x \geq b + a$
$\qquad\qquad\qquad\qquad\quad x \leq -(b+a)$

$|x + 1| \geq 5$

i) $x + 1 \geq 5$ $\qquad$ ii) $-(x+1) \geq 5$
$\quad x \geq 5 - 1$ $\qquad\qquad -x - 1 \geq 5$
$\qquad\qquad\qquad\qquad\quad -x \geq 6$
$\therefore x \geq 4$ $\qquad\qquad \therefore x \leq -6$

$\therefore x \leq -6,\ 4 \leq x$

$\therefore a = -6$

09 | ②

내분점

점$(x_1,\ y_1),\ (x_2,\ y_2)$가 m : n으로 내분할 때

$$P = \left(\dfrac{mx_2 + nx_1}{m+n},\ \dfrac{my_2 + ny_1}{m+n} \right)$$

i) 공식사용

$A(-2,\ -1),\ B(2,\ 3)$ 3 : 1로 내분하는 점

$$\left(\dfrac{3 \times 2 + 1 \times (-2)}{3+1},\ \dfrac{3 \times 3 + 1 \times (-1)}{3+1} \right)$$

$$= \left(\dfrac{6-2}{4},\ \dfrac{9-1}{4} \right) = \left(\dfrac{4}{4},\ \dfrac{8}{4} \right) = (1, 2)$$

ii) 그림으로 풀기

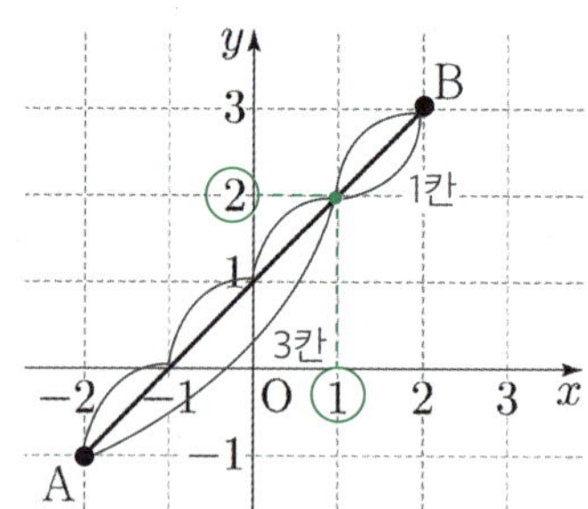

10 | ②

원점과 직선사이의 거리

원점 $(0, 0)$과 직선 $ax + bx + c = 0$ 사이의 거리

$$\dfrac{|c|}{\sqrt{a^2 + b^2}}$$

풀이 과정

$(0, 0)$ $x + y - 2 = 0$

$$\frac{|-2|}{\sqrt{1^2 + 1^2}} = \frac{2 \times \sqrt{2}}{\sqrt{2} \times \sqrt{2}} = \frac{2\sqrt{2}}{\sqrt{4}}$$

$$\sqrt{4} = \sqrt{2^2} = 2$$

분모에 √가 있으면 안되서 $\sqrt{2}$를 분모와 분자에 똑같이 곱한다.

$$\frac{2\sqrt{2}}{2} = \sqrt{2}$$

11 | ①

문제 푸는 Tip **원과 직선의 위치 관계**

원의 방정식과 직선의 방정식에서 한 문자를 소거하여 얻은 이차방정식의 판별식을 D라 하면 원과 직선의 위치 관계는 다음과 같다.
1) $D > 0$: 서로 다른 두 점에서 만난다.
2) $D = 0$: 한 점에서 만난다.(접한다)
3) $D < 0$: 만나지 않는다.

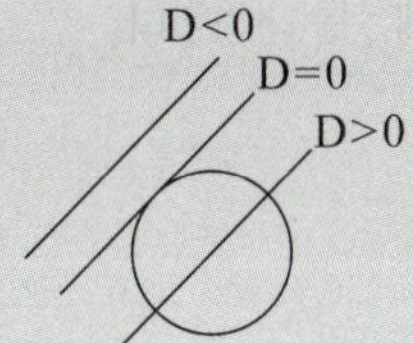

풀이 과정

$y = a$를 $x^2 + y^2 = 4$에 대입
$x^2 + a^2 = 4$
$x^2 + a^2 - 4 = 0$
판별식 $D = 0^2 - 4 \times 1 \times (a^2 - 4)$
두 점에서 만난다, $D > 0$
$-4(a^2 - 4) > 0$

$$\frac{-4(a^2 - 4)}{-4} > \frac{0}{-4}$$

(-4)로 나누면 부등식의 부호가 반대로 바뀐다.

$(a^2 - 4) < 0$
$(a + 2)(a - 2) < 0$
$\therefore -2 < a < 2$
문제에서 a는 자연수라고 했기에
$\therefore a = 1$

12 | ④

문제 푸는 Tip **직선의 방정식**

$y = x$에 대하여 대칭이동
x와 y자리 바꾸기

풀이 과정

$(1, 3) \rightarrow (3, 1)$
$y = x$에 대하여 대칭이동이므로 x와 y자리 바꾸기

13 | ④

문제 푸는 Tip **집합의 정의**

집합은 '~들의 모임'으로 어떤 주어진 조건에 따라 그 대상을 분명하게 알 수 있어야한다.

풀이 과정

'작은', '유명한', '큰'이라는 단어는 기준이 불명확하므로 집합이 아니다. 7이하의 자연수는 {1, 2, 3, 4, 5, 6, 7}으로 대상을 분명하게 알 수 있어서 집합이다.

14 | ①

문제 푸는 Tip **집합**

기호 외우기!
① $A \cap B$ = A와 B의 교집합, 공통
② $A \cup B$ = A와 B의 합집합, All
③ A^c = A의 여집합, A 빼고 나머지
④ $A - B$ = A와 B의 차집합
  A에서 B빼기 = A에서 $A \cap B$ 빼기

풀이 과정

$A - B = A - (A \cap B)$
$\quad = \{2, 4, 6, 8\} - \{6, 8\}$
$\quad = \{2, 4\}$

15 | ④

p이면 q이다.

① 충분조건 $P \subset Q$

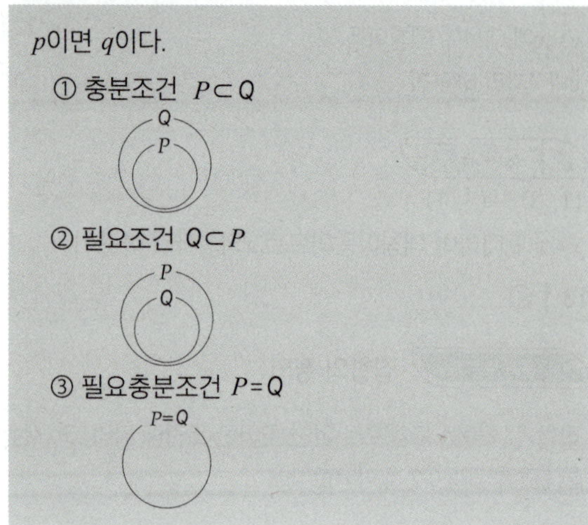

② 필요조건 $Q \subset P$

③ 필요충분조건 $P = Q$

풀이 과정

'$P : x - 2 = 0$'이 '$q = x^2 - a = 0$'의 충분조건이 된다는 것은 $P \subset Q$이다. P가 Q의 안에 들어있다라는 뜻이다.

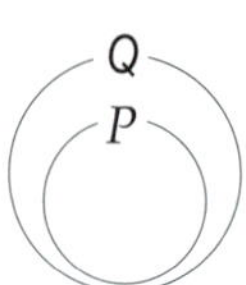

$x - 2 = 0, \quad \therefore x = 2$

$x^2 - a = 0$에 $x = 2$ 대입,

$2^2 - a = 0$

$4 - a = 0,$

$\therefore a = 4$

16 | ①

문제 푸는 Tip 함수

$(g \circ f)(x)$에서 $f(x)$ 가 1번 그 다음이 g

그림에서 화살표 따라서 잘 따라가기

풀이 과정

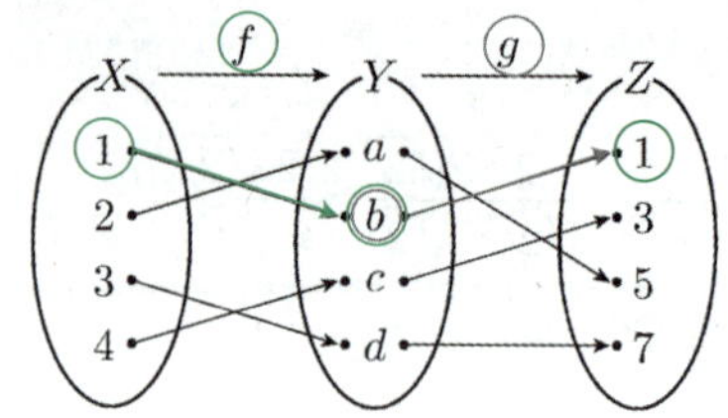

$$(g \circ f)(x) = g(f(x)) = g(f(1)) = g(b) = 1$$

17 | ②

문제 푸는 Tip 역함수

$f(x) = ax + b$

$f^{-1}(c) \Rightarrow f(x)$자리에 c대입

$c = ax + b$

$ax = c - b$

$x = \dfrac{c - b}{a}$

풀이 과정

$f^{-1}(5)$는 $f(x)$자리에 5를 대입한다

$f(x) = 2x + 1$

$5 = 2x + 1$

$2x = 4$

$\therefore x = 2$

18 | ③

문제 푸는 Tip 무리함수

$$y = \sqrt{x} \xrightarrow[\substack{x축\ a \\ y축\ b}]{} y = \sqrt{x - a + b}$$

평행이동

점을 주면 무조건 식에 넣기!

풀이 과정

$y = \sqrt{x - 2} + 4$

→x축으로 2, y축으로 4 만큼 평행이동 했다.

$a = 2, \ b = 4 \quad 2 + 4 = 6$

19 | ④

 순열

> 순열: 순서있게 나열, 일렬로 나열
> $${}_3P_2 = 3 \times 2 = 6$$
> $${}_4P_2 = 4 \times 3 = 12$$
> $${}_5P_2 = 5 \times 4 = 20$$

4개의 포스터 중 3개의 카드를 택하여 일렬로 나열한다.
순서가 있다. ⇒ 순열 공식 사용

① 칸수 3칸　③ 곱하기

$${}_4P_3 = \ 4 \otimes 3 \otimes 2 \ = 24$$

② 4부터 1씩 작아짐

참고 ! = 팩토리얼	
1!	= 1
2!	$= 2 \times 1$
3!	$= 3 \times 2 \times 1$
4!	$= 4 \times 3 \times 2 \times 1$
5!	$= 5 \times 4 \times 3 \times 2 \times 1$

20 | ③

 조합

> 조합: 순서없이 뽑기, 선택하기
> $${}_3C_2 = \frac{3 \times 2}{2 \times 1} = 3$$
> $${}_4C_2 = \frac{4 \times 3}{2 \times 1} = 6$$
> $${}_5C_2 = \frac{5 \times 4}{2 \times 1} = 10$$
> $${}_4C_3 = \frac{4 \times 3 \times 2}{3 \times 2 \times 1} = 4$$
> $${}_5C_3 = \frac{5 \times 4 \times 3}{3 \times 2 \times 1} = 10$$
> $${}_6C_3 = \frac{5 \times 4 \times 3}{3 \times 2 \times 1} = 20$$

세계문화유산 5개에서 2개를 선택
⇒ 순서×, 조합 공식 사용

$${}_5C_2 = \frac{{}_5P_2}{2!} = \frac{5 \times 4}{2 \times 1} = 10$$

01	③	02	①	03	①	04	③	05	②
06	①	07	④	08	④	09	④	10	①
11	②	12	④	13	①	14	④	15	②
16	③	17	①	18	①	19	②	20	②

01 | ③

문제 푸는 Tip **다항식**

x^2은 x^2끼리
x는 x끼리   더하기!
숫자는 숫자끼리

풀이 과정

$$A = 2x^2 + 3x$$
$$+\ B = ax^2 + x$$
$$A+B = (2+a)x^2 + 4x$$
$$A+B = \bigcirc\ bx$$
$2+a=0,\ b=4$
$\therefore a = -2$
$\therefore a+b = -2+4 = 2$

02 | ①

문제 푸는 Tip **나머지 정리**

$(x-1)$로 $\Rightarrow x$에 1넣기
나누어 떨어질 때는 $\Rightarrow = 0$ 붙이기

풀이 과정

$(x-1)$로 나누: x에 1 넣기
나누어 떨어진다 : $= 0$
$1^3 + a \times 1^2 - 4 = 0$
$1 + a - 4 = 0$
$a - 3 = 0$
$\therefore a = 3$

03 | ①

문제 푸는 Tip **인수분해**

$(x^3 + y^3) = (x+y)(x^2 - xy + y^2)$
공식암기!

풀이 과정

$(x^3 + y^3) = (x+y)(x^2 - xy + y^2)$
$x^3 + 8 = (x+2)(x^2 - 2x + 2^2)$
$\qquad = (x+2)(x^2 + ax + 4)$
$\therefore a = -2$

04 | ③

문제 푸는 Tip **켤레복소수**

$a+bi$의 켤레복소수는 i의 계수의 부호가 반대다.
$a-bi$가 $a+bi$의 켤레복소수이다.

풀이 과정

$z = a + 2i$
$\bar{z} = a - 2i$
$z + \bar{z} = a + 2i + a - 2i$
$\qquad = 2a$
$\quad 2a = 6$
$\therefore\ a = 3$

05 | ②

문제 푸는 Tip **이차방정식 판별식과 근의 개수**

$ax^2 + bx + c = 0$
판별식 $D = b^2 - 4ac = 0$
i) 서로 다른 두 실근 $\qquad D > 0$
ii) 중근 $\qquad D = 0$
iii) 서로 다른 두 허근 $\qquad D < 0$

$x^2 - (\alpha + \beta)x + \alpha\beta = 0$

$x^2 - 4x + a = 0$

$a = \alpha\beta = $ 두 근의 곱

$(2 + \sqrt{2})(2 - \sqrt{2}) = 2^2 - (\sqrt{2})^2$

$$= 4 - 2$$
$$= 2$$

$\alpha\beta = 2 = a$

$\therefore a = 2$

07 | ④

 이차함수 최댓값, 최솟값

$y = a(x - p)^2 + q$

꼭짓점 (p, q)

i) $a > 0$ 이면 $x = p$ 일때 최솟값 q를 갖는다.

ii) $a < 0$ 이면 $x = p$ 일때 최댓값 q를 갖는다.

$y = (x - 1)^2 + 2$ 에서

$a = 1$ 이므로 $a > 0$

$x = 1$일때 최솟값 2를 갖는다.

꼭짓점 $(1, 2)$

08 | ④

 연립방정식

문제에서 주는 해인 x와 y를 대입해서 a와 b를 구한다.

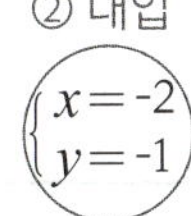

$\begin{cases} x + 2y = 0 \\ x^2 + 2y^2 = a \end{cases}$

① 대입   ② 대입

$\begin{cases} x = 2 \\ y = 2 \end{cases}$ $\begin{cases} x = -2 \\ y = -1 \end{cases}$

① $x = 2$, $y = 2$를 $x - 2y = 0$의 식에 대입해서 b를 구한다.

$2 - 2 \times b = 0$

$2 - 2b = 0$

$2 = 2b$

$\therefore b = 1$

왼쪽 단

서로 다른 두 실근

$D = b^2 - 4ac > 0$

$\bigcirc x^2 + ax + 4 = 0$

$a = 1$, $b = a$, $c = 4$

$a^2 - 4 \times 1 \times 4 > 0$

$a^2 - 16 > 0$

공식:

$a^2 - b^2 = (a + b)(a - b)$

$a^2 - 16 = (a + 4)(a - 4)$

$(a + 4)(a - 4) > 0$

$\therefore a < -4$, $4 < a$

자연수 a의 최솟값은 $4 < a$이므로 $a = 5$

06 | ①

 이차방정식 근과 계수의 관계

1) 이차방정식 근과 계수의 관계

$ax^2 + bx + c = 0$

$\alpha + \beta = $ 두 근의 합 $= -\dfrac{b}{a}$

$\alpha\beta = $ 두 근의 곱 $= \dfrac{c}{a}$

2) 이차방정식 작성

두 근이 α, β 인 경우 이차방정식

$x^2 - (\alpha + \beta)x + \alpha\beta = 0$

풀이 ①

$x^2 - 4x + a = 0$

근과 계수의 관계에 의해서 두근의 곱은 $\dfrac{c}{a}$ 이고

이 식에서는 $\dfrac{a}{1}$ 이다.

$(2 + \sqrt{2})(2 - \sqrt{2}) = 2^2 - (\sqrt{2})^2$

$$= 4 - 2$$
$$= 2$$

$\dfrac{a}{1} = 2$

$\therefore a = 2$

② $x=2$, $y=-1$을 $x^2+2y^2=a$에 대입해서 a를 구한다.

$(-2)^2+2\times(-1)^2=a$

$4+2=a$

$\therefore a=6$

③ $a+b=6+1=7$

09 | ④

 이차부등식

① $(x-a)(x-b)\leq 0$

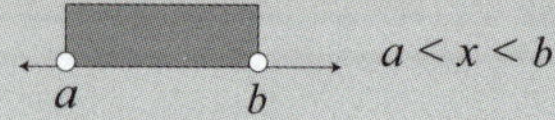

$a\leq x\leq b$

② $(x-a)(x-b)<0$

$a<x<b$

③ $(x-a)(x-b)\geq 0$

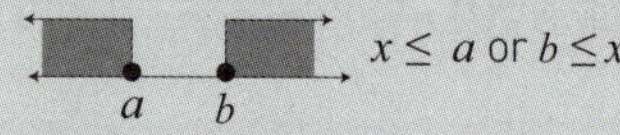

$x\leq a$ or $b\leq x$

④ $(x-a)(x-b)>0$

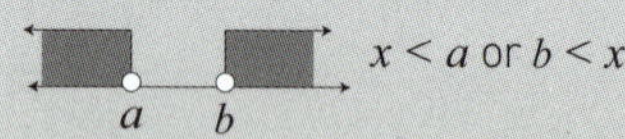

$x<a$ or $b<x$

$(x-1)(x-3)>0$

$\therefore x<1 \ or \ 3<x$

$x<1$ 또는 $3<x$

10 | ①

 내분점, 외분점

1) 수직선에 칸 수를 그려본다.

2) 공식사용

i) 수직선 위에서 내분점, 외분점

내분하는 점 P의 좌표

$$P\left(\frac{mx_2+nx_1}{m+n}\right)$$

외분하는 점 Q의 좌표

$$Q\left(\frac{mx_2-nx_1}{m-n}\right)(단,\ m\neq n)$$

ii) 좌표평면 위에서 내분점, 외분점

내분하는 점 P의 좌표

$$P\left(\frac{mx_2+nx_1}{m+n},\ \frac{my_2+ny_1}{m+n}\right)$$

외분하는 점 Q의 좌표

$$Q\left(\frac{mx_2-nx_1}{m-n},\ \frac{my_2-ny_1}{m-n}\right)(단,\ m\neq n)$$

[내분점 P]

$m:n \qquad m:n$

$A(x_1, y_1)\ B(x_2, y_2)\quad A(x_1, y_1)\ B(x_2, y_2)$

x좌표: $\dfrac{mx_2+nx_1}{m+n}$ $\qquad$ y좌표: $\dfrac{my_2+ny_1}{m+n}$

$$\rightarrow P\left(\frac{mx_2+nx_1}{m+n},\ \frac{my_2+ny_1}{m+n}\right)$$

[외분점 Q]

x좌표: $\dfrac{mx_2-nx_1}{m-n}$ $\qquad$ y좌표: $\dfrac{my_2-ny_1}{m-n}$

$$\rightarrow Q\left(\frac{mx_2-nx_1}{m-n},\ \frac{my_2-ny_1}{m-n}\right)$$

1) 수직선에 칸 수를 그려본다.

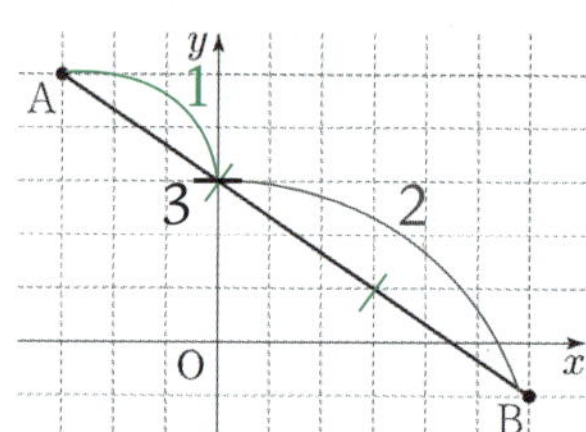

점 A와 B를 $1:2$로 내분하는 점$(0, 3)$

2) 공식으로 풀기

$A(-3, 5)\ B(6, -1)$, $1:2$로 내분

$$내분점=\frac{1\times 6+2\times -3}{1+2},\ \frac{1\times -1+2\times 5}{1+2}$$

$$=\left(\frac{6-6}{3},\ \frac{-1+10}{3}\right)$$

$$=\left(\frac{0}{3},\ \frac{9}{3}\right)=(0, 3)$$

2025년 · 1회

11 | ②

🔍 문제 푸는 Tip · 점과 직선사이의 거리

$$ax + by + c = 0, \ (x_1, \ y_1)$$
$$d = \frac{|ax_1 + by_1 + c|}{\sqrt{a^2 + b^2}}$$

✏️ 풀이 과정

$$3x + 4y - 12 = 0, \ (0, \ 0)$$
$$d = \frac{|3 \times 0 + 4 \times 0 - 12|}{\sqrt{3^2 + 4^2}} = \frac{|-12|}{\sqrt{25}}$$
$$※ \ \sqrt{25} = \sqrt{5^2} = 5$$
$$= \frac{|-12|}{5} = \frac{12}{5}$$

12 | ④

🔍 문제 푸는 Tip · 원과 직선의 위치 관계

반지름의 길이가 r인 원의 중심과 직선 사이의 거리를 d라 하면 원과 직선의 위치 관계는

1) $d < r$: 서로 다른 두 점에서 만난다.
2) $d = r$: 한 점에서 만난다.(접한다.)
3) $d < r$: 만나지 않는다.

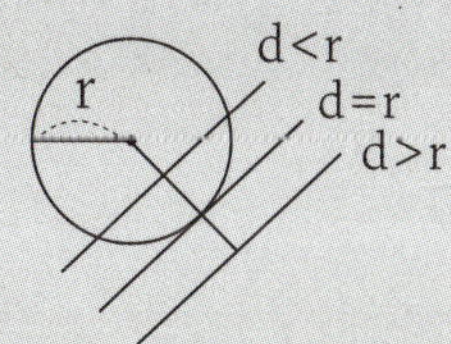

✏️ 풀이 과정

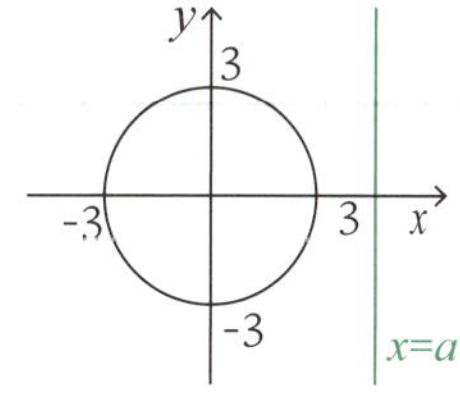

만나지 않는다 $\rightarrow d > r$

$r = 3$인 원이므로

$a > 3$, $a < 5$인 자연수 a

$3 < a < 5$

$\therefore a = 4$

13 | ③

🔍 문제 푸는 Tip · 도형의 대칭이동

방정식 $f(x, \ y) = 0$이 나타내는 도형을 x축, y축, 원점, 직선 $y = x$에 대하여 대칭이동한 도형의 방정식은 다음과 같다.

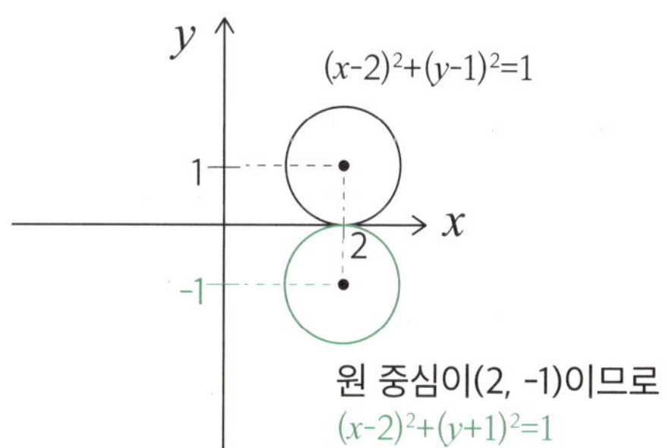

x축에 대한 대칭이동	y축에 대한 대칭이동
$f(x, \ -y)$ →y 대신 $-y$를 대입	$f(-x, \ y)$ →x 대신 $-x$를 대입
원점에 대한 대칭이동	직선 $y = x$에 대한 대칭이동
$f(-x, \ -y)$ →x 대신 $-x$, y대신 $-y$를 대입	$f(y, \ x)$ →x 대신 y, y대신 x를 대입

✏️ 풀이 과정

1) 그림으로 풀기

원 중심이 $(2, \ -1)$이므로
$(x-2)^2 + (y+1)^2 = 1$

2) 공식 사용

도형의 x축에 대하여 대칭이동은 y대신 $-y$ 를 대입
$(x - 2)^2 + (y - 1)^2 - 1$인 도형을 x축에 대하어
대칭이동한 식은 $(x - 2)^2 + (-y - 1)^2 = 1$이므로
정리하면 $(x - 2)^2 + (y + 1)^2 = 1$이다.

14 | ④

집합

기호 외우기!
① $A \cap B = A$와 B의 교집합, 공통
② $A \cup B = A$와 B의 합집합, All
③ $A^c = A$의 여집합, A 빼고 나머지
④ $A - B = A$와 B의 차집합
    A에서 B빼기$=A$에서 $A \cap B$ 빼기

$A \cup B = \{1,\ 3,\ 4,\ 5,\ 6,\ 7,\ 9\},\ n(A \cup B) = 7$
$A \cap B = \{3,\ 5\},\ n(A \cap B) = 2$
$n(A \cup B) + n(A \cap B) = 7 + 2 = 9$

15 | ②

충분조건과 필요조건

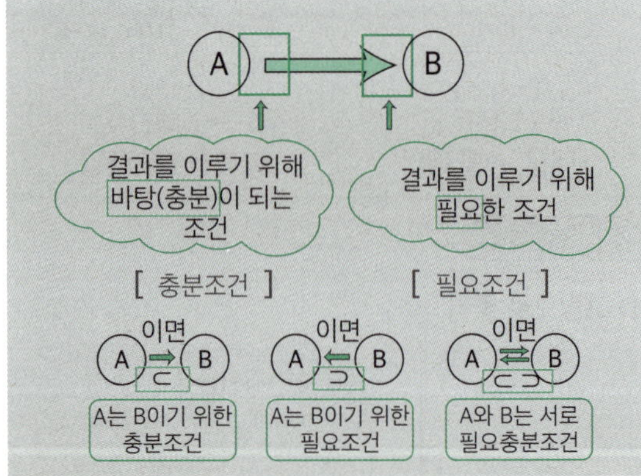

$p : x - 3 = 0$
$q : x^2 - ax - 3 = 0$
$x - 3 = 0,\ x = 3$
q의 식에 p의 식에서 나온 $x = 3$을 대입
$x^2 - ax - 3 = 0$
$3^2 - a \times 3 - 3 = 0$
$9 - 3a - 3 = 0$
$6 - 3a = 0$
    $6 = 3a$
   $3a = 6$
$\therefore a = 2$

16 | ③

합성 함수

$$g \circ f(x) = g(f(x))$$

$(g \circ f)(1) = g(f(1))$

i) $f(1)$ 구하기
    $f(1)$은 $f(x)$식에서 x자리에 1을 대입
    $f(x) = 3x - 1$
    $f(1) = 3 \times 1 - 1 = 3 - 1 = 2$

ii) $f(1)$ 자리에 대입
    $g(f(1)) = g(2)$

iii) $g(2)$ 구하기
    $g(x)$는 $g(x)$식에서 x자리에 2를 대입
    $g(x) = -2x + 5$
    $g(2) = -2 \times 2 + 5$
         $= -4 + 5 = 1$

17 | ①

역함수

$f^{-1}(x)$ 는 $f(x)$의 역함수이다.
$X \xrightarrow[f^{-1}]{f} Y$ 에서 역함수 $f^{-1}(x)$는 Y에서 X로 거꾸로 간다.

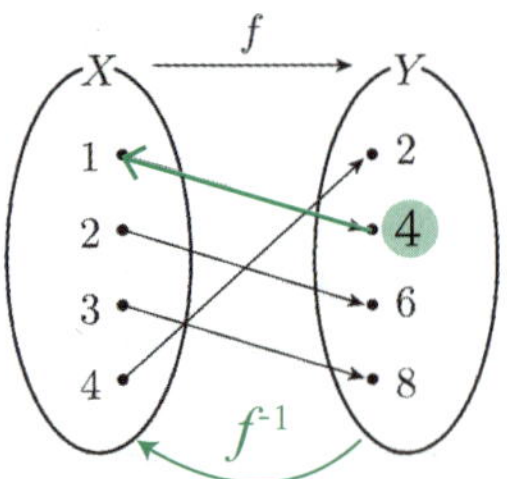

$f^{-1}(4)$는 Y의 4에서 거꾸로 가서 X의 1에 도착하므로
$f^{-1}(4) = 1$이다.

18 | ①

> **문제 푸는 Tip** 유리함수

$$y = \frac{1}{x}$$
→ 평행이동 x축 a, y축 b
$$y = \frac{1}{x-a} + b$$
점을 주면 무조건 식에 넣기!

> **풀이 과정**

$y = \dfrac{1}{x}$ 의 그래프를

x축의 방향으로 1만큼

y축의 방향으로 b만큼으로 평행이동한 식은

$$y = \frac{1}{x-1} + b$$

$$y = \frac{1}{x+a} + 2$$

$a=-1$, $b=2$

$a-b=-1-2=-3$

19 | ②

> **문제 푸는 Tip** 경우의 수

1) 합의 공식
   "or", "또는", "~거나~" 일 때는 더하기

2) 곱의 공식
   "and", "그리고" 일 때는 곱하기

> **풀이 과정**

3의 배수	합
3	$1+2$
6	$1+5$, $2+4$
9	$4+5$

카드에 적힌 수의 합이 3의 배수인 경우의 수 4가지이다.

20 | ②

> **문제 푸는 Tip** 조합

조합 : 순서 없이 뽑기, 선택하기
$${}_nC_r = {}_nC_{n-r}$$
$${}_nC_1 = n$$

> **풀이 과정**

5종류의 토핑에서 4종류의 토핑을 선택
⇒ 순서×, 조합 공식 사용
$${}_5C_4 = {}_5C_1 = 5$$

참고 ! = 팩토리얼	
1!	$= 1$
2!	$= 2 \times 1$
3!	$= 3 \times 2 \times 1$
4!	$= 4 \times 3 \times 2 \times 1$
5!	$= 5 \times 4 \times 3 \times 2 \times 1$

01	①	02	④	03	②	04	①	05	③
06	③	07	②	08	④	09	②	10	③
11	①	12	④	13	②	14	④	15	③
16	①	17	②	18	②	19	③	20	①

01 | ①

문제 푸는 Tip — 다항식

x^2은 x^2끼리
x는 x끼리 　더하기!
숫자는 숫자끼리

풀이 과정

풀이 ①

$$\begin{array}{r} A=\ 2x^2\ \ \ \ \ +5 \\ +\ )\ \ \ B=\ \ x^2-4x \\ \hline A+B=3x^2-4x+5 \end{array}$$

풀이 ②

$A+B=(2x^2+5)+(x^2-4x)$
$\quad\ =(2x^2+x^2)-4x+5$
$\quad\ =3x^2-4x+5$

02 | ④

문제 푸는 Tip — 항등식

$x^2=x^2$
$x=x$ 　같습니다.
숫자는 숫자

좌변 = 우변, 계수 비교
어려운 단어는 생각하지 말고 문제 푸는 방법만 기억하기!

풀이 과정

$ax^2+x=(4x^2+bx)$

$ax^2=4x^2$
$\therefore a=4$

$(1)x=bx$
$\therefore b=1$

x 앞에는 1이 생략되어 있어요.
$\therefore a-b=4-1=3$

03 | ②

문제 푸는 Tip — 나머지 정리

$(x-1)$로 ⇒ x에 1넣기
나누어 떨어질 때는 ⇒ $=0$ 붙이기

풀이 과정

$(x-1)$로 나누었을 때
⇒ x에 1넣기
x^3-2x^2+5
$=(1)^3-2\times(1)^2+5$
$=(1\times1\times1)-2\times(1\times1)+5$
$=1-2+5$
$=-1+5$
$=4$
$\therefore$ 나머지 $=4$

04 | ①

문제 푸는 Tip — 인수분해

$x^3-3x^2y+3xy^2-y^3=(x-y)^3$
공식 암기

풀이 과정

$x^3-3x^2y+3xy^2-y^3=(x-y)^3$
$x^3-3\times x^2\times1+3\times x\times1^2=(x-1)^3$
$x^3-3x^2+3x-1=(x-1)^3$
$\therefore a=1$

05 | ③

문제 푸는 Tip — 켤레복소수

$a+bi$의 켤레복소수는 i의 계수의 부호가 반대다.
$a-bi$가 $a+bi$의 켤레복소수이다.
기호로 쓰면 $\overline{a+bi}=a-bi$

풀이 과정

$3-4i$의 켤레복소수는 i의 계수의 부호가 반대인 $3+4i$
이다.
$3+4i=a+bi$
$\therefore a=3,\ b=4$
$a+b=3+4=7$

06 | ③

문제 푸는 Tip 이차방정식 근과 계수의 관계

1) 근과 계수의 관계

$$ax^2 + bx + c = 0$$

$\alpha + \beta =$ 두 근의 합 $= -\dfrac{b}{a}$

$\alpha\beta =$ 두 근의 곱 $= \dfrac{c}{a}$

2) 근과 판별식

판별식 $D = b^2 - 4ac = 0$

i) 서로 다른 두 실근　　　$D > 0$

ii) 중근　　　　　　　　　$D = 0$

iii) 서로 다른 두 허근　　$D < 0$

풀이 과정

$x^2 + 2x + 3 = 0$

① $x = -4$

　$(-4)^2 + 2 \times (-4) + 3 = 0$

　$16 - 8 + 3 = 0$

　$11 \neq 0$

　∴**1번 보기 틀림**

② 두 근의 합 $= 1$

③ 두 근의 곱 $= 3$

　$(1)\, x^2 + 2x + 3 = 0$

　$a = 1,\ b = 2,\ c = 3$

　두 근의 합 $= \alpha + \beta = -\dfrac{b}{a} = -\dfrac{2}{1}$

　∴**2번 보기 틀림**

　두 근의 곱 $= \alpha\beta = \dfrac{c}{a} = \dfrac{3}{1} = 3$

　∴**3번 보기 맞음**

④ 중근

　$D = b^2 - 4ac$

　$D = (2)^2 - 4 \times 1 \times 3$

　$= 4 - 12 = -8 > 0$

　중근이면 $D = 0$이어야 하는데 $-8 \neq 0$

　∴**4번 보기 틀림**

　$D < 0$ 경우는 서로 다른 두 허근을 가졌을 때다.

07 | ②

문제 푸는 Tip 이차함수 최댓값, 최솟값

y축의 숫자만 본다.
제일 큰 숫자 $=$ 최댓값
제일 작은 숫자 $=$ 최솟값
그래프 그림 때문에 쫄지 마세요.
오히려 좋은 거예요. 쉬워요!

풀이 과정

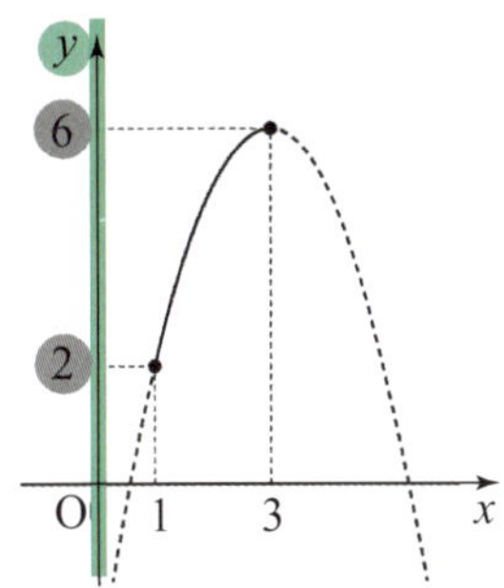

y축 숫자 중 2가 제일 작아서 최솟값은 2이다.

08 | ④

문제 푸는 Tip 연립방정식

문제에서 주는 해인 x와 y를 대입해서 a와 b를 구한다.

풀이 과정

$$\begin{cases} x + y = 5 \\ xy = a \end{cases} \quad \begin{cases} x = 3 \\ y = b \end{cases}$$

i) $x + y = 5$ 식에서 x에 3을 넣는다.

　$3 + y = 5$

　∴ $y = 2 = b$

ii) $xy = a$ 식에 $x = 3,\ y = 2$를 넣어 a를 구한다.

　$3 \times 2 = a$

　∴ $a = 6$

$a + b = 6 + 2 = 8$

09 | ②

 절댓값 부등식

$$|x+a| \leq b$$
$$\Rightarrow -b \leq x+a \leq +b$$

$$|x-1| \leq 4$$
$$-4 \leq x-1 \leq 4$$
$$-4+1 \leq x-1+1 \leq 4+1$$
$$-3 \leq x \leq 5$$

$$a = -3$$

10 | ③

 내분점, 외분점

1) 수직선에 칸 수를 그려본다.
2) 공식사용
  i) 수직선 위에서 내분점, 외분점

  내분하는 점 P의 좌표
  $$P \left(\frac{mx_2 + nx_1}{m+n} \right)$$

  외분하는 점 Q의 좌표
  $$Q \left(\frac{mx_2 - nx_1}{m-n} \right) \text{(단, } m \neq n)$$

  ii) 좌표평면 위에서 내분점, 외분점

  내분하는 점 P의 좌표
  $$P \left(\frac{mx_2 + nx_1}{m+n}, \ \frac{my_2 + ny_1}{m+n} \right)$$

  외분하는 점 Q의 좌표
  $$Q \left(\frac{mx_2 - nx_1}{m-n}, \ \frac{my_2 - ny_1}{m-n} \right) \text{(단, } m \neq n)$$

[내분점 P]

$$m : n \qquad m : n$$
$$A(x_1, y_1) \ B(x_2, y_2) \quad A(x_1, y_1) \ B(x_2, y_2)$$

x좌표: $\dfrac{mx_2 + nx_1}{m+n}$ \qquad y좌표: $\dfrac{my_2 + ny_1}{m+n}$

$$\rightarrow P \left(\frac{mx_2 + nx_1}{m+n}, \ \frac{my_2 + ny_1}{m+n} \right)$$

[외분점 Q]

x좌표: $\dfrac{mx_2 - nx_1}{m-n}$ \qquad y좌표: $\dfrac{mx_2 - nx_1}{m-n}$

$$\rightarrow Q \left(\frac{mx_2 - nx_1}{m-n}, \ \frac{my_2 - ny_1}{m-n} \right)$$

1) 수직선에 칸 수를 그려본다.
  4라서 4칸, 3이라서 3칸
  그러므로 p좌표는 5이다.

2) 공식으로 풀기
  $$P \left(\frac{mx_2 + nx_1}{m+n} \right)$$

  $A(1)$, $B(8)$ $4:3$으로 내분하는 점

  $$P \left(\frac{4 \times 8 + 3 \times 1}{4+3} \right) = P \left(\frac{32+3}{7} \right)$$
  $$= P \left(\frac{\overset{5}{\cancel{35}}}{\underset{1}{\cancel{7}}} \right)$$
  $$= P(5)$$

11 | ①

 직선의 방정식

$$y = ax + b$$
$a = $ 기울기, $b = y$절편

기울기 (a) 구하기
  평행이다 → 기울기가 같다.
  수직이다 → 기울기 × 기울기 $= -1$

y절편 (b) 구하기
  $(0, b)$에서 $b = y$절편이다.
  점 (x_1, y_1)을 식에 대입해서 b를 구한다.

$y = ax + b$

1) 기울기 (a) 구하기

  $y = -x + 2$에 수직

  기울기 × 기울기 = -1

  $-1 \times \boxed{a} = -1$

  $\therefore \boxed{a} = 1$

2) y절편 (b) 구하기

  i) $(0, 5) \Rightarrow y$절편 $= 5$

  ii) $y = 1x + b$식에 점$(0, 5)$ 대입하기

    5   0

  $5 = b$

  $\therefore b = 5$

기울기 $a = 1$, y절편 $b = 5$인 직선의 방정식

  $\therefore y = x + 5$

12 | ④

문제 푸는 Tip   **원의 방정식**

$(x-a)^2 + (y-b)^2 = r^2$

r = 반지름

(a, b) = 원 중심

문제에서 점을 주면 식에 점을 넣는다.

x축에 접한다 : r = 원 중심의 y좌표

y축에 접한다 : r = 원 중심의 x좌표

풀이 과정

중심 좌표$(3, 3)$

$(x-a)^2 + (y-b)^2 = r^2$

$(x-3)^2 + (y-3)^2 = 3^2$

13 | ②

문제 푸는 Tip   **대칭이동**

y축에 대하여 대칭이동 $\Rightarrow x$부호 반대

풀이 과정

$(-1, -4)$

  $\to y$축 대칭이동 : x부호 반대

$(+1, -4)$

14 | ④

문제 푸는 Tip   **집합**

집합 '~들의 모임' 으로 어떤 주어진 조건에 따라 그 대상을 분명하게 알 수 있어야 한다.

풀이 과정

'큰', '작은' 이라는 단어는 기준이 불명확하므로 집합이 아니다.

ㄴ. 자연수 = {1, 2, 3, 4, 5, 6, ···}

ㄹ. 10 이상 20이하인 홀수의 모임 = {11, 13, 15, 17, 19}

$\therefore$ ㄴ, ㄹ은 기준이 정확하므로 집합이다.

15 | ③

풀이 과정

$A = B$

$A = \{2, 4, a+1\}$

$B = \{a-3, 4, 6\}$

i) $2 = a-3$

  $\therefore a = 5$

ii) $a + 1 = 6$

  $\therefore a = 5$

16 | ①

문제 푸는 Tip   **명제**

명제 : 참(옳다)과 거짓(틀리다)를 판단 할 수 있는 문장이나 식.
명제는 p이면 q이다, $p \to q$ 라고 표현한다.

- 역인 명제는 p와 q의 자리를 바꾼다.

  $\Rightarrow q$이면 p이다, $q \to p$

- 대우인 명제는 p와 q의 자리를 바꾸고 Not($\sim$)을 붙인다.

  $\Rightarrow \sim q$이면 $\sim p$이다, $\sim q \to \sim p$

풀이 과정

명제 : $x = 1$ 이면, $x^4 = 1$이다.

  자리 바꾸기

역 : $x^4 = 1$ 이면, $x = 1$이다.

17 | ②

 **역함수**

$$f^{-1}(x)는 f(x)의 역함수이다.$$

$$X \underset{f^{-1}}{\overset{f}{\rightleftarrows}} Y \text{에서 역함수 } f^{-1}(x)는 Y에서 X로 거꾸로 간다.$$

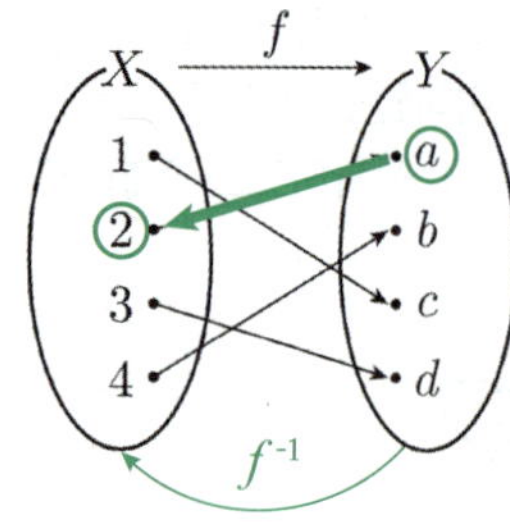

$f^{-1}(a)$는 a에서 거꾸로 가서 2이다.

18 | ②

무리함수

$$y = \sqrt{x} \xrightarrow[\substack{x축\ a \\ y축\ b}]{} y = \sqrt{x-a+b}$$

평행이동

점을 주면 무조건 식에 넣기!

풀이 과정

그래프로 보면 x축 a만큼, y축으로 5만큼 이동했음을 알 수 있다. 식으로 보면 x축으로 3만큼, y축으로 b만큼 이동했음을 알 수 있다.

$$y = \sqrt{x} \xrightarrow[x축\ 3,\ y축\ 5]{} y = \sqrt{x-3}+5$$

$$y = \sqrt{x-3}+5 = y = \sqrt{x-a}+b$$

$a = 3, b = 5$

$$\therefore a+b = 3+5 = 8$$

19 | ③

순열

순열: 순서있게 나열, 일렬로 나열

$$_3P_2 = 3 \times 2 = 6$$
$$_4P_2 = 4 \times 3 = 12$$
$$_5P_2 = 5 \times 4 = 20$$

풀이 과정

5개의 직업체험 프로그램 중 2개의 직업체험 프로그램을 택하여 **"순서대로"**(순열) 체험하는 경우의 수 $_5P_2$

$$_5P_2 = \underset{2칸}{\underline{5 \times 4}} = 20$$

①칸수 ③마지막 곱하기
②5부터 시작 1씩 작아짐

20 | ①

조합

조합: 순서없이 뽑기, 선택하기

$$_3C_2 = \frac{3 \times 2}{2 \times 1} = 3$$

$$_4C_2 = \frac{4 \times 3}{2 \times 1} = 6$$

$$_5C_2 = \frac{5 \times 4}{2 \times 1} = 10$$

$$_4C_3 = \frac{4 \times 3 \times 2}{3 \times 2 \times 1} = 4$$

$$_5C_3 = \frac{5 \times 4 \times 3}{3 \times 2 \times 1} = 10$$

$$_6C_3 = \frac{5 \times 4 \times 3}{3 \times 2 \times 1} = 20$$

풀이 과정

4종류의 잡곡에서 2종류의 잡곡을 선택
⇒순서×, 조합 공식 사용

$$_4C_2 = \frac{_4P_2}{2!} = \frac{\overset{2}{4} \times 3}{\underset{1}{2} \times 1} = 6$$

참고 !=팩토리얼	
1!	= 1
2!	= 2 × 1
3!	= 3 × 2 × 1
4!	= 4 × 3 × 2 × 1
5!	= 5 × 4 × 3 × 2 × 1

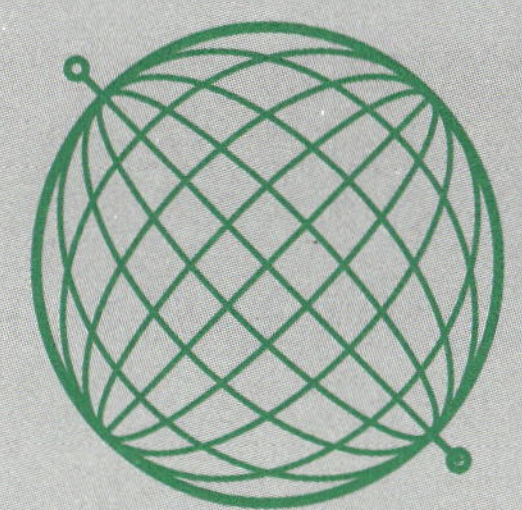

고등학교 졸업학력
검정고시

영어
정답 및 해설

정답표

2021년 1회

01	②	02	①	03	③	04	①	05	②
06	④	07	④	08	③	09	②	10	④
11	①	12	④	13	①	14	①	15	②
16	③	17	③	18	④	19	①	20	④
21	④	22	②	23	③	24	①	25	③

2021년 2회

01	④	02	②	03	①	04	②	05	④
06	①	07	③	08	①	09	④	10	③
11	①	12	③	13	③	14	②	15	②
16	①	17	①	18	④	19	③	20	②
21	④	22	④	23	③	24	②	25	④

2022년 1회

01	①	02	②	03	②	04	③	05	①
06	③	07	①	08	④	09	④	10	①
11	①	12	③	13	④	14	③	15	②
16	①	17	④	18	③	19	④	20	③
21	②	22	④	23	④	24	②	25	③

2022년 2회

01	②	02	③	03	①	04	③	05	①
06	②	07	④	08	②	09	④	10	②
11	②	12	①	13	③	14	③	15	②
16	①	17	④	18	④	19	③	20	①
21	③	22	③	23	④	24	①	25	④

2023년 1회

01	③	02	③	03	①	04	①	05	④
06	③	07	②	08	③	09	②	10	③
11	①	12	④	13	①	14	④	15	①
16	②	17	①	18	④	19	④	20	④
21	①	22	②	23	④	24	④	25	③

2023년 2회

01	④	02	③	03	③	04	④	05	②
06	④	07	①	08	③	09	③	10	②
11	①	12	①	13	④	14	④	15	③
16	①	17	④	18	③	19	③	20	②
21	①	22	②	23	②	24	②	25	④

2024년 1회

01	②	02	①	03	②	04	④	05	③
06	①	07	①	08	③	09	③	10	①
11	④	12	①	13	②	14	③	15	④
16	①	17	②	18	④	19	④	20	②
21	④	22	③	23	②	24	④	25	③

2024년 2회

01	②	02	④	03	③	04	③	05	②
06	②	07	①	08	①	09	②	10	④
11	③	12	①	13	④	14	④	15	③
16	④	17	①	18	③	19	②	20	①
21	②	22	①	23	②	24	①	25	①

2025년 1회

01	①	02	③	03	③	04	④	05	③
06	②	07	②	08	③	09	④	10	①
11	①	12	②	13	③	14	②	15	④
16	①	17	④	18	④	19	①	20	②
21	④	22	④	23	①	24	④	25	③

2025년 2회

01	②	02	①	03	②	04	③	05	④
06	①	07	②	08	②	09	①	10	①
11	④	12	③	13	④	14	①	15	②
16	③	17	①	18	④	19	④	20	③
21	④	22	③	23	①	24	④	25	①

영어

정답 및 해설

01	②	02	①	03	③	04	①	05	②
06	④	07	④	08	④	09	②	10	④
11	①	12	④	13	①	14	①	15	②
16	③	17	③	18	④	19	①	20	④
21	④	22	②	23	③	24	①	25	③

01 | ②

| 직독직해 | I / can help / you / decorate / the house / with flowers.
나는 / 도와줄 수 있다 / 당신이 / 꾸미는 것을 / 집을 / 꽃으로 |
| 해석 | 꽃으로 집을 꾸미는 것을 도와드릴 수 있습니다. |

⚠ 선지 더 알아보기

구하다 : look for
나누다 : divide
옮기다 : move

02 | ①

| 직독직해 | It is so kind of / you / to take care of / my cat.
정말 친절하다 / 당신은 / 돌봐줘서 / 나의 고양이를 |
| 해석 | 제 고양이를 돌봐주셔서 정말 감사합니다. |

⚠ 선지 더 알아보기

미루다 : put off
여행하다 : go on a trip
의지하다 : depend on

03 | ③

| 직독직해 | In fact, / the smartphone / has replaced / the computer / in many ways.
사실상 / 스마트폰은 / 대체했다 / 컴퓨터를 / 여러가지 면에서 |
| 해석 | 사실 스마트폰은 여러 가지 면에서 컴퓨터를 대체했습니다. |

⚠ 선지 더 알아보기

갑자기 : suddenly
다행히 : fortunately
처음에 : at first

04 | ①

| 직독직해 | Even though / it's dark / outside, / our house / is bright.
비록 / 어두워졌지만 / 밝은 / 우리의 집은 / 밝다 |
| 해석 | 밖은 어둡지만 우리 집은 밝습니다. |

even though는 '어떠한 사실에도 불구하고' 라는 의미로, 바로 뒷 문장을 좀 더 강조하기 위해서 그와 대비되는 부분을 even though 이하에 넣는다.

반의어
• dark (어두운)와 bright (밝은)
• hard (단단한) - soft (부드러운)
• positive (긍정적인) - negative (부정적인)
• wide (넓은) - narrow (좁은)

유의어
• equal (동일한) - same (같은)

05 | ②

직독직해	Art Exhibition 미술 전시 Date : November 12th – 25th 일시 : 11월 12일~25일 Time : 10 a.m. – 6 p.m. 시간 : 오전 10시~오후 6시 Place : Central Art Museum 장소 : 중앙 미술관 Tickets : Adults $ 15, Students $ 10 입장권 : 어른 15달러, 학생 10달러 We are closed / on Tuesdays. 우리는 닫는다 / 목요일에

전시 기간(Date)와 티켓 가격(Tickets), 휴관일(We are closed on Tuesdays.)는 언급되었으나 환불 규정은 언급되지 않았다.

06 | ④

직독직해	• I go / for <u>run</u> / a every morning. • 나는 간다 / 달리기를 위해 / 매일 아침에 • His parents / <u>run</u> / a small coffee shop. • 그의 부모님은 / 운영한다 / 작은 커피 숍을

run은 기본적인 의미로 '달리다'가 있다.
또한, 사업이나 가게를 운영한다고 할 때에도 run을 쓰고, run의 또 다른 의미로는 '신문에 기사를 싣는다'도 있다.

07 | ④

직독직해	• I / have a friend / <u>who</u> lives / in America. • 나는 / 친구가 있다 / 사는 / 미국에 • Dad, / <u>who</u> won / the tennis match / last night? • 아빠 / 누가 이겼나요 / 테니스 시합에서 / 지난 밤

Who는 선행사가 사람일 때 관계대명사로 쓰인다.
의문문에서 '누구' 라는 뜻을 가진다.

08 | ③

직독직해	• There are large trees / <u>in front of</u> / the house. • 큰 나무가 있다 / 앞에 / 집 • Many people / <u>are interested in</u> / South Korea. • 많은 사람들이 / 흥미를 보인다 / 한국에

in front of : ~의 앞에
be interested in : ~에 흥미가 있다

09 | ②

직독직해	A : Did you know / that today / is Children's Day? A : 알고 있었니? / 오늘이 / 어린이날이라는 것을 B : Yeah. / I can't believe / that it's May / already. B : 응/ 나는 믿지 못하겠다 / 지금이 5월이라는 것이 / 벌써 A : It / seems like/ just yesterday / that we / celebrated / New Year's Day. A : 그것은 / 같다 / 엊그제 / 우리가 / 기념한 것이 / 새해를 B : I know. / My mom / says to / value / every moment / because / time flies like an arrow. B : 나도 그렇다 / 우리 엄마는 / 말한다 / 가치 있다 / 모든 순간이 / 왜냐하면 / 시간은 쏜살같이 지나간다
해석	A : 오늘이 어린이날인 거 알고 계셨어요? B : 네, 벌써 5월이라니 믿기지 않네요. A : 설날을 맞이한 것이 엊그제 같은데 벌써 설날이 지났습니다. B : 알아요. 엄마는 <u>시간이 화살처럼 빠르게 지나가니</u> 매 순간을 소중히 여기라고 하세요.

⚠ 선지 더 알아보기

세 살 버릇 여든까지 간다.
: Old habits die hard.
뜻이 있는 곳에 길이 있다.
: Where there's a will, there's a way
욕심이 지나치면 화가 된다.
: Too much is as bad as too little.

10 | ④

직독 직해	A : How are you feeling / today? A : 기분이 어때 / 오늘 B : I'm so happy. / I feel / on top of the world! B : 나는 매우 행복하다 / 나는 느낀다 / 세계의 정상에 있다고 A : That's great. / What happened? A : 좋아 / 무슨 일이야? B : I / just / saw / my favorite singer / in person! B : 나는 / 단지 / 보았다 / 내가 가장 좋아하는 가수를 / 직접
해석	A : 오늘 기분은 어떠세요? B : 너무 행복해요. 세상 꼭대기에 있는 기분이에요! A : 잘됐네요. 무슨 일이 있었나요? B : 방금 제가 좋아하는 가수를 직접 봤어요!

⊘ **문제 유형** 심정

감정을 나타내는 단어를 보고 풀기!

B의 말 중 "I'm so happy."를 통해 B의 심정이 행복임을 알 수 있다.

11 | ①

직독 직해	A : Hello. / I'/ d like to check out / these books. A : 안녕하세요 / 나는 / 대출하고 싶다 / 이 책들을. B : Okay. / Are you going to borrow / all three of them? B : 알겠어요 / 당신은 빌릴 예정인가요 / 세 권 다 A : Well, / now / that I think / about it, / I / only need / these two. A : 음 / 지금 / 생각해보니 / 그것에 대해 / 나는 / 충분하다 / 두 권만 B : No problem. B : 문제 없습니다
해석	A : 안녕하세요. 이 책들을 살펴보고 싶습니다. B : 알았어요. 세 개 다 빌릴 건가요? A : 지금 생각해보니 이 두 권만 필요해요. B : 문제 없어요.

⊘ **문제 유형** 대화가 이루어지는 장소

장소를 나타내는 포인트 단어 찾기!

book(책)과 borrow(빌리다)라는 단어를 통해 대화가 이루어지는 장소가 책을 빌리는 도서관임을 알 수 있다.

12 | ④

직독 직해	All animals and plants / depend on / water / to live. 모든 동물과 식물은 / 의존한다 / 물을 / 생존을 위해 Our body / is about 60 to 70 percent / water. 우리의 몸은 / 대략 60~70%가 / 물이다 We / can go / weeks / without food. 우리는 / 살 수 있다 / 몇 주를 / 음식 없이 But without water, / we / would die / in a few days. 그러나 물 없이는 / 우리는 / 죽을 것이다 / 수일 내에 It / is very important / for our lives. 이것은 / 매우 중요하다 / 우리의 생명에
해석	모든 동물과 식물은 물에 의존해 살아갑니다. 우리 몸의 약 60~70%는 물로 이루어져 있습니다. 우리는 음식 없이도 몇 주를 버틸 수 있습니다. 하지만 물이 없으면 우리는 며칠 안에 죽을 것입니다. 물은 우리 삶에 매우 중요합니다.

⊘ **문제 유형** 지칭추론(대명사 it)

it이 적힌 문장의 앞 문장을 해석해 보기!

It이 적힌 문장의 앞 문장을 해석 해 보면 But without water, we would die in a few days.(하지만 물이 없으면 우리는 며칠 안에 죽을 것이다.) 이 문장으로 보아 우리의 생명에 중요하다고 하는 it이 가리키는 것이 water(물)임을 알 수 있다.

⚠ **선지 더 알아보기**

animal : 동물
body : 몸
plant : 식물

13 | ①

<table>
<tr><td rowspan="8">직독
직해</td><td>A : Everything / on the menu / looks / so delicious!</td></tr>
<tr><td>A : 전부 / 메뉴에 있는 / 보인다 / 매우 맛있게</td></tr>
<tr><td>B : Yeah. / This is / one of / my favorite restaurants.</td></tr>
<tr><td>B : 응 / 이곳은 / 하나이다 / 내가 가장 좋아하는 식당 중에</td></tr>
<tr><td>A : Great! / Can you recommend / a dish / for me?</td></tr>
<tr><td>A : 좋아 / 추천해줘 / 음식을 / 날 위해</td></tr>
<tr><td>B : How about the spaghetti / with cream sauce? / It's / one of / their best dishes.</td></tr>
<tr><td>B : 스파게티는 어때? / 크림 소스의 / 그것은 / 하나이다/ 그들의 최고 음식 중에</td></tr>
</table>

⊘ **문제 유형** 대화 내용 파악

선지를 해석 후 빈 칸에 알맞은 문장을 찾기!

선지를 해석 해 보면 Can you recommend a dish for me?(추천해 줄 수 있나요?) 이 빈 칸에 들어가면 매끄럽게 해석이 된다.

14 | ①

<table>
<tr><td rowspan="4">직독
직해</td><td>A : Why / do we / have to / recycle?</td></tr>
<tr><td>A : 왜 / 우리는 / 해야 하니? / 재활용을</td></tr>
<tr><td>B : It's because / we / have to / save / the environment.</td></tr>
<tr><td>B : 왜냐하면 / 우리는 / 해야 한다 / 지키는 것을 / 환경을</td></tr>
</table>

⊘ **문제 유형** 대회 내용 파악

선지를 해석 후 빈 칸에 알맞는 문장을 찾기!

재활용을 하는 이유가 환경 보호와 관련이 있기 때문에 ① Why do we have to recycle?(왜 우리는 재활용을 해야 하니?) 이 빈 칸에 알맞다.

15 | ②

<table>
<tr><td rowspan="10">직독
직해</td><td>A : I / think / writing / by hand / has many advantages.</td></tr>
<tr><td>A : 나는 / 생각한다 / 쓰는 것이 / 손으로 / 많은 장점이 있다고</td></tr>
<tr><td>B : Really? Like what?</td></tr>
<tr><td>B : 정말? 어떤 것들이 있는가?</td></tr>
<tr><td>A : For one, / it / helps / us / memorize things.</td></tr>
<tr><td>A : 첫째로 / 그것은 / 도와준다 / 우리가 / 기억하는 것을</td></tr>
<tr><td>B : I / can see that. / What else?</td></tr>
<tr><td>B : 나는 / 알겠다 / 다른 것은</td></tr>
<tr><td>A : It / can also add / a personal touch / to a letter.</td></tr>
<tr><td>A : 그것은 / 더할 수 있다 / 개인적인 감동을 / 편지에</td></tr>
</table>

<table>
<tr><td rowspan="6">해석</td><td>A : 손으로 글을 쓰면 많은 장점이 있다고 생각합니다.</td></tr>
<tr><td>B : 정말요? 어떤 장점이요?</td></tr>
<tr><td>A : 우선 암기하는 데 도움이 되죠.</td></tr>
<tr><td>B : 그런 것 같네요. 또 어떤가요?</td></tr>
<tr><td>A : 편지에 개인적인 감성을 더할 수도 있습니다.</td></tr>
</table>

⊘ **문제 유형** 대화의 주제

첫 문장 해석하기!(A의 말이 정답을 가르쳐준다)

첫 문장을 해석해 보면 I think writing by hand has many advantages.(손으로 글을 쓰면 많은 장점이 있다고 생각한다) 대화의 주제가 손으로 쓰기의 장점인 것을 알 수 있다.

16 | ③

I'm writing / this email / to say / sorry / to you / because of what I did / the last couple of days.
나는 쓴다 / 전자메일을 / 말하기 위해 / 사과를 / 당신에게 / 내가 한 일 때문에 / 지난 며칠 동안
I / thought / you and Jessica / were ignoring / me / on purpose, / so I treated / you / unkindly.
나는 / 생각했다 / 당신과 제시카가 / 나를 무시한다고 / 일부러 / 그래서 / 나는 / 대했다 / 당신에게 / 불친절하게
Now / I / know / I / have misunderstood / you.
지금은 / 나는 / 알고 있다 / 내가 / 오해했다는 것을 / 당신을
I / want / to say / I'm really sorry.
나는 / 원한다 / 말하기를 / 내가 정말로 사과한다고

해석

지난 며칠 동안 제가 한 행동 때문에 죄송하다는 말을 전하기 위해 이 이메일을 씁니다. 당신과 제시카가 일부러 저를 무시한다고 생각해서 불친절하게 대했어요. 이제야 제가 오해했다는 걸 알았어요. 정말 미안하다고 말하고 싶어요.

⊙ 문제 유형 글을 쓴 목적

첫 문장 or 마지막 문장에서 핵심 단어 찾기

to say sorry to you(죄송하다는 말을 전하기 위해)로 보아 이 글은 사과하려고 쓴 글임을 알 수 있다.

17 | ③

Saturday Tour / to Tongyeong
토요일 여행 / 통영으로
What you will do :
우리가 할 것들 :
Ride / a cable car / on Mireuksan
타다 / 케이블카 / 미륵산에서
Visit / the undersea tunnel / and Jungang Market
방문하다 / 해저 터널과 / 중앙 시장을
Lunch / is provided.
점심은 / 제공된다
You / must reserve / the tour / by Thursday.
당신은 / 예약해야 한다 / 여행을 / 목요일까지

⊙ 문제 유형 일치 문제

글을 해석하면서 선지와 비교해보기!

Lunch is provided. (점심은 제공된다) 점심은 제공되기 때문에 ③ 점심은 각자 준비한다가 틀린 선지임을 알 수 있다.

18 | ④

The Lascaux cave / is located in / southwestern France.
라스코 동굴은 / 위치해 있습니다 / 프랑스 남서부에
It / contains / ancient paintings / of large animals.
이곳은 / 포함한다 / 고대 미술 / 거대 동물들의
No one / knew / about the cave / until 1940.
아무도 / 알지 못했다 / 동굴에 관하여 / 1940년까지
Four teenagers / accidentally / discovered / it / while running / after their dog.
4명의 10대가 / 우연히 / 발견했다 / 이곳을 / 뛰는 동안에 / 개를 쫓다가
In 1963, / in order to preserve / the paintings, / the cave / was closed / to the public.
1963년에 / 보호하기 위해 / 그림을 / 동굴을 / 닫았다 / 민간에

해석

라스코 동굴은 프랑스 남서부에 위치해 있어요. 이 동굴에는 거대한 동물의 고대 그림이 있습니다. 1940년까지는 아무도 이 동굴에 대해 알지 못했죠. 네 명의 십대가 개를 쫓아가다가 우연히 동굴을 발견했어요. 1963년, 그림 보존을 위해 동굴은 일반인에게 공개되지 않았어요.

⊙ 문제 유형 일치 문제

글을 해석하면서 선지와 비교 해보기!

In 1963, in order to preserve the paintings, the cave was closed to the public.(1963년, 그림 보존을 위해 동굴은 일반인들에게 개방 되지 않았다)로 보아 ④ 1963년에 대중에게 개방되었다가 틀린 선지임을 알 수 있다.

19 | ①

Walking / can be just as beneficial
걷기는 / 유익 할 수 있다.
/ to your health
너의 건강에
/ as more intense exercise.
격렬한 운동만큼이나
A physical benefit / of walking
신체적 이점은 / 걷기의
is that it can reduce / body fat.
줄일 수 있다 / 체지방을
It also has / a mental health benefit
또한 가졌다 / 정신적인 이점을
because it can help / reduce stress.
도와 주기 때문에 / 스트레스 감소에
So get up and walk!
그러니 일어나서 걸어라

걷기는 더 격렬한 운동만큼이나 건강에 유익
할 수 있습니다. 걷기의 신체적 이점은 체지방
을 줄일 수 있다는 것입니다. 또한 스트레스를
줄이는 데 도움이 되기 때문에 정신 건강에도
도움이 됩니다. 그러니 일어나서 걸어보세요!

⊙ 문제 유형 주제

글의 앞부분 해석하기!

Walking can be just as beneficial to your health as more intense exercise.(걷기는 더 격렬한 운동만큼이나 건강에 유익 할 수 있다)로 보아 윗글의 주제는 ① 걷기의 장점이다.

20 | ④

| 직독
직해 | Cars / should be able to / endure / the strong impact / that they receive / when they crash / into another car or object.
자동차는 / 가능해야 된다 / 견디는 것이 / 강한 충격에 / 그것들이 받는다 / 그들이 충돌할 때 / 다른 차나 물체에
Thus, / the bodies / of cars / are designed / to absorb / heavy shocks.
따라서 / 차체는 / 자동차의 / 디자인되었다 / 흡수하도록 / 강한 충격에
The goal / is to protect / drivers and passengers / in case of / serious / car accidents.
목표는 / 보호하는 것이다 / 운전자와 승객을 / 경우에 / 심각한 / 자동차 사고에 |

자동차는 다른 자동차나 물체와 충돌할 때 받
는 강한 충격을 견딜 수 있어야 합니다. 따라서
자동차의 차체는 강한 충격을 흡수하도록 설
계되었습니다. 심각한 자동차 사고 발생 시 운
전자와 승객을 보호하는 것이 목표입니다.

⊙ 문제 유형 빈 칸 추론

빈 칸이 있는 문장의 앞문장 or 뒷문장을 해석하기!

Thus, the bodies of cars are designed to absorb heavy shocks.(따라서, 자동차의 차체는 강한 충격을 흡수하도록 설계되어 있다) 를 통해 강한 충격을 흡수하는 이유는 사고시 운전자와 승객을 보호하기 위함이므로 빈 칸에는 protect가 알맞다.

⚠ 선지 더 알아보기

describe : 묘사하다
encourage : 격려하다
increase : 증가하다

21 | ④

| 직독
직해 | Soft drink companies / attract / consumers / by adding / bright colors / to their products.
청량음료 회사는 / 끌어들인다 / 고객을 / 추가하여 / 밝은 색상을 / 그들의 제품에
Most of / these colors, / however, / are not natural.
대부분은 / 이러한 색상의 / 그러나 / 자연스럽지 않다
They / are man-made.
그것들은 / 인공적인 것이다
For example, / the artificial color / Yellow No. 6, / used in / some pineapple juices, / adds nothing / to the taste.
예를 들어 / 인공 색상인 / 노란색 6번은 / 사용되는 / 일부 파인애플 주스에 / 추가되지 않는다 / 맛에
It / is just / there to make / the drink / look / pretty.
이것은 / 단지 / 그것을 만들어 주는 것이다 / 음료가 / 보이게 / 예쁘게 |

청량음료 회사는 제품에 밝은 색상을 추가하
여 소비자를 끌어들입니다. 하지만 이러한 색
상은 대부분 자연스럽지 않습니다. 인공 색소
입니다. 예를 들어, 일부 파인애플 주스에 사용
되는 인공 색소인 황색 6호는 맛에 아무런 영
향을 미치지 않습니다. 단지 음료를 예쁘게 보
이게 하기 위한 것입니다.

⊙ 문제 유형 빈 칸 추론

빈 칸이 있는 문장의 앞문장 or 뒷문장을 해석하기!

They are man-made.(그것들은 인공적이다)로 보아 빈 칸에는 natural이 들어가는 것이 알맞다.

⚠ 선지 더 알아보기

convenient : 편리한
frightened : 무서워하는
innovative : 혁신적인

직독직해

Some people / argue / that science / can be dangerous.
어떤 사람들은 / 주장한다 / 과학이 / 위험할 수 있다고
(①) They / say / the atomic bomb / is the perfect example / of the dangers / of science.
그들은 / 말한다 / 원자폭탄이 / 완벽한 예라고 / 위험성의 / 과학의
(However, / I / think / science / does us more good / than harm.)
(그러나 / 나는 / 생각한다 / 과학이 / 더 도움이 된다고 / 해를 끼치는 것보다.)
For instance, / science / helps make / better medicine.
예를 들어 / 과학은 / 만들 수 있다 / 더 좋은 의료를
(③) It / definitely / improves / the quality / of our lives.
이것은 / 확실히 / 향상시킨다 / 질을 / 우리 삶의
(④) I / believe / that science / will continue to / make / a better world / for us.
나는 / 믿는다 / 과학이 / 유지할 수 있다고 / 만드는데 / 더 좋은 세계를 / 우리를 위한

해석

어떤 사람들은 과학이 위험할 수 있다고 주장합니다. 그들은 원자 폭탄이 과학의 위험성을 보여주는 완벽한 예라고 말합니다. 하지만 과학은 우리에게 해를 끼치는 것보다 유익한 점이 더 많다고 생각합니다. 예를 들어, 과학은 더 나은 약을 만드는 데 도움이 됩니다. 과학은 확실히 우리 삶의 질을 향상시킨다. 과학은 앞으로도 우리를 위해 더 나은 세상을 만들 것이라고 믿어요.

⊙ 문제 유형 문장 삽입

먼저 주어진 문장 해석하고, 접속사를 확인한 뒤에 전체 글을 해석하면서 문장이 들어갈 만한 위치 찾기

However, I think science does us more good than harm. (하지만 나는 과학이 우리에게 해를 끼치는 것보다 유익한 점이 더 많다고 생각한다) 이 문장의 위치는 과학의 위험성에 대해 이야기하다가 유용성에 대한 이야기를 하는 구간인 ② 가 알맞다.

직독직해

If you go to / South Africa or Madagascar, / you / can see / huge / and strange-looking trees, / called / baobobs.
당신이 가게 된다면 / 남아프리카 또는 마다가스카르에 / 당신은 / 볼 수 있다 / 거대하고 / 이상한 모양의 나무를 / 부르는 / 바오바브
Known as / "upside-down trees," / their branches / look like / their roots / are spreading / towards the sky.
알려진 / "거꾸로 된 나무들" / 그들의 가지는 / 보인다 / 그들의 뿌리가 / 뻗고 있는 것처럼 / 하늘로
Why do you think / the baobob tree / has / this unique shape?
왜 그렇게 생각하시나요? / 바오바브 나무가 / 가졌는지 / 이 독특한 모양을
Let's find out.
알아보자

해석

남아프리카나 마다가스카르에 가면 바오밥나무라고 불리는 거대하고 기묘한 모양의 나무를 볼 수 있습니다. "거꾸로 된 나무"라고도 불리는 이 나무는 가지가 마치 뿌리가 하늘을 향해 뻗어 있는 것처럼 보입니다. 바오밥 나무가 왜 이렇게 독특한 모양을 하고 있다고 생각하시나요? 알아봅시다.

⊙ 문제 유형 뒤에 이어질 내용

글의 마지막 부분을 중심으로 해석하기

Why do you think the baobob tree has this unique shape? Let's find out. (바오바브나무가 왜 이렇게 독특한 모양을 하고 있다고 생각하나요? 알아보자)로 보아 ③ 바오바브나무의 모습이 특이한 이유가 정답이다.

직독직해

Do you know / how / to invent / new things?
당신은 알고 있는가 / 어떻게 / 발명하는지 / 새로운 것을
A good method is inventing by addition.
좋은 방법은 / 발명에 / 추가이다
This / means / inventing / something / by adding / a new element / to something / that already exists.
이것의 / 의미는 / 발명하는 것이 / 어떤 것을 / 추가한다 / 새로운 요소를 / 어떤 것을 / 이미 존재하는
For example, / Hyman Lipman / became / a great U.S. inventor / by attaching / an eraser / to the top / of a pencil.
예를 들어 / 하이먼 립먼은 / 되었다 / 유명한 미국의 발명가가 / 부착함으로 / 지우개를 / 꼭대기의 / 연필의
Now that / you know / how / to invent / something, / try to / make / an invention.
이제 / 당신은 알았다 / 어떻게 / 발명하는지 / 무언가를 / 시도해보라 / 만들기를 / 발명품을

해석

새로운 것을 발명하는 방법을 알고 있나요? 좋은 방법은 덧셈을 통한 발명입니다. 즉, 이미 존재하는 것에 새로운 요소를 추가하여 무언가를 발명하는 것입니다. 예를 들어, 하이먼 립먼은 연필 위에 지우개를 부착하여 미국의 위대한 발명가가 되었어요. 이제 발명하는 방법을 알았으니 발명품을 만들어 보세요.

⊙ **문제 유형** 빈 칸

빈 칸이 있는 문장의 앞문장 **or** 뒷문장을 해석하기!

This means inventing something by adding a new element to something that already exists.(즉, 이미 존재하는 것에 새로운 요소를 추가해서 무언가를 발명하는 것이다.) 그리고 뒷 문장을 보면 하이먼 립먼이 연필 상단에 지우개를 붙인 예시를 들고 있는 것으로 보아 빈 칸에는 For example(예를 들면)이 들어가는 것이 알맞다.

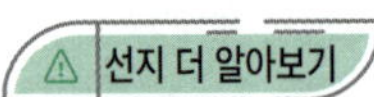

Instead : 대신에
In contrast : 대조적으로
Nevertheless : 그럼에도 불구하고

Do you know how to invent new things?(당신은 새로운 것을 발명하는 방법을 아는가?) 이 질문을 통해 ③ 새로운 것을 발명하는 방법이 윗글의 주제임을 알 수 있다.

2021년 2회

01	④	02	②	03	①	04	②	05	④
06	①	07	③	08	①	09	④	10	③
11	①	12	③	13	③	14	②	15	②
16	①	17	①	18	④	19	③	20	②
21	④	22	④	23	③	24	②	25	④

01 | ④

직독직해
Science / has brought / many benefits / to the world.
과학은 / 가져왔다 / 많은 혜택을 / 세계에

해석
과학은 세상에 많은 혜택을 가져다 주었습니다.

⚠ 선지 더 알아보기

규칙 : rule
목표 : goal
의미 : meaning

02 | ②

직독직해
I / will get along / with my classmates / better / this year.
나는 / 잘 지낼 것이다 / 나의 학우들과 / 더 / 이번연도에

해석
올해는 반 친구들과 더 잘 어울릴 수 있을 것 같아요.

⚠ 선지 더 알아보기

감탄하다 : admire for
실망하다 : be disappointed
경쟁하다 : compete

03 | ①

직독직해
After all, / the news / turned out / to be true.
결국 / 그 소식은 / 드러났다 / 사실로

해석
결국 이 소식은 사실로 밝혀졌습니다.

⚠ 선지 더 알아보기

만약에 : If
적어도 : At least
예를 들면 : For example

04 | ②

직독직해
When people ask / me / about my favorite food, / I always answer / that it is pizza.
사람들이 물어 보면 / 나에게 / 내가 가장 좋아하는 음식에 관해 / 나는 / 항상 대답한다 / 피자라고

해석
사람들이 가장 좋아하는 음식이 무엇이냐고 물어보면 항상 피자라고 대답합니다.

상하관계에서는 한 단어의 의미가 다른 단어의 의미를 포함하는 경우로 상위어는 포괄적인 의미를, 하위어는 개별적이고 한정적인 의미를 가진다.

상하관계어
- food (음식) - pizza (피자)
- animal (동물) - horse (말)
- vegetable (채소) - onion (양파)
- emotion (감정) - happiness (행복)

반의어
- danger (위험한) - safety (안전한)

05 | ④

직독직해
CHARITY RUN
자선 달리기
Come out / and show / your support / for cancer patients!
나와라 / 보여줘라 / 당신의 지지를 / 암 환자들을 위해
- Date : September 24th
- 일시 : 9월 24일
- Time : 9 a.m. – 4 p.m.
- 시간 : 오전 9시 ~ 오후 4시
- Place : Asia Stadium
- 장소 : 아시아 운동장
* Free T - shirts for participants
* 참가자를 위한 무료 티셔츠

행사 날짜(Date)와 행사 시간(Time), 행사 장소(Place)는 언급되었으나 행사 참가비는 언급되지 않았다.

06 | ①

<table>
<tr><td rowspan="2">직독
직해</td><td>• She / has a big smile / on her <u>face</u>.</td></tr>
<tr><td>• 그녀는 / 큰 웃음을 가졌다 / 그녀의 얼굴에
• You should learn to <u>face</u> your problem.
• 당신은 / 배워야 한다 / 직면하는 법을 / 당신의 문제에</td></tr>
</table>

face는 일반적으로 '얼굴'이라는 뜻으로 쓰이지만, 어떤 상황이나 문제와 마주하거나 직면한다는 의미도 가진다. 또한 어려운 일을 경험하거나 겪는 것을 의미할 수도 있다.

07 | ③

<table>
<tr><td rowspan="2">직독
직해</td><td>• Tom, <u>where</u> are you planning to go?</td></tr>
<tr><td>• 톰 / 어디로 갈 계획인가요?
• There is a safe place / <u>where</u> we can stay.
• 안전한 장소가 있다 / 우리가 지낼 수 있는</td></tr>
</table>

Where : (의문문) '어디에', '어디로', '어디에서'
접속사 where : '~ 한 곳' 장소로서의 의미

08 | ①

<table>
<tr><td rowspan="2">직독
직해</td><td>• Please <u>calm down</u> / and listen to me.</td></tr>
<tr><td>• 제발 진정하고 / 나의 말을 들어주세요
• Could you <u>turn down</u> / the volume?
• 줄여 줄 수 있나요 / 소리를</td></tr>
</table>

calm down : 진정하다 / ~을 진정시키다
turn down : ① 거절하다
        ② (소리, 온도 등을) 낮추다

09 | ④

<table>
<tr><td rowspan="2">직독
직해</td><td>A : I'm going to / Germany / next week. / Any advice?</td></tr>
<tr><td>A : 나는 갈 예정이다 / 독일로 / 다음주에 / 해 줄 조언이 있나요?
B : Remember / to cut / your potato / with a fork, / not a knife.
B : 기억해 / 잘라 / 당신의 감자를 / 포크로 / 칼이 아닌
A : Why is that?
A : 왜 그렇죠?
B : That's / a German dining custom. / <u>When in Rome, do as the Romans do.</u>
B : 그것은 / 독일인의 식사 예절이다 / <u>로마에 가면 로마의 법을 따라야 한다.</u></td></tr>
</table>

<table>
<tr><td>해석</td><td>A : 다음 주에 독일에 갈 예정입니다. 조언이 있나요?
B : 감자는 칼이 아닌 포크로 자르는 것을 잊지 마세요.
A : 왜 그러세요?
B : 그건 독일의 식사 관습이에요. 로마에 가면 로마인의 법을 따라야죠.</td></tr>
</table>

⚠ 선지 더 알아보기

기회가 왔을 때 잡아야 한다.
: Strike while the iron is hot
진정한 배움에는 지름길이 없다.
: There is no royal road to learning.
사귀는 친구를 보면 그 사람을 알 수 있다.
: A man is known by the company he keeps.

10 | ③

<table>
<tr><td rowspan="2">직독
직해</td><td>A : How do you like / your new job?</td></tr>
<tr><td>A : 마음에 드나요? / 새로운 직장이
B : It's a lot of work, but / I like / it / very much.
B : 많은 일이 있지만 / 나는 좋아한다 / 그것을 / 매우
A : Really? / That's great.
A : 정말? / 좋겠다
B : Thanks. / I'm / very satisfied / with it.
B : 고마워 / 나는 / 매우 만족한다 / 그것을</td></tr>
</table>

<table>
<tr><td>해석</td><td>A : 새 직장은 마음에 드시나요?
B : 일이 많지만 아주 마음에 들어요.
A : 정말요? 잘됐네요.
B : 고마워요. 매우 만족합니다.</td></tr>
</table>

⊘ 문제 유형 심정

감정을 나타내는 단어를 보고 풀기!

B의 말 중 "I'm very satisfied"를 통해 B의 심정이 ②만족하다임을 알 수 있다.

11 | ①

직독직해

A : I'd like to / get a refund / for this jacket.
A : 나는 원한다 / 환불 받기를 / 이 재킷을
B : May I ask / you / what the problem is?
B : 여쭤봐도 될까요 / 당신에게 / 무엇이 문제인지
A : It's too big / for me.
A : 이것은 너무 크다 / 나에게
B : Would you like to exchange / it for a smaller size?
B : 교환해드릴까요 / 더 작은 사이즈로
A : No, thank you.
A : 아니요 / 감사합니다

해석

A : 이 재킷을 환불받고 싶습니다.
B : 뭐가 문제인지 물어봐도 될까요?
A : 저에게는 너무 큽니다.
B : 더 작은 사이즈로 교환하시겠어요?
A : 아니요, 괜찮습니다.

⊙ **문제 유형** 대화가 이루어지는 장소

장소를 나타내는 포인트 단어 찾기!

refund(환불)과 jacket(재킷)라는 단어를 통해 대화가 이루어지는 장소가 옷 가게임을 알 수 있다.

12 | ③

직독직해

One day / in math class, / Mary / volunteered / to solve a problem.
어느날 / 수학 시간에 / 마리는 / 자원했다 / 풀기로 / 문제를
When she got to the front of / the class, / she / realized / that it was very difficult.
그녀가 앞으로 갔을 때 / 교실에 / 그녀는 / 깨달았다 / 이것은/ 매우 어렵다고
But / she remained / calm / and / began to / write / the answer / on the blackboard.
그러나 / 그녀는 / 유지했다 / 평정심을 / 그리고 / 시작했다 / 답을 쓰기를 / 칠판에

해석

어느 날 수학 시간에 메리는 문제를 풀겠다고 자원했습니다. 교실 앞에 도착한 메리는 문제가, 매우 어렵다는 것을 깨달았습니다. 하지만 그녀는 침착하게 칠판에 답을 적기 시작했습니다.

⊙ **문제 유형** 지칭추론 (대명사 it)

it이 적힌 문장의 앞 문장을 해석해 보기!

it이 적힌 문장의 앞 문장을 해석 해 보면 One day in math class, Mary volunteered to solve a problem.(어느 날 수학 시간에 메리는 문제를 풀겠다고 자원했다) 그래서 it이 가리키는 것이 problem(문제)임을 알 수 있다.

⚠ **선지 더 알아보기**

blackboard : 칠판
classroom : 교실
school : 학교

13 | ③

직독직해

A : Can you do me a favor?
A : 부탁 하나만 들어줄래?
B : Sure, Mom. What is it?
B : 물론이죠 / 엄마 / 무엇인가요?
A : Can you pick up / some eggs / from the supermarket?
A : 사다 줄 수 있니 / 몇몇의 계란을 / 슈퍼마켓에서
B : Okay. / I'll stop by on my way home.
B : 알겠어요 / 집에 가는 길에 들릴게요

⊙ **문제 유형** 대화 내용 파악

선지를 해석 후 빈 칸에 알맞은 문장을 찾기!

A가 Can you pick up some eggs from the supermarket?(슈퍼마켓에서 계란 좀 사올 수 있니?) 물어봤기 때문에 Can you do me a favor? (부탁 하나만 들어줄래?)가 빈 칸에 알맞다.

⚠ **선지 더 알아보기**

Why are you so upset?
: 왜 그렇게 화가 났어?
Will you teach me how?
: 어떻게 가르쳐 줄래요?
How far is the bus stop?
: 버스 정류장이 얼마나 멀어요?

14 | ②

직독직해

A : How long / have you been skating?
A : 얼마나 / 스케이팅을 했나요
B : I have been skating / since I was 10.
B : 나는 스케이팅을 하고 있다 / 10살 부터

✓ 문제 유형 대화 내용 파악

선지를 해석 후 빈 칸에 알맞은 문장을 찾기!

A의 질문을 보면 How long (얼마나)과 skating (스케이팅) 단어를 통해 스케이트를 탄 기간을 물어보므로 빈 칸을 유추해 보면 B가 I have been skating since I was 10(10살 때부터 스케이트를 탔다)라고 대답하는 것이 알맞다.

⚠ **선지 더 알아보기**

I went skiing last month
: 지난 달에 스키를 탔다.

I will learn how to skate this winter
: 이번 겨울에 스케이트 타는 법을 배울 것이다.

I want to go skating with my parents
: 부모님과 함께 스케이트를 타고 싶다.

15 | ②

직독직해

A : What can we do / to save / electricity?
A : 무엇을 하고 있을까요 / 절약하기 위해 / 전기를

B : We can switch off / the lights / when we leave rooms.
B : 우리는 끌 수 있다 / 불을 / 우리가 방을 나갈 때

A : I see. / Anything else?
A : 이해했다 / 다른 것은?

B : It's also / a good idea / to use the stairs / instead of / the elevator.
B : 이것 또한 / 좋은 생각이다 / 계단을 이용하는 것이 / 대신에 / 엘리베이터

해석

A : 전기를 절약하려면 어떻게 해야 하나요?
B : 방을 나갈 때 조명을 끌 수 있습니다.
A : 알겠어요. 다른 건요?
B : 엘리베이터 대신 계단을 이용하는 것도 좋은 방법입니다.

✓ 문제 유형 주제

글의 첫 문장 해석하기! (A의 말이 정답을 가르쳐준다)

What can we do to save electricity?(전기를 절약하면 어떻게 해야 하나요?) 전기 절약에 대해 묻고 있으므로 ② 전기 절약 방법임을 알 수 있다.

16 | ①

직독직해

I want to / express / my thanks / for writing a recommendation letter / for me.
나는 원하다 / 표현하기를 / 나의 감사를 / 추천서를 써주셔서 / 저를 위해

Thanks to you, / I now / have a chance / to study / in my dream university.
당신에게 감사합니다 / 나는 지금 / 기회를 얻고 있다 / 공부할 / 나의 꿈에 그리던 대학에서

I will never forget / your help and kindness
나는 절대 잊지 않을 것이다 / 당신의 도움과 친절을

해석

저를 위해 추천서를 써 주셔서 감사하다는 말씀을 드리고 싶습니다. 덕분에 꿈에 그리던 대학에서 공부할 수 있는 기회를 얻게 되었습니다. 여러분의 도움과 친절을 절대 잊지 않겠습니다.

✓ 문제 유형 글을 쓴 목적

첫 문장 or 마지막 문장에서 핵심 단어 찾기

I want to express my thanks for writing a recommendation letter for me.(저를 위해 추천서를 써 주셔서 감사하다는 말씀을 드리고 싶습니다) 이 문장을 통해 이 글은 감사하려고 쓴 글임을 알 수 있다.

17 | ①

직독직해

SWIMMING POOL RULES
수영장 규칙
You must :
당신은 반드시 :
• take a shower / before entering the pool.
• 샤워를 해라 / 들어가기 전에 / 풀에
• always wear / a swimming cap.
• 항상 착용해 / 수영모를
• follow / the instructions / of the lifeguard.
• 따라라 / 지시를 / 안전요원의
* Diving / is not permitted
* 다이빙은 / 허용되지 않는다

해석

수영장 규칙
반드시 :
수영장에 들어가기 전에 샤워를 하세요.
항상 수영모를 착용하세요.
안전요원의 지시를 따르세요.
* 다이빙은 허용되지 않습니다.

You must take a shower before entering the pool.(수영장에 들어가기 전에 반드시 샤워를 하세요) 이 문장으로 보아 ① 수영 후에는 샤워를 해야 한다가 틀린 선지임을 알 수 있다.

18 | ④

직독직해

The International Mango Festival, / which started in 1987, / celebrates / everything / about mangoes.
국제 망고 축제가 / 시작했다 / 1987년에 / 기념한다 / 모든 것을 / 망고의
It is held / in India / in summer / every year.
이것은 열렸다 / 인도에서 / 여름에 / 매년
It has many events / such as / a mango eating competition / and a quiz show.
많은 행사가 있다 / ~와 같은 / 망고 시식 대회와 / 퀴즈쇼
The festival / provides / an opportunity / to taste / more than 550 kinds / of mangoes / for free.
축제는 / 제공한다 / 기회를 / 맛볼 수 있는 / 550가지 이상의 / 망고를 / 무료로

해석

1987년에 시작된 국제 망고 축제는 망고에 관한 모든 것을 기념하는 행사예요. 매년 여름 인도에서 열립니다. 망고 먹기 대회와 퀴즈쇼 등 다양한 이벤트가 열립니다. 축제에서는 550여 종의 망고를 무료로 맛볼 수 있는 기회를 제공합니다.

⊙ 문제 유형 일치 문제

글을 해석하면서 선지와 비교해 보기!

The festival provides an opportunity to taste more than 550 kinds of mangoes for free.(축제에서는 550여종의 망고를 무료로 맛볼 수 있는 기회를 제공합니다) 그러므로 ④ 망고를 맛보려면 돈을 내야 한다가 틀린 선지임을 알 수 있다.

19 | ③

직독직해

The increasing / amount of food trash / is becoming / a serious environmental problem.
증가는 / 음식 쓰레기 양의 / 되고있다 / 심각한 환경 문제가
Here are some easy ways / to decrease / the amount of food trash.
쉬운 방법들이 있다 / 감소시키는 / 음식 쓰레기의 양을
First, / make / a list of / the food / you need / before shopping.
첫째 / 만들어라 / 목록을 / 음식 / 당신이 필요한 만큼 / 쇼핑 전에
Second, / make sure not to prepare / too much food / for each meal.
둘째 / 준비하지 않도록 해라 / 너무 많은 음식을 / 매 끼니마다
Third, / save / the food / that is left for later use.
셋째 / 저장해라 / 음식을 / 나중에 쓸 수 있도록

해석

음식물 쓰레기의 증가는 심각한 환경 문제가 되고 있습니다. 다음은 음식물 쓰레기의 양을 줄일 수 있는 몇 가지 쉬운 방법입니다. 첫째, 쇼핑하기 전에 필요한 음식 목록을 작성하세요. 둘째, 매 끼니마다 너무 많은 음식을 준비하지 않도록 합니다. 셋째, 남은 음식은 나중에 사용할 수 있도록 보관하세요.

⊙ 문제 유형 주제

글의 앞부분 해석하기!

Here are some easy ways to decrease the amount of food trash.(음식물 쓰레기의 양을 줄일 수 있는 몇 가지 쉬운 방법이 있다) 로 보아 이 글의 주제는 ③ 음식물 쓰레기를 줄이는 방법이 정답이다.

20 | ②

직독직해

The students / at my high school / have / diverse backgrounds.
학생들은 / 나의 고등학교의 / 가지고 있다 / 다양한 배경을
They / are from different countries / such as Russia, Thailand, and Chile.
그들은 / 다른 나라 출신이다 / 러시아, 태국 그리고 칠레 같은
I am quite happy to be in a multicultural environment with my international classmates.
나는 매우 행복하다 / 다문화 환경에 / 국제반 친구들과 함께

해석

제가 다니는 고등학교의 학생들은 다양한 배경이 있습니다. 러시아, 태국, 칠레 등 다양한 나라에서 온 학생들이에요. 저는 다양한 국적의 친구들과 함께 다문화적인 환경에서 생활하게 되어 매우 행복합니다.

⊙ 문제 유형 빈 칸 추론

빈 칸이 있는 문장의 앞문장 or 뒷문장 해석하기!

The students at my high school have diverse backgrounds.(우리 고등학교 학생들은 다양한 배경을 가지고 있다) They are from different countries such as Russia, Thailand, and Chile.(러시아, 태국과 칠레 등 다양한 나라에서 온 학생들이다)

⚠ 선지 더 알아보기

close : 가까운
negative : 부정적인
single : 단일의

직독직해

Tate Modern / is a museum / located in London.
테이트 모던은 / 박물관이다 / 런던에 위치한
It used to be / a power station.
이곳은 예전에는 / 발전소였다
After the station closed down / in 1981, / the British government / decided to / transform / it / into a museum / instead of / destroying it.
발전소가 문닫은 후에 / 1981년에 / 영국 정부는 / 결정했다 / 개조하기로 / 그것을 / 박물관으로 / 대신에 / 파괴하는
Now / this museum / holds / the national collection / of modern British artwork.
현재 / 이 박물관은 / 소장하고 있다 / 전국 소장품을 / 현대 영국 미술 작품의

해석

테이트 모던은 런던에 위치한 박물관이에요. 원래는 발전소였어요. 1981년 발전소가 문을 닫은 후 영국 정부는 파괴하는 대신 박물관으로 만들기로 결정했어요. 현재 이 박물관은 영국 현대 미술품의 국립 컬렉션을 소장하고 있어요.

⊘ 문제 유형 빈 칸 추론

빈 칸이 있는 문장의 앞문장 or 뒷문장을 해석하기!

현재 테이트 모던은 런던에 위치한 박물관이라는 것으로 보아 발전소를 박물관으로 바꾸었다라는 의미를 가질 수 있도록 빈칸에는 <u>transform</u>이 들어가는 것이 알맞다.

⚠ **선지 더 알아보기**

balance : 균형을 유지하다
forbid : 금지하다
prevent : 예방하다

직독직해

Do you love ice cream?
좋아하나요 / 아이스크림을
(①) Like most people, / I love ice cream / very much.
대부분의 사람들처럼 / 나도 좋아한다 아이스크림을 / 매우
(②) According to a newspaper article, / your favorite ice cream flavor / could show / what kind of person you are.
신문 기사에 따르면 / 당신이 가장 좋아하는 아이스크림 맛은 / 보여준다 / 당신이 어떤 사람인지를
(③) For example, / if your favorite flavor / is chocolate, / it / means / that you are very creative / and enthusiastic.
예를 들어 / 만약 여러분이 가장 좋아하는 맛이 / 초콜릿이라면 / 그것은 / 의미한다 / 여러분은 매우 창의적이고 / 열정적이라는
(What if / your favorite flavor / is strawberry?)
어떨까요 / 당신이 가장 좋아하는 맛이 / 딸기라면
It / means / you are logical / and thoughtful.
그것은 / 의미한다 / 당신이 논리적이고 / 사려 깊다는 것을

해석

아이스크림을 좋아하시나요? 대부분의 사람들과 마찬가지로 저도 아이스크림을 아주 좋아합니다. 신문 기사에 따르면, 좋아하는 아이스크림 맛은 당신이 어떤 사람인지 보여줄 수 있다고 합니다. 예를 들어, 가장 좋아하는 맛이 초콜릿이라면 매우 창의적이고 열정적인 사람이라는 뜻입니다. 가장 좋아하는 맛이 딸기라면 어떨까요? 논리적이고 사려 깊은 사람이라는 뜻입니다.

⊘ 문제 유형 문장 삽입

먼저 주어진 문장 해석하고, 접속사를 확인한 뒤에 전체 글을 해석하면서 문장이 들어갈 만한 위치 찾기

What if your favorite flavor is strawberry?(가장 좋아하는 맛이 딸기라면 어떨까요?) 좋아하는 아이스크림의 맛이 그 사람을 나타낸다고 언급한 것으로 보아 이 문장이 ④에 들어가면 글이 매끄럽게 해석이 된다.

23 | ③

직독 직해

As you know, / many young people / these days / suffer from / neck pain.
당신이 알다시피 / 많은 젊은 사람들이 / 요즘 / 겪는다 / 목 통증을

This is because / they / spend / many hours / per day / leaning over / a desk / while studying / or using / smartphones.
그 이유는 / 그들은 / 소비한다 / 많은 시간을 / 하루 동안에 / 기대어 / 책상 위에서 / 공부하거나 / 사용하기 위해 / 스마트폰을

But don't worry.
그러나 걱정하지 말아라

We have some exercises / that can help / prevent / and reduce / neck pain.
우리는 운동들이 있다 / 도움을 줄 수 있는 / 예방하고 / 감소시키는 / 목 통증을

This is how you do them.
이렇게 하면 된다

해석

아시다시피 요즘 많은 젊은이들이 목 통증을 호소합니다. 공부하거나 스마트폰을 사용하면서 하루에 많은 시간을 책상에 기대어 있기 때문입니다. 하지만 걱정하지 마세요. 목 통증을 예방하고 줄이는 데 도움이 되는 몇 가지 운동이 있습니다. 지금부터 그 방법을 소개합니다.

⊙ **문제 유형** 뒤에 이어질 내용

글의 마지막 부분을 중심으로 해석하기

We have some exercises that can help prevent and reduce neck pain. This is how you do them. (목 통증을 예방하고 줄이는데 도움이 되는 몇 가지 운동이 있다. 지금부터 그 방법을 소개한다)으로 보아 ③ <u>목 통증을 예방하고 줄일 수 있는 운동법</u>이 정답이다.

24 | ②

직독 직해

When comparing / tennis with table tennis, / there are some similarities and differences.
비교해보면 / 테니스와 탁구를 / 몇 가지 공통점과 차이점이 있다

First, / they are / both racket sports.
첫째, / 그들은 / 모두 라켓 스포츠이다.

Also, / both players / hit / a ball / back and forth / across a net.
또한 / 두 선수들이 / 친다 / 공을 / 앞뒤로 / 네트를 가로질러

However, / there are differences, too.
그렇지만 / 차이점도 있다

While tennis / is played / on a court, / table tennis / is played / on a table.
테니스는 / 치러진다 / 코트 위에서 / 탁구는 / 치러진다 / 테이블 위에서

Another difference / is that a much bigger racket / is used / in tennis / compared to / table tennis.
다른 차이는 / 더 큰 라켓을 / 사용한다 / 테니스에서는 / 비교하면 / 탁구에

해석

테니스와 탁구를 비교할 때 몇 가지 유사점과 차이점이 있습니다. 첫째, 둘 다 라켓 스포츠입니다. 또한 두 선수 모두 네트를 사이에 두고 공을 앞뒤로 치는 스포츠입니다. 하지만 차이점도 있습니다. 테니스는 코트에서 하는 반면 탁구는 테이블 위에서 합니다. 또 다른 차이점은 테니스에서는 탁구에 비해 훨씬 더 큰 라켓을 사용한다는 것입니다.

⊙ **문제 유형** 빈 칸 추론

빈 칸이 있는 문장의 앞문장 or 뒷문장을 해석하기!

빈 칸의 앞문장은 테니스와 탁구의 공통점을 말하고 빈 칸이 있는 문장을 해석해 보면 차이점도 있다고 했기에 빈칸에는 ② <u>However</u> 이 알맞다.

25 | ④

⊙ **문제 유형** 주제

글의 첫 문장 해석하기!

When comparing tennis with table tennis, there are some similarities and differences.(테니스와 탁구를 비교할 때 몇 가지 유사점과 차이점이 있다) 를 통해 윗글의 주제가 ④ <u>탁구와 테니스의 유사점과 차이점</u>임을 알 수 있다.

01	①	02	②	03	②	04	③	05	①
06	③	07	①	08	④	09	④	10	①
11	①	12	③	13	④	14	③	15	②
16	①	17	④	18	③	19	④	20	②
21	②	22	④	23	④	24	②	25	③

01 | ①

직독직해
For children, / it is important / to encourage / good behavior. /
아이들에게는 / 중요하다 / 격려하는 것이 / 좋은 행동을

해석
어린이에게는 좋은 행동을 장려하는 것이 중요합니다.

⚠ **선지 더 알아보기**

규칙 : rule
감정 : feeling, emotion
신념 : belief, creed

02 | ②

직독직해
She / had to / put off / the trip / because of / heavy rain.
그녀는 / 해야 했다 / 연기 / 여행을 / 때문에 / 폭우

해석
폭우로 인해 여행을 미뤄야 했습니다.

⚠ **선지 더 알아보기**

계획하다 : plan for
기록하다 : write down
시작하다 : start, begin

03 | ②

직독직해
Many online lessons / are free of charge.
많은 온라인 강의들이 / 무료이다.
Besides, / you can watch / them anytime and anywhere.
게다가 / 당신은 볼 수 있다 / 그들을 / 온라인 강의 들을 / 언제나 어디서든

해석
많은 온라인 강의가 무료입니다. 게다가 언제 어디서나 시청할 수 있습니다.

⚠ **선지 더 알아보기**

마침내 : Finally
그러나 : However
예를 들면 : For example

04 | ③

직독직해
While some people say / that a glass / is half full, / others say / that it's half empty.
어떤 사람들이 말하는 반면 / 한 잔이 / 반쯤 찼다고 / 다른 사람들은 말한다 / 반이 비어 있다고

해석
어떤 사람들은 잔이 반쯤 찼다고 말하지만, 어떤 사람들은 반쯤 비어 있다고 말합니다.

While은 반면에라는 의미를 가졌다.

반의어
• full (가득 찬) - empty (비어 있는)
• high (높은) - low (낮은)
• hot (더운) - cold (추운)
• fast (빠른) - slow (천천히)

유의어
• tiny (아주 작은) - small (작은)

05 | ①

직독직해
Happy Earth Day Event
행복한 지구의 날 행사
When : April 22, 2022
일시 : 2022년 4월 22일
Where : Community Center
장소 : 커뮤니티 센터
What to do :
하는 것
• Exchange used things
• 교환한다 / 중고품을
• Make / 100% natural shampoo
• 만든다 / 100% 천연 샴푸를

행사 날짜(Date)와 행사 장소(Place), 행사 내용(What to do)는 언급되었으나 참가 자격은 언급되지 않았다.

06 │ ③

직독 직해	• When you <u>leave</u> the train, / make sure / you / take / all your belongings. • 당신이 기차를 떠날 때(내릴 때), / 해야 한다 / 당신은 / 챙겨야 / 모든 소지품을 • Please <u>leave</u> the book / on the table / after reading it. • 책을 놓아주세요 / 테이블에 / 그것을 읽고 난 후에

leave는 일반적으로 '떠나다.'라는 뜻으로 쓰이지만, '~을 어떤 상태로 남겨놓다'의 의미도 있다. 사람이나 물건을 어떤 상태로 둔다는 의미를 전할 때는 leave 다음에 사람이나 물건을 언급하면 된다.

07 │ ①

직독 직해	• Minsu, / <u>what</u> are you going to do / this weekend? • 민수야, / 뭐 할거야 / 주말에 • No one knows / exactly / <u>what</u> happened. • 아무도 모른다 / 정확히 / 무슨 일이 일어났는지는

What : (의문문) '무엇', '몇', '무슨'
관계대명사 what : ~하는 것

08 │ ④

직독 직해	• Dad's heart / <u>is filled with</u> / love / for me. • 아빠의 마음은 / 가득 차 있다 / 사랑으로 / 나에 대한 • Alice / <u>was satisfied with</u> / her performance. • 앨리스는 / 만족했다 / 그녀의 연기에

be filled with : ~로 가득차다
be satisfied with : ~에 만족하다

09 │ ④

직독 직해	A : What are you doing, Junho? A : 뭐하고 있니, 준호야? B : I'm / trying to / solve this math problem, / but / it's too difficult / for me. B : 나는 / 시도하고 있다 / 수학문제 풀기를 / 그러나 / 이것은 너무 어렵다 / 나에게

직독 직해	A : Let's try to figure it out together. A : 같이 해결해 봅시다 B : That's a good idea. <u>Two heads are better than one.</u> B : 좋은 생각이다 / 혼자보다 두 명이 함께 생각하는 것이 낫다

해석	A : 준호야, 뭐하고 있어? B : 이 수학 문제를 풀려고 하는데 너무 어렵습니다. A : 함께 풀어보자! B : 좋은 생각이네요. 혼자보다 두 명이 함께 생각하는 것이 낫죠.

⚠ 선지 더 알아보기

수고 없이 얻는 것은 없다.
: No pain, no gain.
사공이 많으면 배가 산으로 간다.
: Too many cooks spoil the broth.
겉모습만으로 사람을 판단해서는 안 된다.
: Can't judge a book by its cover.

10 │ ①

직독 직해	A : Did you get / the results / for the English speech contest? A : 결과가 나왔니? / 영어 말하기 대회 B : Yeah, / I just got them. B : 네 / 방금 받았어요 A : So, / how did you do? A : 그래서, 어떻게 나왔나요 B : I / won first prize. / It's / the happiest day / of my life. B : 나는 / 1등 했다 / 이것은 / 가장 행복한 날이다 / 내 인생에서

해석	A : 영어 말하기 대회 결과 받았어요? B : 네, 방금 받았어요. A : 어떻게 지내셨나요? B : 제가 1등을 했어요. 제 인생에서 가장 행복한 날이예요.

✓ **문제 유형** 심정

감정을 나타내는 단어를 보고 풀기!

B의 말 중 "It's the happiest day"를 통해 B의 심정이 행복임을 알 수 있다.

11 | ①

직독 직해	A : Good morning. / How may I help you? A : 좋은 아침입니다 / 무엇을 도와드릴까요? B : Hi, / I'd like to open / a bank account. B : 안녕하세요 / 나는 / 개설하기 원한다 / 은행 계좌를 A : All right. / Please fill out / this form. A : 알겠습니다 / 기입해주세요 / 이 양식을 B : Thanks. / I'll do it / now. B : 감사합니다 / 하겠습니다 / 지금
해석	A : 안녕하세요. 무엇을 도와드릴까요? B : 안녕하세요, 은행 계좌를 개설하고 싶습니다. A : 알겠습니다. 이 양식을 작성해 주세요. B : 고마워요. 지금 할게요.

⊙ **문제 유형** 대화가 이루어지는 장소

장소를 나타내는 포인트 단어 찾기!

a bank account (은행 계좌)라는 단어를 통해 대화가 이루어지는 장소가 은행임을 알 수 있다.

12 | ③

직독 직해	One day, / Michael saw / an advertisement / for a reporter / in the local newspaper. 어느날 / 마이클은 보았다 / 광고를 / 기자를 위한 / 지역 신문에서 It / was a job / he'd always dreamed of. 그것은 / 직업이었다 / 그가 항상 꿈꾸던 So / he made up his mind / to apply / for the job. 그래서 / 그는 결심했다 / 지원하기로 / 그 일에
해석	어느 날 마이클은 지역 신문에서 기자 구인 광고를 보게 되었습니다. 그가 항상 꿈꿔왔던 직업이었죠. 그래서 그는 지원하기로 결심했습니다.

⊙ **문제 유형** 지칭추론(대명사 it)

it이 적힌 문장의 앞 문장을 해석해 보기!

It이 적힌 문장의 앞 문장을 해석해보면 One day, Michael saw an advertisement for a reporter in the local newspaper. (어느 날, 마이클은 지역신문에서 기자 구인 광고를 보았다) 그래서 it이 가리키는 것이 reporter (기자)임을 알 수 있다.

⚠ **선지 더 알아보기**

actor : 배우
teacher : 선생님
desiner : 디자이너

13 | ④

직독 직해	A : What kind of / volunteer work / are you going to do? A : 어떤 종류의 / 봉사활동을 / 당신은 할 예정인가 B : I'm going to teach / Korean / to foreigners. B : 나는 가르칠 예정이다 / 한국어를 / 외국인에게 A : Great. Remember you should volunteer with a good heart. A : 좋다 / 기억하라 / 당신은 봉사해야 한다 / 좋은 마음으로 B : I'll keep that in mind. B : 명심하겠다.

⊙ **문제 유형** 대화 내용 파악

선지를 해석 후 빈 칸에 알맞은 문장을 찾기!

B의 대답을 통해 한국어를 외국인에게 가르칠 예정이라는 것을 알 수 있고, volunteer(자원봉사) 단어를 통해 빈 칸을 유추해 보면 A가 What kind of volunteer work are you going to do(어떤 종류의 자원 봉사 활동을 할 예정인가요?)라고 묻는 것이 알맞다.

⚠ **선지 더 알아보기**

When is your birthday?
: 생일이 언제인가요?

What did you do last Friday?
: 지난 금요일에 무엇을 했나요?

What do you think about Korean food?
: 한국 음식에 대해 어떻게 생각하세요?

14 | ③

직독 직해	A : Have you decided / which club / you're going to join / this year? A : 결정했는가 / 클럽을 / 당신이 참여할 / 올해 B : I've decided / to join / the dance club. B : 나는 결정했다 / 참여하기로 / 춤 클럽에

⊙ **문제 유형** 대화 내용 파악

선지를 해석 후 빈 칸에 알맞은 문장을 찾기!

A의 질문 속 club(동아리) 단어를 통해 빈 칸을 유추해 보면 B가 I've decided to join the dance club (댄스 동아리에 가입하기로 했다) 라고 대답하는 것이 알맞다.

I left Korea for Canada
: 한국을 떠나 캐나다로 갔다.

I went to see a doctor yesterday
: 어제 병원에 갔다.

I had spaghetti for dinner last night
: 어젯밤에 저녁으로 스파게티를 먹었다.

15 | ②

직독직해

A : Doctor, / my eyes / are tired / from working / on the computer / all day.
A : 의사 선생님, / 나의 눈이 / 피곤하다 / 일을 해서 / 컴퓨터 앞에 / 하루종일

What / can I do / to look after / my eyes?
어떻게 / 나는 할 수 있는가 / 돌보는 것을 / 나의 눈을

B : Make sure / you have enough sleep / to rest your eyes.
B : 취하라 / 당신은 / 충분히 잠을 자는 것을 / 눈이 쉴 수 있도록

A : Okay. Then / what else / can you recommend?
A : 알겠다 / 그럼 / 또 / 어떤 것을 추천해줄 수 있나?

B : Eat fruits and vegetables / that have lots of vitamins.
B : 먹어라 / 과일과 야채를 / 많이 가진 / 비타민을

해석

A : 선생님, 하루 종일 컴퓨터로 작업하느라 눈이 피곤해요. 눈을 관리하려면 어떻게 해야 하나요?
B : 눈을 쉬게 할 만큼 충분한 수면을 취하세요.
A : 알았어요. 그럼 또 어떤 것을 추천해 주시겠어요?
B : 비타민이 많이 함유된 과일과 채소를 섭취하세요.

☺ **문제 유형** 대화의 주제

첫 문장 해석하기!(A의 말이 정답을 가르쳐준다)

첫 문장을 해석해 보면 Doctor, my eyes are tired from working on the computer all day. What can I do to look after my eyes?(선생님, 하루종일 컴퓨터로 작업하느라 눈이 피곤해요. 눈을 관리하려면 어떻게 하나요?) A는 의사에게 하루종일 컴퓨터로 작업해 피곤한 눈을 어떻게 관리해야 하는지를 물어봤기에 대화의 주제가 눈 건강을 돌보는 방법인 것을 알 수 있다.

16 | ①

직독직해

This is an announcement / from the management office.
안내 드립니다 / 관리 사무소에서

As you / were informed / yesterday, / the electricity / will be cut / this afternoon / from 1 p.m. to 2 p.m.
우리는 / 공지했다 / 어제 / 전기가 / 끊길 것이다 / 오후에 / 1시부터 2시까지

We're / sorry / for any inconvenience.
우리는 / 사과한다 / 불편에 대해

Thank you / for your understanding.
감사합니다 / 당신의 이해를

해석

운영사무국 공지사항입니다. 어제 안내해 드린 바와 같이 오늘 오후 1시부터 2시까지 전기 공급이 중단될 예정이오니 불편을 드려 죄송합니다. 많은 양해 부탁드립니다.

☺ **문제 유형** 글을 쓴 목적

첫 문장 or 마지막 문장에서 핵심 단어 찾기

announcement(안내)로 보아 이 글은 공지하려고 쓴 글임을 알 수 있다.

17 | ④

직독직해

Shakespeare Museum
세익스피어 박물관
Hours
시간
• Open daily : 9 : 00 a.m. - 6 : 00 p.m.
  개장 시간 : 오전 9시~오후 6시
Admission
입장
• Adults : $ 12
• 어른 : 12달러
• Students and children : $ 8
• 학생과 아이들 : 8달러
• 10% discount/ for groups / of ten or more
• 10% 할인 / 단체 / 10명 이상
Photography
사진
• Visitors / can take / photographs
• 방문자는 / 촬영할 수 있다 / 사진을

☺ **문제 유형** 일치 문제

글을 해석하면서 선지와 비교해보기!

Visitors can take photographs(방문객들은 사진을 찍을 수 있습니다) 그러므로 ④ 모든 사진 촬영은 금지된다가 틀린 선지임을 알 수 있다.

18 | ③

> The 2022 Science Presentation Contest / will be held / on May 20, 2022.
> 2022년 과학 발표 대회는 / 개최된다 / 2022년 5월 20일에
> The topic is global warming.
> 주제는 / 지구온난화이다
> Contestants / can participate / in the contest / only as individuals.
> 참가자는 / 참여할 수 있다 / 대회에서 / 오직 개인으로
> Presentations should not be longer than 10 minutes.
> 발표는 / 넘으면 안 된다 / 10분 이상
> For more information, / see / Mr. Lee at the teachers' office.
> 더 많은 정보는 / 방문해라 / 이 선생님 사무실에

해석 2022 과학 프레젠테이션 콘테스트는 2022년 5월 20일에 개최됩니다. 주제는 지구 온난화입니다. 참가자는 개인 자격으로만 대회에 참가할 수 있습니다. 프레젠테이션은 10분을 넘지 않아야 합니다. 자세한 내용은 교무실에 있는 이 선생님께 문의하세요.

◉ **문제 유형** 일치 문제

글을 해석하면서 선지와 비교 해보기!

Contestants can participate in the contest only as individuals.(참가자는 개인 자격으로만 대회에 참가할 수 있습니다) 그러므로 ③ 그룹 참가가 가능하다가 틀린 선지임을 알 수 있다.

19 | ④

> I'd like to tell / you / about appropriate actions / to take in emergency situations.
> 나는 말하고 싶다 / 당신에게 / 적절한 행동에 대해서 / 위급한 상황에서
> First, / when there is a fire, / use the stairs / instead of / taking the elevator.
> 첫째 / 불을 났을 때 / 계단을 사용하라 / 대신에 / 엘리베이터를 타는 것
> Second, / in the case of an earthquake, / go to an open area / and stay away / from tall buildings / because / they may fall on you.
> 둘째 / 지진이 났을 때 / 개방된 지역으로 가라 / 멀리하라 / 높은 빌딩을 / 왜냐하면 / 그것들이 떨어질 수 있다 / 당신에게

해석 비상 상황에서 취해야 할 적절한 행동에 대해 알려드리고자 합니다. 첫째, 불이 났을 때는 엘리베이터를 이용하지 말고 계단을 이용하세요. 둘째, 지진이 발생하면 높은 건물이 무너질 수 있으므로 탁 트인 장소로 이동하고 높은 건물에서 멀리 떨어집니다.

◉ **문제 유형** 주제

글의 앞부분 해석하기!

I'd like to tell you about appropriate actions to take in emergency situations(비상 사태에서 취해야 할 적절한 행동에 대해 알려드리고자 한다.)로 보아 ④ 비상사태 발생 시 대처 방법이 정답이다.

20 | ③

> These days, / many people / make reservations / at restaurants / and never show up.
> 요즘 / 많은 사람들이 / 예약을 하고 / 식당에 / 나타나지 않는다
> Here are some tips / for restaurants / to reduce / no-show customers.
> 여러 팁들이 있다 / 식당을 위한 / 줄이기 위한 / 노쇼 고객을
> First, / ask for a deposit.
> 첫째 / 요청하라 / 보증금을
> If the customers don't show up, / they'll lose / their money.
> 손님들이 나타나지 않으면 / 그들은 잃게 된다 / 그들의 돈을
> Second, / call the customer / the day before / to confirm the reservation.
> 둘째 / 손님에게 전화해 / 전날에 / 확인하라 / 예약을

해석 요즘에는 레스토랑에 예약만 하고 나타나지 않는 경우가 많습니다. 레스토랑에서 노쇼 고객을 줄이기 위한 몇 가지 팁을 소개합니다. 첫째, 보증금을 요구하세요. 고객이 나타나지 않으면 돈을 잃게 됩니다. 둘째, 전날 고객에게 전화하여 예약을 확인하세요.

◉ **문제 유형** 빈 칸 추론

빈 칸이 있는 문장의 앞문장 or 뒷문장을 해석하기!

Second, call the customer the day before to confirm the reservation.(두번째, 예약 전날 고객에게 전화를 걸어 예약을 확인한다) 고객에게 전화를 건다는 것으로 보아 빈 칸에는 ③ confirm이 알맞다.

cook : 요리하다
forget : 잊어버리다
imagine : 상상하다

21 | ②

직독 직해

Weather forecasters / predict / the amount of rain, / wind speeds, / and paths of storms.
일기 예보는 / 예측한다 / 비의 양과 / 바람 속도 / 그리고 폭풍의 경로를
In order to do so, / they observe / the weather conditions / and use / their knowledge / of weather patterns.
이를 위해/ 그들은 관찰한다 / 기상 상태를 / 그리고 / 활용한다 / 그들의 지식을 / 기상 패턴에 대한
Based on / current evidence and / past experience, / they / decide / what the weather will be like.
바탕으로 / 현재의 증거와 / 과거 경험을 / 그들은 / 결정한다 / 날씨가 어떨지

해석

기상예보관은 비의 양, 풍속, 폭풍의 경로를 예측합니다. 이를 위해 그들은 기상 상태를 관찰하고 날씨 패턴에 대한 지식을 활용합니다. 현재의 증거와 과거의 경험을 바탕으로 날씨가 어떻게 될지 결정합니다.

⊙ **문제 유형** 빈 칸 추론

빈 칸이 있는 문장의 앞문장 or 뒷문장을 해석하기!

Weather forecasters predict the amount of rain, wind speeds, and paths of storms.(기상예보관은 비의 양, 풍속, 폭풍의 경로를 예측한다.) 기상예보관은 날씨를 예측하는 사람이기에 빈 칸에는 ② predict이 알맞다.

Ignore : 무시하다
violate : 위반하다
negotiate : 협상하다

22 | ④

직독 직해

(①) Washing your hands / with soap / helps / prevent / the spread of disease.
당신의 손을 씻는 것은 / 비누로 / 도움을 준다 / 예방하는데 / 질병 전파를
(②) In fact, / in West and Central Africa alone, / washing hands / with soap / could save / about half a million lives / each year.
사실 / 서아프리카와 중앙아프리카에서 / 손을 씻는 것 / 비누로 / 구할 수 있다 / 약 50만 명의 생명을 / 매년
(③) However, / the problem / is that soap / is expensive / in this region.
그러나 / 문제는 / 비누가 / 비싸다는 것이다 / 그 지역에
(To overcome this problem, / soap can be made / by volunteer groups / and donated to the countries / that need it.)
(그 문제를 극복하기 위해 / 비누는 / 만들어진다 / 봉사자 단체에 의해 / 그리고 나라에 기부된다 / 그것(비누)가 필요한)
This way, / we can help / save more lives.
이 방법이 / 우리는 / 도울 수 있다 / 더 많은 생명을 구하는데

해석

비누로 손을 씻으면 질병 확산을 예방하는 데 도움이 됩니다. 실제로 서부 및 중앙 아프리카에서만 비누로 손을 씻으면 매년 약 50만 명의 생명을 구할 수 있습니다. 하지만 문제는 이 지역에서는 비누가 비싸다는 것입니다. 이렇게 하면 더 많은 생명을 구할 수 있습니다. 이 문제를 극복하기 위해 자원봉사 단체에서 비누를 만들어 비누가 필요한 국가에 기부할 수 있습니다.

⊙ **문제 유형** 문장 삽입

먼저 주어진 문장 해석하고, 접속사를 확인한 뒤에 전체 글을 해석하면서 문장이 들어갈 만한 위치 찾기

To overcome this problem, soap can be made by volunteer groups and donated to the countries that need it.(이 문제를 극복하기 위해 자원봉사 단체에서 비누를 만들어 비누가 필요한 국가에 기부할 수 있다.) 이 지역에서는 비누가 비싸다라는 문장 뒤에 비누와 관련된 것을 말해야 글이 이어지는 것이 매끄럽기 때문에 정답은 ④ 이다.

23 | ④

직독 직해	In the future, / many countries / will have the problem / of aging populations. 미래에 / 많은 나라들이 / 문제를 겪게 될 것이다. / 고령화에 We will have more and more old people. 우리는 / 가지게 될 것이다. / 더욱더 많은 고령 인구를 This means / jobs / related to / the aging population / will be in demand. 이것은 의미한다 / 직업이 / 관련된다 / 고령화에 / 수요가 생길 것이다 So / when you're thinking of / a job, / you should consider / this change. 그래서 / 당신이 생각할 때 / 직업을 / 당신은 / 고려하게 된다 / 이 변화를 Now, / I'll recommend / some job choices / for a time of aging populations. 지금 / 나는 추천하다 / 몇몇 직업 선택을 / 고령화 시대의
해석	앞으로 많은 국가가 인구 고령화 문제를 겪게 될 것입니다. 점점 더 많은 노년층이 늘어날 것입니다. 이는 인구 고령화와 관련된 일자리가 수요가 많다는 것을 의미합니다. 따라서 직업을 생각할 때 이러한 변화를 고려해야 합니다. 이제 인구 고령화 시대에 적합한 직업을 몇 가지 추천해드리겠습니다.

☑ **문제 유형** 뒤에 이어질 내용

글의 마지막 2문장을 중심으로 해석하기

마지막 문장을 해석하면 Now, I'll recommend some job choices for a time of aging populations.(이제 인구 고령화 시대에 적합한 직업을 몇가지 추천하겠다.) 로 보아 ④ 노령화 시대를 위한 직업 추천이 알맞다.

24 | ②

직독 직해	Do you know / flowers provide / us / with many health benefits? 당신은 알고 있는가 / 꽃들은 / 제공한다 / 우리에게 / 많은 건강의 이점을 For example, / the smell of roses / can help / reduce stress levels. 예를 들어 / 냄새는 / 장미의 / 도와준다 / 감소하는데 / 스트레스 지수를 Another example / is lavender. 다른 예시는 / 라벤더이다 Lavender / is known to / be helpful / if you have trouble sleeping. 라벤더는 / 잘 알려져 있다 / 도움을 주기로 / 당신이 수면장애가 있다면 These are just two examples of how flowers help with our health. 두 가지 예시에 불과하다 / 어떻게 꽃이 도와주는지 / 우리의 건강에
해석	꽃이 우리에게 많은 건강상의 이점을 제공한다는 사실을 알고 계셨나요? 예를 들어, 장미 향은 스트레스 수준을 낮추는 데 도움이 될 수 있습니다. 또 다른 예는 라벤더입니다. 라벤더는 수면에 문제가 있을 때 도움이 되는 것으로 알려져 있습니다. 이는 꽃이 건강에 도움이 되는 두 가지 예에 불과합니다.

☑ **문제 유형** 빈 칸 추론

빈 칸이 있는 문장의 앞문장 or 뒷문장을 해석하기!

빈 칸이 있는 문장을 먼저 해석해 보면. For example, the smell of roses can help <u>reduce</u> stress levels.(예를 들어 장미 향은 스트레스 해소에 도움이 될 수 있다.) 장미 향은 스트레스의 레벨을 낮추는 꽃의 긍정적인 부분이면서 스트레스 해소가 되는 것으로 선택하면 빈 칸에 ② reduce 가 알맞다.

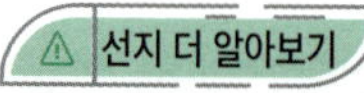

Instead : 대신에
In contrast : 대조적으로
Nevertheless : 그럼에도 불구하고

25 | ③

☑ **문제 유형** 주제

글의 첫 문장 해석하기!

Do you know flowers provide us with many health benefits?(꽃이 우리에게 많은 건강상의 이점을 제공한다는 사실을 알고 있나요?) 이 문장으로 보아 이 글의 주제는 ② 꽃이 건강에 주는 이점이다.

01	②	02	③	03	①	04	③	05	①
06	②	07	④	08	①	09	④	10	②
11	②	12	③	13	①	14	③	15	②
16	①	17	③	18	③	19	④	20	①
21	③	22	③	23	④	24	①	25	④

01 | ②

직독직해
To speak English well, / you need to / have confidence.
영어로 잘 말하기 위해서는 / 당신은 필요하다 / 자신감을 가지는 것이

해석
영어를 잘하려면 자신감이 있어야 합니다.

⚠ **선지 더 알아보기**

논리력 : logic
의구심 : doubt
창의력 : creativity

02 | ③

직독직해
The country / had to deal with / its food shortage problems.
이 나라는 / 해결해야 한다 / 식량 부족 문제를

해석
이 나라는 식량 부족 문제를 해결해야 했습니다.

⚠ **선지 더 알아보기**

생산하다 : produce
연기하다 : delay, put off
확대하다 : expand

03 | ①

직독직해
Sunlight / comes in / through the windows / and, as a result, / the house becomes warm.
햇빛이 / 들어온다 / 창문을 통해서 / 그 결과 / 집이 따뜻해 진다

해석
창문을 통해 햇빛이 들어와 결과적으로 집이 따뜻해집니다.

⚠ **선지 더 알아보기**

사실은 : in fact
예를 들면 : for instance, for example
불행하게도 : unfortunately

04 | ③

직독직해
Patience is bitter, / but its fruit is sweet.
인내는 쓰다 / 그러나 열매는 달다

해석
인내심은 쓰지만 그 열매는 달콤합니다.

but은 그러나라는 의미를 가진 역접접속사이다.

반의어
- bitter (쓰다) - sweet (달다)
- new (새로운) - old (오래된)
- clean (깨끗한) - dirty (더러운)
- easy (쉬운) - difficult (어려운)

유의어
- fine (좋은) - good (좋은)

05 | ①

직독직해
Gimchi Festival
김치 축제
Place : Gimchi Museum
장소 : 김치 박물관
Events :
행사 :
- Learning / to make / gimchi
- 배운다 / 만드는 / 김치를
- Tasting / various gimchi
- 맛보다 / 다양한 김치를 /
Entrance Fee : 5,000 won
입장료 : 5,000원
Come / and taste / traditional Korean food!
오세요 / 그리고 맛보세요 / 전통 한국 음식을

장소(Place)와 행사 내용(Events), 입장료(Entrance Fee)는 언급되었으나 날짜는 언급되지 않았다.

06 | ②

직독직해
- Let's meet / in front of / the restaurant / at 2 o'clock.
- 만나자 / 앞에서 / 식당 / 2시에
- The hotel manager / did his best / to meet / guests' needs.
- 호텔 관리자는 / 최선을 다했다 / 충족시키기 위해 / 고객의 요구를

meet는 일반적으로 '만나다.'라는 뜻으로 쓰이지만, 사람과 만나는 것뿐만 아니라, 어떠한 추상적인 개념과 만나는 경우에도 쓰인다. 기준을 충족시키거나, 날짜를 맞추거나, 기한을 맞추는 경우에도 쓰인다.

07 | ④

<table>
<tr><td rowspan="4">직독
직해</td><td>• Jim, <u>when</u> are you going to come home?</td></tr>
<tr><td>• 짐, 언제 집에 올거야?</td></tr>
<tr><td>• Listening to music can be helpful <u>when</u> you feel bad.</td></tr>
<tr><td>• 듣는 것은 / 음악을 / 도움을 줄 수 있다 / 당신의 기분이 안 좋을 때</td></tr>
</table>

When : (의문문) '언제'
접속사 when : '그 때', '~ 할 때'

08 | ②

<table>
<tr><td rowspan="4">직독
직해</td><td>• Welcome. / What / can I do <u>for</u> you, / today?</td></tr>
<tr><td>• 환영합니다 / 무엇을 / 도와드릴까요 / 오늘</td></tr>
<tr><td>• I've spent / almost an hour / waiting / <u>for</u> the bus.</td></tr>
<tr><td>• 나는 사용한다 / 거의 1시간을 / 기다리는 것에 / 버스를</td></tr>
</table>

for는 do something for someone이라는 뜻으로 누군가를 위하는 마음을 표현할 때 쓰인다. for you는 '너를 위해서'로 해석된다. waiting for은 기다린다는 동사인 wait와 함께 기다리는 대상을 직접적으로 나타낼 때 쓰인다. '~를 기다리다'라는 의미를 가진다.

09 | ④

<table>
<tr><td rowspan="8">직독
직해</td><td>A : I want to / do something / to help / children / in need.</td></tr>
<tr><td>A : 나는 원한다 / 무언가를 하기를 돕기위해 / 아이들을 / 도움이 필요한</td></tr>
<tr><td>B : That's great. / Do you have any ideas?</td></tr>
<tr><td>B : 좋은 생각이야 / 어떤 아이디어가 있어?</td></tr>
<tr><td>A : I will sell / my old clothes / and use the money / for the children. / But it's not going to be easy.</td></tr>
<tr><td>A : 나는 팔 것이다 / 나의 낡은 옷을 / 판 돈을 사용 한다 / 아이들을 위해 / 그러나 쉽지는 않을 것이다</td></tr>
<tr><td>B : Don't worry. / A journey of a thousand miles starts with a single step.</td></tr>
<tr><td>B : 걱정하지 말아요 / 천리 길도 한 걸음부터야</td></tr>
<tr><td rowspan="4">해석</td><td>A : 도움이 필요한 아이들을 돕기 위해 무언가를 하고 싶어요.</td></tr>
<tr><td>B : 그거 좋네요. 어떤 아이디어가 있나요?</td></tr>
<tr><td>A : 헌 옷을 팔아서 그 돈으로 아이들을 위해 쓰겠습니다. 하지만 쉽지 않을 거예요.</td></tr>
<tr><td>B : 걱정하지 마세요. <u>천 마일의 여정은 한 걸음에서 시작됩니다.</u></td></tr>
</table>

모든 일에는 원인이 있다.
: Everything happens for a reason.
몸이 건강해야 마음도 건강하다.
: A sound mind a sound body.
친구를 보면 그 사람을 알 수 있다.
: A man is known by the company he keeps.

10 | ②

<table>
<tr><td rowspan="8">직독
직해</td><td>A : Is this your first time / to do bungee jumping?</td></tr>
<tr><td>A : 처음하시는 건가요? / 번지점프는</td></tr>
<tr><td>B : Yes, it is. / And I'm really nervous.</td></tr>
<tr><td>B : 네, 그래서 나는 매우 긴장된다.</td></tr>
<tr><td>A : Bungee jumping is perfectly safe. You'll be fine.</td></tr>
<tr><td>A : 번지점프는 완벽하게 안전하다 / 당신은 괜찮을 것이다</td></tr>
<tr><td>B : That's what I've heard, / but I'm still / not sure / if I want to do it.</td></tr>
<tr><td>B : 그렇게 들었다 / 그러나 / 나는 여전히 / 확신이 없다 / 이것을 원하는지</td></tr>
<tr><td rowspan="4">해석</td><td>A : 번지점프가 처음인가요?</td></tr>
<tr><td>B : 네, 맞아요. 정말 긴장되네요.</td></tr>
<tr><td>A : 번지 점프는 완벽하게 안전합니다. 괜찮을 겁니다.</td></tr>
<tr><td>B : 저도 그렇게 들었지만 아직 하고싶은 지 확신이 서지 않습니다.</td></tr>
</table>

⊙ 문제 유형 심정

감정을 나타내는 단어를 보고 풀기!

B의 말 중 "I'm really nervous."를 통해 B의 심정이 불안임을 알 수 있다.

직독직해

A : Hello, / I'm looking for / a dinner table / for my house.
A : 안녕하세요 / 나는 찾고 있습니다 / 식탁을 / 우리집을 위한
B : Come this way, please. / What type would you like?
B : 이쪽으로 오십시오 / 어떤 종류를 원하시나요?
A : I'd like a round one.
A : 저는 둥근 것을 원합니다.
B : Okay. / I'll show / you / two different models.
B : 알겠어요 / 나는 보여줄 것이다 / 당신에게 / 두 가지 다른 모델을

해석

A : 안녕하세요, 저희 집 식탁을 찾고 있는데요.
B : 이쪽으로 오세요. 어떤 종류를 원하시나요?
A : 원형으로 주세요.
B : 네, 두 가지 다른 모델을 보여드리겠습니다.

⊙ 문제 유형 대화가 이루어지는 장소

장소를 나타내는 포인트 단어 찾기!

a dinner table (식탁)과 type (종류), model(모델)라는 단어를 통해 대화가 이루어지는 장소가 식탁을 파는 가구점임을 알 수 있다.

직독직해

A donation / is usually done / for kind / and good-hearted purposes.
기부는 / 보통 사용된다 / 친절하고 / 좋은 목적으로
It / can take / many different forms.
이것은 / 취할 수 있다 / 많은 다양한 형태로
For example, / it may be money, food or medical care given to / people suffering from / natural disasters.
예를 들어 / 그것은 돈이나 음식 혹은 의료 서비스 일 수 있다 / 고통받는 사람들에게 / 자연재해로

해석

기부는 일반적으로 친절하고 선한 목적으로 이루어집니다. 기부는 다양한 형태로 이루어질 수 있습니다. 예를 들어 자연재해로 고통받는 사람에게 금전, 음식 또는 의료 서비스를 제공할 수 있습니다.

⊙ 문제 유형 지칭추론 (대명사 it)

it이 적힌 문장의 앞 문장을 해석해 보기!

it이 적힌 문장의 앞 문장을 해석해 보면 A donation is usually done for kind and good-hearted purposes.(기부는 일반적으로 친절하고 선한 목적으로 이루어집니다) 그래서 it이 가리키는 것이 donation(기부)임을 알 수 있다.

⚠ **선지 더 알아보기**

nature : 자연
people : 사람들
suffering : 고통

직독직해

A : Mary's birthday is coming. / Why don't we buy / her a gift?
A : 마리의 생일이 다가온다. / 구입하는 것이 어떨까? / 그녀의 선물을
B : Good idea. / What about giving / her / a phone case?
B : 좋은 생각이다. / 주는 것이 어떨까? / 그녀에게 / 폰 케이스를
A : She just got / a new one. / How about / a coffee mug?
A : 그녀는 방금 얻었다 / 새것을 / 어때? / 커피 머그잔은
B : Perfect! / She likes / to drink coffee
B : 완벽해 / 그녀는 좋아한다 / 커피 마시는 것을

⊙ 문제 유형 대화 내용 파악

선지를 해석 후 빈 칸에 알맞은 문장을 찾기!

마리의 생일에 대해 이야기를 한 다음이 빈 칸이라서 선지를 해석해 보면 Why don't we buy her a gift?(우리가 그녀의 선물을 사줄까?) 가 빈 칸에 들어가면 매끄럽게 해석이 된다.

⚠ **선지 더 알아보기**

What is it for?
: 그건 무엇에 쓰는 건가요?
Where did you get it?
: 그것을 어디서 구했나요?
What do you usually do after school?
: 방과 후 보통 무엇을 하나요?

14 | ③

A : What do you do for a living?
A : 어떤 일을 하세요?
B : I teach / high school students.
B : 나는 가르친다 / 고등학교 학생들을

⊘ **문제 유형** 대화 내용 파악

선지를 해석 후 빈 칸에 알맞은 문장을 찾기!

A가 B에게 직업을 묻고 있음으로 선지를 해석 해보면 : I teach high school students.(나는 고등학생을 가르쳐요) 가 빈칸에 들어가면 매끄럽게 해석이 된다.

⚠ **선지 더 알아보기**

I prefer winter to summer
: 나는 여름보다 겨울을 더 선호해요.

That wasn't what I wanted
: 그건 내가 원했던 게 아니였어요.

It'll take an hour to get to the beach
: 해변까지 한 시간이 걸리네요.

15 | ②

A : I don't know / what career / I'd like to have / in the future.
A : 나는 모르겠다 / 어떤 직장을 / 갖고 싶은지 / 장래에
B : Why don't you / get experience / in different areas?
B : 어떨까 / 경험을 쌓는 것이 / 다양한 분야에서
A : Hmm... / how can I do that?
A : 흠… / 어떻게 할 수 있을까?
B : How about participating / in job experience programs? / I'm sure / it will help.
B : 참여해보는 것은 어때 / 직업 체험 프로그램을 / 나는 확신하다 / 그것이 도움 될 것이라고

A : 앞으로 어떤 직업을 갖고 싶은지 모르겠어요.
B : 다양한 분야에서 경험을 쌓는 건 어떨까요?
A : 흠... 어떻게 하면 되나요?
B : 직업체험 프로그램에 참여하는 것은 어떨까요? 도움이 될 거라고 확신합니다.

⊘ **문제 유형** 대화의 주제

첫 문장 해석하기!(A의 말이 정답을 가르쳐준다)

첫 문장을 해석해 보면 I don't know what career I'd like to have in the future.(앞으로 어떤 직업을 갖고 싶은지 모르겠어요) 대화의 주제가 진로 선택과 관련된 것임을 알 수 있다.

16 | ①

We would like to ask / you / to put trash / in the trash cans / in the park.
우리는 부탁드린다 / 당신이 / 쓰레기를 넣어주길 / 쓰레기통에 / 공원 내에
We are having difficulty / keeping the park / clean / because of the careless behavior / of some visitors.
우리는 어려움을 겪는다 / 공원을 유지하는데 / 깨끗하게 / 부주의한 태도 때문에 / 몇몇 방문자들의
We need / your cooperation.
우리는 필요하다 / 당신의 협조가
Thank you.
감사합니다.

쓰레기는 공원 내 쓰레기통에 버려주시기 바랍니다. 일부 방문객의 부주의한 행동으로 인해 공원을 깨끗하게 유지하는 데 어려움을 겪고 있습니다. 여러분의 협조가 필요합니다. 감사합니다.

⊘ **문제 유형** 글을 쓴 목적

첫 문장 or 마지막 문장에서 핵심 단어 찾기

to ask(요청하기 위해)으로 보아 이 글은 요청하려고 쓴 글임을 알 수 있다.

17 | ④

Summer Sports Camp
여름 스포츠 캠프
• Fun and safe sports programs / for children / aged 7 - 12
• 재밌고 안전한 스포츠 프로그램 / 아이들을 위한 / 7살 ~ 12살의
• From August 1st to August 7th
• 8월 1일부터 8월 7일까지
• What you will do : / Badminton, Basketball, Soccer, Swimming
• 당신이 할 수 있는 것 : 배드민턴, 농구, 축구, 수영
* Every child / should bring / a swim suit / and lunch / each day.
* 모든 아이들은 / 들고 와야 한다 / 수영복과 / 점심을 / 매일

⊘ **문제 유형** 일치 문제

글을 해석 하면서 선지와 비교 해보기!

Every child should bring a swim suit and lunch each day.(모든 어린이는 매일 수영복과 점심을 들고 와야 합니다) 이 문장으로 보아 ④ 매일 점심이 제공된다는 틀린 선지임을 알 수 있다.

18 | ③

해석 학교 신문 기자를 모집합니다. 관심 있으신 분은 학교 생활에 관한 기사 3편을 제출해 주세요. 각 기사는 500단어 이상이어야 합니다. 학생 기자들이 여러분의 기사를 평가할 것입니다. 마감일은 9월 5일입니다.

◎ **문제 유형** 일치 문제

글을 해석하면서 선지와 비교 해보기!

Our student reporters will evaluate your articles.(학생기자들이 여러분의 기사를 평가 할 것이다) 그러므로 ③ 담당 교사가 기사를 평가한다는 틀린 선지임을 알 수 있다.

19 | ④

해석 제스처는 국가마다 다른 의미를 가질 수 있습니다. 예를 들어 OK 기호는 많은 국가에서 "괜찮다" 또는 "괜찮다"를 의미합니다. 하지만 프랑스에서는 같은 제스처가 "0"을 의미합니다. 프랑스 사람들은 아무것도 없다고 말하고 싶을 때 이 제스처를 사용합니다.

◎ **문제 유형** 주제

글의 앞부분 해석하기!

Gestures can have different meanings in different countries.(제스처는 국가마다 다른 의미를 가질 수 있다)로 보아 ④ 국가별 제스처의 의미 차이가 정답이다.

20 | ①

해석 많은 발전소는 석탄이나 가스 같은 화석 연료를 연소하여 에너지를 생산합니다. 이는 대기 오염을 유발하고 환경에 영향을 미칩니다. 따라서 에너지 효율이 높은 제품을 선택하여 에너지를 덜 사용하도록 노력하세요. 지구를 구하는 데 도움이 될 수 있습니다.

◎ **문제 유형** 빈 칸 추론

빈 칸이 있는 문장의 앞문장 or 뒷문장을 해석하기!

This causes air pollution and influences the environment.(이는 대기 오염을 유발하고, 환경에 영향을 끼친다) Therefore,/ try to use / less energy / by choosing / energy-efficient products. (따라서 에너지 효율이 높은 제품을 선택해 에너지 사용을 줄여라.) 이 문장이 환경을 위한 방안을 제시하는 것으로 보아 정답은 ① environment이다.

직독직해

The Internet makes / our lives / more convenient.
인터넷은 만들어 준다 / 우리의 삶을 / 더 편리하게
We can pay / bills / and / shop / on the Internet.
우리는 지불할 수 있다 / 청구서를 / 그리고 / 쇼핑할 수 있다 / 인터넷에서
However, / personal information / can be easily stolen / online.
그러나 / 개인 정보가 / 쉽게 도난 당할 수 있다 / 온라인에서
There are ways / to protect / your information.
방법들이 있다 / 보호하는데 / 당신의 정보를
First, / set / a strong password.
첫째 / 설정하라 / 강력한 비밀번호를
Second, / never click / on unknown links.
둘째 / 절대 클릭하지 마라 / 불명확한 링크들을

해석

인터넷은 우리의 삶을 더욱 편리하게 만들어줍니다. 우리는 인터넷으로 청구서를 지불하고 쇼핑을 할 수 있습니다. 하지만 온라인에서는 개인 정보가 쉽게 도용될 수 있습니다. 회원님의 정보를 보호하는 방법은 여러가지가 있습니다. 첫째, 강력한 비밀번호를 설정하세요. 둘째, 알 수 없는 링크는 절대 클릭하지 마세요.

⊘ 문제 유형 빈 칸 추론

빈 칸이 있는 문장의 앞문장 or 뒷문장을 해석하기!

However, personal information can be easily stolen online. (하지만 온라인에서 개인 정보는 쉽게 도난당할 수 있다. There are ways to <u>protect</u> your information.(개인정보를 보호하는 방법에는 여러가지가 있다) 앞은 개인정보가 쉽게 도난당한다는 내용이 있고, 빈 칸이 있는 문장 뒤에는 구체적으로 개인정보 보호 방법이 나와 있기 때문에 정답은 ③ <u>protect</u>이다.

> ⚠ 선지 더 알아보기

cancel : 취소하다
destroy : 파괴하다
refund : 환불하다

직독직해

(①) Thousands of years ago, / people made / maps / when they went to / new places.
수천 년 전 / 사람들은 만들었다 / 지도를 / 그들이 갔을 때 / 새로운 장소에
(②) They drew / maps / on the ground / or / on the walls / of caves, / which often had / incorrect information.
그들은 그렸다 / 지도를 / 땅 / 또는 / 벽에 / 동굴의 / 그것들은 종종 / 가졌다 / 부정확한 정보들을
(But nowadays maps / are more accurate / because they are made from photographs.)
(그러나 요즘 지도들은 / 더 정확하다 / 왜냐하면 / 그것들은 만들어진다 / 사진으로)
These photographs / are taken from / airplanes or satellites. (④)
이 사진들은 / 촬영된 것이다 / 비행기 / 또는 / 위성에서

해석

수천 년 전 사람들은 새로운 곳을 갈 때 지도를 만들었습니다. 그들은 땅이나 동굴 벽에 지도를 그렸는데, 종종 잘못된 정보를 가지고 있었습니다. 하지만 요즘 지도는 사진으로 만들어지기 때문에 더 정확합니다. 이 사진들은 비행기나 인공위성에서 찍은 것입니다.

⊘ 문제 유형 문장 삽입

먼저 주어진 문장 해석하고, 접속사를 확인한 뒤에 전체 글을 해석하면서 문장이 들어갈만한 위치 찾기

But nowadays maps / are more accurate / because they are made from photographs.(하지만 요즘 지도는 사진으로 만들어지기 때문에 더 정확하다) 지도에 잘못된 정보가 표시되어 있었다라는 문장 뒤에 '하지만' 이라는 접속사와 함께 지도의 정확성을 말하는 글이 이어지는 것이 매끄럽기 때문에 정답은 ③ 이다.

23 | ④

<table>
<tr><td rowspan="2">직독
직해</td><td>Sometimes we / hurt / others' feelings, / even if we don't mean to.
때때로 우리는 / 상하게 한다 / 다른 사람의 감정을 / 우리가 의도하지 않았더라도
When that happens, / we need to / apologize.
그럴 때는 / 우리는 해야 한다 / 사과를
Then, how do we properly apologize?
그렇다면 / 어떻게 / 제대로 사과해야 할까?
Here are three things / you should consider / when you say / that you are sorry.
세 가지가 있다 / 당신이 고려해야 할 / 말할 때 / 당신이 미안하다고</td></tr>
</table>

해석	때때로 우리는 고의가 아니더라도 다른 사람의 감정을 상하게 할 때가 있습니다. 그럴 때는 사과해야 합니다. 그렇다면 어떻게 하면 제대로 사과할 수 있을까요? 다음은 미안하다고 말할 때 고려해야 할 세 가지 사항입니다.

⊙ **문제 유형** 뒤에 이어질 내용

글의 마지막 2문장을 중심으로 해석하기

Here are three things you should consider when you say that you are sorry.(다음은 미안하다고 말할 때 고려해야 할 세가지 사항이다)로 보아 ④사과할 때 고려해야 할 것들이 정답이다.

24 | ①

<table>
<tr><td rowspan="2">직독
직해</td><td>Many people / have trouble / falling asleep, / thus not getting / enough sleep.
많은 사람들은 / 이려움을 겪는다 / 잠드는데 / 그래서 취하지 못한다 / 충분한 수면을
It can have harmful effects / on health / like high blood pressure.
이것은 해로운 영향을 미칠 수 있다 / 건강에 / 고혈압 같은
You can prevent / sleeping problems / if you follow / these rules.
당신은 예방할 수 있다 / 수면 문제를 / 당신이 따르면 / 이 규칙들을
First, / do not have drinks / with caffeine / at night.
첫째, / 마시면 안된다 / 카페인을 / 밤에
Second, / try not to use / your smartphone / before going to bed.</td></tr>
</table>

둘째, / 사용 안 하도록 노력해야 한다 / 스마트폰을 / 잠에 들기 전에
These will help / you go to sleep / easily.
이것들은 도움이 될 수 있다 / 당신이 잠드는데 / 쉽게

해석	많은 사람이 잠드는 데 어려움을 겪어 충분한 수면을 취하지 못합니다. 이는 고혈압과 같은 건강에 해로운 영향을 미칠 수 있습니다. 다음 규칙을 준수하면 수면 문제를 예방할 수 있습니다. 첫째, 밤에는 카페인이 함유된 음료를 마시지 마세요. 둘째, 잠자리에 들기 전에 스마트폰을 사용하지 마세요. 이는 쉽게 잠드는 데 도움이 됩니다.

⊙ **문제 유형** 빈 칸 추론

빈 칸이 있는 문장의 앞문장 **or** 뒷문장을 해석하기!

It can have harmful effects on health like high blood pressure.(이는 고혈압과 같이 건강에 해로운 영향을 미칠 수 있다) 고혈압은 건강하지 않은 것임으로 건강에 해로운 영향이다. 그러므로 빈칸에는 ①harmful이 알맞다.

25 | ④

⊙ **문제 유형** 주제

글의 첫 문장 해석하기!

Many people have trouble falling asleep, thus not getting enough sleep.(많은 사람이 잠드는 데 어려움을 겪어 충분한 수면을 취하지 못한다) 수면과 관련된 글이므로 ④ 수면 문제를 예방하는 방법이 정답이다.

01	③	02	③	03	①	04	①	05	④
06	③	07	②	08	③	09	②	10	③
11	①	12	②	13	①	14	④	15	①
16	②	17	②	18	④	19	④	20	④
21	①	22	②	23	④	24	④	25	③

01 | ③

직독직해
It is my duty / to take out the trash /at home / on Sundays.
이것은 나의 의무이다 / 쓰레기를 내보내는 것이 / 집에서 / 일요일에

해석
일요일에는 집에서 쓰레기를 버리는 것이 제 의무입니다.

⚠ 선지 더 알아보기

갈등 : conflict
노력 : endeavor
자유 : freedom

02 | ③

직독직해
People need / to depend on each other / when working as a team.
사람들은 필요가 있다 / 서로 의존할 / 팀으로 일할 때

해석
팀으로 일할 때는 서로에게 의지해야 합니다.

⚠ 선지 더 알아보기

찾다 : look for, search for, ask for
내리다 : let down, take down, come down
비난하다 : blame, criticize

03 | ①

직독직해
I have met / a lot of nice people, / thanks to you.
나는 만났다 / 많은 좋은 사람들을 / 당신 덕분에

해석
덕분에 좋은 사람들을 많이 만났어요.

⚠ 선지 더 알아보기

대신에 : instead, instead of,
불구하고 : though, although
제외하고 : exclude, count out, rule out, leave out

04 | ①

직독직해
A polite gesture / in one country / may be a rude / one in another.
정중한 행동 / 한 나라의 / 무례한 행동일 수 있다 / 다른 나라의

해석
한 국가에서는 정중한 제스처가 다른 국가에서는 무례한 제스처 일 수 있다.

may be는 ~일지도 모른다

반의어
• polite (정중한) – rude (무례한)
• right (맞다) – wrong (틀리다)
• safe (안전하다) – dangerous (위험하다)
• same (같다) – different (다르다)

유의어
• smart (똑똑하다) – wise (현명하다)

05 | ④

직독직해
K - POP CONCERT 2023
K - POP 공연 2023
Eight World - famous K - Pop Groups Are Performing!
8개의 세계적으로 유명한 K - Pop 그룹이 공연합니다.
Date : June 8th (Thursday), 2023
일시 : 2023년 6월 8일(목요일)
Location : World Cup Stadium
위치 : 월드컵 스타디움
Time : 7 : 30 p.m. - 9 : 30 p.m
시간 : 저녁 7시 30분~저녁 9시 30분

날짜(Date) 와 장소(Location), 시간(Time)은 언급되었으나 입장료는 언급되지 않았다.

06 | ③

직독직해
• We had to stand up / in order to / get a better view.
• 우리는 일어나야 한다 / 하기 위해 / 더 좋은 전망을 얻다
• I can't stand people who don't follow rules in public.
• 나는 참을 수 없다 / 사람들이 / 규칙을 지키지 않는 것 / 공공장소에서

stand up : 서 있다
can't stand : ~을 견딜 수 없다

⚠ 선지 더 알아보기

fail : 실패하다
begin : 시작하다
remind : 상기 시키다

07 | ②

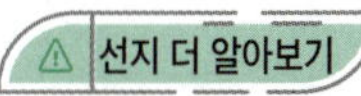

직독직해

- Jinsu, / <u>which</u> museum / will you visit / tomorrow?
- 진수야 / 어느 박물관에 / 방문할 예정이니 / 내일
- A dictionary is a book / <u>which</u> has explanations / of words.
- 사전은 책이다 / 설명이 있는 / 단어에 대한

Which는 (의문문에서) 어느[어떤]의 의미를 가지고, 어떤 사람(들), 어느 것(들)의 뜻도 있다.

선지 더 알아보기

관계 부사 **how**: 방법을 나타낼 때
관계 부사 **when**: 언제
관계 부사 **where**: 어디서

08 | ③

직독직해

- My tastes / <u>are different from</u> / yours.
- 나의 취향은 / 다르다 / 너랑
- English words / <u>come from</u> / a wide variety / of sources.
- 영어 단어는 / 왔다 / 매우 다양한 / 출처에서

be different from: ~와 다르다
come from: ~의 출신이다, ~에서 생겨나다

09 | ②

직독직해

- A : Look, Junho. / I finally got / an A / on my math exam!
- A : 봐, 준후 / 내가 / 마침내 획득했다 / A학점을 / 나의 수학 시험에서
- B : You really did well / on your exam. / What's your secret?
- B : 너는 정말 잘 봤다 / 당신의 시험을 / 너의 비결이 뭐니?
- A : I've been studying math everyday, staying up late even on weekends.
- A : 나는 공부했다 / 수학을 / 매일 / 밤을 새우며 / 심지어 주말에도
- B : You are a good example of / '<u>no pain, no gain</u>.'
- B : 너는 좋은 예시이다 / '고통 없이 얻는 것은 없다'

해석

- A : 봐, 준호야. 나 드디어 수학 시험에서 A 받았어!
- B : 시험 정말 잘 봤구나. 비결이 뭐예요?
- A : 주말에도 늦게까지 공부하며 매일 수학을 공부하고 있습니다.
- B : 당신은 '고통 없이 얻는 것은 없다.'의 좋은 예입니다.

선지 더 알아보기

철이 뜨거울 때 내려쳐라.
 : Strike while the iron is hot.
시간은 화살처럼 빨리 지나간다.
 : Time Flies Like an Arrow.
필요할 때 친구가 진정한 친구이다.
 : A friend in need is a friend indeed.

10 | ③

직독직해

- A : It's raining / cats and dogs.
- A : 비가 내리고 있다 / 억수로
- B : Raining cats and dogs? / Can you tell/ me / what it means?
- B : 비오는 고양이와 개? / 말해 줄 수 있는가 / 나에게 / 무슨 뜻인지
- A : It means / it's raining very heavily.
- A : 이것은 의미한다/ 비가 심하게 내리는 것
- B : Really? / I'm interested in / the origin / of the expression.
- B : 정말? / 나는 흥미롭다 / 근원에 대해 / 표현의

해석

- A : 고양이와 개에게 비가 내리고 있습니다.
- B : 비 오는 고양이와 개? 무슨 뜻인지 알려주실 수 있나요?
- A : 비가 많이 온다는 뜻입니다.
- B : 정말요? 그 표현의 유래가 궁금해요.

⊙ 문제 유형 심정

감정을 나타내는 단어를 보고 풀기!

B의 말 중 "I'm interested in"를 통해 B의 심정이 흥미로움임을 알 수 있다.

선지 더 알아보기

불안 : anxious
슬픔 : sad
실망 : disappointed

<table>
<tr><td colspan="2">11 | ①</td></tr>
<tr><td rowspan="5">직독
직해</td><td>A : Good morning, how may I help you?</td></tr>
<tr><td>A : 좋은 아침입니다 / 무엇을 도와 드릴까요?</td></tr>
<tr><td>B : Wow, / it smells really / good in here.
B : 와 / 이거 냄새가 정말 좋네요 / 이 안에서
A : Yes, / the bread just came out / of the oven.
A : 네 / 이 빵은 방금 나왔다 / 오븐에서
B : I'll take / this freshly baked one.
B : 나는 가져갈 것이다 / 이 갓 구운 빵을</td></tr>
</table>

11 | ①	

직독직해

A : Good morning, how may I help you?
A : 좋은 아침입니다 / 무엇을 도와 드릴까요?
B : Wow, / it smells really / good in here.
B : 와 / 이거 냄새가 정말 좋네요 / 이 안에서
A : Yes, / the bread just came out / of the oven.
A : 네 / 이 빵은 방금 나왔다 / 오븐에서
B : I'll take / this freshly baked one.
B : 나는 가져갈 것이다 / 이 갓 구운 빵을

해석

A : 안녕하세요, 무엇을 도와드릴까요?
B : 와, 여기 냄새가 정말 좋네요.
A : 네, 빵이 방금 오븐에서 나왔어요.
B : 방금 구운 걸로 주세요.

◉ **문제 유형** 대화가 이루어지는 장소

장소를 나타내는 포인트 단어 찾기!

bread(빵)와 oven(오븐)이라는 단어를 통해 대화가 이루어지는 장소가 빵을 파는 제과점임을 알 수 있다.

12 | ②

직독직해

Smiling / reduces stress / and lowers blood pressure, / contributing to / our physical well-being.
웃는 것은 / 스트레스를 줄이고 / 혈압을 낮춰 준다 / 기여한다 / 신체 건강에
It also increases / the amount of feel-good hormones / in the same way / that good exercise does.
이것은 또한 증가시킨다 / 좋은 호르몬의 양을 / 같은 방법으로 / 좋은 운동과
And most of all, / a smile influences / how other people / relate to / us.
그리고 무엇보다도 / 미소는 / 영향을 준다 / 방법에 / 다른 사람이 / 관계를 맺는 / 우리와

해석

미소는 스트레스를 줄이고 혈압을 낮춰 신체 건강에 도움이 됩니다. 또한 좋은 운동과 같은 방식으로 기분 좋은 호르몬의 양을 증가시킵니다. 그리고 무엇보다도 미소는 다른 사람들과의 관계에 영향을 미칩니다.

◉ **문제 유형** 지칭추론(대명사 it)

it이 적힌 문장의 앞 문장을 해석해 보기!

it이 적힌 문장의 앞 문장을 해석해 보면 Smiling reduces stress and lowers blood pressure, contributing to our physical well-being.(웃는 것은 스트레스를 줄이고 혈압을 낮춰 신체 건강에 도움이 된다.) 그래서 it이 가리키는 것이 smiling(웃는 것)임을 알 수 있다.

⚠ **선지 더 알아보기**

friend : 친구
country : 국가
exercising : 운동

13 | ①

직독직해

A : Matt, where shall we go first?
A : 매트, 어디부터 먼저 갈까요?
B : How about the N Seoul Tower? / We can see / the whole city / from the tower.
B : N 서울 타워는 어떤 가요 / 우리는 볼 수 있다 / 도시 전체를 / 타워에서
A : After that, / let's walk / along the Seoul City Wall.
A : 그 후에 / 걸어보자 / 서울 성곽을
B : Perfect! / Now, / let's go explore Seoul.
B : 완벽해! / 지금 / 서울 구경하러 가자

◉ **문제 유형** 대화 내용 파악

선지를 해석 후 빈 칸에 알맞은 문장을 찾기!

선지를 해석해 보면 where shall we go first?(어디부터 갈까요?)이 빈 칸에 들어가면 매끄럽게 해석이 된다.

⚠ **선지 더 알아보기**

what do you do for a living?
: 직업이 무엇인가요?

how often do you come here?
: 얼마나 자주 오세요?

why do you want to be an actor?
: 배우가 되고 싶은 이유는 무엇인가요?

14 | ④

A : What should I do / to make more friends?
A : 나는 어떻게 해야 하나 / 더 많은 친구들을
사귈려면
B : It's important / to be nice / to people around
you.
B : 이것은 중요하다 / 친절하게 대하다 / 주변
사람들에게

⊙ **문제 유형** 대화 내용 파악

선지를 해석 후 빈 칸에 알맞은 문장을 찾기!

선지를 해석 해 보면 be nice to people around you.(주변사
람들에게 친절하게 대하기)가 빈 칸에 들어가면 매끄럽
게 해석이 된다.

⚠ **선지 더 알아보기**

get angry easily : 쉽게 화를 낸다
cancel your order now : 지금 주문 취소하기
check your reservation : 예약 확인 하기

15 | ①

**직독
직해**

A : Can you share / any shopping tips?
A : 공유해줄 수 있니? / 쇼핑 팁을
B : Sure. / First of all, / always keep / your
budget / in mind.
B : 물론입니다 / 우선 / 항상 고려하라 / 예산을
/ 마음에
A : That's a good point. / What else?
A : 좋은 지적이다 / 다른 것은?
B : Also, / don't buy things / just because /
they're on sale.
B : 또한/ 구입하지 마라 / 단지 / 세일하는 상품
이라고
A : Thanks! / Those are great tips.
A : 감사합니다 / 훌륭한 팁들 입니다.

해석

A : 쇼핑 팁을 공유해 주시겠어요?
B : 네. 우선, 항상 예산을 염두에 두세요.
A : 좋은 지적이네요. 또 뭐가 있나요?
B : 또한 세일 중이라고 해서 무조건 사지 마세요.
A : 고마워요! 좋은 팁이네요.

⊙ **문제 유형** 대화의 주제

첫 문장 해석하기!(A의 말이 정답을 가르쳐준다)

첫 문장을 해석해 보면 Can you share any shopping
tips?(쇼핑 팁을 알려주실 수 있나요?) 대화의 주제가 쇼
핑 팁과 관련된 것으로 ② 현명하게 쇼핑하는 방법인 것
을 알 수 있다.

16 | ②

**직독
직해**

Many people / have difficulty / finding someone
/ for advice.
많은 사람들이 / 어려움을 겪는다 / 어떤 사람
을 찾는데 / 조언을 해줄
You may have / some personal problems / and
don't want to talk / to your parents or friends /
about them.
당신은 있을 수 있다 / 개인적인 문제나 / 말하
고 싶지 않은 / 부모님이나 친구에게 / 그 문제
에 대해
Why don't / you join / our online support
group?
어떨까요 / 당신이 가입하는 것은 / 우리의 온
라인 지원 그룹에
We / are here / to help / you.
우리는 / 여기에서 / 도울 수 있다 / 당신을

해석

많은 사람들이 조언을 구할 사람을 찾는 데 어
려움을 겪습니다. 개인적인 문제가 있어도 부
모님이나 친구에게 이야기하고 싶지 않을 수
도 있습니다. 온라인 지원 그룹에 가입해 보세
요. 저희가 도와드리겠습니다.

⊙ **문제 유형** 글을 쓴 목적

첫 문장 or 마지막 문장에서 핵심 단어 찾기.

Why don't you join our online support group? We are here
to help you.(온라인 지원 그룹에 가입하는 게 어떤가요?
저희가 도와드리겠습니다)에서 이 글은 온라인 지원 그
룹에 가입을 권유하는 글임을 알 수 있다.

17 | ②

직독 직해	For Sale Features : / It's a guitar / with six strings. 판매 특징 : /이것은 기타이다 / 6개의 현을 가진 Condition : It's used but / in good condition. 상태 : 사용했지만 좋은 상태이다 Price : $150(original price : $350) 가격 : 150달러(정가 : 350달러) Contact : If you have / any questions, / call me / at 014 - 4365 - 8704. 연락처 : 당신이 있다면 / 어떤 질문이 / 나에게 전화해라 / 014 - 4365 - 8704로

글을 해석하면서 선지와 비교해 보기!

Condition : It's used but in good condition. (중고이지만, 상태가 양호합니다) 이 문장으로 보아 ② 새 것이라 완벽한 상태이다는 틀린 선지임을 알 수 있다.

18 | ④

직독 직해	Why don't / we join / the Earth Hour campaign? 어때요? / 우리가 참여하는 것이 / 지구 시간 캠페인에 It started / in Sydney, / Australia, / in 2007. 이것은 시작했다 / 시드니 / 호주에서 / 2007년에 These days, / more than 7,000 cities / around the world /are participating. 지금은/ 7,000개 도시 이상이 / 세계에 있는 / 참여하고 있다 Earth Hour / takes place / on the last Saturday of / March. 지구 시간은 / 열린다 / 마지막 일요일 / 3월 On that day / people / turn off the lights / from 8 : 30 p.m. to 9 : 30 p.m. 그날에 / 사람들은 / 소등한다 / 저녁 8시 30분부터 저녁 9시 30분까지
해석	어스아워 캠페인에 동참해볼까요? 2007년 호주 시드니에서 시작되었습니다. 현재는 전 세계 7,000개 이상의 도시가 참여하고 있습니다. 어스 아워는 3월 마지막 토요일에 진행됩니다. 이날 사람들은 오후 8시 30분부터 9시 30분까지 전등을 끕니다.

글을 해석 하면서 선지와 비교해 보기!

On that day people turn off the lights from 8 : 30 p.m. to 9 : 30 p.m.(이날 사람들은 오후 8시 30분부터 9시 30분까지 전등을 끈다) 그러므로 ④ 사람들은 그 날 하루종일 전등을 끈다는 틀린 선지임을 알 수 있다.

19 | ④

직독 직해	Recent research shows / how successful people / spend time / in the morning. 최근 조사는 알려준다 / 성공한 사람이 어떻게/ 시간을 사용하는지 / 아침에 They / wake up early / and enjoy some quiet time. 그들은 / 일찍 일어나고/ 조용한 시간을 즐긴다 They exercise / regularly. 그들은 운동한다 규직척으로 In addition, / they make a list of things / they should do / that day. 게다가 / 그들은 만든다 / 어떤 목록을 / 그들이 해야 하는 / 그날에 Little habits / can make a big difference / towards being successful. 작은 습관이 / 만들 수 있다/ 큰 차이를 / 성공으로 향해 갈 때
해석	최근 연구에 따르면 성공한 사람들이 아침에 시간을 보내는 방식이 밝혀졌습니다. 그들은 일찍 일어나 조용한 시간을 즐깁니다. 규칙적으로 운동을 합니다. 또한 그날 해야 할 일의 목록을 작성합니다. 작은 습관이 성공을 향한 큰 차이를 만들 수 있습니다.

글의 앞부분 해석하기!

Recent research shows how successful people spend time in the morning. (최근 연구에 의해 성공한 사람들이 아침에 시간을 보내는 방식이 밝혀졌다) 로 보아 ④ 성공한 사람들의 아침 시간 활용 방법이 정답이다.

20 | ④

직독직해

People / who improve themselves / try to understand / what they did wrong, / so they can do better / the next time.
사람들은 / 자신을 발전시키는 / 이해하기를 시도한다 / 무엇을 잘못했는지 / 그래서 그들은 더 잘 할 수 있다 / 다음에

The process of learning / from mistakes / makes / them smarter.
배우는 과정은 / 실수로부터 / 만들 수 있다 / 그 사람들을 더 똑똑하게

For them, / every mistake / is a step towards / getting better.
그들에게 / 모든 실수는 / 과정이다 / 더 나아지기 위한

해석

스스로 발전하는 사람은 다음번에는 더 잘할 수 있도록 자신이 무엇을 잘못했는지 이해하려고 노력합니다. 실수로부터 배우는 과정을 통해 더 똑똑해집니다. 이들에게는 모든 것이 더 나아지기 위한 한 걸음입니다.

⊘ **문제 유형** 빈 칸 추론

빈 칸이 있는 문장의 앞문장 or 뒷문장을 해석하기!

The process of learning from mistakes makes them smarter. (실수로부터 배우는 과정을 통해 더 똑똑해진다.)
For them, every mistake is a step towards getting better. (이들에게 모든 실수는 더 나아지기 위한 한 걸음이다.)

⚠ 선지 더 알아보기

love : 사랑
nation : 국가
village : 마을

21 | ①

직독직해

I'd like to have / a parrot / as a pet.
나는 가지고 싶다 / 앵무새를 / 애완동물로

Let me tell / you why.
말해 준다 / 그 이유를

First, a parrot can repeat my words.
첫째, 앵무새는 따라 할 수 있다 / 나의 말을

If I say / "Hello" to it, / it will say / "Hello" / to me.
내가 만약 말한다 / "안녕"이라고 / 앵무새에게 / 그것은 말할 것이다 / "안녕"이라고 / 나에게

Next, / it has / gorgeous, colorful feathers, / so just looking at / it / will make / me / happy.
다음으로 / 그것은 가지고 있다 / 화려한 색의 깃털을 / 그래서 그것을 / 보기만 해도 / 만들 것 같다 / 나를 / 행복하게

Last, / parrots live longer / than most other animals / kept at home.
마지막으로 / 앵무새는 더 오래 산다 / 대부분의 다른 동물보다 / 집에서 키우는

해석

저는 앵무새를 애완동물로 키우고 싶습니다. 그 이유를 말씀드리겠습니다. 첫째, 앵무새는 제 말을 따라 할 수 있습니다. 제가 앵무새에게 "안녕"이라고 말하면 앵무새도 저에게 "안녕"이라고 대답합니다. 둘째, 화려하고 화려한 깃털을 가지고 있어서 보기만 해도 기분이 좋아집니다. 마지막으로 앵무새는 집에서 기르는 다른 동물들보다 오래 살아요.

⊘ **문제 유형** 빈 칸 추론

빈 칸이 있는 문장의 앞문장 or 뒷문장을 해석하기!

Last, parrots live longer than most other animals kept at home.(마지막으로 앵무새는 집에서 기르는 다른 동물보다 오래 산다) 마지막 이유에서 앵무새는 집에서 기르는 다른 동물보다 오래 산다는 것으로 보아 앵무새를 애완동물로 키우고 싶어하는 것을 알 수 있다.

⚠ 선지 더 알아보기

word : 단어
color : 색깔
plant : 식물

22 | ②

직독직해

Plastic / is a very useful material.
플라스틱은 / 매우 유용한 물체이다

(①) Its usefulness / comes from the fact / that plastic / is cheap, / lightweight, / and strong.
이것의 유용성은 / 사실로부터 온다 / 플라스틱은 / 저렴하고 / 가볍고 / 튼튼하다는 것

(However, / despite its usefulness, / plastic / pollutes / the environment / severely.)
(그러나 / 불구하고 / 이런 유용성에 / 플라스틱은 / 오염시킨다 / 환경을 / 심각하게)

For example, / plastic / remains / in landfills / for hundreds or even thousands of years,/ resulting in / soil pollution.
예를 들어 / 플라스틱은 / 남아 있는다 / 매립지에 / 수백년 또는 수천년 동안 / 초래한다 / 토양 오염을
(③   ) The best solution to this problem is to create eco-friendly alternatives to plastic.
가장 좋은 해결책은 / 문제에 대한 / 만드는 것이다 / 친환경적인 대안을 / 플라스틱에 대한
(④   )

해석 플라스틱은 매우 유용한 소재입니다. 플라스틱의 유용성은 저렴하고 가볍고 튼튼하다는 사실에서 비롯됩니다. 하지만, 플라스틱은 그 유용성에도 불구하고 환경을 심각하게 오염시킵니다. 예를 들어 플라스틱은 수백 년 또는 수천 년 동안 매립지에 남아 토양 오염을 일으킵니다. 이 문제에 대한 최선의 해결책은 플라스틱을 대체할 수 있는 친환경적인 대안을 만드는 것입니다.

⊙ **문제 유형** 문장 삽입

먼저 주어진 문장 해석하고, 접속사를 확인한 뒤에 전체 글을 해석하면서 문장이 들어갈만한 위치 찾기

However, despite its usefulness, plastic pollutes the environment severely.(하지만, 플라스틱은 그 유용성에도 불구하고 환경을 심각하게 오염 시킨다) 이 문장은 플라스틱의 유용성 다음의 내용으로 적합하므로 ② 이다.

23 | ④

직독 직해 Beans / have been with / us / for thousands of years.
콩은 / 함께 했다 / 우리와 / 수천년 동안
They are easy to grow everywhere.
그들은 / 쉽게 / 자란다 / 어디서나
More importantly, they are high in protein and low in fat.
더 중요한 것은 / 그들은 가지고 있다 / 높은 단백질과 / 낮은 지방을
These factors / make / beans / one of the world's greatest superfoods.
이러한 요인들이 / 만든다 / 콩을 / 세계 최고의 슈퍼푸드 중 하나로
Now, / let's learn / how beans / are cooked / in a variety of ways / around the world.
이제 / 배워보자 / 어떻게 콩이 / 요리되는지 / 다양한 방법으로 / 전 세계에서

해석 콩은 수천 년 동안 우리와 함께 해왔습니다. 콩은 어디서나 쉽게 재배할 수 있습니다. 더 중요한 것은 단백질이 풍부하고 지방이 적다는 점입니다. 이러한 요인으로 인해 콩은 세계 최고의 슈퍼푸드 중 하나입니다. 이제 전 세계에서 콩을 다양한 방법으로 조리하는 방법을 알아보세요.

⊙ **문제 유형** 뒤에 이어질 내용

글의 마지막 부분 해석하기

Now, let's learn how beans are cooked in a variety of ways around the world.(이제 전 세계에서 콩을 다양한 방법으로 요리법을 알아보자)로 보아 ④ 콩의 다양한 요리법이 정답이다.

24 | ④

직독 직해 Volunteering / gives / you / a healthy mind.
자원봉사는 / 가져다 준다/ 당신에게 / 건강한 마음을
According to one survey, / 96 % of volunteers / report / feeling happier / after doing it.
조사에 의하면 / 96%의 봉사자는 / 보고했다 / 행복감을 / 그 일을 한 후에
If you help / others / in the community, you will feel better about yourself.
당신이 도와주면 / 다른 사람을 / 지역사회에 있는 / 당신은 더 기분이 좋아질 수 있다 / 자신에 대해
It can also motivate / you to live / with more energy / that can help you / in your ordinary daily life.
또한 동기부여 할 수 있다 / 당신이 살아가도록 / 더 많은 에너지를 가지고 / 당신에게 도움이 되는 / 당신의 일상에
Therefore, / you will have / a more positive view / of life
그래서 / 당신은 / 가지게 된다 / 더 긍정적인 관점을 / 인생에서

해석 자원봉사는 마음을 건강하게 해줍니다. 한 설문조사에 따르면 자원봉사자의 96%가 자원봉사를 한 후 더 행복해졌다고 답했습니다. 커뮤니티에서 다른 사람을 돕다 보면 자신에 대해 더 나은 기분이 들게 됩니다. 또한 일상 생활에 도움이 될 수 있는 더 많은 에너지를 가지고 살아가도록 동기를 부여할 수 있습니다. 따라서, 삶을 더 넓게 바라볼 수 있게 됩니다.

⊘ **문제 유형** 빈 칸

빈 칸이 있는 문장의 앞문장 or 뒷문장을 해석하기!

자원봉사에 대한 긍정적인 피드백을 하고 있는 글이기에 빈칸에 positive가 들어가면 Therefore, you will have a more positive view of life.(따라서, 삶을 더 넓게 바라볼 수 있게 된다)가 매끄럽게 해석이 된다.

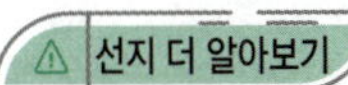
⚠ 선지 더 알아보기

shy : 부끄러운
useless : 쓸모 없는
unhappy : 불행한

25 | ③

⊘ **문제 유형** 주제

글의 첫 문장 해석하기!

Volunteering gives you a healthy mind. (자원봉사는 마음을 건강하게 해준다) 를 통해 자원봉사에 대해 언급하고 있으므로 ③ 자원봉사가 주는 이점이 정답이다.

01	④	02	③	03	③	04	④	05	②
06	④	07	①	08	③	09	③	10	②
11	①	12	①	13	④	14	④	15	③
16	①	17	④	18	③	19	③	20	②
21	①	22	②	23	②	24	②	25	④

01 | ④

직독직해
Reading books/ is a great way /to gain knowledge.
책을 읽는 것은/ 좋은 방법이다/ 지식을 얻기 위한

해석
책을 읽는 것은 지식을 얻는 좋은 방법입니다.

⚠ 선지 더 알아보기

균형 : balance
목표 : goal
우정 : friendship

02 | ③

직독직해
She / is never going to give up / her dream / even if she meets difficulties.
그녀는/ 절대 포기하지 않을 것이다 /그녀의 꿈을 /그녀가 어려움을 만나도

해석
그녀는 어려움을 만나더라도 꿈을 포기하지 않을 것입니다.

⚠ 선지 더 알아보기

서두르다 : hurry up
자랑하다 : make a boast of
화해하다 : make up

03 | ③

직독직해
Many animal / like to play /with toys.
많은 동물들은/ 노는 것을 좋아한다/ 장난감과 함께
For example, /dogs /enjoy playing/ with balls .
예를 들어 / 개들은 즐긴다 / 공을 가지고 노는 것을

해석
많은 동물이 장난감을 가지고 노는 것을 좋아합니다. 예를 들어 개는 공을 가지고 노는 것을 좋아합니다.

⚠ 선지 더 알아보기

갑자기 : suddenly
반면에 : while
결론적으로 : conclusive

04 | ④

직독직해
Spring is/ my favorite season/ because of the beautiful flowers and warm weather.
봄은 이다/ 내가 가장 좋아하는 계절 /예쁜 꽃과 따뜻한 날씨이기 때문에

해석
봄은 아름다운 꽃과 따뜻한 날씨로 인해 제가 가장 좋아하는 계절입니다.

부분-전체관계어 : 한 단어가 다른 단어의 부분에 해당하는 관계의 단어들

부분-전체 관계어
- spring (봄) - season (계절)
- apple (사과) - fruit (과일)
- nurse (간호사) - job (직업)
- triangle (삼각형) - shape (모양)

전혀 관계 없는 단어
- shoulder (어깨) - country (나라)

05 | ②

직독직해
Cheese Fair
치즈 박람회
- Date : September 10th (Sunday), 2023
- 날짜 : 2023년 9월 10일(일요일)
- Activities :
  - Tasting various kinds of cheese
  - Baking cheese cakes
- 활동 :
  - 다양한 종류의 치즈 시식
  - 치즈 케이크 굽기
- Entrance Fee : 10,000 won
- 입장료 : 10,000원

날짜(Date)와 활동 내용(Activities), 입장료(Entrance Fee)는 언급 되었으나 장소는 언급 되지 않았다.

06 | ④

직독직해

- Are you ready /to present/ your project to the class?
- 준비되었습니까? / 발표 할 / 너의 수업에 대한 과제를
- Stop worrying / about the past / and live in the present.
- 걱정하지 마 / 과거에 대한 / 현재를 살아라.

present : 발표하다, 현재

07 | ①

직독직해

- John, / how many countries are / there / in Asia?
- 존, 몇 개의 나라가 있니? / 아시아에
- He doesn't know / how far / it is from here.
- 그는 모른다 / 얼마나 먼지 / 그 곳이 여기에서부터

How many : '얼마나', '몇 개', '몇'
How far : (거리가) 얼마나 먼가?

08 | ③

직독직해

- He needs / to focus on / studying / instead of playing games.
- 그는 해야 한다 / 집중을 / 공부에 / 게임하는 대신에
- Bring a jacket / which is easy to put on and take off
- 재킷을 가져와라 / 입고 벗기 편한

focus on : ~에 초점을 맞추다
put on : 옷을 입다

09 | ③

직독직해

A : How would you describe / your personality / Sumi?
A : 어떻게 설명할 수 있나요?/ 너의 성격을/ 수미야?
B : I tend to / be cautious.
B : 나는 경향이 있다 / 조심스러운
B : I try to / follow the saying / "Look before you leap."
B : 나는 시도한다 / 격언을 따르기로 / "돌다리도 두들겨 보고 건너라"
A : Oh, / you think carefully / before you do something.
A : 오! / 너는 조심스럽게 생각하는구나 / 너가 어떤 것을 하기 전에

해석

A : 자신의 성격을 어떻게 설명하시겠어요, 수미?
B : 저는 신중한 편입니다. 저는 이 말을 잘 지키려고 노력합니다, "돌다리도 두들겨 보고 건너라"
A : 무언가를 하기 전에 신중하게 생각하는군요.

⚠ **선지 더 알아보기**

많으면 많을수록 좋다.
: The more, the better.
남이 가진 것이 더 좋아 보인다.
: The grass is always greener on the other side.
오늘 할 일을 내일로 미루지 마라.
: Never put off till tomorrow what you can do today.

10 | ②

직독직해

A : I'd like to return / these headphones.
A : 반품하고싶다 / 이 헤드폰을
B : Why?/ Is there a problem?
B : 왜?/ 이것에 문제가 있어?
A : I'm not satisfied / with the sound.
A : 나는 만족하지 않는다. / 소리에
A : It's not loud enough.
A : 충분히 (소리가) 크지 않다

해석

A : 이 헤드폰을 반품하고 싶습니다.
B : 왜요? 무슨 문제라도 있나요?
A : 소리가 만족스럽지 않습니다. 소리가 충분히 크지 않아요.

◎ **문제 유형** 심정

감정을 나타내는 단어를 보고 풀기!

A의 말 중 "I'm not satisfied"를 통해 A의 심정이 불만임을 알 수 있다.

11 | ①

직독직해

A : There are so many people / in this restaurant!
A : 많은 사람들이 있다 / 식당 안에
B : This place / is well known / for its pizza.
B : 그 장소는 / 잘 알려져있다 / 피자로
A : Yeah. / Let's order some.
A : 그래. 주문하자

해석

A : 이 식당에 사람이 너무 많아요!
B : 맞아요. 이 곳은 피자로 유명하잖아.
A : 네. 우리도 주문하자.

⊘ **문제 유형** 대화가 이루어지는 장소

장소를 나타내는 포인트 단어 찾기!

restaurant(식당)과 pizza(피자)라는 단어를 통해 대화가 이루어지는 장소가 식당임을 알 수 있다.

12 | ①

직독 직해	These days / I'm reading a book, /*Greek and Roman Myths.* 요즘에는 / 나는 책을 읽고 있다 / 그리스 로마 신화를 The book / is so interesting / and encourages imagination. 그 책은 / 매우 흥미롭고 / 상상력을 북돋아준다 Moreover, / it gives me / more understanding / about western arts / because the myths are / a source of / western culture. 게다가 / 그것은 나에게 준다 / 더 이해하게 / 서양예술에 대해서 / 왜냐하면 / 신화는 / 원천이다 / 서양 문화의
해석	요즘 저는 그리스 *로마* 신화라는 책을 읽고 있어요. 이 책은 정말 흥미롭고 상상력을 자극하는 책이에요. 게다가 신화는 서양 문화의 원천이기 때문에 서양 예술에 대해 더 많이 이해할 수 있습니다.

⊘ **문제 유형** 지칭추론

it이 적힌 문장의 앞 문장을 해석해 보기!

It이 적힌 문장의 앞 문장을 해석해 보면 The book(그 책은)/ is so interesting(매우 흥미롭고) / and encourages imagination. (상상력을 북돋아준다) 그래서 it이 가리키는 것이 book(책)임을 알 수 있다.

> ⚠ **선지 더 알아보기**

pencil : 연필
language : 언어
password : 비밀번호

13 | ④

직독 직해	A : Which type of exercise / do you prefer / cycling or walking? A : 어떤 유형의 운동을 / 당신은 더 선호하는가 / 자전거타기 또는 걷기 중에 B : I like cycling /rather than walking. B : 나는 자전거타기를 좋아한다 / 걷기 보다 A : Why do you like it? A : 왜 그것을 좋아하는가? B : Because / I think /cycling / burns more calories. B : 왜냐하면 / 나는 생각한다 / 자전거타기가 / 더 많은 칼로리를 소모한다고

⊘ **문제 유형** 대화 내용 파악

선지를 해석 후 빈 칸에 알맞은 문장을 찾기!

선지를 해석 해 보면 Which type of exercise do you prefer?(너는 어떤 유형의 운동을 더 선호하니?)이 빈 칸에 들어가면 매끄럽게 해석이 된다.

> ⚠ **선지 더 알아보기**

Where can I rent a car
: 어디서 나는 차를 빌렸니?

When does the show start
: 언제 쇼가 시작 되니?

Why do you want to learn English
: 왜 너는 영어를 배우기를 원하니?

14 | ④

직독 직해	A : How can we show / respect to others? A : 우리는 어떻게 표현할 수 있을까요? / 다른 사람에게 존경을 B : I believe / we should listen carefully /when others speak. B : 나는 믿는다 / 우리는 주의 깊게 들어야 함을 / 다른 사람이 말할 때 A : That's why /you are a good listener. A : 그런 이유이다 / 당신이 좋은 청취자인

⊘ **문제 유형** 대화 내용 파악

선지를 해석 후 빈 칸에 알맞은 문장을 찾기!

선지를 해석 해 보면 listen carefully when others speak.(다른 사람이 말할 때 주의 깊게 들어야 한다) 이 빈 칸에 들어가면 매끄럽게 해석이 된다.

> ⚠ **선지 더 알아보기**

watch a movie : 영화 보기
exchange this bag : 이 가방 교환하기
turn left at the next street : 다음 거리에서 왼쪽으로 가세요

15 | ③

직독 직해	A : Whenever I see koalas /in trees/, I wonder / why they hug trees like that. A : 나는 코알라를 볼 때마다 / 나무에 있는 / 나는 궁금하다 /왜 그들이 나무를 안고 있는지를 B : Koalas hug trees/ to cool themselves down. B : 코알라는 안는다 나무를 / (자신의) 온도를 스스로 낮추기 위해 A : Oh, that makes sense. / Australia has a very hot climate. A : 오, 말이 된다/ 호주는 매우 더운 기후이다

A : 나무에 있는 코알라를 볼 때마다 왜 저렇게 나무를 껴안는지 궁금합니다.
B : 코알라는 더위를 식히기 위해 나무를 껴안습니다.
A : 아, 그렇군요. 호주는 기후가 매우 덥습니다.

해석

☑ **문제 유형** 대화의 주제

첫 문장 해석하기!(A의 말이 정답을 가르쳐준다.)

첫 문장을 해석해 보면 Whenever I see koalas in trees, I wonder why they hug trees like that.(나는 나무에 있는 코알라를 볼 때마다 궁금하다 왜 그들이 나무를 안고 있는지) 대화의 주제가 코알라가 나무를 껴안고 있는 이유인 것을 알 수 있다.

16 | ①

직독직해

I'm writing / this e-mail / to confirm / my reservation.
나는 쓴다 / 이 전자 메일을 / 확인하기 위해 / 나의 예약을
I booked / a family room/ at your hotel/ for two nights.
나는 예약했다 / 가족실을 / 당신의 호텔에 / 이틀 동안
We're two adults and one child.
우리는 두 명의 어른과 한 명의 자녀가 있다.
We will arrive / in the afternoon / on December 22nd.
우리는 도착할 것이다 / 오후에 / 12월 22일
I look forward to / your reply.
나는 기대한다 / 당신의 답변을

해석

예약을 확인하기 위해 이 이메일을 작성합니다. 귀 호텔의 패밀리룸을 2박 예약했습니다. 저희는 성인 두 명과 어린이 한 명입니다. 12월 22일 오후에 도착할 예정입니다. 답장을 기다리겠습니다.

☑ **문제 유형** 글을 쓴 목적

첫 문장에서 핵심 단어 찾기

to confirm(확인하기 위해)으로 보아 이 글은 확인하려고 쓴 글임을 알 수 있다.

17 | ④

직독직해

Tennis Competition
테니스 경기
• Only beginners/ can participate.
• 오직 입문자만이/ 참여할 수 있다.
• We will start/ at 10 : 00 a.m. / and finish at 5 : 00 p.m.
• 우리는/ 시작할 예정이다/ 오전 10시에/ 그리고 오후 5시에 끝난다.
• Lunch will not be served.
• 점심은 제공되지 않을 것이다.
• If it rains, / the competition/ will be canceled.
• 비가 온다면/ 경기는 / 취소될 것이다.

☑ **문제 유형** 일치 문제

글을 해석하면서 선지와 비교해 보기!

If it rains, the competition will be canceled.(만약 비가 온다면 경기는 취소 될 것이다) 이 문장으로 보아 ④ 비가 와도 경기는 진행 된다가 틀린 선지임을 알 수 있다.

18 | ③

직독직해

The Santa Fun Run is held every December.
Santa Fun Run
Santa Fun Run은/ 열린다/ 매년 12월에
Participants wear Santa costumes and run 5 km.
참여자들은 / 산타복장을 입고/ 5km를 뛴다
They run to raise money for sick children.
그들은 뛴다 / 모금을 하기 위해 / 아픈 아이들을 위해
You can scc Santas of all agcs walking and running around
당신은 볼 수 있다 / 전 연령대의 산타들을 / 주변에 걷고 뛰는 것을

해석

산타 펀 런은 매년 12월에 개최됩니다. 참가자들은 산타 의상을 입고 5km를 달립니다. 아픈 아이들을 위한 기금 마련을 위해 달립니다. 다양한 연령대의 산타들이 걷고 뛰는 모습을 볼 수 있습니다.

☑ **문제 유형** 일치 문제

글을 해석하면서 선지와 비교해 보기!

They run to raise money for sick children.(그들은 아픈 아이들을 위해 모금을 한다) 그러므로 ③ 멸종 위기 동물을 돕기 위해 모금을 한다가 틀린 선지임을 알 수 있다.

19 | ③

직독직해

Do you suffer from feelings of loneliness?
당신은 외로움의 감정으로 고통 받고 있는가?
In such cases, it may be helpful to share your feelings with a parent, a teacher or a counselor.
이런 경우/ 그것은 도움이 된다/ 당신의 감정을 공유하는 것이/ 부모님, 선생님 또는 상담사에게/
It is also important /for you /to take positive actions /to overcome your negative feelings
이것은 또한 중요하다 / 당신에게 / 긍정적인 행동이다 / 당신의 부정적인 감정을 극복하는데

해석

외로움에 시달리나요? 이러한 경우 부모님, 선생님 또는 상담사에게 자신의 감정을 공유하는 것이 도움이 될 수 있습니다. 부정적인 감정을 극복하기 위해 긍정적인 행동을 취하는 것도 중요합니다.

⊙ 문제 유형 주제

글의 첫 문장 해석하기!

Do you suffer from feelings of loneliness?(당신은 외로움의 감정으로 고통받고 있는가?) 로 보아 ③ 외로움에 대처하는 방법이 정답이다.

20 | ②

직독직해

For most people, / the best position / for sleeping / is on your back.
대부분의 사람들에게 / 최적의 자세는 / 잠을 잘 때 / 등을 대는 것이다
If you sleep / on your back, / you will have / less neck and back pain.
당신이 잠을 잔다면 / 등을 대고 / 당신은 가지게 될 것이다/ 덜한 목과 등의 고통을
That's because / your neck and spine / will be straight / when you are sleeping.
왜냐하면 / 당신의 목과 척추는 / 펴질 것이다 / 당신이 잘 때

해석

대부분의 사람들에게 가장 좋은 수면 자세는 바로 누워 자는 것입니다. 등을 대고 자면 목과 허리 통증이 줄어듭니다. 잠을 잘 때 목과 척추가 곧게 펴지기 때문입니다.

⊙ 문제 유형 빈 칸 추론

빈 칸이 있는 문장의 앞문장 or 뒷문장을 해석하기!
For most people, the best position for sleeping is on your back. (대부분의 사람들이 잠을 잘 때 등을 대고 자는 것이 가장 좋은 자세이다) If you sleep on your back, you will have less neck and back pain.(등을 대고 잠을 잔다면, 당신 덜 아픈 목과 등의 고통을 가지게 될 것이다) 등을 대고 잠을 잔다는 표현을 통해 잠을 자는 자세에 대해 이야기하고 있으므로 ② position이 정답이다.

⚠ 선지 더 알아보기

letter : 편지, 글자
emotion : 감정
population : 인구

21 | ①

직독직해

Here are several steps /to solve your problems.
여러 단계가 있다 / 당신의 문제를 해결하기 위한
First, /you need to /find various solutions/ by gathering /all the necessary information.
첫째 / 당신은 해야 한다 / 다양한 해결책을 찾아야 / 모음으로 / 필요한 모든 정보를
Second, / choose the best possible solution / and then put it into action.
둘째 / 최고의 가능한 해결책을 골라서 / 다음 실행에 옮겨라
At the end, / evaluate the result. / I'm sure / these steps / will help you.
마지막으로 / 결과를 평가하라 / 나는 확신한다 / 이러한 과정이 / 당신에게 도움이 될 것을

해석

문제 해결을 위한 몇 가지 단계가 있습니다. 첫째, 필요한 모든 정보를 수집하여 다양한 해결책을 찾아야 합니다. 둘째, 가능한 최상의 솔루션을 선택한 다음 실행에 옮깁니다. 마지막으로 결과를 평가하세요. 이 단계가 도움이 될 것이라고 확신합니다.

⊙ 문제 유형 빈 칸 추론

빈 칸이 있는 문장의 앞문장 or 뒷문장을 해석하기!

Here are several steps to solve your problems.(문제를 해결하기 위한 몇 가지 단계가 있다) First, you need to find various solutions by gathering all the necessary information.(첫째, 당신은 모든 필요한 정보를 수집하여 다양한 해결책을 찾아야 한다) 해결책을 찾고 그 중에서 해결책을 선택하고 결과를 평가하라는 단계들을 보아 빈 칸에는 solve가 들어가는 것이 알맞다.

dance : 춤추다	
donate : 기부하다	
promise : 약속하다	

22 | ②

직독직해

When you first meet someone, / how do you start a conversation?(①)
당신이 어떤 이를 처음 만났을 때, / 당신은 어떻게 대화를 시작하는가?

We don't usually tell / each other / our life stories / at the beginning.
우리는 보통 말하지 않는다 / 서로의 / 인생 이야기를 / 처음에

(Instead, / we start / with a casual conversation / about less serious things/ like the weather or traffic.)
(대신에 / 우리는 시작한다 / 가벼운 대화를 / 덜 심각한 것에 관한 / 날씨와 교통 같은)

This casual conversation / is referred to as / small talk. (③)
이런 가벼운 대화를 / 일컬어 진다 / 스몰토크 라고

It helps us / feel comfortable / and get to know each other better.(④)
이것은 우리를 도와준다 / 평안한 느낌과 / 서로에 대해 잘 알 수 있게

It's a good way / to break the ice.
그것은 좋은 방법이다 / 어색함을 깨는

해석

누군가를 처음 만났을 때 대화를 어떻게 시작하나요? 우리는 보통 처음에 서로의 인생 이야기를 하지 않습니다. 대신 날씨나 교통 상황과 같은 덜 심각한 주제에 대한 가벼운 대화로 시작합니다. 이런 일상적인 대화를 스몰토크라고 합니다. 편안함을 느끼고 서로를 더 잘 알아가는 데 도움이 됩니다. 서먹함을 깨는 좋은 방법이에요.

◎ **문제 유형** 문장 삽입

먼저 주어진 문장 해석하고, 접속사를 확인한 뒤에 전체 글을 해석하면서 문장이 들어갈만한 위치 찾기

Instead, we start with a casual conversation about less serious things like the weather or traffic.(대신 날씨나 교통 등 덜 심각한 주제에 대한 가벼운 대화로 시작한다) 이 문장은 우리는 보통 처음부터 인생 이야기를 하지 않는다는 문장 뒤에 들어가면 매끄럽게 해석이 되므로 정답은 ② 이다.

23 | ②

직독직해

English proverbs / may seem strange / to non-native speakers / and can be very hard / for them to learn and remember.
영어 속담은 / 이상하게 보일 수 있다 / 모국어를 사용하지 않는 사람들에게는 / 매우 어려울 수 있다 / 그것들을 배우고 기억하는데

One strategy / for remembering / English proverbs more easily / is to learn / about their origins.
하나의 전략은 / 기억하기 위한 / 영어 속담을 / 더 쉽게 / 배우는 것이다 / 그것들의 어원에 대해 /

Let's look at some examples.
몇 개의 예시들을 살펴보자.

해석

영어 속담은 원어민이 아닌 사람들에게는 낯설게 느껴질 수 있으며, 배우고 기억하기 매우 어려울 수 있습니다. 영어 속담을 더 쉽게 기억하기 위한 한 가지 전략은 속담의 기원에 대해 알아보는 것입니다. 몇 가지 예를 살펴봅시다.

◎ **문제 유형** 뒤에 이어질 내용

글의 마지막 2문장을 중심으로 해석하기

One strategy for remembering English proverbs more easily is to learn about their origins. Let's look at some examples.(영어 속담을 더 쉽게 기억하기 위한 한 가지 전략은 속담의 기원에 대해 배우는 것이다. 몇 가지 예를 살펴보자)로 보아 이 글의 뒤에는 ② 영어속담의 기원에 관한 예시가 나온다는 것을 알 수 있다.

24 | ②

A book review / is a reader's opinion / about a book.
독서감상문은 / 독자의 의견이다 / 책에 대한
When you write a review, / begin with / a brief summary / or description of the book.
당신이 독서감상문을 쓸 때 / 시작한다 / 간결한 요약 / 또는 책에 대한 설명으로
Then state / your opinion of it, / whether you liked it or not and why.
진술하라 / 당신의 의견을 그것에 대한 / 그것이 좋든 싫든

해석

서평은 책에 대한 독자의 의견입니다. 리뷰를 작성할 때는 책에 대한 간단한 요약이나 설명으로 시작하세요. 그런 다음 마음에 들었는지 여부와 그 이유에 대한 의견을 말하세요.

⊘ 문제 유형 빈 칸 추론

빈 칸이 있는 문장의 앞문장 or 뒷문장을 해석하기!

A book review is a reader's opinion about a book.(독서감상문은 책에 대한 독자의 의견이다) 독서감상문은 책에 대한 독자의 의견이라고 했기 때문에 빈칸에는 ② opinion이 알맞다.

⚠ **선지 더 알아보기**

flight : 비행
gesture : 몸짓, 제스처
architecture : 건축

25 | ④

⊘ 문제 유형 주제

글의 첫 문장 해석하기!

A book review is a reader's opinion about a book.(독서감상문은 책에 대한 독자의 의견이다) A book review(독서감상문)을 통해 윗글의 주제가 ④ 독서감상문 쓰는 법이라는 것을 알 수 있다.

01	②	02	①	03	②	04	④	05	③
06	①	07	①	08	③	09	③	10	①
11	④	12	①	13	④	14	③	15	④
16	③	17	②	18	④	19	④	20	②
21	④	22	③	23	②	24	④	25	③

01 | ②

직독직해
I will call the restaurant / and make a reservation.
나는 식당에 전화해서 / 예약을 할 것이다.

해석
레스토랑에 전화하여 예약하겠습니다.

변경 : change
취소 : cancel
칭찬 : praise

02 | ①

직독직해
You need to keep in mind,/ "Slow and steady / wins /the race."
당신은 명심해야 한다 / 느리고 꾸준한 것이 / 승리한다 / 경주에서

해석
"느리고 꾸준한 것이 경주에서 이긴다."는 말을 명심해야 합니다.

사용하다 : put to use
정돈하다 : clear up
참여하다 : join in

03 | ②

직독직해
Do not use / your cellphone / while you are driving.
사용하면 안 된다 / 당신의 휴대전화를 / 당신이 운전하는 동안에

해석
운전 중에는 휴대폰을 사용하지 마세요.

대신에 : instead
만약에 : if
처음에 : at first

04 | ④

직독직해
It's easy to say / you'll do something, / but difficult / to actually do it
그것을 말하는 것은 쉽다 / 당신이 어떤 일을 하는 것을 / 그러나 어렵다 / 그것을 실제로 하는 것은

해석
무언가를 하겠다고 말하기는 쉽지만 실제로 실천하기는 어렵습니다.

but은 그러나라는 의미를 가진 역접 접속사이다.

반의어
- easy (쉬운) - difficult (어려운)
- heavy (무겁다) - light (가볍다)
- noisy (시끄럽다) - silent (조용하다)
- painful (고통스럽다) - painless (고통이 없다)

유의어
- rapid (빠르다) - quick (빠르다)

05 | ③

직독직해
Fundraising Concert
모금 공연
When : April 17th, 6 - 9pm
일시 : 4월 17일, 오후 6 - 9시
Where : Lobby of Children's Hospital
장소 : 어린이 병원 로비
Light snacks will be offered.
가벼운 다과가 제공될 예정입니다.
All funds /will be donated / to Children's Hospital.
모든 모금은 / 기부될 것 입니다. / 어린이 병원에

날짜(When)와 장소(Where), 기금 용도(All funds will be donated to Children's Hospital)는 언급 되었으나 출연진은 언급 되지 않았다.

06 | ①

직독 직해	• Could you <u>hold</u> my bag for me? • 제 가방 좀 들어주시겠어요? • My school / will <u>hold</u> / a music festival /next month. • 우리 학교에서 / 개최할 예정이다 / 음악 축제를 / 다음 달에

hold : 갖고 있다, 개최하다

07 | ①

직독 직해	• I don't know / <u>if</u> he is honest or not. • 나는 모르겠다. / 그가 정직한지 아닌지를 • You / will miss / the bus / <u>if</u> you don't leave now. • 당신은 / 놓치게 될 것이다 / 버스를 / 당신이 지금 떠나지 않으면

if : ① (명사절로 쓰일 때) ~인지 아닌지
　　② (부사절로 쓰일 때) 만약 ~한다면

08 | ③

직독 직해	• About 60 to 70 % / of your body / consists <u>of</u> water. • 대략 60~70%가 / 당신 몸의 / 물로 이루어져 있다. • The garden / is full <u>of</u> / beautiful flowers. • 정원은 / 가득 찼다 / 아름다운 꽃들로

of : 어떤 두 대상의 밀접한관계를 표현해 주는 단어
① consists of : ~로 구성되다
② be full of : 풀 충전, 가득 차있는 상태

09 | ③

직독 직해	A : I'm having / a hard time right now. A : 나는 보내고 있다 / 어려운 시간을 / 지금 B : Don't worry. / I'm here for you, / no matter what. B : 걱정하지 마라 / 내가 너를 위해 있다 / 무슨 일이 있어도 A : Thank you. / Your support means / everything to me. A : 고마워 / 너의 도움은 의미한다 / 나에게 모든 것을 B : Anytime. / <u>A friend in need is a friend indeed.</u> B : 언제든지 / 필요할 때 있는 친구가 진정한 친구이다.

해석	A : 지금은 힘든 시간을 보내고 있습니다. B : 걱정하지 마세요. 무슨 일이 있어도 제가 곁에 있을게요. A : 감사합니다. 여러분의 성원은 저에게 모든 것을 의미합니다. B : 언제든. 필요할 때 곁에 있는 <u>친구가 진정한 친구다.</u>

⚠ **선지 더 알아보기**

진정한 배움에는 지름길이 없다.
: There is no royal road to learning.
몸이 건강해야 마음도 건강하다.
: a sound mind a sound body.
사귀는 친구를 보면 그 사람을 알 수 있다.
: a man is known by the company he keeps.

10 | ①

직독 직해	A : I've been waiting / for 30 minutes. / What happened? A : 나는 기다렸다. / 30분 동안 / 무슨 일이니? B : Sorry,/ but I thought / we were meeting / at 2 o'clock. B : 미안해/ 그러나 나는 알았다 / 우리가 만나는지를 / 2시에 A : No, / that's the time / the baseball game starts, / so we were supposed to meet / 30 minutes earlier. A : 아니 / 그 시간은 / 야구게임 시작이다 / 그래서 우리는 만나기로 했다. / 30분 전에 B : Oh, / I totally forgot. / I'm sorry / for keeping you waiting. B : 오 / 나는 완전히 잊고 있었다. / 미안하다 / 당신을 기다리게 해서

해석	A : 30분 동안 기다렸습니다. 무슨 일이에요? B : 죄송하지만 2시에 만나기로 한 줄 알았는데요. A : 아니요, 야구 경기가 시작되는 시간이라 30분 일찍 만나기로 했어요. B : 아, 깜빡했네요. 기다리게 해서 죄송합니다.

◉ **문제 유형** 심정

감정을 나타내는 단어를 보고 풀기!

B의 말 중 "Sorry"와 "I'm sorry"를 통해 B가 미안함을 가지고 있음을 알 수 있다.

11 | ④

<table>
<tr><td rowspan="4">직독
직해</td><td>A : Did you get our tickets? / Where are our seats?</td></tr>
<tr><td>A : 우리 티켓을 받았나요? / 우리 자리는 어디인가요?</td></tr>
<tr><td>B : Let me see. / J11 and J12.</td></tr>
<tr><td>B : 보자 / J11과 J12</td></tr>
</table>

직독직해	A : Great. / Let's buy some snacks / before we go in.
	A : 좋아요/ 과자를 사자 / 들어가기 전에
	B : That sounds good
	B : 좋아요

해석	A : 티켓을 받았나요? 우리 자리는 어디예요?
	B : 어디 보자. J11과 J12입니다.
	A : 좋아요. 들어가기 전에 간식 좀 사먹자.
	B : 그거 좋네요.

⊙ **문제 유형** 대화가 이루어지는 장소

장소를 나타내는 포인트 단어 찾기!

tickets(티켓)과 seats(자리)라는 단어를 통해 대화가 이루어지는 장소가 영화관임을 알 수 있다.

12 | ①

직독직해	Studies have shown / that flowers have positive effects / on our moods.
	연구에 따르면 / 꽃은 / 긍정적인 영향을 미친다 / 우리의 기분에
	Participants reported / feeling less depressed and anxious / after receiving them.
	참여자들은 보고했다 / 덜한 우울감과 불안감을 느낀다 / 그것을 받은 후에
	In addition, / they showed / a higher sense of enjoyment / and overall satisfaction.
	게다가 / 그것들은 보여준다 / 더 높은 즐거움과 전반적인 만족감을

해석	연구에 따르면 꽃은 기분에 긍정적인 영향을 미치는 것으로 나타났습니다. 참가자들은 꽃을 받은 후 우울함과 불안감을 덜 느낀다고 답했습니다. 또한 즐거움과 전반적인 만족도가 더 높았다고 합니다.

⊙ **문제 유형** 지칭추론 them

them이 적힌 문장의 앞 문장을 해석해 보기!

them이 적힌 문장의 앞 문장을 해석해 보면 Studies have shown that flowers have positive effects on our moods.(연구에 따르면 꽃은 기분에 긍정적인 영향을 미치는 것으로 나타났다) 그래서 them이 가리키는 것이 flowers(꽃)임을 알 수 있다.

moods : 기분
participants : 참가자
studies : 연구

13 | ②

직독직해	A : The speech contest / is tomorrow. / I have cold feet.
	A : 말하기 대회가 / 내일이다 / 나는 긴장된다
	B : Sorry, / would you say that again?
	B : 미안해요 / 다시 말씀해주실 수 있나요?
	A : I have cold feet. / I'm nervous / about tomorrow.
	A : 나는 긴장되요 / 나는 걱정된다 / 내일이
	B : Oh, I see. / Don't worry. / I'm sure that you will do well.
	B : 오, 그렇군요 / 걱정하지 마세요 / 나는 확신합니다. / 당신이 잘할 것을

⊙ **문제 유형** 대화 내용 파악

선지를 해석 후 빈 칸에 알맞은 문장을 찾기!

선지를 해석해 보면 would you say that again?(다시 말씀해주실 수 있나요?)이 빈 칸에 들어가면 매끄럽게 해석이 된다.

How would you like it?
: 어떻게 할래요?

What is the weather like today?
: 오늘 날씨는 어때요?

Where should I go for the contest?
: 콘테스트는 어디로 가야 하나요?

14 | ③

직독직해	A : What do you like most / about Korea?
	A : 당신은 어떤 점을 제일 좋아합니까? / 한국의
	B : I like / the food delivery service / most.
	B : 나는 좋아한다 / 음식 배달 서비스를 / 가장

⊙ **문제 유형** 대화 내용 파악

선지를 해석 후 빈 칸에 알맞은 문장을 찾기!

선지를 해석해 보면 I like the food delivery service most(음식 배달 서비스를 가장 좋아한다)가 빈 칸에 들어가면 매끄럽게 해석이 된다.

That is what lots of people think
: 많은 사람들이 그렇게 생각해요

That's because I prefer tea to coffee
: 커피보다 차를 더 선호(좋아)해서

I'm not satisfied with the monitor you chose
: 선택한 모니터가 만족스럽지 않다.

15 | ④

직독직해

A : My lower back / hurts / a lot / these days.
A : 나의 허리가 / 아프다 / 많이 / 요즘
B : I think / you should do / something / before it gets worse.
B : 나는 생각한다 / 너는 해야 한다 / 어떤 것을 / 더 아프기 전에
A : Do you have / any tips / to reduce the pain?
A : 당신은 가지고 있는가 / 어떤 조언들이 / 고통을 줄이기 위한
B : Well, / sit in a chair, / not on the floor. / And try to walk / and stretch gently often.
B : 음/ 의자에 앉고 / 바닥 말고 / 그리고 걸으려고 하고 / 자주 부드럽게 스트레칭을 해라

해석

A : 요즘 허리가 많이 아파요.
B : 더 심해지기 전에 조치를 취해야 할 것 같아요.
A : 통증을 줄일 수 있는 팁이 있나요?
B : 바닥이 아닌 의자에 앉으세요. 그리고 부드럽게 걷고 스트레칭을 자주 하세요.

☑ **문제 유형** 대화의 주제

첫 문장 해석하기!(A의 말이 정답을 가르쳐준다)

첫 문장을 해석해 보면 My lower back hurts a lot these days.(요즘 허리가 많이 아프다.) 대화의 주제가 허리통증과 관련된 것으로 ④ 허리통증을 줄이는 방법 인 것을 알 수 있다.

16 | ③

직독직해

I'm worried about / not having confidence / in myself.
나는 걱정이다 / 자신감이 없다 / 자신에 대한
My friends always / seem to know / what they're doing,
나의 친구들은 항상 / 알고 있는 것 같다 / 그들이 무엇을 해야 할지
but / I'm never sure / I'm doing the right thing.
그러나 / 나는 확신이 없다 / 내가 옳은 일을 하는지
I / want to build / my confidence.
나는 / 키우고 싶다 / 나의 자신감을
I wonder whether / you could give / me / some solutions / to my problem.
나는 궁금하다 / 당신에게 받을 수 있는지 / 나에게 / 몇 개의 해결책을 / 내 문제에 대한
I hope / you can help.
나는 희망한다 / 당신이 나를 돕기를

해석

제 자신에 대한 확신이 없어서 걱정이에요. 친구들은 항상 자신이 무엇을 하고 있는지 잘 알고 있는 것 같지만 저는 제가 옳은 일을 하고 있는지 확신할 수 없어요. 자신감을 키우고 싶어요. 제 문제에 대한 해결책을 알려주실 수 있는지 궁금합니다. 도와주셨으면 좋겠어요.

☑ **문제 유형** 글을 쓴 목적

첫 문장 or 마지막 문장에서 핵심 단어 찾기

I hope you can help.(나는 너가 도와주면 좋겠다)에서 help(도움)로 보아 이 글은 도움을 요청하는 글이므로 ③ 조언을 구하려고가 정답이다.

17 | ②

직독직해

Central Badminton Center
중앙 배드민턴 센터
Open Times :
개장 시간 :
• Monday to Friday, 10 a.m. to 9 p.m.
• 월요일에서 금요일, 오전 10시부터 오후 9시
We Provide :
우리는 제공한다 :
• Lessons for beginners only
• 오직 입문자를 위한 강의
• Free parking for up to 4 hours a day
• 최대 하루에 4시간 무료 주차
Proper shoes and clothes are required.
적절한 신발과 옷이 필요합니다.

☑ **문제 유형** 일치 문제

글을 해석하면서 선지와 비교해 보기!

Lessons for beginners only(오직 입문자를 위한 강의) 이 문장으로 보아 ② 상급자를 위한 수업이 준비되어 있다는 틀린 선지임을 알 수 있다.

18 | ④

직독직해

Rice / is one of / the major crops / in the world.
쌀은 / 중에 하나이다 / 주요 작물들 / 세계에

Since its introduction and cultivation /, rice has been / the main food / for most Asians.
그것의 도입과 재배 이후로 / 쌀은 되었다 / 주식이 / 대부분의 아시아인들에게

In fact, / Asian countries / produce and consume / the most rice worldwide.
사실/ 아시아 국가들은 / 생산하고 소비한다 / 전세계에서 쌀을 제일 /

These days, / countries in Africa / have also increased / their rice consumption.
최근에/ 아프리카 국가들이 / 또한 증가하고 있다 / 그들의 쌀 소비가

해석

쌀은 세계의 주요 작물 중 하나입니다. 쌀이 도입되고 재배된 이래로 쌀은 대부분의 아시아인에게 주요 식량으로 사용되어 왔습니다. 실제로 아시아 국가들은 전 세계에서 가장 많은 쌀을 생산하고 소비합니다. 최근에는 아프리카의 국가들도 쌀 소비량을 늘리고 있습니다.

☑ 문제 유형 일치 문제

글을 해석하면서 선지와 비교해 보기!

These days, countries in Africa have also increased their rice consumption.(최근에는 아프리카의 국가들도 쌀 소비량을 늘리고 있다) 그러므로 ④ 아프리카 국가에서 소비가 감소하고 있다는 틀린 선지임을 알 수 있다.

19 | ④

직독직해

When you go abroad, / you may find yourself / in a place / where the people, language, and customs / are different from your own.
외국에 나가면 / 자신을 발견할 수 있습니다 / 사람, 언어 그리고 문화가 / 나오는 다른 곳에서

Learning / about cultural differences / can be a useful experience.
배우는 것은 / 문화 차이에 대해 / 유익한 경험이 될 수 있다.

It can help / you understand / the local people better.
그것은 도움이 된다 / 당신이 이해하는데 / 현지 사람들을 더욱

It could also help / you understand / yourself and your own culture / more.
그것은 또한 도움이 된다 / 당신이 이해하는데 / 당신 자신과 당신의 문화를 / 더욱

해석

해외에 나가면 사람, 언어, 관습이 나오는 다른 곳에서 생활하게 될 수도 있습니다. 문화적 차이에 대해 배우는 것은 유용한 경험이 될 수 있습니다. 현지 사람들을 더 잘 이해하는 데 도움이 될 수 있습니다. 또한 자신과 자신의 문화를 더 잘 이해하는 데 도움이 될 수도 있습니다.

☑ 문제 유형 주제

글의 앞부분 해석하기!

Learning about cultural differences can be a useful experience.(문화적 차이에 대해 배우는 것은 유용한 경험이 될 수 있습니다) 로 보아 ④ 문화적 차이를 배우는 것의 유용성이 정답이다.

20 | ②

직독직해

Eating dinner / lasts a long time / in France / because / it is meant to / be enjoyed / with family and friends.
저녁 먹는 시간이 / 오랜 시간 동안 지속된다 / 프랑스에서 / 왜냐하면 / 이것은 의미한다 / 즐거운 시간을 보내는 것이라고 / 가족과 친구들 함께

French people don't rush / this process.
프랑스 사람들은 서두르지 않는다 / 이 과정을

Trying to finish dinner quickly / can be interpreted / as a sign of being impolite.
저녁식사를 빨리 끝내려는 것은 / 해석될 수 있다 / 예의가 없다는 것으로

해석

프랑스에서 저녁 식사는 가족 및 친구들과 함께 즐기기 위한 것이기 때문에 오랜 시간 지속됩니다. 프랑스 사람들은 이 과정을 서두르지 않습니다. 저녁 식사를 빨리 끝내려고 하는 것은 무례한 행동으로 해석될 수 있습니다.

☑ 문제 유형 빈 칸 추론

빈 칸이 있는 문장의 앞문장 or 뒷문장을 해석하기!

French people don't rush this process. (프랑스 사람들은 이 과정을 서두르지 않는다. Trying to finish dinner quickly can be interpreted as a sign of being impolite. (저녁식사를 빨리 끝려고 하는 것은 무례한 행동으로 보일 수 있다)

⚠ **선지 더 알아보기**

enjoy : 즐기다
serve : 제공하다
warn : 경고

직독직해

In life, / it's important / to take responsibility / for any choices that you make.
삶에서 / 중요하다 / 책임을 지는 것이 / 어떤 선택을 하든 /
If the result of your choice / isn't what you wanted, / don't blame others / for it.
만약 선택의 결과가 / 당신이 원했던 것이 아니라도 / 다른 사람들을 비난하지 말아라 / 그것 때문에
Being in charge of your choices / will help / you learn / from the results.
당신의 선택을 책임지는 것이 / 도움이 된다 / 당신이 배운다 / 결과로부터

해석

인생에서 자신이 내린 선택에 대해 책임을 지는 것은 중요합니다. 선택의 결과가 원했던 것과 다르더라도 다른 사람을 탓하지 마세요. 자신의 선택에 책임을 지는 것은 그 결과에서 배우는 데 도움이 될 것입니다.

⊘ 문제 유형 빈 칸 추론

빈 칸이 있는 문장의 앞문장 or 뒷문장을 해석하기!

In life, it's important to take responsibility for any choices that you make.(선택에 대해 책임을 져야 한다.) Being in charge of your choices / will help / you learn / from the results.(자신의 선택에 책임을 지는 것은 결과에서 배우는 데 도움이 된다.)

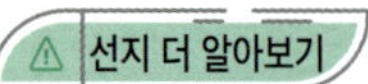

conflict : 갈등하다
desire : 욕망
help : 도움

직독직해

Taking online classes / can be good and bad.
온라인 수업을 하는 것은 / 장단점이 있다.
(①) If you take classes online, / you may worry / about the lack of face-to-face communication.
만약 당신이 온라인 수업을 참여한다면 / 당신은 걱정할 수 있다 / 대면 대화의 부족함을
(②) Taking courses online / makes it difficult / to create strong relationships / with your teachers and classmates.
온라인으로 수업을 듣는 것은 / 어렵게 만든다 / 강한 유대감을 형성하는 것을 / 당신의 선생님과 친구들과의
(On the other hand, / there is a big advantage to it.)
(반면에 / 그것은 큰 장점이 있다.)
You are free / to take online classes / anywhere, anytime.
당신은 무료로 / 온라인 수업을 참여할 수 있다 / 언제 어디서나
(④) By simply turning on your computer, / you can start studying.
단순히 당신의 컴퓨터를 작동시키는 것만으로도 / 당신은 공부를 시작할 수 있다.

해석

온라인 수업은 좋은 점과 나쁜 점이 있습니다. 온라인으로 수업을 들으면 대면 커뮤니케이션이 부족할까 걱정될 수 있습니다. 온라인으로 수업을 들으면 선생님 및 급우들과 돈독한 관계를 형성하기 어렵습니다. 반면에 큰 장점도 있습니다. 언제 어디서나 자유롭게 온라인 수업을 들을 수 있습니다. 컴퓨터를 켜기만 하면 공부를 시작할 수 있습니다.

⊘ 문제 유형 문장 삽입

먼저 주어진 문장 해석하고, 접속사를 확인한 뒤에 전체 글을 해석하면서 문장이 들어갈 만한 위치 찾기

On the other hand, there is a big advantage to it.(반면에, 큰 장점도 있다) 온라인 수업의 단점에 대해 이야기를 하다가 장점으로 바뀌는 구간이 ③ 이다.

23 | ②

Walking dogs is a common activity in the park.
반려견 산책은 / 흔한 활동이다 / 공원에서
But / with more people doing this, / problems are arising / in the park.
그러나 / 더 많은 사람들이 이렇게 하면서 / 문제가 발생하고 있다 / 공원에서
To avoid these issues, / please follow these guidelines / when you walk your dog.
이러한 문제를 방지하려면 / 다음 지침을 따르라 / 당신이 반려견과 산책할 때

해석

반려견 산책은 공원에서 흔히 볼 수 있는 활동입니다. 하지만 반려견과 산책하는 사람들이 늘어나면서 공원 내 문제가 발생하고 있습니다. 이러한 문제를 방지하려면 반려견과 산책할 때 다음 지침을 준수하세요.

⊘ **문제 유형** 뒤에 이어질 내용

글의 마지막 2문장을 중심으로 해석하기

To avoid these issues, please follow these guidelines when you walk your dog.(이러한 문제를 방지하려면 반려견과 산책할 때 다음 지침을 지켜라)로 보아 ② 반려견 산책시 지켜야 할 사항이 정답이다.

24 | ④

Have you noticed / that shoes and socks / are displayed together?
당신은 눈치챘나요? / 신발과 양말이 / 함께 진열 되어있는 것을
They are items / strategically placed with each other.
그것들은 아이템이다 / 전략적으로 서로 배치된
Once you've already decided / to buy a pair of shoes, / why not buy a pair of socks, too?
이미 당신이 결정했다면 / 신발 한 켤레를 사기로 / 양말 한 켤레도 사는 것은 어떤가요?
Remember / that the placement of items in a store/ is not random.
기억하라 / 매장 내 상품 배치는 / 무작위가 아니다
It seems that arranging items / gives suggestions to customers, / in a way that is not obvious, / while they shop.
상품을 배치 하는 것은 / 고객에게 제안을 하는 것과 같다 / 눈에 띄지 않는 방식으로 / 고객이 쇼핑하는 동안

해석

신발과 양말이 함께 진열되어 있는 것을 보셨나요? 서로 전략적으로 배치된 품목입니다. 신발 한 켤레를 구매하기로 결정했다면 양말 한 켤레도 함께 구매하는 것은 어떨까요? 매장 내 상품 배치는 무작위로 이루어지는 것이 아니라는 점을 기억하세요. 상품 배치는 고객이 쇼핑하는 동안 눈에 띄지 않는 방식으로 고객에게 제안을 제공하는 것 같습니다.

⊘ **문제 유형** 빈 칸 추론

빈 칸이 있는 문장의 앞문장 or 뒷문장을 해석하기!

It seems that arranging items gives suggestions to customers, in a way that is not obvious, while they shop.(상품 진열은 고객이 쇼핑하는 동안 눈에 띄지 않는 방식으로 고객에게 제안을 제공하는 것 같다)로 보아 상품 진열에 대한 판매자의 의도가 있다는 것을 알 수 있다. 그러므로 빈칸에는 ④ random이 알맞다.

> ⚠ **선지 더 알아보기**
>
> **accurate** : 정확한
> **enough** : 충분한
> **positive** : 긍정적인

25 | ③

⊘ **문제 유형** 주제

글의 첫 문장 해석하기!

Have you noticed that shoes and socks are displayed together?(신발과 양말이 함께 진열 되어 있는 것을 보셨나요?) 신발과 양말의 진열에 대해 언급하고 있으므로 ③ 전략적 상품 진열방식이 정답이다.

01	②	02	④	03	③	04	③	05	②
06	②	07	①	08	①	09	②	10	④
11	③	12	①	13	④	14	④	15	③
16	④	17	③	18	③	19	②	20	①
21	②	22	①	23	②	24	①	25	①

01 | ②

직독직해

I am lucky / to have the opportunity / to learn / from him.
나는 운이 좋다 / 기회를 가져서 / 배우는 / 그에게서

해석

그에게서 배울 수 있는 기회를 갖게 된 것은 행운이다.

⚠ 선지 더 알아보기

갈등 : conflict
법칙 : law
인기 : popularity

02 | ④

직독직해

Many people / are aware of / the health risks / of energy drinks.
많은 사람들이 / 알고 있다 / 건강의 위험성 / 에너지 드링크의

해석

많은 사람이 에너지 드링크의 건강 위험성에 대해 알고 있습니다.

⚠ 선지 더 알아보기

걷다 : walk on
놓다 : let go (of)
묻다 : ask for

03 | ③

직독직해

Our trip / to the beach / was canceled / due to / the storm.
우리의 여행은 / 해변으로 가는 / 취소 되었다. / 때문에 / 태풍

해석

폭풍우로 인해 해변 여행이 취소되었습니다.

⚠ 선지 더 알아보기

게다가 : beside
대신에 : instead
반면에 : while

04 | ③

직독직해

Every flower / in the garden / is beautiful, / but / I really love / this red rose.
모든 꽃은 / 정원에 있는 / 아름답다 / 그러나 / 나는 정말 사랑한다 / 이 빨간 장미를

해석

정원의 모든 꽃이 아름답지만 저는 이 빨간 장미가 정말 마음에 들어요.

부분 전체관계어 : 한 단어가 다른 단어의 부분에 해당하는 관계의 단어들

부분 - 전체관계어
- rose (장미) - flower (꽃)
- color (색) - gray (회색)
- sport (스포츠) - basketball (농구)
- language (언어) - English (영어)

반의어
north (북쪽) - south (남쪽)

05 | ②

해석

The Great Magic Show
마술쇼
Come and be amazed!
오라 그리고 놀랄 것이다!
- Date : August 17th, 2 p.m-5 p.m
- 날짜 : 8월 17일, 오후 2시-5시
- Location : The Grand Hotel
- 장소 : 그랜드 호텔
- Tickets : 20,000 won
- 입장료 : 20,000원
* There is a parking area behind the hotel.
* 주차장소는 호텔 뒤에 있습니다.

관람 날짜(Date)와 관람 장소(Location), 티켓 가격(Tickets) 그리고 주차 정보는 언급 되었으나 관람 연령에 대해서는 언급 되지 않았다.

06 | ②

직독 직해	• We / will order / ice cream / for dessert. • 우리는 / 주문 할 것입니다. / 아이스크림을 / 후식으로 • Please / put the books / in alphabetical order. • 부탁합니다/ 책을 꽂아주세요 / 알파벳 순서대로

order : 주문하다, 순서

07 | ①

직독 직해	• She / believes / that she can / pass the exam. • 그녀는 / 믿는다 / 그녀가 할 수 있다고 / 시험에 합격하는 것을 • He / bought / a car / that is quiet and fast. • 그는 / 샀다. / 차를 / 조용하고 빠른.

명사절을 이끄는 접속사 that과 관계대명사 that이 쓰였다. she can pass the exam은 단독 문장으로 사용 할 수 있고, 선행사가 없기 때문에 접속사 that이고, is quiet and fast은 주어가 빠져서 단독 문장으로 사용 할 수 없고, 선행사 a car가 있기 때문에 관계대명사 that이다.

🔍 **개념 더 보기** **접속사 that과 관계대명사 that의 구분**

1) that 다음에 나오는 절의 문장 구조가 완전하면 접속사이고, 불완전하여 주어나 목적어가 없으면 관계대명사이다.

2) that 앞에 선행사가 없으면 접속사, 있으면 관계대명사이다.

08 | ①

직독 직해	• France / is famous for the Eiffel Tower. • 프랑스는 / 에펠탑으로 유명하다. • He called / his friends / and asked / for help. • 그는 불렀다 / 그의 친구들을 / 그리고 요청했다 / 도움을

is famous for : ~로 유명하다
asked for : 요청하다

09 | ②

직독 직해	A : Ah! There's a spider /as big as /my hand! A : 오! / 거미가 / 커 / 내 손보다! B : As big as your hand? Really? B : 너의 손보다 크다고? / 정말? A : Yes, it's huge! A : 응, 그것은 거대해! B : Let me check. Seeing is believing. B : 한 번 보자 / 눈으로 확인해야 믿을 수 있어!
해석	A : 아! 내 손만큼 큰 거미가 있어! B : 손만큼 커? 정말? A : 응, 엄청 커! B : 내가 확인해볼게. 직접 보면 믿어진다

⚠️ **선지 더 알아보기**

남의 것이 더 좋아 보인다.
 : Grass is greener on the other side.
겉모습만으로 판단해서는 안 된다.
 : Can't judge a book by its cover.
눈에서 멀어지면 마음도 멀어진다.
 : Out of sight out of mind.

10 | ④

직독 직해	A : Finally, I booked tickets to see my favorite band! A : 마침내, 나는 예매했어 티켓을 / 내가 가장 좋아하는 밴드를 보는 B : That's awesome! When is the concert? B : 오 잘됐어! / 콘서트가 언제야? A : It's on Friday. I can't wait to see / them perform live. A : 금요일이야. / 나는 손꼽아 기다리고 있다. / 그들의 라이브 공연을 B : You're so lucky. Enjoy it! B : 너 정말 운이 좋구나 / 즐겨!
해석	A : 드디어 내가 좋아하는 밴드 공연 티켓을 예매했어! B : 잘됐다! 콘서트는 언제야? A : 금요일이에요. 빨리 라이브 공연을 보고 싶어요. B : 너 정말 운이 좋구나. 즐기세요!

☑ **문제 유형** 심정

감정을 나타내는 단어를 보고 풀기!

A의 말 중 "can't wait"를 통해 A의 심정이 어서 빨리 하고 싶은, 정말 기대되는 상황이라는 것을 알 수 있기에 정답은 행복이다. '주어＋can't wait for something'은 매우/ 몹시/ 정말 기다려진다, 기대된다, ~에 대한 기대가 크다, 어서 빨리 ~하고 싶다 등의 의미를 갖는다.

11 | ③

<table>
<tr><td rowspan="6">직독
직해</td><td>A : Can you show/ me / some short hairstyles?</td></tr>
<tr><td>A : 보여 줄 수 있나요? / 나에게 / 짧은 머리 스타일을</td></tr>
<tr><td>B : Sure. / Here are / some pictures. / Do you like any of them?</td></tr>
<tr><td>B : 네. / 여기 있어요 / 몇 장의 사진들이. / 마음에 드는 게 있나요?</td></tr>
<tr><td>A : I like / this one. / Can you cut / my hair / like this?
A : 나는 좋아요 / 이것이/ 잘라 줄 수 있나요? / 나의 머리를 / 이렇게와 같이</td></tr>
<tr><td>B : Absolutely, / we can start / right away.
B : 당연하죠 / 우리는 시작한다 / 지금 바로</td></tr>
<tr><td rowspan="4">해석</td><td>A : 짧은 머리 스타일 좀 보여줄 수 있어요?</td></tr>
<tr><td>B : 물론이죠. 여기 사진 몇 장 있어요. 마음에 드는 거 있어?</td></tr>
<tr><td>A : 이게 마음에 들어요. 제 머리도 이렇게 잘라주실 수 있나요?</td></tr>
<tr><td>B : 물론, 바로 시작할 수 있어요.</td></tr>
</table>

⊘ **문제 유형** 대화가 이루어지는 장소

장소를 나타내는 포인트 단어 찾기!

hairstyles(헤어스타일)과 cut my hair(머리를 자르다)라는 단어를 통해 대화가 이루어지는 장소가 미용실임을 알 수 있다.

12 | ①

<table>
<tr><td rowspan="8">직독
직해</td><td>Exercise /can help / you /maintain /a healthy weight.
운동은 / 도움을 준다 / 너에게 / 유지 하는데 / 건강한 체중을</td></tr>
<tr><td>It / burns calories / and builds muscle, / which is important / for overall health.
그것은 / 칼로리를 태운다 / 그리고 근육을 만든다 / 중요한 / 전체적인 건강에</td></tr>
<tr><td>It will also help / you feel more energetic / and productive / so you can / focus on / your work. /
그것은 또한 도와줄 것이다 / 너가 활력을 느끼게 / 그리고 생산성을 / 그래서 너는 할 수 있다 / 집중 하다 / 너의 업무에</td></tr>
<tr><td>By staying / active, / you can / prevent / many health problems.
유지하다 / 활동을 / 너는 할 수 있다 / 예방하다 / 많은 건강 문제들.</td></tr>
<tr><td colspan="1"></td></tr>
<tr><td colspan="1"></td></tr>
<tr><td colspan="1"></td></tr>
<tr><td colspan="1"></td></tr>
<tr><td rowspan="1">해석</td><td>운동은 건강한 체중을 유지하는 데 도움이 될 수 있습니다. 운동은 칼로리를 소모하고 전반적인 건강에 중요한 근육을 만들어 줍니다. 또한 활력과 생산성을 높여 업무에 집중할 수 있도록 도와줍니다. 활동적인 생활을 유지하면 많은 건강 문제를 예방할 수 있습니다.</td></tr>
</table>

⊘ **문제 유형** 지칭추론

it이 적힌 문장의 앞 문장을 해석해 보기!

it이 적힌 앞 문장을 해석 해 보면 Exercise can help you maintain a healthy weight. (운동은 건강한 체중을 유지하는 데 도움이 될 수 있다) 그래서 it이 가리키는 것이 excrcise(운동)임을 알 수 있다.

⚠ **선지 더 알아보기**

heart : 마음
problem : 문제
stay : 머무름

13 | ④

<table>
<tr><td rowspan="5">직독
직해</td><td>A : How often / do you eat out?
A : 얼마나 자주 / 외식 해?</td></tr>
<tr><td>B : Not too often, / maybe once a week. / How about you?
B : 자주 하지 않아, / 아마도 일주일에 한 번 정도 / 너는?</td></tr>
<tr><td>A : I eat out / almost / every day. / It's easier / with my schedule.
A : 나는 외식을 / 거의 / 매일 해. / 그것은 쉽다 / 나의 스케줄상</td></tr>
<tr><td>B : Yes, / I understand.
B : 응, / 이해 했어</td></tr>
<tr><td colspan="1"></td></tr>
<tr><td rowspan="1">해석</td><td>A : 외식은 얼마나 자주 하시나요?
B : 일주일에 한 번 정도요. 당신은 어때요?
A : 거의 매일 외식을 합니다. 제 스케줄을 고려하면 더 쉬워요.
B : 네, 이해합니다.</td></tr>
</table>

⊘ **문제 유형** 대화 내용 파악

선지를 해석 후 빈 칸에 알맞은 문장을 찾기!

선지를 해석 해 보면 How often do you eat out? (얼마나 자주 외식을 하나요?) 이 빈 칸에 들어가면 A의 질문에 대한 B의 대답이 매끄럽게 이어진다.

⚠ **선지 더 알아보기**

① **Are there any restaurants around here** : 주변에 맛집이 있나요?
② **What kind of food do you eat** : 어떤 음식을 먹나요?
③ **Where can I get easy recipes** : 간단한 레시피는 어디서 구할 수 있나요?

14 | ④

직독 직해	A : How can I improve / my communication skills? A : 어떻게 하면 향상 시킬 수 있나요? / 나의 의 사소통 능력을 B : One way / is to practice / speaking / with people / regularly. B : 한 가지 방법은 / 연습하는 것입니다. / 말하는 것을 / 사람들과 함께 / 규칙적으로
해석	A : 커뮤니케이션 능력을 향상시키려면 어떻게 해야 하나요? B : 한 가지 방법은 사람들과 정기적으로 대화하 는 연습을 하는 것입니다.

⊙ 문제 유형 대화 내용 파악

선지를 해석 후 빈 칸에 알맞은 문장을 찾기!

선지를 해석 해 보면 practice speaking with people regularly(사람들과 정기적으로 대화하는 연습을 하는 것입니다)가 빈 칸에 들어가면 A의 질문에 대한 B의 대답이 매끄럽게 이어진다.

⚠ 선지 더 알아보기

① **eat more fruit and vegetables** : 과일과 채소를 더 많이 먹습니다.
② **buy baking soda for your mom** : 엄마를 위해 베이킹 소다를 구입합니다.
③ **wear gloves to keep your hands warm** : 손을 따뜻하게 유지하기 위해 장갑을 착용합니다.

15 | ③

직독 직해	A : Do you know / the benefits / of drinking tea? A : 너는 아니? / 장점을 / 차를 마실 때 B : Sure. / It can help you / relax / and reduce stress. B : 물론이지 / 그것은 도와준다 / 너를 / 편안하 게 / 그리고 감소시킨다 스트레스를 Do you like / to drink tea? 너는 좋아하니? / 차 마시는 것을 A : Yes, I do. / I heard / it can also / help / with digestion. A : 응, 좋아해 / 나는 들었다. / 그것은 또한 / 도 와준다고 / 소화를
해석	A : 차를 마시면 어떤 장점이 있는지 아세요? B : 네. 긴장을 풀고 스트레스를 줄이는 데 도움 이 될 수 있어요 차 마시는 걸 좋아하세요? A : 네, 좋아해요 소화에 도움이 된다고 들었어요.

⊙ 문제 유형 대화의 주제

첫 문장 해석하기!(A의 말이 정답을 가르쳐준다)

첫 문장을 해석 해 보면 Do you know the benefits of drinking tea?(차를 마시면 어떤 장점이 있는지 아세요?) 대화의 주제가 차 마시는 것의 장점과 관련된 것으로 ③ 차를 마시는 것의 장점 인 것을 알 수 있다.

16 | ④

직독 직해	I / live / downstairs / and have been hearing / a lot of noise / from your apartment / lately. 나는 / 산다 / 아래층에 / 들린다 / 큰 소음이 / 너의 아파트로부터 / 늦은 시간에 I / can't sleep / at night. 나는 / 잘 수가 없다 / 밤에 Please keep the noise levels down, especially during the late hours. 부탁한다 / 소음의 소리를 줄여 주기를, / 특히 / 늦은 시간 동안에 This would be greatly appreciated. 이렇게 해 주면 / 정말 / 고맙다
해석	아래층에 사는데 요즘 아파트 소음이 너무 심 해요. 밤에 잠을 잘 수가 없어요. 제발 특히 늦 은 시간대에는 소음 레벨을 낮춰주세요. 이렇 게 해주시면 정말 감사하겠습니다.

⊙ 문제 유형 글을 쓴 목적

첫 문장 or 마지막 문장에서 핵심 단어 찾기

I live downstairs and have been hearing a lot of noise (아래층에 사는데 요즘 아파트 소음이 너무 심해요)에서 noise (소음)로 보아 이 글은 소음을 줄여달라고 요청하는 글이므로 ④ 요청하려고 가 정답이다.

17 | ③

해석	• 화요일 오후 5시 마가렛 홀 • 댄스 경험이 필요하지 않습니다. • 운동화를 가져오세요. • 자세한 내용은 이메일(dancer@email.com) 로 문의하세요.

⊙ 문제 유형 일치 문제

글을 해석 하면서 선지와 비교 해 보기!

(자신의 운동화를 가져오세요) 이 문장으로 보아 ③ 동아리 가입 시 운동화가 제공된다는 틀린 선지임을 알 수 있다.

18 | ③

Paradise Resort / is located in / /Thailand.
파라다이스 리조트 / 위치한다 / 태국에

The resort / is / next to / the ocean, / so you can enjoy / swimming and fishing.
그 리조트는 / 있다 / 바로 옆에 / 바다, / 그래서 너는 즐길 수 있다 / 수영과 낚시를

Also, / there are /many diving spots /where you can observe /colorful marine life.
또한 / 있다 / 많은 다이빙 장소가 / 너가 관찰 할 수 있는 / 다채로운 해양 생물을

The resort /has /restaurants /where you can enjoy /various dishes /from around the world.
그 리조트는 / 가졌다 / 레스토랑을 / 우리가 즐길 수 있는 / 다양한 음식들 / 세계 각국의

Come visit us in paradise!
놀러오세요 / 파라다이스에

해석

파라다이스 리조트는 태국에 위치해 있어요. 리조트가 바다 옆에 있어 수영과 낚시를 즐길 수 있어요. 또한 다채로운 해양 생물을 관찰 할 수 있는 다이빙 장소가 많이 있습니다. 리조트에는 세계 각국의 다양한 요리를 즐길 수 있는 레스토랑이 있습니다. 파라다이스에 놀러 오세요!

ⓥ 문제 유형 일치 문제

글을 해석 하면서 선지와 비교 해 보기!

또한, 다채로운 해양 생물을 관찰 할 수있는 다이빙 장소가 많이 있습니다) 라는 문장으로 보아 ③ 다이빙은 안전상의 이유로 금지된다는 틀린 선지임을 알 수 있다.

⚠ **선지 더 알아보기**

① 태국에 위치해 있다.
② 수영과 낚시를 즐길 수 있다.
③ 다이빙은 안전상의 이유로 금지된다.
④ 세계 여러 나라의 음식을 먹을 수 있다.

19 | ②

Let me give you some tips / that could make you look taller.
너에게 팁을 주겠다 / 너가 키가 커 보일 수 있는

First, / avoid / loose clothes.
첫째, / 피해라 / 헐렁한 옷을

Many of you might / prefer / big and oversized clothes,
많은 사람들이 / 선호한다 / 크거나 오버사이즈의 옷을 /

but they / can make / you appear short.
그러나 그것은 / 만든다 / 키가 작아 보이게

Second, / wear / similar colors.
둘째, / 입어야 한다 / 비슷한 색상의 옷을

Wearing different colors / divides / your body / and can cause you to look shorter.
다른 색상의 옷을 입으면 / 나눈다 / 너의 몸을 / 키가 작아 보일 수 있다

해석

키가 커 보일 수 있는 몇 가지 팁을 알려드리겠습니다. 첫째, 헐렁한 옷을 피하세요. 많은 사람들이 크고 큰 옷을 선호하지만 키가 작아 보이게 할 수 있습니다. 둘째, 비슷한 색상의 옷을 입으세요. 서로 다른 색상의 옷을 입으면 몸이 나눠져 키가 작아 보일 수 있습니다.

ⓥ 문제 유형 주제

글의 앞부분 해석하기!

Let me give you some tips that could make you look taller (키가 커 보일 수 있는 몇 가지 팁을 알려드리겠습니다) 로 보아 ② 키가 커 보이게 옷을 입는 방법이 정답이다.

20 | ①

Film - making / can be challenging / because it requires / careful planning and teamwork.
영화제작은 / 어려울 수 있다 / 요구하기 때문에 / 신중한 계획과 팀워크가

Finding / the right locations, / making schedules / with actors,
and managing a budget / are all difficult tasks.
찾는다 / 알맞은 장소를 / 일정을 짠다 / 배우들과 함께 / 예산을 관리 하는 일은 / 모두 어려운 일이다

Weather and technical issues / during filming / can also cause delays.
날씨와 기술적인 문제는 / 촬영하는 동안에 / 또한 지연의 원인 될 수 있다.

해석

영화 제작은 신중한 계획과 팀워크가 필요하기 때문에 어려울 수 있습니다. 적절한 장소를 찾고, 배우들과 일정을 짜고, 예산을 관리하는 것은 모두 어려운 작업입니다. 촬영 중 날씨와 기술적인 문제도 지연의 원인이 될 수 있습니다.

⊘ **문제 유형** 빈 칸 추론

빈 칸이 있는 문장의 앞문장 or 뒷문장을 해석 하기!

Film-making can be challenging because it requires careful planning and teamwork. (영화 제작은 신중한 계획과 팀워크가 필요하기 때문에 어려울 수 있습니다) Finding the right locations, making schedules with actors, and managing a budget are all difficult tasks. (적절한 장소를 찾고, 배우들과 일정을 짜고, 예산을 관리하는 것은 모두 어려운 작업입니다.) 비슷한 뜻을 가진 challenging와 difficult가 쓰이면 매끄러운 해석이 된다.

⚠ **선지 더 알아보기**

Challenging : 도전적인, 상당히 어려운
Selfish : 이기적인
Independent : 독립적인
Wearable : 착용감이 좋은

---

21 | ②

직독 직해

What is a 3D printer?
3D 프린터란 무엇인가요?
It's like a normal printer but a little different.
이것은 / 비슷하지만 / 일반 프린터 / 그러나 조금 다르다
First, / we don't put / in ink / but other materials / like plastic or metal.
첫째, / 우리는 넣지 않는다 / 잉크를/ 다른 재료를 넣는다 / 금속이나 플라스틱과 같은
Next, / using software, / we don't print out / paper / but / real-life products / like / toys and even houses.
다음은 / 소프트웨어를 사용해 / 우리는 프린트를 하지 않는다/ 종이로 / 그러나 / 실제 제품을 / ~와 같은 / 장난감과 심지어 집들 까지도
Isn't that amazing?
정말 놀랍지 않나요?

해석

3D 프린터란 무엇입니까? 일반 프린터와 비슷하지만 조금 다릅니다. 먼저 잉크가 아닌 플라스틱이나 금속과 같은 다른 재료를 사용합니다. 다음으로, 소프트웨어를 사용하여 종이가 아닌 장난감이나 집과 같은 실제 제품을 인쇄합니다. 놀랍지 않나요?

⊘ **문제 유형** 빈 칸 추론

빈 칸이 있는 문장의 앞문장 or 뒷문장을 해석 하기!

What is a 3D printer?(3D 프린터가 무엇인가요?) It's like a normal printer but a little different.(일반적인 프린터와 비슷하지만 조금 다릅니다.) First, we don't put in ink but other materials like plastic or metal.(먼저 잉크가 아닌 플라스틱이나 금속과 같은 다른 재료를 사용합니다) 일반적인 프린터와의 차이점을 설명하고 있으므로 빈 칸에 different가 들어가는 것이 알맞다.

⚠ **선지 더 알아보기**

common : 공통
different : 다른
frequent : 빈번한
wrong : 틀린

---

22 | ①

직독 직해

On New Year's Day,/ my friend and I / planned / to climb a mountain / near my town.
새해에 / 내 친구와 나는 / 계획했다 / 산을 오르기로 / 마을 옆의
However, / heavy snow /fell / unexpectedly.
그러나 / 강한 눈이 / 내렸다 / 예기치 않게
It stopped us / from going up / the mountain / because / it could have been dangerous.
멈췄다 우리는 / 올라 가는 것을 /산을 / 왜냐하면 / 그것은 위험했기 때문에
As a result, / we stayed / indoors.
결과적으로 / 우리는 머물렀다 / 실내에
We / were very disappointed / but / we hope/ to try again.
우리는 / 매우 실망했다 / 하지만 / 우리는 소망한다 / 다시 도전하기를

해석

새해 첫날, 친구와 저는 마을 근처의 산에 오를 계획을 세웠습니다. 하지만 예기치 않게 폭설이 내렸습니다. 위험할 수 있었기 때문에 우리는 산에 오르지 못했습니다. 결과적으로 우리는 실내에 머물렀습니다. 우리는 매우 실망했지만 다시 시도하고 싶다.

⊘ **문제 유형** 문장 삽입

먼저 주어진 문장 해석하고, 접속사를 확인한 뒤에 전체 글을 해석 하면서 문장이 들어갈만한 위치 찾기

However, heavy snow fell unexpectedly.(하지만 예기치 않게 폭설이 내렸습니다)라는 문장이 산에 오를 계획을 했으나 산에 오르지 못했다는 문장의 사이에 들어가야 하므로 ① 이 알맞다.

23 | ②

직독직해

Today,/ pets / such as / dogs, cats, and rabbits
오늘날. / 반려동물 / ~와 같은 / 개, 고양이 그리고 토끼
hold / a special place / in their owners' hearts.
잡다 / 특별한 자리를 / 그들의 주인의 마음 속에
Many people spend a lot of time with their pets. .
많은 사람들은 / 보낸다 / 많은 시간을 / 그들의 반려동물과 함께
Some people / spend / much money on / them.
어떤 사람들은 / 쓴다 / 많은 돈을 / 그들에게
Pets / can mean / a lot / to their owners.
반려동물은 / 의미가 있다 / 큰 / 그들의 주인에게
Here are / some reasons why.
여기 있다 / 왜 그런지 이유가

해석

오늘날 개, 고양이, 토끼와 같은 반려동물은 주인의 마음속에 특별한 자리를 차지하고 있습니다. 많은 사람들이 반려동물과 많은 시간을 함께 보냅니다. 어떤 사람들은 반려동물을 위해 많은 돈을 쓰기도 합니다. 반려동물은 주인에게 큰 의미가 있습니다. 그 이유는 다음과 같습니다.

◎ **문제 유형** 뒤에 이어질 내용

글의 마지막 2문장을 중심으로 해석 하기

Pets can mean a lot to their owners. (반려동물은 주인에게 큰 의미가 있습니다)로 보아 ② <u>반려동물이 주인들에게 중요한 이유</u>가 정답이다.

24 | ①

직독직해

Humans / are / social beings.
사람들은 / 이다 / 사회적 존재
We / cannot live / alone / and need / support / from / others.
우리는 / 살 수 없다 / 혼자서 / 필요하다 / 도움이 / ~로 부터 / 다른 사람
We should try / to do things / in cooperation. 우리는 노력해야 한다 / 무언가를 하기 위해 / 협력 안에서
When / we work / as a team, /we can be / more successful.
~할 때 / 우리가 일하다 / 한 팀으로써, / 우리는 할 수 있다 / 더 성공적으로
Helen Keller / once said,
헬렌 켈러가 / 이렇게 말했다.

"Alone we can do/ so little ; / together we can do / so much."
혼자서 할 수 있는 일은 / 거의 없다. / 함께 할 수 있는 일은 / 매우 많다
None of us is as smart as / all of us.
우리 중 누구도 똑똑하지 않다 / 우리 모두 만큼
When we keep this in mind,
~ 할 때 / 우리가 새길 때 / 이것을 마음에 /
I'm sure that / we / will build / a better society.
나는 확신 한다/ 우리는 / 만들 수 있다 / 더 나은 사회를

해석

인간은 사회적 존재입니다. 우리는 혼자서는 살 수 없으며 다른 사람의 도움이 필요합니다. 우리는 협력해서 일을 하려고 노력해야 합니다. 팀으로 일할 때 우리는 더 성공할 수 있습니다. 헬렌 켈러는 "혼자서는 할 수 있는 일이 너무 적지만 함께라면 할 수 있는 일이 너무 많다"고 말했습니다. 우리 중 누구도 우리 모두만큼 똑똑하지 않습니다. 이 점을 명심한다면 우리는 더 나은 사회를 만들 수 있을 것이라고 확신합니다.

◎ **문제 유형** 빈 칸 추론

빈 칸이 있는 문장의 앞문장 **or** 뒷문장을 해석 하기!

Helen Keller once said, "Alone we can do so little ; together we can do so much." (헬렌 켈러는 "혼자서는 할 수 있는 일이 거의 없다.함께라면 많은 것을 할 수 있습니다."라고 말했습니다) None of us is as smart as all of us. .(우리 중 누구도 우리 모두만큼 똑똑하지 않습니다) When we keep this in mind, I'm sure that we will build a better society. (우리가 이 말을 명심할 때, 우리는 더 나은 사회를 만들 수 있을 것입니다) 매끄러운 해석을 위해서 빈칸에는 ① <u>build</u>가 알맞다.

⚠ **선지 더 알아보기**

build : 만들다, 건설하다
forget : 잊다
submit : 제출하다
trick : 속이다

25 | ①

◎ **문제 유형** 주제

글의 첫 문장 해석하기!

Humans are social beings. We cannot live alone and need support from others. We should try to do things in cooperation.(인간은 사회적 존재입니다. 우리는 혼자서는 살 수 없으며 다른 사람의 도움이 필요합니다. 우리는 협력해서 일을 하려고 노력해야 합니다.) 이 글의 앞부분에 나와 있는 cooperation(협력) 이라는 단어를 통해 이 글의 주제가 ① <u>협력의 중요성</u>임을 바로 알 수 있다.

01	①	02	③	03	③	04	④	05	③
06	②	07	②	08	③	09	④	10	①
11	①	12	③	13	③	14	②	15	④
16	①	17	④	18	④	19	①	20	②
21	④	22	④	23	①	24	④	25	③

01 | ①

직독직해

Teaching / Korean / to young kids / was / an interesting experience / last winter.

가르치는 것 / 한국어를 / 어린아이들에게 / 이었다 / 흥미로운 경험 / 지난 겨울에.

해석

작년에 한국어를 어린 아이들에게 가르쳤던 것은 흥미로운 경험이었다.

⚠ 선지 더 알아보기

경험 : experience
분업 : division of labor
설명 : explanation
흥미 : interest

02 | ③

직독직해

Students / were encouraged / to take part in / the group activity.

학생들이 / 권장 되었다 / 참여하도록, / 그룹 활동

해석

학생들이 그룹 활동에 참여하도록 권장했다.

⚠ 선지 더 알아보기

참여하다 : take part in
수리하다 : repair
알아채다 : recognize
주문하다 : order

03 | ③

직독직해

She / went swimming / despite / her fear of water

그녀는 / 수영을 하러 갔습니다 / 불구하고 / 물에 대한 두려움에

해석

그녀는 물에 대한 두려움에도 불구하고 수영을 하러 갔어요.

⚠ 선지 더 알아보기

제외하고 : exclude, except for
왜냐하면 : because
불구하고 : despite
예를 들면 : for example

04 | ④

직독직해

The street / was dark / while / the church / was bright.

거리는 / 어두웠다 / 반면에 / 교회는 / 밝았다

해석

거리는 어두웠지만 교회는 밝았습니다.

While은 반면에 라는 뜻으로 두 단어의 관계는 반의어이다.

반의어

• dark (어둠) - bright (밝음)
• thick (두꺼운) - thin (얇은)
• poor (가난한) - rich (부유한)
• weak (약한) - strong (강한)

유의어

• correct (옳은) - right (바른)

05 | ③

직독직해

Strawberry Festival
딸기 축제
Date : April 15th - 16th
날짜 : 4월 15일 - 16일
Location : The Spring Park
장소 : 더 스프링 공원
Activities : Picking, Eating contest, Jam making
활동 내용 : 딸기 따기, 먹기 대회, 잼 만들기
Come and Enjoy!
오세요 그리고 즐기세요!

날짜(Date)와 장소(Location), 활동 내용(Activities)은 언급되었으나 주차료는 언급되지 않았다.

06 | ②

해석

• Please do not touch the paintings on the wall.
• 벽에 걸린 그림은 만지지 마세요.
• Let's keep in touch after we graduate from high school.
• 고등학교를 졸업한 후에도 계속 연락합시다.

touch는 기본적으로 만지다라는 의미를 가지고 있고 일반동사 부정문 do not '아니다'라는 의미와 함께 쓰이면 do not touch 만지지 마세요라는 부정문이 된다. keep in touch는 계속 연락하다라는 뜻을 가지고 있다.

해석

Mom asked me who cleaned the house.
엄마는 누가 집 청소를 했냐고 물으셨어요.
He is the man who invented this machine.
이 기계를 발명한 사람이에요.

첫번째 문장은 간접 의문문으로 "누가 청소했는지"라는 의미를 내포하는 의문대명사 who이다. 두번째 문장은 앞에 있는 "the man"을 수식 하는 관계대명사 who이다.

08 | ③

해석

Finally, he came up with a great idea.
마침내 그는 좋은 아이디어를 떠올렸어요.
Henry, I totally agree with you.
헨리, 저도 전적으로 동의합니다.

come up with : (생각, 아이디어, 답 등을) 떠올리다, 생각해내다, 제안하다
agree with : ~에 동의하다, ~와 의견이 같다

09 | ④

직독 직해

A : That man over there looks strange.
A : 저 남자는 / 저기 있는 / 이상해 보여.
B : That's / my neighbor / David.
B : 저 사람은 / 나의 이웃 / David야!
He / is / one of the nicest people / I know.
그는 / ~이다 / 가장 좋은 사람 중 한 명 / 내가 아는
A : Really? / I had no idea.
A : 정말? / 나는 몰랐어.
B : You know, / "Don't judge a book by its cover."
B : 너가 알듯이, / "겉만 보고 속을 판단하지마!"

해석

A : 저기 저 남자가 이상해 보여요.
B : 내 이웃 데이빗이야. 그는 내가 아는 가장 좋은 사람 중 한 명이야.
A : 정말요? / 전혀 몰랐어.
B : "겉만 보고 속을 판단하지 마라"는 말이 있잖아.

⚠ 선지 더 알아보기

가는 말이 고와야 오는 말이 곱다.
: What goes around, comes around.
일찍 일어나는 새가 벌레를 잡는다.
: The early bird catches the worm.
어려울 때 돕는 친구가 진정한 친구다.
: A friend in need is a friend indeed.

10 | ①

직독 직해

A : Why didn't you / go to the game / last night?
A : 왜 너는 하지 않았니? / 경기를 보러 가다 / 지난 밤에
B : I / had too much / homework.
B : 나는 / 많았다 / 숙제가
A : You / really / missed / a great game.
A : 너는 / 정말 / 놓쳤다 / 멋진 경기를
B : I wish I could have gone.
B : 나도 / 갔더라면 좋았을텐데

해석

A : 어젯밤에는 왜 경기에 안 갔어요?
B : 숙제가 너무 많았어요.
A : 정말 멋진 경기를 놓쳤구나.
B : 나도 갈 수 있었으면 좋았을 텐데.

◉ **문제 유형** 심정

감정을 나타내는 단어를 보고 풀기!

B의 말 중 " I wish I could have gone." 를 통해 B가 아쉬움을 가지고 있음을 알 수 있다. 이 문장은 과거의 사실과 반대되는 아쉬움을 표현할 때 쓰는 가정법 과거완료의 한 형태이다. wish + could have + p.p 은 그때 그렇게 했더라면 좋았을 텐데 후회 또는 아쉬움을 나타낸다.

11 | ①

직독 직해

A : Where / can I find / the science books?
A : 어디에 / 내가 찾을 수 있나요? / 그 과학책들
B : Oh, / they / are on / the 2nd floor.
B : 아, / 그것들 / ~에 있다(위치) / 2층
A : Thanks. / How many books / can I borrow?
A : 고마워요/ 몇 권의 책 / 내가 빌릴수 있나요?
B : You can / take out / seven books / at a time.
B : 당신은 할 수 있다 / (도서관 등에서 책을) 대출하다 / 책 7권 / 한번에

해석

A : 과학책은 어디에서 찾을 수 있나요?
B : 2층에 있어요.
A : 고마워요. 책을 몇 권까지 빌릴 수 있나요?
B : 한 번에 7권까지 대출하실 수 있습니다.

◉ **문제 유형** 대화가 이루어지는 장소

장소를 나타내는 포인트 단어 찾기!

book (책)과 borrow (빌리다) 라는 단어를 통해 대화가 이루어지는 장소가 도서관임을 알 수 있다.

직독직해

There are / various ways / people / let go of their stress / and maintain / healthy lives.
~이 있다. / 다양한 방법들 / 사람들이 / 스트레스를 해소하다(풀다) / 그리고 유지하다 / 건강한 삶을
Yoga / is one of them.
요가는 / 그 방법들 중 하나이다
It focuses on bringing harmony between mind and body.
그것 / ~에 집중하다(초점을 맞추다) / 조화를 가져오는 것 / 마음과 몸 사이에
This / leads to / inner peace / and / can relieve / your stress.
이것 / ~로 이어지다(~를 초래하다) / 내면의 평화 / 그리고 / 완화시킬 수 있다 / 당신의 스트레스를
Why don't you / try this / for your health?
~하는 게 어때요? / 이것을 시도해보다 / 당신의 건강을 위해

해석

사람들이 스트레스를 해소하고 건강한 삶을 유지하는 방법에는 여러 가지가 있습니다. 요가도 그중 하나입니다. 요가는 몸과 마음의 조화를 이루는 데 중점을 둡니다. 이는 내면의 평화로 이어지고 스트레스를 해소할 수 있습니다. 건강을 위해 요가를 해보는 건 어떨까요?

⊙ **문제 유형** 지칭추론

it이 적힌 문장의 앞 문장을 해석해 보기!

it이 적힌 문장의 앞 문장을 해석해 보면 Yoga is one of them (요가도 그 중 하나이다) 그래서 it이 가리키는 것이 yoga (요가)임을 알 수 있다.

⚠ 선지 더 알아보기

exam : 시험
cooking : 요리
marathon : 마라톤

직독직해

A : Let's / go see a movie.
A : 우리 ~하자 / 영화를 보러 가자
B : Sure. / What kind of movie / do you want to see?
B : 그래 좋아. / 어떤 종류의 영화 / 너는 보고 싶니?
A : I don't care. / Anything but horror movies.
A : 아무거나 좋아. / 공포 영화만 빼고는 뭐든지
B : What about / a romantic comedy?
B : ~는 어때? / 로맨틱 코미디 영화
A : Sounds good.
A : 좋아.

해석

A : 영화 보러 가자.
B : 그래, 어떤 영화 보고 싶어?
A : 상관없어. 공포 영화만 아니면 돼요.
B : 로맨틱 코미디는 어때?
A : 좋네요.

⊙ **문제 유형** 대화 내용 파악

선지를 해석 후 빈 칸에 알맞은 문장을 찾기!

I don't care. Anything but horror movies. (상관없어. 공포 영화만 아니면 돼요) 라는 A의 답을 보면 B의 질문이 영화와 관련된 질문이었다는 것을 알 수 있고, What kind of movie do you want to see? (어떤 영화 보고 싶어?)이 빈 칸에 들어가면 매끄럽게 해석이 된다.

⚠ 선지 더 알아보기

Will you do me a favor?
: 부탁 하나만 들어줄래요?
How tall is that building over there?
: 저기 건물이 얼마나 높아요?
Could you show me the way to the theater?
: 극장 가는 길 좀 알려주실래요?

직독직해

A : Have you ever / been abroad?
A : 지금까지 ~해 본 적 있니? / 해외에 가 본 상태
B : yes, / I have been to / Vietnam / twice
B : 네, / 나는 ~에 가 본 적이 있다 / 베트남 / 두 번

해석

A : 해외에 가본 적이 있나요?
B : 네, 베트남에 두 번 가봤어요.

⊙ **문제 유형** 대화 내용 파악

선지를 해석 후 빈 칸에 알맞은 문장을 찾기!

Have you ever been abroad? (해외를 가본 적이 있나요?)는 A의 질문에 선지를 해석해 보면 해외여행과 관련된 답이 올 것을 유추 할 수 있고 yes, I have been to Vietnam twice (네, 베트남에 두 번 가봤어요)이 빈 칸에 들어가면 매끄럽게 해석이 된다.

⚠️ **선지 더 알아보기**

No, I like vegetables more
: 아니요, 전 채소가 더 좋아요

You should wear school uniforms at school
: 학교에서는 교복을 입어야 해요

It is important to fasten your seatbelt at all times
: 안전벨트를 항상 매는 것이 중요해요.

15 | ④

직독 직해	A : Have you heard about / the dangers / of strong sunlight? A : ~에 대해 들어본 적 있니? / 위험성들 / 강한 햇빛의 B : Yeah, / people / can experience / severe sunburn / when / exposed to / strong sunlight. B : 응, / 사람들은 / ~을 경험할 수 있다. / 심한 햇볕 화상 / ~될 때 / ~에 노출되다/ 강한 햇빛에 A : Exactly. / It / can also cause / skin cancer. A : 맞아. / 그것은 / 또한 ~을 일으킬 수 있다. / 피부암
해석	A : 강한 햇빛의 위험성에 대해 들어보셨나요? B : 네, 강한 햇빛에 노출되면 심한 일광 화상을 입을 수 있습니다. A : 맞아요 또한 피부암을 유발할 수도 있습니다.

⊙ **문제 유형** 대화의 주제

첫 문장 해석하기!(A의 말이 정답을 가르쳐준다)

첫 문장을 해석해 보면 Have you heard about the dangers of strong sunlight?(강한 햇빛의 위험성에 대해 들어보셨나요?) 대화의 주제가 강한 햇빛과 관련된 것으로 ④ 강한 햇빛이 피부에 미치는 악영향 인 것을 알 수 있다.

직독 직해	I ordered / several / large shirts / from your website last weekend. 나는 주문했다 / 여러 개의 / 큰 사이즈의 셔츠를 / 당신의 웹사이트에서 / 지난 주말에 Yesterday, / I / got the package / and / found out that / you sent me / the wrong size. 어제 / 나는 / 택배를 받았다 / 그리고 / ~라는 사실을 알게 되었다 / 당신이 보냈다 나에게 / 잘못된 사이즈를 Please / let me know / how to exchange / these items. 부탁합니다 / 나에게 알려주세요 / 교환 방법을 / 이 물건들을 I / will be waiting / for your response. / Thank you. 나는 / 기다리고 있을 것이다 / 당신의 응답(답장)을 / 감사합니다
해석	지난 주말에 웹사이트에서 큰 셔츠 몇 개를 주문했습니다. 어제 택배를 받았는데 사이즈가 잘못 배송된 것을 알았습니다. 이 품목을 교환하는 방법을 알려주세요. 답변을 기다리겠습니다. 감사합니다.

⊙ **문제 유형** 글을 쓴 목적

첫 문장 or 마지막 문장에서 핵심 단어 찾기

글의 마지막에서 Please let me know how to exchange these items (이 품목을 교환하는 방법을 알려주세요)에서 exchange (교환)로 보아 이 글은 도움을 요청하는 글이므로 ① 교환 문의가 정답이다.

17 | ④

직독 직해	Author of the Month 이달의 작가 Share your ideas with the author! 작가와 아이디어를 공유하세요! Friday at 6 : 00 p.m. in Vincent Hall 금요일 오후 6시 빈센트홀 Take a picture with the author. 작가와 함께 사진을 찍으세요. Get the author's signature. 작가의 사인을 받아보세요. No food allowed 음식물 반입 금지 Send any questions to talkshow@bookstore.com. 질문은 talkshow@bookstore.com 으로 보내주세요.

⊙ **문제 유형** 일치 문제

글을 해석 하면서 선지와 비교 해 보기!

No food allowed (음식물 반입 금지) 이 문장으로 보아 ④ 행사 중 음식을 먹을 수 있다는 틀린 선지임을 알 수 있다.

18 | ④

직독 직해	Isabella / went / to Australia / on vacation. 이사벨라는 / 갔다 / 호주에 / 휴가로 She / expected / to see the stars / every night. 그녀는 / 기대했다 / 별을 보는 것을 / 매일 밤 However, / she / remained / in her hotel / for two days / because / it rained heavily. 하지만, / 그녀는 / 머물렀다 호텔에 / 이틀 동안 / 때문에 / 폭우가 내렸다 She / just watched / boring / television shows. 그녀는 / 그냥 ~만 봤다 / 지루한 / 텔레비전 프로그램들 Luckily, / she / could finally see / lots of stars / on the last night. 운 좋게도 / 그녀는 / 마침내 볼 수 있었다 / 많은 별들 / 마지막 밤에 It was like / a dream come true. 그것은 ~와 같았다 / 이루어진 꿈
해석	이사벨라는 휴가를 위해 호주로 떠났습니다. 그녀는 매일 밤 별을 볼 수 있기를 기대했습니다. 하지만 비가 많이 와서 이틀 동안 호텔에 머물렀습니다. 그녀는 그저 지루한 텔레비전 프로그램만 시청했습니다. 다행히도 그녀는 마지막 날 밤에 드디어 많은 별을 볼 수 있었습니다. 마지 꿈이 이루어진 것 같았죠.

⊙ **문제 유형** 일치 문제

글을 해석 하면서 선지와 비교 해 보기!

Luckily, she could finally see lots of stars on the last night (다행히도 그녀는 마지막 날 밤에 드디어 많은 별을 볼 수 있었습니다) 그러므로 ④ 마지막 날 밤에 별들을 볼 수 없었다는 틀린 선지임을 알 수 있다.

19 | ①

직독 직해	Attention / all passengers. 주목 / 모든 승객들 The train to Busan / has been canceled, / and we are giving full refunds. 부산행 열차가 / 취소 되었습니다. / 저희는 전액 환불을 해 드리고 있습니다. Please / bring / your tickets / to the information desk, 제발 / 가져오다 / 당신의 티켓들 / 안내 데스크로 or / visit / our website / and / submit / the application form. 또는, / 방문하다 / 우리의 웹사이트 / 그리고 / 제출하다 / 신청서 We / apologize / for / the inconvenience. 우리는 / 사과하다 / ~에 대해 / 불편함
해석	승객 여러분께 알려드립니다. 부산행 열차가 취소되었으며, 전액 환불해 드립니다. 티켓을 안내데스크로 가져오시거나 웹사이트를 방문하여 신청서를 제출해 주세요. 불편을 끼쳐드려 죄송합니다.

⊙ **문제 유형** 주제

글의 앞부분 해석하기!

The train to Busan has been canceled, and we are giving full refunds.(부산행 열차가 취소되었으며, 전액 환불해 드립니다) 로 보아 ① 열차 취소로 인한 환불 안내가 정답이다.

20 | ②

직독 직해	Who are/ astronauts? 누구입니까 / 우주비행사들은? They / are explorers / who are chosen / to travel / into outer space. 그들은 / 탐험가입니다 / 선발된 / 여행 가기 위해 / 우주로 They / are trained / under harsh conditions / to endure / the severe environment of space. 그들은 / 훈련을 받습니다 / 가혹한 조건에서 / 견디기 위해 / 우주의 혹독한 환경 Staying calm / in unexpected situations / is also / another / important part / of their training. 침착함을 유지하는 것 / 예상치 못한 상황에서 / 또한 / 또 하나의 / 중요한 부분이다 / 그들의 훈련에서
해석	우주인은 누구인가요? 우주여행을 위해 선발된 탐험가들입니다. 이들은 우주라는 혹독한 환경을 견딜 수 있도록 혹독한 조건에서 훈련을 받습니다. 예상치 못한 상황에서도 침착함을 유지하는 것도 훈련의 중요한 부분입니다.

◎ **문제 유형** 빈 칸 추론

빈 칸이 있는 문장의 앞문장 or 뒷문장을 해석 하기!

They are explorers who are chosen to travel into outer space. (우주여행을 위해 선발된 탐험가들입니다)를 통해 astronauts (우주비행사)에 대해 언급하고 있음을 알 수 있다.

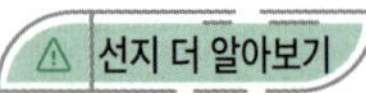 ⚠ 선지 더 알아보기

dancers : 댄서
communicators : 커뮤니케이터
psychologists : 심리학자

21 | ④

직독직해

Artificial Intelligence (AI) / is a technology / that can be very helpful.
인공지능은 / 기술이다 / 매우 도움이 될 수 있는
There are / two advantages / when using AI.
~이 있다 / 두 가지 장점 / AI를 사용할 때
First, / you / can get / answers / to your questions / right away.
첫째, / 당신은 / 얻을 수 있다 / 답을 / 당신의 질문에 대한 / 즉시
Also, / AI / can create summaries / of huge amounts of information / rapidly.
또한, / AI는 / 요약을 만들 수 있다 / 방대한 정보의 / 빠르게
This / helps / users / understand / the main points / more easily.
이것은 / 돕는다 / 사용자들을 / 이해하도록 / 핵심내용을 / 더 쉽게

해석

인공지능(AI)은 매우 유용하게 사용할 수 있는 기술입니다. AI를 사용할 때는 두 가지 장점이 있습니다. 첫째, 질문에 대한 답을 바로 얻을 수 있습니다. 또한 AI는 방대한 양의 정보를 빠르게 요약할 수 있습니다. 이를 통해 사용자는 요점을 더 쉽게 이해할 수 있습니다.

◎ **문제 유형** 빈 칸 추론

빈 칸이 있는 문장의 앞문장 or 뒷문장을 해석 하기!

Artificial Intelligence (AI) is a technology that can be very helpful. (인공지능(AI)은 매우 유용하게 사용할 수 있는 기술입니다)
There are two advantages when using AI. (AI를 사용할 때는 두 가지 장점이 있습니다)

⚠ 선지 더 알아보기

damages : 피해
mistakes : 실수
struggles : 투쟁

22 | ④

직독직해

There are / two things / you need to remember / to give better speeches.
~이 있다 / 두 가지 / 당신이 기억해야 할 / 더 나은 연설을 하기 위해
First of all, / you / should know / what you intend to say.
무엇보다 먼저 / 당신은 / 알아야 한다 / 당신이 말하려는 것이 무엇인지
Understanding / the message of the speech you are giving / is more important / than simply memorizing its script. /
이해 하는 것 / 당신이 하고 있는 연설의 메시지 / ~보다 더 중요하다 / 그 연설문의 내용을 단순히 외우는 것
Secondly, / managing / your time / effectively / is important / for the success / of your speech.
둘째로, / 관리하는 것 / 당신의 시간을 / 효과적으로 / 중요하다 / 성공하기 위해 / 당신의 연설이
It is because / you will be considered / unprepared / and unorganized / if / you / spend too much time.
왜냐하면 ~이기 때문이다 / 당신은 ~라고 여겨질 것이다/ 준비가 안 되었고, / 정리가 안된 사람으로 / 만약 / 당신이 / 시간을 너무 많이 쓴다면

해석

더 나은 연설을 하기 위해 기억해야 할 두 가지가 있습니다. 우선, 자신이 하고자 하는 말이 무엇인지 알아야 합니다. 단순히 대본을 암기하는 것보다 자신이 전달하려는 연설의 메시지를 이해하는 것이 더 중요합니다. 둘째, 시간을 효과적으로 관리하는 것은 연설의 성공을 위해 중요합니다. 너무 많은 시간을 소비하면 준비되지 않았고 정돈되지 않은 것으로 간주되기 때문입니다.

◎ **문제 유형** 문장 삽입

먼저 주어진 문장 해석하고, 접속사를 확인한 뒤에 전체 글을 해석 하면서 문장이 들어갈만한 위치 찾기

Secondly, managing your time effectively is important for the success of your speech. (둘째, 시간을 효과적으로 관리하는 것은 연설의 성공을 위해 중요합니다) 시간 관리가 연설에서 중요하다고 설명하는 문장 뒤에 보기 문장인 It is because you will be considered unprepared and unorganized if you spend too much time. (너무 많은 시간을 소비하면 준비되지 않았고 정돈되지 않은 것으로 간주되기 때문입니다)이 오는 것이 매끄러운 해석이 된다.

직독직해

These days, / many restaurants / deliver food.
요즘, / 많은 식당들이 / 음식을 배달하다
Some / are open / even / after midnight.
어떤(식당들) / 열려있다 / 심지어 / 자정 이후에도
For this reason, / you might easily order food / at night / when you feel hungry.
이러한 이유로, / 당신은 / 쉽게 음식을 주문할 수도 있습니다 / 밤에 / 배가 고플 때
However, / eating late at night / is not good / for your body.
하지만, / 밤 늦게 먹는 것 / 좋지 않다 / 당신의 몸에
There are / three main reasons / why this is so.
~이 있다 / 세가지 주요한 이유 / 이것이 몸에 안 좋은 이유

해석

요즘에는 많은 레스토랑에서 음식을 배달합니다. 자정 이후에도 문을 여는 곳도 있습니다. 이런 이유로 배고픈 밤에 쉽게 음식을 주문할 수 있습니다. 하지만 밤늦게 음식을 먹는 것은 몸에 좋지 않습니다. 그 이유는 크게 세 가지입니다.

⊙ **문제 유형** 뒤에 이어질 내용

글의 마지막 2문장을 중심으로 해석 하기

However, eating late at night is not good for your body. There are three main reasons why this is so. (하지만 밤늦게 음식을 먹는 것은 몸에 좋지 않습니다. 그 이유는 크게 세 가지입니다)로 보아 ① 야식이 건강에 해로운 이유가 정답이다.

직독직해

Taekwondo / is popular / throughout the world.
태권도 / 인기가 있다 / 전 세계적으로
What makes / people / so attracted to it?
무엇이 ~하게 만드나요? / 사람들이 / 그것(태권도)에 그렇게 끌리게
People / improve / their physical abilities, / such as increased flexibility.
사람들은 / 향상시킨다 / 그들의 신체 능력을 / ~와 같은 / 유연성 증가
In addition, / they / can learn self-control / by practicing it / on a regular basis.
게다가, / 그들은 / 자기통제력을 배울 수 있다 / 그것(태권도)을 연습함으로써 / 규칙적으로
For these reasons, / it is now enjoyed / internationally.
이러한 이유들 때문에 / 그것은 이제 즐겨지고 있다 / 전 세계적으로

해석

태권도는 전 세계적으로 인기가 높습니다. 사람들이 태권도에 매력을 느끼는 이유는 무엇일까요? 사람들은 유연성 향상 등 신체적 능력을 향상시킵니다. 또한 규칙적인 태권도 연습을 통해 자제력을 배울 수 있습니다. 이러한 이유로 태권도는 이제 전 세계적으로 사랑받고 있습니다.

⊙ **문제 유형** 빈 칸 추론

빈 칸이 있는 문장의 앞문장 or 뒷문장을 해석 하기!

In addition, they can learn self-control by practicing it on a regular basis. (또한 정기적으로 태권도를 수련함으로써 자제력늘 배울 수 있습니나)로 보아 태권도를 수련함으로써(연습함으로써) 자제력을 배울수 있기에 빈칸에는 ④ practicing이 알맞다.

⚠ **선지 더 알아보기**

cleaning : 청소
removing : 제거
arresting : 체포

⊙ **문제 유형** 주제

글의 첫 문장 해석하기!

Taekwondo is popular throughout the world. What makes people so attracted to it? (태권도는 전 세계적으로 인기가 높습니다. 사람들이 태권도에 매력을 느끼는 이유는 무엇일까요?) 태권도의 인기 이유에 대해 언급하고 있으므로 ③ 태권도가 인기 있는 이유가 정답이다.

01	②	02	①	03	②	04	③	05	④
06	①	07	②	08	②	09	①	10	①
11	④	12	③	13	④	14	①	15	②
16	③	17	④	18	④	19	③	20	③
21	④	22	③	23	①	24	④	25	①

01 | ②

직독직해
We / need to find / a balance / between / work and family life.
우리는 / 찾는 것이 필요하다 / 균형을 / 사이에 / 일과 가정생활

해석
우리는 일과 가정생활 사이의 균형을 찾아야 한다.

⚠ 선지 더 알아보기

감정 : emotion
모험 : adventure
학습 : learning

02 | ①

직독직해
Please / throw away / the trash/ after the picnic.
주세요 / 버리다 / 쓰레기를 / 소풍 후에

해석
소풍 후에는 쓰레기를 버려주세요.

⚠ 선지 더 알아보기

들여놓다 : bring in
보관하다 : store / keep
판매하다 : sell

03 | ②

직독직해
I / studied / hard, / so / I passed / the test.
나는 / 공부했다 / 열심히 / 그래서 / 나는 통과했다 / 시험에

해석
나는 열심히 공부해서 시험에 통과했어요.

⚠ 선지 더 알아보기

게다가 : moreover
반면에 : on the other hand
사실상 : in fact

04 | ③

직독직해
The gift / made / me / happy, / but / I / became / sad / when / I / lost / it.
그 선물은 / 만들었다 / 나를 / 행복하게 / 그러나 / 나는 / 되었다 / 슬프게 / ~할 때 / 내가 / 잃어버렸다 / 그것을

해석
선물은 나를 기쁘게 했지만, 잃어버렸을 때 슬프게 되었다.

반의어
• happy(행복) - sad(슬픔)
• slow(천천히) - fast(빠른)
• wide(넓은) - narrow(좁은)
• easy(쉬운) - difficult(어려운)

유의어
• equal(동등한) - same(같은)

05 | ④

직독직해
Mud Fun Day
진흙 놀이 날(머드 펀 데이)
Date : August 16th
날짜 : 8월 16일
Place : Riverside Park
장소 : 리버사이드 공원
Activities : mud slides, mud fights
활동 : 진흙 미끄럼틀, 진흙 싸움
Make sure to bring a change of clothes.
여벌 옷을 꼭 챙겨 오세요.

행사 날짜(Date)와 행사 장소(Place), 활동 내용(Activities)은 언급되었으나 참가 연령은 언급되지 않았다.

06 | ①

해석
He goes for a run every morning to stay healthy.
그는 건강을 유지하기 위해 매일 아침 달리기를 한다.
She wants to run her own shop someday.
그녀는 언젠가 자신의 가게를 운영하고 싶어 한다.

go for a run : 달리기를 하러 가다 (run : '달리기' 명사)

run a shop : 가게를 운영하다

1) go for a run 은 "달리기를 하러 가다, 조깅하러 가다"라
는 관용 표현이다.

- go for a + 명사 구조로 자주 쓰이며,
- go for a walk 산책하러 가다
- go for a swim 수영하러 가다
- go for a drive 드라이브하러 가다

와 같은 패턴으로 기억할 수 있다.

따라서 첫 번째 문장에서 빈칸에는 명사가 와야 하고,
보기 중에서 명사로 자연스럽게 쓰이며 '운동'의 의미
를 만드는 것은 run뿐이다.

2) 형태가 to + 동사원형 이므로, 빈칸에는 동사가 와야
한다. 보기 중 동사로 쓸 수 있는 것은 run / lose 정도인
데, 문맥상 "자신의 가게를 운영하다"라는 의미가 되어
야 자연스럽다.

영어에서 run은

- run fast 빠르게 달리다 → "달리다"
- run a shop/company/restaurant 가게/회사/식당을 운
  영하다 → "운영하다, 경영하다"

처럼 '달리다'와 '운영하다' 두 가지 대표 뜻을 가진 동
사이다.

07 | ②

해석	• He told her the reason <u>why</u> he was crying. • 그는 그녀에게 자신이 왜 울고 있었는지 이유를 말했다. • Can you tell me <u>why</u> you were absent? • 결석한 이유를 말해줄 수 있나요?

the reason why ~ : ~한 이유

tell me why ~ : 왜 ~인지 말해 줘

1) reason + why (관계부사 why)

- the reason why he was crying
- reason (이유) 를 구체적으로 설명해 주는 절이 뒤에
  붙는다. 이때 why 는 '왜' 라는 의미를 가진 관계부사
  역할을 한다.

2) 간접의문문(Indirect Question)

- Can you tell me why you were absent?
- 기본 형태는 직접 의문문인 Why were you absent?
  (너는 왜 결석했니?)이다. were(동사)과 you(주어)의
  자리를 바꾸면 간접 의문문인 why you were absent?
  (왜 결석했는지 말해줘)이 된다.
- Can you tell me는 부탁하는 어조로 정중한 표현이고,
  why는 '왜'라는 의문사로 쓰였다.

08 | ②

해석	• I'm really looking forward <u>to</u> going camping. • 캠핑 가는 것이 정말 기대 돼요 • My mom <u>used to</u> read books to me when I was little. • 어릴 때 엄마가 책을 읽어주곤 했어요

look forward to ~ing : ~를 기대하다

used to + 동사원형 : 예전에 ~하곤 했다 (지금은 안 그럴
수 있음).

1) I'm really looking forward to going camping.
여기서 to는 전치사이기 때문에, 동명사(~ing)나 명사
가 뒤에 와야 한다.

2) My mom used to read books to me when I was little.
여기서 to는 to부정사의 일부이고, 뒤에는 동사원형
(read) 이 온다.

09 | ①

직독 직해	A : I / accidentally / broke / the classroom window. A : 나는 / 실수로 / 깨버렸다 / 교실 창문을 B : Oh, no / Did you tell / the teacher? B : 아이고, 안 돼! / 너는 말씀드렸니? / 선생님께 A : Yes, / I told / her / what happened / and apologized. A : 응, / 나는 말했다 / 그녀에게 / 무슨 일이 있었는지 / 그리고 사과했다 B : Good. / Honesty / is the best policy. B : 잘했어. / 정직이 / 최선의 방책이다
해석	A : 실수로 교실 창문을 깨버렸어. B : 아이고, 안 돼! 선생님께 말씀드렸어? A : 응, 무슨 일이 있었는지 말씀드리고 사과했어. B : 잘했어. 정직이 최선의 방책이다.

⚠ **선지 더 알아보기**

정직이 최선의 방책이다
: Honesty is the best policy

진정한 배움에는 지름길이 없다
: There is no shortcut to real learning

시간은 항상 빨리 지나간다
: Time always goes by quickly

일찍 일어나는 새가 벌레를 잡는다
: The early bird catches the worm

10 | ①

해석

A : 방금 글쓰기 대회에서 내가 우승했다는 소식을 들었어!
B : 정말 대단해. 네가 해낼 줄 알았어.
A : 아직도 믿기지 않아. 정말 기쁘다!
B : 네가 받을 만한 상이야. 정말 열심히 했잖아.

✅ 문제 유형 심정

감정을 나타내는 단어를 보고 풀기!

A의 말 중 "I'm so delighted!"를 통해 A가 기뻐하는 것을 알 수 있다.

⚠ 선지 더 알아보기

기쁨 : joy
불만 : dissatisfaction
실망 : disappointment
불운 : misfortune

11 | ④

해석

A : Hi, can I get a slice of cheese pizza and a coke?
A : 안녕하세요, 치즈 피자 한 조각과 콜라 한 잔 주세요.
B : Sure. Would you like anything else?
B : 네. 더 필요하신 다른 것이 있나요?
A : No, that's all. Do you accept credit cards?
A : 아니요, 그게 다예요. 신용카드로 결제 가능한가요?
B : Of course. Your total is nine dollars.
B : 물론이죠. 총 금액은 9달러입니다.

✅ 문제 유형 대화가 이루어지는 장소

장소를 나타내는 포인트 단어 찾기!

a slice of cheese pizza (치즈피자 1조각)과 a coke (콜라 한 잔)을 살 수 있는 곳은 fast-food restaurant(패스트푸드점)이다.

12 | ③

해석

정글 월드 프로그램이 돌아왔습니다! 이번 프로그램을 소개하게 되어 매우 기쁩니다. 9월 한 달간 진행될 예정입니다. 이 프로그램에서는 정글에 서식하는 다양한 동식물을 체험해 볼 수 있습니다.

✅ 문제 유형 지칭추론

it이 적힌 문장의 앞 문장을 해석해 보기!

it이 적힌 문장의 앞 문장을 해석해 보면 We are very pleased to announce this program. (이번 프로그램을 소개하게 되어 매우 기쁩니다) 그래서 it이 가리키는 것이 program(프로그램)임을 알 수 있다.

⚠ 선지 더 알아보기

plant : 식물
animal : 동물
visitor : 방문자

13 | ④

<table>
<tr><td>해석</td><td>A : 내일 내 여동생 생일이야.
B : 선물 샀어?
A : 응. 이 모자 샀어. 어때?
B : 오, 예쁘네. 분명 좋아할 거야.</td></tr>
</table>

⊙ 문제 유형 빈 칸이 있는 문장

선지를 해석해 보고 빈 칸에 넣어보면서 알맞은 문장을 찾기!

Yes. I bought this hat. (나는 이 모자를 샀어) 라는 A의 답을 보면 B의 질문이 선물과 관련된 질문이었다는 것을 알 수 있고, B의 대답이 Oh, it's beautiful. (예쁘네)임을 보아 What do you think of it? (그것에 대해 어떻게 생각해?)라는 질문이 빈 칸에 들어가면 매끄럽게 해석이 된다.

⚠ 선지 더 알아보기

Where do you live? : 어디에 살아요?
Why did you buy it? : 왜 그것을 샀어요?
When is your birthday? : 생일이 언제예요?

14 │ ①

<table>
<tr><td>직독
직해</td><td>A : Where / did you leave / your umbrella?
A : 어디에 / 너는 두고 왔어? / 너의 우산을
B : I think / I left / it / on the bus.
B : 나는 생각한다 / 나는 놔뒀다 / 그것을 / 버스에</td></tr>
<tr><td>해석</td><td>A : 우산 어디에 두고 왔어?
B : 버스에 두고 내린 것 같아</td></tr>
</table>

⊙ 문제 유형 빈 칸이 있는 문장

선지를 해석해 보고 빈 칸에 넣어보면서 알맞은 문장을 찾기!

Where did you leave your umbrella? (우산 어디에 두고 왔어?)라는 A의 질문에 선지를 해석해 보면 우산을 놔둔 장소와 관련된 답이 올 것을 유추 할 수 있고 I think I left it on the bus. (버스에 두고 내린 것 같아요)가 빈 칸에 들어가면 매끄럽게 해석이 된다.

⚠ 선지 더 알아보기

I can explain why he liked it
: 나는 그기 왜 좋아했는지 설명할 수 있어요

I helped my friend make lunch
: 나는 친구가 점심 준비하는 걸 도왔어요

I bought a new dress yesterday
: 나는 어제 새 옷을 샀어요

15 │ ②

<table>
<tr><td>직독
직해</td><td>A : Can you tell me / how to make / a comic book?
A : 나에게 말해줄래? / 만드는 방법 / 만화책을
B : First, / you / have to choose / a topic, / and then / write / a short story.
B : 첫번째로, / 너는 / 선택 해야만 해 / 주제를 / 그리고 / 써야한다 / 짧은 이야기를
A : I see. / Do you draw / the pictures / afterwards?
A : 알겠어. / 그리니? / 그림을 / 그 다음에
B : That's right.
B : 맞아</td></tr>
<tr><td>해석</td><td>A : 만화책 만드는 법 알려줄 수 있어?
B : 먼저 주제를 정하고, 그 다음에 짧은 이야기를 써야 해.
A : 그래. 그 다음에 그림을 그리는 거야?
B : 맞아.</td></tr>
</table>

⊙ 문제 유형 대화의 주제

첫 문장 해석하기!(A의 말이 정답을 가르쳐준다)

첫 문장을 해석해 보면 Can you tell me how to make a comic book? (만화책을 만드는 법을 알려줄래?) 대화의 주제가 만화책을 만드는 방법과 관련된 것으로 ② 만화책을 만드는 방법 인 것을 알 수 있다.

⚠ 선지 더 알아보기

도서관 이용 규칙 : rules for using a library
좋아하는 영화 장르 : favorite movie genres
이야기를 경청하는 태도 : attitude of listening to stories

16 | ③

The school writing club / is holding / a weekly workshop
학교 글쓰기 동아리가 / 진행한다 / 매주 워크샵을
to help / students / improve / their / writing skills.
도와주기 위해 / 학생들을 / 향상시키다 / 그들의 / 글쓰기 실력을
Each week, / we / will meet / to share ideas, / give feedback, / and practice / together.
매주 / 우리는 / 만날 것이다 / 아이디어를 나누고, / 피드백을 주고 받으며 / 연습하다 / 함께
If you / are interested in / becoming / a more confident / writer,
만약에 너가 / 흥미를 느낀다면 / 될 것이다 / 더 자신감 있는 / 작가가
join us / on Thursdays / in room 205.
참여 해줘 / 매주 목요일에 / 205호로

해석

학교 글쓰기 동아리가 매주 글쓰기 실력 향상을 위한 워크숍을 진행합니다. 매주 목요일에 만나 아이디어를 나누고 피드백을 주고받으며 함께 연습할 예정입니다. 자신감 있는 글쓰기 실력을 키우고 싶다면 매주 목요일에 205호로 참여해 주세요.

☑ 문제 유형 글을 쓴 목적

첫 문장 or 마지막에서 핵심 단어 찾기

글의 마지막에서 If you are interested in becoming a more confident writer, join us on Thursdays in room 205. (더 자신감 있는 작가가 되는 것에 관심이 있다면, 매주 목요일 205호실에서 열리는 모임에 참여하세요)에서 Join us (참여하다)로 보아 이 글은 모임에 참여할 학생을 모집하는 것이므로 ③ 참가자를 모집하려고 가 정답이다.

⚠ **선지 더 알아보기**

안내문을 정리하려고
: to organize an information notice
예약을 승인하려고
: to approve a reservation
행사 취소 사실을 공지하려고
: to announce the cancellation of an event

17 | ④

Swimming Pool Information
수영장 안내
Location : 9th floor
위치 : 9층
Operating hours : 6 : 00 a.m. - 10 : 00 p.m.
운영 시간 : 오전 6시 ~ 오후 10시
Free for all hotel guests
호텔 투숙객 무료 이용
Must wear a swimming cap
수영모 착용 필수
Drinks can be purchased at the pool.
수영장에서 음료 구매 가능

☑ 문제 유형 일치 문제

글을 해석 하면서 선지와 비교 해 보기!

Drinks can be purchased at the pool. (음료를 구매할 수 있다) 이 문장으로 보아 ④ 음료는 판매하지 않는다는 틀린 선지임을 알 수 있다.

18 | ④

The Friendly Market / opens / near City Hall.
친근한 시장이 / 열립니다 / 시청 근처에
You / can buy / fresh vegetables, / organic snacks, / and handmade goods / there.
너는 / 살 수 있다 / 신선한 야채들과 / 유기농 과자들, / 직접 만든 물건들을 / 거기에서
Anyone / who comes to the market / can get / a free face painting.
누구나 / 시장에 오는 / 얻을 수 있다 / 무료 페이스 페인팅을
The market / is held / on Sundays / from 8 a.m. to 3 p.m.
그 시장은 / 열린다 / 매주 일요일 / 오전 8시부터 오후 3시까지

해석

친근한 시장이 시청 근처에서 열립니다. 신선한 채소, 유기농 간식, 수제품 등을 구입할 수 있습니다. 시장에 오는 누구나 무료 페이스 페인팅을 받을 수 있습니다. 시장은 매주 일요일 오전 8시부터 오후 3시까지 운영됩니다.

☑ 문제 유형 일치 문제

글을 해석하면서 선지와 비교해 보기!

The market is held on Sundays from 8 a.m. to 3 p.m. (그 마켓은 매 주 일요일에 오전 8시부터 3시까지 연다) 그러므로 ④ 일요일은 휴무이다는 틀린 선지임을 알 수 있다.

직독직해

Do you ever feel like / you can't control / your anger?
너는 느껴본 적 있니? / 너가 조절 할 수 없다고 / 너의 분노를
Here / are some tips / for you.
여기 / 몇가지 팁이 있다 / 너를 위한
First, / take a deep breath / when you feel upset.
첫번째, / 깊게 숨을 쉬어라 / 너가 화가 났을 때
This / helps / calm / your mind.
그것은 / 도와준다 / 진정시키도록 / 너의 마음을
Second, / count to ten / before / reacting.
두번째, / 10까지 세어라 / ~전에 / 반응하기
It / gives / you / time / to think / and respond / calmly.
그것은 / 준다 / 너에게 / 시간을 / 생각할 / 그리고 반응할 / 차분하게
Talking / to someone / you trust / can also help.
이야기하는 것 / 누군가와 / 너가 믿는 / 또한 도움이 된다

해석

분노를 통제할 수 없다고 느껴본 적 있나요? 다음은 도움이 될 만한 몇 가지 팁입니다. 첫째, 화가 치밀 때 깊게 숨을 들이쉬세요. 이는 마음을 진정시키는 데 도움이 됩니다. 둘째, 반응하기 전에 열까지 세어보세요. 이는 생각할 시간을 주고 차분하게 대응할 수 있게 합니다. 신뢰하는 사람과 이야기하는 것도 도움이 될 수 있습니다.

✓ 문제 유형 주제

글의 앞부분 해석하기!

Do you ever feel like you can't control your anger? Here are some tips for you. (화를 조절하기 힘든가? 너를 위한 몇가지 팁이 있다)로 보아 ③ 분노를 조절하는 방법이 정답이다.

직독직해

Upcycling / can turn / old items / into something / new and / useful.
업사이클링은 / 바꿀 수 있다 / 오래된 물건을 / 무언가로 / 새롭고 / 유용한
By reusing / used objects / for different purposes, / you can reduse / trash.
재사용함으로써 / 썼던 물건들을 / 다른 목적들을 위해 / 너는 감소시킬 수 있다/ 쓰레기를
For example, / jeans / you don't wear / anymore / can be transformed / into bags or / wallets.
예를 들어 / 청바지 / 너가 입지 않는 / 더 이상 / 변형시킬 수 있다 / 가방이나 / 지갑으로
Through / upcycling, / you can add value / to unwanted items.
~을 통해 / 업사이클링 / 너는 가치를 더할 수 있다 / 원하지 않는 물건에

해석

업사이클링은 오래된 물건을 새롭고 유용한 것으로 바꿀 수 있습니다. 사용한 물건을 다른 용도로 재사용함으로써 쓰레기를 줄일 수 있습니다. 예를 들어, 더 이상 입지 않는 청바지는 가방이나 지갑으로 변신시킬 수 있습니다. 업사이클링을 통해 원치 않는 물건에 가치를 더할 수 있습니다.

✓ 문제 유형 빈 칸

빈 칸이 있는 문장의 앞문장 or 뒷문장을 해석하기!

By reusing used objects for different purposes, you can reduse trash. (다른용도로 사용한 물건을 재사용함으로써 쓰레기를 줄일 수 있다)를 통해 업사이클링이 목적이 reduce trash(쓰레기를 줄이는 것)에 대해 언급하고 있음을 알 수 있다.

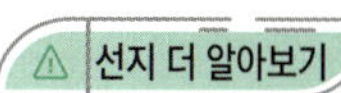

order : 정리하다, 주문하다
teach : 가르치다
punish : 벌주다, 처벌하다

직독직해

Many countries / are facing / a problem / with low birth rates.
많은 국가들이 / 직면했다 / 문제에 / 저출산
Fewer / babies / are being born / each year.
더 적은(수의) / 아기가 / 태어나고 있다 / 매년
This / can lead / to a smaller working population / in the future.
그것은 / 이끌 수 있다 / 노동 인구의 감소로 / 미래에
Thus, / countries / are trying / to develop policies / that will help increase / birth rates. /
따라서, / 국가들은 / 노력하는 중이다 / 정책을 마련하려고 / 증가시키도록 돕는 / 출산율을

해석

많은 국가들이 저출산 문제에 직면해 있습니다. 매년 태어나는 아기의 수가 줄어들고 있습니다. 이는 미래에 노동 인구가 감소할 수 있음을 의미합니다. 따라서 국가들은 출산율을 높이는 데 도움이 될 정책을 마련하기 위해 노력하고 있습니다.

⊙ 문제 유형 빈 칸

빈 칸이 있는 문장의 앞문장 or 뒷문장을 해석하기!

Many countries are facing a problem with low birth rates. (많은 국가들이 저출산 문제에 직면해 있다) 출산율이 낮은 것이 문제이기에 나라들이 출산율을 높이는 정책을 만들려고 한다develop policies가 자연스러운 표현이다.

⚠ 선지 더 알아보기

cut : 자르다, 줄이다
stop : 멈추다
forget : 잊다

직독직해

Plastic / is a useful material / but can be harmful / to the environment. (ㄱ)
플라스틱은 / 유용한 재료이다 / 그러나 해로울 수 있다 / 환경에
Plastic waste / takes decades / to break down, / so / it / stays / on the Earth / for a long time. (ㄴ)
플라스틱 쓰레기는 / 수십년이 걸린다 / 분해되는데 / 그래서 / 그것은 / 남아있다 / 지구에 / 오랜시간 동안
Moreover, / plastic waste / is often / washed out / to the ocean. (ㄷ)
게다가 / 플라스틱 쓰레기는 / 종종 / 쓸려갔다 / 바다로
Eventually / these animals / may end up / on our dinner table. (ㄹ)
결국 / 이 동물들은 / 오를 수 있다 / 우리의 저녁 식탁에

해석

플라스틱은 유용한 재료이지만 환경에 해로울 수 있습니다. (ㄱ) 플라스틱 쓰레기는 분해되는 데 수십 년이 걸리므로 지구상에 오랫동안 남아 있습니다. (ㄴ) 게다가 플라스틱 쓰레기는 종종 바다로 흘러들어갑니다. (ㄷ) 결국 이 동물들은 우리의 식탁에 오를 수도 있습니다. (ㄹ)

⊙ 문제 유형 문장 삽입

먼저 주어진 문장 해석하고, 접속사를 확인한 뒤에 전체 글을 해석 하면서 문장이 들어갈만한 위치 찾기

삽입 문장 해석

There, some sea animals eat this waste.(그 곳에서, 몇몇 바다 동물들이 이 쓰레기를 먹는다)
바다로 흘러 들어간다 → 거기서 동물들이 먹는다 → 그 동물들이 우리 식탁으로 온다"라는 원인-결과의 흐름이 자연스럽게 이어지려면, 삽입 문장은 (ㄷ) 뒤, (ㄹ) 앞에 와야 한다.

23 | ①

직독직해

Marathons / are exciting events / that attract / thousands of runners / every year.
마라톤은 / 흥미로운 행사이다 / 끌어모으다 / 수천 명의 러너들을 / 매년
Runners / train / for months / to prepare / for the race.
러너들은 / 훈련을 한다 / 수개월 동안 / 준비하기 위해 / 이 경기를
Participating / in a marathon / not only / promotes / physical fitness, / but also / provides / a sense of accomplishment.
참가하는 것은 / 마라톤에 / ~뿐만 아니라 / 촉진할 / 신체적인 건강을, / ~도 / 제공한다 / 성취감
However, / there are / several types / of injuries / people / can get / when / they / run a marathon.
그러나, / 있다 / 여러 종류의 / 부상들이 / 사람들이 / 얻을 수 있다 / ~할 때/ 그들이 / 마라톤을 달리다

해석

마라톤은 매년 수천 명의 주자를 끌어모으는 흥미진진한 행사입니다. 주자들은 경기에 대비해 수개월간 훈련을 합니다. 마라톤 참가가 신체 건강을 증진시킬 뿐만 아니라 성취감도 선사합니다. 그러나 마라톤을 달리다 보면 여러 종류의 부상을 입을 수 있습니다.

⊙ 문제 유형 뒤에 이어질 내용

글의 마지막 2문장을 중심으로 해석하기

However, there are several types of injuries people can get when they run a marathon. (그러나, 마라톤을 할 때 사람들이 입을 수 있는 부상의 여러 종류가 있다)로 보아 injury가 새로운 화제이므로 ① 마라톤으로 인한 부상의 유형 가 정답이다.

24 | ④

직독직해

Everyone / feels / stress / sometimes, / especialy / when life gets busy.
누구나 / 느낀다 / 스트레스를 / 가끔씩 / 특히 / 삶이 바쁠 때
But / too much stress / can lead / to various problems / such as / sleeplessness and anxiety.
그러나 / 지나친 스트레스는 / 이끌 수 있다 / 다양한 문제들에게로 / ~와 같은 / 불면증과 불안
In order to / prevent / stress / from harming / your life,
~하기 위해 / 예방하다 / 스트레스가 / 해치는 것을 / 너의 삶을
you / need / to manage / it well.
너는 / 필요하다 / 관리하는 것이 / 잘
Stress management / is the key / to your wel-being / in the modern world.
스트레스 관리는 / 핵심이다 / 너의 웰빙을 위한 / 현대사회에서

해석

누구나 가끔 스트레스를 느끼며, 특히 삶이 바쁠 때 더욱 그렇습니다. 하지만 지나친 스트레스는 불면증이나 불안 같은 다양한 문제를 초래할 수 있습니다. 스트레스가 삶에 해를 끼치지 않도록 하려면 이를 잘 관리해야 합니다. 스트레스 관리는 현대 사회에서 웰빙을 위한 핵심입니다.

⊙ 문제 유형 빈 칸

빈 칸이 있는 문장의 앞문장 or 뒷문장을 해석하기!

In order to prevent stress from harming your life, you need to manage it well. (스트레스가 삶에 해를 끼치지 않도록 예방하려면 이를 잘 관리해야 합니다) 로 보아 빈칸에는 ④ prevent 가 알맞다.

⚠ **선지 더 알아보기**

cleaning : 청소
removing : 제거
arresting : 체포

25 | ①

⊙ 문제 유형 주제

전체 글을 해석 해 보기!

첫 문장 : 누구나 스트레스를 느낀다.
둘째 문장 : 너무 많은 스트레스는 여러 문제를 일으킨다.
셋째 문장 : 스트레스가 삶을 해치지 못하도록 잘 관리해야 한다.

"Stress management is the key to your well-being" 이라고 결론. 전체 글이 스트레스를 관리하는 것이 왜 중요한지를 설명하고 있으므로, ① 스트레스 관리의 중요성이 정답이다.

고등학교 졸업학력
검정고시

사회
정답 및 해설

정답표

사회

2021년 1 회

01	②	02	②	03	③	04	③	05	④
06	①	07	②	08	④	09	②	10	③
11	③	12	④	13	③	14	①	15	①
16	②	17	②	18	①	19	③	20	④
21	①	22	④	23	②	24	④	25	④

2021년 2 회

01	④	02	①	03	③	04	①	05	④
06	④	07	①	08	④	09	②	10	④
11	①	12	①	13	②	14	②	15	③
16	②	17	④	18	②	19	③	20	④
21	③	22	①	23	③	24	①	25	④

2022년 1 회

01	②	02	②	03	①	04	④	05	④
06	④	07	①	08	①	09	③	10	②
11	④	12	④	13	③	14	②	15	④
16	①	17	③	18	③	19	②	20	②
21	①	22	③	23	④	24	④	25	④

2022년 2 회

01	③	02	②	03	③	04	③	05	④
06	②	07	①	08	②	09	④	10	②
11	①	12	④	13	④	14	④	15	①
16	③	17	④	18	②	19	④	20	②
21	③	22	①	23	④	24	①	25	①

2023년 1 회

01	④	02	③	03	③	04	①	05	②
06	②	07	①	08	①	09	②	10	④
11	③	12	③	13	④	14	②	15	③
16	④	17	③	18	①	19	②	20	④
21	②	22	①	23	④	24	③	25	①

2023년 2 회

01	③	02	③	03	①	04	②	05	①
06	④	07	①	08	②	09	③	10	④
11	③	12	④	13	①	14	④	15	③
16	①	17	②	18	④	19	④	20	②
21	②	22	①	23	③	24	③	25	④

2024년 1 회

01	①	02	④	03	④	04	②	05	②
06	①	07	②	08	②	09	④	10	②
11	①	12	①	13	④	14	④	15	③
16	③	17	④	18	①	19	①	20	②
21	②	22	④	23	④	24	①	25	③

2024년 2 회

01	②	02	②	03	②	04	③	05	①
06	④	07	③	08	③	09	①	10	①
11	④	12	①	13	②	14	②	15	③
16	②	17	②	18	④	19	①	20	③
21	③	22	④	23	③	24	②	25	④

2025년 1 회

01	③	02	③	03	②	04	④	05	②
06	①	07	②	08	①	09	②	10	④
11	④	12	①	13	②	14	①	15	④
16	④	17	③	18	③	19	②	20	①
21	④	22	①	23	②	24	③	25	④

2025년 2 회

01	①	02	③	03	③	04	②	05	③
06	③	07	①	08	①	09	④	10	④
11	①	12	②	13	③	14	①	15	④
16	②	17	②	18	④	19	②	20	①
21	③	22	③	23	③	24	①	25	②

정답 및 해설

2021년 1 회

01	②	02	②	03	③	04	③	05	④
06	①	07	②	08	④	09	②	10	③
11	③	12	④	13	③	14	①	15	①
16	②	17	②	18	①	19	③	20	④
21	①	22	④	23	②	24	④	25	④

01 | ② 정의는 '같은 것은 같게, 다른 것은 다르게 대우하는 것', '각자에게 각자의 몫을 주는 것' 등으로 표현 된다. 공정한 분배의 기준이 되며 옳음, 공정성, 공평성 등과 유사한 의미를 가지고 있다.

02 | ② 행복한 삶을 위한 조건은 질 높은 정주 환경, 시민참여가 열린 사회, 삶의 질을 유지 할 수 있는 경제적 안정, 바람직한 삶에 대한 성찰을 바탕으로 한 도덕적 실천이 있다.

03 | ③ 생애주기는 시간의 흐름에 따라 변해 가는 삶의 모습을 단계별로 나타낸 것으로, 각 단계에는 달성해야 할 과업이 있다.

04 | ③ 공정 거래 위원회는 기업 간의 자유로운 경쟁을 보장하고 독점 및 불공정 거래에 관한 사안을 심의, 의결 하기 위해 설립되었다.

05 | ④ 다문화 사회는 한 국가나 사회 안에 서로 다른 문화를 가진 인송이나 민속 능이 함께 살고 있는 사회를 의미한다. 국가 간 인구 이동이 활발해지면서 더욱 심화 되어 나타난다.

06 | ① 우리나라의 사회 복지 제도는 사회보험, 공공부조, 사회 서비스가 있다.

사회 복지(보장) 제도

1) 사회보험은 국민이 미래에 직면할 수 있는 사회적 위험에 대비하여, 국가나 국민의 건강과 생활 보전을 목적으로 보험방식에 의하여 사전에 대비하는 제도로 강제성이 있고, 금전적인 성격을 가지고 있다. 현재 우리나라는 산재보험, 고용보험, 국민연금, 사학연금, 공무원연금, 군인연금, 건강보험, 노인장기요양보험 등 8대 사회보험이 운영되고 있으며, 산재보험, 고용보험, 국민연금, 건강보험을 가리켜 4대 사회보험이라고 한다.

2) 공공부조는 국가가 전적 지원하는 제도로 국민의 최저 생활 보장 및 자립 지원이다. 금전적인 성격을 가지고 있고, 대표적인 예로는 국민 기초 생활 보장제도, 의료 보호 제도가 있다.

3) 사회서비스는 사회보장제도의 일종으로서, 불우한 처지에 있거나 사회적으로 열세한 위치에 있는 사람들을 대상으로 한다. 전문적인 지식과 방법을 동원하여 그들의 어려운 상황을 해결해 줌으로써 정상적인 사회인으로서 권리를 누리고 의무를 수행할 수 있도록 도와주는 공공기관이나 민간단체의 조직적 활동이다. 비금전적인 서비스로 간병·가사·간호·보육·노인수발 서비스, 외국인 주부·저소득가정 아동·장애인 등에 대한 교육 서비스, 문화·환경 관련 서비스가 있다.

07 | ② 국가는 일정한 영역과 국민을 바탕으로 주권을 가진 국제 사회의 가장 기본적이고 대표적인 행위 주체이다.

08 | ④ 문화 변동의 외재적 요인에는 직접 전파, 간접 전파, 자극 전파가 있고 내재적 요인은 발견과 발명이 있다. 발견은 있는 것을 찾아 내는 것이고, 발명은 없는 것을 새롭게 만들어 내는 것이다.

외재적 요인 : 직접 전파, 간접 전파, 자극 전파
1) 직접 전파 : 사람간의 접촉으로 전파 되는 것.
2) 간접 전파 : 인터넷, 미디어 등을 통해 전파 되는 것.
3) 자극 전파 : 전파로 인해 발명을 하게 되는 것.
예를 들어 한자에 자극을 받아 이두를 발명한 것이 있다.

09 | ②   금융 자산은 예금, 주식, 채권을 말한다.

10 | ③   규모의 경제란 생산 규모를 늘리면서 얻는 이익에 대해서 말하는 경제용어로, 많이 생산 할수록 생산하는 평균 비용이 감소하는 현상을 말한다. 예를 들면 대규모 생산 산업인 조선소에서 선박 생산 규모를 늘리면 배 1대의 평균 생산 비용이 줄어든다.

11 | ③   국가 안전 보장, 질서 유지 또는 공공복리를 위하여 필요한 경우에 한하여 법률로써 기본권을 제한할 수 있다.

12 | ④   신자유주의는 소극적 국가로부터 적극적인 경제 생활을 보장 받는 것으로 정부의 지나친 시장 개입을 비판하고 민간의 자유로운 경제 활동을 옹호한다. 대표적인 정책으로는 국가 복지 축소, 공기업 민영화 등이 있다.

13 | ③   인권은 인간으로서 마땅히 누려야 할 기본적 권리로 인권의 특성은 보편성, 항구성, 불가침성이다. 국가의 법으로 보장 되기 이전부터 자연적으로 주어진 권리이기에 자연권이라고도 부른다. 현대 사회에서는 과거에 비해 인권의 영역이 확장 되고 있다.

14 | ①   열대 기후는 열기와 습기를 피하기 위해 집을 지면에서 띄워 짓는다. 토양이 척박하여 주기적으로 이동하며 불을 질러 밭을 만든 후 작물을 재배하는 화전 농업이 발달 되어 있고, 통풍이 잘 되는 옷을 주로 입는다. 서양의 자본, 기술과 원주민의 값싼 노동력을 기반으로 한 플랜테이션 농업을 한다.

15 | ①   열섬 현상은 도심의 기온이 주변보다 높게 나타나는 현상으로 자동차의 배기가스 배출 증가와 인공 구조물과 아스팔트, 콘크리트 등의 포장 면적 증가로 인해 생긴다.

16 | ②   극단적 문화상대주의란 보편적 가치를 무시하는 문화도 이해해야 한다는 태도로 대표적인 예로 이슬람교의 명예 살인과 아프리카의 식인 풍습, 인도의 사티, 중국의 전족 등이 있다. 극단적 문화 상대주의는 생명 존중과 같이 시대와 사회를 초월하여 모든 사람이 추구하고 따라야 할 행위의 원칙인 보편 윤리를 훼손한다.

17 | ②   인간 소외 현상이란 자신의 존재 가치에 대한 회의와 자신의 뚜렷한 주관과 창의력을 발휘하지 못하는 가운데 자신들이 만든 기계나 조직의 부품이 되어가는 현상을 의미한다.

18 | ①   세계 도시란 세계적인 중심지 역할을 수행하는 도시로 예를 들어 뉴욕, 런던, 도쿄 등이 있다. 세계 도시가 등장하게 된 배경은 교통 통신의 발달, 자유무역 확대, 다국적 기업 등장, 금융의 세계화이다. 세계 도시의 특징은 생산자 서비스업 발달, 네트워크 발달로 국제 정치의 중심이자 국제 금융 업무 기능에 집중 되어 있다.

19 | ③   석유는 세계적으로 사용 비중이 가장 높은 자원으로 서남아시아가 대표적인 생산국이다. 자동차 보급이 확산 되면서 수요가 급증하였다.

20 | ④   (가)는 건조문화권으로 전통적으로 유목과 오아시스 농업이 발달하였고, 대부분 이슬람교이며 아랍어를 사용한다.

21 | ①   고령화는 노인 인구를 전체 인구로 나눈 노령 인구의 비율이 현저히 높아지는 현상이다. 고령화 사회의 원인은 보건과 의료 기술의 발달로 기대 수명이 늘어난 것과, 출산율의 감소이다. 이러한 고령화 문제 해결 정책으로는 정년 연장, 노인 복지 시설 확충, 노인 연금 제도 등이 있다.

22 | ④ 정보화로 인한 문제점은 사생활 침해, 개인 정
보 유출, 인터넷 중독 등이 있다.

23 | ② 이 관점은 레오폴드의 대지윤리이다.

생태 중심주의

자연의 본래적,내재적 가치를 인정한다. 전일론적 관점은
인간을 포함한 자연 전체를 하나로 바라보는 관점이다. 그
래서 인간과 자연은 서로 조화와 균형을 이루어야 한다고
주장 한다. 생태 중심주의의 한계는 생태계 전체를 위해 개
별 생명체를 희생 할 수 있다는 주장인 환경파시즘이다.

24 | ④ 파리 기후 협약은 유엔 기후 변화 회의에서 기
후위기를 대응하기 위해 온실가스 배출을 줄이
겠다고 약속한 것이다. 2015년 12월에 195개국
이 참여하여 2050년까지 온실가스 배출량을 '0'
으로 하겠다는 목표를 설정했다.

25 | ④ 세계 시민 의식을 갖춘 사람은 인류의 보편적
가치를 중시하고, 세계의 공존과 공익을 추구
하고 문화의 차이를 인정해 다양성을 존중한
다. 그리고 지구를 사랑하는 마음으로 이산화
탄소 배출을 감소 시켜 탄소 발자국을 줄이는
데 힘쓴다.

01	④	02	①	03	③	04	①	05	④
06	④	07	①	08	④	09	②	10	④
11	①	12	①	13	②	14	②	15	③
16	②	17	④	18	②	19	③	20	④
21	③	22	①	23	③	24	①	25	②

01 | ④ 모든 국민은 인간으로서의 존엄과 가치를 가지며, 행복을 추구할 권리를 가진다. 아리스토텔레스는 행복을 인간 존재의 목적이고 이유라고 하였다.

02 | ① **인권 보장의 역사적 전개 과정**

영국 명예혁명, 권리 장전→미국 독립혁명, 미국 독립 선언→프랑스 혁명, 인권 선언→차티스트 운동 (참정권)→독일의 바이마르 헌법(사회권)→국제연합의 세계 인권 선언

03 | ③ 담합은 비슷한 상품을 생산하는 기업들끼리 생산량과 가격을 사전에 협의하여 결정하는 것이다. 담합은 소비자의 선택권을 침해 하고, 시장의 자유로운 경쟁을 제한 한다.

04 | ① 1933년 미국의 루스벨트 대통령은 뉴딜정책으로 대공황 극복에 나섰다. 뉴딜정책은 실업 구제 사업과 대규모 공공 사업 등을 통해 유효 수요를 늘리려는 의도로 시작 되었던 적극적 시장 개입 정책이다.

⚠️ **선지 더 알아보기**

석유 파동: 두 차례에 걸친 석유 공급 부족과 석유 가격 폭등으로 세계 경제가 큰 혼란과 어려움을 겪은 사건이다.

보이지 않는 손: 애덤 스미스가 저서 《국부론》에서 말한 비유로 이기적인 개인이 사익을 위해 경쟁하는 과정에서 누가 의도하거나 계획 하지 않아도 사회 구성원 모두에게 유익한 결과 (공익)을 가져오게 된다는 시장경제의 자율 작동 원리이다.

05 | ④ 특화는 국가가 보유한 생산 요소를 특정 상품 생산에 집중 투입하여 전문성과 생산성을 높이는 생산 방식이다.

06 | ④ 입법권은 국회에, 사법권은 법원에, 행정권은 정부에 속한다.

07 | ① 생애 주기별 과업을 바탕으로 재무 목표를 설정하고 생애 주기 전체를 고려하여 설계 한다.

08 | ④ 문화 병존은 한 사회 내에 기존의 문화 요소와 전파된 다른 사회의 문화 요소가 각각 나란히 존재하는 것이다. 예를 들어 필리핀은 필리핀어와 영어를 공용어로 사용한다.

🔍 개념 더 보기 **문화 변동 양상**

문화 융합(A + B = C)

기존의 문화 요소와 새로 전파된 문화 요소의 상호작용으로 이전의 두 문화요소와는 다른 새로운 제 3의 문화가 나타나는 현상

문화 동화(A + B = A or B)

한 문화가 다른 문화에 흡수 되어 소멸 되는 현상

문화 병존(A + B = A, B)

기존의 문화 요소와 전파된 다른 문화 요소가 각각 나란히 존재하는 현상

09 | ② 유리천장은 충분한 능력을 갖춘 사람이 직장 내 성 차별이나 인종 차별 등의 이유로 고위직을 맡지 못하는 상황을 비유적으로 이르는 경제학 용어이다.

10 | ④ 문화 사대주의는 자기 나라의 문화는 하등한 문화로 인식하고 다른 나라의 문화를 자기 나라의 문화보다 우월하게 여기고 동경한다.

11 | ① 외부효과란 어떤 경제 주체의 행동이 제 3자에게 의도하지 않은 혜택이나 피해를 주고도 이에 대한 대가를 받거나 보상을 하지 않는 경우이다.

12 | ① 용광로 정책은 용광로에 금속을 넣으면 다 녹아버리는 것처럼 이민사회의 문화에 완전히 동화 되는 다문화 정책이다.

샐러드 볼 정책 : 모든 문화가 샐러드 볼처럼 자기 문화만의 독특한 고유성을 유지하는 다문화 정책이다.

13 | ② 자유주의 정의관이란 개인의 선이 곧 정의이고, 개인의 이익을 추구하는 것이 공동선의 이바지라고 주장한다. 대표적인 사상가는 노직과 롤스가 있다. 노직은 개인의 자유와 소유권 최대 보장을 주장하고, 롤스는 모든 사람은 최대한 누릴 수 있는 평등한 권리를 가진다고 주장한다.

14 | ② 건조 기후는 강수량이 적고, 오아시스 농업이 발달해 밀과 대추야자를 재배한다. 지붕이 평평한 흙벽돌집에서 살며, 온 몸을 감싸는 헐렁한 옷을 입는다.

15 | ③ 태풍은 저위도의 열대 해상에서 발생하여 우리나라에 영향을 미치는 열대 저기압이다. 강한 바람에 많은 비를 동반하여 큰 피해를 유발한다.

16 | ② 도시에서는 인공구조물과 아스팔트, 콘크리트 등의 포장 면적이 증가하여 녹지 면적이 감소하고, 빗물이 토양에 잘 흡수 되지 않고, 도심엔 열섬 현상이 나타난다.

17 | ④ 천연가스는 화석연료 중 하나로, 기체상태로 존재한다. 연소시 대기오염 물질의 배출이 적어서 청정에너지라고 불린다. 냉동 액화 기술의 발달과 수송선이 개발 되면서 소비량이 증가했다.

18 | ② 누리소통망(SNS)은 온라인 상에서 사람과 사람을 연결해 주어 정보를 공유 할 수 있는 서비스이다. 이것을 통해 인간관계 방식이 다양해지고, 정치 참여 기회가 확대 된다.

19 | ③ 이슬람교는 모스크에서 예배 하며, 돼지고기와 술을 금기시 한다. 라마단 기간에는 해가 떠 있는 동안 단식을 한다. 이슬람교의 경전은 꾸란이고, 이슬람 여성들이 머리와 상반신을 가리기 위해 쓰는 것을 히잡이라고 한다.

20 | ④ 라틴 아메리카 문화권은 에스파냐와 포르투갈의 진출로 유럽 문화가 전파 되었다. 그래서 언어는 에스파냐어와 포르투갈어를 사용하며, 종교는 가톨릭교다. 인종은 원주민(인디오), 백인, 흑인, 혼혈인이 함께 거주한다.

21 | ③ 세계 도시란 세계적인 중심지 역할을 수행하는 도시로 예를 들어 뉴욕, 런던, 도쿄 등이 있다. 세계 도시가 등장 하게 된 배경은 교통 통신의 발달, 자유무역 확대, 다국적 기업 등장, 금융의 세계화이다. 세계 도시의 특징은 생산자 서비스업 발달, 네트워크 발달로 국제 정치의 중심이자 국제 금융 업무 기능에 집중 되어 있다.

22 | ① 사막화는 극심한 가뭄이나 인간의 과도한 농경 및 목축으로 인해 토지가 황폐화 되는 현상으로, 사헬지대에서 대표적으로 나타난다. 사막화로 인해 아랄해와 차드호와 같은 호수의 면적이 줄어든다.

23 | ③ 난사군도는 중국, 필리핀, 브루나이, 말레이시아, 베트남 등의 나라들이 원유 및 천연가스 매장지 영유권으로 분쟁 하는 갈등 지역이다.

24 | ① 저출산의 원인은 결혼 및 자녀에 대한 가치관 변화와 여성의 사회 진출 증가에 있다. 저출산으로 인해 향후 노동력 부족 및 인구 감소가 있을 것이다.

25 | ② 국제 기구는 두 개 이상의 주권국가로 구성되어 국제법상 독자적인 지위를 갖는 조직이다. 국제 사회 행위의 주체로 국가 간 이해관계 조정, 분쟁 중재, 국제 규범 정립한다. 대표적인 예로 유럽 연합(EU), 국제 통화 기금(IMF), 국제 연합 (UN), 경제 협력 개발 기구(OECD) 등이 있다.

01	②	02	②	03	①	04	④	05	③
06	④	07	①	08	①	09	③	10	②
11	④	12	④	13	③	14	②	15	④
16	①	17	③	18	③	19	②	20	②
21	①	22	③	23	④	24	④	25	③

01 | ② 국민의 인권이 존중 되어 국민 각자가 원하는 삶의 방식을 자유롭게 추구 할 수 있는 참여 중심의 정치 문화가 있는 나라는 민주주의가 성숙한 나라이다. 행복한 삶을 실현하는 조건으로 참여 중심의 정치 문화가 있다.

02 | ② 참정권은 기본권 중의 하나로, 국민이 국가의 의사 결정 과정에 참여할 권리로, 선거권, 국민투표권, 공무담임권이 포함된다.

선거권: 선거에 참여하여 투표 할 수 있는 권리

국민투표권: 국정의 중요한 사항에 대하여 투표 할 수 있는 권리

공무담임권: 국민이 국가기관이 되어 공무를 담당할 수 있는 권리

03 | ① 권력분립제도는 국가 권력을 서로 다른 국가기관이 나누어 행사하는 제도로, 우리나라는 삼권 분립 제도를 채택 하고 있다. 입법부, 행정부, 사법부로 분리 되어 있고 이는 국가 기관 간의 견제와 균형을 통한 권력 남용 방지를 위한 것이다.

04 | ④ 시민불복종은 잘못된 법이나 정책을 바로잡기 위해 불이익을 감수하면서도 의도적으로 법을 위반 하는 행위로 비폭력적 수단으로 복종을 거부하는 행위를 말한다. 시민불복종의 대표적인 사례는 간디의 소금법 폐지 운동과 마틴 루서 킹의 흑인 인권 운동이 있다. 롤스의 시민불복종의 정당화 조건은 정당성(공익성), 최후의 수단, 비폭력성, 처벌의 감수이다.

05 | ③ 근로자의 권리는 근로 3권이라고 하는데 단결권, 단체 교섭권, 단체 행동권이 있다. 그 중 단체 행동권은 사용자와 분쟁이 발생한 경우 근로자들이 주장을 관철하기 위해 업무의 정상적인 운영을 저해 할 수 있는 권리로, 근로자들의 파업이 이에 속한다.

단결권: 단체(노동조합)을 설립 할 수 있는 권리

단체 교섭권: 사용자와 교섭하고 협약을 체결 할 수 있는 권리

단체 행동권: 단체 행동(각종 쟁의 행위)를 할 수 있는 권리

06 | ④ 시장 실패의 유형은 4가지가 있다. 첫째는 불완전 경쟁이다. 불완전 경쟁은 공급자가 하나 밖에 없는 독점과 소수의 공급자가 존재하는 과점이고 이것은 기업의 담합행위 만들어 낸다. 둘째는 공공재의 부족이다. 공공재는 대가를 지불 하지 않아도 누구든지 사용 가능한 공동의 재화나 서비스이다. 이것은 무임승차의 문제가 발생하기 쉽다. 셋째는 외부효과의 발생이다. 외부효과는 어떤 경제 주체의 행동이 제3자에게 의도하지 않은 혜택이나 피해를 주고도 이에 대한 대가를 받거나 보상을 하지 않는 경우다. 넷째는 경제적 불평등 발생이다. 그러므로 답은 ㄷ, ㄹ이다.

07 | ① 자산 관리의 원칙은 안전성, 수익성, 유동성(환금성)이 있다. 그 중 유동성(환금성)은 보유하고 있는 자산을 쉽게 현금화 할 수 있는 정도이다.

안전성: 투자한 자산의 원금과 이자가 안전하게 보전 될 수 있는 정도

수익성: 투자한 자산으로부터 기대 할 수 있는 가격 상승이나 이자 수익의 정도

08 | ① 수정 자본주의는 케인스가 주장 했고, 대공황으로 인해 1930년대에 등장해 정부의 시장 개입을 강조하여 큰 정부를 추구한다.

09 | ③ 사회서비스는 사회보장제도의 일종으로서, 불우한 처지에 있거나 사회적으로 열세한 위치에 있는 사람들을 대상으로 한다. 전문적인 지식과 방법을 동원하여 그들의 어려운 상황을 해결해 줌으로써 정상적인 사회인으로서 권리를 누리고 의무를 수행할 수 있도록 도와주는 공공기관이나 민간단체의 조직적 활동이다. 비금전적인 서비스로 간병·가사·간호·보육·노인수발 서비스, 외국인 주부·저소득가정 아동·장애인 등에 대한 교육 서비스, 문화·환경 관련 서비스가 있다.

10 | ② 정의는 마땅히 받을만한 몫을 공정하게 받는 것으로, 개인과 사회가 지켜야 할 올바르고 공정한 가치다. 이러한 정의의 실질적 기준에는 업적에 따른 분배, 능력에 따른 분배, 필요에 따른 분배가 있다. 그 중 필요에 따른 분배는 기본적 욕구 충족이 어려운 사람들에게 재화나 가치를 우선적으로 분배하는 것으로 결과의 평등, 실질적 평등 추구한다.

업적에 따른 분배

: 성취한 성과에 비례하여 소득이나 사회적 지위 등을 분배하는 것

능력에 따른 분배

: 신체적, 정신적 능력에 따라 분배와 보상이 이루어지는 것

11 | ④ • 불교+전통 토착 신앙＝산신각
• 아프리카 흑인의 고유 음악＋서양의 악기＝재즈
두 가지 문화가 합쳐져서 하나의 새로운 문화를 만들어 내는 것이 문화 융합이다.

12 | ④ 극단적 문화상대주의란 보편적 가치를 무시하는 문화도 이해해야한다는 태도로 대표적인 예로 이슬람교의 명예 살인과 아프리카의 식인 풍습, 인도의 사티, 중국의 전족 등이 있다. 극단적 문화상대주의는 생명 존중과 같이 시대와 사회를 초월하여 모든 사람이 추구하고 따라야 할 행위의 원칙인 보편 윤리를 훼손한다.

13 | ③ 국제 비정부 기구는 개인이나 민간단체 중심의 국제 사회 주체로, 국제적 연대를 통해 문제 해결을 시도한다. 대표적인 예로 그린피스, 국제 사면 위원회, 국경 없는 의사회 등이 있다.

14 | ② 생태 중심주의는 자연의 본래적, 내재적 가치를 인정한다. 전일론적 관점은 인간을 포함한 자연 전체를 하나로 바라보는 관점이다. 그래서 인간과 자연은 서로 조화와 균형을 이루어야 한다고 주장 한다. 그러므로 생태 중심주의 자연관을 가지면 인간이 만든 시설물 때문에 야생 동물의 서식지가 파괴 되는 것을 막기 위해 생태 통로를 조성하거나 인간과 자연환경이 조화를 이루며 공생할 수 있는 도시를 설계한다.

15 | ④ 상업 시설 증가, 직업의 다양성 증가, 인공 구조물 증가, 3차 산업 종사자 비율 증가는 도시화가 가져온 변화이다.

16 | ① 정보화로 인해 전자 상거래와 원격 근무가 활성화 되었고, SNS의 보편화로 인한 정치 참여 기회가 확대 되었다.

정보화

정보화 : 지식과 정보가 가장 중요한 자원이 되어 산업을 비롯하여 사회 전반에 큰 변화가 나타나는 것

첨단 정보 통신 기술 발달에 따른 변화

공간 정보 기술 활용

: 위성 위치 확인 시스템(GPS), 내비게이션 등을 활용하여 공간 정보를 편리하게 이용하고, 지리 정보 시스템 (GIS)을 이용하여 최적 입지를 분석 할 수 있다.

거대 자료(빅데이터)활용

: 다양한 기록이 저장된 거대자료는 국가 공공 정책이나 기업 마케팅에 활용 된다.

가상공간 활용에 따른 변화

정치 : 누리소통망(SNS)과 인터넷 게시판을 활용한 시민의 정치 참여 확대

경제 : 지식 정보 산업과 관련한 직업 증가, 재택 근무 증가, 고객 맞춤형 생산 활성화, 전자 상거래의 활성화, 무점포 업체 증가

17 | ③ 한대 기후는 최난월 평균 기온이 영상 10도 미만인 지역으로 위도 60도 이상에서 나타나는 기후이다. 겨울이 길고 몹시 추운 날씨를 가졌고, 순록 유목을 하며 털가죽으로 된 옷을 입고 폐쇄적 가옥 구조를 가지고 있다.

18 | ③ 신재생 에너지는 신에너지와 재생에너지의 합성어로 신에너지는 기존 에너지원에 새로운 에너지 전환 기술을 도입하여 에너지를 얻는 에너지로 연료 전지, 수소 에너지, 석탄 액화, 석탄 가스화 등이 있다. 재생에너지는 에너지 자원의 고갈 없이 재사용이 가능한 에너지로 태양열, 태양광, 수력, 풍력, 파력, 조력, 지열, 바이오 매스가 대표적인 예이다.

19 | ② 지진은 땅이 갈라지며 흔들리는 현상으로 판과 판의 경계에서 자주 발생하는 자연재해이다. 지진으로 인해 건물이 무너지고, 해안 붕괴, 산사태, 지하수 및 온천수의 이동이 일어난다.

20 | ② 힌두교는 다신교로 소를 신성시하여 소고기를 먹지 않는다. 갠지스 강을 '성스러운 강'으로 숭배 하고, 죄를 씻기 위해 갠지스 강에 모여서 목욕재계를 한다.

21 | ① 자원의 편재성이란 자원의 특성 중 하나로 자원이 지구상에 고르게 분포하지 않고 특정한 지역에 치우쳐 분포하는 것이다. 자원 민족주의는 자원 보유국들이 자원을 무기화 하는 것으로 자민족이나 자국의 이익을 위해 보유하고 있는 자원을 전략적으로 사용하는 것이다.

개념더보기 자원의 특성

가변성:자원의 가치가 변화하는 특성
유한성:자원의 매장량이 한정되어 있어 사용하면 고갈되는 특성
편재성:자원이 일부 지역에 집중되어 분포하는 특성

22 | ③ 지역화는 특정 지역이 그 지역의 고유한 전통이나 특성을 살려 세계적인 경쟁력을 갖추려고 노력하는 것으로 지리적 표시제, 장소 마케팅, 지역 브랜드화 등이 있다.

23 | ④ 팔레스타인 지역은 이스라엘과 주변 이슬람교 국가들 간의 민족, 종교, 영토 등의 문제가 얽힌 분쟁 지역이다.

24 | ④ 고령화를 해결하기 위해 정년 연장, 노인 복지 시설 확충, 노인 연금 제도 등이 필요하다. 저출산을 해결하기 위해 출산과 양육 지원, 양성 평등을 위한 고용 문화 확산 등이 필요하다.

25 | ③ 몬트리올 의정서는 오존층 파괴 방지를 위해 맺은 국제 협약이고, 파리 기후 변화 협약은 지구 온난화 방지를 위해 맺었다. 이러한 조약들은 국제 환경 문제 해결을 위해 체결한 조약이다.

01	③	02	②	03	③	04	③	05	④
06	②	07	①	08	②	09	④	10	②
11	①	12	④	13	④	14	④	15	①
16	③	17	④	18	②	19	④	20	②
21	③	22	①	23	②	24	①	25	①

01 | ③ 행복한 삶을 실현하기 위한 조건 중 하나로 질 높은 정주 환경이 있다. 정주 환경이란 인간이 터를 잡고 정착하여 사는 환경이고 예전에는 의식주와 관련된 환경이였으나 현대에는 의식주 뿐만 아니라 문화, 교육, 건강, 각종 첨단 기술 등을 포함하는 사회적 환경까지 의미한다. 그러므로 질 높은 정주 환경을 위한 조건으로 안락한 주거 환경이 있다.

02 | ② 인권은 영구히 보장되어야 할 권리이고, 타인에게 양도 할 수 없는 권리이고, 인간으로서 당연히 누려야 한 권리이고, 모든 사람이 차별 없이 누려야 할 권리이다.

🔍 개념 더보기 **인권의 특성**

보편성 : 인종, 성별, 국적, 종교, 언어, 사회적 신분 등과 관계없이 모든 인간은 동등하게 인권을 가지고 있다.
항구성 : 인권은 타입의 개입, 행위, 상황 등으로 인해 상실되거나 박탈 될 수 없다.
천부성 : 인간이 태어날 때부터 가지고 있는 것으로 별도의 국가나 법률 등의 인정이나 부여를 받지 않아도 자연히 가지고 있는 것이다.
불가침성 : 인권은 정치적, 경제적, 사회적, 문화적 상황 등과 관계없이 언제나 존중 되어야 하며, 어떠한 이유로든 침해 받을 수 없다.
불가양성 : 인권은 사용하더라도 고갈 될 수 없으며, 모든 인간이 동일하게 가지고 있다.

03 | ③ 자문화 중심주의는 합리적인 이유 없이 자기 사회의 문화가 우월하고 다른 사회의 문화는 열등하다고 여기는 태도이다. 대표적인 예로 중화사상과 유대인의 선민 사상이 있다.

04 | ③ 인종, 성별, 장애, 종교, 사회적 출신 등을 이유로 다른 사회 구성원으로부터 소외와 차별을 받는 사람들을 사회적 소수자라고 한다.

05 | ④ 헌법 재판소는 법원의 제청에 의한 법률의 위헌 여부 심판과 법률이 정하는 헌법 소원에 관한 심판 등을 관장한다.

06 | ② **기회 비용 = 명시적 비용 + 암묵적 비용**
기회 비용은 어떤 선택을 함으로써 포기하게 되는 대안 중 가장 큰 가치이다. 명시적 비용은 경제 선택을 할 때 직접 지불한 화폐이고, 암묵적 비용은 경제 선택을 할 때 포기한 대안 가치로 화폐로 지출 하지는 않지만 발생하는 비용이다.

⚠ 선지 더 알아보기

편익 : 어떤 경제적 선택을 통해 얻게 되는 만족이나 이익
매몰 비용 : 이미 지출 되어 회수 할 수 없는 비용

07 | ① 공공재는 모든 사람이 대가를 지불하지 않고 공동으로 이용 할 수 있는 재화나 서비스로 세금으로 운영, 관리 되는 재화나 서비스이다. 대표적인 공공재로는 국방 서비스, 치안 서비스, 무상 도로 등이 있다.

08 | ② 주식은 주식회사가 경영 자금을 마련하기 위해 투자자로부터 돈을 받고 발행하는 증서로 투자자는 시세차익이나 배당금을 통해 이익을 얻는다.

09 | ④ 사회보험은 국민이 미래에 직면할 수 있는 사회적 위험에 대비하여, 국가나 국민의 건강과 생활 보전을 목적으로 보험방식에 의하여 사전에 대비하는 제도로 강제성이 있고, 금전적인 성격을 가지고 있다. 현재 우리나라는 산재보험, 고용보험, 국민연금, 사학연금, 공무원연금, 군인연금, 건강보험, 노인장기요양보험 등 8대 사회보험이 운영되고 있으며, 산재보험, 고용보험, 국민연금, 건강보험을 가리켜 4대 사회보험이라고 한다.

10 | ② 문화 변동의 내재적 요인에는 발견과 발명이 있다. 그 중 발명은 이전에 없었던 것을 만들어 내는 것이다.

발견 : 문화 변동의 내재적 요인 중 하나로 기존에 있었던 것을 찾아내는 것이다.
간접 전파 : 문화 변동의 외재적 요인 중 하나로 책, 인터넷, 미디어 등으로 문화가 전파 되는 것이다.
직접 전파 : 문화 변동의 외재적 요인 중 하나로 사람 간의 접촉으로 전파 되는 방법이다.

11 | ① 규모의 경제란 생산 규모를 늘리면서 얻는 이익에 대해서 말하는 경제용어로, 많이 생산 할 수록 생산하는 평균 비용이 감소하는 현상을 말한다. 예를 들면 대규모 생산 산업인 조선소에서 선박 생산 규모를 늘리면 배 1대의 평균 생산 비용이 줄어든다.

12 | ④ 샐러드볼 정책은 주류 문화와 이민 문화가 자기만의 독특한 특성을 유지 해서 조화를 이루는 다문화 정책이다. 각 문화의 고유성과 다양성을 인정하기 때문에 새로운 문화 창조에 유리하지만 사회적 연대감은 약해 질 수 있다. 대표적인 예로 캐나다와 호주이다.

용광로 정책 : 용광로에 금속을 넣으면 다 녹아버리는 것처럼 이민 문화를 주류 문화에 동화 시키는 현상을 말한다. 이 정책은 사회 통합에 유리하나 문화의 다양성과 고유성을 무시하게 되는 단점이 있다. 대표적인 예로 미국의 다문화 정책이 있다.

13 | ④ 자유주의 정의관이란 개인의 선이 곧 정의이고, 개인의 이익을 추구하는 것이 공동선의 이바지라고 주장한다. 대표적인 사상가는 노직과 롤스가 있다. 노직은 개인의 자유와 소유권 최대 보장을 주장하고, 롤스는 모든 사람은 최대한 누릴 수 있는 평등한 권리를 가진다고 주장한다.

14 | ④ 지구의 허파라고 불리는 곳은 아마존이다. 아마존은 다양한 식물들이 거대한 숲을 이루고 있기에 많은 양의 산소를 생산 할 수 있다. D가 열대우림 지역으로 아마존이다.

15 | ① 도시화는 한 국가 및 지역에서 도시에 거주하는 인구의 비율이 높아지는 현상, 도시적 삶의 방식이 확대 되어 가는 현상이다. 도시화로 인해 상업 시설과 인공 건축물이 증가하며, 지표의 포장면적 또한 증가한다.

16 | ③ 이슬람교의 창시자는 무함마드이며, 알라라고 하
는 유일신을 믿는다. 꾸란이라는 경전이 있고, 히
잡, 니캅, 부르카, 차도르 등의 의복 문화가 있다.
모스크 사원이 있고, 돼지고기를 먹지 않는다. 할
랄은 이슬람법인 샤리아에 의해 허용된 행동, 규
율, 사회적 제도인데 보통은 음식에 대한 정의를
내릴 때 많이 사용한다.

17 | ④ 열대 기후는 열기와 습기를 피하기 위해 집을
지면에서 띄워 짓고 개방적인 가옥 구조이다.
토양이 척박하여 주기적으로 이동하며 불을 질
러 밭을 만든 후 작물을 재배하는 화전 농업이
발달 되어 있고, 통풍이 잘 되는 옷을 주로 입는
다. 서양의 자본, 기술과 원주민의 값싼 노동력
을 기반으로 한 플랜테이션 농업을 한다.

18 | ② 북극해는 미국, 캐나다, 러시아, 덴마크, 노르웨
이에 접해 있기에 영유권 갈등이 있는 지역이
다. 기후 변화로 빙하가 녹으면서 석유, 천연가
스 자원 개발 가능성이 커지고 있다.

⚠ 선지 더 알아보기

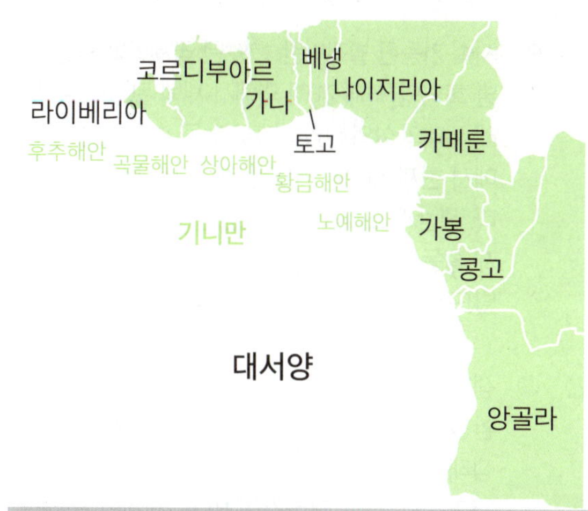

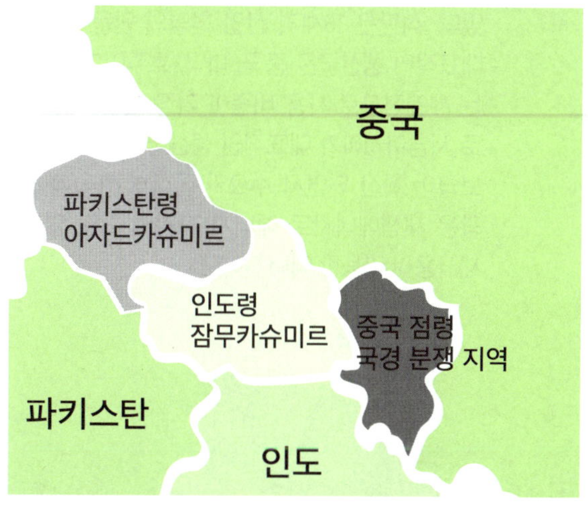

19 | ④ 지속 가능한 발전이란 1992년 국제연합 환경 개발 회의의 '의제 21'에 의해서 채택 된 것으로, 미래 세대의 삶의 원활하게 유지 될 수 있는 범위 안에서 현재 세대의 필요를 충족하는 발전 방식이다. 생산과 소비를 자원 순환형으로 전환하고, 경제 활동이 환경 친화적인 방식이며, 선진국과 개발도상국 간의 협력이 필요하다.

20 | ② 생태도시는 사람과 자연이 공존 할 수 있는 친환경적이며 지속가능한 도시이다. 우리나라의 생태 도시는 전남 순천만, 제주특별자치도의 서귀포시, 울산 태화강이 있고, 세계의 생태도시는 브라질의 쿠리치바, 스웨덴의 예테보리, 독일의 프라이부르크 등이 있다.

21 | ③ 인간중심주의 자연관은 이분법적 관점으로 인간은 자연보다 우월하고 고귀한 존재이고 자연으로부터 독립된 존재로 생각하고, 도구적 자연관을 통해 자연을 도구로 여겨 수단으로 이용한다. 이로 인해 자원 고갈과 환경오염, 생태계 파괴 등의 환경문제가 생기는 한계가 있다. 생태중심주의 자연관은 자연의 본래적,내재적 가치를 인정한다. 전일론적 관점은 인간을 포함한 자연 전체를 하나로 바라보는 관점이다. 그래서 인간과 자연은 서로 조화와 균형을 이루어야 한다고 주장한다. 한계는 생태계 전체를 위해 개별 생명체를 희생 할 수 있다는 주장인 환경파시즘이다.

22 | ① 화석에너지 자원은 석탄, 석유, 천연가스로 자원의 특징인 가변성, 유한성, 편재성을 가지고 있다. 석탄은 18세기 산업 혁명의 원동력으로 대표적인 생산국은 중국, 미국, 호주이다. 석유는 세계적으로 사용 비중이 가장 높은 자원으로 서남아시아가 대표적인 생산국이다. 자동차 보급이 확산 되면서 수요가 급증하였다. 태양광은 재생에너지로 에너지 자원의 고갈 없이 재사용이 가능한 에너지이다.

23 | ② 저출산의 원인은 결혼 및 자녀에 대한 가치관 변화와 여성의 사회 진출 증가에 있다. 저출산으로 인해 향후 노동력 부족 및 인구 감소가 있을 것이다. 이러한 저출산 문제를 해결 하기 위해 양육 및 보육 시설 확충은 물론이고, 육아 비용 지원 및 가족 친화적 문화의 확산이 필요하다.

24 | ① 태풍은 열대 해상에서 발생하는 열대 저기압(사이클론)으로 강한 바람과 비를 동반한다. 지진은 땅이 갈라지며 흔들리는 현상으로 판과 판의 경계에서 자주 발생하는 자연재해이다. 지진으로 인해 건물이 무너지고, 해안 붕괴, 산사태, 지하수 및 온천수의 이동이 일어난다.

25 | ① 국제 기구는 두 개 이상의 주권국가로 구성되어 국제법상 독자적인 지위를 갖는 조직이다. 국제 사회 행위의 주체로 국가 간 이해관계를 조정하고, 분쟁을 중재하고, 국제 규범을 정립한다. 대표적인 예로 유럽 연합(EU), 국제 통화 기금(IMF), 국제 연합(UN), 경제 협력 개발 기구(OECD) 등이 있다.

01	④	02	③	03	③	04	①	05	②
06	②	07	①	08	①	09	②	10	④
11	③	12	③	13	④	14	②	15	③
16	④	17	③	18	①	19	②	20	④
21	②	22	①	23	④	24	③	25	①

01 | ④ 헌법은 한나라에서 최상위의 법규범, 모든 법령의 기준과 근거로 법률이 헌법에 위배되면 헌법재판소에서 위헌 결정을 하여 그 효력을 없앤다.

⚠ **선지 더 알아보기**

법률
: 보통 우리가 말하는 법은 법률로 법률은 헌법에 비해 보다 구체적으로 국민의 권리·의무에 관한 사항을 규율하며, 행정의 근거로 작용하고 있기 때문에 법체계상 가장 중요한 근간을 이룸

명령
: 법의 일부로서의 명령은 행정입법에 의한 명령을 말한다. 긴급명령과 긴급재정·경제명령 등의 법률대위명령이 있으나(헌법 제76조), 일반적으로 법률종속명령을 말하며 헌법과 법률의 하위법이 된다.

조례와 규칙
: 지방자치단체가 법령의 범위 안에서 그 권한에 속하는 사무에 관하여 지방의회가 정하는 규범이 조례이며, 지방자치단체의 장이 정하는 규범이 규칙이다. 조례와 규칙은 자치법규라고 하며, 자치법규의 효력은 관할 지역에 한정된다는 점이 다른 법령과 다른 점이다.

02 | ③ 청구권은 다른 기본권이 침해 된 경우 이를 구제하기 위한 수단적 권리이다. 청구권의 종류에는 재판 청구권, 청원권, 국가 배상 청구권, 형사 보상 청구권, 범죄 피해자 구조 청구권이 있다.

03 | ③ 인권은 인간이라면 누구나 누릴 수 있는 기본적인 권리이다. 인권은 보편성, 천부성, 항구성, 불가침성을 특성으로 가진다.

04 | ① 편익은 어떤 경제적 선택을 통해 얻게 되는 만족과 이익이다.

05 | ② 국제 기구는 두 개 이상의 주권국가로 구성되어 국제법상 독자적인 지위를 갖는 조직이다. 국제 사회 행위의 주체로 국가 간 이해관계를 조정하고, 분쟁을 중재하고, 국제 규범을 정립한다. 대표적인 예로 유럽 연합(EU), 국제 통화 기금(IMF), 국제 연합(UN), 경제 협력 개발 기구(OECD) 등이 있다.

06 | ② 시장 실패는 시장에서 자원의 배분이 효율적으로 이루어지지 못하는 상태로 불완전 경쟁, 공공재 부족 현상, 외부 효과 발생, 경제적 불평등 발생 등이 있다.

07 | ① 권력 분립 제도는 국가권력을 나누어 각각 다른 기관에 분담시켜 서로 견제하고 균형을 유지하게 함으로써 국민의 자유와 권리를 보장하려는 자유주의적 제도이다. 우리나라는 법률을 제정하는 입법권은 국회에, 법률을 집행하는 행정권은 정부에, 법률을 적용하여 옳고 그름을 가려주는 사법권은 법원에 속하도록 하는 삼권 분립주의를 헌법에 규정 하고 있다.

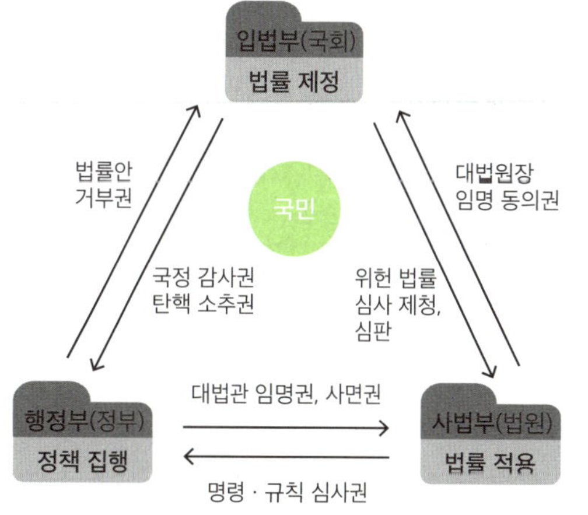

사회 보장 제도: 사회 보장 제도에는 사회 보험, 공공 부조, 사회 서비스가 있다.
위헌 법률 심판: 헌법보다 하위법인 법률이 헌법에 위배되었는지에 대한 심판으로 위반된다고 판단되는 경우에 그 효력을 상실케 하는 제도이다. 입법부의 자의적 입법에 대한 헌법 보장기능으로서 헌법재판의 핵심이다.
헌법 소원 심판: 국가기관이 공권력을 행사하거나 혹은 행사하지 않아서 국민의 기본권이 침해당했을 때 그 기본권을 구제 하기 위해 이루어지는 심판이다. 국민이 직접 헌법재판소에 제청한다.

08 | ① 공공부조는 국가가 전적 지원하는 제도로 국민의 최저 생활 보장 및 자립 지원이다. 금전적인 성격을 가지고 있고, 대표적인 예로는 국민 기초 생활 보장제도, 의료 보호 제도가 있다.

재무 설계: 자신의 재무 상태를 고려하여 생애단계별로 재무 관련 목표를 세워 미래를 준비하는 과정
정주 환경: 인간이 터를 잡고 정착하여 사는 환경이고 예전에는 의식주와 관련된 환경이였으나 현대에는 의식주 뿐만 아니라 문화, 교육, 건강, 각종 첨단 기술 등을 포함하는 사회적 환경까지 의미한다.
지리적 표시제: 지역의 생산품임을 표시하는 제도이다. 보성 녹차, 순창 고추장, 횡성 한우, 이천 쌀, 의성 마늘 등이 있다.

09 | ② 수익성은 투자한 자산으로부터 기대 할 수 있는 가격 상승이나 이자 수익의 정도이다.

유동성(＝환금성): 보유하고 있는 자산을 쉽게 현금화 할 수 있는 정도
편재성: 자원이 일부 지역에 집중되어 분포하는 특성

10 | ④ 자신이 속한 사회의 문화를 우월하게, 다른 사회의 문화를 하등하게 바라보는 자문화 중심주의와 다른 사회의 문화를 우월하게 자신이 속한 사회의 문화를 열등하게 바라보는 문화 사대주의는 문화를 우열 관계로 인식하는 태도이다.

11 | ③ 윤리적 소비는 소비자가 윤리적인 가치 판단에 따라 상품이나 서비스를 구매하는 것으로, 지역 농산물 구매와 공정 무역이 대표적인 예이다.

12 | ③ 세계 인권 선언은 1948년 6월 국제연합 인권 위원회에 의해 선언문이 완성 되었고, 개인의 자유와 권리를 상세히 명시하면서 인권과 기본적 자유가 모든 사람과 모든 장소에서 똑같이 적용 된다는 사실을 세계 최초로 인정한 선언이다.

13 | ④ 문화 동화 (A+B=A or B)는 문화 변동 중의 하나로 한 문화가 다른 문화에 흡수 되어 소멸 되는 현상이다.

문화 병존(A+B=A, B)
: 문화 변동 중의 하나로 기존의 문화 요소와 전파된 다른 문화 요소가 각각 나란히 존재하는 현상

14 | ② 한대 기후는 겨울이 길고 몹시 추운 날씨로 순록 유목을 하고, 털가죽 의복을 입고, 폐쇄적 가옥 구조를 가진다.

15 | ③ 지진 해일은 지진으로 발생하는 해일로 국제용어로 쓰나미로 공식 채택 되었다. 급격한 지각 변동으로 인해 높은 파도가 빠른 속도로 해안으로 밀려온다.

16 | ④ 석탄은 18세기 산업 혁명의 원동력으로 대표적인 생산국은 중국, 미국, 호주이다. 석유는 세계적으로 사용 비중이 가장 높은 자원으로 서남아시아가 대표적인 생산국이다. 자동차 보급이 확산 되면서 수요가 급증하였다.

천연가스
: 화석연료 중 하나로, 기체이고 연소시 대기오염 물질의 배출이 적어서 청정에너지라고 불린다. 냉동 액화 기술의 발달과 수송선이 개발 되면서 소비량이 증가한다.

17 | ③ 이슬람교의 창시자는 무함마드이며, 알라라고 하는 유일신을 믿는다. 꾸란이라는 경전이 있고, 히잡, 니캅, 부르카, 차도르 등의 의복 문화가 있다. 모스크 사원이 있고, 돼지고기를 먹지 않고 술을 마시지 않는다.

18 | ① 교외화가 진행 되면서 중심 도시와 연결된 하나의 생활권이 형성 되는데 이를 대도시권이라고 한다. 단순하게 대도시의 기능이 미치는 범위라고 생각하면 되고, 우리나라에서는 서울의 인구와 기능이 분산되면서 형성된 수도권이 대표적인 대도시권이다.

19 | ② 열섬현상은 도심의 기온이 주변보다 높게 나타나는 현상이다. 아스팔트 도로와 콘크리트 건물, 자동차 배기가스 배출이 증가하면서 도시 내부의 인공열이 발생한다.

슬럼 : 삶의 질이 낮은 오염이 심한 도시 혹은 지역이다
빨대 효과 : 좁은 빨대로 컵의 음료를 빨아들이듯이 대도시가 주변 중소 도시의 인구나 경제력을 흡수하는 대도시 집중 현상
제노포비아 : 이방인에 대한 혐오 현상

20 | ④ 인구 분포에는 2가지 요인이 있는데 첫째로 자연적 요인은 주로 농경 사회에서 중시하는 요인으로 지형, 기후, 식생, 토양 등 자연환경을 말하고, 둘째로 인문 사회적 요인은 산업화 이후 중시되는 요인으로 정치, 경제, 산업, 교통, 문화, 종교 등이 있다. 사막, 온화한 기후, 험준한 산지는 자연적 요인이고, 풍부한 일자리는 사회적 요인이다.

21 | ② B는 카슈미르로 인도(힌두교)와 파키스탄(이슬람교)의 종교 갈등 지역이다.

A : 카스피해로 러시아, 이란, 카자흐스탄 등이 유전지대 영유권 갈등 지역이다.
C : 난사 군도로 중국과 동남아의 영유권 분쟁 지역이다.
D : 쿠릴 열도로 러시아와 일본의 영토 분쟁 지역이다.

22 | ① 정보화로 인한 생활 공간의 변화에는 가상공간, 공간적 제약 감소, GPS 활용 등이 있다. 생활 양식의 변화에는 정치 참여 확대, 전자 상거래, 인터넷 쇼핑, 원격 근무, 원격 진료, 원격 교육, 지역 간 문화 교류 확대가 있다.

23 | ④ 산업화는 농업 중심의 사회가 공업과 서비스업 중심의 사회로 변해가는 현상이다. 산업화에 따른 생활 양식의 변화에는 도시성의 확산, 직업의 분화, 개인주의 가치관의 확산이 있다.

24 | ③ 환경 영향 평가 제도란 각종 개발 사업이 시행되기 전에 환경에 미치게 될 영향을 예측하고 평가하여 환경에 끼칠 부정적 영향을 줄이는 방안을 마련하는 제도이다.

25 | ① 국제 비정부기구는 개인이나 민간단체 중심의 국제 사회 주체, 국제적 연대를 통해 문제 해결을 한다. 그린피스, 국제 사면 위원회, 국경 없는 의사회가 이에 속한다.

01	③	02	③	03	①	04	②	05	①
06	④	07	①	08	②	09	③	10	④
11	③	12	④	13	①	14	④	15	③
16	①	17	②	18	④	19	④	20	②
21	②	22	④	23	③	24	①	25	④

01 | ③ 행복한 삶을 실현하는 조건에는 질 높은 정주 환경, 삶의 질을 유지 할 수 있는 경제적 안정, 바람직한 삶에 대한 성찰을 바탕으로 한 도덕적 실천, 참여 중심의 정치 문화 등이 있는데 이 글에서 내적으로 성찰하고 옳은 일을 실천하는 것을 통해 만족감과 행복감을 얻을 수 있다고 했기 때문에 답은 도덕전 실천이다.

02 | ③ 우리나라의 사회 복지 제도는 사회보험, 공공부조, 사회 서비스가 있다.
1) **사회보험** : 국민이 미래에 직면할 수 있는 사회적 위험에 대비하여, 국가가 국민의 건강과 생활 보전을 목적으로 보험방식에 의하여 사전에 대비하는 제도로 강제성이 있고, 금전적인 성격을 가지고 있다. 현재 우리나라는 산재보험, 고용보험, 국민연금, 사학연금, 공무원연금, 군인연금, 건강보험, 노인장기요양보험 등 8대 사회보험이 운영되고 있으며, 산재보험, 고용보험, 국민연금, 건강보험을 가리켜 4대 사회보험이라고 한다.
2) **공공부조** : 국가가 전적 지원하는 제도로 국민의 최저 생활 보장 및 자립 지원이다. 금전적인 성격을 가지고 있고, 대표적인 예로는 국민 기초 생활 보장제도, 의료 보호 제도가 있다.
3) **사회서비스** : 사회보장제도의 일종으로서, 불우한 처지에 있거나 사회적으로 열세한 위치에 있는 사람들을 대상으로 전문적인 지식과 방법을 동원하여 그들의 어려운 상황을 해결해 줌으로써 정상적인 사회인으로서 권리를 누리고 의무를 수행할 수 있도록 해주기 위한 공공기관이나 민간단체의 조직적 활동이다. 비금전적인 서비스로 간병 · 가사 · 간호 · 보육 · 노인수발 서비스, 외국인 주부·저소득가정 아동 · 장애인 등에 대한 교육 서비스, 문화 · 환경 관련 서비스가 있다.

03 | ① 법치주의는 국가의 운영이 국회에서 제정한 법률에 근거하여 수행하도록 하는 원리로, 이는 독재 정치를 방지하며 국민의 자유와 권리를 보장하기 위함이다.

04 | ② 자산관리 원칙 중 하나인 안전성은 투자한 자산의 원금과 이자가 안전하게 보전 될 수 있는 정도이다.

05 | ① 문화 변동의 내재적 요인에는 기존에 있던 것을 찾아내는 발견과 새로운 것을 만들어 내는 발명이 있다.

06 | ④ 사회적 소수자는 신체적 또는 문화적 특징 때문에 차별을 받고 차별 받는 집단에 속해 있다는 의식을 가진 사람들이다. 절대적으로 수가 작은 사람을 뜻하는 것은 아니고 상대적 개념이다. 장애인, 이주노동자, 새터민, 저소득층 등이 이에 속한다.

07 | ① 근로자의 권리는 노동 3권 혹은 근로 3권이라고 하는데, 단결권, 단체 교섭권, 단체 행동권이 있다. 근로자들이 근로 조건의 유지 및 향상을 위해 단체를 설립 할 수 있는 권리가 단결권이다.

08 | ② 시장 실패는 시장에서 자원의 배분이 효율적으로 이루어지 못하는 상태로 불완전 경쟁, 공공재 부족 현상, 외부 효과 발생, 경제적 불평등 발생 등이 있다.

09 | ③ 자신이 속한 사회의 문화를 우월하게, 다른 사회의 문화를 하등하게 바라보는 자문화 중심주의와 다른 사회의 문화를 우월하게 자신이 속한 사회의 문화를 열등하게 바라보는 문화 사대주의는 문화를 우열 관계로 인식하는 태도이다.

10 | ④ 헌법은 한 나라에서 최상위 법이자 규범이다. 국가 통치 조직 및 운영 원리를 규정하고, 국민의 기본권 보장을 위한 제도를 명시한다. 가장 최고의 법인 헌법을 통해 추상적인 인권을 구체적으로 보장한다. 헌법 제 37조는 법률로써 기본권을 제한 할 수 있다고 하지만, 제한 하는 경우에도 자유와 권리의 본질적인 내용을 침해 할 수는 없다고 하며 국민의 기본권을 보장한다.

11 | ③ 세계화는 생활권의 범위가 전 지구로 확대, 전 세계가 하나로 통합 되어 가는 현상으로 이러한 세계화에 따른 문제점은 세계의 부가 일부 국가나 지역에 집중 되는 국가 간 빈부격차와 국가 간 문화 교류가 증가하면서 세계의 문화가 비슷해 지는 현상인 문화의 획일화가 있다.

12 | ④ 국제 기구는 두 개 이상의 주권국가로 구성되어 국제법상 독자적인 지위를 갖는 조직이다. 국제 사회 행위의 주체로 국가 간 이해관계를 조정하고, 분쟁을 중재하고, 국제 규범을 정립한다. 대표적인 예로 유럽 연합(EU), 국제 통화 기금 (IMF), 국제 연합 (UN), 경제 협력 개발 기구(OECD) 등이 있다.

13 | ① 정보 격차란 새로운 정보에 접근 할 수 있는 능력을 보유한 사람과 그렇지 못한 사람 사이에 사회적, 경제적 격차가 심화 되는 현상이다.

14 | ④ 건조 기후는 강수량이 적고 온 몸을 감싸는 헐렁한 옷을 입는다. 지붕이 평평한 흙벽돌집에서 살고, 오아시스 농업을 한다.

15 | ③ 홍수는 건조한 땅이 물의 범람으로 인해 잠기는 현상이다. 큰 물 또는 하천의 물이 넘쳐 흐르는 자연 현상으로 여름철 장마와 태풍의 영향으로 집중 호우시 발생한다. 홍수의 피해를 줄이기 위해서 제방 건설, 댐과 저수지 건설, 삼림 조성 등이 필수적이다.

16 | ① 도시화는 도시의 수가 증가하거나 도시에 거주하는 인구 비율이 높아져 도시적 생활 양식과 도시 경관이 확대 되는 현상을 말한다. 도시화의 결과는 지표의 포장 면적 증가, 상업 시설 증가, 직업의 세분화, 인공 건축물 증가, 주택·교통·환경 문제 발생이다.

17 | ② 생태통로는 야생동물이 도로나 댐 등의 건설로 인해서 서식지가 분리 되는 것을 막기 위해, 야생동물이 지나는 길을 인공적으로 만든 것을 말한다.

18 | ④ 힌두교는 다신교로 소를 신성시 하여 소고기를 먹지 않는다. 갠지스 강을 '성스러운 강' 으로 숭배하고, 죄를 씻기 위해 갠지스 강에 모여서 목욕재계를 한다.

19 | ④ 석유 수출국 기구(OPEC)은 쿠웨이트 · 사우디 아라비아 · 이란 · 이라크 · 베네수엘라 등 5대 석유생산국이 국제 석유 자본에 대한 발언권을 강화 하기 위해서 결성 했다. 원유의 생산량과 공급량을 조절함으로써 세계 경제에 큰 영향을 끼치고 있다.

20 | ② 남중국해는 중국의 남쪽에 위치한 바다로 중국, 타이완, 베트남, 필리핀, 말레이시아 및 브루나이 등 여섯 나라로 둘러싸인 해역을 말한다. 남중국해의 난사군도와 시사군도는 영유권 갈등이 계속 되고 있다.

21 | ② 아프리카 문화 지역은 사하라 사막을 기준 삼아 남쪽에 있는 중 남부 아프리카 일대로, 열대 기후가 넓게 분포한다. 이 지역은 토속 종교의 영향이 남아 있고, 아직까지도 부족 단위의 공동체 생활을 한다.

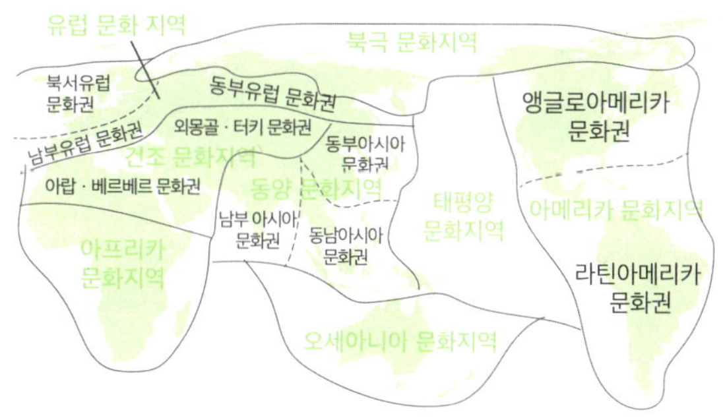

⚠ 선지 더 알아보기

A는 유럽 문화 지역이고, C는 오세아니아 문화 지역이고, D는 앵글로 아메리가 문화권이다.

22 | ① 슬로시티는 느림의 삶을 추구하는 국제 도시 브랜드이다. 전통과 자연 생태를 보전하면서 느림의 미학을 기반으로 지속가능한 발전을 추구하고 시민의 삶의 질 향상까지 조화롭게 실현해 나가고자 한다.

23 | ③ 고령화는 노인 인구를 전체 인구로 나눈 노령 인구의 비율이 현저히 높아지는 현상이다. 고령화 사회의 원인은 보건과 의료 기술의 발달로 기대 수명이 늘어난 것과 출산율의 감소이다. 이러한 고령화 문제 해결 정책으로는 정년 연장, 노인 복지 시설 확충, 노인 연금 제도 등이 있다.

24 | ③ 공정 무역은 개발도상국에게 정당한 가격을 지불하여 해당 국가의 농민들이 자립 할 수 있도록 하는 방식이다. 아프리카 커피 무역 때 선진국이 이익을 다 취하고, 아프리카 커피 생산자 및 노동자들은 정당한 노력의 대가를 받지 못했기에 싸게 살지말고 제 값 주고 사자는 취지로 시작 되었다.

25 | ④ 온실가스 배출권 거래제는 교토 의정서에 규정되어 있는 온실가스 감축 체제로 정부가 사업장을 대상으로 연단위로 온실가스 배출권을 할당해 할당 범위 내에서 온실가스를 배출 할 수 있도록 하고 여분 또는 부족분의 배출권에 대해서는 사업장간 거래를 허용하는 제도이다.

01	①	02	④	03	④	04	②	05	②
06	①	07	②	08	②	09	④	10	②
11	①	12	①	13	③	14	④	15	③
16	③	17	④	18	①	19	①	20	②
21	②	22	④	23	③	24	①	25	③

01 | ① 행복한 삶을 실현하기 위한 조건 중 하나로 질 높은 정주 환경이 있다. 정주 환경이란 인간이 터를 잡고 정착하여 사는 환경이고 예전에는 의식주와 관련된 환경이였으나 현대에는 의식주 뿐만 아니라 문화, 교육, 건강, 각종 첨단 기술 등을 포함하는 사회적 환경까지 의미한다. 그러므로 질 높은 정주 환경을 위한 조건으로 안락한 주거 환경과 깨끗한 자연환경이 있다.

02 | ④ 인권은 누구나 침범 할 수 없는 권리이며, 타인에게 양도 할 수 없는 권리이다. 인간이 태어나면서부터 가지는 천부적 권리이며, 인간이라면 누구나 누릴 수 있는 기본적 권리이다.

03 | ④ 참정권은 기본권 중의 하나로, 국민이 국가의 의사 결정 과정에 참여할 권리로, 선거권, 국민투표권, 공무담임권이 포함된다.
　선거권: 선거에 참여하여 투표 할 수 있는 권리
　국민투표권: 국정의 중요한 사항에 대하여 투표 할 수 있는 권리
　공무담임권: 국민이 국가기관이 되어 공무를 담당할 수 있는 권리

04 | ② 자본주의는 이윤 추구를 목적으로 하는 자본이 지배하는 경제 체제이다. 자본주의 체제의 특징은 개인이 재산을 가질 수 있는 사유와 자기가 가진 재산을 이용해서 재산을 더욱 늘리는 영리와 재산 또는 자본을 늘릴 때 나라로부터 아무런 구속도 받지 않는 동시에 누구나 자유로이 경쟁 할 수 있는 자유가 있다.

05 | ② 법률로써 기본권 제한이 가능한 경우는 국가 안전 보장, 질서유지 또는 공공복리이다.

06 | ① 사회보험은 국민이 미래에 직면할 수 있는 사회적 위험에 대비하여, 국가가 국민의 건강과 생활 보전을 목적으로 보험방식에 의하여 사전에 대비하는 제도로 강제성이 있고, 금전적인 성격을 가지고 있다. 대표적인 예로 산재보험, 고용보험, 국민연금, 건강보험이 있다. 공공부조는 국가가 전적 지원하는 제도로 국민의 최저 생활 보장 및 자립 지원이다. 금전적인 성격을 가지고 있고, 대표적인 예로는 국민 기초 생활 보장제도, 의료 보호 제도가 있다.

07 | ② 시장 실패는 시장에서 자원의 배분이 효율적으로 이루어지지 못하는 상태로 사례로는 불완전 경쟁, 공공재 부족 현상, 외부 효과 발생, 경제적 불평등 발생 등이 있다.

08 | ② 편익은 어떤 경제적 선택을 통해 얻게 되는 만족이나 이익이다.

09 | ④ 노동 3권(근로 3권)은 단결권, 단체 교섭권, 단체 행동권이다.

10 | ② 바람직한 생애 주기별 금융 설계는 생애 주기 전체를 고려하여 설계 해야 한다.

구분	발달과업	수입과 지출의 변화
아동기	- 기초적인 인성 학습 - 공동체 생활에서 필요한 지식규범 학습 - 자아 정체성 형성	자신의 능력으로 돈을 벌 수 없으므로 경제 활동은 대부분 부모 소득에 의존
청년기	- 취업, 결혼, 자녀 출산 등으로 독립적인 생활 시작 - 주택 마련	- 취업과 함께 소득 발생 - 결혼, 자녀 출산 등으로 지출 발생
중 · 장년기	자녀교육, 주택 마련, 노후 준비 등	- 생애 주기 중 가장 소득이 많은 시기 - 지출 규모 또한 가장 큰 시기
노년기	- 건강 유지 및 관리 - 은퇴 이후 안정된 노후 생활 향유	- 경제적 은퇴로 소득 감소 - 연금 등이 주된 수입원

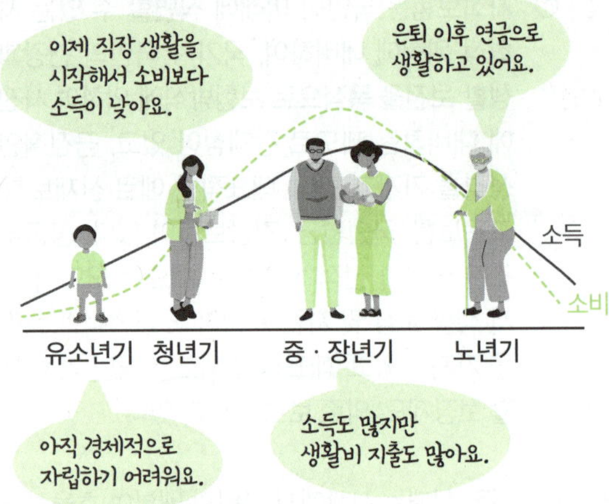

11 | ① 발견은 문화 변동의 내재적 요인 중 하나다. 이미 존재하고 있었지만 알려지지 않은 문화 요소를 찾아낸 것이다.

⚠ **선지 더 알아보기**

비교우위 : 한 국가가 다른 국가에 비해 상대적으로 더 적은 기회비용으로 상품을 생산하는 것
절대우위 : 한 국가가 어떤 상품을 다른 국가보다 더 저렴한 생산비로 생산하는 것

12 | ① 사회 불평등은 한 사회의 희소가치가 불평등 하게 분배되어 개인이나 집단이 평등한 사회적 지위를 갖지 못하고 서열화 되어 있는 현상이다.

⚠ **선지 더 알아보기**

소비자 주권 : 자본주의 경제에서 '무엇을 생산할 것인가'의 문제가 소비자들의 선택에 의해 결정 되는 현상.
문화 상대주의 : 각 나라의 문화가 고유한 의미와 가치가 있다고 인정하는 태도
스태그플레이션 : 스태그네이션(경기 침체)＋인플레이션(물가 상승)의 합성어로 경제불황 속에서 물가 상승 또한 동시에 발생하고 있는 상태

13 | ③ 분배적 정의의 실질적 기준은 필요, 업적, 능력이다.

업적에 따른 분배
: 성취한 성과에 비례하여 소득이나 사회적 지위 등을 분배하는 것

능력에 따른 분배
: 신체적, 정신적 능력에 따라 분배와 보상이 이루어지는 것

필요에 따른 분배
: 기본적 욕구 충족이 어려운 사람들에게 재화나 가치를 우선적으로 분배하는 것, 결과의 평등, 실질적 평등 추구

14 | ④ 한대 기후는 북극해 연안에 분포하며 최난월 평균 기온이 영상 10도 미만인 지역으로 위도 60도 이상에서 나타나는 기후이다. 겨울이 길고 몹시 추운 날씨를 가졌고, 순록 유목을 하며 동물의 털가죽으로 만든 두꺼운 옷을 입고 폐쇄적 가옥 구조를 가지고 있다.

15 | ③ 사막화는 극심한 가뭄이나 인간의 과도한 농경 및 목축으로 인해 토지가 황폐화되는 현상으로, 사하라 사막 이남의 사헬지대에서 대표적으로 나타난다.

16 | ③ 인간중심주의 자연관은 이분법적 관점으로 인간은 자연보다 우월하고 고귀한 존재이고 자연으로부터 독립된 존재로 생각하고, 도구적 자연관을 통해 자연을 도구로 여겨 수단으로 이용한다. 이로 인해 자원 고갈과 환경오염, 생태계 파괴 등의 환경문제가 생기는 한계가 있다.

17 | ④ 힌두교는 주로 인도에서 믿는 다신교로 소를 신성시 하여 소고기를 먹지 않는다. 갠지스 강을 '성스러운 강'으로 숭배 하고, 죄를 씻기 위해 갠지스 강에 모여서 목욕재계를 한다. 이슬람교의 창시자는 무함마드이며, 알라라고 하는 유일신을 믿는다. 성지인 메카를 향해 기도를 하며 꾸란이라는 경전이 있고, 히잡, 니캅, 부르카, 차도르 등의 의복 문화가 있다. 모스크 사원이 있고, 돼지고기를 먹지 않고 술을 마시지 않는다.

18 | ① 저출산을 해결하기 위해 출산과 양육 지원, 양성 평등을 위한 고용 문화 확산 등이 필요하다.

19 | ① 교통 통신 발달로 인해 시공간의 제약이 크게 줄어들고 다른 지역과의 접근성이 증가해 지역 간의 교류가 활발해졌다. 이로 인해 생활권, 경제활동 범위 및 여가 공간이 확대 되었다.

 교통통신 발달이 생태 환경에 준 변화

긍정적 영향

예 산불이 났을 때 헬리콥터를 이용해 산불 진압, 멸종 위기 동물에게 칩을 넣어 위치확인 시스템(GPS)를 이용해 보호

부정적 영향

예 교통통신 시설 구축으로 생태계 파괴, 포장 면적 증가로 홍수와 산사태 위험 증가

20 | ② 공간적 분업이란 기업의 여러 기능이 공간적으로 분화 되는 방식을 말한다. 기업의 규모가 작은 초기 단계에서는 운영을 담당하는 관리 기능, 기술 개발을 맡는 연구 개발 기능, 제품을 생산하는 생산 기능이 한 장소에 입지하지만, 기업이 성장하면서 그 규모가 확대되면 기업의 여러 기능은 공간적으로 분화하게 된다. 관리 기능을 하는 본사는 도심에 입지하고, 연구 개발 기능을 가진 연구소는 고급 인력을 구하기 쉬운 곳에, 생산 기능을 담당하는 공장은 저임금 노동력이 있는 곳에 만들어 진다. 이러한 기업의 공간적 분업은 다국적 기업의 발달을 가져온다.

21 | ② 정보화에 따른 문제점으로는 인터넷 중독, 사생활 침해, 사이버 범죄, 정보 격차 등이 있다.

교외화 : 중심 도시가 가지고 있는 여러 기능이 주변 지역으로 확산되는 현상

님비 현상 : 'Not In My Back Yard (내 뒷마당에는 안 된다.)'의 줄임말로, 자신들이 살고 있는 지역에 핵폐기물처리장, 하수종말처리장, 쓰레기매립장, 화장장, 범죄자 수용소, 정신병원 등 혐오시설이 유치되는 것을 반대하는 지역이기주의 현상

열섬 현상 : 산업 발달로 도시화가 진행됨에 따라 난방 시설과 자동차열 등 인공열의 발생으로 도심 지역이 주변보다 온도가 3℃~4℃ 높은 현상

22 | ④ D인 라틴아메리카 문화권은 리오그란데강 이남 지역으로 에스파냐와 포르투갈의 식민지였기에 남부 유럽의 문화가 전파 되었다. 주로 에스파냐어와 포르투갈어를 사용하고 가톨릭을 믿는다. 마야 문명의 발상지이다.

A - 북극 문화 지역 : 날씨가 매우 추운 지역으로 순록 유목 및 수렵, 어로로 살아가며 이누이트족이 살고 있다.

B - 아프리카 문화권 : 아프리카 문화 지역은 사하라 사막을 기준 삼아 남쪽에 있는 중 남부 아프리카 일대로, 열대 기후가 넓게 분포한다. 이 지역은 토속 종교의 영향이 남아 있고, 아직까지도 부족 단위의 공동체 생활을 한다.

C - 동아시아 문화권 : 한국, 일본, 중국이 있는 문화권으로 유교와 불교가 강하고 한자를 사용하며 젓가락을 이용 해 밥을 먹는다. 벼농사를 짓는다.

23 | ③ 인구 구조는 한 사회를 구성하는 인구의 연령이나 성별, 직업 등 여러 요인을 기준으로 바라본 인구 특성이다. 한 국가나 사회를 구성하는 인구의 특징을 의미하는 것으로, 인구 구성이라고도 한다. 대표적으로 연령별·성별·직업·산업별 인구 구조가 있으며, 이는 그 사회의 특징을 나타내기도 하고, 국가 및 지역 정책의 기본 자료로도 중요한 의미를 가진다.

24 | ① 국제 비정부 기구는 개인이나 민간단체 중신의 국제 사회 주체로, 국제적 연대를 통해 문제 해결 시도한다. 대표적인 예로 그린피스, 국제 사면 위원회, 국경 없는 의사회 등이 있다.

25 | ③ 자원의 유한성은 자원의 매장량이 한정되어 있어 사용하면 고갈되는 특성이다.

01	②	02	②	03	②	04	③	05	①
06	④	07	③	08	③	09	①	10	①
11	④	12	①	13	②	14	②	15	③
16	②	17	②	18	④	19	①	20	③
21	③	22	④	23	③	24	②	25	④

01 | ② 시민 참여는 정부의 정책 결정과 집행에 일반 시민이 직접 참여해 영향을 미치는 행위를 말한다. 시민 참여의 사례로 국민의 대표를 선출하는 선거, 자신이 속한 집단의 이익을 실현하기 위한 이익 집단 활동, 공동체의 삶을 개선하기 위한 시민 단체 활동, 국가 기관이나 언론 및 인터넷 게시판에 의견을 표현하는 활동, 자원봉사 활동, 1인 시위 등이 있다. 이와 같이 시민의 권리를 능동적으로 행사하여 민주주의를 실현함으로서 시민으로서의 행복감을 높이기 위해 시민 참여가 필요하다.

⚠ 선지 더 알아보기

편익 : 어떤 경제적 선택을 통해 얻게 되는 만족이나 이익이다.
규모의 경제 : 생산 규모를 늘리면서 얻는 이익에 대해서 말하는 경제용어로, 많이 생산 할수록 생산하는 평균 비용이 감소하는 현상이다.
불완전 경쟁 : 공급자가 하나 밖에 없는 독점과 소수의 공급자가 존재하는 과점을 말한다.

02 | ② 인간과 시민의 권리 선언은 프랑스 혁명 과정에서 채택한 것으로, 천부 인권, 자유권, 저항권, 국민 주권, 권력 분립, 소유권 불가침의 원칙 등을 규정하였다. 자유권 중심의 인권을 강조하였으며 권리의 주체는 재산이 있는 성인 남자, 즉 '시민'에 한정되었다.

03 | ② 권력분립제도는 국가 권력을 서로 다른 국가 기관이 나누어 행사하는 제도로, 우리나라는 삼권 분립 제도를 채택 하고 있다. 입법부, 행정부, 사법부로 분리 되어 있고 이는 국가 기관 간의 견제와 균형을 통한 권력 남용 방지를 위한 것이다. 입법권은 국회에, 행정권은 정부에, 사법권은 법원에 속한다.

04 | ③ 인권을 보장하고 정의로운 사회를 만들려면 사회 구성원들이 스스로 법이나 규칙을 지키고자 하는 의식인 준법의식을 가져야 한다. 준법의식이 잘 확립 되어야 정의 실현 및 사회 유지가 가능하다.

05 | ① 경제 주체인 정부는 독과점 기업의 횡포를 규제함으로써 자유롭고 공정한 경쟁 질서를 촉진하고, 공공재를 생산하며, 외부 효과와 빈부 격차 문제를 개선 해야 한다.

 **교통통신 발달이 생태 환경에 준 변화**

외부 효과 개선
 : 외부 경제에 대해서는 세금 감면, 보조금 지급 등의 혜택을 주어 생산이나 소비를 늘리고, 외부 불경제에 대해서는 세금이나 벌금 등을 부과하여 생산이나 소비를 줄이도록 유도한다.

빈부 격차 문제 개선
 : 사회 보장 제도나 누진세제 등과 같은 소득 재분배 정책을 시행하여 빈부격차를 완화할 수 있다.

06 | ④ 자유 무역 협정(FTA)은 개별 국가끼리 상품의 이동을 자유화하는 협정이다.

07 | ③ 수정 자본주의는 케인스가 주장 했고, 대공황으로 인해 1930년대에 등장해 정부의 시장 개입을 강조하여 큰 정부를 추구한다.

08 | ③ 1990년 노벨경제학상을 받은 미국의 경제학자인 마코위츠(Markowitz,Harry M)가 1952년에 "포트폴리오이론"으로 주식투자에서 위험을 줄이고 투자수익을 극대화하기 위한 일환으로 여러 종목에 분산투자하는 방법을 제시함으로 처음 사용된 용어이다. 투자를 할 때 위험을 분산하고 투자수익을 극대화하기 위하여 여러 종목으로 나누어 투자할 필요가 생기고 이런 투자 내역은 서류가방에 넣어 중요하게 보관한다는 뜻에서 "포트폴리오"란 용어를 사용하게 된 것이다.

09 | ① 공동선이란 사회 구성원 전체의 이익이 개인의 이익과 조화를 이룸으로써 공동체 모두에게 유익한 것이다.

10 | ① 사회보험은 국민이 미래에 직면할 수 있는 사회적 위험에 대비하여, 국가가 국민의 건강과 생활 보전을 목적으로 보험방식에 의하여 사전에 대비하는 제도로 강제성이 있고, 금전적인 성격을 가지고 있다. 현재 우리나라는 산재보험, 고용보험, 국민연금, 사학연금, 공무원연금, 군인연금, 건강보험, 노인장기요양보험 등 8대 사회보험이 운영되고 있으며, 산재보험, 고용보험, 국민연금, 건강보험을 가리켜 4대 사회보험이라고 한다.

11 | ④ 문화 병존은 한 사회 내에 기존의 문화 요소와 전파된 다른 사회의 문화 요소가 각각 나란히 존재하는 것이다. 예를 들어 필리핀은 필리핀어와 영어를 공용어로 사용한다.

12 | ① 문화 사대주의는 다른 사회의 문화를 우월하게 자신이 속한 사회의 문화를 열등하게 생각하는 태도이고, 문화 상대주의는 각 나라의 문화가 고유한 의미와 가치가 있다고 인정하는 태도이다.

13 | ② 용광로 정책은 용광로에 금속을 넣으면 다 녹아버리는 것처럼 이민사회의 문화에 완전히 동화 되는 다문화 정책이다. 현재 다문화 정책은 용광로 정책이였지만 앞으로의 다문화 정책은 모든 문화가 샐러드볼처럼 자기 문화만의 독특한 고유성을 유지하는 샐러드볼 정책으로 바꿔야 할 것이다.

14 | ② 한대 기후는 최난월 평균 기온이 영상 10도 미만인 지역으로 위도 60도 이상에서 나타나는 기후이다. 겨울이 길고 몹시 추운 날씨를 가졌고, 순록 유목을 하며 털가죽으로 된 옷을 입고 폐쇄적 가옥 구조를 가지고 있다.

15 | ③ 자연재해는 기후, 지형 등의 자연환경 요소들이 인간의 안전한 생활을 위협하면서 피해를 주는 현상이다. 자연재해는 홍수, 강풍, 폭설, 가뭄 등의 기상 재해와 화산 활동, 지진, 지진 해일(쓰나미) 등의 지질 또는 지형 관련 재해로 나눌 수 있다. 폭설은 교통 혼란과 비닐하우스나 축사 등의 붕괴를 일으킬 수 있고, 폭설이 내리면 자가용 이용을 자제하고 신속한 제설 작업을 통해 더 큰 피해가 없도록 해야 한다.

16 | ② 교토 의정서는 지구 온난화와 관계있는 협약으로 온실가스의 배출을 감축하며 배출량을 줄이지 않는 국가에 대해서는 비관세 장벽을 적용한다. 몬트리올 의정서는 오존층 파괴 방지를 위해 맺은 국제 협약이고, 사막화 방지 협약은 사막화 방지를 위해 국제적 노력을 하기로 결의한 것이다.

17 | ② 도시화는 한 국가 및 지역에서 도시에 거주하는 인구의 비율이 높아지는 현상, 도시적 삶의 방식이 확대 되어 가는 현상이다. 도시화로 인해 상업 시설과 인공 건축물이 증가하며, 지표의 포장 면적 또한 증가한다. 그리고 열섬 현상이 생기고, 직업의 다양성이 증가했다.

18 | ④ 합계 출산율이란 한 여자가 가임기간(15~49세)에 낳을 것으로 기대되는 평균 출생아 수를 말한다.

19 | ① 동아시아 문화권은 한국, 일본, 중국이 있는 문
화권으로 유교와 불교가 강하고 한자를 사용하
며 젓가락을 이용해 밥을 먹는다. 벼농사를 짓
는다.

20 | ③ 이슬람교는 알라를 유일신으로 믿는 유일교이
고, 모스크에서 예배 하며, 돼지고기와 술을 금
기시 한다. 라마단 기간에는 해가 떠 있는 동안
단식을 한다. 이슬람교의 경전은 꾸란이고, 이
슬람 여성들이 머리와 상반신을 가리기 위해
쓰는 것이 히잡이다.

21 | ③ 지속 가능한 발전을 추구하고, 생태 통로를 만
들어 동물을 보호하고, 생태계의 구성원으로서
환경친화적 가치관을 가지는 것이 인간과 자연
의 공존을 위한 노력이다.

22 | ④ 문화의 획일화는 세계화로 인한 변화 중 하나
로 국가 간 문화 교류가 증가하면서 세계의 문
화가 비슷해지는 현상이다.

23 | ③ 국경 없는 의사회는 의료 지원의 부족, 무력 분
쟁, 전염병, 자연 재해 등으로 인해 생존의 위협
에 처한 사람들을 위해 긴급 구호 활동을 펼치
는 국제 비정부 기구이다.

24 | ② 정보화로 인한 문제점은 사생활 침해, 개인 정
보 유출, 인터넷 중독 등이 있다.

25 | ④ 석유는 세계적으로 사용 비중이 가장 높은 자
원으로 서남아시아가 대표적인 생산국이다. 자
동차 보급이 확산되면서 수요가 급증하였다.
천연가스는 화석연료 중 하나로, 기체이고 연
소시 대기오염 물질의 배출이 적어서 청정에너
지라고 불린다. 냉동 액화 기술의 발달과 수송
선이 개발 되면서 소비량이 증가했다.

01	③	02	②	03	②	04	④	05	②
06	①	07	②	08	①	09	②	10	④
11	③	12	②	13	②	14	④	15	④
16	④	17	②	18	③	19	②	20	①
21	④	22	①	23	②	24	③	25	④

01 | ③ 시간적 관점은 과거-현재-미래의 흐름 속에서 사회 현상을 이해하는 관점으로 시대적 배경과 맥락을 토대로 살펴보는 것이다.

🔍 개념 더 보기 **통합적 관점**

통합적 관점이란, 사회 현상이나 문제를 하나의 시각으로만 보지 않고, 여러 관점(시간적, 사회적, 공간적, 윤리적 관점 등)을 종합하여 분석하고 이해하는 시각을 말한다.

1) 시간적 관점

과거-현재-미래의 흐름 속에서 사회 현상을 이해하는 관점으로, 역사적 배경과 맥락을 살펴 현재의 문제를 분석하고, 미래를 예측하려는 시도이다.

2) 공간적 관점

인간과 자연의 상호작용, 지리적 위치, 지역 특성, 공간 구조 등을 바탕으로 현상을 분석하는 관점으로 어디서 어떤 일이 일어나고 있으며, 공간적 배경이 어떻게 영향을 주는지를 분석한다.

3) 사회적 관점

사회 구조, 제도, 계층, 가치관, 문화 등의 사회적 요인을 통해 현상을 해석하는 관점으로 개인과 사회의 관계, 다양한 집단 간 갈등과 협력, 사회적 불평등도 포함된다.

4) 윤리적 관점

사회 현상을 옳고 그름, 정의, 책임, 권리, 공동선 등 가치 판단의 기준에서 바라보는 관점으로 개인과 공동체의 도덕적 책임, 사회적 정의, 인권 등을 중심으로 사고한다.

02 | ② 건조기후는 강수량이 매우 적은 곳으로 햇볕과 모래바람이 강하다. 기온의 일교차가 커서 온 몸을 감싼 옷을 입고 다닌다. 낮엔 햇빛으로부터 보호를, 밤에는 담요의 역할을 한다. 주로 초원과 사막에 분포하고 그들은 평평한 지붕과 작은 창, 두꺼운 벽을 가진 흙벽돌집에 거주한다.

03 | ② 생태 중심주의는 자연의 본래적, 내재적 가치를 인정한다. 전일론적 관점은 인간을 포함한 자연 전체를 하나로 바라보는 관점이다. 그래서 인간과 자연은 서로 조화와 균형을 이루어야 한다고 주장 한다. 한계는 생태계 전체를 위해 개별 생명체를 희생 할 수 있다는 주장인 환경파시즘이다. 생태 중심주의의 사례에는 황폐화된 숲을 복원하려는 사업, 자연을 있는 그대로 보전하려는 국립 공원 정책, 태양열 주택을 만들어 자연과 어울리는 주거 환경 조성 등이 있다.

04 | ④ 환경문제 해결을 위해 정부는 정책과 제도로 방향을 제시하고, 기업은 기술과 생산에서 친환경 가치 실현을 하고 시민은 일상과 소비에서 실천하는 노력이 필요하다.

🔍 개념 더 보기 **환경 문제 해결을 위한 노력**

주체	구체적 노력	예시
정부	- 법과 제도 정비 - 환경 정책 수립 및 이행 - 국제 협력 및 조약 참여 - 환경 교육 및 홍보	- 탄소세 도입 - 재생에너지 보급 지원 - 플라스틱 사용 규제 - 파리기후협정 참여 - 환경영향평가 제도 운영
기업	- 친환경 기술 개발 - ESG 경영 실천 - 자원 절약 및 에너지 효율화 - 친환경 제품 생산	- 전기차·태양광 기술 개발 - 친환경 포장재 사용 - 공장 내 탄소 배출 감축 - 사회적 책임 경영 (CSR) 강화
시민	- 생활 속 실천 (절전, 재활용) - 친환경 소비 (그린소비) - 환경 보호 운동 참여 - 정책에 대한 관심과 지지	- 대중교통 이용, 장바구니 사용 - 분리수거, 음식물 쓰레기 줄이기 - 환경 단체 후원 또는 자원봉사 - 탄소중립 캠페인 참여

상호 연계의 중요성
- 정부는 규제와 지원을 통해 방향을 제시하고,
- 기업은 기술과 자본을 통해 실천 가능한 방안을 개발하며,
- 시민은 일상에서 실천하고 여론을 형성하여 정책과 시장을 움직인다.
이 세 주체가 함께 협력할 때, 지속가능한 환경 보호가 가능하다.

05 | ② 산업화와 도시화로 인해 녹지 면적이 감소했고, 개인주의적 가치관이 확산 되었고, 직업이 다양해지고 전문화 되었다.

 **산업화와 도시화가 가져온 변화**

1) 경제적 변화
- **산업과 경제 구조 변화**
  - 1차 산업(농업) 중심 → 2·3차 산업(공업·서비스업) 중심으로 변화
  - 도시에는 제조업, 금융업, IT산업 등 고부가가치 산업이 성장
- **일자리 증가 & 소득 증가**
  - 도시로 이동하는 인구 증가 → 다양한 직업 창출
  - 평균적인 소득 수준 상승
- **교통 · 통신 발달**
  - 철도, 도로, 항만, 공항 등 교통망 확충
  - 인터넷, 스마트 기술 보급 → 정보화 사회로 발전

2) 사회문화적 변화
- **생활 방식 변화**
  - 전통적 공동체 약화 → 가족·이웃 간 유대감 감소
  - 개인주의 문화 확산 → 맞벌이 증가, 1인 가구 증가
- **교육·문화 발달**
  - 도시 지역의 교육·문화 시설 증가
    → 대학, 도서관, 박물관, 공연장 확충
  - 다양한 문화 접촉 → 대중문화, 글로벌 문화 확산
- **사회적 불평등 심화**
  - 소득 격차 확대
    → 대기업 근무자 vs. 비정규직 근로자 간 차이 발생
  - 주거 공간 차이 발생
    → 강남 vs. 강북, 도심 vs. 슬럼 지역

3) 환경적 변화
- **자연환경 파괴**
  - 도시 개발로 인해 산림, 하천, 농지 감소
  - 공기 오염, 수질 오염, 토양 오염 증가
- **교통 체증과 주거 문제**
  - 출퇴근 인구 증가 → 도로 혼잡, 대중교통 이용 증가
  - 주택 부족 → 높은 집값 & 임대료 상승, 난개발 문제 발생
- **열섬 현상발생**
  도시 지역의 기온이 주변보다 높아지는 현상
  이유 : 콘크리트, 아스팔트 사용 증가 → 열 축적

06 | ① 경제 주체는 경제 활동을 하는 주요 구성원으로 가계(소비자), 기업(생산자), 정부(경제 조정자)가 있다. 그 중 기업은 상품과 서비스를 생산하고 판매하는 경제 주체로 이윤을 목표로 생산 활동을 한다. 기업의 역할은 생산 활동, 고용 창출, 이윤 추구, 세금 납부가 있다.

 **통합적 관점**

1) 가계(소비자)
개인이나 가족 단위로 구성된 경제 주체로 생산활동에 참여 하면서 임금을 받고 소비 활동을 한다.
역할 : 소비 활동, 노동 제공, 저축과 투자

2) 기업 (생산자)
상품과 서비스를 생산하고 판매하는 경제 주체로 이윤을 목표로 생산 활동을 한다.
역할 : 생산 활동, 고용 창출, 이윤 추구, 세금 납부

3) 정부(경제 조정자)
경제 질서를 유지하고, 국민의 경제적 복지를 향상시키는 역할을 하는 주체
역할 : 시장 조정, 공공재 제공, 소득 재분배, 기업 규제 및 보호

07 | ② 야외조사는 특정 지역의 사회, 경제, 문화, 지리
적 특성을 직접 관찰하고, 자료를 수집하며, 문
제를 탐색하는 조사 방법이다.

※ 야외조사의 주요활동

활동 종류	설명	예시
직접 관찰	눈으로 지역 상황을 확인하며 특성을 기록	주거 형태, 교통 혼잡, 상권 분포 관찰
사진 촬영	시각적 기록을 통해 자료 수집	특정 지역의 쓰레기 배출 현장 사진 등
면담 및 설문 조사	지역 주민, 상인, 공무원 등과의 대화를 통해 의견 수집	상인에게 지역 문제에 대한 의견을 듣기
지도 활용 및 표시	조사 지역의 위치와 특성 표시	주요 건물이나 문제 지점 지도에 표시
환경 측정	소음, 온도, 대기질 등 측정 기구 활용	소음 측정기로 도로 소음 확인

 지역조사단계

지역 조사를 통해 공간 변화 양상을 파악하여 현재 지역에서 발생하는 문제의 원인을 정확히 분석하고 해결 방안을 모색할 수 있다.

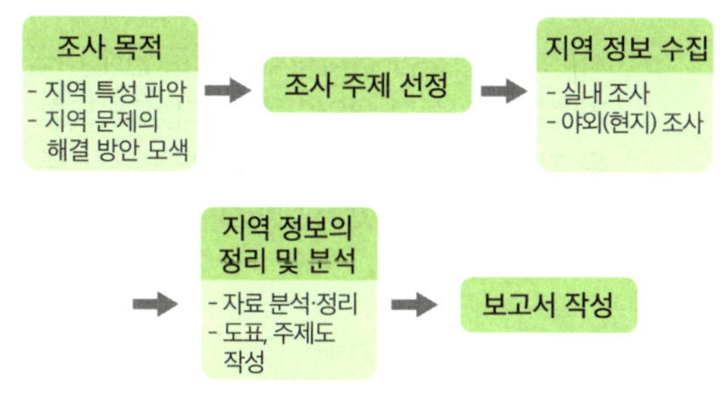

08 | ① 자유권은 국가 권력으로부터 개인의 자유로운
삶과 선택을 보호하기 위한 권리이다. 쉽게 말
해, "국가가 간섭하지 말라"는 의미에서 소극적
권리라고도 불린다. 국가가 함부로 개인의 생
각, 표현, 행동, 재산, 직업 선택 등을 제한하지
못하도록 헌법이 보장해 준다.

 환경 문제 해결을 위한 노력

자유권의 종류	설명	헌법 조항 예시
신체의 자유	불법 체포, 감금, 고문 등을 당하지 않을 권리	제12조 체포·구속·수색·압수는 적법한 절차에 따라야 함
거주·이전의 자유	원하는 곳에 살고 자유롭게 이동할 수 있는 권리	제14조 "모든 국민은 거주·이전의 자유를 가진다."
직업 선택의 자유	원하는 직업을 자유롭게 선택하고 종사할 수 있는 권리	제15조 "모든 국민은 직업선택의 자유를 가진다."
사생활의 자유	개인의 생활이 침해받지 않을 권리 (통신 비밀 포함)	제17조 "모든 국민은 사생활의 비밀과 자유를 침해받지 아니한다."
양심의 자유	자신의 양심에 따라 생각하고 행동할 수 있는 권리	제19조 "모든 국민은 양심의 자유를 가진다."
종교의 자유	종교를 가질 자유와 가지지 않을 자유	제20조 제1항 "모든 국민은 종교의 자유를 가진다." 제2항 "국교는 인정되지 아니하며, 종교와 정치는 분리된다."
언론·출판의 자유	자유롭게 의견을 표현할 수 있는 권리	제21조 제1항 "모든 국민은 언론·출판의 자유와 집회·결사의 자유를 가진다." 제2항 "언론·출판은 허가나 검열을 받지 아니한다."
집회·결사의 자유	평화로운 집회나 단체를 만들 자유	제4항 "언론·출판에 의한 피해는 법률에 따라 피해자에게 정정·반론 또는 손해배상의 청구를 할 수 있다."

2) 자유권의 한계
자유권은 절대적인 권리가 아니다.
→ 다른 사람의 자유와 공공의 질서를 해치지 않는 범위에서만 보장된다.
예 1) 표현의 자유가 있다고 해도 허위사실 유포나 명예훼손은 제한 가능
예 2) 집회의 자유도 폭력적인 집회는 허용되지 않음

09 | ② 청소년의 노동권은 근로기준법에 의해 보호 받
　　　 는다.

　　　근로조건：안전한 환경, 위험한 업무 ×, 야간근
　　　　　　　　 로나 휴일근로도 제한
　　　근로시간：하루 7시간, 주 40시간 이상 안됨
　　　취업연령：15세 이상
　　　임금：최저임금 보장
　　　학업과 근로 병행：학업 시간을 방해하지 않는
　　　　　　　　　　　　 범위 내에서만 근로 가능
　　　근로계약서 작성：부모나 법정대리인의 동의
　　　　　　　　　　　　 필요

청소년 근로 십계명

1. 원칙적으로 만 15세 이상의 청소년만 근로가 가능합니다.
2. 청소년을 고용한 경우 부모님 동의서와 가족 관계 증명서를 사업장에 꼭 비치해야 합니다.
3. 일을 시작할 때 근로 계약서를 꼭 작성하세요.
4. 청소년도 성인과 동일한 최저 임금을 적용받습니다.
5. 위험한 일이나 유해한 업종의 일은 할 수 없습니다.
6. 근로 시간은 하루 7시간, 일주일에 40시간을 넘겨서는 안 됩니다.
7. 근로자가 5명 이상인 경우 휴일 및 초과 근무 시 50%의 가산 임금을 받을 수 있습니다.
8. 일주일에 15시간 이상 근무, 일주일 개근한 경우 하루의 유급 휴일을 지급받을 수 있습니다.
9. 일하다 다쳤다면, 산업 재해 보상 보험법이나 근로 기준법에 따라 치료와 보상을 받을 수 있습니다.
10. 부당한 처우를 당하거나 궁금한 사항에 대한 상담은 청소년 신고 대표 전화 1644-3119로 연락하세요.

10 | ④ 자원의 희소성은 사람들이 원하는 모든 것을
　　　 충족시킬 수 있을만큼 자원이 풍부하지 않은
　　　 상태를 가르킨다.

11 | ③ 정보화로 인해 가상 공간을 통한 정보 교류가
　　　 증가 되었고, 온라인 상점을 통한 물건 구매가
　　　 증가했다. 원격 교육과 전자 행정 서비스가 널
　　　 리 시행 되고, 재택근무와 화상 회의를 통해 업
　　　 무가 활성화 되었다.

정보화에 따른 변화

1) 생활 공간의 변화
　 가상공간, 공간적 제약 감소, GPS 활용
2) 생활 양식의 변화
　 정치 참여 확대, 전자 상거래, 인터넷 쇼핑, 원격 근무, 원격 진료, 원격 교육, 지역 간 문화 교류 확대
3) 정보화에 따른 문제점
　 인터넷 중독：인터넷 과다 사용으로 일상생활에 심각한 지장을 받게 되는 현상
　 사생활 침해：사이버 상에서 개인의 사적 정보가 다른 사람에게 공개 되는 현상
　 정보 격차：새로운 정보에 접근 할 수 있는 능력을 보유한 사람과 그렇지 못한 사람 사이에 사회적, 경제적 격차가 심화 되는 현상
　 사이버 범죄：정보 통신망을 통해 타인의 명예를 침해하거나 타인에게 피해를 입히는 행위

12 | ④ 1970년대 석유 파동으로 인해 스태그플레이션
　　　 이 발생했고, 20세기 후반 정부의 과도한 시장
　　　 개입으로 정부 실패 및 재정 악화가 발생했다.
　　　 이로 인해 신자유주의 경제체제가 도입이 되었
　　　 다. 신자유주의는 정부 개입의 최소화와 시장
　　　 자유화를 강조한 경제체제로 이로 인해 다국적
　　　 기업이 증가하고 무역이 확대 되었다. 또한 금
　　　 융 자본주의가 강화되어 주식과 부동산 등 금
　　　 융 시장 중심의 경제가 되었다.

신자유주의

1. 신자유주의의 등장 배경
　 1) 케인스주의의 한계
　 • 1930년대 대공황 이후, 정부가 시장에 적극 개입하는 케인스주의 경제정책이 주류였음.
　 • 하지만 1970년대에 세계적인 석유파동과 스태그플레이션(물가는 오르는데 경제성장은 멈춘 현상) 발생.
　 • 이로 인해 정부 개입 중심의 경제정책이 효과를 발휘하지 못함.

2) 시장 중심주의의 부활
- 시장의 자율성과 효율성을 중시하는 고전적 자유주의 경제사상이 재조명됨.
- 대표 인물 : 프리드리히 하이에크, 밀턴 프리드먼 등
- 주요 채택 국가 : 1980년대 영국(대처), 미국(레이건) 중심으로 확산됨

2. 신자유주의 경제체제의 특징

구분	내용
시장 중심의 경제 운영	시장의 자율성과 효율성을 강조하고, 정부 개입 최소화
작은 정부(규제 완화)	공기업 민영화, 규제 철폐, 복지 축소 등을 통해 정부 역할 축소
자유 무역과 세계화	무역 장벽 철폐, 해외 투자 자유화, 자본의 자유로운 이동 촉진
노동시장 유연화	해고 규제 완화, 비정규직 확대 등으로 기업의 인건비 부담 감소
경쟁 강조	경쟁을 통해 효율성과 혁신 유도, 개인의 책임 중시

3. 신자유주의의 효과와 비판
1) 긍정적 측면
- 기업 경쟁력 향상
- 경제 성장 촉진
- 정부 재정 부담 감소
2) 부정적 측면
- 빈부격차 심화
- 사회적 안전망 약화
- 공공성·복지의 축소
- 금융 불안정성 증가 (예 2008년 글로벌 금융위기)

13 | ② 비교우위는 한 나라가 다른 나라보다 더 적은 기회비용(싸게) 상품을 생산할 수 있는 능력이다.

개념 더 보기 **절대우위와 비교 우위**

1. 절대우위
어떤 국가나 개인이 같은 자원을 사용하여 더 많은 양을 생산할 수 있을 때, 그 분야에서 절대우위를 가진다고 합니다.
1) 개념 정리 : 생산성이 더 높다, 더 적은 자원으로 더 많이 생산한다
2) 주장자 : 애덤 스미스 (Adam Smith)
3) 핵심 : "누가 더 잘 만들 수 있는가?"

2. 비교우위
어떤 국가나 개인이 어떤 재화를 다른 재화에 비해 상대적으로 더 낮은 기회비용으로 생산할 수 있을 때, 그 분야에서 비교우위를 가진다고 합니다.
1) 개념 정리 : 기회비용이 더 낮은 분야에서 전문화하는 것이 유리함
2) 주장자 : 데이비드 리카도 (David Ricardo)
3) 핵심 : "누가 덜 손해 보면서 만들 수 있는가?"

3. 절대우위 vs 비교 우위

구분	절대우위	비교우위
의미	더 많이, 더 효율적으로 생산 가능	더 낮은 기회비용으로 생산 가능
기준	생산량, 생산 효율	기회비용
가능성	한쪽 국가가 두 재화 모두 절대우위 가질 수 있음	반드시 서로 다른 비교우위 존재 가능
무역 성립 조건	양국이 각자 절대우위를 가질 때	한쪽이 절대우위를 다 가져도 무역 가능
주장자	애덤 스미스	데이비드 리카도

14 | ④ 예금은 원금 손실의 위험성이 가장 낮은 상품으로 안정성이 높다. 적금은 만기를 설정해 은행에게 돈을 맡기는 것으로 예금보다 이자율이 높은 경우가 많다. 채권은 자금 조달을 목적으로 정부나 공공기관에서 발행하는 것이다. 주식은 주식회사가 경영 자금을 마련하기 위해 투사사로부터 돈을 받고 발행하는 승서로, 투자자는 배당 수익, 시세 차익을 얻을 수 있다.

15 | ④ 공공부조는 국가가 전적 지원하는 제도로 국민의 최저 생활 보장 및 자립 지원으로 금전적인 성격을 띤다. 공공부조의 종류에는 국민 기초 생활보장 제도, 의료 보호 제도 등이 있다.

16 | ④ 오스트레일리아, 뉴질랜드, 태평양의 여러섬을 포함한 지역을 오세아니아라고 한다. 오세아니아 문화권은 주로 영어를 사용하고, 영국 중심의 유럽 문화가 전파된 곳이다. 지리적으로 다른 대륙들과 떨어져 있으며 자연경관이 좋고 인구가 적은 편이다. 아직까지도 원주민 문화가 있다.

1) **유럽 문화권** : 크리스트교, 일찍부터 산업과 민주주의 발달, 유럽 연합(EU) 결성
2) **슬라브 문화권** : 슬라브족, 슬라브어 사용, 그리스 정교
3) **동아시아 문화권** : 유교 · 불교의 영향, 한자 사용, 벼농사 발달
4) **앵글로아메리카 문화권** : 크리스트교(개신교), 영어, 서부 및 북부 유럽 문화 전파
5) **북극 문화권** : 순록 유목, 자원 풍부, 이누이트 거주
6) **라틴 아메리카 문화권** : 크리스트교(가톨릭교), 남부 유럽의 문화 전파, 다양한 혼혈족 거주
7) **오세아니아 문화권** : 영어, 유럽 문화 전파, 원주민 문화가 나타남.
8) **동남아시아 문화권** : 벼농사, 중국 · 인도 · 이슬람 · 유럽 문화의 영향을 받음.
9) **인도 문화권** : 불교 · 힌두교의 발상지, 민족 · 종교 · 언어가 다양함, 카스트제

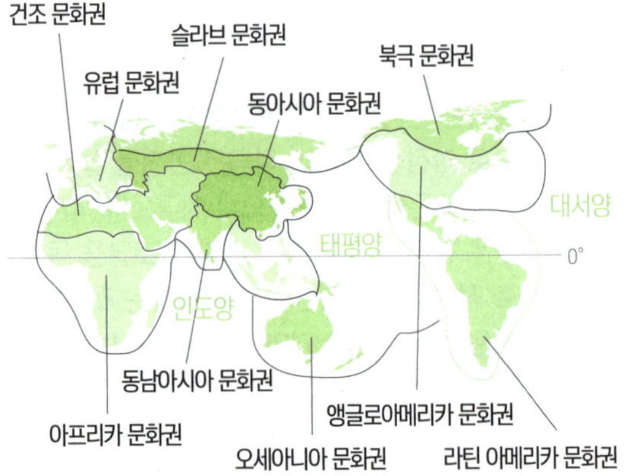

17 | ③ 힌두교는 인도에서 발생한 세계 4대 종교 중 하나로 수많은 신을 섬기는 다신교다. 소를 신성시하여 소고기를 먹지 않는다. 갠지스 강에서 목욕을 하는 종교 행위가 있고, 힌두교 사원에서 모인다.

힌두교는 인도에서 발생한 세계에서 가장 오래된 종교 중 하나로, 수많은 신과 다양한 철학을 포용하는 다신교적 종교이다.
믿는 사람 : 약 12억 명 이상 (전 세계에서 3번째로 많은 신자 수)
주요 분포 지역 : 인도, 네팔, 방글라데시, 스리랑카

1) **핵심 사상**
   다신교 : 수많은 신(브라흐마, 비슈누, 시바 등)을 믿음
   윤회 : 인간의 영혼은 죽은 후 다른 몸으로 다시 태어남
   업 : 자신의 행위에 따라 다음 생이 결정됨
   해탈 : 윤회에서 벗어나 영혼이 절대자와 합일됨
   다르마 : 각자의 신분과 역할에 따른 도리와 의무

2) **특징**
   카스트 제도 : 신분제도(브라만, 크샤트리아, 바이샤, 수드라 등)와 종교가 연결되어 있음
   요가와 명상 : 정신과 육체 수련법, 해탈을 위한 수단
   소 숭배 : 소는 신성한 동물로 여겨져 도살 금지
   갠지스강 : 영혼 정화의 강으로 성지순례 대상
   경전 : 베다, 우파니샤드, 마하바라타, 라마야나

18 | ③ 전통적인 한옥 구조물에 서양의 건축 양식을 결합해 새로운 모습의 성당을 만든 것은 문화 A + 문화 B = 새로운 문화 C로 문화 융합이다. 문화 동화는 한 문화 집단이 다른 문화 집단에 흡수되어 자신의 고유한 문화를 잃고 지배적인 문화로 동화되는 현상이다. 라틴 아메리카 지역 원주민들이 자신들의 언어를 잃고 식민 지배 당한 나라들의 언어인 에스파냐어(스페인어)와 포르투갈어를 사용 하게 된 것이 바로 문화 동화의 대표적인 예이다.

19 | ② '을'은 손으로 음식을 먹는 나라의 문화에 대해 그들의 오랜 전통이라고 말하면서 그 나라의 문화를 받아들이고 인정하는 태도를 취한다. 이것은 문화 상대주의의 관점을 가진 것이다.

1) 문화 상대주의의 정의

　문화 상대주의는 자신의 문화 기준으로 타문화를 판단하지 않고,

　그 문화를 그 문화의 맥락과 기준에서 이해하려는 태도를 말한다.

　• "다른 문화는 다를 뿐, 우열이 없다"는 생각을 바탕으로 함

　• 반대 개념은 문화 우월주의 (자신의 문화가 우월하다고 여기는 태도

2) 특징

　이해중심 : 문화마다 나름의 역사적 · 사회적 배경이 있다는 점을 인정

　다양성 존중 : 다양한 삶의 방식과 가치관을 존중

　판단 보류 : 외부인의 기준으로 옳고 그름을 쉽게 판단하지 않음

　공존기능 : 문화갈등을 줄이고, 상호 존중과 평화를 추구

3) 예시

상황	문화 상대주의적 이해
인도의 손으로 밥 먹기	위생보다 전통과 공동체 의식을 중시하는 문화
이슬람 여성의 히잡 착용	억압이 아니라 종교적 신념과 정체성의 표현으로 이해
한국의 효 문화	가족 중심의 가치관이 반영된 문화적 특징으로 인정

4) 장점

　문화 다양성을 인정하고 존중

　편견과 차별 감소, 타문화 이해 증진

　국제 이해와 협력에 도움

5) 한계

　모든 문화를 무비판적으로 수용할 경우, 인권 침해나 비윤리적 관행도 정당화될 수 있음 (예 여성 할례, 이슬람의 명예 살인 등) 그래서 현대에서는 "비판적 문화 상대주의"의 태도가 강조됨→문화는 존중하되, 보편적 인권 기준은 함께 고려해야 함

20 | ① 다문화 사회의 갈등을 해결 하기 위해선 소수의 문화를 존중하고, 다문화 교육을 강화해 다양한 문화를 이해하고 존중하는 태도를 기르고, 다문화 사회에서 차별 받지 않도록 법과 제도적 지원을 확대하는 것이 필요하다.

1) 정부의 노력 : 법과 정책 마련, 교육과 지원 제공, 사회통합 프로그램 운영

　• 외국인 · 이주민을 위한 지원법과 제도(예 다문화가족지원법) 제정

　• 차별금지법, 인권 보호 관련 법률 제정

　• 다문화 가정을 위한 한국어 교육, 문화적응 교육 제공

　• 다문화 가정 자녀를 위한 방과후 학교, 언어 · 학습 지원

　• 이주민과 지역 주민이 함께 참여하는 프로그램(문화 교류 행사, 공동체 활동

2) 시민사회의 노력 : 인식 개선 활동, 차별 반대 운동, 교류와 소통 기회 마련

　• 다문화 이해 교육, 인권 교육, 캠페인(학교 · 지역사회에서 시행)

　• 다문화 가정을 향한 차별, 혐오를 없애기 위한 시민 단체 · 지역 사회의 활동

　• 다문화 축제, 문화 체험 행사, 음식 나눔 행사 등을 통해 서로의 문화를 이해하고 존중

3) 개인의 노력 : 편견과 차별 극복, 문화 이해와 존중, 다양성을 긍정적으로 받아들이기

　• 다문화에 대한 잘못된 고정관념을 버리고 열린 태도를 가지기

　• 다른 문화를 배우고 존중하는 자세, 다문화 친구 사귀기

　• 문화적 다양성이 우리 사회의 풍요로움으로 이어진다는 점을 인식

21 | ④ 지역화는 한 지역이 자신만의 독특한 특성을 형성하고, 그 지역의 특징이나 문화, 자원 등이 더욱 두드러지게 나타나는 현상이다. 대표적인 예로 음식 지역화, 축제 지역화, 농산물 브랜드화가 있다.

22 | ① 국가란 일정한 영토와 국민, 주권을 가진 독립적인 정치 공동체이며, 국제사회에서 국제법상 권리와 의무를 지닌 행위 주체로 가장 대표적인 국제 행위자이다.

23 | ② **이스라엘** : 팔레스타인 분쟁이 일어나고 있는 곳은 B로 지중해의 동쪽이다.

팔레스타인 지역은 영토 문제, 민족 갈등, 종교적 대립이 있는 곳이다. 분쟁의 시작은 1948년 유엔이 팔레스타인 지역을 유대인 국가(이스라엘)와 아랍 국가로 나누는 계획을 발표했고 유대인들은 찬성하고 아랍인들은 반대했다. 1차 중동전쟁이 이스라엘의 승리로 마무리 되면서 이스라엘은 독립국가가 되었지만, 팔레스타인은 독립을 원하지만 아직 국가로 완전히 인정받지 못한 상태이다. 지도에 보이는 가자 지구는 하마스가 실질적인 지배를 하고 있고, 서안 지구는 팔레스타인 자치정부가 일부 통치하고 있다.

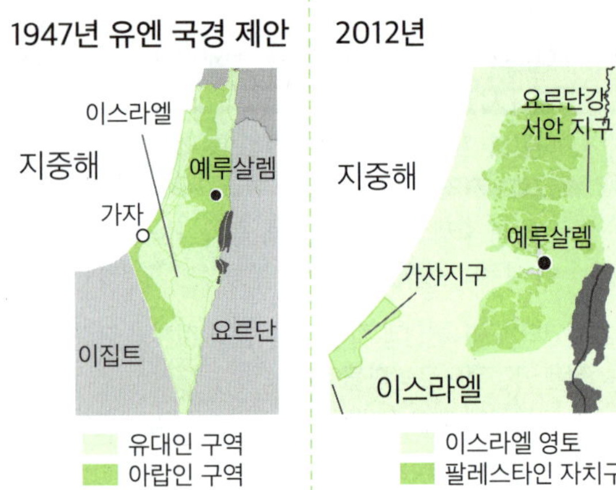

24 │ ③　인구 과잉 현상은 한 지역의 인구가 그 지역의 자원과 환경이 감당할 수 있는 한계를 넘어서는 상태로 출생률이 높고 사망률이 낮을 때 인구 과잉 현상이 나타난다.

25 │ ④　천연가스는 기체 형태의 화석연료로 연소시 이산화탄소 배출량이 적고, 대기 오염 물질이 적어서 화석에너지 중에서 비교적 친환경적이다. 폭발 위험이 있어서 저장 및 운반이 어려운데 요즘 냉동 액화 기술의 발달과 수송선의 개발로 소비량이 증가했다.

01	①	02	①	03	③	04	②	05	③
06	③	07	①	08	①	09	④	10	④
11	①	12	②	13	③	14	④	15	④
16	②	17	②	18	④	19	②	20	①
21	③	22	③	23	③	24	①	25	②

01 | ① 행복한 삶을 위한 조건은 질 높은 정주 환경, 시민참여가 열린 사회, 삶의 질을 유지 할 수 있는 경제적 안정, 바람직한 삶에 대한 성찰을 바탕으로 한 도덕적 실천이 있다.

⚠ **선지 더 알아보기**

정주 환경: 인간이 자리 잡고 살아갈 수 있는 주거지와 주변 환경
민주주의: 시민이 주권을 가지고 국가를 스스로 다스려야 한다는 이념

02 | ① 열대 기후
1) 지도상의 위치: 적도를 중심으로 하는 저위도 지역
2) 전통가옥: 습기와 해충을 방지하기 위한 고상 가옥, 많은 비로 인해 경사가 급한 지붕, 높은 온도 때문에 개방적인 구조
3) 전통 농업: 카사바, 얌 등을 재배하는 이동식 화전 농업
4) 고상 가옥: 열기와 습기를 피하기 위해 집을 지면에서 띄워 지은 집
5) 화전 농업: 토양이 척박하여 주기적으로 이동하며 불을 질러 밭을 만든 후 작물을 재배

03 | ③ 햄버거용 소고기 생산과 인공 구조물과 제방 건설은 인간을 위한 선택들이고, 이러한 선택으로 인해 열대림이 파괴되고, 자연 경관이 훼손 되는 것은 자연을 도구로 여기는 인간 중심주의 자연관의 결과이다.

04 | ② 사막화
: 토양이 황폐화되어 사막으로 변하는 현상
사막화의 원인은 극심한 가뭄과 과도한 경작이고, 사막화 방지 협약이 있다.
오존층 파괴
: 성층권에서 태양의 자외선을 막아주는 오존층이 파괴 되는 현상
오존층 파괴의 원인은 염화 플루오린화 탄소의 사용이고 몬트리올 의정서는 오존층 보존을 위한 협약이다.

⚠ **선지 더 알아보기**

람사르 협약: 습지 보호 협약

05 | ③ 산업화
: 1차 농업 중심 사회가 2,3차 공업,서비스업 중심의 사회로 변화하는 현상. 산업화의 영향에는 직업의 세분화, 생산력 및 생활 수준 향상 등이 있다.

⚠ **선지 더 알아보기**

교외화: 중심 도시가 가지고 있는 여러 기능이 주변 지역으로 확산되는 현상
지역화: 한 지역이 자신만의 독특한 특성을 형성하고, 그 지역의 특징이나 문화, 자원 등이 더욱 두드러지게 나타나는 현상

06 | ③ 사이버 범죄는 정보 통신망을 통해 타인의 명예를 침해 하거나 타인에게 피해를 입히는 행위를 일컫는 단어로, 가상 공간에서 일어나는 모든 범죄를 가리킨다.

⚠ **선지 더 알아보기**

빨대효과: 좁은 빨대로 컵의 음료를 빨아들이듯이 내도시가 주변 중소도시의 인구나 경제력을 흡수하는 대도시 집중 현상
문화 획일화: 국가 간 문화 교류가 증가하면서 세계의 문화가 비슷해지는 현상
윤리적 소비: 소비자가 윤리적인 가치 판단에 따라 상품이나 서비스를 구매하는 것

07 | ① 지역 조사의 첫번째 단계인 조사 계획을 수립하
는 단계는 조사 주제와 조사 장소를 선정한다.

지역조사단계

지역 조사를 통해 공간 변화 양상을 파악하여 현재 지역에
서 발생하는 문제의 원인을 정확히 분석하고 해결 방안을
모색할 수 있다.

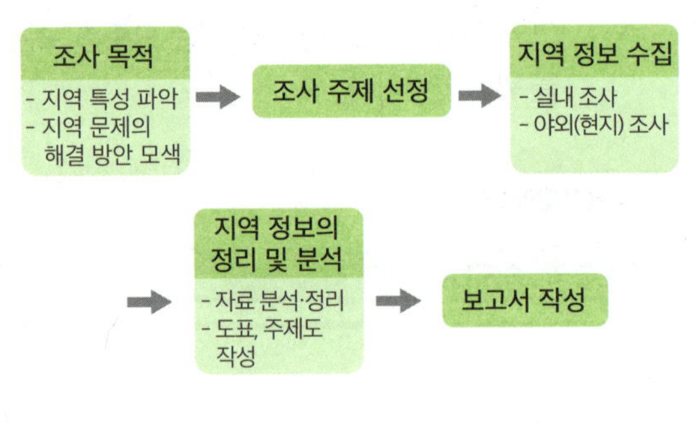

08 | ① 사회권은 기본권 중 하나로, 모든 사회 구성원이
최소한의 인간다운 생활 보장을 국가에 적극적으
로 요구할 수 있는 권리이다. 이 권리는 1919년 독
일 바이마르 헌법에 의해 최초로 명시 되었다.

기본권

1) 자유권 : 국가의 간섭이나 침해 없이 자유로운 생활을 누
릴 수 있는 권리
2) 평등권 : 법 앞에서 차별 받지 않을 권리
3) 참정권 : 정치에 참여할 수 있는 권리로 국가의 의사 결
정에 참여할 수 있는 권리
　예 선거권 : 선거에 참여하여 투표할 수 있는 권리
　　국민투표권 : 국정의 중요한 사항에 대하여 투표할 수
　　있는 권리
　　공무담임권 : 국민이 국가기관이 되어 공무를 담당할
　　수 있는 권리
4) 사회권 : 모든 사람이 인간다운 생활을 누릴 수 있는 권리
5) 청구권 : 다른 기본권이 침해 된 경우 이를 구제하기 위
한 수단적 권리

09 | ④ 헌법 소원 심판은 국가기관이 공권력을 행사하
거나 혹은 행사하지 않아서 국민의 기본권이
침해 당했을 때 그 기본권을 구제 하기 위해 이
루어지는 심판이다. 국민이 직접 헌법 재판소
에 제청한다.

권력 분립 : 국가권력을 나누어 각각 다른 기관에 분담시켜
서로 견제하고 균형을 유지하게 함으로써 국민
의 자유와 권리를 보장하려는 자유주의적 제도
민사 재판 : 개인 간의 권리나 이익 다툼을 해결하기 위한 재판
시장 경제 : 자유로운 경쟁과 거래를 통해 상품의 가격과 생
산이 결정되는 경제 체제

10 | ④ 시민불복종은 잘못된 법이나 정책을 바로잡기
위해 불이익을 감수하면서도 의도적으로 법을
위반하는 행위로 비폭력적 수단으로 복종을 거
부하는 행위를 말한다. 시민불복종의 대표적인
사례는 간디의 소금법 폐지 운동과 마틴 루서
킹의 흑인 인권 운동이 있다. 롤스의 시민불복
종의 정당화 조건은 정당성(공익성), 최후의 수
단, 비폭력성, 처벌의 감수이다.

뉴딜 정책 : 1933년 미국의 루스벨트 대통령이 대공황을 극
복하기 위해 시행한 실업 구제 사업과 대규모
공공 사업 등을 통해 유효 수요를 늘리려는 의
도로 시작 되었던 적극적 시장 개입 정책
석유 파동 : 두 차례에 걸친 석유 공급 부족과 석유 가격 폭등
으로 세계 경제가 큰 혼란과 어려움을 겪은 사건

11 | ① 세계 기아 지수는 세계 여러 나라의 기아 정도
(영양 결핍, 아동 성장 저해, 아동 사망률 등)를
종합적으로 수치화한 국제 지표이다. 주로 식
량 부족, 영양실조, 빈곤, 기후 재해, 내전 등과
관련된 문제를 파악할 때 사용된다.
힌트 키워드는 "기아 지수", "식량난과 영양실
조", "가뭄과 내전" 이다. 이 세 가지 모두 빈곤
문제와 직접적으로 연관이 있다.

고령화 : 한 사회에서 노인 인구의 비율이 점점 높아져 전체
인구구조가 고령층 중심으로 변화하는 현상으로
인구 구조와 관련이 있다.
성차별 : 성별을 이유로 개인이나 집단에게 불평등한 대우
를 하거나 기회를 제한하는 사회적 차별이다.
종교 박해 : 특정 종교나 신앙을 이유로 개인이나 집단이 억
압과 차별, 폭력을 당하는 행위이다.

12 | ② 기회 비용은 어떤 선택을 함으로써 포기하게 되는 대안 중 가장 큰 가치이다. 명시적 비용은 경제선택을 할 때 직접 지불한 화폐이고, 암묵적 비용은 경제 선택을 할 때 포기한 대안 가치로 화폐로 지출 하지는 않지만 발생하는 비용이다.

13 | ③ 경제학자 슘페터가 강조했던 기업가 정신은 경영자가 이윤 창출을 위해 위험과 불확실성을 무릅쓰고 모험적이며 창의적인 정신을 발휘하는 것이다.

무임승차:누구나 이용할 수 있는 공공재를 비용을 내지 않고 이용하면서 혜택을 누리는 현상
인플레이션:물가가 전반적으로 계속 올라서 화폐의 가치가 하락하는 현상

14 | ④ 세계 무역기구(WHO)는 세계 무역 장벽을 제거하기 위해 설립된 국제 정부기구로 국제 거래 규칙을 정하고 국가 간 무역 분쟁을 조정한다. 국제 정부기구는 정부를 구성 단위로 하는 국제 사회의 행위 주체로, 국가들 사이의 이해관계를 조정하거나 국가 간 분쟁을 중재한다.

유네스코 (UNESCO)
:교육, 과학, 문화 분야에서 국제 협력을 통해 세계 평화에 기여하는 유엔 산하 기구
국제 사면 위원회 (AI)
:전 세계에서 인권을 침해당한 사람들을 보호하고 인권 신장을 위해 활동하는 국제 단체
세계 보건 기구 (WHO)
:전 세계 사람들의 건강을 증진하고 질병을 예방하기 위해 활동하는 유엔 산하 보건 기구

15 | ④ 채권은 정부나 공공기관, 기업 등이 자금 조달을 위해 미래에 일정한 이자를 지급할 것을 약속하고, 투자자로부터 돈을 빌린 후 제공하는 증서이다.

연금:일정한 나이가 되거나 조건을 만족했을 때, 국가나 기관에서 정기적으로 지급하는 돈
주식:주식회사가 경영 자금을 마련하기 위해 투자자로부터 돈을 받고 발행하는 증서로 투자자는 시세차익이나 배당금을 통해 이익을 얻는다.

16 | ② 사회 보험은 국가가 국민에게 발생하는 사회적 위험을 사전에 대비하여 건강과 소득을 보장하는 제도로, 일정액의 보험료를 개인과 정부, 기업이 분담한다. 사회보험의 종류에는 국민 건강 보험, 고용 보험, 국민 연금 등이 있다.

17 | ② 이슬람교는 모스크에서 예배 하며, 돼지고기와 술을 금기시 한다. 라마단 기간에는 해가 떠 있는 동안 단식을 한다. 이슬람교의 경전은 꾸란이고, 이슬람 여성들이 머리와 상반신을 가리기 위해 쓰는 것을 히잡이라고 한다. 이슬람교의 성지는 메카이고, 이슬람교도들은 하루에 5번 메카를 향해 기도한다.

18 | ④ D는 앵글로아메리카 문화권으로 북아메리카 즉, 리오그란데강 북쪽 지역에 위치한다. 이 문화권의 대표적인 나라는 미국과 캐나다이고, 북서부 유럽 문화의 영향을 많이 받아 주로 영어를 사용하고, 크리스트교(개신교)의 비율이 높은 편이다.

A 아프리카 문화권
:중,남부 아프리카로 원시 종교를 가졌다. 과거 유럽의 식민지였고, 현재도 종족 중심의 생활을 하고 있다.
B 동아시아 문화권
:우리나라와 일본, 중국이 포함된 문화권으로 유교와 불교의 영향을 받았다. 한자를 사용하고, 젓가락을 사용해 음식을 먹으며, 벼농사가 발달했다.
C 오세아니아 문화권
:유럽 문화가 전파되었기 때문에 영어를 사용하며, 현재도 원주민 문화가 나타나는 문화권이다.

19 | ② 문화 변동의 내재적 요인은 발명과 발견이 있다.
발명은 존재하지 않았던 문화요소를 새롭게 만들
어 내는 것이고, 발견은 존재하고 있었지만 알려
지지 않았던 것을 찾아낸 것이다.

문화 변동 양상

문화 융합(A+B=C)
기존의 문화 요소와 새로 전파된 문화 요소의 상호작용으
로 이전의 두 문화요소와는 다른 새로운 제 3의 문화가 나
타나는 현상

문화 동화(A+B=A or B)
한 문화가 다른 문화에 흡수 되어 소멸 되는 현상

문화 병존(A+B=A, B)
기존의 문화 요소와 전파된 다른 문화 요소가 각각 나란히
존재하는 현상

20 | ① 문화 사대주의는 다른 사회의 문화를 우월하게
자신이 속한 사회의 문화를 열등하게 바라보는
태도이다.

21 | ③ 세계도시는 생산자 서비스 기능과 국제 금융
업무 기능, 다국적 기업의 본사가 집중 되어 있
는 도시이다.. 전 세계적으로 중심지 역할을 하
는 도시로 세계화에 따라 지역 간 교류와 협력
이 강화되면서 생겨났다. 뉴욕, 런던, 도쿄, 파리
등이 대표적인 세계 도시에 속한다.

22 | ③ 카스피해는 러시아, 카자흐스탄, 투르크메니스탄,
이란, 아제르바이잔 등 5개 국가 인접하고 있는
석유와 천연가스 매장지이다. 그래서 이 5개의 국
가 사이에 영유권 분쟁이 일어나고 있다.

북극해 : 북극해와 인접한 러시아 덴마크, 노르웨이, 미국
사이에 일어나고 있는 영유권 분쟁 지역
카슈미르 : 인도(힌두교)와 파키스탄(이슬람교)의 종교 분
쟁 지역
팔레스타인 : 팔레스타인(이슬람교)과 유대인(유대교) 사이
의 종교, 영토 분쟁 지역

23 | ③ 국제 비정부 기구는 개인이나 민간단체를 회원
으로 하는 국제 사회의 행위 주체에 해당한다.
대표적인 예로 그린피스, 국경 없는 의사회 등
이 있다.

24 | ① 경제적 이동은 더 높은 임금과 더 나은 일자리
를 위해 이동하는 것을 말한다.

25 | ② 석탄은 18세기 산업혁명 때 증기기관의 연료로
사용 되었다. 오늘날 주로 제철공업이나 화력
발전의 연료로 사용 된다.

고등학교 졸업학력
검정고시

과학
정답 및 해설

정답표

2021년 1회

01	①	02	①	03	③	04	④	05	②
06	②	07	①	08	④	09	①	10	①
11	④	12	②	13	③	14	③	15	④
16	①	17	②	18	②	19	③	20	②
21	④	22	③	23	④	24	③	25	②

2021년 2회

01	①	02	②	03	④	04	③	05	②
06	②	07	③	08	③	09	①	10	④
11	④	12	②	13	④	14	④	15	①
16	①	17	③	18	④	19	②	20	④
21	①	22	②	23	④	24	③	25	①

2022년 1회

01	④	02	③	03	①	04	③	05	②
06	④	07	③	08	②	09	①	10	③
11	①	12	④	13	③	14	④	15	①
16	②	17	②	18	④	19	④	20	①
21	③	22	①	23	④	24	②	25	②

2022년 2회

01	②	02	③	03	①	04	③	05	③
06	④	07	②	08	②	09	④	10	①
11	①	12	②	13	④	14	③	15	④
16	②	17	③	18	④	19	③	20	③
21	②	22	①	23	③	24	①	25	②

2023년 1회

01	④	02	②	03	④	04	①	05	④
06	②	07	③	08	②	09	④	10	②
11	①	12	④	13	③	14	④	15	②
16	③	17	④	18	①	19	②	20	③
21	①	22	①	23	③	24	③	25	①

2023년 2회

01	②	02	③	03	④	04	②	05	②
06	④	07	②	08	④	09	④	10	③
11	①	12	①	13	③	14	③	15	①
16	②	17	①	18	④	19	④	20	①
21	①	22	①	23	③	24	①	25	④

2024년 1회

01	①	02	①	03	④	04	③	05	③
06	④	07	①	08	④	09	①	10	④
11	③	12	①	13	②	14	④	15	②
16	②	17	①	18	①	19	④	20	④
21	①	22	②	23	④	24	①	25	①

2024년 2회

01	④	02	①	03	③	04	②	05	③
06	④	07	③	08	②	09	④	10	②
11	①	12	①	13	④	14	④	15	③
16	③	17	①	18	②	19	①	20	③
21	②	22	①	23	②	24	①	25	④

2025년 1회

01	②	02	③	03	③	04	③	05	①
06	③	07	①	08	①	09	④	10	④
11	②	12	②	13	③	14	①	15	④
16	③	17	④	18	②	19	①	20	④
21	②	22	②	23	③	24	②	25	④

2025년 2회

01	③	02	④	03	③	04	①	05	①
06	①	07	③	08	④	09	②	10	④
11	①	12	③	13	②	14	③	15	④
16	②	17	④	18	④	19	②	20	③
21	①	22	②	23	③	24	③	25	④

정답 및 해설

01	①	02	①	03	③	04	④	05	②
06	②	07	①	08	④	09	①	10	①
11	④	12	②	13	③	14	③	15	④
16	①	17	②	18	②	19	③	20	②
21	④	22	③	23	④	24	③	25	②

01 | ① 그래프를 흑연에서 한 층만 분리해 낸 것으로 탄소 원자가 벌집 모양으로 평면을 이룬다. 휘어지는 디스플레이로 쓰인다.

02 | ① 핵 발전은 핵 분열로 발생한 열 에너지로 터빈을 돌려 전기 에너지를 생산하는 발전이다.

> ⚠ **선지 더 알아보기**
>
> **파력 발전** : 파도가 움직일 때의 운동 에너지를 이용하여 전기 에너지를 생산하는 발전
>
> **풍력 발전** : 바람의 운동 에너지를 전기 에너지로 바꾸는 방식의 발전
>
> **태양광 발전** : 태양의 빛 에너지를 태양 전지를 이용하여 전기 에너지로 바꾸는 방식의 발전

03 | ③ 나중 운동량-처음 운동량=충격량
- 물체 A의 충격량=6-3=3
- 물체 B의 충격량=7-4=3
- 물체 C의 충격량=㉠-5=3

  ∴㉠=8

04 | ④ 검류계의 바늘 방향을 반대로 하려면 자석의 위치나 극을 바꾼다. 자석을 가까이 가져 갔다면 자석을 멀리 해야 하고 N극을 가까이 했다면 S극 가까이 가져 가면 된다.

05 | ② 주기는 가로줄, 족은 세로줄이다. 2주기 원소는 B와 C, 2족 원소는 B 그래서 2주기 2족 원소는 B다.

06 | ② **산화** : 산소를 얻는다.
환원 : 산소를 잃는다.
산화구리 CuO는 산소를 잃어서 환원 되는 물질이고, 탄소 C는 산소를 얻어서 산화 되는 물질이다.

07 | ① **구리의 특징**
- 금속원소이다.
- 전기가 잘 통한다.
- 광택이 있다.

08 | ④ 탄소 원자의 전자 껍질 수는 2개고, 가장 바깥 전자 껍질에 들어 있는 전자의 개수, 즉 원자가 전자수는 4개다.

09 | ① 중화 반응은 산과 염기가 반응하여 물과 염이 생성 되는 반응이다.

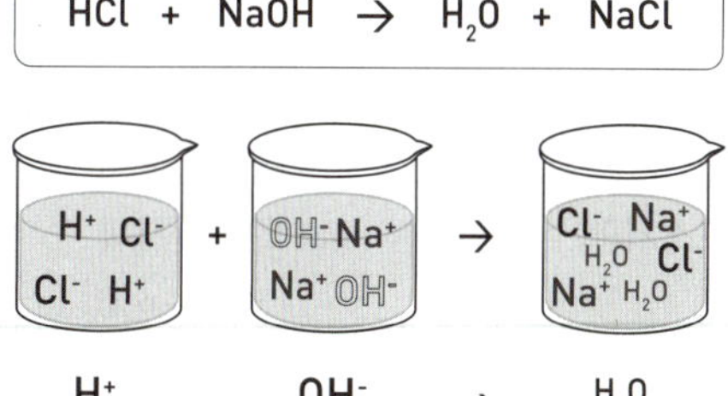

10 | ① 산소(O_2)는 산소원자 2개가 공유 결합을 이루고 있고, 동물과 식물의 호흡에 이용되는 기체이다. 암모니아(NH_3)는 질소 원자 1개와 수소 원자 3개가 공유 결합으로 이루어진 분자로 특유의 자극적 냄새가 나는 무색의 기체이다. 염화 칼슘($Ca(Cl)_2$)은 염소와 칼슘이 이온결합한 물질로 수용성이며, 실온에서 흰색의 고체다. 보통 제설제로 많이 쓰인다. 질산 칼륨(KNO_3)은 질소와 칼륨이 이온 결합한 물질로 온도에 따른 용해도 차이가 큰 물질이다.

11 | ④ 종 다양성은 일정한 지역 내에서 생물 종의 다양한 정도다.

12 | ② 리보솜은 작은 알갱이 모양이고, 단백질을 합성하는 세포 소기관이다.

세포 소기관의 특징

핵 : 핵막, DNA 가지고 있음
미토콘드리아 : 세포 호흡, ATP 생산
리보솜 : 알갱이 모양, 단백질 합성
소포체 : 리보솜에서 합성한 단백질을 운반
골지체 : 소포체에서 전달 받은 단백질을 세포 밖으로 분비
중심립 : 미세소관 구조로 1쌍(2개)을 이루며 세포 분열시 단백질과 함께 중심체 구조를 형성
액포 : 노폐물 저장 장소로 늙은 식물일수록 크기가 큼
세포벽 : 세포막 바깥쪽에 있는 단단한 구조물로서 세포의 형태를 유지하는 역할
엽록체 : 빛 에너지를 흡수하여 포도당을 합성

	동물세포	식물세포
공통 세포소기관	핵, 미토콘드리아, 리보솜, 소포체, 골지체	
차이점	중심립	액포, 세포벽, 엽록체

13 | ③ 생태계 평형은 생태계가 안정적으로 유지되는 상태로 먹이 그물이 복잡하고 생물의 종이 다양할수록 생태계 평형이 잘 유지된다.

14 | ③ 세포막은 인지질 이중층에 막 단백질이 박혀 있는 구조이다. 크기가 작은 물질(지용성)은 인지질 이중층을 통해 이동하고 크기가 큰 물질(수용성)은 막 단백질을 이용해서 이동한다. 세포막을 이동하는 방법은 확산으로 고농도에서 저농도로 이동한다. 물질의 크기, 종류, 특성에 따라 세포막을 이동하는 방법이 다른데 이것이 세포막의 선택적 투과성이다.

15 | ④ 탄소화합물의 기본 골격을 이루는 원소는 탄소이다. 탄소화합물은 생명체를 구성하는 물질 중 탄수화물, 단백질, 지질, 핵산 등이 있다.

16 | ① DNA를 구성하는 염기는 A, T, C, G가 있고 염기는 A(아데닌)와 T(타이민)이, C(사이토신)과 G(구아닌)이 짝을 이룬다.

17 | ② 고생대는 초대륙인 판게아가 형성 되었고, 화석으로는 삼엽충, 갑주어, 필석이 있다.

18 | ② 화석연료(지권)가 연소 되어 기체(기권)가 발생할 때 상호작용하는 지구시스템의 권역은 지권과 기권이다.

지구시스템

지구시스템은 지권, 수권, 기권, 생물권, 외권으로 이루어져 있다.
지권 : 지각, 맨틀, 외핵, 내핵으로 이루어진 지권은 지구 표면을 이루는 암석과 토양, 지구 내부를 포함한다. 지구계에서 가장 많은 부피를 차지하며 생명체가 살아가는 데 필요한 공간과 여러 가지 물질을 제공해 준다.
수권 : 바다, 호수 강, 지하수, 빙하로 이루어진 수권은 물은 생물의 몸을 이루고 있을 뿐만 아니라, 생명체가 살아가는 데 꼭 필요하다. 수권의 물은 기권으로 증발하여 기상 현상을 일으킨다. 바다는 수많은 생물의 서식처이며, 지구의 온도를 일정하게 유지시키는 역할을 한다.

기권:대류권, 성층권, 중간권, 열권으로 이루어진 기권은 지구의 생명체가 호흡할 수 있는 산소를 제공하고, 우주에서 오는 유해한 광선과 자외선을 차단하여 지구의 생명체를 보호한다. 비와 눈, 바람, 구름 등의 기상 현상이 일어난다.

생물권:지구에 사는 모든 생물과 생태계다. 생물은 지권의 표면은 물론 수권의 가장 깊은 곳에서부터 기권에 이르기까지 넓은 영역에 걸쳐 살고 있다. 생물은 광합성과 호흡을 통해 기권의 성분을 변화시키며, 토양 속의 미생물은 죽은 생물이나 배설물을 분해하여 토양의 성분을 변화시킨다.

외권:기권의 바깥인 우주 공간이다. 태양 에너지는 외권을 통해 지구로 끊임없이 들어온다. 태양 에너지는 식물의 광합성에 이용되며, 수권의 물을 순환시키기도 한다.

19 │ ③ 별의 진화과정에서 태양과 질량이 비슷한 별은 별의 내부에서 중심부의 온도가 충분히 높아지면 수소 원자핵이 융합하여 헬륨 원자핵으로 바뀌는 핵융합이 일어난다. 그리고 헬륨 원자핵이 모여 탄소 원자핵으로 바뀌는 헬륨 핵융합 반응으로 탄소가 만들어진 후 탄소 원자핵이 수축하여 백색 왜성이 된다.

20 │ ② 보존형 경계는 판이 생성되거나 소멸되지 않고 두 판이 수평적으로 미끄러지면서 어긋나는 곳으로서 변환단층이라고도 한다. 예를 들어 산안드레아스 변환단층이 있다.

21 │ ④ 화산활동을 일으키는 지구 시스템의 에너지원은 지구 내부 에너지다.

지구 시스템의 에너지원

지구 시스템의 에너지원은 태양 에너지, 지구 내부 에너지, 조력 에너지가 있다. 태양 에너지로 인해 수소 핵융합 반응, 기상 현상, 대기와 해수의 순환, 광합성 등이 일어나고 지구 내부 에너지로 인해 지진과 화산활동이 일어나고 조력 에너지로 밀물과 썰물 현상이 일어난다.

22 │ ③ 사막화는 건조한 지역일수록 발생 하기 쉽고, 사막화의 원인은 무분별한 삼림 벌채 등과 같은 인위적인 요소가 있다.

23 │ ④ 지각을 구성하는 광물의 약 92%가 규산염 광물이다. 규산염 사면체를 기본 골격으로 하여 여러 원소들이 결합하여 만들어진다. 규산염 사면체는 규소 원자 1개와 산소 원자 4개가 공유 결합하여 사면체 모양을 이룬다.

24 │ ③

$$\frac{일(W)}{고열원(Q_1)} \times 100 = \frac{Q_1-Q_2}{Q_1} \times 100$$

고열원에서의 열 = 고열원 = Q_1

저열원에서의 열 = 저열원 = Q_2

일 = $W = Q_1 - Q_2$

$Q_1 = W + Q_2$

$Q_1 > Q_2$

열기관

- 일(W)을 많이 할수록 열효율이 높다.
- 공급한 열에너지가 모두 일로 전환하는 열기관은 없다.

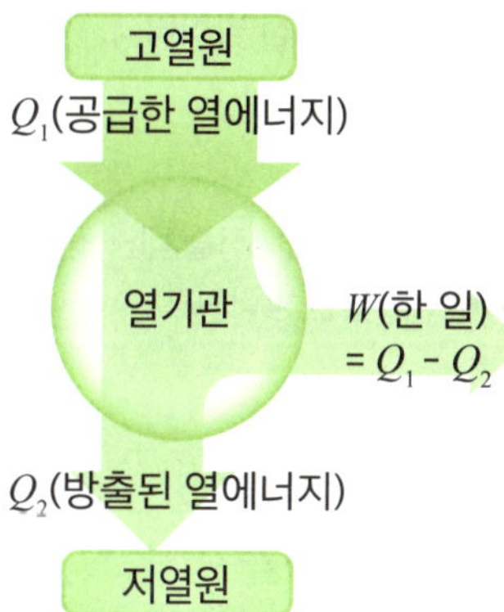

25 │ ② 1초에 10m 를 기호로 10m/s 라고 한다. 2초 후 공의 도달지점은 이동 거리로 풀면 된다.

이동 거리 = 속력 × 시간으로

10m/s × 2s = 20m 이다.

01	①	02	②	03	④	04	③	05	②
06	②	07	③	08	③	09	①	10	④
11	④	12	②	13	②	14	④	15	①
16	①	17	③	18	④	19	②	20	④
21	①	22	②	23	③	24	③	25	①

01 | ① 중력은 질량이 있는 두 물체 사이에서 항상 당기는 방향으로 작용하는 힘이다.

⚠ **선지 더 알아보기**

마찰력은 운동하는 방향의 반대 방향으로 작용하는 힘이다. 자기력과 전기력은 인력(끌어당기는 힘)과 척력(밀어내는 힘)이 있다.

02 | ② 풍력 발전은 바람의 운동 에너지를 전기 에너지로 전환하는 발전 방식이다.

⚠ **선지 더 알아보기**

태양광 발전은 태양의 빛 에너지를 태양 전지를 이용하여 전기 에너지로 바꾸는 발전 방식이다.

03 | ④ **운동량 = 질량 × 속도**
- A의 운동량 = 2 × 1 = 2
- B의 운동량 = 2 × 2 = 4
- C의 운동량 = 3 × 1 = 3
- D의 운동량 = 3 × 2 = 6

그러므로 D의 운동량이 가장 크다.

04 | ③ **유도전류의 세기를 크게 하는 방법**
1) 자석을 빠르게 움직일수록
2) 더 센 자석일수록
3) 코일의 감은 수가 많을수록

그러므로 정답은 ㄱ, ㄴ이다.

05 | ② 전압 크기의 비는 코일 수에 비례하기 때문에 1차 코일 감은 수 : 2차 코일 감은 수가 전압 크기의 비다. 그러므로 코일 감은 수의 비가 5 : 10으로 약분하면 1 : 2이므로 답은 1 : 2이다.

06 | ② 자유 낙하 운동은 등가속도 운동으로 일정하게 속도가 증가하는 운동이다. 속도가 증가한다는 것은 힘이 작용한다는 뜻으로 힘의 방향은 연직 방향으로 지구 중심 방향이다. 5m에서 15m로 10m가 증가 했고, 15m에서 25m로 10m가 증가 했기 때문에 이 운동은 10m가 일정하게 증가하고 있다는 것을 알 수 있다. 그러므로 25m + 10m = 35m 이므로 답은 35m이다.

07 | ③ 원자는 원자핵(양전하)과 전자(음전하)로 이루어져 있기 때문에 전기적으로 중성이다.
1) **원자번호 = 양성자 수 = 전자 수**
   그림에서 양성자 수가 6, 전자 수가 6이므로 원자번호는 6번이다.
2) **원자가 전자 가장 바깥 전자껍질의 전자**
3) 탄소 원자의 가장 바깥쪽 전자껍질에 있는 전자 수는 그림에서 확인 할 수 있는데 총 4개이다. 그러므로 원자가 전자는 4개이다.

08 | ③ 같은 족이라면 원자가 전자 수가 같다. 리튬과 나트륨의 원자가 전자 수가 1개로 동일하기 때문에 리튬과 나트륨은 1족 원소이다.

⚠ **선지 더 알아보기**

He 헬륨, Li 리튬, Na 나트륨, Cl 염소

09 | ① 물은 인체의 약 70%를 차지하는 물질이고, 수소 원자 2개와 산소 원자 1개가 공유 결합하여 생성되었다. H는 수소 원자, O는 산소 원자이므로 물 분자의 기호는 H_2O다.

10 | ④ **그래핀** : 흑연에서 한 층만 분리 해 낸 것으로 탄소 원자가 벌집 모양으로 평면을 이룬다.
탄소 나노 튜브 : 탄소 원자가 육각형 모양으로 결합하여 원통 모양의 관을 이룬다.
풀러렌 : 60개의 탄소 원자가 육각형과 오각형 모양으로 결합하여 공 모양을 이룬다.
신소재인 그래핀, 탄소나노튜브, 풀러렌은 탄소 원자로 이루어져 있다.

11 | ④ 염기의 공통적 성질을 나타내는 이온은 수산화 이온이다. 염기는 pH가 7초과 이고, 대표적인 예로 비누와 치약이 있다. 수산화 이온을 공통적으로 가졌고, 손으로 만지면 미끈거리고, 쓴 맛이며, 금속과 탄산 칼슘과 반응 하지 않는 특징을 가지고 있다. 또한 염기는 붉은색 리트머스 종이를 푸른색으로 변화 시킨다.

12 | ② **산과 염기의 중화 반응 사례**

　생선 비린 내 없애기 : 레몬즙, 식초
　벌레 물렸을 때 : 암모니아수
　위산이 많이 나올 때 : 제산제
　토양의 산성화 방지 : 석회가루
　입 안 산성 물질 : 치약

철이 공기 중의 산소와 만나 녹스는 현상은 산화 환원 반응의 예이다.

13 | ② 단백질의 기본단위는 아미노산이고, 단백질은 펩타이드 결합을 한다. 단백질은 우리 몸의 주요 에너지원이다. 근육, 세포막, 효소, 호르몬, 항체, 헤모글로빈을 구성한다.

14 | ④ 세포막은 인지질 이중층에 막 단백질이 박혀 있는 구조이다. 산소와 같이 크기가 작은 물질은 인지질 이중층을 통해 이동하고 포도당처럼 크기가 큰 물질은 막 단백질을 이용해서 이동한다. 세포막을 이동하는 방법은 확산으로 고농도에서 저농도로 이동한다. 물질의 크기, 종류, 특성에 따라 세포막을 이동하는 방법이 다른데 이것이 세포막의 선택적 투과성이다.

15 | ① 물질대사란 생명체 내에서 물질이 분해되거나 합성되는 모든 화학반응을 총칭한다. 물질대사에는 동화 작용과 이화 작용이 있다. 동화 작용은 광합성과 같이 저분자 물질들이 에너지를 흡수하여 고분자 물질을 합성하는 작용이다. 이화 작용은 호흡과 같이 고분자 물질이 에너지를 방출하며 저분자 물질로 분해 되는 작용이다.

16 | ① 유전정보가 흐르는 과정에서 DNA, RNA, 단백질의 기본적인 기능과 상호 관계를 나타내는 원리가 생명 중심 원리이다.

　DNA 복제 : 세포분열 전에 핵 속에서 DNA로 2배로 복제
　전사 : DNA의 유전정보를 RNA로 전달하는 과정
　번역 : RNA의 정보로부터 단백질이 합성 되는 과정

17 | ③ 식물 세포만 가진 구조물로 세포막 바깥쪽에 있는 단단한 것을 세포벽이라고 부른다. 세포벽은 세포의 형태를 유지하는 역할을 한다.

18 | ④ 생태계 평형은 생태계가 안정적으로 유지되는 상태로 먹이 그물이 복잡하고 생물의 종이 다양할수록 생태계 평형이 잘 유지된다. 안정된 생태계는 **생산자 > 1차 소비자 > 2차 소비자** 순으로 생물량이 존재 할 때이다.

19 | ② 세균(분해자), 곰팡이(분해자), 식물 플랑크톤(생산자)은 생물적 요인이고, 온도는 비생물적 요인이다.

개념 더 보기 **생태계 구성 요인**

> **생물적 요인** : 생산자, 소비자, 분해자
> **비생물적 요인** : 빛, 공기, 물, 토양, 온도
> **작용** : 비생물적 요인이 생물적 요인에게 영향
> **반작용** : 생물적 요인이 비생물적 요인에게 영향

20 | ④ 태양과 질량이 비슷한 별의 내부에서 핵융합으로 만들어지는 원소는 헬륨과 탄소이다.

태양과 질량이 비슷한 별의 진화

별의 진화과정에서 태양과 질량이 비슷한 별의 내부에서 중심부의 온도가 충분히 높아지면 수소 원자핵이 융합하여 헬륨 원자핵으로 바뀌는 핵융합이 일어난다. 그리고 헬륨 원자핵이 모여 탄소 원자핵으로 바뀌는 헬륨 핵융합 반응으로 탄소가 만들어진 후 탄소 원자핵이 수축하여 백색 왜성이 된다.

21 | ① 해수(수권)가 활발히 증발해 대기로 공급된 수증기(기권)가 응결하여 상호작용하는 지구시스템의 권역은 수권과 기권이다.

지구 시스템

지구시스템은 지권, 수권, 기권, 생물권, 외권으로 이루어져 있다.

지권 : 지각, 맨틀, 외핵, 내핵으로 이루어진 지권은 지구 표면을 이루는 암석과 토양, 지구 내부를 포함한다. 지구계에서 가장 많은 부피를 차지하며 생명체가 살아가는 데 필요한 공간과 여러 가지 물질을 제공해 준다.

수권 : 바다, 호수 강, 지하수, 빙하로 이루어져 있다. 물은 생물의 몸을 이루고 있을 뿐만 아니라, 생명체가 살아가는 데 꼭 필요하다. 수권의 물은 기권으로 증발하여 기상 현상을 일으킨다. 바다는 수많은 생물의 서식처이며, 지구의 온도를 일정하게 유지시키는 역할을 한다.

기권 : 대류권, 성층권, 중간권, 열권으로 이루어진 기권은 지구의 생명체가 호흡할 수 있는 산소를 제공하고, 우주에서 오는 유해한 광선과 자외선을 차단하여 지구의 생명체를 보호한다. 기권에서 비와 눈, 바람, 구름 등의 기상 현상이 일어난다.

생물권 : 지구에 사는 모든 생물과 생태계. 생물은 지권의 표면은 물론 수권의 가장 깊은 곳에서부터 기권에 이르기까지 넓은 영역에 걸쳐 살고 있다. 생물은 광합성과 호흡을 통해 기권의 성분을 변화시키며, 토양 속의 미생물은 죽은 생물이나 배설물을 분해하여 토양의 성분을 변화시킨다.

외권 : 기권의 바깥인 우주 공간이다. 태양 에너지는 외권을 통해 지구로 끊임없이 들어온다. 태양 에너지는 식물의 광합성에 이용되며, 수권의 물을 순환시키기도 한다.

22 | ② 발산형 경계는 두 판이 서로 멀어지면서 맨틀 대류 현상에 의해 마그마가 상승하여 새로운 지각이 생성되는 경계이다. 해양판과 해양판에서는 해령이, 해양판과 대륙판에서는 열곡대가 형성된다.

23 | ③ 물의 순환은 태양에너지로 인해 일어나는 현상이다.

24 | ③ 자외선을 흡수하는 오존층이 있으며, 대류 현상이 일어나지 않아 안정적인 층으로 비행기 이동 통로로 쓰이는 층은 성층권이다. 그림에서 A가 대류권, B가 성층권, C가 중간권, D가 열권이다.

기권 층상 구조

기권은 대류권, 성층권, 중간권, 열권으로 이루어져 있다.
대류권 : 우리가 눈으로 보는 하늘, 기상현상과 대류현상이 일어난다.
성층권 : 오존층이 있고, 대류 현상이 없어서 안정한 층으로 비행기 통로이다.
중간권 : 대류현상이 있으나, 수증기가 없어 기상현상은 없다.
열권 : 공기가 매우 희박하고, 대기가 없어 밤낮의 기온차가 크고, 오로라가 관측 된다.

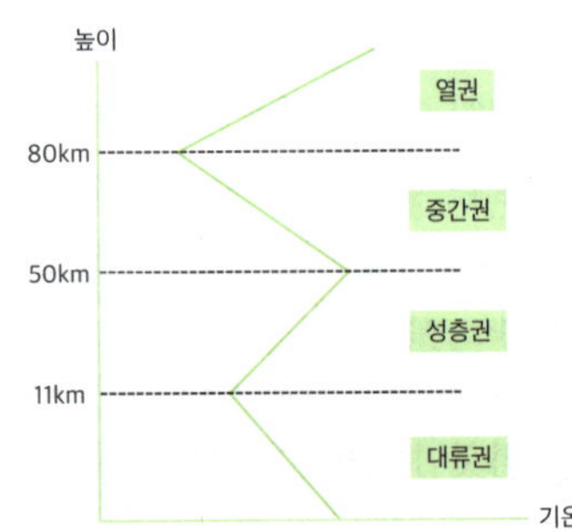

25 | ① 신생대에 번성했던 육지에 살았던 생물은 매머드이다.

지질시대의 표준화석

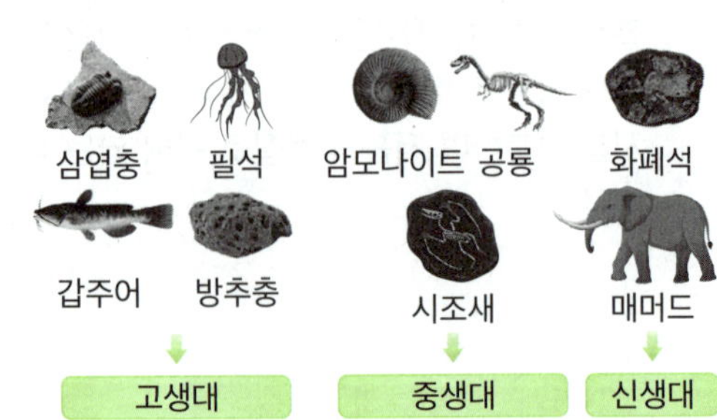

01	④	02	③	03	①	04	③	05	②
06	④	07	③	08	②	09	①	10	③
11	①	12	④	13	③	14	④	15	①
16	②	17	③	18	④	19	④	20	①
21	③	22	①	23	④	24	②	25	②

01 ④ 초전도체는 임계온도 이하에서 전기 저항이 0이 되는 물질이다. 전류가 흘러도 열이 발생하지 않아서 전력 손실 없는 송전선으로 이용된다. 또한, 강한 자기장이 필요한 장치인 MRI, 핵융합 장치에 사용된다. 마이스너 효과는 초전도체 위에 자석을 놓으면 뜨는 현상인데 자기부상 열차가 마이스너 효과를 활용한 예이다.

02 ③ 태양광 발전은 태양의 빛 에너지를 태양 전지를 이용하여 전기 에너지로 바꾸는 방식으로 날씨의 영향을 받는다.

03 ① 수평방향으로 던지는 운동은 등속도 운동으로 힘이 작용하지 않고 속도의 변화가 없다. 그러므로 ㉠은 5이다. 연직 방향 운동은 등가속도 운동으로 힘이 작용해서 일정한 속도로 증가하는 운동이다. 1초에 속도가 10m/s 였는데, 2초에 속도가 20m/s면 증가한 속도가 10m/s 이므로 ㉡은 20 + 10 = 30 이다. ㉠이 5, ㉡이 30이므로 ㉠ + ㉡ = 35 다.

04 ③ 그림과 같이 자석을 코일 속에 넣었다 뺐다 하면 유도전류가 흘러서 검류계의 바늘이 움직이는데 이를 전자기 유도 현상이라고 한다. 전자기 유도의 예로는 마트의 도난장치, 교통카드, 발전기, 무선충전기 등이 있다.

05 ② 물체의 운동량 = 물체가 벽으로 받은 충격량
운동량(p) = 질량(m) × 속도(v)
그러므로 3 × 4 = 12 이므로 답은 12이다.

06 ④ 연료전지는 수소와 산소의 화학반응을 이용해 전기 에너지를 만들어 낸다. 그러므로 에너지 전환은 화학 에너지 → 전기 에너지이다.

개념 더보기 │ 에너지 보존 법칙

에너지 전환시, 전환 전후의 에너지 총합은 항상 일정하게 보존된다는 법칙

에너지 전환의 대표적인 예
수소 연료 전지 : 연료의 화학 E → 전기 E
태양광 발전 : 태양의 빛 E → 전기 E
태양열 발전 : 태양의 열 E → 전기 E
수력 발전 : 물의 퍼텐셜 E → 터빈의 역학적 E → 전기 E
화력발전 : 화학 E → 열 E → 터빈의 역학적 E → 전기 E
핵 발전 : 핵 E → 열 E → 터빈의 역학적 E → 전기 E

07 ③ 염화 나트륨은 염소와 나트륨의 화합물로 소금의 주성분이다. 나트륨 이온(Na^+)과 염화 이온(Cl^-)이 결합하여 극성 구조를 가지기에 같은 극성 용매인 물에 잘 녹는다. 나트륨은 주기율표 1족에 속하는 알칼리 금속 원소 중 하나이다.

08 ② 화학반응식에서 화살표를 기준으로 왼쪽에 있는 물질은 반응물이고, 오른쪽에 있는 물질은 생성물이다. 산화는 전자를 잃는 반응으로 이 식에서 은 이온(Ag^+)은 전자를 얻어서 은 원자(Ag)가 되었고, 구리 원자(Cu)는 전자를 잃어서 구리 이온(Cu^{2+})이 되었다. 그러므로 산화되는 반응 물질은 구리 원자이다.

09 ① 산은 수소이온(H^+)을 가진다. 수소이온을 가지기 때문에 공통적인 성질을 가진다. pH 농도는 7미만으로 대표적인 예로 탄산음료와 식초가 있다. 산은 신맛이고, 금속과 반응하면 수소기체가 발생하고, 탄산 칼슘과 반응하면 이산화탄소 생성된다. 푸른색 리트머스 종이가 붉은색으로 변한다.

10 ③ **가장 바깥 전자 껍질에 들어 있는 전자의 개수 = 원자가 전자 수**
플루오린(F)의 원자가 전자 수는 7개이다. 이 그림에서 두번째 전자껍질에 있는 전자 수만 헤아리면 된다.

11 | ① 2개의 수소 분자 + 1개의 산소 분자
= 2개의 물 분자
화학반응식에서 반응 전 후의 원자의 종류와
수는 동일하다.

12 | ④ 같은 족인 원소는 화학적 성질이 비슷한데, 주
기율표에서 족은 세로줄이다. 17족인 B, D가 화
학적 성질이 비슷하다.

13 | ③ 효소는 기질과 결합해서 화학 반응의 활성화
에너지를 낮춤으로써 물질대사의 속도를 증
가시키는 생체 촉매이다. 생체촉매란 생명체
내에서 만들어진 촉매로 생명체 내에서 일어
나는 물질대사에 관여하는 촉매이다.

14 | ④ 세포막은 인지질 이중층에 막단백질이 박혀 있
는 구조이다. 산소와 같이 크기가 작은 물질은
인지질 이중층을 통해 이동하고 포도당처럼 크
기가 큰 물질은 막단백질을 이용해서 이동한다.
세포막을 이동하는 방법은 확산으로 고농도에
서 저농도로 이동한다. 물질의 크기, 종류, 특성
에 따라 세포막을 이동하는 방법이 다른데 이것
이 세포막의 선택적 투과성이다.

세포막

세포막 : 모든 세포가 가지고 있는 구성 요소, 세포 내부와
외부를 구분
세포막의 구성 : 인지질 2중층 + 막 단백질
특징 : 선택적 투과성
1) 막 단백질 : 크기가 크고 포도당, 아미노산, 핵산, 여러
이온과 같은 극성 및 전하를 띤 수용성 물질(친수성)
2) 인지질 이중층 : 크기가 작은 산소, 이산화탄소, 질소
등과 같은 기체 분자 및 전하를 띠지 않는 지용성 물
질(소수성)

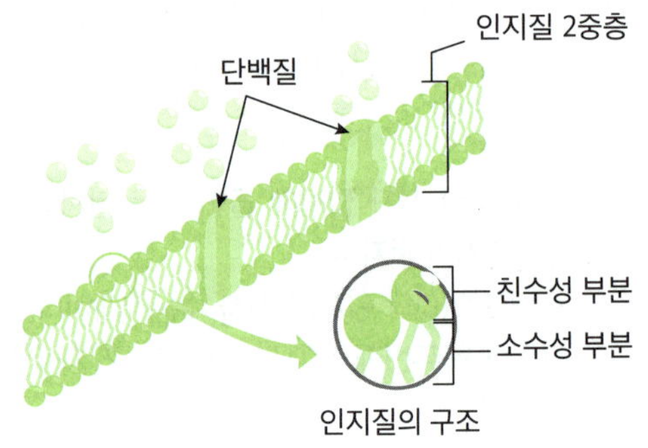

15 | ① 유전물질인 DNA가 들어 있는 곳은 핵이다.

16 | ② 지각을 구성하는 광물의 약 92%가 규산염 광
물이다. 규산염 사면체를 기본 골격으로 하여
여러 원소들이 결합하여 만들어진다. 규산염
사면체는 규소 원자 1개와 산소 원자 4개가 공
유 결합하여 사면체 모양을 이룬다.

17 | ② 지하수(수권)의 용해 작용으로 석회동굴(지권)
이 형성되었다. 파도(수권)의 침식 작용으로 해
안선의 모양(지권)이 변하였다.

18 | ④ 에너지 피라미드는 생태 피라미드의 한 종류로서
먹이 사슬의 영양 단계에 따라서 에너지량으로
표현했다. 에너지 피라미드는 절대로 반전이 되
지 않는다. 즉 아래 영양 단계에 속하는 생물의 에
너지량은 위 영양 단계에 속하는 생물의 에너지
량보다 크다. 가장 낮은 영양 단계에서 가장 높은
에너지를 가지고 있다는 의미이다. 그래서 항상
피라미드의 형태를 띤다. ㉠은 생산자로 식물 플
랑크톤이다.

19 | ④ 생물 다양성 보전을 위한 노력에는 생태 통로
설치, 멸종 위기종 복원, 종자 은행 운영, 국립
공원 지정, 재활용, 에너지 절약, 친환경 제품
사용, 생물다양성 국제 협약 등이 있다.

20 | ① 질량이 태양의 10배 이상인 별은 탄소핵이 만
들어진 후 계속 핵융합 반응이 일어나서 철이
만들어지고 초신성 폭발로 철보다 무거운 원
소(금, 구리, 우라늄 등)가 생성된다.

21 | ③ 초대륙인 판게아가 분리 되고 다양한 공룡이 번
성한 지질 시대는 중생대이다. 중생대의 대표적
인 표준 화석은 공룡과 암모나이트가 있다.

22 | ① RNA는 핵산의 한 종류로 유전 정보를 전달하
고, 단백질 합성에 관여하며, 단일 나선 구조이
고, 당으로 리보스를 가지고, 염기에는 A(아데
닌), U(유라실), C(사이토신), G(구아닌)가 있다.

23 | ④ 생태계 다양성은 특정한 지역 또는 지구 전체
에 존재하는 생태계의 다양한 정도를 뜻한다.
사막, 숲, 갯벌, 습지, 바다 등 생물이 살아가는
서식 환경의 다양함을 뜻한다.

24 | ② 지권은 지각, 맨틀, 내핵, 외핵으로 이루어져
있다. 맨틀은 맨틀 대류가 일어나고 맨틀은
유동성 고체이다. 지권 전체 부피의 약 83%를
차지하는 층이다.

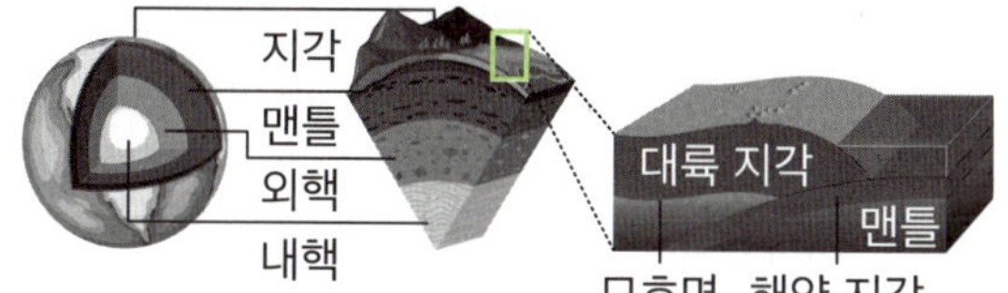

지권의 층상구조

지각 : 대륙 지각과 해양 지각
맨틀 : 지구 부피의 83%, 맨틀의 대류로 인해 지진, 화산활
동이 일어남, 유동성 고체
외핵 : 철과 니켈이 주성분, 액체, 외핵의 대류로 인해 지구
자기장이 형성됨
내핵 : 철과 니켈이 주성분, 고체

지각: 5~35km 맨틀: 2,900km
외핵: 5,100km 내핵: 6,400km

25 | ② 수소 원자 4개가 헬륨 원자 1개로 융합하는
수소 핵융합 반응은 많은 에너지를 방출하는
반응으로 고온, 고밀도 별 내부에서 에너지를
생성한다.

01	②	02	③	03	①	04	③	05	③
06	④	07	②	08	②	09	④	10	①
11	①	12	②	13	④	14	③	15	④
16	②	17	③	18	④	19	③	20	③
21	②	22	①	23	③	24	①	25	②

01 | ② 수평방향은 등속도 운동으로 힘이 작용하지 않고, 연직 아래 방향은 등가속도 운동으로 일정한 속력이 증가하며, 힘(중력)이 작용한다.

02 | ③ **충격량 = 나중 운동량 − 처음 운동량**
4 − 1 = 3 이므로 충격량은 3이다.

03 | ①

$$\frac{\text{일}(W)}{\text{고열원}(Q_1)} \times 100 = \frac{Q_1 - Q_2}{Q_1} \times 100$$

$$\frac{40}{200} \times 100 = 20\%$$

그래서 열효율은 20%이다.

04 | ③ 변전소에서 전압을 크게 혹은 낮게 변화 시킨다. 송전 전압을 높여야 전력 손실이 줄어든다. 손실 전력은 송전선에서 1초동안 손실되는 전력(열에너지)으로 송전선에서 열이 발생하여 전기 에너지의 일부가 손실된다.

개념 더 보기 **전력 손실을 줄이는 방법**

① **고전압 송전** : 전류 낮게, 저항 작게, 전압 높게
② **거미줄 송전망** : 선로에 이상 발생시 우회 송전 가능
③ **근거리 송전** : 전력 수송 거리 짧, 손실 전력 낮게
④ **지능형 전력망(스마트 그리드)** : 수요량과 공급량 실시간 파악 및 제공

05 | ③ 핵 발전은 핵 분열로 발생한 열 에너지로 터빈을 돌려 전기 에너지를 생산하는 발전이다. 우라늄을 원료로 사용하고 발전 과정에서 방사성 폐기물이 발생한다.

06 | ④ 태양광 발전은 태양의 빛 에너지를 태양 전지를 이용하여 전기 에너지로 바꾸는 방식으로 날씨의 영향을 받는다.

07 | ② 주기율표에서 가로줄은 주기를, 세로줄은 족을 나타낸다. 원자 번호는 주기율표에서 주기와 족의 숫자가 클수록 크다. 예를 들어 2주기 1족보다 2주기 17족이 원자번호가 크다.

08 | ② 소금의 주성분인 염화 나트륨은 이온 결합 물질로 양이온과 음이온 간의 정전기적 인력에 의한 결합이다. 고체에서는 전기 전도성이 없고 액체(수용액)에서는 전기 전도성이 있어서 전기가 잘 흐른다. 이온 결합 물질은 상온에서 단단하나, 힘을 가하면 쪼개지거나 부스러진다.

09 | ④ 그래핀은 흑연에서 한 층만 분리해 낸 것으로 탄소 원자가 벌집 모양으로 평면을 이룬다. 구리보다 100배 이상 전기가 잘 통하고, 강철보다 200배 이상 강하고, 다이아몬드보다 2배 이상 열 전도성이 높으며, 탄성도 뛰어나 늘리거나 구부려도 전기적 성질을 잃지 않는다.

10 | ① 2개의 마그네슘 + 1개의 산소
= 2개의 산화 마그네슘

화학 반응식

$$2Mg + O_2 \rightarrow 2MgO$$

반응물 : Mg(마그네슘), O_2(산소)
생성물 : MgO(산화 마그네슘)
Mg는 산소를 얻어 산화 되었다.

11 | ① HCl(염산)은 수소이온을 가지고 있어서 산성이고, KOH(수산화 칼륨) 과 NaOH(수산화 나트륨), $Ca(OH)_2$(수산화 칼슘)은 수산화 이온을 가지고 있어서 염기성이다.

12 | ② 단백질의 단위체는 아미노산이고, 펩타이드 결합을 한다. 단백질은 우리 몸의 주된 에너지원이다. 근육, 세포막, 효소, 호르몬, 항체, 헤모글로빈 등을 구성한다.

13 | ④ 식물세포에서 빛 에너지를 흡수하여 포도당을 합성하는 것은 엽록체다. 엽록체는 D이다.

14 | ③ 물질대사란 생명체 내에서 물질이 분해되거나 합성되는 모든 화학반응을 총칭한다. 물질대사에는 동화 작용과 이화 작용이 있고 에너지의 출입이 일어난다. 동화 작용은 광합성과 같이 저분자 물질들이 에너지를 흡수하여 고분자 물질을 합성하는 작용이다. 이화 작용은 호흡과 같이 고분자 물질이 에너지를 방출하며 저분자 물질로 분해되는 작용이다. 물질대사에서 반응 속도를 변화시키는 하나의 요인은 효소다. 효소가 활성화 에너지를 낮아지게 하면 화학 반응이 빨리 일어난다.

15 | ④ DNA는 이중가닥이고, 염기의 종류가 A, T, C, G이다 RNA는 단일가닥이고, 염기의 종류가 A, U, C, G이다. 상보적 결합은 DNA에서는 A와 T가, C와 G가 RNA에서는 A와 U가, C가 G가 짝지이다. 그러므로 ㉠은 U이고, ㉡은 C이다.

16 | ② 종 다양성은 생물 종의 다양한 정도를 나타내는 것으로 생물에서 나타난다. 여기서 생물이란 동물, 식물, 미생물을 뜻한다. 생태계 안에 생물이 있기 때문에 생태계 다양성은 종 다양성에 영향을 준다. 유전적 다양성은 개체군 내에 존재하는 유전자의 변이가 다양한 정도를 말한다.

생물다양성은 일정 생태계 안에 살고 있는 생물의 다양한 정도를 의미한다. 생물다양성은 생태계 다양성, 유전적 다양성, 종 다양성을 포함한다. 생태계 다양성은 생태계의 다양한 정도를, 종 다양성은 생물 종의 다양한 정도를, 유전적 다양성은 같은 종에서 유전자가 다양하여 나타나는 형질의 다양한 정도를 나타낸다.

17 | ③ 사막여우와 북극여우의 차이는 서식지이고, 서식지의 온도가 다르다. 그러므로 사막여우의 적응은 온도에 의해 일어난 것이라고 볼 수 있다.

18 | ④ 생태 피라미드에서 상위 영양 단계로 갈수록 에너지의 양은 줄어든다.

에너지의 양

생산자 > 1차 소비자 > 2차 소비자 > 3차 소비자

19 | ③ 별의 진화 과정에서 수소 핵융합 반응으로 헬륨이, 헬륨 핵융합 반응으로 탄소가 생성된다. 질량이 태양보다 10배 큰 별에서는 탄소의 핵융합 반응으로 별의 중심에서 철이 생성되고, 초신성 폭발로 철보다 무거운 원소인 구리, 우라늄 등이 생성 된다. 그러므로 ㄱ, ㄴ는 옳고 ㄷ은 틀렸다.

20 | ③ 식물(생물권)이 이산화 탄소를 대기(기권)로부터 흡수한다.

21 | ② A는 선캄브리아대로 지질 시대 중 가장 길다. B는 고생대로 초대륙인 판게아가 형성 되었고, 삼엽충, 필석, 갑주어, 방추충이 있다. C는 중생대로 판게아가 분리 되고 공룡, 암모나이트가 있다. D는 신생대로 지질시대 중 가장 짧고, 화폐석과 매머드가 있다.

22 | ① 암석권은 지각과 상부 맨틀의 일부로 이루어져 있고, 두께는 약 100km이다. 판 구조론에서의 판은 바로 암석권의 조각이고 대륙판과 해양판이 있다.

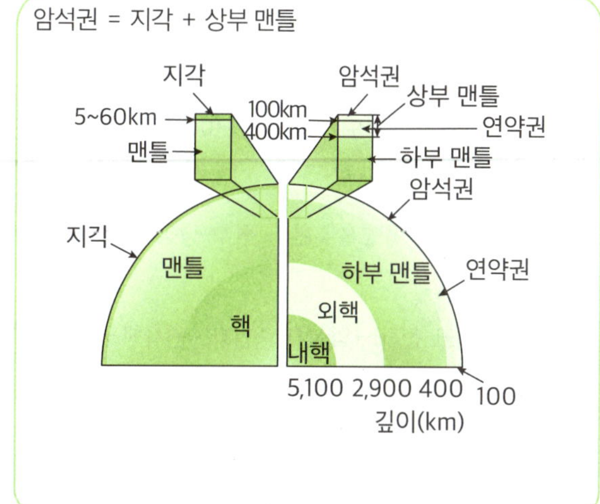

23 | ③ A는 혼합층으로 바람이 강할수록 두껍게 발달
하고, 태양에너지 흡수에 의해 수온이 높다. 바
람의 혼합 작용에 의해 수온이 일정하고, 해수
가 잘 섞인다. B는 수온약층으로 대류가 일어
나지 않는 안정한 층이고, 수심이 깊어질수록
수온이 급격하게 낮아진다. C는 심해층으로 빛
이 도달하지 않아 수온이 가장 낮고, 위도나 계
절에 따른 수온 변화가 거의 없다.

수권 층상 구조

수권은 혼합층, 수온약층, 심해층으로 이루어져 있다.
혼합층 : 바람이 강할수록 두껍게 발달, 태양 에너지 흡수로
수온이 높은 층
수온약층 : 수온이 급격히 낮아지고, 해수의 대류가 잘 일어
나지 않는 안정한 층
심해층 : 연중 수온이 낮고, 계절별 수온 변화가 거의 없다.
해수의 80%를 차지하는 층

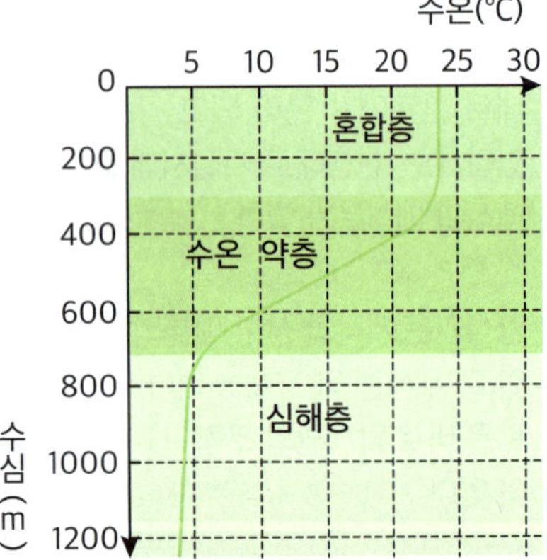

24 | ① 빅뱅우주론은 약 138억 년 전 우주가 초고온,
초고밀도의 한 점에서 폭발하여 우주가 시작된
후 계속 팽창하고 있다는 이론이다. 빅뱅 우주
론에 의하면 빅뱅 이후 고온 고밀도였던 우주
는 저온 저밀도가 되고 있으며, 현재 우주는 계
속 팽창 중이다.

빅뱅우주론의 원자 생성 과정

원자의 생성 과정
기본 입자(쿼크, 전자)→양성자, 중성자→원자핵→원자

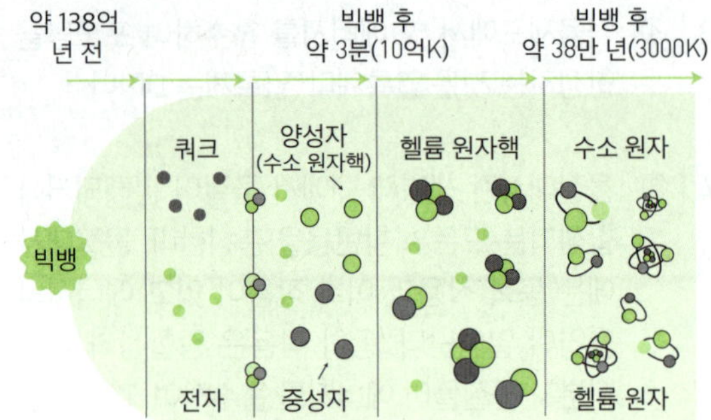

25 | ② 지구 온난화는 온실 효과의 증대로 지구의 평
균 온도가 계속 높아지는 현상이다. 지구 온난
화로 인해 지구의 평균 기온이 상승하고, 빙하
가 녹아서 빙하 면적이 줄어들면서 해수면의
평균 높이는 상승한다.

01	④	02	②	03	④	04	①	05	④
06	②	07	③	08	②	09	④	10	②
11	①	12	④	13	③	14	④	15	②
16	③	17	④	18	①	19	②	20	③
21	①	22	①	23	④	24	③	25	①

01 | ④ 핵 발전은 핵분열로 발생한 열 에너지로 터빈을 돌려 전기 에너지를 생산하는 방식이고, 연료는 우라늄이다.

개념 더 보기 — 핵 발전의 원자로 구조

제어봉은 원자로의 핵분열 반응속도를 조절할 때 사용하는 것이다. 감속재는 원자로의 핵분열 반응 과정에서 생성되는 고속 중성자를 열 중성자로 감속 시켜서 핵분열이 더 잘 일어나도록 한다. 냉각재는 핵분열 과정의 열을 식힌다.

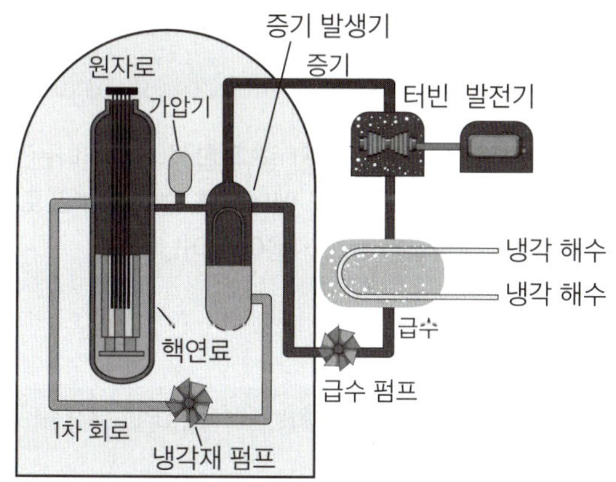

02 | ②

$$\frac{일}{고열원} \times 100 = 열효율$$

$$\frac{W}{100} \times 100 = 20\%$$

$$\therefore W = 20$$

열효율을 구하는 에너지 식을 통해 한 일(W)은 20J(줄)이다.

03 | ④ 자유 낙하 운동은 등가속도 운동으로 중력의 힘을 받아서 지구 중심 방향으로 운동을 하고 일정한 속도가 증가한다. A와 B에서 물체에 작용하는 힘은 중력으로 지구 중심방향으로 힘의 방향이 같다.

04 | ① **운동량＝질량×속도**
- A의 운동량＝3kg×1m/s＝3
- B의 운동량＝1kg×v

  A의 운동량＝B의 운동량

  3＝1kg×v

  v＝3m/s

05 | ④ 탄소 나노 튜브는 신소재이고, 그래핀이 튜브 형태로 결합된 구조로 구리보다 열전도율이 뛰어나다.

06 | ② ㄱ. 설탕은 공유 결합 물질이다.
ㄴ. 설탕은 물에 녹으면 이온화 되지 않는다.
ㄷ. NaCl은 수용액 상태에서 전기가 통한다.

개념 더 보기 — 공유 결합, 이온 결합

공유결합：비금속 원소의 원자들이 각각 전자를 내놓아 전자쌍을 공유하면서 이루어지는 화학 결합 비금속 원자들이 공유결합을 하게 되면 대부분 원자가 만들어진다. 고체 상태든, 액체 상태든 전류가 흐르지 않는다. 대부분 물에 잘 녹지 않는다. 수소 분자, 산소 분자, 질소 분자, 물, 이산화탄소, 암모니아, 에탄올, 뷰테인, 설탕 등이 있다.

이온결합：금속 원소의 양이온과 비금속 원소의 음이온의 정전기적 인력에 의한 결합상온에서 고체로 존재하고, 고체상태 일 때는 전류가 흐르지 않는다. 물에 잘 녹으며, 녹으면 전류가 잘 흐른다. 염화나트륨, 산화 마그네슘, 염화 칼슘 등이 있다.

07 | ③ 발전소는 전기 에너지를 생산하는 곳이다. 변전소는 전압을 바꾸는 역할을 한다. 전력 수송 과정에서 전력 손실은 발생한다. 주상 변압기는 전압을 220V로 낮춰 가정으로 전기 에너지를 공급한다.

08 | ② 비활성기체인 네온은 안정적인 전자 배치로 첫
번째 전자껍질에 2개, 두번째 전자껍질에 8개
의 전자가 꽉 찬 상태를 말한다. 산소 원자는 첫
번째 전자껍질에 2개, 두번째 전자껍질에 6개
가 있으므로 네온과 같은 전자 배치를 하기 위
해서는 2개의 전자가 더 필요하다.

09 | ④ 산화는 전자를 잃는 것이고, 환원은 전자를 얻
는 것이다. 구리(Cu)는 전자를 잃어서 구리 이
온(Cu^{2+})으로 산화되고, 은 이온(Ag^+)은 전자를
얻어서 은(Ag)으로 환원 된다.

10 | ② 붉은색 리트머스 종이를 푸른색으로 변하게 하
는 성질은 염기성이 가지는 성질이다. 염기성
은 OH^-(수산화 이온)을 가진 물질로 NaOH(수
산화 나트륨), KOH(수산화 칼륨), $Ca(OH)_2$(수산
화 칼슘) 등이 있다.

HCl(염산), HNO_3(질산), H_2SO_4(황산)은 H^+(수소이온)을 가
진 산성 물질들이다.

11 | ①

$$H^+ + OH^- \rightarrow H_2O$$

수소이온 1개 + 수산화 이온 1개 = 물 분자 1개
그러므로 수소이온과 수산화 이온이 반응하는
개수비는 1 : 1이다.

12 | ④ 단백질의 단위체는 아미노산이다.

탄수화물(녹말) : 포도당
단백질 : 아미노산
지질 : 지방산 + 글리세롤
핵산 : 뉴클레오타이드

13 | ③ 유전적 다양성은 하나의 종에서 나타나는 유전
자의 다양한 정도이다.

군집 : 같은 공간, 같은 시간에 존재하는 생물 종 개체군들
　　　의 집단.
개체군 : 일정한 환경 지역에 서로 상호작용 하는 한 종의
　　　　개체들의 집단.
생태계 다양성 : 특정한 지역 또는 지구 전체에 존재하는 생
　　　　　　　태계의 다양한 정도를 뜻한다. 사막, 숲, 갯
　　　　　　　벌, 습지, 바다 등 생물이 살아가는 서식 환
　　　　　　　경의 다양함을 뜻한다.

14 | ④ 물질대사는 생물이 생명 유지를 위해 생명체
내에서 물질을 분해하거나 합성하는 모든 화학
반응이다.

삼투 : 농도가 다른 두 용액이 반투막을 사이에 두고 구분
　　　되어 있을 때 용매(물)가 농도가 낮은 곳에서 높은 곳
　　　으로 이동하는 현상
연소 : 물질이 산소와 반응하여 빛과 열을 내면서 타는 현상
확산 : 물질(용질)이 농도가 높은 곳에서 낮은 곳으로 이동
　　　하는 현상

15 | ② 식물의 세포 소기관 중 광합성이 일어나는 곳
은 엽록체이다. 빛 에너지를 흡수하여 포도당
이 생성되는 동화 작용이 일어난다.

핵 : 세포의 생명활동을 조절하는 곳으로, DNA 유전정보를
　　가지고 있다.
세포막 : 물질의 출입이 일어나는 곳으로 인지질 이중층과
　　　　막 단백질로 이루어져 있다.
미토콘드리아 : 세포 호흡이 일어나는 곳으로 생명 활동에
　　　　　　　필요한 에너지를 생산한다.

16 | ③ 세포 내 유전 정보의 흐름은 전사와 번역이라
는 과정을 거친다. DNA에서 RNA로 유전 정보
가 복사되는 것을 전사라고 하며, RNA가 단백
질을 합성하는 과정을 번역이라고 한다.

17 | ④ 이중 나선 구조이며 A, G, C, T의 염기서열을 가진
핵산은 DNA이다. DNA는 유전정보 원본이고,
DNA를 구성하는 당은 디옥시리보스이다.

18 | ① A는 생산자로 살아가는데 필요한 양분을 광합
성을 통해 스스로 만드는 식물을 뜻한다. 그래
서 A에 해당하는 생물은 벼이다.

개념 더 보기 소비자, 분해자

소비자 : 스스로 양분을 만들지 못하고 다른 생물을 먹이로
하여 살아가는 생물로 1차 소비자, 2차 소비자, 최
종 소비자가 있다. 1차 소비자는 식물을 먹이로 하
는 초식동물이고, 2차 소비자는 1차 소비자를 먹이
로 하는 동물이다. 최종 소비자는 먹이 그물에 나
타나는 소비자 중 마지막 소비자를 뜻한다.

분해자 : 죽은 생물을 분해하여 다른 생물이 이용 할 수 있게
해 주는 생물로 버섯, 곰팡이, 세균 등이 있다.

19 | ② 표준화석은 시대를 알려주는 화석으로, 공룡
이 번성했던 지질 시대는 중생대이다.

개념 더 보기 지질시대별 표준 화석

선캄브리아대 : 스트로마톨라이트
고생대 : 삼엽충, 방추충, 필석, 갑주어
중생대 : 암모나이트, 공룡
신생대 : 매머드, 화폐석

20 | ③ 지구 내부의 층상 구조는 지각, 맨틀, 외핵, 내
핵으로 이루어져 있고 이 그림에서 A는 지각, B
는 맨틀, C는 외핵, D는 내핵이다. 지각과 내핵
은 고체이고, 맨틀도 유동성 고체이다. 액체 상
태인 층은 외핵으로 답은 C이다.

21 | ① 발산형 경계는 두 판이 서로 멀어지면서 맨틀 대
류 현상에 의해 마그마가 상승하여 새로운 지각
이 생성된다. 해양판과 해양판에서는 해령이, 해
양판과 대륙판에서는 열곡대가 형성 된다.

22 | ① 화산활동은 지권의 영역이고, 화산 가스가 대
기 중에 방출 되는 것은 기권의 영역이므로 정
답은 A이다.

23 | ③ 동태평양의 표층 수온이 평상시보다 높아지는
현상을 엘니뇨라고 한다. 엘니뇨 현상을 통해
동태평양에는 홍수가, 서태평양에는 가뭄이 일
어난다.

24 | ③ 방출 스펙트럼은 선 스펙트럼이다. 파장
380~780nm은 눈으로 지각 되는 파장으로 가
시광선이다. 스펙트럼은 원소의 종류에 따라
다른 선의 위치가 나타나기 때문에 수소 스펙
트럼과 헬륨 스펙트럼의 모양은 서로 다르다.

25 | ① 수소 핵융합 반응에 의해서 헬륨이 생성되고, 헬
륨 핵융합 반응을 통해서 탄소가 형성이 된다.

01	②	02	③	03	④	04	②	05	②
06	④	07	②	08	④	09	④	10	③
11	①	12	①	13	④	14	③	15	①
16	②	17	②	18	④	19	④	20	①
21	①	22	③	23	③	24	①	25	④

01 | ② 조력 발전은 밀물과 썰물에 의한 해수면의 높이차인 조차를 이용하여 전기 에너지를 생산하는 발전 방식이다.

02 | ③ **충격량＝힘×시간**
10N×5초＝50N·s

03 | ④ 전자기 유도 현상이란 막대자석을 코일 속에 넣었다 뺐다 하면 코일의 도선에 전류가 유도되어 검류계의 바늘이 움직이는 것이다.

04 | ② 자유 낙하 운동은 등가속도 운동으로 일정한 속도가 시간이 지남에 따라 증가하는 운동이다. 그러므로 일정하게 속도가 증가하는 그래프인 ② 그래프가 정답이다.

05 | ②
$$\frac{일}{고열원} \times 100 = 열효율$$

일＝고열원－저열원

$$\frac{고열원－저열원}{고열원} = \frac{100-60}{100} - \frac{40}{100}$$

$$\frac{40}{100} \times 100 = 40\%$$

열효율은 40%이다.

06 | ④ 화석에너지(석탄, 석유, 천연가스)보다 친환경적이다. 신재생에너지는 신에너지와 재생에너지의 합성어이다. 인류 문명의 지속 가능한 발전을 위해 신재생 에너지 개발은 필수적이다.

신재생에너지 = 신에너지 + 재생 에너지

신에너지 : 기존 에너지원에 새로운 에너지 전환 기술을 도입하여 에너지를 얻는 것
예 연료 전지, 수소 에너지, 석탄 액화, 석탄 가스화 등

재생에너지 : 에너지 자원의 고갈 없이 재사용이 가능한 에너지
예 태양열, 태양광, 수력, 풍력, 파력, 조력, 지열, 바이오 매스 등

---

07 | ② 원자가 전자는 가장 바깥 전자껍질에 있는 전자로 ② 탄소 원자의 원자가 전자가 4개이다.

① 붕소 : 원자가 전자 3개
③ 질소 : 원자가 전자 5개
④ 산소 : 원자가 전자 6개

08 | ④ 이온결합은 금속원소의 양이온과 비금속 원소의 음이온의 정전기적 인력에 의해 형성된 결합으로 예를 들면 염화 나트륨, 염화 칼슘 등이 있다.

09 | ④ 주기율표에서 원자 번호는 주기와 족이 클수록 크다. A는 1주기 1족, B는 2주기 2족, C는 2주기 17족, D는 3주기 18족으로 D가 원자번호가 가장 크다.

10 | ③ 메테인(CH_4)은 탄소 원자 1개와 수소 원자 4개로 이루어진 분자이다.

11 | ① 화학반응식에서 왼쪽은 반응 물질, 오른쪽은 생성 물질이다. 산소를 잃어 환원되는 반응 물은 산화철(Fe_2O_3)로 식의 오른쪽에 보면 산소를 잃고 철(Fe)이 되었음을 볼 수 있다. 산화 환원 반응의 동시성에 의해 일산화탄소(CO)는 산소를 얻어서 산화되었다.

12 | ① 중화 반응은 산과 염기가 반응하여 물과 염이
생성 되는 반응이다.
㉠은 수산화이온으로 답은 ① 이다.

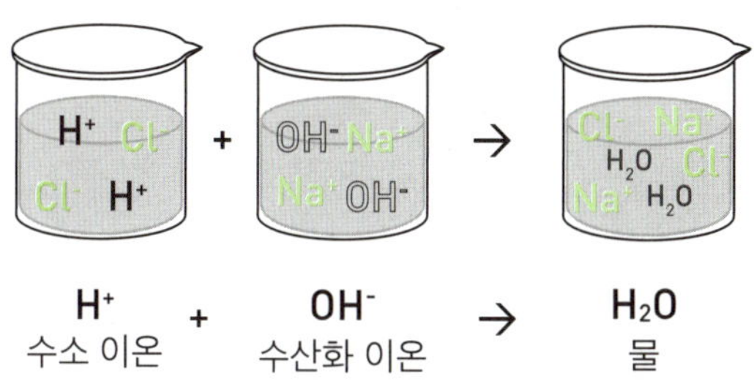

13 | ③ 핵산은 세포에서 유전 정보를 저장하거나
(DNA), 전달하는 물질(RNA)이다.

14 | ③ 미토콘드리아는 세포 호흡이 일어나 생명활동에
필요한 에너지를 생산하는 세포 소기관이다.

⚠ 선지 더 알아보기

A(리보솜) : 작은 알갱이 모양으로 단백질을 합성한다.
B(핵) : 세포의 생명 활동을 조절하고 유전 정보를 가지고
있다.
D(소포체) : 리보솜에서 합성한 단백질을 운반한다.

15 | ① 세포막을 통해 농도가 높은 쪽에서 닟은 쪽으
로 물질이 이동하는 것을 확산이라고 한다.

⚠ 선지 더 알아보기

합성 : 저분자 물질들이 모여 고분자 물질이 되는 것으로 동
화라고도 한다.
예 광합성, 단백질 합성 등

이화 : 고분자 물질을 저분자 물질로 분해 하는 것이다.
예 세포 호흡, 소화 등

16 | ② 효소는 반응물인 기질과 결합하여 활성화 에너지
를 낮추어 물질 대사의 속도를 증가시키는 생체
촉매이다. 효소는 활성화 에너지만 감소시키며
반응물과 생성물의 에너지 차이에는 영향을 주지
않는다. 효소는 반응 전후 자신은 변하지 않으며
반응 속도를 변화시킨다. 활성화 에너지 이상의
운동 에너지를 가진 입자가 반응이 일어나는데
효소가 있을 때는 활성화 에너지가 낮아지므로
반응 할 수 있는 분자 수가 늘어나 반응 속도가 빨
라진다. 과산화 수소의 분해 반응은 발열(이화)반
응으로 효소가 있을 때 활성화 에너지는 B이다.

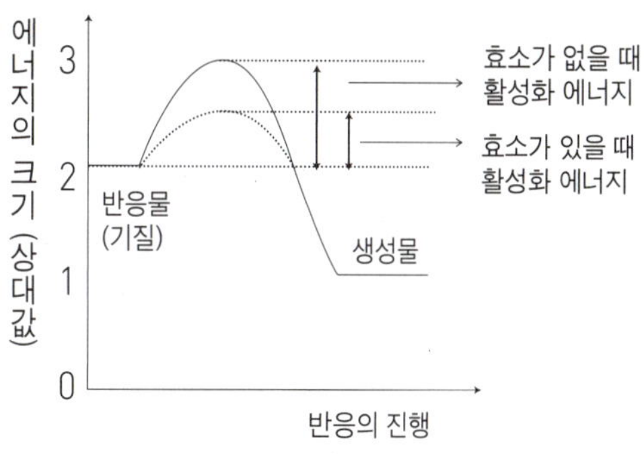

[발열 반응(이화)의 활성화 에너지]

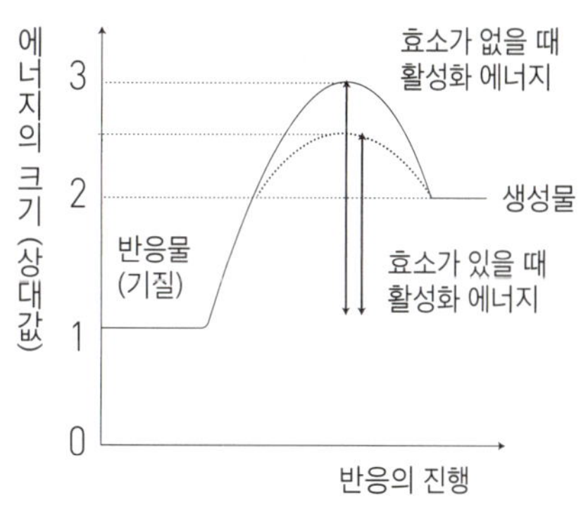

[흡열 반응(동화)의 활성화 에너지]

17 | ② 세포 내 유전 정보의 흐름은 전사와 번역이라
는 과정을 거친다. DNA에서 RNA로 유전 정보
가 복사되는 것을 전사라고 하며, RNA가 단백
질을 합성하는 과정을 번역이라고 한다. DNA
에서 상보적인 염기 서열은 A와 T(이중결합), C
와 G(삼중결합)이다. 그러므로 ㉠은 G이다.

18 | ④ 생태계 평형이 유지되고 있는 먹이그물에서 개체 수가 가장 많은 것은 생산자이다. 개체 수는 **생산자 > 1차 소비자 > 2차 소비자 > 최종 소비자**와 같은 순서를 가진다.

19 | ④ 생물 다양성은 생태계 내에 존재하는 생물의 다양한 정도를 의미한다. 유전적 다양성, 종 다양성, 생태계 다양성을 포함한다.

20 | ① 빅뱅 우주론에 따르면, 빅뱅 이후 계속해서 우주는 팽창하고 있으므로 우주의 크기는 계속 증가하고 있다고 주장하며, 빅뱅은 한 점에서의 대폭발로 초기 우주는 고온 고밀도상태 였고 우주가 팽창과 함께 냉각하면서 저온 저밀도 상태의 지금의 우주가 되었다고 주장한다.

21 | ① 온실 기체는 지구의 대기 속에 존재하며, 땅에서 복사되는 에너지를 일부 흡수함으로써 온실효과를 일으키는 기체이다. 대표적인 온실기체는 수증기, 이산화탄소, 메테인이다.

22 | ③ 태양보다 질량이 10배 이상 큰 별은 탄소 핵융합 이후로도 계속 핵융합 반응이 일어나서 철과 같은 무거운 원소를 만든다.

23 | ③ 수렴형 경계는 판과 판이 서로 충돌하면서 판이 소멸된다. 대륙판과 대륙판이 충돌하면 습곡산맥이 만들어지고, 해양판과 대륙판이 수렴하면 무거운 해양판이 대륙판 아래로 섭입하는데 해구와 호상열도가 만들어 진다.

24 | ① 대기 중의 이산화 탄소(기권)가 바닷물(수권)에 녹아 들어가는 과정으로 기권과 수권의 상호작용이다.

25 | ④ 신생대는 지질 시대 중 가장 기간이 짧고, 매머드와 같은 포유류가 번성했고, 인류의 조상이 출현했다.

01	①	02	③	03	④	04	③	05	③
06	④	07	①	08	④	09	①	10	④
11	③	12	②	13	②	14	①	15	②
16	②	17	①	18	①	19	④	20	④
21	①	22	②	23	④	24	③	25	①

01 | ① 파력 발전은 파도의 운동 에너지를 전기 에너지로 전환하는 발전 방식이다.

02 | ③ 발전소에서 전기 에너지를 생산한다. 주상 변압기는 전압을 220V로 낮춰 가정으로 전기 에너지를 공급하는 역할을 한다. 전기 에너지 수송 과정에서 손실되는 전기 에너지는 항상 존재한다. 그러므로 답은 ③이다.

03 | ④ **충격량＝나중 운동량-처음 운동량**
- 물체 A의 충격량＝5-2=3
- 물체 B의 충격량＝7-3=4
- 물체 C의 충격량＝8-3=5
- 물체 D의 충격량＝10-4=6

04 | ③ 일＝고열원-저열원
일＝100J-50J
＝50J

05 | ③ 고온 고압인 태양의 중심부에서 수소 핵융합 반응을 통해 헬륨 원자핵이 생성 되는 과정에서 에너지가 방출 되는데 핵융합 에너지가 바로 지구에 영향을 주는 태양에너지다.

06 | ④ 자유 낙하 운동은 등가속도 운동으로 시간이 지남에 따라 일정한 속도로 증가한다. A, B, C, D에서 D가 가장 속도가 빠르다.

07 | ① 전자기 유도 현상은 자석을 코일 속에 넣을 때 코일을 지나는 자기장이 변해서 코일에 유도 전류가 흐르는 현상이다. 유도전류의 방향을 변화 시키려면 첫째로 자석의 극을 바꾼다. N극을 가까이 했다면 S극으로 바꾸면 유도전류의 방향이 변한다. 둘째로 자석의 위치를 바꾼다. 자석을 멀리 했다면, 자석을 가까이 가져간다면 유도전류의 방향이 변한다.

08 | ④ 원자가전자 수는 족과 관련 되어 있어서 세로 줄을 보면 된다. A,C는 1족이라서 원자가 전자 수가 1개 이고, B는 16족이라서 원자가 전자 수가 6개이고, D는 17족이라서 원자가 전자 수가 7개이다. 그러므로 D가 원자가 전자 수가 가장 많다.

09 | ① 나트륨 원자의 원자가 전자 수는 1이다. 원자가 전자 수가 1이기에 전자를 잃기 쉽다. 그래서 나트륨 원자는 1개의 전자를 잃어버리고 나트륨 이온이 된다. 그림으로 보면 나트륨 원자의 전자 수는 11개, 나트륨 이온의 원자는 10개이므로 나트륨 원자가 잃어버린 전자의 개수는 1개이다.

10 | ④ 이온 결합은 금속 원소와 비금속 원소 사이에서 형성 되며, 양이온과 음이온의 정전기적 인력에 의해 결합한다. 고체에서는 전기 전도성 없고, 액체(수용액)에서는 전기 전도성이 있다. 상온에서 단단하나, 힘을 가하면 쪼개지거나 부스러진다. 예를 들어 염화 나트륨, 염화 칼슘이 있다.

11 | ③ 산화 환원 반응의 예는 표백제, 사과의 갈변, 수돗물 소독, 철의 부식 등이 있다. 산성화된 토양에 석회가루를 뿌리는 것은 산성과 염기성의 중화 반응이다.

12 | ② 염산과 황산은 산성이다. 염산과 황산의 수용액에서 공통적으로 존재하는 이온은 수소 이온이다.

13 | ② 단백질의 기본단위는 아미노산이고, 단백질은 펩타이드 결합을 한다. 단백질은 탄소화합물로 우리 몸의 주요 에너지원이다. 근육, 세포막, 효소, 호르몬, 항체, 헤모글로빈 구성한다.

14 | ③ 북극여우는 열 방출을 막기 위해 귀가 작고 둥글지만, 사막여우는 열 방출을 위해 귀가 크고 뾰족하다. 여우들의 귀 생김새는 어느 환경에 사느냐에 따라 환경에 적응하면서 변화했음을 알 수 있다.

15 | ② 안정된 생태 피라미드에서 1차 소비자의 증가로 평형이 깨지면 생산자인 A는 1차 소비자의 숫자의 증감에 따라 먹잇감이 되기 때문에 개체수가 감소하고, 최종소비자B는 1차 소비자를 먹이로 해서 성장함으로 개체수가 증가하게 된다.

16 | ② 생명체는 물질대사를 하며, 물질대사에는 효소과 관여한다. 효소는 영양소의 소화와 흡수를 돕는 물질이다.

17 | ① DNA는 이중 나선이고, 염기는 A, T, C, G가 있다. A는 T와 C는 G와 상보적인 결합을 한다. 그러므로 ㉠의 상보적인 결합 염기가 T이므로, ㉠은 A이다.

18 | ① 삼투는 농도가 다른 두 용액이 반투막을 사이에 두고 구분 되어 있을 때 용매(물)가 농도가 낮은 곳에서 높은 곳으로 이동하는 현상이다.

개념 더 보기 삼투

삼투 : 삼투는 농도가 다른 두 용액이 반투막을 사이에 두고 구분 되어 있을 때 용매(물)가 농도가 낮은 곳에서 높은 곳으로 이동하는 현상

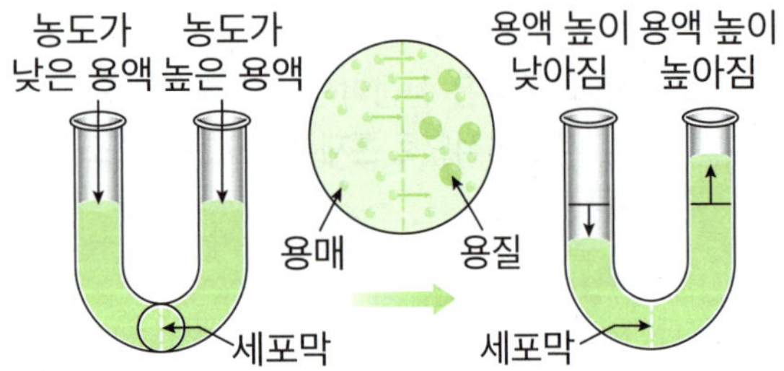

19 | ④ 종 다양성은 일정 지역에 서식하는 생물종의 다양한 정도이다.

⚠ 선지 더 알아보기

개체 : 분리 할 수 없는 독립된 하나의 생물체
군집 : 같은 공간, 같은 시간에 존재하는 생물 종 개체군들의 집단
개체군 : 일정한 환경에 서로 상호작용 하는 한 종의 개체들의 집단

20 | ④ 지구 시스템 에너지원 중 지구 내부 에너지에 의해 일어난 것이 화산활동과 지진이다. 대규모의 화산 폭발은 주변의 지형을 변화시킨다. 화산 활동은 온천, 지열 발전 등과 같이 이롭게 활용 되기도 한다.

21 | ① 규산염 광물을 구성하는 기본 구조는 규소 원자 1개와 산소 원자 4개가 공유 결합을 이룬 사면체이다.

22 | ② 해저 지진 활동(지권)으로 인해 지진 해일(수권)이 발생하는 것은 지권과 수권의 상호작용이다.

23 | ④ 지구온난화는 화석 연료 등의 사용으로 온실 기체의 농도가 크게 증가하여 지구의 평균 기온이 상승하는 현상이다.

24 | ③ 발산형 경계는 두 판이 서로 멀어지면서 맨틀 대류 현상에 의해 마그마가 상승하여 새로운 지각이 생성된다. 해양판과 해양판에서는 해령이, 해양판과 대륙판에서는 열곡대가 형성 된다. A와 D는 판과 판이 만나는 수렴형 경계이고, B는 판과 판이 어긋나는 보존형 경계이고, C는 판과 판이 멀어지는 발산형 경계이다.

25 | ① A는 중생대와 신생대 사이이므로 중생대 생물의 멸종을 말한다. 그러므로 멸종한 생물은 중생대에 살았던 공룡이다.

01	④	02	①	03	③	04	④	05	③
06	④	07	③	08	②	09	④	10	②
11	①	12	②	13	④	14	④	15	③
16	③	17	①	18	②	19	①	20	③
21	②	22	①	23	②	24	①	25	④

01 | ④ 태양광 발전은 태양의 빛 에너지를 태양 전지를 이용하여 전기 에너지로 바꾸는 발전 방식이다. 일조량에 따라 전력 생산량이 달라질 수 있다.

02 | ① 운동량＝질량(kg)×속도(m/s)＝2×6＝12kg · m/s이다.

03 | ③ 전자기 유도 현상은 자석을 코일 속에 넣었다 뺐다 하면 유도전류가 흘러서 검류계의 바늘이 움직이는 것이다. 전자기 유도의 예로는 마트의 도난장치, 교통카드, 발전기, 무선충전기 등이 있다. 변압기는 전압을 변화시키는 장치로, 각 코일에 걸린 전압은 코일의 감은 수에 비례한다.

04 | ④ 수평방향으로 던지는 운동은 등속도 운동으로 힘이 작용하지 않고 속도의 변화가 없다. 그러므로 보기ㄱ 공의 수평 방향 속력과 보기ㄷ 공에 작용하는 힘의 크기가 같다.

05 | ③

$$\frac{일(W)}{고열원(Q_1)} \times 100 = \frac{Q_1 - Q_2}{Q_1} \times 100$$

고열원에서의 열 ＝ 고열원 ＝ Q_1
일 ＝ W ＝ $Q_1 - Q_2$
저열원에서의 열 ＝ 저열원 ＝ Q_2

$$\frac{15}{75} \times 100 = 20\%$$

06 | ④ 그래핀은 흑연에서 한 층만 분리 해 낸 것으로 탄소 원자가 벌집(육각형) 모양으로 평면을 이룬다. 신소재인 그래핀은 전기 전도성이 뛰어나고, 잘 구부러지고, 전기가 잘 통하는 성질을 가지고 있어서 웨어러블 기계에 사용되는 액정소재로 쓰인다. 그리고 열 전도성이 높고, 매우 높은 강도를 가진다.

07 | ③ 13족 원소의 원자가전자는 3개로 답은 ③이다. 원자가전자란 가장 바깥 전자껍질에 있는 전자를 말한다.

⚠️ **선지 더 알아보기**

- 원자번호 3번은 리튬(Li)으로 원자가전자가 1개이고, 1족 원소이다.
- 원자번호 4번인 베릴륨(Be)은 원자가전자가 2개이고, 2족 원소이다.
- 원자번호 5번인 붕소(B)는 원자가전자가 3개고 13족 원소이다.
- 원자번호 6번 탄소(C)는 원자가전자가 4개고 14족 원소이다.

08 | ② 비활성 기체는 가장 바깥 전자 껍질의 전자 수(원자가전자 수)가 8개이고(He는 2개), 안정된 전자 배치를 가지고 있어서 다른 물질과 거의 반응하지 않고, 화합물을 잘 만들지 못한다. 대표적인 비활성 기체의 종류는 헬륨(He), 네온(Ne), 아르곤(Ar)이 있다.

09 | ④ 이온 결합은 금속원소의 양이온과 비금속원소의 음이온 간의 정전기적 인력에 의한 결합이다. 고체에서는 전기 전도성이 없고 액체(수용액)에서는 전기 전도성이 있어서 전기가 잘 흐른다. 이온 결합 물질은 상온에서 단단하나, 힘을 가하면 쪼개지거나 부스러진다.

⚠️ **선지 더 알아보기**

산소 기체는 비금속 원소인 산소원자 2개가 결합한 것으로 공유 결합이다.

10 | ② 염기성을 나타내는 이온은 수산화이온(OH^-)이다. 수산화이온을 가지고 있는 물질은 염화 칼슘으로 $Ca(OH)_2$가 정답이다.

HCl : 염산
H_2SO_4 : 황산
CH_3COOH : 시트르산

11 | ①

$$H^+ + OH^- \rightarrow H_2O$$

식을 통해 A는 수소이온을 가지고 있는 산이고, A를 넣은 용액에서 Cl^-(염화이온)이 있으므로 A는 HCl인 염산임을 알 수 있다.

12 | ② **산화** : 산소를 얻는다.
환원 : 산소를 잃는다.
산화구리 CuO : 산소를 잃어서 환원 되는 물질
탄소 C : 산소를 얻어서 산화 되는 물질

13 | ④ 유전적 다양성은 개체군 내에 존재하는 유전자의 변이가 다양한 정도를 말한다. 같은 종의 무당벌레 개체군에서 겉날개의 색과 반점무늬가 개체마다 달라지는 것은 유전적 다양성 때문이다.

14 | ④ 뉴클레오타이드는 핵산의 단위체이고, 염기 및 당과 인산으로 구성 되어 있다.

핵산의 종류는 DNA와 RNA가 있다. 그 중 DNA는 염기 A, T, C, G를 가졌다. 뉴클레오타이드는 핵산을 구성하는 기본 단위체로 염기 및 당과 인산으로 구성되어 있다.

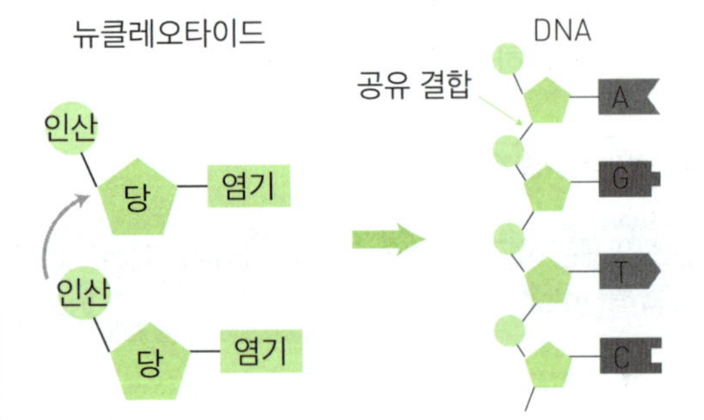

15 | ③ 세포 내 유전 정보의 흐름은 전사와 번역이라는 과정을 거친다. DNA에서 RNA로 유전 정보가 복사 되는 것을 전사라고 하며, RNA가 단백질을 합성하는 과정을 번역이라고 한다. 그러므로 ㉠은 전사고 ㉡은 번역이다.

16 | ③ 세포막은 인지질 이중층에 막 단백질이 박혀 있는 구조이다. 크기가 작은 물질은 인지질 이중층을 통해 이동하고 크기가 큰 물질은 막 단백질을 이용해서 이동한다. 세포막을 이동하는 방법은 확산으로 고농도에서 저농도로 이동한다. 물질의 크기, 종류, 특성에 따라 세포막을 이동하는 방법이 다른데 이것이 세포막의 선택적 투과성이다.

17 | ① 다윈의 자연 선택설은 특정 환경에서 생존에 적합한 형질을 지닌 종이 번성하고, 생존에 적합하지 않은 형질을 지닌 종이 도태 된다는 이론이다.

 자연 선택설

자연선택에 의한 진화과정 순서는 이러하다.
과잉생산 → 개체 변이 → 생존 경쟁 → 자연 선택 → 진화
생물은 주어진 환경에서 생존할 수 있는 것보다 더 많은 수의 자손을 낳는 **과잉생산**을 하게 되고, 이 때 생산된 개체들은 형태나 기능에서 차이를 보이는 **개체변이**가 존재한다. 이런 다양한 변이 개체들 사이에서 **생존 경쟁**이 일어나고 그 중 환경에 좀 더 잘 적응한 변이를 가진 개체가 살아남아 자손을 낳는 **자연선택**이 일어난다. 이 자연선택의 과정이 오랫동안 계속 되면 결국 새로운 종이 출현하는 **진화**가 일어난다는 이론이다.

18 | ② 생물적 요인은 생산자, 소비자, 분해자가 있다. 태양빛을 받아 광합성을 하는 식물은 생산자, 식물을 먹는 초식동물과 초식동물을 먹는 육식동물은 소비자, 동물의 사체나 배설물을 탐하는 균류나 미생물은 분해자이다. 비생물적 요인은 햇빛, 공기, 물, 토양, 온도 등과 같은 생물이 아닌 환경 요소를 뜻한다. 그러므로 참나무는 광합성을 하는 식물로 생산자이고, 햇빛은 생물이 아닌 환경 요소로 비생물적 요인이다.

19 | ① 생태계의 개체 수 피라미드는 생태계에서 먹이
사슬 각 단계의 개체 수를 그림으로 나타낸 것
이다. A는 1차 소비자이고, B는 생산자이다.

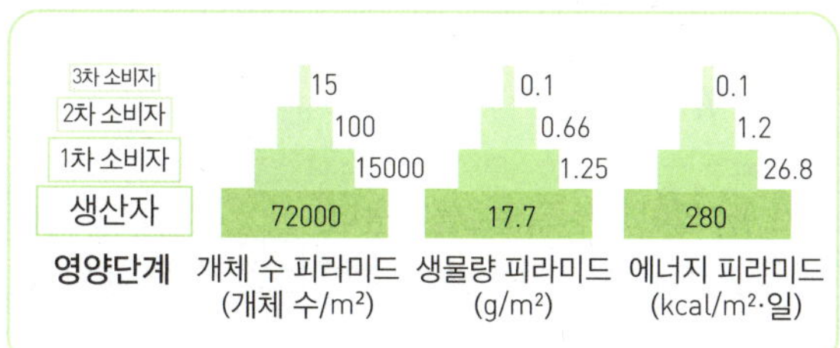

20 | ③ 지각을 구성하는 광물의 약 92%가 규산염 광
물이다. 규산염 사면체를 기본 골격으로 하여
여러 원소들이 결합하여 만들어진다. 규산염
사면체는 규소 원자 1개와 산소 원자 4개가 공
유 결합하여 사면체 모양을 이룬다.

21 | ② 수소 원자 4개가 헬륨 원자 1개로 융합하는 수
소 핵융합 반응은 많은 에너지를 방출하는 반
응으로 고온, 고밀도 별 내부에서 에너지를 생
성한다.

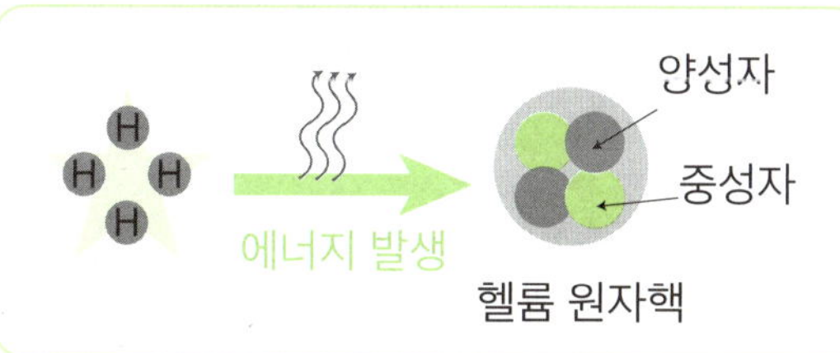

22 | ① A는 혼합층으로 바람이 강할수록 두껍게 발달
하고, 태양에너지 흡수에 의해 수온이 높다. 바
람의 혼합 작용에 의해 수온이 일정하고, 해수
가 잘 섞인다. B는 수온약층으로 대류가 일어
나지 않는 안정한 층이고, 수심이 깊어질수록
수온이 급격하게 낮아진다. C는 심해층으로 빛
이 도달하지 않아 수온이 가장 낮고, 위도나 계
절에 따른 수온 변화가 거의없다.

23 | ② A는 대륙판과 해양판이 만나는 수렴형 경계로
판과 판이 서로 충돌하면서 판이 소멸된다. 대
표적인 예로는 습곡산맥과 해구, 호상열도가
있다. B는 해양판과 해양판이 멀어지는 발산형
경계로 두 판이 서로 멀어지면서 맨틀 대류 현
상에 의해 마그마가 상승하여 새로운 지각이
생성된다. 대표적인 예로는 해령과, 열곡대가
있다.

24 | ① 고생대의 표준화석 : 삼엽충, 필석, 갑주어
중생대의 표준화석 : 공룡과 암모나이트
신생대의 표준화석 : 화폐석과 매머드

25 | ④ 지구 시스템의 주된 에너지원은 태양 에너지, 지
구 내부 에너지, 조력 에너지가 있다. 지진과 화산
활동을 일으키고, 맨틀 대류를 일으켜 판을 이동
시키는 에너지원은 지구 내부 에너지이다.

01	②	02	③	03	③	04	③	05	①
06	③	07	①	08	①	09	④	10	④
11	②	12	②	13	③	14	①	15	④
16	③	17	④	18	②	19	①	20	④
21	②	22	②	23	③	24	②	25	④

01 | ② 수소 연료 전지는 수소와 산소를 화학 반응 시켜서 전기에너지로 출력시키는 발전 장치이다. 그러므로 ㉠은 산소이다.

🔍 개념 더 보기   **수소 연료 전지**

수소와 산소의 화학반응으로 만들어진 화학 에너지를 전기 에너지로 바꾸는 장치이다. 수소는 (−)극에서 전자를 잃어버리고 수소 이온이 되어 전해질을 통해 (+)극으로 이동한다. 전자는 도선을 따라 이동하여 (+)극으로 가서 산소와 결합한다. (+)극에서 수소이온과 전자와 결합한 산소가 반응하여 물과 전기에너지, 열 에너지가 발생한다.

연료극에 반응 $H_2 \rightarrow 2H^+ + 2e^-$
공기극에 반응 $1/2\, O_2 + 2H^+ + 2e^- \rightarrow H_2O$
전자이동 → 전기에너지 발생

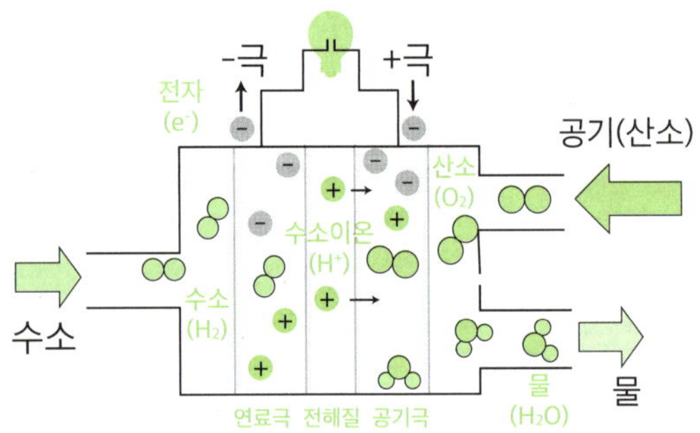

02 | ③ 고열원(100J) = 일(25J) + 저열원
저열원 = 고열원 − 일
         = 100 − 25
         = 75J

🔍 개념 더 보기   **열효율**

$$\frac{일(W)}{고열원(Q_1)} \times 100 = \frac{Q_1 - Q_2}{Q_1} \times 100$$

고열원에서의 열 = 고열원 = Q_1
저열원에서의 열 = 저열원 = Q_2
$Q_1 = W + Q_2$
$Q_2 = Q_1 - W$
$Q_1 > Q_2$
일(W)을 많이 할수록 열효율이 높다.
공급한 열에너지가 모두 일로 전환하는 열 기관은 없다.

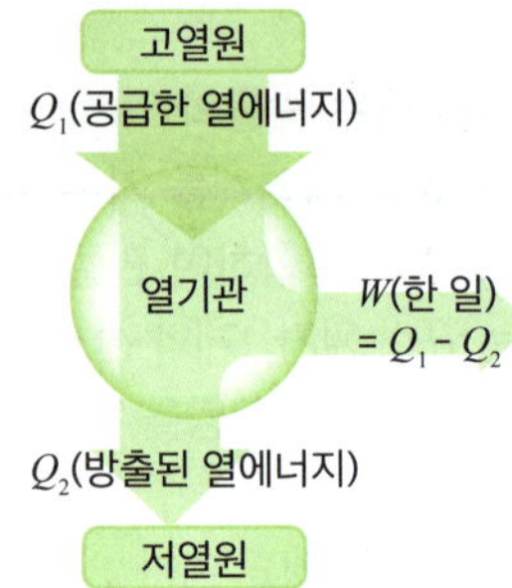

03 | ③ 검류계의 바늘은 코일 속에 자석을 넣을 때나 뺄 때, 즉 자석을 가까이 가져가거나 멀리 할 때 변한다.

04 | ③ 수평 방향의 속력은 공이 도달한 위치로 알 수 있다. 그래프를 보면 공 A가 도달한 지점이 6이고, 공 B가 도달한 지점이 18이다.
$6 \times x = 18$
$\therefore x = 3$
공 B의 수평 방향 속력
   = 공 A의 수평 방향 속력의 3배

05 | ① 전기에너지 수송 과정에서 송전 전압을 높였을 때 전류의 세기는 감소하고 손실전력도 감소한다.

🔍 개념 더 보기   **전기에너지 수송 과정**

전기에너지의 수송과정(송전)에서 가장 중요한 요소는 송전전압(V), 전류의 세기(I), 손실 전력($P_{손실}$)이다. 이 세 가지는 서로 밀접한 관계가 있으며, 특히 송전 효율과 손실을 최소화하는 데 중요한 개념이다. 송전선로에는 저항이 존재한다. 전류가 흐를 때 이 저항에서 열로 에너지가 손실되는데, 이를 손실 전력이라고 한다.

$$P_{손실} = I^2 \cdot R$$

I : 송전선로를 흐르는 전류(Ampere)

R : 송전선로의 저항(Ohm)

$P_{손실}$: 선로에서 소모되는 전력(Watt)

즉, 전류가 클수록, 저항이 클수록 손실 전력이 커진다.

전력 송전의 기본 공식

우리가 발전소에서 수요지(웹 도시)로 보내려는 전력은 보통 일정하며, 이를 다음 식으로 나타낼 수 있다.

$$P = V \cdot I$$

P : 전달하고자 하는 유효 전력

V : 송전 전압

I : 송전 전류

전력을 일정하게 유지하기 위해서는 전압이 높아지면 전류는 작아지고, 전압이 낮으면 전류는 커져야 한다. 정리하자면, 전력을 일정하게 보낼 때, 전압을 높이고 전류를 줄이면 손실을 줄일 수 있다. 이를 위해 변압기(트랜스포머)를 사용하여 송전 전압을 수백 kV(킬로볼트)까지 올린 뒤, 수요지에 도착하면 다시 낮춘다.

예시

만약 100kW의 전력을 보내야 한다면

전압이 낮고 전류가 높으면 I가 커지므로 $I^2 R$에 따라 손실 전력 급증

전압이 높고 전류가 낮으면 I가 작아져 손실 전력 감소 → 송전 효율 상승

---

06 | ③ 충격량 = 운동량 변화량

= 충돌 후(나중) 운동량 - 충돌 전(처음) 운동량

운동량(P) = 질량(m) × 속력(v)

충돌 전 운동량 = 1kg × 2m/s = 2kg · m/s

충돌 후 운동량 = 1kg × 1m/s = 1kg · m/s

충돌 전과 충돌 후 방향이 반대라서 충돌 전 운동량에 (-)를 붙여야 한다.

왜냐하면 충돌 후 운동량에서 충돌 전 운동량을 빼야 하는데 충돌 후 운동량에 (-)를 붙이면 그 값이 (-)가 되기 때문에 충돌 전 운동량에 (-)를 붙인다.

충돌 전 운동량 : -2kg · m/s

충돌 후 운동량 : 1kg · m/s

이 물체가 받은 충격량

= 1kg · m/s - (-2kg · m/s) = 3kg · m/s

운동량의 단위인 kg · m/s 는 충격량의 단위인 N · s와 같으므로 답은 3N · s이다.

---

1. 충격량(Impulse)

   정의 : 물체에 작용한 힘 × 작용시간

$$\vec{I} = \vec{F} \cdot \Delta t$$

   단위 : [충격량] = N · s = kg · m/s

    즉, 충격량의 단위는 N · s이지만,

    실제로는 kg · m/s와 동일한 차원(단위)입니다.

2. 운동량(Momentum)

   정의 : 물체의 질량 × 속도

$$\vec{p} = m \cdot \vec{v}$$

   단위 : [운동량] = kg · m/s

---

07 | ① BTB 지시약(Bromothymol Blue, 브로모티몰 블루)은 산성과 염기성을 구분하는 대표적인 산염기 지시약이다. 주로 약산성~약염기성 범위에서 색이 변해 pH 상태를 파악하는 데 사용된다. 산성은 노란색, 중성은 초록색, 염기성은 파란색이다.

노란색은 산성으로 보기 중에서 산성물질은 H^+(수소이온)을 가지고 있는 ① H_2SO_4 이다.

⚠ 선지 더 알아보기

② 수산화 나트륨, ③ 수산화 칼륨, ④ 수산화 칼슘은 OH^- (수산화 이온)을 가진 염기성 물질들이다.

---

08 | ① 주기는 가로줄로 같은 전자껍질의 개수를 의미한다. 2주기는 2개의 전자껍질을 가졌다는 의미이고, 주기율표에서 A는 2주기 16족, B는 2주기 17족으로 A와 B 모두 2주기이다. 원자번호는 주기율표에서 오른쪽으로 갈수록 크기 때문에 A보다 B의 원자번호가 더 크다. 원자가 전자의 수는 족과 관련이 있는데 A는 16족으로 원자가 전자의 수가 6개이고, B는 17족으로 원자가 전자의 수가 7개이다.

그래서 보기 ⓙ만 옳다.

09 | ④ 산소 원자는 16족으로 원자가 전자의 수가 6개
이지만, 위의 그림은 물 분자의 전자배치로 물
분자로써 산소 원자가 존재 할 때는 2개의 수소
원자와 공유 결합을 하기 때문에 가장 바깥 전
자 껍질에 들어 있는 전자의 개수는 8개이다.
이렇게 공유 결합을 하는 경우에는 옥텟규칙을
만족한다.

 **옥텟 규칙**

옥텟 규칙이란 "원자들은 화학 결합을 통해 가장 바깥 전자
껍질(＝최외각 껍질)에 8개의 전자가 채워지도록 하려는
경향이 있다"는 규칙이다.
이 규칙은 18족 비활성 기체의 안정한 전자배치를 모방하
려는 성질에서 유래했고, 대부분의 비금속 원자들이 공유
결합을 통해 이 규칙을 만족하려고 한다. 대표적인 예로 물
(H_2O), 메탄(CH_4), 암모니아(NH_3)가 있다.

예 물 분자의 옥텟 규칙
산소(O): 원자 번호 8 → 전자배치는 2, 6 → 최외각 전자 6개
수소(H): 원자 번호 1 → 전자 1개 → 옥텟이 아닌 듀엣(2
개) 규칙 적용 수소는 전자껍질 1개로, 첫번째 전
자 껍질엔 2개의 전자만이 들어간다. 그래서 듀엣
규칙이라고 부른다.
물(H_2O)의 경우: 산소는 수소 두 개와 공유결합을 하며, 수
소는 각각 1개의 전자, 산소는 각 결합에 1
개씩 총 2개를 공유한다.
산소는 최외각 전자 수＝원래 6개＋수소와 공유한2개
＝총 8개 → 옥텟 규칙 만족
수소는 각자 1개의 전자를 공유하여 2개 보유
→ 듀엣 규칙 만족

옥텟 규칙이 적용되는 이유:
원자들이 에너지적으로 안정한 상태를 추구하기 때문이
다. 비활성 기체(예 네온, 아르곤)처럼 최외각 전자가 8개인
구조는 반응성이 거의 없음 → 매우 안정함

예외도 있음: 옥텟 규칙은 매우 널리 적용되지만 모든 원자
에 해당하는 것은 아니다.
예외1) 수소: 옥텟이 아니라 듀엣(2개 전자)
예외2) 베릴륨, 보론: 8개 미만으로 결합할 수 있음
예외3) 3주기 이후 원소들 (예 P, S): 때로는 확장된 옥
텟을 가짐 (8개 초과)

10 | ④ 초전도체는 특정 온도 이하에서 전기 저항이 0
이 되는 성질이 있다. 대표적인 활용 예는 자기
장을 밀어내는 성질(마이스너 효과)이 있어 자
기 부상 열차에 활용할 수 있다.

 **초전도체**

1) 초전도체란?
어떤 물질이 특정 온도 이하로 내려가면 전기 저항이
완전히 0이 되는 현상을 보일 때, 그 물질을 초전도체라
고 부른다. 이때 나타나는 현상을 초전도 현상이라고 한
다. 처음 발견된 것은 1911년, 네덜란드의 물리학자 하
이케 카머를링 오너스가 수은에서 발견했다.

2) 초전도체의 주요 특징

특징	설명
전기저항 0	전류가 흐를 때 에너지 손실이 없음. 즉, 영구적으로 전류가 흐름
마이스너 효과	초전도체 내부에서 자기장이 완전히 밀려 나감 → 자기부상 가능
임계온도 이하에서만	초전도 현상은 반드시 특정 온도(임계온도, Tc) 이하에서만 나타남

3) 초전도체의 원리
전류는 전자의 흐름이고, 보통은 도체 내에서 전자가 이
동하면서 원자와 충돌 → 저항 발생한다. 초전도 상태
에서는 전자들이 쿠퍼쌍(Copper pairs)이라는 특별한
상태로 움직이며, 충돌 없이 이동한다 → 저항 0

4) 초전도체의 응용

분야	예시
교통	자기부상열차: 마이스너 효과로 공중에 떠서 달림
의료	MRI(자기공명영상): 강한 자기장을 안정적으로 생성
에너지	송전선: 전력 손실 없는 송전 가능 (실험 중)
과학기기	입자 가속기, 양자 컴퓨터 등

11 | ② 황산구리(II) 수용액에는 Cu^{2+} 이온이 녹아 있
다. 아연(Zn)은 구리보다 이온화 경향이 커서,
자신은 Zn^{2+} 이온이 되며, 구리 이온을 금속
구리(Cu)로 환원시킨다.
이온 반응식: 황산 이온($SO_4{}^{2-}$)은 반응에 관
여하지 않으므로 순수한 이온
반응식은 다음과 같다.

$$Zn(s) + Cu^{2+}(aq) \rightarrow Zn^{2+}(aq) + Cu(s)$$

산화: 전자를 잃는 물질
환원: 전자를 얻는 물질
Zn 은 전자를 잃어서 Zn^{2+} 가 되므로 산화 되
었고, Cu^{2+} 은 전자를 얻어서 Cu가 되므로 환
원되었다.

12 | ② 중화 반응은 산과 염기가 반응하여 물과 염이
생성 되는 반응이다. 중화 반응시 중화열이
발생하는데 수소이온과 수산화이온이 많을수
록 중화 반응이 더 활발히 일어나고 그러면
중화열이 더 많이 발생한다.

$$HCl + NaOH \rightarrow H_2O + NaCl$$

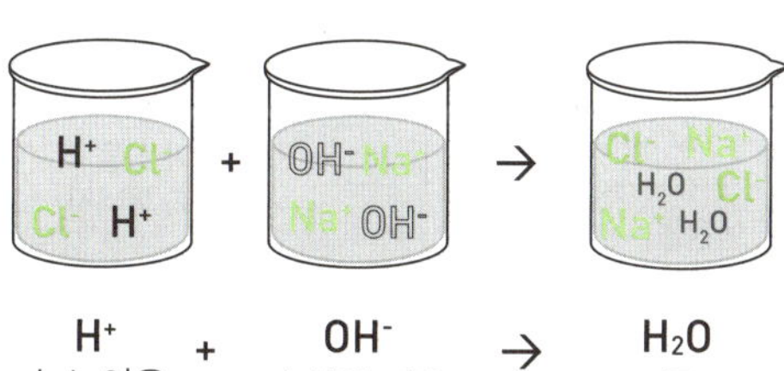

$$H^+ + OH^- \rightarrow H_2O$$
수소 이온   수산화 이온   물

13 | ③ 단백질의 기본단위(단위체)는 아미노산이고,
단백질은 펩타이드 결합을 한다. 또한, 단백질
은 탄소화합물로 우리 몸의 주요 에너지원이
고 근육, 세포막, 효소, 호르몬, 항체, 헤모글로
빈 구성하는 물질이다.

1) 아미노산과 단백질의 관계성
두 개의 아미노산이 펩타이드 결합을 통해 디펩타이드
가 되고, 1개의 아미노산 더 결합을 해서 3개의 아미노
산이 결합한 것을 트리펩타이드라고 하고 여러 개의 아
미노산이 결합하면 폴리펩타이드가 되고, 폴리 펩타이
드가 모여서 아미노산이 50개 이상이 되면 단백질이 된
다. 그러므로 단백질의 단위체는 아미노산이다.

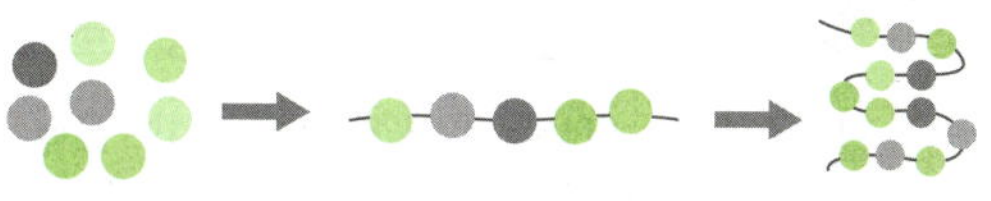

2) 펩타이드 결합
두 개의 아미노산이 결합할 때, 하나의 물 분자가 빠져나
오면서 형성되는 화학 결합이다. 이 결합은 단백질을 구
성하는 기본 단위인 아미노산끼리 연결될 때 만들어진다.
아미노산의 기본 구조는 $-NH_2$: 아미노기, $-COOH$: 카
복실기, R기: 각 아미노산마다 다른 곁가지로 이루어 진
다. 펩타이드 결합시 한 아미노산의 카복실기($-COOH$)와
다른 아미노산의 아미노기($-NH_2$)가 결합하며 H_2O (물 1
분자)가 빠져나온다.

< 아미노산의 기본구조 >

< 펩타이드 결합 >

14 | ① 핵이란 세포 내의 유전 정보를 저장하고, 세포의 생명 활동을 조절하는 중심 소기관이다. 동물세포에서는 보통 하나의 핵이 존재하며, 식물세포에도 핵이 있다. 진핵세포의 주요 특징 중 하나이다.

<핵의 주요 기능>

기능	설명
유전 정보 저장	DNA(디옥시리보스)가 존재 → 유전 형질과 단백질 합성 정보 보유
단백질 합성 지시	mRNA를 통해 핵 밖으로 정보 전달
세포 생명 활동	성장, 분열, 물질 합성 등 전체 생명 활동 통제
세포 분열의 중심	DNA 복제 → 유전 정보의 정확한 전달

세포 소기관의 특징

핵 : 핵막(이중막)과 핵공이 있음, 유전정보(DNA) 저장 , 세포 생명 활동 조절, 세포 분열의 중심
미토콘드리아 : 이중막 구조, 세포 호흡으로 ATP(에너지) 생산
리보솜 : 알갱이 모양, 단백질 합성
소포체 : 리보솜에서 합성한 단백질을 운반
골지체 : 소포체에서 전달 받은 단백질을 세포 밖으로 분비
중심립 : 미세소관 구조로 1쌍(2개)을 이루며 세포 분열시 단백질과 함께 중심체 구조를 형성
액포 : 노폐물 저장 장소로 늙은 식물 일수록 크기가 큼
세포벽 : 세포막 바깥쪽에 있는 단단한 구조물로서 세포의 형태를 유지하는 역할
엽록체 : 빛 에너지를 흡수 하여 포도당을 합성

	동물세포	식물세포
공통 세포소기관	핵, 미토콘드리아, 리보솜, 소포체, 골지체	
차이점	중심립	액포, 세포벽, 엽록체

15 | ④ 효소는 반응물인 기질과 결합하여 활성화 에너지를 낮추어 물질 대사의 속도를 증가시키는 생체 촉매이다. key와 자물쇠처럼 특정한 반응물에만 작용하고, 반응 후에 생성물과 분리된다. 또한, 반응 전후 자신은 변하지 않으며(재사용 가능) 반응 속도만 변화시킨다.

1) 정의
효소는 생체 내에서 물질대사를 촉진하는 생체 촉매로, 화학 반응의 활성화 에너지를 낮추어 반응 속도를 증가시킨다.
2) 작용 원리
효소는 특정 반응물(기질)과 결합하여 활성화 에너지를 감소시켜서 반응이 더 쉽게 일어나도록 도와줌
3) 기질 특이성
- 효소는 자물쇠와 열쇠(Key - Lock Model)처럼 특정한 기질과만 결합
- 잘 맞는 기질만 작용 → 기질 특이성(Specificity)
4) 활성화 에너지 감소
효소는 반응물과 생성물 사이의 에너지 차이(ΔG)에는 영향을 주지 않고, 단지 활성화 에너지만 낮춰서 반응을 더 빠르게 진행시킨다. 따라서 더 많은 분자가 반응에 참여 가능 → 반응 속도 증가
5) 반응 전후 변화
- 효소는 반응 전후에도 변하지 않음 (스스로는 소비되지 않음)
- 여러 번 반복해서 사용할 수 있음

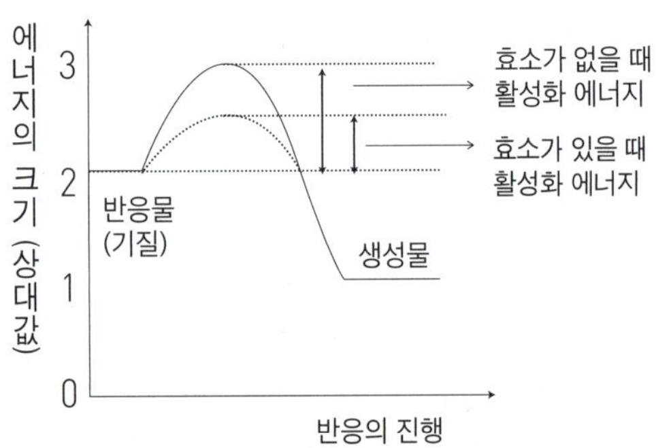

[발열 반응(이화)의 활성화 에너지]

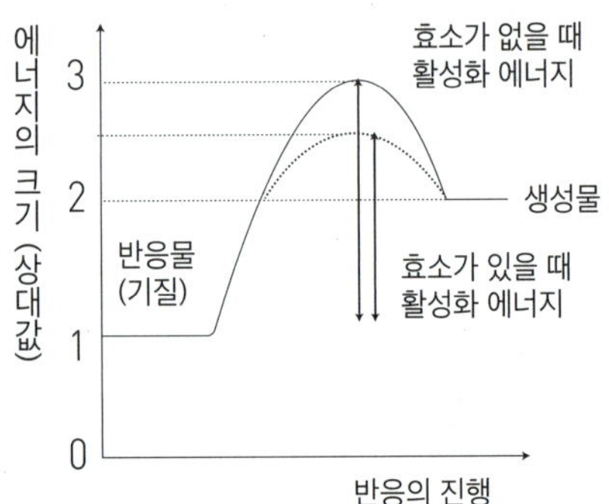

[흡열 반응(동화)의 활성화 에너지]

16 | ③ DNA는 이중가닥이고, 염기의 종류가 A, T, C, G 이다. RNA는 단일가닥이고, 염기의 종류가 A, U, C, G이다. 상보적 결합은 DNA에서는 A와 T가, C와 G가 RNA에서는 A와 U가, C가 G가 짝지이다. 그러므로 ㉠은 RNA의 구아닌(G) 염기이다.

DNA와 RNA의 비교

DNA	구분	RNA
이중 나선	구조	단일 가닥
디옥시리보스	당	리보스
아데닌(A), 구아닌(G), 사이토신(C), 타이민(T)	염기	아데닌(A), 구아닌(G), 사이토신(C), 유라실(U)
유전정보저장	기능	유전 정보 전달, 단백질 합성에 관여

17 | ④ 종 다양성은 한 지역 또는 생태계 안에 존재하는 다양한 종의 수와 그 분포 상태를 의미한다. 생물다양성의 세 가지 구성 요소 중 하나이고, 한 지역에 종의 수가 많고, 골고루 분포되어 있을수록 종 다양성이 높다고 본다. 그러므로 종 다양성이 가장 높은 지역은 A, B, C, D, E 종이 골고루 분포하고 있는 (가)지역이다.

종 다양성

1) 종 다양성의 구성 요소

요소	설명
종 풍부도	존재하는 종의 총 개수. 많을수록 다양성이 높음
종 균등도	각 종이 얼마나 고르게 분포되어 있는가. 특정 종이 지나치게 많으면 균등도 낮음

2) 종 다양성이 중요한 이유

영역	중요성
생태계 안정성	다양한 종이 존재하면 외부 환경 변화에 탄력적으로 대응 가능
생물 간 상호작용	먹이망, 공생, 경쟁, 분해 등 다양한 생태계 기능 유지
자원 활용	의약품, 식량, 유전 자원 등 인류에게 실질적 가치 제공
진화 가능성	다양한 종은 진화와 적응의 재료가 풍부함

3) 종 다양성 감소의 원인

원인	예시
서식지 파괴	도시화, 산림 벌채, 농지 개발
환경 오염	대기·수질 오염, 농약, 플라스틱 등
기후 변화	온도 상승, 서식지 범위 이동, 생태계 교란
외래종 유입	생태계 균형 파괴
인간 활동	남획, 밀렵, 단일 작물 재배 등

4) 종 다양성 보전 방법
   - 보호구역 설정 (국립공원 등)
   - 멸종위기종 보호
   - 생태 복원 사업
   - 지속 가능한 개발 실천
   - 환경 교육 및 인식 제고

18 | ② 같은 종의 개체들이 일정한 지역에 모여 사는 집단을 개체군이라 하고, 여러 개체군이 함께 어우러져 형성하는 생물 집단을 군집이라고 한다.

생태학적 계층

생태학적 계층은 다음과 같이 구성된다.
개체 → 개체군 → 군집 → 생태계 → 생물권
1) 개체 : 한 마리의 생물체 또는 독립적으로 살아가는 생물 하나
예 : 토끼 한 마리, 소나무 한 그루, 사람 한 명, 생명 활동을 스스로 유지하며 살아갈 수 있음
2) 개체군 : 같은 종의 개체들이 일정한 지역에 모여 사는 집단, 동일한 종(species), 동일한 지역에 거주, 자연적으로 교배가 가능

예: 한 들판에 사는 토끼 무리, 연못 속 붕어 떼, 한 산림 지역의 소나무들

3) 군집: 여러 개체군이 함께 어우러져 형성하는 생물 집단. 같은 지역에서 사는 서로 다른 종의 개체군들의 집합. 다양한 종 간의 상호작용(먹이 관계, 공생, 경쟁 등)이 존재

예: 들판의 토끼, 여우, 풀, 곤충들이 함께 어우러진 생물 집단

19 | ① 풀은 생산자이고, 풀을 먹는 들쥐, 토끼, 메뚜기는 1차 소비자이다. 참새는 1차 소비자인 메뚜기를 먹는 2차 소비자이고, 3차 소비자인 올빼미의 먹이이다. 그래서 참새가 사라지면 올빼미의 먹이가 사라지는 격이지만, 올빼미에게 들쥐도 먹이라서 올빼미가 완전히 사라지는 것은 아니다. 매는 3차 소비자로 들쥐, 토끼, 참새를 잡아먹는데 매가 사라지면 매의 먹이였던 들쥐의 개체 수는 일시적으로 증가할 것이다.

🔍 개념 더 보기 · **생태계의 먹이 관계(에너지 흐름)**

생태계에서 에너지는 태양 → 생산자 → 소비자 → 분해자의 순서로 흐른다.
이 흐름은 다음과 같은 영양 단계로 나눌 수 있다.

영양단계	설명	예시
생산자	광합성으로 무기물을 유기물로 전환, 생태계에 에너지 공급	식물, 조류, 남세균 등
1차 소비자	생산자를 먹는 초식 동물	메뚜기, 사슴, 토끼
2차 소비자	1차 소비자를 먹는 육식동물	개구리, 뱀, 여우
3차 소비자	2차 소비자를 먹는 상위 포식자	독수리, 호랑이, 인간
분해자	죽은 생물 배설물을 분해하여 무기물로 환원	곰팡이, 세균, 지렁이 등

예시) 초원 생태계
풀(생산자)→메뚜기(1차 소비자)→개구리(2차 소비자)→뱀(3차 소비자)
이때 메뚜기가 급격히 줄면, 개구리가 굶고, 결국 뱀도 줄게 되어 전체 균형이 무너짐. 따라서 각 단계가 적절히 유지되어야 생태계 평형이 지속됨.

20 | ④ 태양의 스펙트럼에 수소와 헬륨의 스펙트럼의 띠가 그대로 나타나므로 태양은 수소와 헬륨을 포함하고 있음을 알 수 있다. 그러므로 태양의 대기는 다양한 원소로 구성 되어 있음도 알 수 있다. 수소와 헬륨의 스펙트럼은 방출 스펙트럼으로 방출선이 나타난다.

🔍 개념 더 보기 · **스펙트럼의 종류**

1) **연속 스펙트럼**
   - 모든 파장의 빛이 끊김 없이 연속적으로 나타나는 스펙트럼
   - 백열 전구의 필라멘트처럼 고온의 고체, 액체, 고압 기체에서 발생
   - 무지개, 태양빛 프리즘 분해 결과도 여기에 해당

2) **선 스펙트럼**
   - 특정한 파장의 빛만 방출되어 선 형태로 보이는 스펙트럼
   - 희박한 기체 원소가 고온에서 에너지를 받아 방출할 때 발생
   - 각 원소마다 고유한 선 스펙트럼을 가짐 → 원소 분석에 사용

3) **흡수 스펙트럼**
   - 연속 스펙트럼 중에서 특정 파장만 흡수되어 검은 선이 생긴 형태
   - 연속광원 → 기체 원소 통과 → 그 원소가 특정 파장을 흡수
   - 흡수한 파장은 그 원소의 방출 선 스펙트럼과 일치

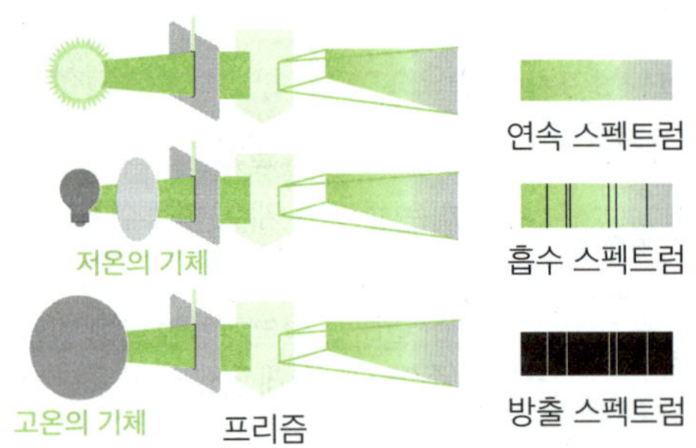

21 | ② 석회암 지대에서 지하수의 작용(수권)으로 석회 동굴(지권)이 만들어졌다. 그러므로 수권과 지권의 작용을 나타내는 기호인 B가 정답이다.

22 | ② 태풍은 태양에너지로부터 발생한 현상이고, 지진은 지구 내부 에너지로부터 발생했다.

지구 시스템의 에너지원

지구 시스템의 에너지원은 태양 에너지, 지구 내부 에너지, 조력 에너지가 있다. 태양 에너지로 인해 수소 핵융합 반응, 기상 현상, 대기와 해수의 순환, 광합성이 일어나고 지구 내부 에너지로 인해 지진과 화산활동이 일어나고 조력 에너지로 밀물과 썰물 현상이 일어난다.

23 | ③ 암석권이란 지각과 상부 맨틀의 일부를 포함한, 지구의 단단하고 딱딱한 바깥층으로 두께는 약 100km 내외이고, 여러 개의 큰 조각(판)으로 나뉘어져 있다. 이 암석권 조각들을 바로 "판"이라고 부른다. 판은 지구 표면을 덮고 있는 암석권이 여러 개의 조각으로 나뉘어, 마치 거대한 퍼즐 조각처럼 움직인다. 지구에는 약 7개의 주요 판과 여러 개의 소판이 존재한다. 각 판은 해양 지각 + 대륙 지각 또는 그 둘 중 하나와 상부 맨틀의 일부로 이루어진다. 이 판들은 유동적인 맨틀의 운동(맨틀 대류)에 의해 천천히 움직인다. 그래서 연간 수 cm 정도 이동한다. 그림에서 지각과 상부 맨틀의 일부를 가리키는 것은 C이므로 C가 판이다.

24 | ② 사막화는 건조한 지역일수록 발생 하기 쉽고, 가뭄이 지속 되는 자연현상이다. 사막화의 원인은 무분별한 삼림 벌채 등과 같은 인위적인 요소가 있다.

25 | ④ 삼엽충은 바다에서 번성한 절지동물로 고생대 때 살았던 생물이다. 고생대의 대표 화석은 삼엽충, 방추충, 양서류, 산호류, 완족류, 양치식물이 있다. 양치식물은 최초의 대형 육상 식물로 지금의 석탄 형성의 원인으로 밝혀진 생물이다.

지질시대

1) 선캄브리아대

시기 : 약 46억 년 전 지구 탄생부터 약 5억 4천만 년 전 고생대 시작 전까지

특징 :
- 지질시대 전체의 약 88%를 차지할 정도로 매우 길고 오래된 시기이다.
- 화석이 거의 없고, 지층도 많이 변형되어 연구가 어려워 '암흑의 시대'라고도 불린다.

주요 생물과 화석

생물	특징	관련 화석
남세균 (시아노박테리아)	광합성 수행 → 산소 생성 시작	스트로마톨라이트 화석
에디아카라 생물	몸이 부드러운 초기 다세포 생물	해파리 모양, 깃털 모양 등

* 스트로마톨라이트 : 남세균이 층층이 쌓여 만든 구조물 → 선캄브리아대 대표 화석

2) 고생대

시기 : 약 5억 4천만 년 전 ~ 2억 5천만 년 전

특징 :
- 생물 다양성 급증 (캄브리아기 생명 폭발)
- 무척추동물→어류→양서류→파충류 순으로 진화
- 식물의 육상 진출 시작

주요 생물과 화석

생물	특징	대표 화석
삼엽충	바다에서 번성한 절지동물	삼엽충 화석
방추충	석회질 껍질 가진 해양 생물	방추충 화석
양서류	물과 육지 모두에서 생활 가능	초기 양서류 뼈 화석
산호류, 완족류	초기 해양 생물 다양화	산호 화석, 완족류 화석
양치 식물	치초의 대형 육상 식물	양치식물 화석 (석탄 형성 원인)

3) 중생대

  시기 : 약 2억 5천만 년 전 ~ 6천 6백만 년 전

  특징 :

  - 공룡의 시대 (지배적 육상 동물)

  - 파충류의 전성기

  - 겉씨식물(소나무, 은행나무 등) 번성

  - 후기에는 새와 포유류의 조상 등장

  주요 생물과 화석

생물군	설명	대표 화석
공룡	육상 생태계 지배	티라노사우루스, 트리케라톱스
익룡	하늘을 날던 파충류	익룡 화석
어룡, 수장룡	바다에 살던 파충류	어룡 화석, 수장룡 화석
겉씨 식물	씨가 겉에 노출된 식물	소철, 은행나무 잎 화석
시조새	조류의 조상	깃털 가진 공룡형 화석 (아르카이옵테릭스)

4) 신생대

  시기 : 약 6천 6백만 년 전 ~ 현재

  특징 :

  - 공룡 멸종 후 포유류의 시대 개막

  - 현대 조류, 포유류, 꽃피는 식물(속씨식물)이 번성

  - 인류 등장 (신생대 제4기)

  주요 생물과 화석

생물군	설명	대표 화석
포유류	육상·해양·공중 모두에 적응	매머드, 검치호
현대 조류	다양한 환경에 적응한 조류	펭귄, 황새, 매 화석 등
속씨식물	씨가 열매 안에 있는 식물	꽃, 열매 화석
인류 조상	초기 인류, 직립 보행 시작	오스트랄로피테쿠스, 호모 에렉투스 화석

01	③	02	④	03	③	04	①	05	①
06	①	07	③	08	④	09	②	10	④
11	①	12	③	13	②	14	③	15	④
16	②	17	④	18	④	19	②	20	③
21	①	22	②	23	③	24	③	25	④

01 | ③ 바람의 운동 에너지를 이용하여 전기 에너지를 생산하는 발전 방식은 풍력 발전으로 날씨의 영향을 받는다. 바람의 방향과 세기에 따라 전력 생산량이 일정하지 않다.

⚠ **선지 더 알아보기**

수력 발전:물의 낙차나 흐름을 이용해 터빈을 돌려서 전기 에너지를 생산

조력 발전:밀물과 썰물로 생기는 바닷물의 높이차를 이용하여 전기 에너지를 생산

태양광 발전:태양의 빛 에너지를 태양 전지를 이용해 전기 에너지를 생산

02 | ④ 전자기 유도는 자석의 운동이나 자기장의 변화로 인해 코일에 전류가 흐르도록 하는 현상이다. 자기장이 변할 때만 전류가 유도되며, 코일의 감은 수가 많을수록 전류가 세게 유도 된다. 이 원리는 발전기, 무선 충전기 등 여러 전기 기기의 기본 원리로 사용된다.

03 | ③ 태양 중심부의 매우 높은 온도와 압력에서 수소 원자핵(양성자) 4개가 융합해 헬륨 원자핵 1개를 만들고 에너지를 방출한다. 이 반응에서 나오는 에너지가 태양의 빛과 열의 원천이다. 그래서 태양의 수소핵융합은 별의 생명 유지와 지구 생명체 존재에 필수적인 핵심 에너지원이다.

04 | ①

$$\frac{20}{100} \times 100 = 20\%$$

열효율은 20%이다.

🔍 **개념 더 보기** **열효율**

$$\frac{일(W)}{고열원(Q_1)} \times 100 = \frac{Q_1 - Q_2}{Q_1} \times 100$$

고열원에서의 열 = 고열원 = Q_1

저열원에서의 열 = 저열원 = Q_2

$Q_1 = W + Q_2$

$Q_2 = Q_1 - W$

$Q_1 > Q_2$

일(W)을 많이 할수록 열효율이 높다.

공급한 열에너지가 모두 일로 전환하는 열 기관은 없다.

05 | ① 운동량 = 질량 × 속도

A의 운동량 = 2kg × 3m/s = 6kg·m/s

B의 운동량 = 1kg × 2m/s = 2kg·m/s

A 운동량이 6이고, B의 운동량이 2이므로 3배다.

06 | ① 공유 결합은 비금속 원소의 원자들이 각각 전자를 내놓아 전자쌍을 공유하면서 이루어지는 화학 결합이다. 비금속 원자들이 공유결합을 하게 되면 대부분 분자가 만들어 진다. 그래서 답은 물 분자이다.

⚠ **선지 더 알아보기**

염화 칼슘, 염화 나트륨, 산화 마그네슘은 이온 결합이다. 이온 결합은 금속 원소의 양이온과 비금속 원소의 음이온의 정전기적 인력에 의한 결합이나.

07 | ③ 자유 낙하 운동에서 수평방향은 등속도 운동으로 힘이 작용하지 않고, 연직 아래 방향은 등가속도 운동으로 일정한 속력이 증가하며, 힘(중력)이 작용한다.

08 | ④ 원자가전자는 가장 바깥 전자껍질에 있는 전자로 염소 원자의 원자가전자수는 7개이다. 주기는 전자껍질의 개수로 염소원자는 3주기이다. 염소는 비금속 원소이고 비금속 원소는 전기와 열을 잘 전달하지 못하고, 대체로 부서지기 쉬우며, 주로 기체나 고체 상태로 존재하는 원소이다.

09 | ②　1) 산화철(Fe_2O_3) → Fe
　　　　산소를 잃는다 ⇒ 환원(reduction)
　　　　⇒ Fe_2O_3는 환원되는 물질(산화제)
　　　2) 일산화탄소(CO) → 이산화탄소(CO_2)
　　　　산소를 얻는다 ⇒ 산화(oxidation)
　　　　⇒ CO는 산화되는 물질(환원제)

철의 제련 과정에서 일산화탄소(CO)는 산화철(Fe_2O_3)로부터 산소를 제거하여 철(Fe)을 생성하므로 환원제로 작용하고, 자신은 산화되어 이산화탄소(CO_2)가 된다.

개념 더 확인 산화제와 환원제

산화 : 산소를 얻는 반응
환원 : 산소를 잃는 반응
산화되는 물질 : 환원제
환원되는 물질 : 산화제

10 | ④　염기의 공통적 성질을 나타내는 이온은 수산화 이온(OH^-)이다. 염기는 pH가 7 초과 이고, 대표적인 예로 비누와 치약이 있다. 수산화 이온(OH^-)을 공통적으로 가졌고, 손으로 만지면 미끈거리고, 쓴 맛이며, 금속과 탄산 칼슘과 반응하지 않는 특징을 가지고 있다.

11 | ①　중화 반응은 산(수소 이온, H^+)과 염기(수산화 이온, OH^-)가 만나 물(H_2O)과 염을 만드는 반응이다. KOH(수산화 칼륨)는 강염기이므로, 중화가 일어나려면 산성 용액이 필요하다. 보기 중 산은 수소 이온, H^+을 가진 HCl(염산)이다.

⚠ 선지 더 알아보기

② NaOH(수산화 나트륨), ③ $Ca(OH)_2$(수산화 칼슘),
④ $Mg(OH)_2$(수산화 마그네슘)
: 모두 염기로 수산화 이온, OH^-를 가지고 있다.

12 | ③　탄소 나노 튜브는 신소재이고, 탄소 원자로 이루어져 있다. 그래핀이 튜브 형태로 결합된 구조로 구리보다 열전도율이 뛰어나다.

13 | ②　세포 내 유전 정보의 흐름은 전사와 번역이라는 과정을 거친다. DNA에서 RNA로 유전 정보가 복사 되는 것을 전사라고 하며, RNA가 단백질을 합성하는 과정을 번역이라고 한다. DNA에서 상보적인 염기 서열은 A와 T, C와 G이다. 그러므로 ㉠은 T이다. RNA는 DNA와 달리 A, U, C, G 염기를 가졌고, 상보적인 염기 서열은 A와 U, C와 G라서 ㉡은 U이다.

14 | ③　DNA는 핵산의 한 종류로, 단위체는 뉴클레오타이드이며 당으로 디옥시리보스를 가진다. 유전 정보를 저장하는 기능을 하며, 구조는 이중 나선 형태로 되어 있다. DNA를 이루는 염기는 아데닌(A), 티민(T), 사이토신(C), 구아닌(G)이고, A는 T와, C는 G와 상보적으로 결합한다.

15 | ④　세포막은 인지질 이중층에 막 단백질이 박혀 있는 구조이다. 크기가 작은 물질(산소)은 인지질 이중층을 통해 확산 되고 크기가 큰 물질(포도당)은 막 단백질(수송 단백질)을 이용해서 촉진확산이 일어나 이동한다. 세포막을 이동하는 방법은 확산으로 고농도에서 저농도로 이동하는 것이다.

⚠ 선지 더 알아보기

삼투 : 농도가 다른 두 용액이 반투막을 사이에 두고 구분되어 있을 때 용매(물)가 농도가 낮은 곳에서 높은 곳으로 이동하는 현상

16 | ②　효소는 반응물인 기질과 결합하여 활성화 에너지를 낮추어 물질 대사의 속도를 증가시키는 생체 촉매이다. 효소는 활성화 에너지만 감소시키며 반응물과 생성물의 에너지 차이에는 영향을 주지 않는다. 효소는 반응 전후 자신은 변하지 않으며 반응 속도를 변화시킨다. 활성화 에너지 이상의 운동 에너지를 가진 입자가 반응이 일어나는데 효소가 있을 때는 활성화 에너지가 낮아지므로 반응 할 수 있는 분자 수가 늘어나 반응 속도가 빨라진다.

17 | ④ 생물적 요인은 생산자, 소비자, 분해자가 있다.
태양빛을 받아 광합성을 하는 식물은 생산자,
그것을 먹는 초식동물과 초식동물을 먹는 육식
동물은 소비자, 동물의 사체나 배설물을 탐하
는 균류나 미생물은 분해자이다. 비생물적 요
인은 햇빛, 공기, 물, 토양, 온도 등과 같은 생물
이 아닌 환경 요소를 뜻한다. 그러므로 햇빛은
생물이 아닌 환경 요소로 비생물적 요인이고,
참나무는 광합성을 하는 식물로 생산자이고,
참나무의 열매를 먹는 다람쥐는 소비자이다.

18 | ④ A는 3차 소비자, B는 2차 소비자, C는 1차 소비
자, D는 생산자이다. D(생산자)가 개체 수가 가
장 많다.

 생태 피라미드

일반적으로 안정한 생태계에서는 에너지 양 뿐 아니라 개
체 수와 생물량도 상위 영양 단계로 갈수록 감소하는 피라
미드 형태를 나타낸다.

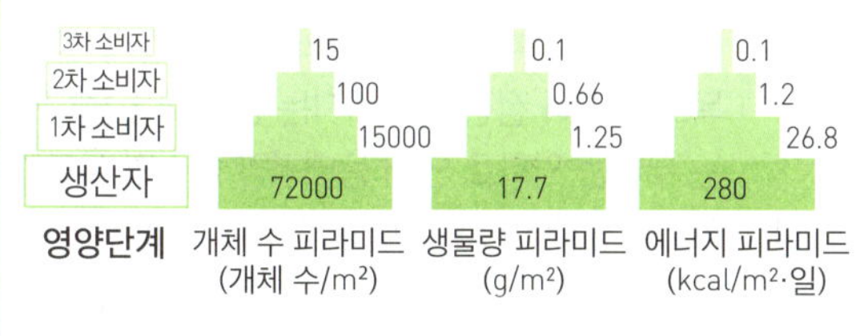

19 | ② 대기와 물의 순환이나 다양한 날씨 변화를 일
으키는 지구 시스템의 에너지원은 태양 에너지
이다.

 지구 시스템의 에너지원

지구 시스템의 에너지원은 태양 에너지, 지구 내부 에너지,
조력 에너지가 있다. 태양 에너지로 인해 수소 핵융합 반
응, 기상 현상, 대기와 해수의 순환, 광합성이 일어나고 지
구 내부 에너지로 인해 지진과 화산활동이 일어나고 조력
에너지로 밀물과 썰물 현상이 일어난다.

20 | ③ 초대륙인 판게아가 분리 되고 다양한 공룡이
번성한 지질 시대는 중생대이다.
중생대의 대표적인 표준 화석은 공룡과 암모나
이트가 있다.

 지질시대의 특징

고생대 : 판게아 형성, 삼엽충, 필석, 갑주어
중생대 : 공룡, 암모나이트
신생대 : 화폐석, 매머드

21 | ① 지권은 지각(A), 맨틀(B), 내핵(C), 외핵(D)으로
이루어져 있다. 지각은 대륙지각과 해양 지각
으로 이루어져 있다. 맨틀은 맨틀 대류가 일어
나고 지권 전체 부피의 약 83%를 차지하는 층
이다. 외핵은 액체 상태로, 철과 니켈이 주성분
이다. 외핵의 대류로 인해 지구 자기장이 형성
된다. 내핵은 고체로 철과 니켈이 주성분이다.

22 | ② 수권은 혼합층, 수온약층, 심해층으로 이루어
져 있다. 혼합층은 태양 에너지를 흡수해 수온
이 높고, 바람의 혼합 작용에 의해 수온이 일정
하다. 바람이 강할수록 두껍게 발달한다. 수온
약층은 수심이 깊을수록 수온이 급격히 낮아지
고 대류가 일어나지 않는 안정한 층이다. 심해
층은 빛이 도달하지 않아 수온이 매우 낮고, 위
도나 계절에 따른 수온 변화가 거의 없다.

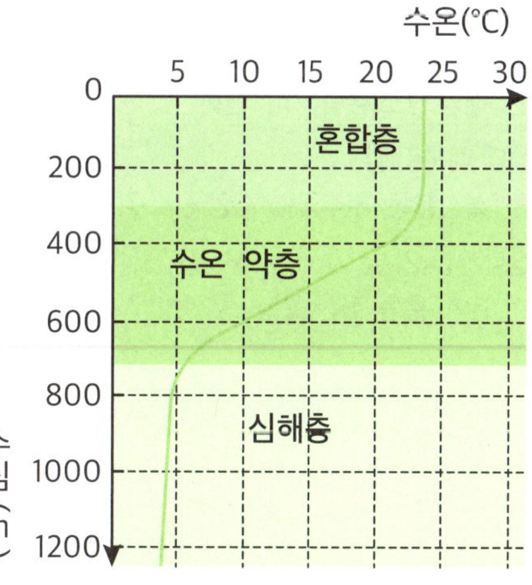

23 | ③ 보존형 경계는 판과 판이 어긋나는 경계로 지
       각이 새로 만들어지거나 소멸하지 않기 때문에
       보존형이라고 부른다. 이 때 형성되는 대표적
       인 지형은 변환 단층이고, 예는 산안드레아스
       단층이다.

해구: 판과 판이 만나는 수렴형 경계로 해양판이 대륙판 밑
    으로 섭입하면서 생성된다. 매우 깊은 바다 골짜기이
    고, 예는 마리아나 해구이다.
해령: 판과 판이 멀어지는 발산형 경계로 해양판과 해양판
    이 멀어지면서 새로운 해양 지각이 생성된다. 예는
    대서양 중앙 해령이다.
습곡산맥: 판과 판이 만나는 수렴형 경계로 대륙판과 대륙
    판이 충돌하면서 생성된다. 거대한 산맥이고, 예
    는 히말라야 산맥, 알프스 산맥이다.

24 | ③ 대멸종은 짧은 기간에 많은 생물 종이 사라지
       는 사건으로 총 5번의 대멸종이 있고, 3번의 대
       멸종은 고생대에서, 2번의 대멸종은 중생대에
       서 일어났다. 지구 역사상 가장 큰 규모의 멸종
       은 고생대 말 페름기(C)에 일어났다.

A 고생대 오르도비스기 말
 - 원인 : 빙하기 해수면 하강

B 고생대 데본기 말
 - 원인 : 해양 산소 부족, 기후 변화

C 고생대 페름기 말
 - 원인 : 화산활동, 기후급변, 해양 산소 감소

D 중생대 백악기 말
 - 원인 : 운석 충돌, 화산 활동

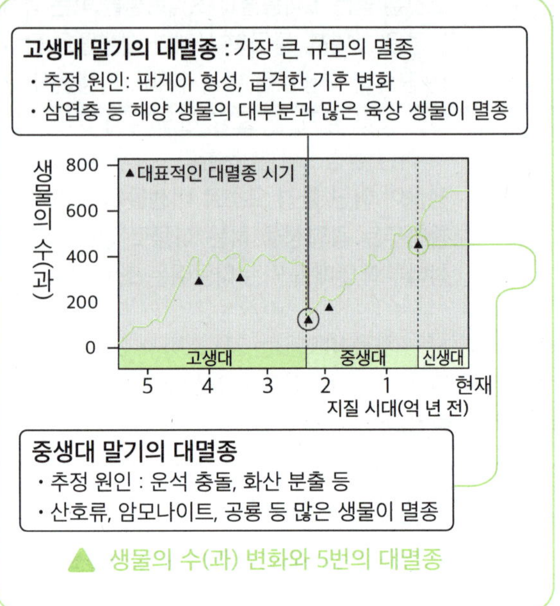

▲ 생물의 수(과) 변화와 5번의 대멸종

25 | ④ 사막화는 기후변화나 인간의 과도한 경작 및 방
       목으로 땅이 점점 황폐해지는 현상이다. 엘니뇨
       는 무역풍 약화로 인해 동태평양 해수면 온도가
       상승해 동태평양은 장마가 일어나고 서태평양은
       가뭄이 생긴다.

고등학교 졸업학력
검정고시

한국사
정답 및 해설

정답표

2021년 1회

01	①	02	④	03	③	04	②	05	④
06	①	07	②	08	③	09	①	10	②
11	③	12	①	13	③	14	②	15	④
16	①	17	③	18	④	19	①	20	①
21	①	22	②	23	③	24	④	25	④

2021년 2회

01	③	02	④	03	④	04	①	05	②
06	①	07	①	08	②	09	①	10	③
11	②	12	①	13	①	14	①	15	①
16	④	17	②	18	④	19	①	20	③
21	④	22	③	23	③	24	④	25	③

2022년 1회

01	③	02	①	03	④	04	②	05	①
06	②	07	③	08	④	09	④	10	③
11	②	12	①	13	②	14	①	15	①
16	②	17	④	18	①	19	③	20	②
21	④	22	①	23	②	24	④	25	①

2022년 2회

01	①	02	④	03	③	04	①	05	④
06	④	07	③	08	①	09	①	10	④
11	③	12	④	13	③	14	①	15	④
16	②	17	④	18	②	19	④	20	④
21	③	22	③	23	①	24	②	25	④

2023년 1회

01	③	02	①	03	④	04	②	05	②
06	③	07	②	08	②	09	④	10	①
11	①	12	④	13	①	14	①	15	④
16	③	17	④	18	③	19	②	20	④
21	①	22	②	23	①	24	④	25	④

2023년 2회

01	③	02	①	03	②	04	③	05	④
06	④	07	②	08	③	09	①	10	①
11	④	12	④	13	③	14	①	15	②
16	①	17	④	18	④	19	③	20	②
21	④	22	④	23	③	24	②	25	①

2024년 1회

01	④	02	①	03	①	04	③	05	②
06	①	07	③	08	④	09	①	10	④
11	④	12	③	13	②	14	③	15	①
16	④	17	①	18	④	19	③	20	④
21	④	22	②	23	②	24	②	25	④

2024년 2회

01	①	02	④	03	②	04	③	05	②
06	①	07	①	08	②	09	④	10	④
11	④	12	③	13	①	14	④	15	②
16	①	17	③	18	①	19	③	20	①
21	③	22	④	23	③	24	③	25	④

2025년 1회

01	①	02	④	03	①	04	②	05	④
06	②	07	①	08	①	09	③	10	②
11	②	12	③	13	①	14	④	15	④
16	④	17	②	18	②	19	①	20	④
21	②	22	③	23	④	24	③	25	④

2025년 2회

01	③	02	③	03	②	04	①	05	②
06	②	07	①	08	②	09	①	10	④
11	②	12	③	13	④	14	③	15	①
16	②	17	②	18	④	19	①	20	③
21	③	22	②	23	④	24	④	25	②

2021년 1 회

01	①	02	④	03	③	04	②	05	④
06	①	07	②	08	③	09	①	10	②
11	③	12	②	13	③	14	②	15	④
16	①	17	③	18	④	19	①	20	①
21	①	22	②	23	③	24	④	25	④

01 | ① ☑ Hint 키워드

주먹도끼, 사냥

구석기
유물 : 뗀석기(주먹도끼)
생활 : 사냥, 채집, 어로
사회 : 무리사회, 이동생활, 평등사회

⚠ 선지 더 알아보기

신석기
유물 : 간석기, 빗살 무늬 토기, 가락바퀴
생활 : 농경(밭농사)과 목축의 시작
사회 : 무리사회, 이동＋정착 생활, 평등사회

청동기
유물 : 고인돌, 비파형 동검
생활 : 벼농사 시작(빈부격차 발생)
사회 : 정착생활, 계급사회

02 | ④ ☑ Hint 키워드

삼한, 신지, 읍차 등의 군장세력, 계절제

삼한＝마한＋진한＋변한
세 나라를 합쳐서 삼한이라고 불렀다. 삼한은 군장 국가로 신지,읍차 등의 군장세력이 다스렸다. 제천행사로 5월과 10월에 계절제를 지낸다. 제정 분리 사회로 천군(제사장)이 제사를 주관한다.

03 | ③ ☑ Hint 키워드

청소년 집단, 진흥왕 때 개편, 세속 5계

화랑도는 신라 청소년 집단으로 진흥왕 때 국가적 조직으로 개편 되었다. 원광의 세속 5계를 행동 규범으로 삼았다.
세속 5계 : 사군이충, 사친이효, 교우이신, 임전무퇴, 살생유택

04 | ② ☑ Hint 키워드

집현전 설치, 훈민정음 창제

조선 세종대왕의 업적은 의정부 서사제, 집현전 설치, 훈민정음 창제, 4군 6진 개척, 대마도 정벌 등이 있다.

05 | ④ ☑ Hint 키워드

공주, 백제고분, 중국 남조의 영향, 벽돌무덤

백제 무령왕릉은 공주에서 발견된 백제 고분으로 중국 남조 영향을 받아 만들어진 벽돌무덤이다.

06 | ① ☑ Hint 키워드

대몽 항쟁, 강화도, 진도, 제주도

삼별초는 고려 무신 정권기에 최우의 친위부대로 몽골과의 강화가 이루어진 이후에 여 · 몽 연합군에 대항하여 강화도, 진도, 제주도로 이동하며 항전을 벌였으나, 결국 패배했다.

✅ Hint 키워드

최하층 신분, 매매 증여 상속의 대상

귀족: 왕족, 문무 고위 관료
중간 계층: 하급관리, 서리, 향리, 남반, 하급 장교
양인: 농민, 상인, 수공업자
천민: 공노비, 사노비, 향 소 부곡민, 화척, 진척, 재인

고려는 귀족과 중간계층을 포함한 지배계층과 양인과 천민이 있는 피지배계층으로 이루어졌다. 노비는 국가 관청에 속한 공노비와 개인이나 사원에 속한 사노비로 나누어졌으며, 가장 천대를 받았다. 귀족 중심의 사회에서 토지와 노비는 경제적인 바탕이 되었으므로, 노비는 매매와 증여, 상속의 대상이다.

08 | ③

✅ Hint 키워드

고려 승려 일연, 단군의 건국 이야기

《삼국유사》는 원나라의 간섭을 받던 충렬왕 때 일연 스님이 쓴 역사책이다. 이때는 전쟁으로 모두들 힘들게 살던 시절이라 일연은 백성들에게 희망을 주고 싶어 단군 신화를 포함하여 우리 역사를 고조선부터 수록했다.

⚠ 선지 더 알아보기

동의보감: 조선 허준
농사직설: 조선 세종 때 편찬
향약집성방: 조선 세종 때 편찬

09 | ①

✅ Hint 키워드

고려 정치 기구, 관리 비리 감찰, 대간

고려 정치기구로 관리비리 감찰을 하는 곳은 어사대다. 중서문하성의 낭사와 어사대를 합하여 대간이라고 불렀다. 대간은 왕권 견제를 위해 간쟁, 봉박, 서경을 실시하였다.

🔍 개념 더 보기 **고려 중앙 정치 조직**

식목도감: 법 제정
도병마사: 국방 기구, 만장일치제
중추원: 왕명 출납 및 군사 기밀 관리
어사대: 관리 비리 감찰
삼사: 회계, 화폐와 곡식 출납
당의 3성 6부제를 참고해 2성 6부제 실시
대간 = 중서문하성의 낭사 + 어사대
대간의 역할: 왕권 견제(간쟁, 봉박, 서경)

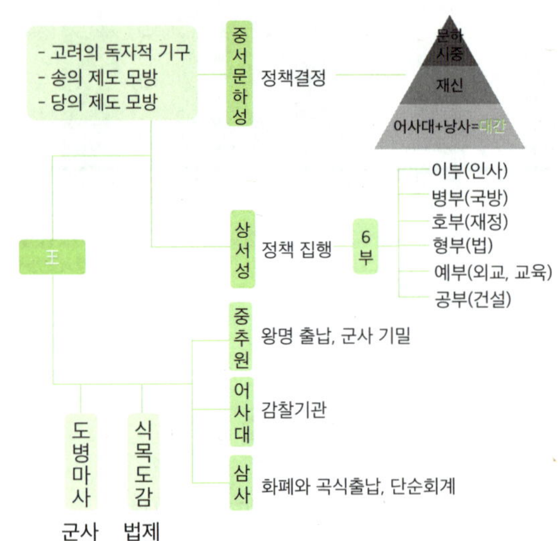

10 | ②

✅ Hint 키워드

신라 말, 지방에서 성장

신라 하대는 중앙 귀족(진골귀족)의 왕위쟁탈전이 심화 되면서 지배층이 백성들을 돌보지 않았고, 그 틈을 타 지방의 호족세력들이 피지배계층의 마음을 샀고, 세금을 받고 백성들을 지켜주며 지배권 행사가 시작되었다. 그렇게 서서히 통일신라의 힘은 약해지기 시작했고 결국에는 견훤이 후백제를, 궁예가 후고구려를 건국 하면서 후삼국 시대의 문이 열렸다. 이로 인해 백성들의 삶은 힘들어졌고, 선종과 풍수지리설이 유행 했다.

11 | ③ Hint 키워드

에도막부의 요청, 일본에 파견

통신사, 조사시찰단: 일본에 보낸 사절단
영선사: 청에 보낸 사절단
보빙사: 미국에 보낸 사절단

12 | ② Hint 키워드

조선 후기 농민 봉기, 평안도 차별, 세도 정치에 저항

홍경래의 난은 조선 후기 농민 봉기로 평안도 차별과 세도 정치에 저항하는 농민들의 난이다.

⚠ 선지 더 알아보기

만적의 난
: 만적은 고려 무신정권기 최충헌의 노비, "왕후장상에 어찌 원래부터 씨가 있겠는가(장수와 재상의 씨가 따로 있는가?)" 라는 슬로건을 내걸고 일어난 노비 해방 운동

부·마 민주 항쟁(1979)
: 부산과 마산에서 박정희 대통령의 유신 체제에 대항하여 일어난 시위

암태도 소작 쟁의(1923)
: 소작료 인하를 요구하는 농민운동

13 | ③ Hint 키워드

조선 후기의 화가, 진경 산수화, 금강전도, 인왕제색도

정선은 조선 후기 『인왕제색도』, 『금강전도』, 『통천문암도』 등을 그린 화가로 호는 겸재이다.

⚠ 선지 더 알아보기

담징: 고구려의 승려이자 화가, 일본에 건너가 먹, 종이 만드는 법을 가르침
안견: 조선 초기 화가, 『몽유도원도』
강희안: 조선 초기 문신이자 화가, 『고사관수도』

14 | ② Hint 키워드

흥선대원군, 군정의 폐단 시정, 양반에게 군포 징수

호포제는 고종 때 실세였던 흥선대원군이 실시한 제도로 조선의 조세 제도 중 하나인 군역과 관련된 제도이다. 군역은 군대를 가는 것인데 군대 안 가는 대신에 군포를 냈다. 호포제는 호단위로 군포를 징수하는 방법으로, 군포를 상민 뿐만 아닌 양반층에게도 부과한 제도이다.

⚠ 선지 더 알아보기

태학 설립: 고구려의 소수림왕
칠정산 편찬: 세종
수원화성 건설: 정조

15 | ④ Hint 키워드

고부 농민 봉기, 전주 화약, 우금치 전투

동학농민운동은 탐관오리였던 고부 군수 조병갑이 원인이 되어 일어남. 1차 봉기는 반봉건으로 정부와의 대립이였고, 2차 봉기는 반외세로 일본군과의 대립이였다. 전주 화약은 전주성 점령 이후 정부와 동학농민군 사이에 맺어진 약속으로 집강소를 설치해 폐정개혁안을 실시했다.

⚠ 선지 더 알아보기

병자호란: 조선 인조 때 청나라가 침략, 인조의 남한산성 피신, 삼전도의 굴욕
김흠돌의 난: 통일신라 신문왕 때 신문왕의 장인인 김흠돌이 난을 일으킴
이자겸의 난: 고려 인종 때 인종의 외할아버지이자 장인인 이자겸이 자신이 왕이 되고자 난을 일으킴

16 | ① Hint 키워드

1882년, 구식 군인, 별기군, 차별

1882년 구식군인(창)이 신식군대(총)에 대한 차별대우로 월급을 받지 못했고, 겨우 받은 월급도 곡식과 모래가 섞여 있었다. 그래서 구식군인들이 난을 일으켰다. **임오년에 일어난 군인들의 난＝군란**이라서 임오군란이다.

갑신정변 : 1884년, 급진개화파가 일본의 도움을 받아 우정
총국 개국 축하연 때 난을 일으키지만 삼일만에
끝나서 삼일천하로 불림
갑오개혁 : 김홍집 내각이 군국기무처를 통해 추진, 신분제
폐지, 도량형 통일, 과부의 재가 허용
을미사변 : 1895년, 일본 공사 미우라가 명성황후를 시해한
사건

17 | ③　 Hint 키워드

독립문, 만민공동회

독립협회는 독립신문을 발간하고, 독립문을
세웠고, 만민공동회를 개최했고, 관민공동회
를 조직했다. 러시아의 내정 간섭과 이권 요
구를 규탄했다.

신민회 : 1907년 안창호, 양기탁이 설립한 항일 비밀 결사 단
체로 대성학교와 오산학교 설립, 신흥 무관학교 설립
근우회 : 1927년 일제강점기 때 세워진 여성단체
조선 형평사 : 1923년 백정 신분 해방 운동

18 | ④　 Hint 키워드

한글 맞춤법 통일안, 《우리말 큰 사전》 편찬 시도

국어 연구와 발전을 목적으로 하는 민간 학술
단체로 주시경 선생이 만드셨다. 1921년 조선
어 연구회에서 1931년 조선어학회로 이름이
바뀌었다. 한글 맞춤법 통일안, 표준말 사정, 외
래어 표기법 제정 되었다. 《우리말 큰 사전》
편찬 시도 했으나 조선어학회 사건 발생으로
편찬 하지 못했다.

황국 협회 : 독립협회에 대항하려고 정부가 조직한 단체
로 전제군주제 주장
한국 광복군 : 1940년에 충칭에서 창설된 대한민국임시
정부의 군대, 지청천, 이범석
한인 애국단 : 1931년 김구가 조직한 항일 독립 운동 단체
로 일본 요주인물 암살이 목표.

19 | ①　 Hint 키워드

일제 식민지 경제정책

- 1910년대 토지 조사 사업 실시
- 1920년대 산미 증식 계획 시행
- 1930년대 남면북양 정책 추진

영정법 : 조선 후기 인조 때 시행된 전세(토지세)징수법
풍흉에 관계 없이 토지 1결당 쌀 4~6두 징수

20 | ①　 Hint 키워드

민족자결주의, 2·8 독립 선언, 대한민국 임시정부 수립의 계기

3 · 1운동은 미국 대통령 윌슨의 민족 자결주
의와 동경에서 있었던 2 · 8 독립 선언의 영향
을 받아서 일어난 운동으로 1919년 3월 1일
한민족 최대 규모의 독립운동이다(19.03.01).
일본 제국의 한반도 강점에 대해 일어난 비폭
력 만세 운동이다. 이 운동으로 인해 대한민
국 임시정부가 수립되었고, 일제의 통치방식
이 무단통치에서 문화통치로 바꼈다.

21 | ①　 Hint 키워드

1948년 반민족 행위 처벌법

반민족 행위 처벌법은 1948년 이승만 정부 때
친일파를 청산하기 위해 만들어진 법이다.

신분제 폐지 : 갑오개혁 때 신분제가 폐지 됨
삼정의 문란 : 조선 후기 세금의 운영이 투명하지 않고 탐
관오리들의 수탈로 이어졌다. 흥선대원군
이 양전사업과 호포제, 사창제로 삼정의 문
란을 해결하려고 함
외환 위기 극복 : IMF를 극복하기 위해 김영삼 대통령이
금 모으기 운동을 함

22 | ②　 Hint 키워드

하얼빈에서 이토 히로부미 처단, 《동양 평화론》

안중근은 독립운동가로 1909년 하얼빈에서
이토 히로부미를 처단했다. 뤼순 감옥에서
《동양 평화론》을 집필 했다.

서희 : 고려시대 문신, 거란과의 싸움에서 외교로 이기고 강동 6주를 얻음

정약용 : 조선시대 실학자, 거중기로 수원 화성 축조에 이바지, 《목민심서》를 집필.

최승로 : 고려 성종에게 시무 28조를 건의한 인물

23 | ③  Hint 키워드

4·19 혁명, 이승만 대통령직 사임

자유당의 3·15 부정 선거로 인해 학생과 시민들의 시위가 일어났다. 김주열의 시신으로 인해 4·19 혁명이 시작 되었고, 이 혁명으로 인해 이승만은 대통령으로서의 책임을 지고 사임하고 하와이로 망명 했다.

브나로드 운동

: 1930년대 동아일보사가 일으킨 농촌 계몽 운동, "브나로드" 의 뜻은 민중 속으로 라는 러시아말로 러시아 지식인들이 민중을 깨우쳐야 한다는 취지로 만든 구호임

농촌 진흥 운동

: 1932년~1940년에 조선총독부가 주도한 운동으로 세계 대공황으로 무너져 가는 농촌 경제와 농촌 사회의 질서를 다시 세우기 위해 실시함

민족 유일당 운동

: 1920년대 효율적인 항일 독립 운동을 위해 독립 운동 단체들이 하나로 통합되기 위해 전개한 운동

24 | ④ Hint 키워드

의열단, 김원봉

의열단은 1919년 만주에서 김원봉이 조직한 항일 무력 독립 운동 단체이다. 조선 총독부, 종로 경찰서 등에 폭탄을 투척 했다. 신채호의 "조선 혁명 선언"을 행동 강령으로 삼았다.

쌍성총관부를 공격하여 철령 이북의 땅을 회복한 왕→고려 공민왕

25 | ④  Hint 키워드

노태우, 북방 외교 추진, 남북한 유엔 동시 가입

노태우 정부는 북방 외교를 추진했고, 남북한 유엔 동시가입과 함께 남북 기본 합의서 채택을 했다. 또한 88 올림픽을 개최했다.

교정도감 : 고려 무신정권의 최고의 정치기구, 최충헌이 설치했다.

관수관급제 실시 : 조선 성종 때 실시한 토지 제도로 국가가 관리하는 제도이다. 관에서 거두고 관에서 나누어준다.

국가→농민들에게 토지를 지급→토지에서 나오는 세금을 국가가 받음

개성 공단 : 김대중 대통령 때 6·15 공동 선언 이후 추진된 남북경제 협력 사업 중 하나

01	③	02	④	03	④	04	①	05	②
06	①	07	①	08	②	09	①	10	③
11	②	12	②	13	①	14	②	15	①
16	④	17	②	18	④	19	①	20	③
21	④	22	②	23	③	24	④	25	③

01 | ③   Hint 키워드

빗살 무늬 토기, 농경과 목축을 시작

신석기

유물 : 간석기, 빗살 무늬 토기, 가락바퀴
생활 : 농경(밭농사)과 목축의 시작
사회 : 무리사회, 이동＋정착 생활, 평등사회

선지 더 알아보기

민화 유행 : 조선 후기 서민문화로 복을 기원하는 주제로 자유롭게 그린 그림
불교 수용 : 고구려 소수림왕, 백제 침류왕, 신라 법흥왕
철제 농기구 : 철기

02 | ④   Hint 키워드

8조법

고조선의 8조법 중 현재 3가지 조항이 전해 지고 있다.
1) 사람을 죽인 자는 사형에 처한다.
2) 남을 다치게 한 자는 곡식으로 갚는다.
3) 도둑질한 자는 노비로 삼고 만약 용서를 받으려면 돈을 내야 한다.

개념 더 보기   **고조선**

청동기 문화, 8조법, 단군왕검이 건국, 제정일치 사회, 위만 조선(철이 청동보다 강하다)
대표적인 유물 : 고인돌, 미송리식 토기, 비파형 동검

03 | ④   Hint 키워드

수나라, 을지문덕

살수대첩은 수나라가 고구려를 침입 했을 때 살수에서 을지문덕 장군이 크게 이긴 전투이다. 안시성 싸움은 당나라의 침입을 안시성의 성주인 양만춘과 백성들이 물리친 전투이다.

선지 더 알아보기

기묘사화 : 조선 중종 때 신임 받던 조광조가 죽게 되는 사건, 조광조를 대표로 하는 사림이 현량과 실시, 공훈 삭제 등 개혁을 시도 했고, 이로 인해 훈구파에 의해 조광조를 비롯한 사림이 처단 됨
신미양요 : 1868년 미국이 제너럴셔먼호 사건을 구실로 강화도를 침입, 광성보에서 어재연 장군이 승리
무신 정변 : 고려시대 무신 차별 대우로 무신들이 반란을 일으킴

04 | ①   Hint 키워드

고구려 계승 의식, 해동성국

발해는 고구려 유민인 대조영이 건국 했다. 발해는 고구려 계승 의식으로 세워진 나라이다. 발해의 대표적인 왕은 무왕, 문왕, 선왕이 있고, 발해의 전성기였던 선왕 때는 "바다 동쪽의 번성한 나라"라는 뜻인 해동성국이라고 불렸다.

선지 더 알아보기

화랑도를 국가적 조직으로 정비 : 신라 진흥왕
이성계가 건국한 후 한양으로 천도 : 조선

05 | ②   Hint 키워드

쌍성총관부 공격, 신돈 등용, 전민변정도감 설치

고려 공민왕은 반원 자주 정책을 실시한 왕으로 친원 세력을 숙청하고 쌍성총관부를 공격해 고려 땅을 되찾았다. 신돈을 등용하여 전민변정도감을 설치하고 개혁을 시행하였으나 원나라와 친원파에 의해 실패했다.

선지 더 알아보기

백제 성왕 : 사비 천도, 남부여로 국호 변경, 신라 진흥왕의 배신으로 죽음
고구려 장수왕 : 고구려 전성기 때 왕, 평양 천도, 남하 정책, 광개토대왕릉비와 충주 고구려비 건립
신라 진흥왕 : 신라 전성기 때 왕, 대가야 병합, 화랑도 조직, 순수비와 단양 적성비 건립

06 | ① 

전시과, 공음전, 군인전

고려의 토지 제도에는 전시과, 공음전, 군인전이 있다.

전시과 : 전지와 시지의 수조권을 관리에게 지급
공음전 : 5품 이상의 고위 관리에게 지급한 토지로 문벌 귀족의 특권, 세습 가능
군인전 : 군역 복무의 대가로 국가가 군인에게 지급한 토지

07 | ① 

고려, 공예품, 송의 기술, 비색의 자기

고려 청자 : 송나라의 기술을 받아들이면서 만들어진 고려의 공예품으로 비색임

활구(＝은병) : 고려시대 은으로 만든 화폐
거중기 : 조선 정조 때 정약용이 수원 화성 축조를 위해 만듦
신기전 : 조선시대 로켓형 무기

08 | ② 

고려, 수선사 결사 조직, 정혜쌍수, 돈오점수

지눌 : 고려시대 스님, 수선사 결사 조직, 정혜쌍수, 돈오점수

계백 : 백제 장군, 황산벌 전투의 계백
김유신 : 신라 장군, 삼국통일에 중추적인 역할
김좌진 : 일제 강점기 장군, 북로군정서군의 총사령관으로 1920년 청산리 대첩

09 | ① 

조선의 법전, 세조 때 편찬 시작, 성종 때 완성

경국대전은 조선의 법전으로 세조 때 편찬을 시작해서 성종 때 완성했다.

농사직설 : 조선 세종 때 편찬
목민심서 : 조선 정조 때 정약용이 편찬
삼국사기 : 고려, 인종 때 김부식이 편찬

10 | ③ 

정조, 규장각, 장용영

조선 정조의 정책에는 탕평책, 규장각 운영, 장용영 설치, 수원 화성 건설, 금난전권 폐지 등이 있다.

대가야 정벌 : 신라 진흥왕
훈민정음 창제 : 조선 세종
노비안검법 실시 : 고려 광종

11 | ②

청 태종 침략, 인조 남한산성 피신, 삼전도에서 항복

청의 군신 관계 요구를 조선이 거절하자 청 태종이 침략했다. 인조가 남한산성으로 피신했으나 삼전도에서 항복 했다. 인조는 청 태종에게 삼배구고두(세 번 절하고 아홉 번 머리를 조아리는 의식)의 예를 올렸다. 결과적으로 조선은 청과 군신 관계를 맺었다.

방곡령 : 조선 고종 때 곡물 반출 금지령
을미사변 : 1895, 일본 공사 미우라가 명성황후를 시해한 사건
홍경래의 난 : 평안도 차별 때문에 홍경래를 중심으로 일어난 농민 봉기

12 | ②

조선 영조, 수취제도, 1년에 2필 내던 군포를 1필로 줄임

균역법은 조선 영조 때 실시된 수취제도로 군포를 1필로 줄였다.

과전법 : 고려 공양왕 때 실시한 수취제도로 위화도 회군으로 권력을 장악한 이성계와 신진사대부가 실시, 땅은 국가의 것이고, 관리에게는 토지세를 거둘 수 있는 권리인 수조권 지급, 세습 가능한 수신전, 휼양전도 있음

진대법 : 고구려 고국천왕 때 재상 을파소의 건의로 시행,
　　　　　봄에 빌려주고 가을에 갚음(춘대추납)
호패법 : 조선 태종 때 조선시대 신분 증명서인 호패를 지니
　　　　　고 다니도록 실시한 법

13 ①

개화당, 우정총국 개국 축하연

1884년 급진 개화당인 김옥균, 박영효, 홍영식, 서재필 등이 일본의 도움을 받아 우정총국 개국 축하연 때 난을 일으켰다. 그러나 청의 진압으로 삼일만에 끝나서 삼일천하라고 불리기도 한다.

묘청의 난 : 고려 인종 때 스님 묘청이 일으킨 반란으로 서
　　　　　　경 천도 주장
삼별초 항쟁 : 고려 무신 정권기에 최우의 친위부대, 여몽
　　　　　　　연합군에 대항하여 강화도, 진도, 제주도로
　　　　　　　이동하며 항전함
위화도 회군 : 명의 요동정벌군의 장수였던 이성계가 위화
　　　　　　　도에서 군사를 돌려 정변을 일으켜 권력을 장
　　　　　　　악함

14 ②

최제우 창시, 인내천, 전봉준

동학은 최제우가 창시한 민족 종교이다. 동학의 대표적인 사상은 "사람이 곧 하늘이다." 라는 인내천으로 인간 평등 사상이다. 교주인 최제우가 처형 당한 이후 2대 교주인 최시형이 교단과 교리를 체계화 했고, 1905년 천도교로 개칭하였다. 녹두장군이라 불리우던 전봉준이 동학 농민 운동을 주도했다.

15 ①

흥선대원군, 왕실의 권위, 당백전 발행

경복궁 중건은 흥선대원군의 개혁 정치 중 하나로 왕실의 권위를 높이기 위해 시작했다. 원납전을 강제 징수 했으나 그래도 세금이 모자라서 당백전을 발행해서 중건했다. 결국 부역과 세금에 시달린 양반과 일반 백성들의 원망의 대상이 되었다.

우산국 정복 : 신라 지증왕
삼국유사 편찬 : 고려 승려 일연, 단군 신화가 들어 있음
독서삼품과 실시 : 통일신라 원성왕

16 ④

1907년, 안창호와 양기탁이 설립한 비밀 결사 단체

1907년 안창호와 양기탁이 설립한 비밀 결사 단체는 신민회이다. 교육 진흥과 국민 계몽을 강조했기에 대성학교와 오산학교를 만들었고, 해외에 삼원보, 신흥무관학교 등 독립 운동 기지를 만들었다. 1911년 105인 사건(일제의 조작사건)으로 해체 되었다.

강동 6주 : 고려, 문신 서희의 거란과의 외교담판으로 얻어
　　　　　　낸 땅
대동여지도 제작 : 조선시대 후기, 김정호
남북 기본 합의서 채택 : 현대, 노태우 정부

17 ②

만민 공동회, 러시아 내정 간섭과 이권 요구 규탄

독립협회는 독립신문을 발간하고, 독립문을 세웠고, 만민 공동회를 개최했고, 관민 공동회를 조직했다. 또한 러시아의 내정 간섭과 이권 요구를 규탄했다.

의열단 : 의열단은 1919년 만주에서 김원봉이 조직한 항일
　　　　　무력 독립 운동 단체로 조선 총독부, 종로 경찰서
　　　　　등에 폭탄을 투척했다. 신채호의 "조선 혁명 선언"
　　　　　이 행동 강령이다.
북로 군정서 : 1919년 동간도에서 만들어진 무장독립운동
　　　　　　　단체로 총사령관은 김좌진장군이다.
미 · 소 공동 위원회 : 한반도 임시 정부 수립을 위해 미국과
　　　　　　　　　　　소련이 개최한 회의로 미소 냉전관계
　　　　　　　　　　　로 인해 종결

18 | ④ Hint 키워드

1919년 3 · 1 운동을 계기, 상하이에서 수립, 연통제와 교통국

대한민국 임시 정부는 3 · 1운동의 결과로 상하이에서 1919년에 만들어졌다. 삼권분립에 기초한 민주공화제를 지향했고, 연통제와 교통국 조직했고, 구미위원부 설치했다. 1940년 한국광복군을 창설했다.

⚠ 선지 더 알아보기

삼정이정청 : 조선 철종 때 삼정의 폐단을 해소하기 위해 설치한 관청
통리기무아문 : 조선 최초의 근대적 정부기구로 고종 때 개화를 위해 설치된 관청
문맹 퇴치 운동 : 일제 강점기 때 일어난 글을 읽고 쓰는 법을 가르치는 운동으로, 브나로드 운동, 문자 보급 운동, 조선어 강습회가 있다.

19 | ① Hint 키워드

일제 강점기, 국가 총동원법

일제 강점기 1930년대 때 황국 신민화 정책으로 우리 민족의 정체성을 완전히 말살하려고 황국 신민 서사 암송, 일본식 성명 사용과 함께 신사참배와 궁성요배 등을 강요했다. 병참기지화 정책으로 국가 총동원법이 적용되면서 공출 제도가 실시 되었고, 징병, 징용, 위안부에 강제 동원되었다. 경제정책은 남면북양 정책이 있었다.

⚠ 선지 더 알아보기

만적의 난 : 고려 무신정권기에 실세였던 최충헌의 노비 중 하나인 만적이 난을 일으킴
강화도 조약 : 1876년에 운요호 사건(1875년)을 빌미로 일본과 맺은 최초의 근대적 불평등 조약
척화비 : 흥선대원군의 통상 수교 거부 정책에 의해 전국에 척화비가 세워짐

20 | ③ Hint 키워드

김구, 이봉창, 윤봉길

한인애국단은 1931년 김구가 조직한 항일 독립 운동 단체로 일본 요주인물 암살이 목표였다. 이봉창 의거(일본 천황 폭살 계획), 홍커우 공원에서 폭탄을 던진 윤봉길 의거가 있다.

⚠ 선지 더 알아보기

별기군 : 강화도 조약 이후로 설치된 신식 군대
교정도감 : 고려 무신정권의 최고의 정치기구, 최충헌이 설치
조선어학회 : 우리말과 글의 연구,통일,발전을 목적으로 주시경 선생이 만든 단체, 한글날 제정, 한글 맞춤법 통일안 제정 등의 활동을 함

21 | ④ Hint 키워드

신채호, 독사신론

민족주의 사학자 중 1명이 신채호이다. 신채호는 《조선상고사》, 《조선사연구초》를 저술하였다.

⚠ 선지 더 알아보기

동의보감 편찬 : 조선시대 의관 허준이 저술한 의학서적
임오군란 : 1882년 구식군인(창)이 신식군대(총)에 대한 차별대우로 일으킨 난
해동 천태종 : 고려 스님 의천이 만든 불교의 종파

22 | ③ Hint 키워드

유신 헌법, 한일 협정, 새마을 운동, 경제 개발 5개년

박정희 정부는 유신 헌법 제정, 한일 협정 체결, 새마을 운동, 경제 개발 5개년 계획 추진, 경부 고속 국도 건설, 베트남 파병을 실시 했다.

⚠ 선지 더 알아보기

서원철폐 : 조선 고종의 아버지 흥선대원군이 실시한 개혁정치
자유시 참변 : 1921년 러시아령 자유시에서 한국독립군 부대를 러시아 적군이 공격했다.
금난전권 폐지 : 조선 정조 신해통공으로 금난전권을 없애고 원하는 사람은 누구나 자유로운 상업 활동을 할 수 있도록 함

23 | ③ Hint 키워드

평양, 조만식, "조선 사람 조선 것"

물산 장려 운동은 일제강점기 1920년대 시작된
경제 자립 운동이다. 조만식을 중심으로 평양에
서 일어났고, 구호는 "조선 사람, 조선의 것" 이다.
국산품 애용과 민족기업 육성을 장려 했다.

⚠ 선지 더 알아보기

형평 운동 : 일제강점기 1920년대 일어난 백정에 대한 사회
　　　　　적 차별 철폐 운동
서경 천도 운동 : 고려 승려 묘청이 고려의 수도(개경)를 서
　　　　　경(평양성)으로 천도하고자한 운동
좌우 합작 운동 : 여운형, 김규식 등이 1946년에 좌우 세력
　　　　　을 합작하여 연대를 추진한 운동

24 | ④ Hint 키워드

**1980년 5월, 광주 시민 궐기문 발표, 유네스코
세계 기록 유산 등재**

1980년 5 · 18 광주 민주화 운동은 신군부 세력
의 퇴진 및 계엄령 철폐 등을 요구하며 전개한
대한민국의 민주화 운동이다.

⚠ 선지 더 알아보기

병인박해 : 1866년에 일어난 천주교(서학) 박해 사건, 천주교
　　　　가 조상께 드리는 제사를 거부하고, 인간 평등을
　　　　주장해서 박해를 받았다.
YH무역 사건 : 1979년 8월 9일 YH무역 여성노동자 1700여
　　　　　명이 회사운영 정상화와 근로자 생존권보장
　　　　　을 요구하며 신민당사 4층강당에서 농성을
　　　　　벌인 사건
교조 신원 운동 : 동학 교조 최제우의 억울함을 회복하기 위
　　　　　해 동학교도가 벌인 운동

25 | ③ Hint 키워드

**2000년, 남북 정상 회담의 결과, 이산가족 방
문, 개성공단 건설**

김대중 정부가 실시한 2000년 6월 15일 남북
정상 회담은 최초의 남북 정상 회담으로 이산
가족 방문과 개성 공단 건설이 합의 되었다.

⚠ 선지 더 알아보기

홍범 14조 : 2차 갑오개혁 때 고종이 반포한 법으로 한국사
　　　　　최초의 근대적 헌법
교육 입국 조서 : 1895년 고종이 발표한 교육에 관한 특별
　　　　　조서
조 · 청 상민 수륙 무역 장정 : 임오군란의 결과로 청나라와
　　　　　맺은 불평등 조약

01	③	02	①	03	④	04	②	05	①
06	②	07	③	08	④	09	④	10	③
11	②	12	③	13	②	14	③	15	①
16	②	17	④	18	①	19	③	20	②
21	④	22	①	23	②	24	④	25	①

01 | ③ Hint 키워드

비파형 동검, 탁자식 고인돌, 고조선의 문화 범위

청동기

유물：고인돌, 비파형 동검
생활：벼농사 시작(빈부격차 발생)
사회：정착생활, 계급사회

02 | ① Hint 키워드

아미타 신앙, 불교 대중화, 화쟁 사상

원효는 통일 신라의 인물로, 아미타 신앙을 무애가로 전파하여 불교 대중화에 기여하였고, 여러 종파의 대립을 없애고자 화쟁 사상을 주장함

아미타 신앙：불교에 귀의해 반야의 지혜를 닦아 도달해야 하는 참된 마음
화쟁 사상：모든 논쟁을 화합으로 바꾸려는 불교 교리

선지 더 알아보기

일연：《삼국유사》를 지음
김부식：《삼국사기》를 지음
정약용：《목민심서》를 지음, 거중기를 만듦

03 | ④ Hint 키워드

권문세족의 부정부패 비판, 성리학, 정도전, 정몽주

고려 말 이성계의 위화도 회군 이후 신진사대부는 권문세족(친원파)의 부정부패를 비판하고, 과전법으로 토지를 개혁하고, 성리학을 주장하였다. 신진사대부의 대표적인 인물이 정도전과 정몽주가 있다.

선지 더 알아보기

6두품：신라 말기 호족과 함께 힘을 합친 세력으로 골품제 중에서 가장 높은 등급이나 관리 승진에 제약이 있었음
보부상：시장과 시장을 걸어다니면서 물건을 팔았던 상인
독립 협회：독립신문을 발간, 독립문을 세우고 만민 공동회, 관민 공동회 조직했고, 러시아의 내정 간섭과 이권 요구를 규탄

04 | ② Hint 키워드

임오군란, 흥선대원군의 재집권, 청의 내정 간섭

임오군란은 구식군인에 대한 차별 대우에 화가 나서 구식 군인들이 일으킨 난이다. 구식 군인들 입장에서는 별기군을 만든 개화 정책을 추진한 고종은 싫고 오히려 통상 수교 거부 정책을 펼친 흥선대원군이 좋았다. 그래서 구식 군인들이 흥선대원군에게 재집권의 기회를 주지만 결국에 이 난이 청군의 개입으로 끝나고 청의 내정 간섭이 더 심화되는 계기가 된다.

선지 더 알아보기

평양천도：고구려 장수왕
신사 참배 강요：일제강점기 1930년대 일본의 민족 말살 정책 중 하나

05 | ① Hint 키워드

도요토미 히데요시, 의병, 수군

임진왜란은 도요토미 히데요시가 일본 통일 후 조선을 침략한 전쟁으로 이순신이 이끄는 수군과 의병으로 인해 여러차례 승리했고, 도요토미 히데요시의 사망으로 이 전쟁은 마무리 되었다.

살수 대첩 : 수나라가 고구려를 침입 했을 때 살수에서 을지
문덕 장군이 크게 이김
만적의 난 : 만적은 고려 무신정권기 최충헌의 노비, "왕후
장상에 어찌 원래부터 씨가 있겠는가 (장수와
재상의 씨가 따로 있는가?)" 라는 슬로건을 내
걸고 일어난 노비 해방 운동
봉오동 전투 : 1920년 일제강점기 때 홍범도 장군과 함께한
독립군이 이긴 전투

06 | ②

방납의 폐단, 토지 결수에 따라 쌀로 공납 거 두도록

대동법은 광해군이 실시한 법으로 공물(특산
물)을 토지 결수에 따라 쌀로 바치게 한 제도이
다. 쌀(대동미)로 내면 조정이 공인에게 필요한
물품을 사는 방식을 취했다.

골품제 : 신라 신분 제도로 뼈의 등급, 곧 타고나는 신분을 뜻
한다. 혈통에 따라 신분과 등급을 나누었고, 골품에
따라서 올라갈 수 있는 벼슬에 한계가 있었다.
단발령 : 1895년 을미개혁으로 시행된 성년 남자의 상투를
자르게 한 법이다.
진대법 : 고구려 고국천왕 때 재상 을파소의 건의로 시행,
봄에 빌려주고 가을에 갚음(춘대추납)

07 | ③

흥선대원군, 전국 각지, 서양과의 통상을 거부한다는 의지

흥선대원군은 통상 수교 거부 정책을 펼쳤는데
1871년에 그것을 알리는 비석인 척화비를 전국
각지에 세웠다.

규장각 : 조선 정조 때 만들어진 왕실 도서관
독립문 : 독립협회가 설립한 문
임신서기석 : 신라시대 유교와 관련된 비석으로 두 청년이
유교 경전 학습에 힘쓸 것을 약속한 내용이 새
겨져 있음

08 | ④

최초의 근대적 조약, 3개의 항구 개항, 불평등 조약

1876년 강화도 조약은 운요호 사건(1875)으로
인해 일본과 맺은 최초의 근대적 조약이자 불
평등 조약이다. 조약 체결의 결과로 해안 측량
권과 영사 재판권(치외법권)을 인정했고, 3개의
항구를 개항했다.

간도 협약 : 대한제국이 을사늑약으로 외교권을 뺏긴 뒤 청
과 일본이 맺은 조약으로 간도가 청의 영토가 됨
전주 화약 : 동학 농민들이 전주성을 점령하자 정부와 동학
농민들이 화해하면서 맺은 약속
텐진 조약 : 일본과 청이 맺은 조약으로 조선에 군대 파병시
서로에게 알려 줄 것을 약속

09 | ④

경남 합천 해인사, 몽골의 침입을 물리치고자 제작, 고려의 목판 인쇄술

팔만대장경은 몽골의 침입을 부처의 힘으로 물
리치고자 만들었으며, 고려의 목판 인쇄술이
잘 드러나 있다.

석굴암 : 둥근 천장과 불상 배치로 불국토의 이상세계를 표현
경국대전 : 조선 세조 때 편찬을 시작해 성종 때 완성된 조
선의 법전
무령왕릉 : 백제 무령왕이 중국 남조의 영향을 받아 만든 벽
돌 무덤

Hint 키워드

을사늑약, 대한 제국의 외교권 뺏김

1905년 일본과 맺게 된 을사늑약으로 대한제국의 외교권이 뺏기고 일제의 통감정치의 시작으로 통감부가 설치 되었다.

선지 더 알아보기

삼별초 : 고려 무신 정권기에 최우의 친위부대, 여 · 몽 연합군에 대항하여 강화도, 진도, 제주도로 이동하며 항전함
집현전 : 조선 세종 때 설치된 학문연구를 위해 만들어진 기관
화랑도 : 신라 진흥왕 때 만든 청소년 집단으로 원광의 세속 5계를 행동 규범으로 삼음

11 | ②

Hint 키워드

안용복, 대한제국 울도군의 관할

독도는 신라 지증왕 때 이사부가 우산국을 정복하면서 우리나라의 땅이 되었고, 조선시대 안용복에 의해 일본으로부터 독도는 조선의 땅임을 증명하는 문서를 받았고, 대한제국이 독도는 우리나라 땅이라는 칙령을 공포 했다.

선지 더 알아보기

진도 : 삼별초가 항쟁한 장소 중 하나
벽란도 : 고려의 무역항
청해진 : 통일신라 때 장보고가 설치한 해군 기지이자 무역 기지

12 | ③

Hint 키워드

최초의 근대식 병원, 선교사 알렌, 제중원, 세브란스 병원

우리나라 최초의 근대식 병원인 광혜원은 선교사이면서 의사인 알렌의 제안으로 설립되었다. 그 이후에 이름을 제중원으로 바꾸고, 세브란스 병원으로 개칭했다.

선지 더 알아보기

서원 : 조선시대 교육기관 중 하나로 붕당의 근거지였고, 선현에게 제사를 지내거나 후진을 양성했다. 최초의 서원은 주세붕이 세운 소수서원이다.
향교 : 고려와 조선시대의 지방 교육기관으로 고려시대에 처음 생겼을 때는 향학이라 불렀다.
성균관 : 조선시대 최고의 교육기관

13 | ②

Hint 키워드

일제강점기의 사회운동, 백정을 차별하는 것에 항의

형평운동은 1920년대 일어난 사회운동으로 갑오개혁으로 신분제가 폐지 되었으나 계속되는 백정에 대한 편견과 차별에 항의하는 운동이다.

선지 더 알아보기

병인박해 : 1866년에 일어난 천주교(서학) 박해 사건, 천주교가 조상께 드리는 제사를 거부하고, 인간 평등을 주장해서 박해를 받음
거문도 사건 : 러시아의 남하정책에 위협을 느낀 영국이 거문도를 불법 점령한 사건
서경 천도 운동 : 고려 승려 묘청이 고려의 수도(개경)를 서경(평양성)으로 천도하고자 한 운동

14 | ③

Hint 키워드

1910년대 일제의 식민 지배 방식, 헌병 경찰, 조선 태형령

1910년 한일 병합 조약에 의해 일제의 식민 정치가 시작된다. 1910년대 일제의 식민 지배 방식은 무단통치로, 헌병 경찰제를 도입했고, 조선 태형령과 함께 재판 없이 처분 가능한 즉결처분권이 시행되었다. 그리고 학교 교원에게도 제복을 입히고 칼을 차게 했다. 회사령을 공포해 국내 산업 육성을 막았고, 토지 조사 사업을 실시해 조선의 토지를 빼앗았다.

선대제 : 미리 원료와 자본을 받고 물품을 만들어 주는 제도
기인 제도 : 고려시대 태조 왕건이 시행한 제도로 지방세력을 견제하기 위해 실시했다. 지방 호족의 자제를 인질로 잡아 수도(개경)에 머물게 한 제도
나 · 제 동맹 : 고구려 장수왕의 남진정책에 의해 위협을 느낀 신라와 백제가 맺은 동맹

15 | ①

독립선언서, 33인의 민족 대표, 유관순

3 · 1 운동은 미국 대통령 윌슨의 민족자결주의와 동경에서 있었던 2 · 8 독립선언의 영향을 받아 한일 병합조약의 무효와 한국의 독립을 선언한 비폭력 만세 운동이다. 민족 대표 33인이 만세 성명서에 서명을 했고, 대표인물로 유관순이 있다. 일제강점기 가장 큰 대규모의 운동이고, 이 운동으로 인해 일제의 통치 방식이 무단 통치에서 문화 통치로 바뀌고, 대한민국 임시정부가 수립되었다.

무신 정변 : 고려시대 무신 차별 대우로 무신들이 반란을 일으킴
이자겸의 난 : 고려 인종 때 인종의 외할아버지이자 장인인 이자겸이 난을 일으킴
임술 농민 봉기 : 조선 후기 때 일어난 농민들의 난으로 유계춘의 지도 아래 일어난 진주 농민 봉기로 시작해 전국적으로 퍼진 봉기

16 | ②

김좌진의 북로군정서

청산리 대첩은 1920년에 김좌진의 북로군정서군과 홍범도의 대한독립군 등 여러 독립군 부대가 일본군에게 크게 승리를 거둔 전쟁이다.

명량 대첩 : 임진왜란 때 이순신 장군이 이끄는 조선의 수군이 명량 해협에서 크게 이긴 전투
홍경래의 난 : 조선 후기 농민 봉기로 평안도 차별과 세도 정치에 저항하는 농민들의 난
6 · 10 만세 운동 : 1926년 순종의 장례식 날에 일으킨 만세 운동

17 | ④

1938년에 국가총동원법 공포, 지원병제, 징병제, 근로정신대

1930년대 일제의 식민 통치 방식은 병참기지화 정책과 민족 말살 정책이다. 병참 기지화 정책으로는 국가총동원법과 징병제, 징용제, 위안부(근로정신대)가 있다. 민족 말살 정책으로는 신사참배와 궁성요배, 황국신민서사 암송, 일본식 성명 강요(창씨개명)가 있다.

정미의병 : 고종 강제퇴위와 군대해산에 반대하여 일어난 의병
금융 실명제 : 금융기관과 거래를 할 때 실명으로 거래하는 제도로 김영삼 정부가 시행한 정책
서울 올림픽 : 1988년 대한민국 서울특별시에서 개최된 제24회 하계 올림픽이자 아시아에서 개최된 두 번째 하계 올림픽

18 | ①

김구와 김규식, 김구 일행이 38도선을 넘어 평양으로 감

김구와 김규식 등이 북측에 통일 정부 수립을 위한 남북한 정치 지도자 회담을 제안했고 38도선을 넘어 평양에서 남북 지도자 회의를 개최했다. 통일 정부 수립에 관한 공동성명서를 발표 했으나 미국과 소련이 남북 협상 합의안을 수용하지 않아서 실패했다.

아관 파천 : 을미사변 이후로 고종이 러시아 공사관으로 피신
우금치 전투 : 동학농민운동 2차 봉기 중 일어난 전투로 일본에게 농민군이 패배
쌍성총관부 공격 : 고려 공민왕의 반원 자주 정책 중 하나로 쌍성총관부를 공격하여 탈환

19 | ③ Hint 키워드

1919년 상하이에서 수립, 한국 광복군 창설, 국내 진공 작전 준비

대한민국 임시정부는 3·1운동의 결과로 상하이에서 1919년에 만들어졌다. 삼권분립에 기초한 민주 공화제를 지향했고, 연통제와 교통국을 조직했고, 구미위원부를 설치했고, 1940년 한국광복군을 창설해서 국내 진공 작전을 준비했다.

⚠ 선지 더 알아보기

9산 선문: 신라 말 유행한 불교의 한 종파인 선종의 아홉갈래
급진 개화파: 김옥균, 박영효 등이 주요 인물이고, 서양의 문물을 받아들이자고 주장한 개화파 중에서 적극적인 개화를 주장한 정치세력이다.
동양 척식 주식회사: 일제가 대한제국의 토지와 자원을 수탈한 목적으로 설립한 기관

20 | ② Hint 키워드

1948년 이승만 정부가 반민족 행위 처벌법 시행

반민족 행위 특별 조사 위원회는 이승만 정부가 친일파를 청산하기 위해 설치한 특별기구였다.

⚠ 선지 더 알아보기

과거제 실시: 고려 광종 때 쌍기의 건의로 실시
황무지 개간: 일제의 황무지 개간 요구를 1904년 보안회가 막아냄
방곡령 시행: 조선 고종 때 실시된 곡물 반출 금지령

21 | ④ Hint 키워드

6·25 전개 과정

1950. 6. 25 북한이 남침 해서 3일만에 서울이 점령되었다. 유엔군의 개입으로 인천상륙작전(맥아더 장군)이 성공하여 서울을 수복하고 평양으로 진격 했다. 이때 중국군의 개입으로 1·4 후퇴했고, 38도선에서 엎치락 뒤치락 하다가 1953년 휴전 협정을 맺었다.

⚠ 선지 더 알아보기

녹읍 폐지: 신라 중대 신문왕
후삼국 통일: 견훤의 귀순과 함께 신라 경순왕의 항복 그리고 후백제 신검의 패배로 936년 고려 태조 왕건이 후삼국을 통일
자유시 참변: 1921년 러시아령 자유시에서 한국독립군 부대를 러시아군이 공격

22 | ① Hint 키워드

3·15 부정선거, 이승만 대통령 하야

자유당의 3·15 부정선거와 함께 전국에서 시위가 발생했고 김주열 시신 발견으로 인해 학생들을 선두로 한 민심이 폭발해서 일으킨 민주화 운동이다.

⚠ 선지 더 알아보기

제주 4·3 사건: 1947년 3월 1일부터 1954년 9월 21일까지 제주도에서 일어난 사건으로 빨치산 조직과의 무력 충돌과 그 진압 과정에서 주민들이 희생당한 사건
12·12 사태: 전두환과 노태우 등을 중심으로 한 신군부 세력의 군사반란
5·18 민주화 운동: 광주에서 일어난 신군부 세력의 퇴진 및 계엄령 철폐 등을 요구한 운동

23 | ② Hint 키워드

경제개발 5개년 계획을 추진, 새마을 운동, 전태일 사건, YH무역 사건

박정희 정부는 경제 개발 5개년 계획을 추진 했고, 근면·자조·협동 정신을 강조한 새마을 운동을 시행했다. 전태일 사건, YH무역 사건으로 노동 문제에 직면하기 시작했다.

새마을 운동
: 근면 · 자조 · 협동 정신과 '잘 살아보세' 라는 구호를 바탕으로 빈곤퇴치와 지역 사회 개발을 위하여 1970년부터 전개된 운동

전태일 사건
: 서울 평화시장 노동자 전태일이 근로기준법 준수를 요구하며 분신 항거 자살한 사건

YH무역 사건
: 1979년 8월 9일 YH무역 여성노동자 170여 명이 회사운영 정상화와 근로자 생존권 보장을 요구하며 신민당사 4층 강당에서 농성을 벌인 사건

24 | ④

6월 민주 항쟁, 박종철, 이한열

6월 민주 항쟁은 전두환 대통령의 4 · 13 호헌 철폐와 독재 타도를 외치며 전국적으로 시위를 전개해서 대통령 직선제 개헌이라는 결과를 얻었다.

집강소 설치 : 동학농민운동 때 전주 화약 이후 폐정개혁안의 실시 기구로 설치
정전 협정 체결 : 1953년 6 · 25 정전 협정이 체결
노비안검법 실시 : 고려 광종 때 쌍기의 건의로 실시

25 | ①

1997년 국제 통화 기금(IMF)에 구제 금융을 요청

김영삼 정부 때인 1997년 11월에 우리나라가 가진 외환이 너무 부족해 국제 통화 기금(IMF)으로부터 자금 지원을 받은 사건이다.

베트남 파병 : 박정희 정부 때 베트남 전쟁에 전투 부대를 파병하여 참전한 사건
원산 총파업 : 일제강점기 때 1929년 1월 13일부터 4월 6일까지 원산노동연합회 산하 노동조합원 2,200여 명이 참여한 한국노동운동 사상 최대 규모의 파업
서울 진공 작전 : 1908년 전국의 의병들이 연합군을 조직하고, 서울로 진격하여 일본군을 몰아내기 위해 수립한 작전

01	①	02	④	03	③	04	①	05	④
06	④	07	③	08	①	09	①	10	④
11	③	12	②	13	③	14	②	15	①
16	②	17	③	18	②	19	①	20	④
21	③	22	③	23	①	24	②	25	④

01 | ① 

구석기, 뗀석기

구석기
> **유물** : 뗀석기(주먹도끼)
> **생활** : 사냥, 채집, 어로
> **사회** : 무리사회, 이동생활, 평등사회

⚠ 선지 더 알아보기

이불병좌상 : 발해
비파형 동검 : 청동기
빗살무늬 토기 : 신석기

02 | ④ 

신라를 도와 왜를 격퇴함, '영락', 고구려의 영토를 크게 넓힘

고구려 전성기 때 왕인 광개토 대왕은 신라 내물왕을 도와 신라에 침입한 왜를 격퇴했다. 그일은 호우명 그릇을 통해 알 수 있다. 또한, 광개토대왕은 '영락'이라는 독자적인 연호를 사용했고, 요동 지역 확보 등 고구려의 영토를 크게 넓혔다.

⚠ 선지 더 알아보기

세종 : 조선왕, 집현전 설치, 훈민정음 창제, 의정부서사제 실시, 4군 6진, 대마도 정벌
고이왕 : 백제왕, 율령 반포, 중앙관등제 정비
공민왕 : 고려왕, 쌍성총관부 탈환, 권문세족 견제, 신돈 등용, 전민변정도감 설치

03 | ③ 

국방 회의, 독자적인 정치 기구

도병마사는 현재의 국방부와 비슷한 역할을 하는 기구로, 국방과 안보에 관해 회의하는 독자적인 정치 기구이다.

⚠ 선지 더 알아보기

집사부 : 통일 신라의 통치조직 중 하나로 왕의 명령 전달 및 기밀 관리를 하는 부서
정당성 : 발해의 3성 중 하나로 왕의 명령을 집행하는 부서
군국기무처 : 갑오개혁을 추진 했던 기관

04 | ① 

조선 성종, 경연, 홍문관 설치

조선 성종의 정책에는 경연 부활 및 활성화, 홍문관 설치, 의정부서사제, 경국대전 완성이 있다.

⚠ 선지 더 알아보기

기인 제도 실시 : 고려 태조 왕건
삼청 교육대 운영 : 전두환 정부
전민변정도감 설치 : 고려 공민왕

05 | ④

불국토의 이상 세계, 통일 신라

석굴암은 경상북도 도림신에 있는 긴축물로 불국사와 함께 불국토의 이상세계를 표현한 통일 신라 시기의 대표적인 건축물이다.

⚠ 선지 더 알아보기

경복궁 : 조선 태조 이성계
무령왕릉 : 백제 무령왕
수원화성 : 조선 정조

06 | ④

흥선대원군, 경복궁 중건

흥선대원군의 개혁정치에는 서원 정리, 호포제 시행, 당백전 발행 및 경복궁 중건이 있다.

07 | ③   ✓ Hint 키워드

조선 후기 화폐

조선 후기 화폐인 상평통보는 전국적으로 유통되면서 물품 구입이나 세금 납부 수단으로 사용 되었다.

⚠ 선지 더 알아보기

호패 : 조선시대 신분증, 조선 태종이 호패법 실시.
명도전 : 중국 전국시대 화폐, 철기 시대 유물.
독립 공채 : 대한민국 임시정부에서 발행한 최초의 채권.

08 | ①   ✓ Hint 키워드

고려시대 수도를 옮긴 적, 조선 시대 병인양요 발발

강화도는 군사 전략요충지로 시대마다 큰 역할을 해 왔다. 고려시대 때 기마병인 몽골군을 피해 강화도로 천도했고, 조선시대 개항기엔 병인양요와 신미양요가 발발했다.

09 | ①   ✓ Hint 키워드

한글판과 영문판, 서재필 창간

독립신문은 1896년 4월 7일에 발간된 민간신문이자 한글, 영문판 신문이다. 서재필을 중심으로 독립협회의 기관지로 발간되었으며 조선정부의 지원을 받아 발간했다.

⚠ 선지 더 알아보기

동아일보 : 대한민국의 조간 종합 일간신문. 1920년 4월 1일에 창간, 현재 발행되고 있는 중앙 일간지 중에서는 서울신문과 조선일보에 이어 세번째로 역사가 오래된 일간지
조선일보 : 대한민국의 조간 종합 일간 신문. 1920년 3월 5일에 창간
한성순보 : 1883년 10월 1일에 발행된 우리나라 최초의 근대신문

10 | ④   ✓ Hint 키워드

녹두장군, 전봉준, 고부 농민 봉기

동학농민운동은 녹두장군 전봉준을 중심으로 일어났다.

1차 봉기의 성격 : 반봉건
고부 농민 봉기→황토현 전투 승리→전주성 점령→전주 화약

2차 봉기의 성격 : 반외세
일본의 경복궁 점령→삼례 봉기→우금치 전투 패배

⚠ 선지 더 알아보기

거중기 제작 : 조선 정조 때 정약용이 만듦
신민회 조직 : 1907년 안창호,양기탁이 설립한 항일 비밀 결사 단체로 대성학교와 오산학교 설립, 신흥무관학교 설립
천리장성 축조 : 고려 초기에 여진족과 거란족을 방비하기 위해 쌓음

11 | ③   ✓ Hint 키워드

1907년, 빚을 갚기 위해, 서상돈, 대구

1907년부터 1908년 사이에 국채를 국민들의 모금으로 갚기 위하여 전개된 국권회복운동으로 대구에서 서상돈에 의해 처음 시작 되었다.

⚠ 선지 더 알아보기

새마을 운동 : 박정희 정부, 근면·자조·협동 정신과 '잘 살아보세' 라는 구호를 바탕으로 빈곤퇴치와 지역사회개발을 위하여 1970년부터 전개된 운동
위정척사 운동 : 바른 것을 지키고 그른 것을 물리치고자 하는 반외세 운동
서경천도 운동 : 고려 승려 묘청이 고려의 수도(개경)를 서경(평양성)으로 천도하고자 한 운동

12 | ②   ✓ Hint 키워드

광복과 대한민국 정부 수립

- 1945년 8월 15일 광복
- 1948년 5월 10일 남한만의 총 선거 실시
- 1948년 7월 17일 제헌 국회 공포
- 1948년 8월 15일 대한민국 정부 수립

기묘사화

: 중종 때 일어난 사화로 조광조와 같은 사림이 훈구에 의해 죽거나 귀양 갔다. ('주초위왕' 문구가 새겨진 나뭇잎 일화)

오페르트 도굴 사건

: 1868년 독일 상인 오페르트가 흥선대원군의 통상 수교 거부 정책에 화를 품어 흥선대원군의 아버지인 남연군의 묘를 도굴하려다 실패한 사건이다.

6 · 15 남북 공동 선언 발표

: 김대중 정부, 최초의 남북 정상 회담을 통해 만들어진 선언

13 | ③  Hint 키워드

1910년대 일제가 시행한 경제 정책, 토지

토지 조사 사업은 1910년대 일제가 시행한 경제 정책으로 정해진 기간 내에 신고를 해야만 소유지로 인정받는 정책이었다. 그 당시 많은 사람들이 일어를 몰라서 신고하지 못했고, 일본은 우리나라의 땅을 빼앗아 갔다.

균역법: 조선 영조 때 실시된 수취제도로 군포를 2필에서 1필로 줄임
노비안검법: 고려 광종 때 실시한 정책으로 불법으로 노비가 된 사람들을 풀어주는 법
경부 고속 국도 개통: 박정희 정부

14 | ②  Hint 키워드

비타협적 민족주의자들과 사회주의자, 광주 학생 항일 운동 진상 조사단

신간회는 1927년 2월 15일에 사회주의와 민족주의 세력들이 결집해서 창립한 항일단체로, 1931년 5월까지 지속한 좌우합작 독립운동 단체이다.

삼별초: 고려 무신 정권기, 최우의 친위부대
통신사: 일본에 보낸 시찰단
화랑도: 신라 진흥왕 때 만든 청소년 집단으로 원광의 세속 5계를 행동 규범으로 삼음

15 | ①  Hint 키워드

1919년, 최대 규모의 민족 운동, 대한민국 임시 정부 수립에 영향

3 · 1 운동은 미국 대통령 윌슨의 민족자결주의와 동경에서 있었던 2 · 8 독립선언의 영향을 받아 한일 병합조약의 무효와 한국의 독립을 선언한 비폭력 만세 운동이다. 민족 대표 33인이 만세 성명서에 서명을 했고, 대표인물로 유관순이 있다. 3 · 1 운동은 일제강점기 가장 큰 대규모의 운동이고, 이 운동으로 인해 일제의 통치 방식이 무단 통치에서 문화 통치로 바뀌고, 대한민국 임시 정부가 수립되었다.

제주 4 · 3 사건

: 1947년 3월 1일부터 1954년 9월 21일까지 제주도에서 일어난 사건으로 빨치산 조직과의 무력 충돌과 그 진압과정에서 주민들이 희생당한 사건

임술 농민 봉기

: 조선 후기 때 일어난 농민들의 난으로 유계춘의 지도 아래 일어난 진주 농민 봉기로 시작해 전국적으로 퍼진 봉기

12 · 12 군사 반란

: 전두환과 노태우 등을 중심으로 한 신군부 세력의 군사 반란

16 | ②  Hint 키워드

갑오개혁, 1894년

갑오개혁은 1차와 2차로 나뉘는데 1차는 1894년 김홍집 내각을 중심으로 군국기무처의 관리 하에 시작되었다. 개혁의 내용으로는 중앙관제를 6조→8아문으로 바꾸고, 재정 일원화, 과거제 폐지, 도량형 통일이 있다. 2차는 김홍집과 박영효의 연립내각으로 행정제도를 지방 8도→23부로 개편, 홍범14조 반포, 신분제 폐지 등을 했다.

별무반 창설 : 고려 윤관이 여진족을 물리치기 위해 만든 군대
척화비 건립 : 조선 흥선대원군
세도 정치 : 조선의 외척 가문이 나라를 다스리는 정치로 대
표적인 세도가로는 안동 김씨, 풍양 조씨가 있
고 그때 세워졌던 허수아비 왕은 순조, 헌종, 철
종이다.

17 | ③ 

일왕에 충성, 황국 신민화 정책

일제강점기 1930년대 때 황국신민화 정책으로
우리 민족의 정체성을 말살하려고 황국신민서사
암송, 일본식 성명 사용과 함께 신사참배와 궁성
요배 등을 강요했다. 병참기지화 정책으로 국가
총동원법이 적용되면서 공출 제도가 실시되었고,
징병, 징용, 위안부, 근로정신대에 강제 동원되었
다. 경제정책은 남면북양 정책이 있었다.

골품제 : 신라 신분 제도로 뼈의 등급, 곧 타고나는 신분을 뜻
한다. 혈통에 따라 신분과 등급을 나누었고, 골품에
따라서 올라갈 수 있는 벼슬에 한계가 있었다.
사사오입 개헌 : 사사오입 개헌은 자유당이 사사오입(반
올림)을 내세워 헌법 개정안을 통과시켜
대한민국 헌법 제3호가 제정된 사건으로
헌법 제 3호는 초대 대통령에게는 임기
제한이 없다는 법이다.
사심관 제도 시행 : 고려 태조 왕건 때 지방 호족 세력을
약화시키려고 실시한 왕권 강화책, 지
방 출신 중앙 관리를 통해 그 지방을
통제하기 위해 실시

18 | ② 

전태일, 노동자

전태일은 "우리 노동자들은 열악한 작업 환경에
서 장시간 노동으로 고통 받고 있다. 우리는 기계
가 아니다! 근로 기준법을 준수하라!" 라고 외쳤
다. 서울 평화시장 노동자 전태일이 근로기준법
준수를 요구하며 분신 항거 자살했다.

신탁 통치 반대 : 1945년 모스크바 3국 외상 회의에서 결
정한 한국의 신탁통치안에 대한 대규모
의 반대 운동
청을 정벌 : 북벌론은 병자호란의 치욕을 씻고자 효종이
주도했던 것으로 조선의 군사력을 길러서 청
을 정벌하자는 주장
교조 최제우의 억울함 : 동학 교조 신원 운동

19 | ① 

금융 실명제 실시, 지방 자치제 시행, IMF 구제 금융 지원 요청

김영삼 정부는 금융 실명제 실시, 지방 자치
제 시행, IMF 구제 금융 지원 요청, 역사 바로
세우기 운동을 했다.

20 | ④

국제 사회가 한국의 독립을 처음으로 약속

카이로 회담은 미 · 영 · 중 3개의 연합국이
모여서 전후 처리를 논의했다. 일본의 식민지
인 조선을 자주 독립시키기로 처음으로 약속
한 국제 회담이다.

팔관회 : 고려 태조 왕건이 중요시한 불교 행사
화백 회의 : 신라의 귀족회의, 만장일치제
만민 공동회 : 독립협회가 개최

21 | ③

1980년, 광주에서 일어난 시위

신군부 세력의 퇴진 및 계엄령 철폐 등을 요
구하며 전개한 운동이다.

자유시 참변
: 1921년 러시아령 자유시에서 한국독립군 부대를 러시
아군이 공격했다.

6 · 10 만세 운동
: 1926년 순종의 장례식 날에 일으킨 만세운동

제너럴 셔먼호 사건
: 미국 무역선 제너럴 셔먼호가 통상요구 및 조선의 관리 납
치, 민간인을 죽이는 만행을 저질러서 제너럴 셔먼호를 대
동강에서 불태운 사건으로 신미양요의 발발 원인인 사건

22 | ③  Hint 키워드

나철, 단군 신앙, 중광단

우리민족의 기원신화에 나오는 단군을 섬기는
민족 고유의 종교이다. 나철이 1909년에 창시
했다. 중광단은 대종교에 의해 만들어진 조직
으로 일제강점기 항일 무장 투쟁의 성격을 띠
고 있다.

23 | ① Hint 키워드

6·25 전개 과정

1950. 6. 25 북한이 남침 해서 3일만에 서울이 점
령되었다. 유엔군의 개입으로 인천상륙작전(맥아
더 장군)이 성공하여 서울을 수복하고 평양으로
진격 했다. 이때 중국군의 개입으로 1·4 후퇴했
고, 38도선에서 엎치락 뒤치락 하다가 1953년 휴
전 협정을 맺었다.

⚠ 선지 더 알아보기

명량 대첩 : 임진왜란 때 이순신 장군이 이끄는 조선의 수군
이 명량 해협에서 크게 이긴 전투
무신 정변 : 고려시대 무신 차별 대우로 무신들이 반란을 일
으킴
아관 파천 : 을미사변 이후로 고종이 러시아 공사관으로 피신

24 | ② Hint 키워드

김원봉, 신채호의 조선 혁명 신인

의열단은 1919년 만주에서 김원봉이 조직한 항
일 무력 독립 운동 단체이다. 조선 총독부, 종로
경찰서 등에 폭탄을 투척 했다. 신채호의 "조선 혁
명 선언" 을 행동 강령으로 삼았다.

⚠ 선지 더 알아보기

별기군 : 강화도 조약 이후로 설치된 신식 군대
교정도감 : 고려 무신정권의 최고의 정치기구, 최충헌이 설치
조선어학회 : 우리말과 글의 연구, 통일, 발전을 목적으로
주시경이 선생이 만든 단체, 한글날 제정과 한
글맞춤법 통일안 제정 등의 활동을 함

25 | ④ Hint 키워드

남북한

7·4 남북 공동 성명은 박정희 정부가 분단 이후
최초로 통일과 관련해 합의한 공동 성명이다. 이
합의서에 따르면 통일원칙은 자주, 평화, 민족 대
단결이다.

⚠ 선지 더 알아보기

시무 28조 : 고려 성종 때 최승로가 건의한 유교 정치 이념
전주 화약 : 동학 농민들이 전주성을 점령하자 정부와 동학
농민들이 화해하면서 맺은 조약
4·13 호헌 조치 : 전두환 정부가 발표한 모든 개헌 논의를
금지하는 조치

2022년·2회

01	③	02	①	03	④	04	②	05	②
06	③	07	②	08	②	09	④	10	①
11	①	12	④	13	①	14	③	15	④
16	③	17	④	18	③	19	②	20	④
21	①	22	②	23	①	24	④	25	④

01 | ③ 

서울 암사동 유적지, 가락바퀴

신석기
유물 : 간석기, 빗살 무늬 토기, 가락바퀴
생활 : 농경(밭농사)과 목축의 시작
사회 : 무리사회, 이동＋정착 생활, 평등사회
유적지 : 서울 암사동, 부산 동삼동, 제주 고산리

⚠ **선지 더 알아보기**

상평통보 : 조선시대 화폐
비파형 동검 : 청동기 대표 유물
불국사 3층 석탑 : 통일신라시대 건축물

02 | ① 

법흥왕, 불교 공인, 금관가야 정복

법흥왕의 업적은 불교 공인, 금관가야 정복, 율령 반포, 병부 설치가 있다.

⚠ **선지 더 알아보기**

훈민정음 창제 : 조선 세종
사심관 제도 실시 : 고려 태조 왕건
전민변정도감 설치 : 고려 공민왕

03 | ④ Hint 키워드

서원경, 촌락의 인구 수, 토지의 종류와 크기, 소와 말의 수

신라 촌락 문서는 일본 도다이사 쇼소인에서 발견된 문서로 서원경에 속한 촌락을 비롯한

인구 수, 토지의 종류와 크기, 소와 말의 수 등이 적혀있다. 이 문서는 촌주가 3년마다 작성하는데 조세 징수 자료로 쓰인다.

04 | ② 나 · 당 연합→계백 장군의 황산벌 전투 →백제 멸망(의자왕의 항복) 660→고구려 멸망(보장왕의 항복) 668→나 · 당 전쟁(매소성, 기벌포 전투)→삼국 통일 676

05 | ② 

고려의 승려, 해동 천태종 창시, 교관겸수

고려 승려 의천은 문종의 넷째 아들로 교리 연구와 실천적 수행을 병행해야 한다는 교관 겸수를 주장했고, 해동 천태종을 창시했다.

06 | ③ Hint 키워드

명성황후 시해 사건, 단발령 실시

명성황후 시해 사건인 을미사변과 단발령을 실시한 을미개혁은 을미년에 일어난 사건으로, 이 일들이 원인이 되어 일어난 의병을 을미의병이라고 한다.

07 | ② 

고려 광종, 과거제

고려 광종의 정책은 노비안검법, 과거제, '광덕', '준풍' 독자적인 연호 사용, 공복 제정이 있다.

⚠ **선지 더 알아보기**

신문지법 : 1907년에 조선통감부가 언론을 통제하기 위해 만든 언론통제법
치안유지법 : 1925년 일제가 천황체제를 유지하고 사회주의 운동 확산을 막기 위해 만든 법
국가 총동원법 : 1938년 일제가 전쟁을 치르기 위해 인적, 물적 자원을 통제하고 동원하기 위해 만든 법

홍경래의 난, 임술농민봉기

홍경래의 난과 임술농민봉기가 일어났던 시기는 조선 후기 세도 정치기로 세도 가문이 권력을 독점하고 삼정의 문란으로 인해 백성들의 삶이 힘들어져서 농민들이 난을 일으켰다.

선지 더 알아보기

권문세족이 농장을 확대
: 고려 후기 친원파 권문세족

진골귀족들이 왕위 쟁탈전
: 통일신라 하대

일제가 황국 신민화 정책 추진
: 일제강점기 1930년대

09 | ④  Hint 키워드

고려 양인, 과거 응시와 거주 이전에 제한, 많은 세금 부과

고려시대 때 향, 소, 부곡은 국가 운영에 필요한 세금을 효율적으로 거두기 위해 설치했다. 그래서 향, 소, 부곡민은 과거 응시와 거주 이전에 제한이 있었고, 일반 군현민보다 많은 세금을 부담했다.

10 | ①  Hint 키워드

조선의 교육 기관, 사림, 선현제사, 교육

서원은 조선시대 교육기관 중 하나로 붕당의 근거지였고, 선현에게 제사를 지내거나 후진을 양성했다. 최초의 서원은 주세붕이 세운 소수 서원이다.

선지 더 알아보기

광혜원 : 우리나라 최초의 근대식 병원
우정총국 : 우리나라 최초의 우편행정관서
경성 제국 대학 : 일본이 조선에 세운 최초의 제국 대학

11 | ① Hint 키워드

사헌부, 사간원, 홍문관, 정사를 비판, 관리의 비리 감찰

삼사는 사헌부, 사간원, 홍문관을 통틀어 지칭한다. 왕의 자문을 담당하기도 하고, 왕이 잘못하면 이를 바로 잡고, 관리들의 비리를 감찰해 권력의 독점을 방지했다.

선지 더 알아보기

비변사 : 조선시대 임시 국방 기구로 설치 되었으나 임진왜란 이후로 상설기구화 되면서 조선 중후기의 최고 의결기관
식목도감 : 고려시대 법을 제정하는 독자적인 기구
군국기무처 : 갑오개혁을 추친했던 기관

12 | ④ Hint 키워드

1866년, 프랑스, 병인박해

1866년 천주교 박해인 병인박해가 일어났다. 병인박해로 인해 프랑스 신부들이 죽었고, 이를 구실로 프랑스가 강화도를 침입했고, 양헌수 장군이 정족산성에서 막아냈다. 프랑스군이 철수하고 가면서 외규장각 도서를 약탈했다.

선지 더 알아보기

쌍성총관부 탈환 : 고려 공민왕
나 · 제 동맹 : 고구려 장수왕의 남진정책에 의해 위협을 느낀 신라와 백제가 맺은 동맹
백두산 정계비 : 조선 숙종 때 조선과 청나라의 국경을 정하기 위해 세운 비석, 간도는 우리 땅.

13 | ① Hint 키워드

동학농민군, 농민 자치 기구

집강소는 동학농민군과 정부가 전주 화약을 맺고 난 뒤 동학농민군이 전라도 일대에 소식한 농민 자치 조직이다.

성균관 : 조선시대 최고의 교육 기관
국문 연구소 : 1907년에 설치된 최초로 한글을 연구하는 국
가기관
조선 총독부 : 일제강점기 최고 통치 기관

14 | ③ 📑 Hint 키워드

1926년, 순종의 장례일

6 · 10 만세 운동은 1926년 순종의 장례식 날에 일으킨 만세운동으로 학생을 중심으로 일어난 독립운동이다. 준비 과정에서 민족주의 세력과 사회주의 세력이 연대했고 1927년 신간회 등 사회 단체 조직에 영향을 끼쳤다.

⚠ 선지 더 알아보기

새마을 운동
: 근면 · 자조 · 협동 정신과 '잘 살아보세' 라는 구호를 바탕으로 빈곤퇴치와 지역사회개발을 위하여 1970년부터 전개된 운동이다.

서경 천도 운동
: 고려 승려 묘청이 고려의 수도(개경)를 서경(평양성)으로 천도하고자한 운동

5 · 18 민주화 운동
: 1980년 5월 18일부터 5월 28일까지 광주 시민과 전라남 도민이 중심이 되어, 신군부 세력의 퇴진 및 계엄령 철폐 등을 요구한 민주화 운동이다.

15 | ④ 📑 Hint 키워드

1910년대 무단 통치

1910년에 한일 병합 조약에 의해 일제의 식민 정치가 시작 된다. 1910년대 일제의 식민 지배 방식은 무단통치로, 헌병 경찰제를 도입했고, 조선 태형령으로 재판 없이 처분가능한 즉결처 분권이 시행되었다. 그리고 학교 교사에게도 제복을 입히고 칼을 차게 했다. 회사령을 공포 해 국내 산업 육성을 막았고, 토지 조사 사업을 실시해 조선의 토지를 빼앗았다.

⚠ 선지 더 알아보기

골품제 : 신라시대 신분제도
삼청교육대 : 전두환 정부
사사오입 개헌 : 사사오입 개헌은 자유당이 사사오입(반올 림)을 내세워 헌법 개정안을 통과시켜 대한 민국 헌법 제3호가 제정된 사건으로 헌법 제 3호는 초대 대통령에게는 임기 제한이 없다는 법이다.

16 | ③ 📑 Hint 키워드

홍커우 공원, 폭탄을 던져

윤봉길 의사는 상하이 홍커우 공원에서 폭탄을 던졌다.

⚠ 선지 더 알아보기

일연 : 《삼국유사》를 지음
김유신 : 신라 장군, 삼국통일에 중추적인 역할
정약용 : 조선 시대 실학자, 거중기로 수원 화성 축조에 이 바지, 《목민심서》를 지음.

17 | ④ 📑 Hint 키워드

일제가 한국을 식량 공급지화함.

산미 증식 계획은 일제가 한국을 식량 공급지 로 만들기 위해 실시한 정책으로 일제가 증산 량 목표 미달에도 불구하고 증산량보다 더 많 은 쌀을 일본으로 가져갔다.

⚠ 선지 더 알아보기

대동법 : 광해군이 실시한 법으로 공물(특산물)을 토지 결 수에 따라 쌀로 바치게 한 제도, 쌀(대동미)로 내면 조정이 공인에게 필요한 물품을 사는 방식을 취함
탕평책 : 영조와 정조가 실시한 정책으로 붕당을 막고 당파 간의 세력 균형 추구
의정부 서사제 : 왕권과 신권의 조화 추구, 의정부가 3정승의 합의에 의해 국가의 중대사를 처리 함

18 | ③

 Hint 키워드

방정환, 천도교

일제 강점기의 어린이 운동가인 방정환은 어린이 날을 만들었다. 최제우가 만든 동학을 3대 교주인 손병희가 천도교로 개편했다. 방정환은 손병희의 사위로서 천도교와 관련이 있다.

⚠ 선지 더 알아보기

현량과 시행 : 조선 중종 때 조광조의 개혁 정책
삼국사기 저술 : 고려 인종 때 문신 김부식
이토 히로부미를 처단함 : 안중근 의사

19 | ②

 Hint 키워드

4·13 호헌 철폐와 독재 타도를 외침, 직선제 개헌안 수용

6월 민주 항쟁은 전두환 대통령의 4·13 호헌 철폐와 독재 타도를 외치며 전국적으로 시위를 전개해서 대통령 직선제 개헌이라는 결과를 얻었다.

⚠ 선지 더 알아보기

3·1 운동
: 1919년 3월 1일, 미국 대통령 윌슨의 민족자결주의와 동경에서 있었던 2·8 독립선언의 영향을 받아 한일병합조약의 무효와 한국의 독립을 선언한 비폭력 만세 운동이다. 일제강점기 가장 큰 대규모의 운동이고, 이 운동으로 인해 일제의 통치 방식이 무단 통치에서 문화 통치로 바뀌고, 대한민국 임시 정부가 수립 되었다.

국채 보상 운동
: 1907년부터 1908년 사이에 국채를 국민들의 모금으로 갚기 위하여 전개된 국권회복운동으로 대구에서 서상돈에 의해 처음 시작 되었다.

금 모으기 운동
: 1997년 IMF 구제 금융 요청 당시 대한민구의 부채를 갚기 위해 국민들이 자신이 소유하던 금을 나라에 자발적으로 내놓은 운동이다.

20 | ④

Hint 키워드

1945년 신탁 통치 실시 결정

모스크바 3국 외상 회의에서 한국의 임시 민주 정부 수립을 위해 미소 공동 위원회 설치와 함께 신탁 통치가 결정 되었다.

⚠ 선지 더 알아보기

신민회 : 1907년 안창호, 양기탁이 설립한 항일 비밀 결사 단체로 대성학교와 오산학교 설립, 신흥 무관학교 설립
화백 회의 : 신라의 귀족회의, 만장일치제
조선 물산 장려회 : 물산 장려 운동을 위해 만들어진 조직

21 | ①

Hint 키워드

1950년 6월 25일, 북한의 남침으로 발발, 인천 상륙 작전

6·25 전쟁으로 인해 많은 군인과 민간인이 희생되었고, 이산가족과 전쟁 고아가 발생했고, 남북 분단이 고착화 되었다.

22 | ②

Hint 키워드

박정희 정부, 베트남 파병, 7·4 남북 공동 성명

박정희 정부는 유신 헌법 제정, 한일 협정 체결, 새마을 운동, 경제 개발 5개년 계획 추진, 경부 고속 국도 건설, 베트남 파병을 실시 했다.

⚠ 선지 더 알아보기

별기군 창설 : 통리기무아문의 개화 정책에 의해 만들어진 신식군대
독서 삼품과 실시 : 통일 신라 원성왕
한일 월드컵 대회 개최 : 2002년 한일 월드컵

23 | ①

Hint 키워드

삼백 산업, 3·15 부정 선거

이승만 정부는 미국의 원조로 인한 삼백산업 발달과 반민족 행위 특별 조사 위원회, 농지개혁법(유상 몰수, 유상분배)를 실시했고, 자유당의 3·15 부정선거로 인해 4·19 혁명이 일어났고 그에 대한 책임으로 이승만 대통령이 하야했다.

24 | ④ Hint 키워드

1940년에 대한민국 임시 정부가 창설, 지청천, 국내 진공 작전

한국광복군은 1940년에 대한민국 임시 정부가 창설 했고, 총사령관에 지청천, 참모장에 이범석이 취임하였다. 미국 전략 정보국과 협력하여 국내 진공 작전을 계획했다.

선지 더 알아보기

별무반 : 고려 윤관이 여진족을 물리치기 위해 만든 군대
삼별초 : 고려 무신 정권기에 최우의 친위부대로 여 몽 연합군에 대항하여 강화도, 진도, 제주도로 이동하며 항전을 벌임
장용영 : 조선 정조 때 만들어진 왕의 친위 부대

25 | ④ Hint 키워드

김영삼 정부, OECD 가입, 외환 위기 발생

김영삼 정부는 금융 실명제 실시, OECD 가입, 지방 자치제 시행, IMF 구제 금융 지원 요청, 역사 바로세우기 운동을 했다.

01	③	02	①	03	②	04	③	05	④
06	④	07	②	08	③	09	①	10	①
11	④	12	④	13	③	14	①	15	②
16	①	17	④	18	④	19	③	20	②
21	④	22	④	23	③	24	②	25	①

01 | ③ ✓ Hint 키워드

계급의 분화, 비파형 동검, 고조선

청동기
유물 : 고인돌, 비파형 동검
생활 : 벼농사 시작(빈부격차 발생)
사회 : 정착생활, 계급사회

02 | ① ✓ Hint 키워드

국학, 9주 5소경, 녹읍 폐지

통일 신라 중대, 신문왕은 국학을 설치 했고, 9주 5소경 체제를 정비했다. 관료전 지급 및 녹읍을 폐지해서 왕권 강화에 힘썼다. 신문왕 때 신문왕의 장인인 김흠돌이 난을 일으키기도 했다.

03 | ② ✓ Hint 키워드

김부식

≪삼국사기≫는 김부식이 왕명을 받아 편찬한 역사책으로, 현존하는 우리나라 역사서 중 가장 오래되었고, 기전체 방식으로 쓰여졌다.

⚠ 선지 더 알아보기

경국대전 : 조선 세조 때 편찬을 시작해 성종 때 완성된 조선의 법전
조선책략 : 청국인 황준헌이 쓴 책으로 김홍집이 고종에게 바침
팔만대장경 : 몽골의 침입을 부처의 힘으로 물리치고자 만든 목판 인쇄물

04 | ③ ✓ Hint 키워드

공민왕, 친원 세력 제거, 정동행성 이문소 폐지

공민왕은 반원 자주 정책을 펼쳤던 왕으로 쌍성총관부를 공격해 철령 이북의 땅을 찾아왔고, 친원 세력을 제거했다. 신돈을 등용해 전민변정도감을 설치했고, 정동행성 이문소를 폐지했다.

05 | ④ ✓ Hint 키워드

의정부에서 논의하여 보고

의정부서사제는 왕권과 신권의 조화 추구, 의정부가 3정승의 합의에 의해 국가의 중대사를 처리 했다. 이 제도는 대표적으로 세종과 성종이 실시하였다.

⚠ 선지 더 알아보기

골품제 : 신라 신분제도로 뼈의 등급, 곧 타고나는 신분을 뜻한다. 혈통에 따라 신분과 등급을 나누었고, 골품에 따라서 올라 갈 수 있는 벼슬에 한계가 있었다.
6조 직계제 : 태종과 세조가 실시했는데, 6조가 의정부를 거치지 않고 왕에게 직접 보고해서 업무를 처리하도록 한 제도이다.
헌병 경찰제 : 군사 경찰인 헌병이 일반 경찰 업무를 수행하는 제도로 1910년대 일제강점기 무단 통치기를 설명하는 대표적인 경찰제도다.

06 | ④ ✓ Hint 키워드

최초의 근대적 교육 기관

1883년 최초의 근대적 사립학교인 원산학사가 함경도 덕원 주민들에 의해 세워졌다.

⚠ 선지 더 알아보기

태학 : 고구려 소수림왕 때 세운 국립 교육 기관
국자감 : 고려 성종 때 세운 최고의 교육 기관
성균관 : 조선 최고의 교육 기관

07 | ②  Hint 키워드

왕의 외척 가문이 권력을 장악한 정치 형태

세도 정치는 조선 왕의 외척 가문이 나라를 다스리는 정치로 대표적인 세도가로는 안동 김씨, 풍양 조씨가 있고 그 때 세워졌던 허수아비 왕은 순조, 헌종, 철종이다.

선지 더 알아보기

도병마사 : 국방 문제를 다루기 위해 설치된 임시기구로 나중에 도평의사사로 이름이 바뀐다. 재신과 추밀로 구성된다.
무신 정권 : 고려 의종부터 원조까지 100년동안 무신이 다스렸던 고려 시대의 정부를 말한다. 정중부, 이의방, 이의민, 최씨정권(최충헌, 최우, 최항, 최의) 이렇게 무신 사이에서도 정권이 교체 되었다.
동북 공정 : 중국 동북부(만주)에 있었던 나라들이 중국의 역사라고 주장하는 역사 왜곡 시도

08 | ③  Hint 키워드

1907년, 대구, 빚을 갚자, 대한매일신보

국채보상운동은 1907년부터 1908년 사이에 국채를 국민들의 모금으로 갚기 위하여 전개된 국권회복운동으로 대구에서 서상돈에 의해 처음 시작되었다. 대한매일신보 등 언론사가 후원하면서 전국으로 확산되었다.

선지 더 알아보기

형평 운동 : 1920년대 일어난 사회운동으로 갑오개혁으로 신분제가 폐지되었으나 계속되는 백정에 대한 편견과 차별에 항의하는 운동
북벌 운동 : 병자호란의 치욕을 씻고자 효종이 주도했던 것으로 조선의 군사력을 길러서 청을 정벌하자는 운동
서경 천도 운동 : 고려 승려 묘청이 고려의 수도(개경)을 서경(평양성)으로 천도하고자 한 운동

09 | ① Hint 키워드

대한 제국의 외교권을 빼앗고, 통감부를 설치

1905년 을사늑약에 의해 대한제국의 외교권이 뺏겼고, 일본은 통감부를 설치해 초대 통감인 이토 히로부미가 대한제국의 내정 간섭을 시작하였다.

선지 더 알아보기

헌의 6조 : 독립협회가 개최한 관민 공동회에서 결의한 개혁안
남북 협상 : 김구와 김규식 등이 북측에 통일 정부 수립을 위한 남북한 정치 지도자 회담을 제안했고 38도선을 넘어 평양에서 남북 지도자 회의를 개최함
간도 협약 : 대한제국이 을사늑약으로 외교권을 뺏긴 뒤 청과 일본이 맺은 조약으로 간도가 청의 영토가 됨.

10 | ①  Hint 키워드

을미개혁

을미개혁은 1895년 을미사변 이후에 시행된 개혁으로 태양력 사용, 종두법 시행, 단발령 실시 등이 있다.

선지 더 알아보기

노비안검법 실시 : 고려 광종
독서삼품과 실시 : 통일신라 원성왕

11 | ④ Hint 키워드

통상 수교 거부 정책, 척화비

흥선대원군은 통상수교 거부 정책을 펼쳤다. 흥선대원군 집권 당시 1866년에 병인박해, 병인양요, 제너럴셔먼호 사건이, 1868년 오페르트 도굴미수사건이, 1871년에 신미양요가 일어났고 전국 각지에 척화비를 세웠다.

선지 더 알아보기

서희 : 고려시대 문신, 거란과의 싸움에서 외교로 이기고 강동 6주를 얻음
안향 : 고려시대 학자, 성리학을 처음으로 수용한 사람
정약용 : 조선시대 실학자, 거중기로 수원 화성 축조에 이바지, 저서 《목민심서》

12 | ④ Hint 키워드

부통령 후보 이기붕, 4·19 혁명의 배경

자유당의 3·15 부정 선거는 자유당의 후보인 이기붕 후보를 부통령에 당선 시키기 위해 벌어진 일로 4·19 혁명의 배경이 되었고, 이승만 대통령의 하야 원인이 되었다.

아관 파천 : 을미사변 이후로 고종이 러시아 공사관으로 피신함
위화도 회군 : 명의 요동정벌군의 장수였던 이성계가 위화도에서 군사를 돌려 정변을 일으켜 권력을 장악함
국내 진공 작전 : 1945년 8월 18일에 대한민국 임시정부가 만든 한국광복군이 미국군의 도움을 받아 수도 서울을 탈환 하려고 했던 작전, 1945년 8월 15일 일본이 연합국에 항복함으로써 무산됨.

13 | ③ 

개화 정책을 총괄 하기 위한 기구

통리기무아문은 1880년대 조선 정부가 개화 정책을 총괄하기 위해 세운 기구로 신식군대인 별기군을 창설하였다.

집현전 : 조선 세종 때 설치된 학문연구를 위해 만들어진 기관
교정도감 : 고려 무신정권의 최고의 정치기구, 최충헌이 설치
동양 척식 주식회사 : 일제가 대한제국의 토지와 자원을 수탈한 목적으로 설립한 기관

14 | ① 

1910년대, 회사를 설립 할 때는 조선 총독의 허가를 받도록

1910년대 일제가 시행한 회사령은 회사를 설립할 때 조선 총독의 허가를 받도록 했다. 한국인의 회사 설립을 억제해서 한국의 산업 성장을 방해 하려고 시행한 정책이다.

균역법 : 소선 영소 때 실시된 수쥐제도로 군포를 1필로 줄임
공명첩 : 돈이나 곡식을 받고 팔았던 백지 임명장으로 조선 시대에 있었던 매관매직 제도 중 하나
대동법 : 광해군이 실시한 법으로 공물(특산물)을 토지 결수에 따라 쌀로 바치게 한 제도이다. 쌀(대동미)로 내면 조정이 공인에게 필요한 물품을 사는 방식을 취했다.

15 | ② 

1920년, 김좌진, 북로군정서

청산리 대첩은 1920년에 김좌진이 이끄는 북로군정서와 함께한 독립군 연합부대가 청산리에서 일본군을 크게 이긴 싸움이다.

병자호란 : 조선 인조 때 청나라가 침략, 인조의 남한산성 피신, 삼전도의 굴욕(삼배구고두)
한산도 대첩 : 임진왜란 때 한산도 앞바다에서 조선 수군이 왜군을 크게 무찌른 해전으로 학익진 전법을 처음 썼다.
황토현 전투 : 동학농민운동 때 황토현 일대에서 관군을 무찌르고 첫 승리를 거둔 전투

16 | ① 

민족 자결주의, 2·8 독립 선언, 1919년, 최대의 민족 운동

3 · 1운동은 미국 대통령 윌슨의 민족자결주의와 동경에서 있었던 2 · 8 독립선언의 영향을 받아 한일 병합조약의 무효와 한국의 독립을 선언한 비폭력 만세 운동이다. 민족 대표 33인이 만세 성명서에 서명을 했고, 대표인물로 유관순이 있다. 일제강점기 가장 큰 대규모의 운동이고, 이 운동으로 인해 일제의 통치 방식이 무단 통치에서 문화 통치로 바뀌고, 대한민국 임시정부가 수립되었다.

제주 4 · 3 사건
: 1947년 3월 1일부터 1954년 9월 21일까지 제주도에서 일어난 사건으로 빨치산 조직과의 무력 충돌과 그 진압 과정에서 주민들이 희생당한 사건

금 모으기 운동
: 1997년 IMF 구제 금융 요청 당시 대한민국의 부채를 갚기 위해 국민들이 자신이 소유하던 금을 나라에 자발적으로 내놓은 운동

부마 민주 항쟁
: YH 사건과 오일쇼크로 인한 경기침체가 발단이 되어 유신철폐와 독재타도를 외친 운동

17 | ④ 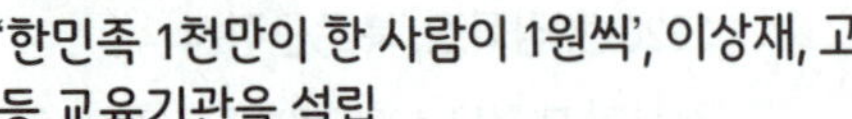 Hint 키워드

'한민족 1천만이 한 사람이 1원씩', 이상재, 고등 교육기관을 설립

민립대학 설립운동은 1920년대 초반 실력양성 운동의 일환으로 일제의 식민지 교육에 맞서 우리의 손으로 고등 교육기관을 설립할 목적으로 일어난 문화 운동이다. '한민족 1천만이 한 사람이 1원씩' 이라는 구호를 걸었다.

⚠ 선지 더 알아보기

만민 공동회
: 독립협회가 개최

서울 진공 작전
: 1908년 전국 각지에서 모인 의병들이 13도 창의군을 결성하여 일으킨 한성 탈환 작전이다.

토지 조사 사업
: 1910년대 일제가 시행한 경제 정책으로 정해진 기간 내에 신고를 해야만 소유지로 인정받는 정책이었다. 그 당시 많은 사람들이 일어를 몰라서 신고하지 못했고, 일본은 우리나라의 땅을 빼앗아 갔다.

18 | ④ Hint 키워드

모스크바 3국 외상 회의

모스크바 3국 외상 회의에서 한국의 임시 민주 정부 수립을 위해 미소 공동위원회 설치와 함께 신탁 통치가 결정되었다.

⚠ 선지 더 알아보기

신간회 : 1927년 2월 15일에 사회주의,민족주의 세력들이 결집해서 창립한 항일단체
조선 형평사 : 1923년 백정 신분 해방 운동
국민 대표 회의 : 1923년 상하이에서 개최된 한국 독립운동 단체들의 회의

19 | ③ Hint 키워드

황국 신민 서사 암송, 궁성 요배, 신사 참배

1930년대 일제의 식민 통치 방식은 병참기지화 정책과 민족말살 정책이다. 병참 기지화 정책으로는 국가총동원법과 징병제, 징용제, 일본군 위안부가 있다. 민족말살 정책으로는 신사 참배와 궁성요배, 황국신민서사암송, 일본식 성명 강요가 있다.

⚠ 선지 더 알아보기

호포제 : 조선 후기 고종 때 흥선대원군이 실시한 군역제도이다. 호단위로 군포를 징수하는 방법으로, 군포를 상민 뿐만 아닌 양반층에게도 부과한 제도
금융 실명제 : 금융기관과 거래를 할 때 실명으로 거래하는 제도로 김영삼 정부가 시행한 정책이다.
4 · 13 호헌 조치 : 전두환 정부가 발표한 모든 개헌 논의를 금지하는 조치

20 | ② Hint 키워드

한인 애국단 조직, 백범일지

김구는 1931년에 일본의 주요인물들을 암살하려는 목적으로 한인 애국단을 조직했고 대한민국 임시 정부 주석을 역임했고, 광복 이후에는 신탁 통치 반대운동과 함께 남북 협상에 참여 했다. 그의 저서로는 ≪백범일지≫가 있다.

⚠ 선지 더 알아보기

궁예 : 후삼국시대, 후고구려를 세운 사람
박제가 : 조선시대 실학자, 중상주의 학파, 저서 ≪북학의≫
연개소문 : 고구려 사람, 정변을 일으켜 보장왕을 왕으로 세우고, 대막리지로 정권 장악했다. 당과 신라에 대한 강경한 외교 정책을 펼쳤다.

21 | ④ Hint 키워드

민족 반역자를 청산, 1948년 제헌 국회

1948년 제헌 국회는 국민적 여론과 제헌 헌법에 따라 반민족 행위 처벌법을 제정하였다. 이 법은 일제의 식민지배에 협력했던 친일파를 청산하기 위해 만들어진 법이다.

시무 28조: 고려 성종 때 최승로가 건의한 유교 정치 이념
미쓰야 협정: 1925년 일본과 중국 사이에 맺어진 협약으로 만주에 있는 한국 독립군의 활동을 탄압한다는 내용이다.
남북 기본 합의서: 노태우 정권이 북한과 맺은 합의서

22 | ④ 🔖 Hint 키워드

1980년, 광주의 학생과 시민, 유네스코 세계 기록 유산으로 등재

1980년 5월 18일부터 5월 28일까지 광주 시민과 전라남도민이 중심이 되어, 신군부 세력의 퇴진 및 계엄령 철폐 등을 요구한 민주화 운동이다.

갑신정변: 1884년, 급진개화파가 일본의 도움을 받아 우정총국 개국 축하연 때 난을 일으키지만 삼일만에 끝나서 삼일천하로 불림
교조 신원 운동: 동학 교조 최제우의 억울함을 회복하기 위해 동학교도가 벌인 운동
물산 장려 운동: 일제강점기 1920년대 시작된 경제 자립 운동으로, 조만식을 중심으로 평양에서 일어났고, 구호는 "조선 사람, 조선의 것", 국산품 애용과 민족기업 육성을 장려했다.

23 | ③ 🔖 Hint 키워드

북한군의 남침, 인천 상륙 작전, 1·4 후퇴, 정전 협정

1950. 6. 25 북한이 남침 해서 3일만에 서울이 점령되었다. 유엔군의 개입으로 인천상륙작전(맥아더 장군)이 성공하여 서울을 수복하고 평양으로 진격 했다. 이때 중국군의 개입으로 1·4 후퇴했고 38도선에서 엎치락 뒤치락 하다가 1953년 휴전 협정을 맺었다.

임진왜란
: 도요토미 히데요시가 일본 통일 후 조선을 침략한 전쟁으로 이순신이 이끄는 수군과 의병으로 인해 여러차례 승리했고, 도요토미 히데요시의 사망으로 종결됐다.
귀주대첩
: 거란의 3차 침입 때 고려 장군 강감찬이 귀주에서 크게 이긴 전투
쌍성보 전투
: 1930년대 일어난 전투로 한국 독립군(총사령관 지청천)이 쌍성보를 공격, 1차 전투는 승리, 2차 전투는 패전

24 | ② 🔖 Hint 키워드

박정희 정부

박정희 정부는 유신 헌법 제정, 한일 협정 체결, 새마을 운동, 경제 개발 5개년 계획 추진 그리고 베트남 파병을 실시 했다.

전주 화약 체결: 동학 농민 운동 때, 정부와 농민군이 전주에서 맺은 화해의 약속
서울 올림픽 개최: 1988년 대한민국의 서울에서 개최된 올림픽, 노태우 정부

25 | ① 🔖 Hint 키워드

1905년 일본이 자국의 영토로 불법 편입, 한국 영토

1905년 러·일 전쟁 때 일본이 독도를 자국의 영토로 불법 편입했다.

01	②	02	①	03	①	04	③	05	②
06	①	07	③	08	④	09	①	10	④
11	④	12	③	13	②	14	③	15	①
16	③	17	①	18	④	19	③	20	④
21	④	22	②	23	③	24	②	25	④

01 | ②  Hint 키워드

경기 연천 전곡리, 사냥

구석기
유물 : 뗀석기(주먹도끼)
생활 : 사냥, 채집, 어로
사회 : 무리사회, 이동생활, 평등사회
유적지 : 경기 연천 전곡리

⚠ 선지 더 알아보기

해국도지 : 1842년 청나라의 위원이 지은 해외국가의 지도
가 들어 있는 세계 지리서
수월관음도 : 관음보살을 주제로 그린 고려시대 불화
임신서기석 : 신라시대 유교와 관련된 비석으로 두 청년이
유교 경전 학습에 힘쓸 것을 약속한 내용이 새
겨져 있다.

02 | ① Hint 키워드

서희의 외교담판, 강감찬의 귀주대첩

고려는 거란의 침략에 대응하여 1차 침입 때는
문신 서희의 외교담판으로 강동 6주를 되찾았
고, 3차 침입 때는 강감찬 장군이 귀주에서 크
게 이겨서 물리쳤다.

03 | ① Hint 키워드

고려, 정혜쌍수, 돈오점수, 수선사를 중심으로 결사 운동

고려 무신 집권기 보조국사 지눌은 세속화된 불
교를 개혁하기 위해 정혜쌍수와 돈오점수를 내세
우며 수선사를 중심으로 결사 운동을 펼쳤다.

04 | ③  Hint 키워드

동학 농민 운동

동학농민운동은 녹두장군 전봉준을 중심으로
일어났다.

1차 봉기의 성격 : 반봉건
고부 농민 봉기→황토현 전투 승리→전주성
점령→전주 화약

2차 봉기의 성격 : 반외세
일본의 경복궁 점령→삼례 봉기→우금치 전
투 패배

⚠ 선지 더 알아보기

국학 설치 : 통일 신라 신문왕
사비천도 : 백제 성왕
고구려 멸망 : 668년 나당 연합군에 의해 멸망

05 | ② Hint 키워드

세도 정치, 전정·군정·환곡의 부담

삼정의 문란은 세도정치기에 조선의 세금 제도
였던 전정, 군정, 환곡이 변질되어 부정부패로
나타난 현상이다.

06 | ① Hint 키워드

흥선대원군, 선현을 제사하는 곳, 붕당의 근거지

서원은 조선 시대 교육기관 중 하나로 붕당의
근거지였고, 선현에게 제사를 지내거나 후진을
양성했다. 그래서 흥선대원군은 서원을 철폐
했다.

⚠ 선지 더 알아보기

녹읍 설치 : 신라 경덕왕 때 녹읍이 부활
교정도감 폐지 : 무신정권이 끝나고 폐지
동서 대비원 설치 : 고려 의료기관으로 갈 곳 없는 자들을
보호 하기도 함

07 ③  **Hint 키워드**

김옥균, 박영효, 김홍집, 서양의 근대적 제도와 과학 기술을 수용

개화파의 대표적인 인물은 김옥균, 박영효, 김홍집 등이 있으며, 이들은 서양의 근대적 제도와 과학 기술을 수용하고자 했다.

⚠ 선지 더 알아보기

호족 : 신라 말에 등장한 세력으로 중앙 귀족과 대비 되는 지방 토착세력이다.
무신 : 고려 의종부터 원종까지 약 100년 동안 무신이 수립한 고려 정부가 무신정권이다.
오경박사 : 백제시대 오경(역경, 시경, 서경, 춘추, 예기)에 통달한 사람에게 준 관직으로 유교와 관련이 있다.

08 ④  **Hint 키워드**

충남 부여, 향, 불교와 도교 세계

백제 금동 대향로는 백제가 사비(지금의 부여)로 수도를 옮긴 후 활짝 꽃 피웠던 백제 문화를 나타내는 유물로 백제인들이 꿈꾸던 이상 세계가 표현 되어 있는 공예품이다.

⚠ 선지 더 알아보기

택리지 : 이중환
상평통보 : 조선 시대 화폐
곤여만국전도 : 조선 숙종 때 만든 세계지도 병풍

09 ①  **Hint 키워드**

임진왜란 이후 피해 극복, 명과 후금의 싸움에 말려들지 않고 실리

조선시대 왕 광해군은 임진왜란 이후 피해 극복을 위해 노력했고, 임진왜란이 7년에 이르는 장기전이였기 때문에 더 이상의 전쟁은 불가피 히디고 판단하여 중립 외교를 선택해 명과 후금의 싸움에 말려들지 않고 실리를 취하려고 했다.

⚠ 선지 더 알아보기

혜공왕 : 무열왕계의 왕위 계승이 이루어진 신라 중대 마지막 왕
법흥왕 : 병부 설치, 율령 반포, 불교 수용, 금관가야 정복을 한 신라 왕
고국천왕 : 을파소의 건의를 받아 들여 진대법을 실시한 고구려 왕

10 ④  **Hint 키워드**

고종, 을사늑약의 불법성, 만국 평화 회의, 이준, 이상설

고종이 을사늑약의 불법성을 알리기 위해 헤이그 만국 평화 회의에 특사로 파견한 사람은 이준, 이상설, 이위종이다. 고종은 헤이그 특사 관련으로 일본에게 강제 퇴위를 당한다.

⚠ 선지 더 알아보기

중추원 : 고려 정치 기구로 왕명 출납 및 군사 기밀 관리를 하는 곳이다.
도병마사 : 고려 국방 회의 기구로 만장일치제 성격을 띤 귀족 합의 기관이다.
중서문화성 : 고려 최고의 중앙정치 기구이다.

11 ④  **Hint 키워드**

1920년대, 농민, 쟁의, 전국 농민 운동

암태도 소작 쟁의는 암태도에서 농민들이 지주에 대항하여 소작료 인하를 요구하여 파업 및 농성한 사건이다. 소작료를 낮추는데 성공하여 전국의 농민 운동을 자극하였다.

⚠ 선지 더 알아보기

6·3 시위 : 1964년 박정희 정부의 한일회담 진행에 반대하여 일어난 운동이다.
이자겸의 난 : 고려 인종 때 인종의 외할아버지이자 장인인 이자겸이 자신이 왕이 되고자 난을 일으킴
강조의 정변 : 강조가 목종을 시해하고 일으킨 정변으로 거란의 제 2차 침입의 구실이 되었다.

12 | ③ 　Hint 키워드

영국인 베델, 순한글, 국한문, 영문 세 종류로 발행

대한매일신보는 1904년 창간한 신문으로 발행인 겸 편집인이 영국인 베델이고, 총무는 양기탁이다.

선지 더 알아보기

독사신론 : 민족주의 사학자 신채호가 대한매일신보에 연재한 미완성 논설
동경대전 : 조선 후기 동학의 창시자 최제우가 순한문체로 지은 동학의 경전
조선 왕조 실록 : 조선 태조부터 철종까지의 역사를 연월일 순서에 따라 편년체로 기록한 역사서

13 | ② 　Hint 키워드

3·1 운동을 계기, 문화적 제도의 혁신

일제는 3·1 운동을 계기로 무단통치로는 한국을 지배하기 어렵다고 판단하여 한글신문의 발행을 허용하는 등 문화적 제도의 혁신을 내세운 문화 통치로 식민 지배 방식을 변경했다. 헌병경찰제에서 보통경찰제로, 회사령에서 신고제로 겉으로 보기엔 식민 지배 방식이 자유로워 보였으나 실상은 그렇지 않았다. 보통 경찰제로 바꾸면서 경찰의 수가 증가해 감시가 더 심해졌고, 신문 발행이 가능하지만 검열을 했기 때문에 정작 조선인들에게 필요한 정보는 전달하지 못했다.

선지 더 알아보기

기인 제도 : 고려 태조가 실시한 정책으로 지방 호족의 자제를 볼모로 중앙에 머물게 했다. 이 제도는 호족 세력을 견제하여 왕권을 강화하기 위해 실시하였다.
친명배금 정책 : 명나라와 친하고, 금나라를 배척하는 정책으로 조선 인조가 추진한 정책이고 이로 인해 정묘호란과 병자호란이 일어났다.

14 | ③ 　Hint 키워드

이화 학당 학생, 3·1운동, 만세운동 주도, 서대문 형무소에서 사망

유관순은 이화학당 학생으로 3·1 운동이 일어나자 천안에서 아우내 독립 만세 운동을 주도 했고, 검거 되어 투옥 중에도 옥중만세운동을 벌였고, 오랫동안 계속된 고문과 영양실조로 18세의 나이로 서대문 형무소에서 순국했다.

선지 더 알아보기

김흠돌 : 통일신라 신문왕의 장인으로 김흠돌의 난을 일으킨 사람이다.
나운규 : 영화 『아리랑』을 만든 사람이다.
윤원형 : 조선 중기의 문신으로 문정왕후의 동생이자 명종의 삼촌으로 권력을 휘둘렀던 대표적인 외척이다.

15 | ① 　Hint 키워드

지방관들은 곡물 유출을 막고자 하였다.

조선 쌀이 일본으로 대량 유출 되자 쌀이 부족해서 곡물 가격이 오르고, 조선 사람들의 피해가 커졌다. 그래서 지방관들이 일본으로의 곡물 유출을 막는 방곡령을 선포했다.

선지 더 알아보기

봉사 10조 : 무신 집권자 최충헌이 무신 정변의 정당성 및 정책 방향을 담아 국왕에게 올린 시무책이다.
교육 입국 조서 : 고종이 발표한 조서로 '국가의 부강은 국민의 교육에 있다'는 내용이다.
좌우 합작 7원칙 : 우익 김규식과 좌익 여운형을 중심으로 좌우 합작 위원회를 구성해 단독 정부 수립을 위한 노력으로 좌우 합작 운동을 추진했는데 이 과정에서 발표한 것이 좌우 합작 7원칙이다.

16 | ③ 　Hint 키워드

국내 침투, 한국광복군

독립 투쟁을 위한 국내 침투로, 미국 전략 정보국의 훈련을 마친 한국광복군이 파견 될 예정이었으나 일본의 항복으로 무산 되고 1946년 6월 한국광복군이 해체 되었다.

위화도 회군 : 명의 요동정벌군의 장수였던 이성계가 위화도에서 군사를 돌려 정변을 일으켜 권력을 장악함
YH무역 사건 : 1979년 8월 9일 YH무역 여성노동자 170여 명이 회사운영 정상화와 근로자 생존권보장을 요구하며 신민당사 4층강당에서 농성을 벌인 사건
서경 천도 운동 : 고려 승려 묘청이 고려의 수도(개경)를 서경(평양성)으로 천도하고자 한 운동

17 | ①  Hint 키워드

모스크바 3국 외상회의, 미소공동 위원회 설치, 5년간

신탁통치는 강대국이 독립할 능력이 없는 나라를 일정 기간 동안 통치 하는 것이다. 1945년 12월 모스크바 3국 외상 회의에서 한국에 임시 민주 정부를 수립하고 미국, 영국, 중국, 소련에 의한 최고 5년간의 한반도 신탁 통치를 결정했다.

제가회의 : 고구려 귀족회의
나·제 동맹 : 삼국시대에 고구려의 남진을 막기 위해 신라와 백제가 체결한 동맹
독서삼품과 : 통일 신라 원성왕이 실시

18 | ④ Hint 키워드

반민족 행위자 조사 및 처벌을 위한 기구

반민족 행위 특별 조사 위원회는 일제 강점기에 있었던 친일파들의 민족 반역 행위를 조사하고 처벌하기 위해 1948년 10월 제헌 국회에 설치되었던 특별 기구이다.

정당성 : 발해의 3성 가운데 하나로 국왕의 정령을 집행하는 기관
식목도감 : 고려시대 법을 제정하는 기관으로 독자적인 기구
건국 준비 위원회 : 정식명칭은 조선건국준비위원회이다. 1945년 8·15 광복 후 여운형이 중심이 되어 조직한 최초의 건국 준비 단체

19 | ③  Hint 키워드

물산장려회

물산 장려 운동은 일제강점기 1920년대 시작된 경제 자립 운동이다. 조만식을 중심으로 평양에서 일어났고, 구호는 "조선 사람, 조선의 것" 이다. 국산품 애용과 민족기업 육성을 장려 했다.

20 | ④ Hint 키워드

4·19혁명

자유당의 3·15 부정 선거로 인해 학생과 시민들의 시위가 일어났다. 김주열의 시신으로 인해 4·19 혁명이 시작 되었고, 이 혁명으로 인해 이승만은 대통령으로서의 책임을 지고 사임 하고 하와이로 망명했다.

집강소 설치 : 동학 농민 운동 때 전주화약 이후로 설치
기묘사화 발생 : 조선 중종 때 신임 받던 조광조가 죽게 되는 사건이다. 조광조를 대표로 하는 사림이 현량과 실시, 공훈 삭제 등 개혁을 시도 했고 이로 인해 훈구파에 의해 조광조를 비롯한 사림이 처단 되었다.
노비안검법 실시 : 고려 광종이 왕권 강화를 위해 시행한 정책으로 불법으로 노비 된 사람을 놓아주는 법이다.

21 | ④ Hint 키워드

6·25 전쟁

1950. 6. 25 북한이 남침 해서 3일만에 서울이 점령되었다. 유엔군의 개입으로 인천상륙작전(맥아더 장군)이 성공하여 서울을 수복하고 평양으로 진격 했다. 이때 중국군의 개입으로 1·4 후퇴했고, 38도선에서 엎치락 뒤치락 하다가 1953년 휴전 협정을 맺었다.

자유시 참변 : 1921년 러시아령 자유시에서 한국독립군 부대를 러시아 적군이 공격
미쓰야 협정 : 1925년 일본과 중국 사이에 맺어진 협약으로 만주에 있는 한국 독립군의 활동을 탄압한다는 내용이다.
별기군 창설 : 강화도 조약 이후로 설치된 신식 군대

22 | ②  Hint 키워드

햇볕 정책, 남북 정상 회담, 6 · 15 남북 공동 선언

김대중 정부는 햇볕 정책인 대북 화해 협력 정책을 추진 했고, 2000년 6월 13일~15일까지 최초의 남북 정상 회담을 개최했다. 6 · 15 남북 공동 선언을 했고, 이산가족 방문과 개성공단 건설을 결정했다.

23 | ③ Hint 키워드

전두환 등 신군부 세력, 군권을 장악

1979년 12월 12일 전두환 신군부 세력이 정승화 참모총장을 강제 연행하면서 일어난 사건이다.

3포 왜란 : 1510년 조선 중종 때 삼포(부산포, 내이포, 염포)에 거주하던 왜인들이 대마도의 지원을 받아 일으킨 난
거문도 사건 : 러시아의 남하정책에 위협을 느낀 영국이 거문도를 불법 점령한 사건
임술 농민 봉기 : 조선 후기 때 일어난 농민들의 난으로 유계춘의 지도 아래 일어난 진주 농민 봉기로 시작해 전국적으로 퍼진 봉기

24 | ② Hint 키워드

외환 위기 극복, IMF 지원금을 조기 상환

IMF를 극복하기 위해 김영삼 대통령이 금 모으기 운동을 했다.

형평 운동 : 일제강점기 1920년대 일어난 백정에 대한 사회적 차별 철폐 운동
교조 신원 운동 : 동학 교조 최제우의 억울함을 회복하기 위해 동학교도가 벌인 운동
문자 보급 운동 : 일제 민족 말살 정책에 대항하여 1920년대 후반부터 1930년대 전반까지 전개된 문맹 퇴치 및 한글 보급 운동.

25 | ④ Hint 키워드

박정희 정부

박정희 정부는 경제 개발 5개년 계획 추진했다.

원산 총파업 : 일제강점기 때 1929년 1월 13일부터 4월 6일까지 원산노동연합회 산하 노동조합원 2,200여 명이 참여한 한국노동운동 사상 최대 규모의 파업
상평창 설치 : 고려, 조선시대의 물가 조절 기관으로 성종 때 처음으로 설치
당백전 발행 : 흥선대원군이 경복궁 중건 사업을 위해 발행한 화폐

01	②	02	④	03	②	04	③	05	②
06	①	07	①	08	②	09	④	10	④
11	④	12	③	13	①	14	④	15	②
16	①	17	③	18	①	19	③	20	①
21	③	22	④	23	③	24	③	25	④

01 | ②

▶ Hint 키워드

농경과 목축을 시작, 빗살무늬 토기

신석기

유물 : 간석기, 빗살 무늬 토기, 가락바퀴
생활 : 농경(밭농사)과 목축의 시작
사회 : 무리사회, 이동＋정착 생활, 평등사회
유적지 : 서울 암사동, 부산 동삼동, 제주 고산리

⚠ 선지 더 알아보기

구석기

유물 : 뗀석기 (주먹도끼)
생활 : 사냥, 채집, 어로
사회 : 무리사회, 이동생활, 평등사회
유적지 : 경기 연천 전곡리

청동기

유물 : 고인돌, 비파형 동검
생활 : 벼농사 시작(빈부격차 발생)
사회 : 정착생활, 계급사회
유적지 : 부여 송국리, 의주 미송리, 창원 진동리

02 | ④

▶ Hint 키워드

신라 왕, 한강 유역 확보, 대가야 정복, 순수비 세움

신라 진흥왕은 신라 전성기 때 왕으로 대가야를 정복했고, 화랑도를 조직했으며, 순수비와 단양 적성비를 건립하였다.

03 | ②

▶ Hint 키워드

참선 수행을 강조, 호족 세력, 9산선문

선종은 교리와 계율을 중시하는 교종과 달리 참선 수행을 통해 깨달음을 얻으려는 불교이다. 선종 승려들은 지방 각지에 사찰을 세워 9산선문을 형성하였다. 선종은 실천적 경향이 강하였는데, 당시 지방 각지에서 성장하던 호족의 성향과 일치하여 호족 세력의 후원을 받기도 하였다. 선종 승려들은 6두품 출신 유학자들과 함께 새 시대를 열어 갈 사상적 기반을 마련해 나갔다.

04 | ③

▶ Hint 키워드

인종, 묘청, 칭제 건원, 금국 정벌

묘청의 난은 고려 인종 때 스님 묘청이 일으킨 반란으로 칭제 건원과 금국 정벌 그리고 서경 천도를 주장했다.

⚠ 선지 더 알아보기

개항 반대 : 최익현을 비롯한 유생들이 왜양일체론을 내세우며 개항에 반대함
녹읍 폐지 : 통일신라 신문왕
반민족 행위자 처벌 : 이승만 정부

05 | ②

▶ Hint 키워드

일연, 역사서, 단군의 이야기

《삼국유사》는 원나라의 간섭을 받던 충렬왕 때 일연 스님이 쓴 역사책이다. 이때는 전쟁으로 모두들 힘들게 살던 시절이라 일연은 백성들에게 희망을 주고 싶어 단군 신화를 포함하여 우리 역사를 고조선부터 수록했다.

⚠ 선지 더 알아보기

택리지 : 이중환
홍길동전 : 허균
대동여지도 : 김정호

06 | ①

정조, 탕평책

조선 정조의 개혁 정치에는 탕평책, 규장각 운영, 장용영 설치, 수원 화성 건설, 금난전권 폐지가 있다.

유신 헌법 제정 : 박정희 대통령
수선사 결사 결성 : 고려 스님 지눌
통리기무아문 설치 : 개화 정책 담당하는 기구로 조선 고종이 설치

07 | ①

방납의 폐단, 공납, 공인

대동법은 광해군이 실시한 법으로 공물(특산물)을 토지 결수에 따라 쌀로 바치게 한 제도이다. 쌀(대동미), 옷감, 동전으로 내면 조정이 공인에게 필요한 물품을 사는 방식을 취한다.

양천제 : 조선 시대 신분은 법제적으로 양인과 천인으로 구분됨
전시과 : 고려 토지 제도로 전지(농토)와 시지(임야)의 수조권을 관리에게 지급하는 제도
호포제 : 조선 후기 고종 때 흥선대원군이 실시한 군역제도이다. 호단위로 군포를 징수하는 방법으로, 군포를 상민 뿐만 아닌 양반층에게도 부과한 제도

08 | ②

제너럴셔먼호 사건, 신미양요

미국은 제너럴셔먼호 사건을 구실로 통상 조약 체결을 요구하였지만, 흥선 대원군은 이를 거부하였다. 그러자 미국은 5척의 군함을 앞세워 강화도를 침략하였다. 미군은 강화도에 상륙하여 초지진과 덕진진을 함락하고 광성보를 공격하였다. 이에 어재연이 이끄는 부대가 광성보에서 결사 항전을 벌였으나 전력의 열세로 패배하였다.

09 | ④

1884년, 급진 개화파, 우정총국 개국 축하연

급진 개화파는 우정총국 개국 축하연을 이용하여 정변을 일으켜 민씨 정권의 고관들을 죽이고 개화당 정부를 수립하였다. 개화당 정부는 정치 개혁을 위해 개혁 정강을 발표하였다. 여기에는 청에 대한 사대를 청산할 것, 내각 제도를 수립할 것, 문벌을 폐지하여 인민 평등권을 보장할 것, 재정을 일원화할 것, 지조법을 개혁할 것 등의 내용이 담겨 있었다. 그러나 청군이 개입하자 일본군이 약속을 어기고 곧바로 철수하면서 정변은 3일 만에 실패로 끝났다. 정변을 주도하였던 김옥균, 박영효 등은 일본으로 망명하였고, 홍영식은 죽임을 당하였다.

10 | ④

일제의 국권 침탈 과정

일본의 국권 침탈 과정은 이렇게 전개 된다. 한일 의정서(1904. 2)→제1차 한일 협약(1904.8)→을사늑약(1905)→한일 신협약(1907)→한국 병합 조약(1910)

11 | ④

1907년, 안창호, 양기탁, 비밀 결사 조직

신민회는 국권 회복과 공화정에 바탕을 둔 근대 국가 건설을 목표로 삼았다. 인재 양성을 위해 정주에 오산 학교, 평양에 대성 학교를 설립하였고, 태극서관을 통해 계몽 서적을 출판·보급하였으며, 평양에 자기 회사를 설립하여 민족 산업 육성을 위해 노력하였다. 국권 피탈의 위기감이 고조되고 일제의 탄압이 심해지자, 신민회는 실력 양성만으로는 국권 회복이 어렵다고 판단하고 장기적인 무장 투쟁을 위한 독립운동기지 건설을 준비하였다. 이에 따라 이회영, 이상룡 등은 남만주의 삼원보에 한인촌을 건설하고 신흥 강습소(이후 신흥 무관 학교)를 설립하였다. 그러나 1911년 일제가 날조한 105인 사건으로 신민회의 국내 조직은 와해되었다.

12 | ③  Hint 키워드

녹두 장군, 동학 농민 운동 주도, 체포

전봉준은 유난히 키가 작아 생긴 별명이 녹두였다. 그래서 그는 녹두 장군이라 불렸다. 전봉준은 동학 농민 운동을 주도하였으나 우금치 전투에서 패배했다. 전봉준, 김개남, 손화중 등 지도부가 체포되면서 결국 동학 농민 운동은 막을 내렸다.

13 | ① Hint 키워드

2차 갑오개혁, 근대적 교육 제도

김홍집·박영효 연립 내각이 구성되어 2차 갑오개혁을 단행하였다. 이때 고종은 종묘에 나가 독립서고문을 바치고 국정 개혁의 기본 강령인 홍범 14조를 통해 조선이 독립국임을 선포하였다. 새 정부는 의정부를 내각으로 바꾸어 내각의 권한을 강화하였으며, 8아문을 7부로 개편하였다. 지방 행정 제도는 8도를 23부로 개편하고, 지방관의 사법권과 군사권을 배제하여 권한을 축소하였으며, 재판소를 설치하여 사법권을 독립시켰다. 또한 교육 개혁도 시도하여 교육 입국 조서를 반포하고 한성 사범 학교 관제, 외국어 학교 관제, 소학교 규칙 등을 제정하여 근대적 교육 제도를 마련하였다.

14 | ④ Hint 키워드

1910년, 식민 통치의 최고 기구

일제는 1910년 대한 제국을 강제로 병합하고 식민 통치의 최고 기구로 조선총독부를 설치하였다. 조선총독은 육군과 해군 대장출신 중에서 임명되었으며, 입법 · 사법 · 행정 · 군사에 관한 모든 권한을 행사 하였다.

⚠ 선지 더 알아보기

삼별초 : 최씨 정권기 치안을 담당하였던 좌·우별초와 몽골의 포로가 된 경험이 있던 사람들로 구성된 신의군을 합쳐 부른 것으로, 최씨 정권의 사병 역할을 수행함
도병마사 : 고려 국방과 안보 문제를 논의하는 기구
제가 회의 : 고구려 귀족 회의

15 | ②  Hint 키워드

조선사 연구초, 조선 상고사

신채호는 《을지문덕전》, 《이순신전》 등 외적의 침략에 맞서 싸운 위인들의 전기를 펴냈으며, 《독사신론》을 통해 민족을 역사 서술의 주체로 내세워 민족주의 사학의 연구 방향을 제시하였다. 또한, 《조선사 연구초》와 《조선 상고사》를 저술하여 우리민족 고유의 문화적 전통과 자주적 역사관을 강조하였다.

16 | ① Hint 키워드

1919년 3월 1일, 만세 운동

3 · 1 운동은 식민 지배의 억압과 차별을 거부하고 국민이 주인이 되는 독립된 나라를 만들겠다는 한국인들의 의지가 잘 드러난 의거였다. 3 · 1 운동을 통해 한국인의 저항 의지를 목격한 일제는 더 이상 무단 통치라는 방식으로 한국을 지배할 수 없다고 생각하였다. 이에 일제는 교묘하게 한국인을 분열시켜 식민 지배를 손쉽게 하고자 이른바 문화 통치를 실시하였다. 3 · 1 운동은 독립운동에 중대한 전기가 되었다. 이 운동을 계기로 독립운동가들 사이에서는 독립운동을 더욱 조직적으로 전개해야 한다는 공감대가 형성되었다. 이에 따라 각지에서 임시 정부가 만들어졌고, 그들 사이의 협의를 통해 대한민국 임시 정부가 수립되기에 이르렀다. 또한 3 · 1 운동을 계기로 국내에서는 노동사, 농민늘의 의식이 고양되었다. 이는 1920년대 노동 운동과 농민 운동이 활발하게 전개되는 밑거름이 되었다. 한편, 3 · 1 운동은 우리나라와 비슷한 처지에 있었던 여러 나라의 독립운동에 적지 않은 영향을 끼쳤다. 중국의 지식인들 사이에서는 3 · 1 운동으로 표출된 한국인의 의지와 가치관을 목도하고 크게 공감하는 분위기가 확산되었다. 3 · 1 운동에 자극을 받아 반일을 주장하는 5 · 4 운동에 가담하는 사람도 많았다.

17 | ③

농촌 계몽 운동, '민중 속으로'

브나로드는 '민중 속으로'라는 뜻의 러시아어이다. 19세기 후반 러시아의 청년 지식인 들이 민중계몽을 위해 농촌으로 들어가면서 내세웠던 구호이다. 『동아일보』가 전개한 브나로드운동은 학생과 청년이 농촌을 찾아 글을 가르치고 생활을 개선하려는 운동이었다.

18 | ①

김원봉, 김상옥, 김지섭

1919년 만주 지린에서 김원봉 등이 주도하여 조직한 의열단은 곧 근거지를 베이징으로 옮긴 후 일제의 식민 통치 기관을 파괴 하고 침략 원흉을 응징하는 의열 투쟁을 전개하였다. 김익상, 김상옥, 나석주 등은 국내에 침투하여 각각 조선 총독부, 종로 경찰서, 동양 척식 주식회사에 폭탄을 투척함으로써 의열단의 이름을 떨쳤다. 김원봉의 요청으로 신채호가 작성한 「조선 혁명 선언」에는 폭력 투쟁을 통한 민중의 직접 혁명을 추구하는 의열단의 기본 정신이 잘 나타나 있다.

19 | ③

중도 좌파 여운형, 중도 우파 김규식

중도 성향의 여운형과 김규식은 좌우 합작 운동에 나섰다. 이들은 좌우 합작을 통해 민족적 단결을 도모하고 미 · 소 공동 위원회를 재개하고자 하였다. 또한 남북을 통합한 임시 정부를 수립함으로써 분단을 막고자 하였다. 여운형과 김규식은 좌우 대립의 극복을 원하는 대중의 열망과 중도 세력을 육성하려는 미 군정의 지원을 바탕으로 1946년에 좌우 합작 위원회를 조직하였다. 좌우 합작 위원회는 좌우 양측의 이견을 조율하여 좌우 합작 7원칙을 발표하였다. 7원칙의 주요 내용은 미 · 소 공동 위원회를 재개하여 남북을 망라한 임시 정부를 세우고, 유상 매상과 무상 분배 방식으로 토지 개혁을 실시하며, 좌우 합작 위원회에서 친일파 처리를 위한 조례를 제정하는 것 등이었다. 그러나 좌우 합작 운동은 좌우 양측의 비협조에 부딪혀 결실을 이루지못하였으며, 미군정도 더 이상 관심을 보이지 않았다.

1947년 5월에 재개된 제2차 미·소 공동 위원회가 다시 결렬되고 여운형마저 암살되면서 좌우 합작 운동은 중단되었다.

20 | ①

조소앙, 건국 강령, 균등

대한민국 임시 정부는 1941년 조소앙의 삼균주의를 바탕으로 한 건국 강령을 발표 하였다. 임시 정부의 건국 강령에는 보통 선거에 기초한 민주 공화국 건설, 토지와 중요 산업 국유화, 무상 교육 실시 등이 담겨 있다. 삼균주의란 정치, 경제, 교육의 균등제도를 확립하고, 개인과 개인, 민족과 민족, 국가와 국가 간의 호혜 평등을 실현하여 민주 국가를 건설하려는 이념이다.

21 | ③

교착 상태, 정전 협정

1950년 6월 25일 북한은 38도선을 넘어 전면적인 남침을 감행하였다. 3일 만에 서울을 점령한 북한군은 7월 말 낙동강까지 진출하였다. 유엔은 북한의 남침을 침략 행위로 규정하고 유엔군을 결성하였다. 국군과 유엔군은 인천 상륙 작전의 성공으로 전세를 역전하고 9월 28일 서울을 수복하였으며, 38도선을 돌파 해 10월 말에는 압록강까지 진출하였다. 그러나 국군과 유엔군은 북한을 돕기 위해 참전한 중국군의 공세에 밀려 또다시 서울을 빼앗기고 평택 인근까지 후퇴하였다(1·4 후퇴). 이후 38도선 부근에서 전선이 교착되자 소련의 제안에 따라 정전 협상이 시작 되었다. 1951년 7월 시작된 정전 협상은 군사 분계선, 정전 감시 체제, 포로 교환 등을 둘러싸고 2년이나 이어졌다. 협상이 진행되는 동안 38도선 부근에서 치열한 공방전이 전개되었고, 수많은 병사가 전투 과정에서 희생되었다. 정전 협상을 반대한 이승만 정부의 불참 속에 1953년 7월 27일 유엔군과 북한군·중국군 사이에 정전 협정이 체결되었다.

22 | ④ Hint 키워드

박정희 정부, 경제 정책

박정희 정부는 1962년부터 제1차 경제 개발 5개년 계획을 추진하였다. 이 시기의 경제 정책은 내부 자본을 바탕으로 비료, 시멘트 등 수입 대체 산업을 육성하여 자립 경제를 달성하는 것이었다. 경제 개발의 결과 섬유, 가발 등 노동 집약적 경공업이 성장했다. 이후 제2차 경제 개발 5개년 계획도 실시 했다.

23 | ③ Hint 키워드

대통령 직선제 개헌

6월 민주 항쟁으로 통해 결국 전두환 정부는 강력한 민주화 요구에 굴복하였다. 노태우는 대통령 직선제 개헌, 국민 기본권 보장 등 8개 항의 시국 수습을 위한 특별 선언을 발표하였다.(6·29 민주화 선언) 각계각층이 참여한 6월 민주 항쟁은 오랜 독재 정치를 끝내고 우리 사회의 민주화가 진전되는 토대가 되었다.

24 | ③ Hint 키워드

김영삼 정부, 투명한 금융 거래, 금융 거래에서 실제 이름을 사용해야 하는 제도

김영삼 정부는 사회정의 실현과 경제 활성화를 내세우며 금융 실명제와 부동산 실명제를 단행하였다.

25 | ④ Hint 키워드

체제를 인정하고 존중한다, 무력을 사용하지 않으며

1991년에는 남북한이 동시에 유엔에 가입하였다. 그 직후 남북 사이의 화해와 불가침 및 교류·협력에 관한 합의서(남북 기본 합의서)와 한반도 비핵화 공동 선언에 합의하였다.

01	①	02	④	03	①	04	②	05	④
06	②	07	①	08	①	09	③	10	②
11	②	12	③	13	②	14	④	15	③
16	④	17	②	18	④	19	①	20	④
21	②	22	③	23	④	24	③	25	④

01 | ①   Hint 키워드

청동기, 비파형 동검

청동기
- 유물 : 고인돌, 비파형 동검
- 생활 : 벼농사 시작(빈부격차 발생)
- 사회 : 정착생활, 계급사회
- 유적지 : 부여 송국리, 의주 미송리, 창원 진동리

선지 더 알아보기

- **칠지도** : 백제가 일본(왜)에 우호 관계를 맺기 위해 하사한 철제 무기
- **혼천의** : 조선 전기 세종 때 하늘(천체)의 움직임을 관찰하고, 별과 해, 달, 행성의 위치를 측정하기 위해 만든 천문 관측 기구
- **팔만대장경** : 고려시대 때 몽골의 침입을 부처의 힘으로 물리치고자 만든 목판 인쇄물

02 | ④   Hint 키워드

평양 천도, 남진 정책, 한강 유역을 장악

장수왕은 아버지인 광개토대왕과 함께 고구려의 전성기를 누렸던 왕으로 평양으로 천도해 신라와 백제를 공격하는 남하 정책을 펼쳤고, 백제의 수도인 한성을 함락하고 한강 유역을 차지했다. 아버지의 업적을 기리기 위한 광개토대왕릉비와 자신이 넓힌 영토를 표시하기 위해 충주 고구려비를 건립했다.

03 | ①   통일 신라 중대 때 왕인 신문왕은 왕권 강화 정책을 펼쳤던 왕으로 국학을 설립했고, 녹읍을 폐지하고 관료전을 시행했으며, 9주 5소경 체제 정비를 했다.

선지 더 알아보기

- **별기군 창설** : 개항기, 통리기무아문
- **장용영 설치** : 조선 정조
- **경국대전 완성** : 조선 성종

04 | ②   Hint 키워드

고려, 문종의 넷째 아들, 해동 천태종 창시

고려 승려 의천은 문종의 넷째 아들로 교리 연구와 실천적 수행을 병행 해야 한다는 교관겸수를 주장했고, 해동 천태종을 창시 했다.

선지 더 알아보기

- **김구** : 1931년에 한인 애국단을 조직, 대한민국 임시 정부 주석을 역임, 광복 이후에는 신탁 통치 반대운동과 함께 남북 협상에 참여, 저서 『백범일지』
- **신채호** : 민족주의 사학자, 저서 『을지문덕전』, 『이순신전』, 『독사신론』, 『조선사 연구초』, 『조선 상고사』
- **이차돈** : 신라 법흥왕 때 순교한 스님, 하얀 피가 나온 그의 순교로 법흥왕이 불교를 공인함.

05 | ④   Hint 키워드

거란의 고려 침입, 서희의 외교담판

고려 문신인 서희의 거란과의 외교담판으로 얻은 땅은 강동 6주이다.

선지 더 알아보기

- **대마도** : 조선 세종 때 이종무가 정벌
- **우산국** : 지금의 울릉도, 신라 지증왕 때 복속
- **청해진** : 통일 신라 때, 장보고가 설치

06 | ②   Hint 키워드

중종, 사림, 조광조

조선 중종 때 시행된 조광조의 개혁 정책이 바로 현량과이다.

당백전 발행

: 개항기, 흥선대원군이 경복궁 증건을 위해 발행

산미 증식 계획 추진

: 1920년대 일제 식민 통치 중 하나로 증식된 쌀의 양보다 더 많은 양의 곡식을 일제가 들고 가서 우리나라 백성들의 삶이 힘들어짐

정동행성 이문소 폐지

: 고려 공민왕의 반원 정책 중 하나로 원나라의 내정 간섭으로부터 벗어나려고 함

 **현량과**

현량과는 조선 중종 때 개혁파 신진 사림들이 도덕성과 학문을 겸비한 인물을 등용하기 위해 일시적으로 실시한 특별 과거 제도이다.

1) 현량과 실시 정보

실시 시기 : 조선 중종 29년(1534년)

주도인물 : 조광조 등 사림파 개혁 인사

대상 : 학문이 깊고 인품이 뛰어난 유교 경전 중심의 인재

선발 방식 : 천거제(기존의 시험이 아닌, 추천받아 선발)

목적 : 도덕적이고 유능한 사림 인물을 정치에 참여시키기 위함

2) 현량과 도입 배경

• 기존의 과거 제도는 암기 중심이고, 훈구파 중심의 정치적 독점이 심함

• 사림파는 성리학적 도덕 정치를 실현하기 위해 새로운 인재 선발 필요성을 느낌

• 조광조는 왕에게 건의하여 현량과를 시행

3) 현량과의 특징

시험 방식 : 일반 과거시험(×), 유능한 인재를 천거하여 선발

선발 기준 : 도덕성, 유교적 소양, 학문적 식견

정치적 목적 : 사림의 정치 참여 확대, 유교 정치 이념 강화

결과 : 조광조의 개혁 인사들이 대거 등용됨

4) 현량과의 한계와 폐지

• 훈구 세력의 반발 : 사림 중심의 개혁에 위기감을 느낌

• 조광조 탄핵 및 기묘사화(1519)로 인해 → 현량과는 오래가지 못하고 폐지됨

---

07 | ①  **Hint 키워드**

공물, 쌀, 옷감, 동전, 토지 면적

대동법은 광해군이 실시한 법으로 공물(특산물)을 토지 결수에 따라 쌀로 바치게 한 제도, 쌀(대동미), 옷감, 동전으로 내면 조정이 공인에게 필요한 물품을 사는 방식을 취한다.

방곡령 : 조선 고종, 곡물 반출 금지령

전시과 : 고려 토지 제도로 전지(농토)와 시지(임야)의 수조권을 관리에게 지급하는 제도

치안 유지법 : 1925년 일제가 천황체제를 유지하고 사회주의 운동 확산을 막기 위해 만든 법

08 | ① 흥선대원군은 통상 수교 거부 정책을 펼쳤다. 흥선대원군 집권 당시 1866년에 병인박해, 병인양요, 제너럴 셔먼호 사건이, 1868년 오페르트 도굴 미수 사건이, 1871년에 신미양요가 일어났고 전국 각지에 척화비를 세웠다. 또한, 호 단위로 군포를 징수하는 방법으로, 군포를 상민 뿐만 아닌 양반층에게도 부과한 제도인 호포제를 시행했다.

09 | ③ **Hint 키워드**

최초의 근대적조약, 3개의 항구 개항, 해안 측량권, 영사 재판권 허용

강화도조약은 고종이 1876년에 운요호 사건(1875년)을 빌미로 일본과 맺은 최초의 근대적 불평등 조약으로 3개의 항구 개항과 조선 연해에 대한 측량권 및 영사 재판권을 허용하는 내용도 포함되어 있다.

강화도 조약

강화도 조약(강화 조약, 조일 수호 조규)은 1876년, 조선과 일본 사이에 체결된 최초의 근대적 조약으로, 조선이 일본에 항구 개항과 무역 특권을 허용한 불평등 조약이다.

1) 조약 체결 배경

요소	설명
운요호 사건 (1875)	일본 군함 운요호가 강화도 연안 침입, 조선군과 충돌 발생
일본의 무력 시위	이를 구실로 무력 위협 → 조선과 조약 체결 강요
조선 개항	쇄국 정책을 유지하던 조선이 강제로 문을 열게 된 계기

2) 조약의 주요 내용

① 조선은 자주국임을 명시 : 조선을 청나라의 속국이 아님으로 선언(→ 일본이 조선에 직접 개입 명분 확보)

② 부산·원산·인천 개항 : 일본에게 항구 개방 및 거류지 설치 허용

③ 해안 측량권 허용 : 일본이 조선 해안 임의 측량 가능 (군사적 위협 요소)

④ 치외법권 인정 : 일본인은 조선에서 조선 법 적용 받지 않음 (불평등 조항)

⑤ 양국 간 무역 허용 : 무관세, 무제한 무역 허용

　→ 조선 경제에 큰 타격

3) 강화도 조약의 성격

구분	내용
최초의 근대 조약	조선이 외국과 맺은 최초의 근대적 조약
불평등 조약	일본에 일방적으로 유리한 조항 포함 (치외법권, 해안 측량권 등)
외세 침략의 시작	이후 서구 열강과의 불평등 조약 체결로 이어짐
자주국 명시의 함정	청과의 종속 관계에서 벗어나게 된 듯하지만, 사실상 일본의 영향력 확대로 이어짐

전주성 점령, 전주 화약, 폐정 개혁, 일본의 경복궁 침범

동학농민운동은 녹두장군 전봉준을 중심으로 일어났다.

1차 반봉건

: 고부 농민 봉기 → 황토현 전투 승리 → 전주성 점령 → 전주 화약(폐정개혁안 및 집강소 설치)

2차 반외세

: 일본의 경복궁 점령 → 삼례 봉기 → 우금치 전투 패배 → 전봉준 체포

동학 농민 운동

1) 동학 농민 운동

은 1894년, 전라도 지역을 중심으로 동학 신자와 농민들이 주도하여 일으킨 대규모 민중 운동 → 탐관오리(부패 관리) 타도, 일본과 서양 세력 축출, 조선의 개혁을 요구한 운동

2) 배경

① **사회적 배경 (반봉건)**
- 지주와 탐관오리의 수탈 심화
- 삼정의 문란(전정, 군정, 환곡의 부패)
- 농민의 생활 악화
- 농민들의 개혁 요구 증가

② **종교적 배경 (동학)**
- 최제우가 창시한 동학(사람이 곧 하늘) 사상 확산
- 하층민 사이에 자존감 회복과 평등 의식 고취

③ **외세 문제 (반외세)**
- 일본과 서양 세력의 침투
- 개항 이후 조선의 경제적 예속 심화

3) 운동의 전개

① **1차 봉기 (1894년 3월, 고부 민란 → 전라도)**
- 고부 군수 조병갑의 수탈에 항의해 봉기
- 전봉준, 손화중, 김개남 등의 주도
- 전주성 점령 후 정부와 전주 화약 체결
  → 집강소 설치 (농민 자치 조직)

② **청·일 양군의 조선 파병 (정세 변화)**
- 정부가 동학군 진압을 요청하자, 청과 일본이 군대를 파병, 이 틈을 타 일본은 경복궁 점령
  → 갑오개혁 강행
- 동학군은 외세 침략에 맞서 다시 봉기

③ 2차 봉기 (1894년 9월)
- 동학군이 반외세 항쟁으로 전환
  (슬로건 : "왜양 척결, 보국 안민")
- 공주 우금치 전투에서 일본군에 의해 대패
- 이후 지도부 체포, 전봉준 처형(1895년)

4) 주요 인물
- **전봉준** : 농민군 총대장, "녹두 장군"으로 불림
- **손화중, 김개남** : 동학군의 주요 지휘관
- **최제우, 최시형** : 동학의 창시자와 계승자

5) 동학 농민 운동의 의미와 결과
① 역사적 의미
- 민중 운동 : 역사상 최초로 농민이 주체가 되어 봉건 체제에 저항
- 개혁 요구 : 부패한 관료 타도, 사회 구조 개혁 요구
- 반외세 투쟁 : 일본을 비롯한 외세 배격 → 항일 민족 운동의 출발점이 됨

② 한계 및 결과
- 무장 항쟁으로 확산되었으나 일본군에 의해 실패
- 지도자 다수 처형
- 실패 이후, 조선은 일본의 내정 간섭과 군사적 침략에 더욱 취약해짐
- 이후의 의병운동, 애국계몽운동에 영향을 줌

11 | ②   Hint 키워드

독립협회, 독립문

독립협회는 독립신문을 발간하고, 독립문을 세웠고, 만민 공동회를 개최했고, 관민 공동회를 조직했다. 러시아의 내정 간섭과 이권 요구를 규탄했다.

개념 더 보기   **독립 협회**

독립협회는 1896년에 창립되어 국권 수호, 자주 독립, 입헌 군주제, 민권 신장을 주장하며 근대 국민 국가를 세우려 했던 민간 계몽 단체이다.

1) 주요 활동
① 독립신문 발간
- 서재필 주도, 한글·한문·영문 신문 발간
- 국민에게 자주·독립의식, 근대 시민권 계몽

② 독립문 건립
- 청나라의 간섭에서 벗어난 독립국임을 상징
- 서울 서대문에 건립 (영은문 철거 후)

③ 토론회 및 강연회
- 만민 공동회 개최
- 국민들이 직접 정치와 사회 문제에 의견을 표출
- 국민의 정치 참여 의식 고취

④ 입헌 군주제 주장
- 전제 군주제를 비판하고, 헌법에 따라 왕권을 제한하는 정치체제를 요구
- 의회 설치, 관민 공동회 개최, 개혁안 제출

2) 관민 공동회(1898년)
- 독립협회＋정부 관리＋시민이 함께 참여한 대규모 개혁 집회
- 의회 설립, 국민 권리 보장, 부패 척결 등의 개혁 요구
- 헌의 6조 채택 : 자주국, 내정 개혁, 인권 보장 등 명시
  (예 "나라의 정치는 국민의 뜻에 따라야 한다"는 조항 포함)

3) 해산

원인	설명
보수 세력의 반발	왕권 약화를 우려한 보수 관리와 위정척사파의 반대
고종의 탄압	입헌 군주제 주장이 왕권 위협으로 받아들여짐
결과	1898년 강제 해산, 일부 지도자는 탄압, 투옥됨

12 | ③   Hint 키워드

1930년대, 민족 말살 정책

1930년대 일제의 식민 통치 방식은 병참기지화 정책과 민족 말살 정책이다. 병참기지화 정책으로는 국가총동원법과 징병제, 징용제, 일본군 위안부가 있다. 민족 말살 정책으로는 신사참배와 궁성요배, 황국신민서사 암송, 일본식 성명 강요가 있다.

민족 말살 정책은 일제가 조선인을 '황국신민(일본 천황의 신하)'으로 만들기 위해, 언어, 교육, 종교, 이름, 사상 등 모든 면에서 일본화하려 했던 정책이다.

1) 시행 시기
- 1930년대 중반~1945년 광복 전까지
- 특히 중일전쟁(1937) 이후 본격화됨 → 전쟁에 조선인을 동원하기 위해 철저한 동화 정책 추진

2) 민족 말살 정책의 주요 내용

정책	내용
교육 통제	- 조선어·조선사 교육 폐지 - 일본어 사용 강요 - "황국신민의 서사" 암송
황국신민화 정책	- "우리는 천황의 신민이다" 강요 - 학교에서 신사참배, 궁성요배 시행
창씨개명	조선인의 성과 이름을 일본식으로 바꾸도록 강요
종교 통제	- 신사참배 강요 - 기독교 · 천주교 · 불교 억압 및 왜색화
언론·출판검열	조선어 신문 폐간 – 항일 표현 검열, 출판물 삭제
전쟁 동원	- 지원병제 · 징병제 도입(조선 청년을 일본군으로 동원) - 여자 정신대 · 노동력 동원

3) 민족 말살 정책의 목적
① 조선인의 민족 정체성 말살 : 조선어, 역사, 이름 등 모든 고유 문화 제거
② 일본인으로 동화 : 황국신민으로 만들어 전쟁에 충성하도록 유도
③ 독립운동 봉쇄 : 민족적 자긍심을 없애 저항 의지를 꺾으려 함

---

13 | ② 　Hint 키워드

명성황후 시해 사건, 단발령

명성황후 시해 사건(을미사변)과 단발령(을미개혁)은 을미년에 발생한 사건이다. 을미의병은 1895년(고종 32년, 을미년) 일본의 침략과 친일 내각의 정책에 분노한 유생(성리학자)과 농민들이 중심이 되어 일으킨 항일 무장 저항 운동이다.

---

1) 배경
을미사변
: 1895년 10월, 일본 낭인들이 경복궁에 침입하여 명성황후를 시해

단발령 시행
: 같은 해 11월, 정부가 단발령(머리를 자르라는 명령)을 발표 → 유교 전통에 대한 모욕으로 인식됨

친일 내각에 대한 반감
: 일본에 협조적인 을미개혁 추진 → 국민 반발 심화

2) 의병의 성격
자발적 민중 저항
: 국가가 무너진 상황에서 지식인(유생), 농민, 승려 등이 스스로 무장 봉기

애국·전통 수호 운동
: 명성황후의 복수 + 단발령 반대 → 국가·왕실·전통 질서 수호 의지

전국적 규모의 무장 투쟁
: 충청, 전라, 경상, 강원 등 전국 각지에서 봉기

3) 주요 인물
유인석 : 충청도, 성리학 중심 유생의병 지도자
이소응 : 경기도 지역 의병장
허위 : 문인 출신, 의병 조직 참여

4) 전개와 한계
- 전국 곳곳에서 자발적으로 봉기
- 그러나 조직과 무기 부족, 정부의 탄압으로 인해 1896년경 대부분 해산
- 이후 일부는 항일 계몽 운동, 국외 망명 독립운동으로 전환

---

14 | ④ 　Hint 키워드

1923년, 백정에 대한 사회적 차별 철폐를 주장

조선 형평사는 1923년, 일제강점기 하층민이던 백정출신 인사들이 중심이 되어 창립한 신분 차별 철폐, 인간 평등 실현을 목표로 한 근대적 인권운동 단체이다.

조선 형평사는 일제강점기 당시 사회적 차별을 철폐하고 평등한 사회를 만들기 위해 설립된 인권운동 단체이다. 특히 백정에 대한 차별 철폐 운동을 주도하며, 한국 근대 인권운동의 출발점으로 평가 된다.

1) 창립 배경
- **잔존 신분 차별** : 조선시대의 신분제가 법적으로는 폐지되었지만, 실제로는 백정·천민에 대한 사회적 차별이 계속됨
- **식민지 차별 구조** : 일제는 조선인을 차별하면서 조선 내부의 차별구조는 방치→하층민 이중 차별
- **평등권에 대한 걱정** : 교육을 받은 하층민 출신 인사들이 근대 사상과 평등 의식에 눈뜨기 시작

2) 창립 개요
- **창립 연도** : 1923년 4월 25일
- **장소** : 진주(경상남도)
- **주도 인물** : 이학찬, 박성춘, 송기식 등 백정 출신 인사
- **명칭 의미** : '형평(衡平)'은 평등 또는 균형을 뜻함 → 모든 사람이 공평해야 한다는 뜻

3) 주요활동
- **차별 반대 캠페인** : 신문, 잡지 등을 통해 백정 차별 철폐 주장 전개
- **교육 권리 요구** : 백정 자녀들이 학교에 다닐 권리 보장 촉구
- **법적 평등 주장** : 백정도 조선인이다, 법 앞에서 모두가 평등해야 한다는 논리 전개
- **타 계층 연내 시도** : 노동운동 · 농민운농과 연계하려는 노력도 있었음

4) 활동의 한계와 쇠퇴

이유	설명
일제의 탄압	형평운동이 민족 해방운동으로 확대될 가능성을 우려한 일제가 감시하고 탄압
내부 분열	지도부 내 이념 갈등 (비타협적 민족주의 vs 사회주의 계열 등) ﹒조직력 약화
대중의 지지 부족	당시 보수적인 사회 분위기 속에서, 일반 국민의 지지 한계 → 1930년대 중반 이후 활동 약화

15 | ③  Hint 키워드

한글 맞춤법 통일안, 표준어, 우리말 큰사전 편찬을 시도

조선어학회는 일제강점기 우리말 연구와 보급과 국어사전 편찬, 한글 맞춤법 통일 등을 위해 조직된 단체로, 일제의 민족 말살 정책에 맞서 우리말과 민족 정체성을 지킨 중심 기관이다.

⚠ **선지 더 알아보기**

> **근우회** : 1927년 일제강점기 때 세워진 여성단체
> **수신사** : 조선 후기 개항 이후 일본에 파견된 공식 외교 사절단
> **신흥 무관 학교** : 무장 독립군을 양성하기 위해 신민회가 설립한 무관 학교

16 | ④  Hint 키워드

일본인 학생이 한국인 여학생을 희롱, 신간회가 진상 조사단을 파견함

광주 학생 항일 운동은 1929년 11월 3일, 광주에서 시작되어 전국으로 확산된 한국인 학생들의 조직적 항일 민족운동으로 일본의 민족 차별과 식민지 교육에 대한 학생들의 집단 저항이 핵심이다. 광주 학생 항일 운동의 원인은 일본인 학생이 한국인 여학생을 희롱해 한일 남학생 간에 다툼이 벌어졌는데 한국인 남학생만 징계 처리를 받았던 사건이다. 이 운동은 3 · 1운동 이후 최대 규모의 운동으로 학생 중심 운동이다. 이를 위해 신간회가 진상 조사단을 파견했다.

17 | ②  Hint 키워드

박정희 정부, 낙후된 농촌을 근대화

새마을 운동은 1970년 박정희 대통령이 주도하여 농촌의 생활 환경을 개선하고 자조 · 자립 · 협동 정신을 고취하기 위한 농촌 근대화 및 국민 계몽 운동이다.

18 | ④ 국민 대표 회의는 1923년 상하이에서 개최된 한국 독립운동 단체들의 회의이다.

규장각 : 조선 정조 때 설치 된 왕실 도서관
서경 천도 운동 : 고려 인종 때 승려 묘청이 고려의 수도(개경)를 서경(평양성)으로 천도하고자 한 운동
쌍성총관부 공격 : 고려 공민왕의 반원 자주 정책 중 하나로 결국 쌍성총관부를 탈환 했다.

19 | ①

Hint 키워드

대한 제국, 칙령 제 41호, 우리 영토

대한제국 칙령 제41호는1900년 대한제국 고종 황제가 공포한 법령으로, 독도에 대한 대한민국의 역사적 영유권을 보여주는 아주 중요한 문서이다. 이 조항은 대한제국이 독도를 자국 영토로 명확히 편입하고 행정 관할을 정한 법령으로, 일본의 독도 영유권 주장에 대한 강력한 반박 근거로 자주 인용된다.

20 | ④ 6.25 전쟁은 1950년 6월 25일에 북한이 남침한 전쟁이다. 이 전쟁 시작 3일만에 서울이 점령 되었다. 유엔군의 개입으로 인천 상륙 작전(맥아더 장군)이 성공하여 서울 수복 및 평양 진격을 했고 중국군의 개입으로 1.4 후퇴했다. 38도선에서 엎치락 뒤치락 하다가 1953년 휴전 협정을 맺었다.

귀주 대첩 : 거란의 3차 침입 때 고려 장군 강감찬이 귀주에서 크게 이긴 전투
명량 대첩 : 임진왜란 때 이순신 장군이 이끄는 조선의 수군이 명량 해협에서 크게 이긴 전투
안시성 전투 : 당나라의 침입을 성주인 양만춘과 백성들이 물리친 전투

21 | ②

Hint 키워드

1960년, 자유당과 이승만 정부, 투표함 바꿔치기, 개표 조작 등의 부정

자유당의 3.15 부정 선거로 인해 학생과 시민들의 시위가 일어났다. 김주열의 시신으로 인해 4.19 혁명이 시작 되었고, 이 혁명으로 인해 이승만은 대통령으로서의 책임을 지고 사임 하고 하와이로 망명 했다.

아관 파천 : 을미사변 이후로 고종이 러시아 공사관으로 피신
카이로 회담 : 미영중 3개의 연합국이 모여서 조선을 자주 독립 시키기로 처음으로 약속한 국제 회담
홍경래의 난 : 조선 후기 농민 봉기로 평안도 차별과 세도 정치에 저항하는 농민들의 난

22 | ③

Hint 키워드

홍범도의 대한 독립군, 1920년

봉오동 전투는 1920년 일제강점기 때 홍범도 장군과 함께한 대한 독립군이 크게 이긴 전투이다.

3포 왜란 : 1510년 조선 중종 때 삼포(부산포,내이포,염포)에 거주하던 왜인들이 대마도의 지원을 받아 일으킨 난
기벌포 전투 : 삼국 통일 과정의 마지막 대규모 전투 중 하나로, 676년(문무왕 16년)에 신라군이 당나라 군대를 물리치고 한반도에서 당 세력을 몰아낸 전투
위화도 회군 : 명의 요동정벌군의 장수였던 이성계가 위화도에서 군사를 돌려 정변을 일으켜 권력을 장악함

23 | ④

Hint 키워드

노태우 정부, 서울 올림픽 대회

노태우 정부는 북방 외교를 추진했고, 남북한 유엔 동시가입과 함께 남북 기본 합의서를 채택했다. 또한, 88 서울 올림픽도 개최 했다.

24 | ③　☑ Hint 키워드

한인애국단, 상하이 훙커우 공원

한인 애국단 소속이였던, 윤봉길 의사는 상하이 훙커우 공원에서 폭탄을 던져 일본군 장성과 고관을 처단하였다.

25 | ④　☑ Hint 키워드

호헌 철폐와 독재 타도, 대통령 직선제 개헌안 수용

6월 민주 항쟁은 전두환 대통령의 4.13 호헌 철폐와 독재 타도를 외치며 전국적으로 시위를 전개해서 대통령 직선제 개헌이라는 결과를 얻었다.

⚠ 선지 더 알아보기

만적의 난: 만적은 고려 무신정권기 최충헌의 노비, "왕후 장상에 어찌 원래부터 씨가 있겠는가 (장수와 재상의 씨가 따로 있는가?)" 라는 슬로건을 내걸고 일어난 노비 해방 운동

5.10 총선거: 1948년 5월 10일 총선거는 유엔의 감시하에 실시된 대한민국 최초의 민주적 보통·평등·직접·비밀 선거로, 대한민국 정부 수립을 위한 제헌국회(제1국회)를 구성하는 선거였다.

국채 보상 운동: 1907년부터 1908년 사이에 국채를 국민들의 모금으로 갚기 위하여 전개된 국권회복 운동으로 대구에서 서상돈에 의해 처음 시작 되었다.

01	③	02	③	03	②	04	①	05	②
06	②	07	①	08	②	09	①	10	④
11	③	12	③	13	④	14	③	15	①
16	②	17	②	18	④	19	①	20	③
21	③	22	②	23	④	24	④	25	②

01 | ③　🔁 Hint 키워드

농경과 목축의 시작, 정착 생활, 가락바퀴

신석기
유물:간석기, 빗살 무늬 토기, 가락바퀴
생활:농경(밭농사)과 목축의 시작
사회:무리사회, 이동＋정착 생활, 평등사회
유적지:서울 암사동, 부산 동삼동, 제주 고산리

⚠ 선지 더 알아보기

상감 청자:고려의 독자적 기술인 상감 기법을 활용해 만들어진 비색의 자기
호우명 그릇:고구려 광개토 대왕이 신라 내물왕 때 침입한 왜구를 격퇴 해 줌.
불국사 3층 석탑:다른 이름은 석가탑으로, 무구정광대다라니경이 발견된 석탑

02 | ③　《삼국유사》는 원나라의 간섭을 받던 충렬왕 때 일연 스님이 쓴 역사책이다. 이때는 전쟁으로 모두들 힘들게 살던 시절이라 일연은 백성들에게 희망을 주고 싶어 단군 신화를 포함하여 우리 역사를 고조선부터 시작했다.

⚠ 선지 더 알아보기

동의보감:조선시대 의관 허준이 저술한 의학서적
목민심서:정조 때 정약용이 쓴 목민관이 가져야 할 마음가짐을 담은 책
조선책략:청국인 황준헌이 쓴 책으로 김홍집이 고종에게 바침

03 | ②　장수왕은 고구려 전성기 때 왕으로 수도를 평양으로 천도하여 남하정책을 펼쳤다. 자기 아버지의 업적을 기린 광개토대왕릉비와 자신의 영토 확장을 표시한 충주 고구려비를 세웠다.

⚠ 선지 더 알아보기

광해군, 정조 - 조선시대 왕
공민왕 - 고려시대 왕

04 | ①　조선 영조 때 실시한 균역법은 군포를 2필에서 1필로 줄여 농민의 부담을 줄여주었다.

⚠ 선지 더 알아보기

삼림령:1911년, 조선총독부가 실시한 조선의 삼림을 일본이 통제하고 수탈하기 위해 만든 법령
합영법:정식 명칭은 1910년에 조선 총독부가 실시한 회사령이다. 조선에서 설립되는 모든 회사를 조선 총독부의 허가제로 관리하는 법으로 우리 민족 자본의 성장을 억제한 법이다.
신문지법:대한제국 말기 1907년에 시행 되어 1909년에 강화된 법으로 신문, 잡지를 발행하려면 조선통감부의 허가가 필요했다. 우리 민족의 언론의 자유를 탄압한 법이다.

05 | ②　고려 광종은 쌍기의 건의로 인해 과거제를 시행하고, 노비안검법을 시행해서 왕권 강화를 했던 왕이다. 그가 시행했던 정책으로 공복 제정과 칭제 건원이 있다.

⚠ 선지 더 알아보기

척화비 건립:1871년 흥선대원군이 통상 수교 거부 정책을 널리 알리기 위해 전국 각지에 세움
훈민정음 창제:조선 세종대왕

06 | ②　원효는 통일 신라 시대 때 스님으로 무애가를 통해 불교 대중화에 힘썼고, 화쟁 사상을 주장했고, 《대승기신론소》를 저술했다.

김구 : 1931년에 일본의 주요인물들을 암살하려는 목적으로 한인 애국단을 조직했고, 대한민국 임시 정부 주석을 역임했고, 광복 이후에는 신탁 통치 반대운동과 함께 남북협상에 참여 했다. 그의 저서로는 《백범일지》가 있다.

김옥균 : 급진개화파의 대표적인 인물로 갑신정변을 실시했고, 정변 실패 후 일본으로 망명해 계속해서 개화사상을 주장 했다. 1894년 상하이에서 홍종우의 손에 암살 당했다.

전태일 : 근로기준법 준수를 요구하며 분신 자살을 했던 인물

07 | ① 1905년 체결된 제2차 한일협약은 을사늑약으로, 이 조약으로 인해 대한 제국의 외교권이 박탈되었다. 을사의병은 을사늑약에 반대하여 일어난 항일 의병운동으로 평민 출신 의병장인 신돌석도 함께 활약하였다.

아관 파천 : 을미사변 이후로 고종이 러시아 공사관으로 피신

새마을 운동 : 근면 · 자조 · 협동 정신과 '잘 살아보세'라는 구호를 바탕으로 빈곤퇴치와 지역 사회 개발을 위하여 1970년부터 전개된 운동

김흠돌의 난 : 통일신라 신문왕 때 신문왕의 장인인 김흠돌이 난을 일으킴

08 | ②

이순신의 한산도 대첩, 김시민의 진주 대첩

이순신의 한산도 대첩과 김시민의 진주 대첩이 있었던 전쟁은 조선 선조 때 일어난 임진왜란이다. 임진왜란은 일본을 통일한 도요토미 히데요시가 명나라로 가는 길을 열어달라는 명분으로 조선을 침략한 전쟁이다.

을미사변 : 1895년, 일본 공사 미우라가 명성황후를 시해한 사건

살수 대첩 : 수나라가 고구려를 침입 했을 때 살수에서 을지문덕 장군이 크게 이김

청산리 전투 : 1920년, 김좌진의 북로군정서군과 홍범도의 대한독립군 등 여러 독립군 부대가 일본군을 상대로 크게 승리를 거둔 전쟁

09 | ① 1866년 천주교 박해인 병인박해가 일어났다. 이를 구실로 프랑스가 강화도를 침입한 사건이 병인양요이다. 양헌수 장군이 정족산성에서 승리했고, 프랑스군이 철수하고 가면서 외규장각 도서를 약탈했다.

정읍 발언 : 1946년 5월 미소공동위원회가 결렬되면서 6월 3일에 정읍에서 이승만이 했던 발언으로 통일이 어렵다면 남한만이라도 임시정부를 수립하자는 남한 단독정부를 제기했다.

만적의 난 : 만적은 고려 무신정권기 최충헌의 노비, "왕후장상에 어찌 원래부터 씨가 있겠는가 (장수와 재상의 씨가 따로 있는가?)" 라는 슬로건을 내걸고 일어난 노비 해방 운동

매소성 전투 : 675년 나·당 전쟁 중에 신라가 당나라 군대와 매소성에서 싸워 승리를 거둔 중요한 전투였다.

10 | ④ 1880년 고종 때 설치된 통리기무아문은 조선 최초의 근대적 개혁 추진을 담당하는 중앙 관청이다. 통리기무아문이 추진한 개화정책은 신식군대인 별기군 설치, 청나라에 영선사 파견, 일본에 조사시찰단 파견, 근대 화폐 주조 기관인 전환국 설치, 무기와 기계를 만드는 기기창 설치, 최초의 근대 신문인 한성순보 창간(1883년)이 있다.

- 고려, 윤관이 여진족을 정벌 하기 위해 별무반을 만들었고, 여진족 정벌 후 동북 9성을 쌓았다.
- 조선, 흥선대원군이 임진왜란 때 소실된 경복궁을 중건하였다.
- 고려, 문신 서희가 거란의 1차 침입에 맞서 외교 담판을 지어 강동 6주를 설치하였다.

11 | ③ 동학농민운동은 탐관오리였던 고부 군수 조병갑이 원인이 되어 일어남. 1차 봉기는 반봉건으로 정부와의 대립이였고, 2차 봉기는 반외세로 일본군과의 대립이였다. 전주 화약은 전주성 점령 이후 정부와 동학농민군 사이에 맺어진 약속으로 집강소를 설치해 폐정개혁안을 실시했다.

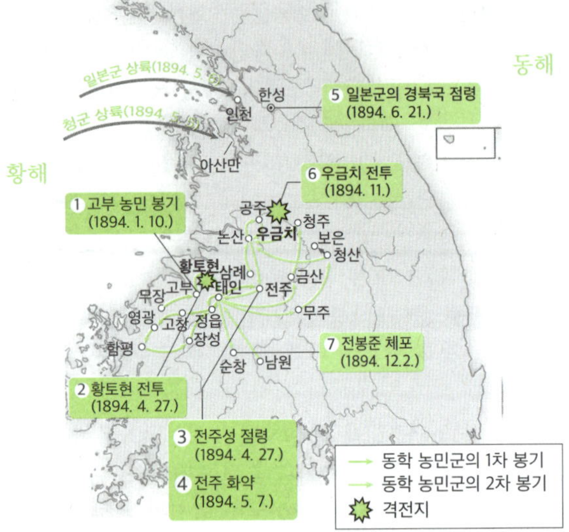

나·당 전쟁
: 나·당 연합군이 백제와 고구려를 멸망 시킨 뒤, 신라와 당나라의 이해 충돌로 인해 일어난 전쟁으로 대표적인 전투는 매소성 전투와 기벌포 해전이 있다.

한·일 협정
: 1965년, 박정희 정부 때 일본과의 국교 정상화를 위해 맺었다. 일본이 식민 지배에 대한 법적 책임을 명확하게 하지 않고 무상 3억달러, 유상 2억달러를 지원했는데 결과적으로는 우리나라 경제 개발 자금이 확보 되었다.

광주 학생 항일 운동
: 1929년 11월 3일, 광주에서 시작되어 전국으로 확산된 한국인 학생들의 조직적 항일 민족운동으로 일본의 민족 차별과 식민지 교육에 대한 학생들의 집단 저항 운동

12 | ③ 1910년대 일제의 식민 지배 방식은 무단통치로, 헌병 경찰제를 도입했고, 조선 태형령과 함께 재판 없이 처분 가능한 즉결처분권이 시행되었다. 그리고 학교 교원에게도 제복을 입히고 칼을 차게 했다. 회사령을 공포해 국내 산업 육성을 막았고, 토지 조사 사업을 실시해 조선의 토지를 빼앗았다.

영정법 : 조선 영조
호포제 : 조선 흥선대원군
유신 헌법 : 현대 박정희 정부

13 | ④ 국채 보상 운동은 1907년부터 1908년 사이에 국채를 국민들의 모금으로 갚기 위하여 전개된 국권회복운동으로 대구에서 서상돈에 의해 처음 시작 되었다.

형평운동 : 일제강점기 1920년대 일어난 백정에 대한 사회적 차별 철폐 운동
브나로드 운동 : 1930년대 동아일보사가 일으킨 농촌 계몽 운동, "브나로드" 의 뜻은 "민중 속으로" 라는 러시아말로 지식인들이 민중을 깨우쳐야 한다는 취지로 만든 구호임
백제 부흥 운동 : 백제 멸망 후 복신, 도침, 흑치상지가 주도하여 일으킨 운동으로 왜의 지원을 받아 백강 전투를 치뤘지만 나·당 연합군의 승리로 끝나면서 백제 부흥 운동은 실패로 끝남

14 | ③ 원산 총파업은 1929년에 일어났던 노동 운동으로 일본인 감독의 차별대우로 인해 파업을 했으나 일제의 탄압으로 실패했다.

광무개혁 : 고종이 아관파천 이후 시행한 개혁으로 구본신참을 키워드로 내세워 광무 연호를 사용하고, 황제권을 강화하고, 지계 발급을 통해 사유재산권을 확립함
귀주 대첩 : 고려시대, 강감찬 장군이 거란의 3차 침입을 귀주에서 크게 무찌른 전투
위화도 회군 : 고려 말기, 명의 요동정벌군의 장수였던 이성계가 위화도에서 군사를 돌려 정변을 일으켜 권력을 장악함

15 | ① 독립신문은 1896년 4월 7일에 발간된 민간신문이자 한글, 영문판 신문이다. 서재필을 중심으로 독립협회의 기관지로 발간되었으며 조선정부의 지원을 받아 발간했다.

경국대전 : 조선의 법전으로 세조 때 편찬하기 시작해 성종 때 완성됨
삼국사기 : 고려시대 때 김부식이 편찬, 현존하는 역사서 중 가장 오래됨
독서삼품과 : 통일신라 원성왕 때 시행, 유교 경전 시험을 통해 관리를 선발하는 제도

16 | ② 물산 장려 운동은 일제강점기 1920년대 시작된 경제 자립 운동이다. 조만식을 중심으로 평양에서 일어났고, 구호는 '내 살림 내 것으로', '조선 사람 조선 것' 이다. 국산품 애용과 민족기업 육성을 장려 했다.

교조 신원 운동 : 동학 교조 최제우의 억울함을 회복하기 위해 동학교도가 벌인 운동
6 · 10만세 운동 : 1926년 순종의 장례식 날에 일으킨 만세 운동
고구려 부흥 운동 : 검모잠이 부흥운동을 실질적으로 주도하여 안승을 왕으로 추대하였으나, 실패

17 | ② 3 · 1 운동은 미국 대통령 윌슨이 민족자결주의와 동경에서 있었던 2 · 8 독립선언의 영향을 받아 한일 병합조약의 무효와 한국의 독립을 선언한 비폭력 만세 운동이다. 민족 대표 33인이 만세 성명서에 서명을 했고, 대표인물로 유관순이 있다. 일제강점기 가장 큰 대규모의 운동이고, 이 운동으로 인해 일제의 통치 방식이 무단 통치에서 문화 통치로 바뀌고, 대한민국 임시정부가 수립되었다.

18 | ④ 국가 총동원법이란 1938년 일제가 전쟁을 치르기 위해 인적, 물적 자원을 통제하고 동원하기 위해 만든 법이다.

과전법 : 고려 공양왕 때 실시한 수취제도로 위화도 회군으로 권력을 장악한 이성계와 신진사대부가 실시, 땅은 국가의 것이고, 관리에게는 토지세를 거둘 수 있는 권리인 수조권 지급, 세습 가능한 수신전, 휼양전도 있음
진대법 : 고구려 고국천왕 때 재상 을파소의 건의로 시행, 봄에 빌려주고 가을에 갚음(춘대추납)
노비종모법 : 자녀의 신분을 아버지가 아니라 어머니의 신분을 따라가도록 정한 법. 즉, 어머니가 노비면 아이도 노비, 어머니가 양인이면 아이도 양인.

19 | ① 독도는 신라 지증왕 때 이사부가 우산국을 정복하면서 우리나라의 땅이 되었고, 조선시대 안용복에 의해 일본으로부터 독도는 조선의 땅 임을 증명하는 문서를 받았고, 대한제국이 독도는 우리나라 땅이라는 칙령을 공포 했다.

20 | ③ 1943년 이집트 카이로에서 있었던 카이로 회담 때 미국, 영국, 중국이 참여해 제 2차 세계대전 전후 처리를 논의했다. 이 때 우리나라의 독립을 약속했다.

한성조약 : 갑신정변 이후에 일본이 배상을 청구했고 이와 관련 해 일본과 맺은 조약
화백회의 : 신라의 귀족회의기구로 만장일치제다

21 | ③ 1950. 6. 25 북한이 남침 해서 3일만에 서울이 점령되었다. 유엔군의 개입으로 인천상륙작전 (맥아더 장군)이 성공하여 서울을 수복하고 평양으로 진격 했다. 이때 중국군의 개입으로 1 · 4 후퇴했고, 38도선에서 엎치락 뒤치락 하다가 1953년 휴전 협정을 맺었다.

신미양요 : 미국이 제너럴셔먼호 사건(1866년)을 구실로 1871년에 강화도를 침입한 사건
정묘호란 : 후금이 형제관계를 요구하며 조선을 쳐들어온 사건
봉오동 전투 : 1920년 일제강점기 때 홍범도 장군과 함께한 대한 독립군이 크게 이긴 전투

22 | ② 1948년 제헌국회는 반민족행위 처벌법을 제정
하고, 반민족행위 특별 조사 위원회를 설치해
1949년 1월부터 각종 자료, 증언 등을 바탕으로
친일파를 검거하였다.

⚠ 선지 더 알아보기

국자감 : 고려시대 최고의 교육기관
현량과 : 조선 중종 때 조광조가 실시한 개혁 중 하나로 현
량(유능하고 도덕적인 사람)을 뽑기 위한 추천시
험제
조선 의용대 : 1938년 김원봉이 조직한 무장 독립운동 단체

23 | ④ 박정희 정부의 제 2차 경제개발 5개년 계획은
1967년~1971년이였고, 수출 주도형 공업화를
본격적으로 추진했다. 경공업에서 중화학공업으
로 산업 구조를 전환했는데, 주요 사업은 포항 제
철 건설, 울산 정유공장 건설, 경부 고속도로 완공
이 있다. 이 때 수출 10억 달러를 완성했다.

24 | ④ 5.18 민주화 운동은 광주에서 일어난 신군부 세력
의 퇴진 및 계엄령 철폐 등을 요구한 운동이다.
1980년 5월, '광주 시민 궐기문'을 발표했고, 이 사
건은 유네스코 세계 기록 유산에 등재 되어 있다.

25 | ② 김대중 정부는 햇볕 정책을 시행하면서 분단
이후 처음으로 남북 정상 회담을 개최해 6.15
남북 공동 선언을 했다.

고등학교 졸업학력
검정고시

도덕
정답 및 해설

정답표

2021년 1회

01	①	02	②	03	③	04	③	05	①
06	①	07	②	08	①	09	①	10	②
11	④	12	③	13	①	14	②	15	①
16	②	17	④	18	④	19	④	20	②
21	③	22	④	23	③	24	③	25	④

2021년 2회

01	②	02	③	03	③	04	①	05	④
06	③	07	①	08	①	09	③	10	④
11	③	12	④	13	④	14	②	15	①
16	②	17	④	18	②	19	②	20	④
21	①	22	①	23	②	24	③	25	③

2022년 1회

01	②	02	④	03	②	04	①	05	②
06	②	07	①	08	③	09	②	10	①
11	③	12	①	13	④	14	①	15	④
16	③	17	③	18	③	19	①	20	④
21	②	22	②	23	④	24	③	25	④

2022년 2회

01	③	02	②	03	③	04	②	05	①
06	①	07	④	08	①	09	③	10	③
11	④	12	①	13	③	14	②	15	①
16	④	17	①	18	②	19	④	20	③
21	①	22	①	23	①	24	②	25	②

2023년 1회

01	①	02	②	03	④	04	②	05	④
06	①	07	②	08	③	09	④	10	③
11	④	12	①	13	④	14	②	15	③
16	②	17	③	18	①	19	①	20	③
21	②	22	③	23	②	24	④	25	①

2023년 2회

01	③	02	①	03	③	04	④	05	①
06	④	07	④	08	②	09	③	10	②
11	②	12	①	13	③	14	①	15	③
16	④	17	③	18	②	19	①	20	②
21	④	22	①	23	④	24	②	25	④

2024년 1회

01	①	02	④	03	②	04	④	05	④
06	③	07	①	08	③	09	③	10	①
11	④	12	①	13	①	14	④	15	③
16	①	17	②	18	①	19	③	20	②
21	③	22	③	23	①	24	④	25	①

2024년 2회

01	②	02	③	03	④	04	③	05	③
06	①	07	③	08	③	09	②	10	①
11	①	12	①	13	④	14	②	15	③
16	②	17	④	18	④	19	④	20	①
21	④	22	①	23	④	24	②	25	④

2025년 1회

01	②	02	④	03	④	04	①	05	②
06	③	07	③	08	④	09	④	10	③
11	①	12	②	13	④	14	③	15	①
16	①	17	④	18	③	19	②	20	④
21	①	22	①	23	③	24	②	25	①

2025년 2회

01	①	02	②	03	③	04	③	05	②
06	③	07	①	08	④	09	①	10	③
11	④	12	④	13	①	14	①	15	③
16	③	17	②	18	④	19	②	20	④
21	①	22	②	23	②	24	③	25	④

2021년 1 회

01	①	02	②	03	③	04	③	05	①
06	①	07	②	08	①	09	①	10	②
11	④	12	③	13	①	14	②	15	①
16	②	17	④	18	④	19	④	20	②
21	③	22	④	23	③	24	③	25	④

01 | ① 생명 윤리는 생명에 관련된 윤리로 대표적인 쟁점은 안락사, 생명 복제, 유전자 치료, 동물 실험, 동물 권리 등이 있다.

02 | ② 칸트의 도덕법칙 키워드는 선의지, 정언 명령, 인격주의, 의무론이다.
- 선의지는 선한 것을 실천하고 싶어하는 것이다.
- 정언명령은 인간이면 누구나 무조건적으로 따라야 할 당위 법칙이다.
  "네 의지의 준칙이 언제나 동시에 보편적 입법의 원리가 되도록 행위 하라"
- 인격주의는 인간의 존엄성, 인간이 목적이다.
  "너 자신이나 다른 사람의 인격에서 인간성을 단지 수단으로만 대우 하지 말고 항상 동시에 목적으로 대우 하라"
- 의무론은 도덕법칙을 의무적으로 지켜야 한다는 것이다.

그리고 칸트는 도덕성을 판단할 때 행위의 결과보다는 동기를 중시 하고, 사형제도(응보주의 관점), 의무론에 토대한 해외 원조와 국제 연맹에는 찬성하고, 안락사, 성 상품화, 배아복제, 자살에 대해서는 반대했다.

03 | ③ 공리주의는 19세기 중반 영국 제러미 벤담이 창시한 사회사상으로 가치 판단의 기준을 효용과 행복의 증진에 두어 최대 다수의 최대 행복 실현을 목적으로 한다. 행위의 동기보다는 이익과 행복이라는 결과를 중시한다. 대표적인 사상가는 양적 공리주의를 주장한 벤담과 질적 공리주의를 주장한 밀이 있다.

개념 더 보기 양적 공리주의와 질적 공리주의

양적 공리주의
: 쉽게 말해 '양적으로' 많은 사람들의 쾌락을 극대화하는 것이 목적이다. 벤담은 행복을 양적인 측면에서 측정해야 한다고 주장하며, 모든 쾌락이 동등하게 중요하다고 생각한다.

질적 공리주의
: 쾌락의 양보다는 질적인 면을 중요하게 여기며 행복의 질을 최대화하는 것에 집중한다. 밀은 유익한 쾌락과 해로운 쾌락을 구분하고, 유익한 쾌락을 더 추구해야 한다고 주장한다.

04 | ③ 통일 한국이 지향하는 보편적 가치는 평화, 자유, 인권, 정의이다.

05 | ① 인간 개체 복제의 윤리적 쟁점에서 찬성 입장은 불임 부부의 고통을 덜어 주고, 불임 부부가 유전적 연관이 있는 자녀를 가질 수 있다고 주장을 하고, 반대 입장은 자연스러운 출산 과정에 어긋나기에 인간의 존엄성과 고유성을 위협하고, 가족 구성원에 대한 혼란이 생길 수 있다고 주장을 한다.

06 | ① 유교는 도덕적 인격 완성을 강조하는 종교로 이상사회는 대동사회이고, 이상적 인간상은 성인, 군자이다. 유교에서 말하는 기본적인 인간 관계에서 지켜야 할 세가지 법과 다섯가지 도덕 규범은 삼강오륜이라고 한다.

07 | ② 성의 가치는 생식적 가치, 인격적 가치, 쾌락적 가치가 있다. 생식적 가치는 새로운 생명의 탄생을 통한 종족의 보존이고, 쾌락적 가치는 인간의 감각적인 욕망의 충족이고, 인격적 가치는 상호간의 존중과 배려를 실천하고, 자아실현과 인격 완성에 기여하는 것이다.

08 | ① 시민불복종이란 부정의한 법과 정책에 대한 시민들의 의도적 위법행위이다. 시민 불복종이 정당화 되기 위해서는 공익성, 공개성, 비폭력성, 최후의 수단, 처벌 감수와 같은 조건이 있다. 대표적인 사례는 간디의 소금행진, 소로의 세금 납부 거부 운동, 마틴 루서 킹의 흑인 차별 철폐운동이 있다.

09 | ① 전통사회의 부부 윤리는 남녀간의 역할을 구분하면서 서로 존중할 것을 강조했고, 음양론에 근거하여 상호보완적인 관계를 강조했다. 오늘날의 부부 윤리는 서로의 의사와 자유를 존중해야 함을 강조하고, 부부는 서로 차별 해서는 안되고 각 주체로서 평등해야 한다. 즉, 양성평등을 강조한다.

10 | ② "임금은 임금다워야 하고, 신하는 신하다워야 하며, 부모는 부모다워야 하고, 자식은 자식다워야 한다." 는 공자의 정명 사상이다.

⚠ **선지 더 알아보기**

묵자의 겸애 사상 : 가리지 않고 모든 사람을 똑같이 두루 사랑함
노자의 무위자연 : 사람의 힘을 더하지 않은 그대로의 자연과 같이 억지로 무언가를 하려고 하지 않는 이상적인 경지
불교의 해탈 : 고통으로부터 벗어난 상태

---

11 | ④ 예술 도덕주의의 입장은 예술은 올바른 품성을 기르고 도덕적 교훈이나 모범을 제공해야 하며, 예술의 사회성을 강조하고, 예술에 대해 적절한 규제에 찬성한다.

12 | ③ 니부어는 미국의 신학자로 사회 윤리를 강조했다. 사회 구조와 제도 개선의 필요성을 강조하면서 그의 저서에는 "도덕적 인간과 비도덕적 사회" 가 있다.

13 | ① 롤스의 정의의 원칙은 2가지가 있다. 제 1의 원칙은 평등한 자유의 원칙, 제 2의 원칙은 차등의 원칙, 공정한 기회균등의 원칙이다. 차등의 원칙의 예는 여성 고용 할당, 지역 균형 선발, 국가 유공자 특별 대우, 농어촌 자녀 특례 입학이 있다.

14 | ② 윤리적 성찰이란 생활 속에서 자신의 마음가짐을 윤리적 관점에서 반성하고 살피는 태도이다. 유교의 증자는 일일삼성 혹은 거경을 주장했고, 불교는 참선을, 소크라테스는 "반성하지 않는 삶은 살 가치가 없다고 주장했다. 윤리적 성찰의 실천 방법에는 일기 쓰기, 좌우명 만들기 등이 있다.

15 | ① 정보 윤리의 기본 원칙 중 하나인 정의는 정보화 혜택의 차별 없는 분배를 하고, 사이버 공간에서의 규칙과 법을 준수 하는 것이다.

16 | ② 대중문화란 대중사회를 기반으로 형성 되어 다수의 사람들이 공통으로 쉽게 접하고 즐기는 문화이다. 이러한 대중문화와 관련된 윤리적 문제는 대중문화의 선정성과 폭력성 문제, 대중문화의 자본 종속 문제, 대중문화의 윤리적 규제 논쟁이 있다. 그렇기에 대중 문화에 대한 윤리적 규제를 찬성 하는 입장과 반대하는 입장이 있고, 찬성론자들은 성의 상품화 예방과 대중의 정서에 미칠 부정적 영향 방지를 주장하고, 반대론자들은 자율성 및 표현의 자유의 중요성과 대중의 다양한 문화를 누릴 권리 보장의 필요성을 강조한다.

---

17 | ④ 과학 기술 지상주의란 과학 기술의 긍정적인 측면만 강조하며 과학 기술이 모든 문제를 해결 할 수 있다고 보는 관점이다.

18 | ④ 공직자는 멸사봉공의 자세로 사적인 이익보다 국가와 국민을 위해 일해야 하며, 준법 정신, 청렴 의식, 청백리 정신을 지녀야 한다. 위임 받은 권한을 남용하지 말아야 한다. 국민을 위해 봉사 하는 자세를 지녀야 한다. 부정 청탁과 금품 수수는 절대 받으면 안된다.

청렴 : 행동이 맑고 깨끗하며 탐욕을 부리지 않는 상태

부정부패 : 불법적이고 부당한 방법으로 사익을 취하는 모든 행위

19 | ④ 지속 가능한 발전이란 미래 세대도 현세대만큼 잘 살 수 있게 하는 범위에서 경제 성장과 환경 보전의 조화를 추구하는 발전이다. 실천 방법에는 개인이 할 수 있는 쓰레기 재활용과 에너지 절약이 있고, 기업이 할 수 있는 친환경 에너지 개발, 국가가 할 수 있는 온실 가스 배출 규제, 환경 문제에 대한 국제 공조 체제 마련이 있다.

20 | ② 인간 중심주의는 인간을 도덕적 고려의 대상으로 보는 관점이다. 인간을 자연과 구별되는 유일한 존재로 보며, 인간만이 도덕적 가치를 지닌다고 본다. 그래서 자연을 인간의 이익과 욕구 충족을 위한 수단으로 여기고, 자연은 의식이 없는 단순한 물질이므로 기계와 같다고 여긴다. 인간과 자연을 분리하여 보고 인간을 자연보다 우월하게 여긴다.

21 | ③ 싱어는 "모든 사람의 고통을 감소시키고 쾌락을 증진시키는 것이 인류의 의무다." 라고 말하면서 공리주의적 관점에서 해외원조는 인류 전체의 고통을 김소 시켜 준다고 주장했다.

22 | ④ 종교 갈등은 종교의 자유를 인정하며 대화를 통해 다른 종교에 대한 이해를 높이고, 보편적 가치(사랑, 자비, 평등, 평화)를 실천하고자 노력하면서 해결하는 것이 중요하다.

23 | ③ 윤리적 소비는 윤리적 가치 판단에 따라 상품이나 서비스를 구매하고 사용하는 것을 중시하는 소비로 인권과 정의 고려, 공동체적 가치 추구, 동물 복지 고려, 환경 보전 추구의 특징을 가진다. 윤리적 소비의 실천 방안에는 공정 무역, 공정 여행, 로컬 푸드 운동 등이 있다.

24 | ③ 다문화 사회에서는 문화적 편견을 극복 해야 하고, 서로의 다름과 차이를 인정 해야 한다. 인권과 평화를 위해 책임 있는 행동을 지향 하는 것이 필요하다.

25 | ④ 하버마스가 주장하는 이상적인 담화 조건에는 대화 당사자들의 발언은 옳은 것이어야 하는 진리성, 대화 당사자들의 발언은 사회적으로 정당한 규범에 근거해야 하는 정당성, 대화 당사자들의 발언은 타인을 속이지 않아야 하는 진실성, 대화 당사자들의 발언은 서로가 이해 할 수 있어야 하는 이해 가능성이 있다.

01	②	02	③	03	③	04	①	05	④
06	③	07	①	08	①	09	③	10	④
11	③	12	④	13	④	14	②	15	①
16	②	17	④	18	②	19	②	20	④
21	①	22	①	23	②	24	③	25	③

01 | ② 사회 윤리는 직업과 청렴, 사회 정의, 국가와 시민에 관련된 윤리이다.

02 | ③ 사랑과 성의 관계에서 보수주의 관점은 결혼을 통해 이루어지는 성적 관계만이 정당하고, 배우자가 아닌 다른 사람과의 성적 관계는 부도덕 하다고 보는 관점이다.

자유주의 : 타인에게 해악을 주지 않는 범위 내에서 자발적 동의에 따른 성적 자유를 허용해야 함
중도주의 : 사랑을 전제하는 성적 관계만을 인정함

03 | ③ 윤리적 성찰이란 생활 속에서 자신의 마음가짐을 윤리적 관점에서 반성하고 살피는 태도이다. 유교의 증자는 일일삼성 혹은 거경을 주장했고, 불교는 참선을, 소크라테스는 "반성하지 않는 삶은 살 가치가 없다." 고 주장했다. 윤리적 성찰의 실천 방법에는 일기 쓰기, 좌우명 만들기 등이 있다.

04 | ① 덕 윤리는 품성과 덕성을 중시하는 행위자 중심의 윤리에 초점을 둬서 성품에서 자연스럽게 우러나오는 행위는 도덕적 실천력을 높일 수 있다고 본다. 아리스토텔레스는 행위자의 성품과 덕성을 중시하며 올바른 행위의 반복과 습관화로 덕이 길러진다고 주장했고, 매킨 타이어는 개인의 자유와 선택보다는 공동체의 전통과 역사가 더 중요하고, 도덕적 판단에 있어 구체적이며 맥락적 사고를 중시할 것을 주장했다.

05 | ④ 동물 복제에 찬성하는 입장은 희귀한 동물 보존 및 멸종된 동물을 복원 할 수 있고, 우수한 품종을 개발하고 유지 할 수 있다는 것이다. 동물 복제에 반대하는 입장은 복제는 자연의 질서에 어긋나는 행위이고, 종의 다양성을 해치고, 동물의 생명을 인간을 위한 수단으로 여기게 된다는 것이다.

06 | ③ 응보주의는 형벌은 범죄 행위에 대한 응당한 보복과 정당한 대가이고, 범죄 행위에 상응하는 동등한 형벌을 부과 해야 하며, 범죄에 대한 개인의 책임을 강조 한다.

공리주의 : 형벌은 사회 전체 행복의 증진을 위한 필요악의 수단이고, 위법의 이익보다 형벌의 손실이 더 큰 정도의 형벌을 부과 해야 하며, 처벌의 사회적 효과를 강조한다.

07 | ① 롤스의 정의의 원칙은 2가지가 있다. 제 1의 원칙은 평등한 자유의 원칙, 제 2의 원칙은 차등의 원칙, 공정한 기회균등의 원칙이다.

제1원칙	평등한 자유의 원칙	모든 사람은 기본적 자유에서 평등한 권리를 가져야 한다는 것
제2원칙	차등의 원칙	사회적, 경제적 불평등은 최소 수혜자에게 최대의 이익이 가도록 편성되어야 한다는 것
	기회균등의 원칙	불평등의 계기가 되는 사회적 지위에 접근 할 기회가 누구에게나 주어져야 한다는 것

08 | ① 오륜은 유교에서 말하는 기본적인 인간관계에서 지켜야 할 다섯가지 도덕규범이다. 5가지는 부자유친, 군신유의, 부부유별, 장유유서, 붕우유신이다.

군신유의:임금과 신하 사이에 의리가 있어야 함
부자유친:아버지와 아들 사이에는 친함이 있어야 함
부부유별:부부 사이에는 서로 분별이 있어야 함
붕우유신:친구 사이에는 믿음이 있어야 함
장유유서:어른과 어린아이 사이에는 차례와 순서가 있어
야 함

09 | ③   양성평등은 남녀 모두의 인권을 동등하게 보장
하는 것으로, 성별에 따른 차별, 편견, 비하, 폭
력이 없고 남녀의 차이를 인정하고 다양성과
개성을 존중하는 것이다.

선지 더 알아보기

성 상품화:인간의 성을 직, 간접적으로 이용해 이윤을 추
구하는 것
성차별:여성 혹은 남성이라는 이유로 부당한 대우를 하는 것

10 | ④   시민 불복종이란 부정의한 법과 정책에 대한
시민들의 의도적 위법행위이다. 시민 불복종이
정당화 되기 위해서는 공익성, 공개성, 비폭력
성, 최후의 수단, 처벌 감수와 같은 조건이 있
다. 대표적인 사례는 간디의 소금행진, 소로의
세금 납부 거부 운동, 마틴 루서 킹의 흑인 차별
철폐운동이 있다.

11 | ③   부패 방지법, 내부 공익 신고 제도, 부정 청탁
및 금품 수수 금지에 관한 법률은 청렴을 강조
하는 제도이다. 청렴은 행동이 맑고 깨끗하며
탐욕을 부리지 않는 상태를 말한다. 반부패, 투
명성, 공정성, 책임성을 모두 포함하는 개념이
다. 모든 사회 구성원에게 요구 되며, 그 중 특
히 공직자에게 강하게 요구 된다.

12 | ④   소크라테스는 고대 그리스의 철학자로 "너 자
신을 알라"는 말로 유명하다. 반성적으로 검토
하는 삶이 중요하다고 주장했다.

13 | ④   과학 기술자의 윤리적 자세는 내적 책임과 외
적 책임으로 구분 된다. 내적 책임은 과학 기술
자는 연구 과정에서 날조, 변조, 표절, 부당한
저자 표기 등 비윤리적인 행위를 하지 말아야
한다는 것이고, 외적 책임은 자신의 연구 결과
가 사회에 미칠 영향에 대한 책임을 져야 한다
는 것이다.

14 | ②   생태 중심주의 관점은 흙, 물, 공기 등의 환경
까지도 도덕적 대상으로 고려해 생태계의 조
화에 주목한다. 자연에 존재하는 모든 것을 생
태계의 구성원으로 바라보는 전체론 또는 전
일주의 입장이다.

15 | ①   정보격차란 새로운 정보기술에 접근할 수 있는
능력을 보유한 자와 그렇지 못한 자 사이에 경
제적·사회적 격차가 심화되는 현상이다.

16 | ②   불교의 창시자는 석가모니이고, 자비를 강조하
고, 연기설과 윤회사상을 주장한다. 이상적 인간
상은 보살이고, 열반과 해탈을 통해 진리를 깨달
으면 번뇌와 고통에서 벗어 날 수 있다.
자비:연기를 통해 남을 사랑하고 가엾게 여기
는 마음이 생긴다.
연기:모든 존재와 현상은 다양한 원인과 조건에
의해 상호 연결 되어 있다.
열반:모든 번뇌의 속박 속에서 해탈한 최고의
경지
해탈:고통으로부터 벗어난 상태

17 | ④   예술의 상업화는 상품을 사고파는 행위를 통해
이윤을 얻는 일이 예술 작품에도 적용되는 현
상이다. 상업화의 부정적인 면은 예술의 본질
을 왜곡하고 예술 작품을 부의 축적 수단으로
바라보는 것이고, 예술 작품의 미적 가치와 윤
리적 가치를 간과하는 것이다.

18 | ② 뉴미디어는 기존의 매체들이 제공하던 정보를 인터넷을 통해 가공, 전달, 소비하는 포괄적 융합 매체이다. 종합화, 상호 작용화, 비동시화, 탈대중화, 능동화, 디지털화의 특징을 가지고 있다. 또한 뉴미디어는 전문성이 검증되지 않은 정보가 많고, 허위 정보나 음란, 폭력, 유해 정보를 전달 하기도 하고, 폭력적이고 자극적인 정보로 이윤을 추구하는 문제점을 가진다.

19 | ② 칸트의 키워드는 선의지, 정언 명령, 인격주의, 의무론이다. 도덕성을 판단 할 때 행위의 결과보다 동기를 중시한다.

20 | ④ 합리적 소비는 소비자가 자신의 경제력 내에서 가장 큰 효용과 만족을 주는 상품을 구매하는 것이고, 윤리적 소비는 소비자가 윤리적인 가치 판단의 신념에 따라 상품을 구매하는 것이다.

21 | ① 하버마스의 담론윤리는 의사소통을 통해 갈등을 합의로 이끌어 해결하는 과정을 강조하며, 토론의 과정을 거쳐 보편적인 합의에 도달 할 수 있다고 보고 시민이 사회 문제 해결에 적극 참여하는 주체가 되어야 한다고 주장한다.

22 | ① 샐러드 볼 이론(다문화주의)은 다른 맛을 가진 채소와 과일들이 그릇 안에서 서로 조화를 이루듯이 다양한 문화가 평등하게 조화를 이루는 것이다. 이 때, 여러 인종, 여러 민족이 각자의 문화적 특성을 유지하며 조화를 이루는 것이 중요하다.

⚠ 선지 더 알아보기

용광로 이론(동화주의)
:이민자들을 기존의 주류 문화에 완전히 동화 시키는 것을 말함
국수 대접 이론
:국수가 주된 역할을 하고 고명이 부수적인 역할을 하여 맛을 내듯이, 주류 문화와 비주류 문화가 공존 해야 한다고 보는 입장

23 | ② 인간의 특성 중 하나인 종교적 존재는 신과 같은 초월적 존재와 연관이 있는 관계를 맺고자 하는 존재라는 것이다.

⚠ 선지 더 알아보기

윤리적 존재:인간은 옳고 그름을 판단 할 수 있는 도덕적 자율성을 지닌 존재

24 | ③ 싱어는 "모든 사람의 고통을 감소시키고 쾌락을 증진시키는 것이 인류의 의무다." 라고 말하면서 공리주의적 관점에서 해외원조는 인류 전체의 고통을 감소 시켜 준다고 주장했다.

25 | ③ 개인적으로 통일에 대해 관심을 가지고 통일이 이루어질 수 있음을 인식하고, 군사 안보 측면에서 북한은 경계의 대상이지만 북한 주민은 화해와 협력의 대상임을 인식하는 것이 중요하다. 북한 사람과 열린 마음으로 소통하고 배려를 실천하는 자세를 가진다. 국가적으로는 점진적인 교류를 통해 남북한의 긴장을 해소하고, 튼튼한 안보 기반을 구축하면서 평화적 통일을 위한 준비를 해야 한다. 국민적 합의에 근거하여 통일방법을 모색한다.

01	②	02	④	03	②	04	①	05	②
06	②	07	①	08	③	09	②	10	①
11	③	12	①	13	④	14	①	15	④
16	③	17	③	18	③	19	①	20	④
21	②	22	③	23	④	24	③	25	④

01 | ② 기술 윤리학은 특정 국가나 지역의 문화적 관습을 객관적으로 기술하고 묘사 및 서술한다. 가치 중립적인 자세를 가지고 도덕 현상과 문제를 있는 그대로 기록하며, 인과 관계를 설명한다.

⚠️ **선지 더 알아보기**

규범 윤리학
: 도덕적 행위의 근거가 되는 도덕 원리나 인간의 성품에 관해 탐구하고, 이를 바탕으로 도덕적 문제의 해결과 실천 방안을 제시함

메타 윤리학
: 도덕적 언어의 의미를 분석하고, 도덕적 추론의 정당성을 검증하기 위한 논리를 분석함

실천 윤리학
: 도덕 현상과 문제를 명확히 기술해 도덕 현상들 간의 인과 관계를 설명하고, 도덕 문제에 대한 해결 방안을 제시하는 것을 목표로 삼는다. 실천윤리의 예는 생명 윤리, 사회 윤리, 정보 윤리, 환경 윤리 등이다.

02 | ④ 칸트의 의무론은 정언 명령의 형식을 취하고, 보편적 윤리의 확립과 인간 존엄성을 중시하며 행위의 결과보다는 동기를 강조한다.

03 | ② 윤리적 소비는 윤리적 가치 판단에 따라 상품이나 서비스를 구매하고 사용하는 것을 중시하는 소비로 인권과 정의 고려, 공동체적 가치 추구, 동물 복지 고려, 환경 보전 추구의 특징을 가진다. 그래서 생태계 보존을 생각하는 소비이고, 노동자의 인권과 복지를 고려하는 소비이다.

04 | ① 사단은 맹자가 주장한 것으로 모든 인간이 본래부터 가지고 있는 선한 마음이다. 측은지심, 수오지심, 사양지심, 시비지심이 있다.

 **사단**

측은지심 : 불쌍하고 가엾게 여기는 마음
수오지심 : 불의를 부끄러워하고 미워하는 마음
사양지심 : 공경하고 양보하는 마음
시비지심 : 옳고 그름을 가릴 줄 아는 마음

05 | ② 역할 교환 검사란 도덕 원리가 다른 사람의 처지에서도 받아들여질 수 있는지 다른 사람의 입장을 취해보고 검토하는 방법이다.

⚠️ **선지 더 알아보기**

포섭 검사 : 선택한 도덕 원리를 더 일반적이고 포괄적인 도덕 원리에 따라 판단 해 보는 방법
반증 사례 검사 : 상대방이 제시한 원리 근거가 부적절함을 지적하기 위해 그 원리 근거가 맞지 않는 새로운 사례를 들어 반박하는 방법

06 | ② 종교 갈등은 다른 종교에 대한 관용의 태도를 가져 종교의 자유를 인정하며 대화를 통해 다른 종교에 대한 이해를 높이고, 보편적 가치(사랑, 자비, 평등, 평화)를 실천하고자 노력하면서 해결하는 것이 중요하다.

07 | ① 프롬이 주장하는 사랑의 4요소는 존경, 책임, 이해, 보호이다.

보호 (Care)	- 사랑하고 있는 사람의 생명과 성장에 대한 적극적 관심이다.
책임 (Responsibility)	- 좋은 부모가 그러는 것처럼 누군가를 지켜보는 행위 그 누군가기 상처 받으니 도움이 필요한 순간을 알아차리려는 노력 - 다른 인간 존재의 요구에 대한 반응. 상대방의 욕구에 성실하게 반응하는 것

존경 (Respect)	- 상대를 있는 모습 그대로 인정하는 것 - 존경이 없다면 쉽게 지배와 소유의 관계로 타락하게 됨 - 사랑하는 사람이 나에게 이바지하기 위해서가 아니라 스스로를 위해 자기 나름대로의 방식으로 성장하고 발달하기를 바라는 것
이해 (Knowlege)	- 상대의 고유한 특성을 알고 상대의 입장에서 보는 것 - 자신을 알려고 노력하지 않고 다른 사람을 알려고 노력하지 않으면 그 사랑은 맹목적일 수 밖에 없다. - 다른 사람을 그의 입장에서 볼 수 있을 때 가능하다.

08 | ③ 시민 불복종이란 부정의한 법과 정책에 대한 시민들의 의도적 위법행위이다. 시민 불복종이 정당화 되기 위해서는 공익성, 공개성, 비폭력성, 최후의 수단, 처벌 감수와 같은 조건이 있다. 대표적인 사례는 간디의 소금행진, 소로의 세금 납부 거부 운동, 마틴 루서 킹의 흑인 차별 철폐운동이 있다.

09 | ② "도는 자연을 본받아 어긋나지 않는다" = 무위자연이다. 노자가 주장하는 무위자연은 사람의 힘을 더하지 않은 그대로의 자연과 같이 억지로 무언가를 하려고 하지 않는 이상적인 경지를 말한다.

10 | ① 정보 공유론의 입장에서 정보는 공공재다. 저작물을 공유하고 자유롭게 이용하면 창작 활동이 활발 해지고 정보의 질적 발전이 이루어진다고 보는 관점이기에 정보에 대한 자유로운 접근을 허용하고, 정보를 공동의 이익을 위해서 사용해야 한다고 주장한다.

11 | ③ 자연법이란 인간 본성에 의거하는 절대적인 법이며, 모든 인간에게 자연적으로 주어진 보편적인 법을 말한다. 신의 지혜인 우주의 질서를 따르는 것이 타당 하다고 보기 때문에 자연의 원리를 윤리의 기초로 보며 어떤 행위가 자연의 질서에 부합하는지 아니면 어긋나는지 검토한다. 윤리적 의사 결정에서 "선을 행하고 악을 피하라" 라는 핵심명제를 강조한다. 대표적인 사상가인 아퀴나스는 인간이 본성적으로 지니는 자연적 성향으로 자기 보존, 종족 보존, 신과 사회에 대한 진리 파악을 제시하였다.

12 | ① 요나스의 책임 윤리는 앞으로 일어날 일을 예상하고 미래에 대한 책임의식을 강조한다. 현세대는 미래세대의 생존과 삶에 대한 책임감을 가지고 자연과 미래세대를 고려해 소비생활을 해야 한다. 요나스는 "너의 행위의 결과가 미래에 지구상에서 인간이 살아갈 수 있는 가능성을 파괴하지 않도록 행위하라" 라고 말했다.

13 | ④ 생명 중심주의는 생명을 갖고 있는 모든 것은 본래적, 내재적 가치를 지니므로 인간과 동물뿐만 아니라 식물을 포함한 모든 생명체를 도덕적으로 고려해야 한다고 본다. 그렇기에 살아있는 모든 존재는 내재적 가치를 지닌다.

14 | ① 공자는 중국 춘추시대 사상가로 유교를 체계화했다. 도덕성 회복을 위해 인과 예의 실천을 강조했고, 제자들이 엮은 논어에 그의 사상이 잘 나타나 있다.

15 | ④ 지역 균형 선발제도, 장애인 의무 고용 제도, 농어촌 특별 전형 제도는 우대 정책이 반영된 제도이다.

16 | ③ 기업가는 경제적 이윤을 정당한 방식으로 추구하고, 근로자의 정당한 권리를 보장하고, 공익적 가치 실현을 위해 사회적 책임을 다해야 한다.

17 | ③ 동물 중심 주의는 도덕적 고려의 범위를 동물로 확대 해야 한다고 보며 동물의 복지나 권리 향상을 강조한다. 대표적인 사상가 싱어는 쾌고 감수 능력을 기준으로 고통을 겪는 동물 역시 도덕적 고려 대상에 포함 시켜야 한다고 주장하면서 동물을 차별하는 것은 종 차별주의로 정당하지 않다고 본다.

18 | ③ 공리주의는 쾌락과 행복을 가져다 주는 행위는 옳고, 고통과 불행을 가져다 주는 행위는 옳지 않다고 판단하는 유용성의 원리를 도덕적 행위의 기준으로 삼는다. 또한, 사회 전체의 이익을 증대시키고 최대 다수의 최대 행복의 원리에 부합하는 행위를 도덕적 행위로 본다.

19 | ① 석가모니는 죽음을 수레바퀴가 구르는 것과 같이 다음 생으로 이어지는 윤회의 한 과정으로 본다. 장자는 죽음을 기의 흩어짐으로 정의하여 생사를 사계절의 운행과 같은 자연의 순환 과정 중 하나로 본다.

20 | ④ 롤스는 해외 원조에 대해 "불리한 여건으로 인해 고통 받는 사회를 질서 정연한 사회가 되도록 돕는 것이 인류의 도덕적 의무다." 라고 말했다.

21 | ② 예술 도덕주의는 미적 가치와 윤리적 가치의 관련성을 강조한다. 예술은 올바른 품성을 기르고 도덕적 교훈이나 모범을 제공해야 하며, 예술의 사회성을 강조하고, 예술에 대한 적절한 규제에 찬성한다.

22 | ③ 사회 통합이란 개인과 집단이 서로 양보하고 상호 작용하여 사회가 통합되는 과정을 말한다. 사회 통합을 위해 관용과 역지사지, 상호 간의 존중과 신뢰를 바탕으로한 소통의 자세가 필요하고, 사회 구성원들 간에 연대 의식을 지니고 공익과 사익의 조화를 이루려는 자세가 필요하다. 사회 통합을 위한 제도와 정책을 마련하고, 국민의 의견을 듣고 정책에 반영 될 수 있도록 논의하는 통합의 정치를 지향 해야 한다.

23 | ④ 국수 대접 이론은 국수가 주된 역할을 하고 고명이 부수적인 역할을 하여 맛을 내듯이, 주류 문화와 비주류 문화가 공존 해야 한다고 보는 입장이다.

24 | ③ 하버마스는 합리적인 의사 소통을 위해 돈이나 권력의 힘이 개입 되어서는 안되며, 누구나 평등하게 발언 하며 참여 할 수 있어야 하고, 이상적인 담화 조건(진리성, 정당성, 진실성, 이해 가능성)을 준수 해야 하고, 합의된 결과(규범)를 지킬 것이라고 기대 할 수 있어야 한다고 주장한다.

25 | ④ 분단 비용은 남북 분단과 갈등으로 발생하는 유·무형의 지출 비용이고, 통일 비용은 통일에 소요되는 경제적 비용이고, 통일 편익은 통일로 얻게 되는 편리함과 이익이다.

01	③	02	②	03	③	04	②	05	①
06	①	07	④	08	①	09	③	10	③
11	④	12	②	13	③	14	②	15	①
16	④	17	④	18	②	19	④	20	③
21	①	22	③	23	①	24	②	25	②

01 | ③ 실천윤리학은 도덕 현상과 문제를 명확히 기술해 도덕 현상들 간의 인과 관계를 설명하고, 도덕 문제에 대한 해결 방안을 제시하는 것을 목표로 삼는다. 실천윤리의 예는 생명 윤리, 사회 윤리, 정보 윤리, 환경 윤리 등이다.

02 | ② 칸트의 키워드는 의무론, 정언 명령, 선의지, 도덕 법칙이다. 칸트는 도덕적으로 올바른 방식으로 행동하기 위해서는 사람들이 의무에 따라 행동해야 한다고 주장한다. 정언명령은 어떠한 조건이나 결과에 상관없이 그 행위 자체가 선하므로 절대적이고 의무적으로 행할 것이 요구되는 도덕 법칙을 말한다. 선의지는 선한 것을 실천 하고 싶어하는 의지이다.

03 | ③ 도가는 자연스러운 삶을 강조하면서 무위자연의 삶을 강조한다. 이상사회는 무위의 다스림이 이루어지는 영토가 작고 인구가 적은 나라로 소국과민이고, 진인, 지인, 신인, 천인을 이상적 인간상으로 제시 하였다. 대표적인 사상가는 도덕경을 지은 노자다.

04 | ② 동물 실험에 반대하는 입장에서는 인간과 동물은 생물학적으로 차이가 있어 실험의 결과를 인간에게 적용하기가 어렵고, 목적이 불분명한 실험으로 동물이 불필요한 고통을 당할 수 있고, 실험용 동물에게도 정서적 문제가 발생 할 수 있다고 주장한다.

05 | ① 공리주의는 19세기 중반 영국 제러미 벤담이 창시한 사회사상으로 가치 판단의 기준을 효용과 행복의 증진에 두어 최대 다수의 최대 행복 실현을 목적으로 한다. 유용성의 원리에 따른 행위를 강조하고, 행위의 동기보다는 이익과 행복이라는 결과를 중시한다. 대표적인 사상가는 양적 공리주의를 주장한 벤담과 질적 공리주의를 주장한 밀이 있다.

06 | ① 성과 사랑의 관계에 대한 자유주의적 관점은 타인에게 해악을 주지 않는 범위 내에서 자발적 동의에 따른 성적 자유를 허용해야 한다고 주장 하면서 성에 대한 개인의 자유로운 선택을 강조한다. 자유주의자들은 결혼을 하지 않아도 성적 관계가 가능하고, 성과 사랑은 결부 시키지 않는다.

07 | ④ 국가는 시민의 정당한 요구에 대해 귀 기울일 줄 알아야 하며 시민의 복지를 증진하고, 시민의 인권을 보호하고 시민의 인간다운 삶을 보장 해야 한다.

08 | ① 생태 중심주의 관점은 흙, 물, 공기 등의 환경까지도 도덕적 대상으로 고려해 생태계의 조화에 주목한다. 자연에 존재하는 모든 것을 생태계의 구성원으로 바라보는 전체론 또는 전일주의 입장이다. 생태 중심주의의 대표적인 이론은 레오폴드의 대지 윤리로, 인간을 동식물, 물, 바위 등과 함께 거대한 대지 공동체의 구성원으로 바라봐야 한다는 입장이다.

09 | ③ 사형제도에 찬성하는 입장은 사형을 응보적 정의 실현을 위한 수단으로 본다. 사형은 극형이므로 범죄 예방 효과가 크고 종신형은 경제적 비용이 많이 들고 비인간적이다. 과학 수사의 발달로 오심 가능성이 줄어들었고, 흉악범의 생명을 박탈하는 것은 정당하다고 주장한다.

10 | ③ 윤리적 성찰은 자신의 정체성과 가치관을 도덕적 관점에서 깊이 있게 반성하고 살피는 것이다. 남을 돕는데 진심을 다했는지 마음을 살피고, 끊임 없는 질문을 통해 자신의 무지를 스스로 깨우치고, 어른들의 말씀은 비판적 사고를 통해 받아 들이고, 마음이 흐트러지지 않게 하고 몸가짐을 삼가는 행동양식으로 나타난다.

11 | ④ 정약용의 목민심서는 지방관을 비롯한 관리의 올바른 마음가짐 및 몸가짐에 대해 기록한 책이다. 이 책에서 강조하고 있는 지방관의 덕목은 청렴이다.

12 | ② 과학 기술 지상주의는 과학 기술의 발전을 지나치게 낙관적으로 바라보는 관점이다. 과학 기술은 유용하며, 모든 문제를 해결 할 수 있다고 본다.

13 | ③ 분단 비용은 남북 분단과 갈등으로 발생하는 유, 무형의 지출 비용이고, 평화 비용은 남북한 평화 유지와 정착을 위해 필요한 비용이다. 통일 비용은 통일에 소요되는 경제적 비용이고, 통일 편익은 통일로 얻게 되는 편리함과 이익이다.

14 | ② 예술 지상주의는 예술 그 자체나 예술적 아름다움을 목적으로 추구하고, 예술의 자율성 강조하며, 예술에 대한 윤리적 규제에 대해 반대한다.

15 | ① 안락사는 불치병으로 죽음이 가까운 환자가 겪는 고통을 제거 하고자 환자 혹은 그 가정의 요구에 따라 의료진이 인위적이고 의도적으로 생명을 단축하는 행위이다. 안락사에 반대하는 입장은 생명의 존엄성을 강조하며 죽음은 인간이 선택 할 수 있는 문제도 아니고, 죽음을 인위적으로 앞당기는 행위는 자연법 질서에 어긋난다고 주장한다.

16 | ④ 절차적 정의는 공정한 절차를 통해 발생한 결과는 정당하다고 보는 정의관이고, 분배의 결과보다 분배의 과정(절차)이나 순서를 중요하다고 보는 정의관이다. 정당한 분배 결과에 대해 생각 하지 않고 오로지 분배 과정과 절차에 중심을 둔다.

17 | ④ 시민 불복종이란 부정의한 법과 정책에 대한 시민들의 의도적 위법행위이다. 시민 불복종이 정당화 되기 위해서는 공익성, 공개성, 비폭력성, 최후의 수단, 처벌 감수와 같은 조건이 있다. 대표적인 사례는 간디의 소금행진, 소로의 세금 납부 거부 운동, 마틴 루서 킹의 흑인 차별 철폐운동이 있다.

18 | ② 벤담은 영국의 철학자로 공리주의를 주장했다. '최대 다수 최대 행복' 을 도덕 원리로 제시했다. "도덕과 입법의 원리 서설" 이라는 책도 썼다.

19 | ④ 잊힐 권리란 인터넷에서 생성, 저장, 유통 되는 개인의 사진이나 거래 정보 또는 개인의 성향과 관련된 정보에 대해 소유권을 강화하고 이에 대해 유통기한을 정하거나 이를 삭제, 수정, 영구적인 파기를 요청할 수 있는 권리이다.

20 | ③ 유교는 도덕적 인격 완성을 강조하는 종교로 이상사회는 대동 사회이고, 인륜이 실현된 사회로시 누구에게나 기본적인 삶이 보장되는 도덕 공동체이다.

21 | ① 합리적 소비란 소비에 따른 기회비용과 만족감을 고려하여 가장 편익이 큰 대안을 선택하는 소비행위이다. 소비자가 자신의 경제력 내에서 가장 큰 효용과 만족을 주는 상품을 구매하는 것이다. 윤리적 소비는 윤리적 가치 판단에 따라 상품이나 서비스를 구매하고 사용하는 것을 중시하는 소비로 인권과 정의 고려, 공동체적 가치 추구, 동물 복지 고려, 환경 보전 추구의 특징을 가진다.

22 | ③ 불교의 죽음관은 윤회 사상으로 죽음이란 다음 생으로 이어지는 윤회의 한 과정이라고 말한다.

23 | ① 장인 정신은 평생 자신의 기술을 갈고 닦아 일에 긍지를 가지고 전념하는 정신을 말한다. 직업적 전문성과 바른 품성을 가지고 사회적 책임을 다하고자 하는 것이다.

24 | ② 국제 관계를 바라보는 관점은 현실주의와 이상주의가 있다. 현실주의 관점은 국가는 이기적인 인간들로 구성되어 있고, 세계도 자국의 이익을 추구하는 국가들로 이루어져 있다고 본다. 국가의 이익과 도덕성이 충돌 할 경우 국가의 이익을 우선시해야 한다고 주장한다. 국가의 힘을 키워 세력 균형을 유지해야 분쟁을 해결 할 수 있다고 본다. 이상주의 관점은 인간이 이성적이듯 국가도 이성적이고 합리적이라고 본다. 국가의 이익보다 인간의 존엄성, 자유, 평등 등 보편적인 가치를 달성 해야 한다고 주장한다. 이성적인 대화와 협력으로 국제기구, 국제법, 국제 규범 등의 제도를 개선해 나가면 분쟁을 해결할 수 있다고 생각한다.

25 | ② 공직자는 멸사봉공의 자세로 사적인 이익보다 국가와 국민을 위해 일해야 하며, 준법 정신, 청렴 의식, 청백리 정신을 지녀야 한다. 국민에게 위임 받은 권한을 남용하지 말아야 한다. 국민을 위해 봉사하는 자세를 지녀야 한다. 부정 청탁과 금품 수수는 절대 받으면 안된다.

01	①	02	②	03	④	04	②	05	④
06	①	07	②	08	③	09	④	10	③
11	④	12	①	13	④	14	①	15	③
16	②	17	③	18	③	19	①	20	③
21	②	22	③	23	②	24	④	25	①

01 | ① 메타 윤리학은 도덕적 언어의 의미를 분석하고, 도덕적 추론의 정당성을 검증하기 위한 논리를 분석한다.

⚠ 선지 더 알아보기

기술 윤리학:특정 국가나 지역의 문화적 관습을 객관적으로 기술하고 묘사 및 서술한다.
실천 윤리학:도덕 현상과 문제를 명확히 기술해 도덕 현상들 간의 인과 관계를 설명하고, 도덕 문제에 대한 해결 방안을 제시하는 것을 목표로 삼는다. 실천윤리의 예는 생명 윤리, 사회 윤리, 정보 윤리, 환경 윤리 등이다.

02 | ② 노자는 중국 춘추시대 사상가로 도가 사상의 창시자이며, 무위자연과 상선약수를 주장했고 저서에는 도덕경이 있다.

⚠ 선지 더 알아보기

묵자:전국시대 사상가로 묵가 사상의 창시자이고 겸애설을 주장했다.
순자:전국시대 사상가로 성악설을 주장했다.
맹자:전국시대 사상가로 성선설을 주장했고, 사단을 강조했다.

03 | ④ 도덕적 탐구란 윤리 문제에서 도덕적 판단의 근거를 찾고 이를 실천하는 과정이다. 도덕적 사고를 통해 이루어지는 이론적이고 지적인 활동이다. 탐구 대상의 옳고 그름, 선과 악을 따져보아 행위의 정당화와 도덕적 실천에 중점을 둔다. 도덕적 탐구에는 도덕적 추론 능력이 필요하고, 이성적 사고(논리적 사고, 합리적 사고, 비판적 사고)와 정서적 측면(공감, 배려)을 함께 고려한다.

04 | ② 불교는 연기적 세계관을 주장한다. 연기는 모든 존재와 현상은 다양한 원인과 조건의 결합으로 상호 의존적인 관계를 가진다고 본다. 자비는 연기를 통해서 남을 사랑하고 가엾게 여기는 마음이 생기며, 이를 실천 해야 한다고 강조하고 공은 모든 존재와 현상은 다양한 원인과 조건에 의해 생겨났다가 없어지므로 변하지 않는 것은 없고, 모든 것은 변화하여 고정된 실체가 없다고 본다.

⚠ 선지 더 알아보기

심재:마음을 비워서 깨끗이 하는 것
오륜:오륜은 유교에서 말하는 기본적인 인간관계에서 지켜야 할 다섯가지 도덕규범으로 부자유친, 군신유의, 부부유별, 장유유서, 붕우유신이다.
정명:"임금은 임금다워야 하고, 신하는 신하다워야 하며, 부모는 부모다워야 하고, 자식은 자식다워야 한다." 는 공자의 정명 사상이다.

05 | ④ 공리주의는 유용성의 원리를 적용하는 대상에 따라 구분 하는데 행위 공리주의와 규칙 공리주의가 있다.

행위 공리주의
:"어떤 행위가 최대의 유용성을 가져 오는가?" 를 중시한다. 개별적인 행위가 가져오는 쾌락과 행복에 따라 행위의 옳고 그름을 결정하기 때문에 개별적인 행위의 결과 계산이 어렵고, 도덕 상식에 어긋난 행위가 정당화 될 수 있는 한계를 지닌다.

규칙 공리주의
:"어떤 규칙이 최대의 유용성을 가져오는가?" 를 중시한다. 행위 공리주의의 한계를 극복하기 위해 등장했고, 일반적으로 최대의 유용성을 가져오는 행위의 규칙을 따르는 것이 옳다고 본다. 서로 다른 규칙이 충돌하거나, 특수한 상황에서 좋지 않은 결과가 발생 할 수 있는 한계를 가졌다.

06 | ① 인간 중심주의는 인간을 도덕적 고려의 대상으로 보는 관점이다. 인간을 자연과 구별되는 유일한 존재로 보며, 인간만이 도덕적 가치를 지닌다고 본다. 그래서 자연을 인간의 이익과 욕구 충족을 위한 수단으로 여기고, 자연은 의식이 없는 단순한 물질이므로 기계와 같다고 여긴다. 인간과 자연을 분리하여 보고 인간을 자연보다 우월하게 여긴다.

07 | ② 시민불복종이란 부정의한 법과 정책에 대한 시민들의 의도적 위법행위이다. 시민불복종이 정당화 되기 위해서는 공익성, 공개성, 비폭력성, 최후의 수단, 처벌 감수와 같은 조건이 있다. 대표적인 사례는 간디의 소금행진, 소로의 세금 납부 거부 운동, 마틴 루서 킹의 흑인 차별 철폐 운동이 있다.

08 | ③ 과학기술자는 사회적 책임이 있는데 내적 책임과 외적 책임으로 구분 할 수 있다. 내적 책임은 연구 과정에서 날조, 변조, 표절, 부당한 저자 표기 등 비윤리적인 행위를 하지 말아야 하는 것이다. 외적 책임은 연구 과정에서 사회에 선한 영향력을 줄 수 있는 것인지 검토 하고, 자신의 연구 결과가 사회에 미칠 영향력을 인식 및 책임을 져야 한다. 또한, 인간 존엄성을 해치지 않는지 성찰하고, 선한 의도와 달리 부정적 영향이 예상되면 연구를 중단 해야 한다.

09 | ④ 대중 문화란 대중 사회를 기반으로 다수의 사람이 쉽게 소비하고 향유하는 문화이다. 올바른 대중 문화 형성을 위해 생산자는 건전하고 다양한 대중 문화 보급하고, 소비자는 주체적이고 비판적인 태도로 대중 문화를 수용하고, 국가는 법과 제도의 마련으로 책임감 있는 생산과 소비가 이루어 지도록 해야 한다.

10 | ③ 평화 통일을 위해 통일에 대한 관심을 가지고 군사 안보의 측면에서 북한 경계의 대상이지만, 북한 주민은 화해와 협력의 대상으로 인식하며 통합과정에서 북한 주민을 이해하려는 열린 자세를 가지는 개인적인 노력이 필요하다. 또한, 국가 차원에서는 통일의 필요성에 대해 국민이 인식하도록 독려하고, 튼튼한 안보 기반을 구축 하면서 평화적 통일을 위한 준비하고, 동북 아시아와 국제 사회의 긴밀한 협력 관계로 우호적인 통일 환경을 조성해 남북 교류와 협력으로 긴장감 해소 및 신뢰 형성을 하는 노력이 필요하다.

11 | ④ 전통사회의 부부 윤리는 남녀 간의 역할을 구분하면서 서로 존중할 것을 강조했고, 음양론에 근거하여 상호 보완적인 관계를 강조했다. 오늘날의 부부 윤리는 서로의 의사와 자유를 존중해야 함을 강조하고, 부부는 서로 차별 해서는 안되고 각 주체로서 평등해야 한다. 즉, 양성평등을 강조한다.

12 | ① 동화주의는 비주류문화에 대한 존중 없이 주류문화에 녹여서 하나로 통합하는 것으로 다양한 물질이 용광로에 녹아 형체를 잃고 하나로 만들어지듯 하나의 문화를 만든다는 용광로 이론이 있다.

13 | ④ 롤스의 분배적 정의는 공정으로서의 정의이다. 롤스가 말하는 절차적 정의는 공정한 절차에 의해 합의된 것이라면 정의롭다는 것이다. 그리고 개인의 기본적 자유를 보장하고(제 1원칙), 복지 정책과 같은 재분배 장치를 통해 실질적인 평등을 도모한다.(제 2원칙)

14 | ① 칸트의 도덕 법칙은 보편화 가능성과 인간 존엄성을 가진 정언 명령의 형식을 취한다. 행위의 결과보다 동기가 중요하다.

15 | ③ 인공 임신 중절이란 임신 중에 태아를 인공적
으로 산모의 몸 밖으로 분리 시켜서 임신을 끝
내는 행위이다. 이 행위에 대해 반대하는 입장
은 태아를 인간으로 보고 생명을 강조하는 입
장이다. 모든 인간의 생명은 존엄하며 태아도
인간이므로 생명권을 가진다. 그 어떤 권리보
다 생명권이 우선된다. 여성의 선택권보다 태
아의 생명권이 더 먼저라고 생각한다. 태아는
태어나서 한 사람의 성인으로 발달할 잠재성을
가졌다. 그렇기에 무고한 태아를 해쳐서는 안
된다고 주장한다.

16 | ② 윤리적 소비는 소비를 하기 전에 타인, 사회, 환
경, 인류에 바람직한 방향이 무엇인지 윤리적
가치 판단을 하고 소비하는 것으로 녹색소비와
착한 소비가 있다. 녹색소비는 환경을 생각하
고 미래세대까지 고려하는 지속 가능한 소비이
고 착한 소비는 불공정 무역 제품을 구매 하지
않고 공정무역 제품을 구매하는 것이다. 윤리
적 소비의 예는 공정무역, 공정여행, 로컬 푸드
운동, 자원 절약과 재활용, 친환경 제품, 동물의
생명을 존중하고 고통을 최소화하는 상품, 환
경을 오염 하지 않는 방식으로 생산된 제품 사
용이 있다.

17 | ③ 예술은 미적 가치를 추구하고 인간의 감정을
표현하고 아름다움과 관련된 새로운 가치를 만
드는 활동이나 그 산물을 총칭하는 단어이다.
예술 도덕주의는 예술은 올바른 품성을 기르고
도덕적 교훈이나 모범을 제공해야 하며, 예술
의 사회성을 강조하고, 예술에 대해 적절한 규
제에 찬성한다.

18 | ③ 바람직한 의사소통을 위해 갖춰야 할 태도는
소통과 담론에 참여하는 사람들의 권리를 인정
하고 상대방의 의견을 존중하는 태도이다. 또
한, 자신의 의견에 오류가 있을 수 있다는 것을
인정하고 상대를 속이려 하지 말고 진실한 대
화를 해야 한다.

19 | ① 전문직이란 고도의 훈련과 교육을 거쳐 일정한
자격을 갖춘 사람만이 종사할 수 있는 직업이
다. 전문직 종사자들은 노블레스 오블리주, 즉
더욱 높은 수준의 도덕심과 책임 의식을 가져
야 한다. 숙련된 기술 축적으로 전문성을 통해
사회에 공헌 할 수 있어야 하고, 사회적인 품위
를 유지하고 타인을 배려하는 태도를 지녀야
한다.

20 | ③ 사이버 폭력은 정보 통신 기기를 이용하여 고
통을 주는 행위로, 이를 예방 하기 위해서는 악
성 댓글 작성은 엄연한 폭력임을 인지 시키고,
인터넷에 허위 사실을 유포 하면 안된다는 것
을 알려 주고, 사이버 따돌림 예방을 위한 교육
을 실시하는 노력이 필요하다.

21 | ② 처벌에 대한 공리주의 관점은 사회 전체 행복
의 증진을 위한 필요악의 수단으로 위법의 이
익보다 형벌의 손실이 더 큰 정도의 형벌을 부
과 하자는 입장이다. 처벌의 사회적 효과를 강
조한다. 대표적인 사상가로는 벤담과 베카리아
가 있다.

응보주의 : 형벌은 범죄 행위에 대한 응당한 보복과 정
당한 대가라는 것이다. 그러므로 범죄 행위에
상응하는 동등한 형벌을 부과하고, 범죄에 대
한 개인의 책임을 강조한다. 대표적인 사상가
로는 칸트와 헤켈이 있다.

22 | ③ 윤리적 성찰이란 생활 속에서 자신의 마음가짐
을 윤리적 관점에서 반성하고 살피는 태도이
다. 유교의 증자는 일일삼성 혹은 거경을 주장
했고, 불교는 참선을, 소크라테스는 "반성하지
않는 삶은 살 가치가 없다." 고 주장했다. 윤리
적 성찰의 실천 방법에는 일기 쓰기, 좌우명 만
들기 등이 있다.

23 | ② 사랑과 성의 관계에서 보수주의 관점은 결혼을 통해 이루어지는 성적 관계만이 정당하고, 배우자가 아닌 다른 사람과의 성적 관계는 부도덕하다고 보는 관점이다. 자유주의적 관점은 타인에게 해악을 주지 않는 범위 내에서 자발적 동의에 따른 성적 자유를 허용해야 한다고 주장하면서 성에 대한 개인의 자유로운 선택을 강조한다. 자유주의자들은 결혼을 하지 않아도 성적 관계가 가능하고, 성과 사랑은 결부시키지 않는다.

24 | ④ 기후 변화에 따른 문제점은 생태계 교란, 새로운 질병의 유행, 자연 재해의 증가가 있다.

25 | ① 국제 관계를 바라보는 이상주의 관점은 인간이 이성적이듯 국가도 이성적이고 합리적이라고 본다. 국가의 이익보다 인간의 존엄성, 자유, 평등 등 보편적인 가치를 달성 해야 한다고 주장한다. 이성적인 대화와 협력으로 국제기구, 국제법, 국제 규범 등의 제도를 개선해 나가면 분쟁을 해결할 수 있다고 본다. 대표적인 사상가는 칸트다.

⚠ **선지 더 알아보기**

현실주의 : 국가는 이기적인 인간들로 구성되어 있고, 세계도 자국의 이익을 추구하는 국가들로 이루어져 있다고 본다. 국가의 이익과 도덕성이 충돌할 경우 국가의 이익을 우선시해야 한다고 주장한다. 국가의 힘을 키워 세력 균형을 유지해야 분쟁을 해결 할 수 있다고 본다. 대표적인 사상가는 모겐소이다.

01	③	02	①	03	③	04	④	05	①
06	④	07	④	08	②	09	③	10	②
11	②	12	①	13	③	14	①	15	③
16	④	17	③	18	②	19	①	20	②
21	④	22	①	23	④	24	②	25	④

01 | ③ 규범 윤리학은 인간이 어떻게 행위를 해야 하는가에 대한 보편적 원리의 정립을 주된 목표로 하는 윤리학이다. 도덕 원리를 제시하는 이론 윤리학과 원리를 적용해 구체적인 해결책을 모색하는 실천 윤리학으로 구분 된다.

⚠ **선지 더 알아보기**

기술 윤리학 : 가치 중립적인 자세를 갖고 도덕 현상과 문제를 있는 그대로 기록하며, 인과 관계를 설명한다.
메타 윤리학 : 도덕적 언어의 의미를 분석하고, 도덕적 추론이 논리적으로 타당한지 따져 보며, 윤리학의 학문적 성립 가능성을 모색한다.

02 | ① 유교의 이상적 인간상은 성인, 군자이다.

⚠ **선지 더 알아보기**

보살 : 불교의 이상적 인간상
진인 : 도교의 이상적 인간상

03 | ③ 사이버 폭력은 가상 공간에서 타인에게 정신적, 물질적 피해를 주는 행위이다. 사이버 폭력의 유형은 악성댓글, 허위 사실 유포, 사이버 성폭력, 사이버 스토킹, 사이버 따돌림이 있다.

04 | ④ 윤리적 성찰은 자신의 정체성과 가치관을 도덕적 관점에서 깊이 있게 반성하고 살피는 것이다. 남을 돕는데 진심을 다했는지 마음을 살피고, 끊임 없는 질문을 통해 자신의 무지를 스스로 깨우치고, 어른들의 말씀은 비판적 사고를 통해 받아들이고, 마음이 흐트러지지 않게 하고 몸가짐을 삼가는 행동양식으로 나타난다.

05 | ① 덕 윤리는 품성과 덕성을 중시하는 행위자 중심의 윤리에 초점을 둬서 성품에서 자연스럽게 우러나오는 행위는 도덕적 실천력을 높일 수 있다고 본다. 아리스토텔레스는 행위자의 성품과 덕성을 중시하며 올바른 행위의 반복과 습관화로 덕이 길러진다고 주장했고, 매킨 타이어는 개인의 자유와 선택보다는 공동체의 전통과 역사가 더 중요하고, 도덕적 판단에 있어 구체적이며 맥락적 사고를 중시 할 것을 주장했다.

06 | ④ 정보 생산자들은 사실 그대로 전달하는 진실한 태도를 가지고, 정보를 자의적으로 해석하거나 왜곡하지 않아야 한다. 관련된 내용에 대한 객관성과 공정성을 추구 해야 한다.

07 | ④ 전통사회에서의 가족 간의 윤리는 부자유친, 부자자효, 수족지의, 형우제공이 있는데 시대 정신에 맞는 것은 받아들여야 한다. 현대사회에서의 가족 간의 윤리는 다음과 같은 특징을 가진다. 가족 구성원은 서로 사랑, 배려, 존중, 책임 등의 덕목을 실천해야 한다. 부모는 자녀를 독립적인 인격체로 존중하고, 신체와 인격을 건강하게 양육 해야 한다. 부모는 모범적으로 자신의 역할에 최선을 다하고 자녀를 정의와 사랑으로 대해야 한다. 자녀는 부모에 대해 언제나 감사한 마음을 가지고 효도하며, 형제자매 간에는 우애있게 지낸다.

08 | ② 싱어는 동물 중심주의 학자로, 쾌고 감수 능력을 갖고 있는 동물의 이익도 평등하게 고려 되어야 한다고 주장한다.

09 | ③ 플라톤은 고대 그리스의 철학자로 소크라테스의 제자다. 이데아론을 주장했고 대표적인 저서에는 <국가> 가 있다.

10 | ② 양성평등은 남녀 모두의 인권을 동등하게 보장하는 것으로, 성별에 따른 차별, 편견, 비하, 폭력이 없고 남녀의 차이를 인정하고 다양성과 개성을 존중하는 것이다.

11 | ② 칸트가 주장한 정언 명령은 행위의 결과와 상관 없이 행위 자체가 옳기 때문에 무조건 수행해야 하는 도덕적 명령이다. "네 의지의 준칙이 언제나 동시에 보편적 입법의 원리가 되도록 행위 하라"

12 | ① 안락사는 불치병으로 죽음이 가까운 환자가 겪는 고통을 제거 하고자 환자 혹은 그 가족의 요구에 따라 의료진이 인위적이고 의도적으로 생명을 단축하는 행위이다. 안락사에 찬성하는 입장은 개인의 삶의 질과 권리 그리고 사회의 이익을 강조하는 입장이다. 고통 속에서 생명 연장은 무의미하며, 죽음을 선택할 권리가 있고, 연명 치료는 본인과 가족에게 심리적, 경제적 부담을 준다고 주장한다. 안락사에 반대하는 입장은 생명과 인간의 존엄성을 강조하며 죽음은 인간이 선택 할 수 있는 문제도 아니고, 죽음을 인위적으로 앞당기는 행위는 자연법 질서에 어긋난다고 주장한다.

13 | ③ 청렴은 행동이 맑고 깨끗하며 탐욕을 부리는 않는 상태를 의미한다. 모든 사회 구성원들에게 요구되지만 특히 공직자에게 강하게 요구 된다.

14 | ① 윤리적 상대주의는 절대적이고 보편적인 윤리 규범은 존재하지 않으며 윤리적 가치는 시대와 장소에 따라 상대적이라고 본다.

윤리적 상대주의(소피스트) vs 윤리적 보편주의(소크라테스)

윤리적 상대주의는 절대적이고 보편적인 윤리 규범은 존재하지 않으며 윤리적 가치는 시대와 장소에 따라 상대적이라고 보는 관점이다. 윤리적 보편주의는 보편타당한 윤리 규범이 존재하고, 이성을 통해 파악할 수 있다고 보는 관점이다.

	소피스트	소크라테스
진리, 윤리	주관적, 상대적	절대적, 객관적
근거	감각적, 경험, 유용성	이성
가치	세속적 가치	정신적 가치
공통점	철학의 주제를 '자연'에서→'인간과 사회'로 전환시킴	

15 | ③ 문화적 정체성은 사회적 공동체가 함께 공유해 온 인종, 민족, 언어, 종교, 전통, 관습 등의 고유한 문화적 측면에 기반하여 형성된 개인 또는 사회 집단의 자기의식을 의미한다. 문화적 정체성의 특징은 역사성, 공유성, 가변성이 있다.

역사성 : 오랜 세월에 걸쳐 형성되고 사람들을 통해 계승되는 속성이 있음

공유성 : 사회 집단은 세대를 초월하여 공통된 문화를 일관되게 이해하고 공유할 수 있으며, 자신의 문화에 대한 신념과 열의를 갖게 됨

가변성 : 고정불변한 것은 아니며, 시대의 흐름에 따라 가변성을 띄며 새롭게 변화함

그러므로 바람직한 문화적 정체성을 유지 하기 위해 사회 질서를 파괴하지 않는 범위에서 관용을 베풀고, 문화의 다양성을 수용하면서도 보편적 규범을 따라야 한다.

16 | ④ 원효는 불교의 대표적인 사상가로 화쟁사상을 주장했다. 그는 불교에서 서로 다른 종파들 간 대립과 갈등을 더 높은 차원에서 극복하고자 했고, 특수하고 상대적인 각자의 입장에서 벗어나 대승적으로 융합 해야 함을 강조했다.

17 | ③ 부정부패란 불법적이거나 부당한 방법으로 재물, 사회적 지위, 기회 등과 같은 금전적, 사회적 이득을 얻거나 다른 사람들이 그것을 얻도록 돕는 일탈 행위를 의미한다. 부정부패의 문제점은 개인적 측면에서 개인의 권리를 침해 할 수 있고, 바람직한 시민 의식을 형성 하기 어렵다. 사회적 측면에서는 비효율적인 업무처리로 사회적 비용이 증가 되거나, 국민 간에 위화감이 조성 되어 사회 통합이 저해 된다.

18 | ② 노직은 소유권으로서의 정의와 원조는 곧 자선이라는 주장을 했다. 분배적 정의는 소유권으로서의 정의로, 취득 및 양도 절차의 공정성을 통해 정당한 소유이다. 취득과 이전 과정이 정의로우면 그 소유권은 정당하다. 노직은 해외원조에 대해 해외원조는 개인과 국가의 자유적 선택의 문제이고, 해외원조를 하라고 강요하는 것은 개인의 자유를 침해하는 것이라고 주장 했다.

19 | ① 유전자 치료는 이상 유전자로 발생 된 질병을 유전자 공학을 이용해서 치료하는 방법으로 체세포 유전자 치료와 생식세포 유전자 치료가 있다. 유전자 치료에 찬성하는 입장에서는 유전적 질병으로 인한 후세대의 고통을 없앨 수 있고, 유전 질환을 물려주고 싶지 않은 부모의 자율적 선택을 존중 해야한다는 근거를 든다.

20 | ② 분단 비용은 남북 분단과 갈등으로 발생하는 유, 무형의 지출 비용으로 국방비, 외교적 경쟁 비용 등이 있고 소모적 성격의 비용이다.

21 | ④ 차별을 받아온 사회적 소수자들에게 고용이나 교육 등 다양한 측면에서 직간접적으로 혜택을 제공하는 것이 소수자 우대 정책이다. 이 정책으로 사회적 이익의 공정한 분배가 실현된다.

22 | ① 현실주의는 국가는 이기적인 인간들로 구성되어 있고, 세계도 자국의 이익을 추구하는 국가들로 이루어져 있다고 본다. 국가의 이익과 도덕성이 충돌할 경우 국가의 이익을 우선시해야 한다고 주장한다. 국가의 힘을 키워 세력 균형을 유지해야 분쟁을 해결 할 수 있다고 본다. 대표적인 사상가는 모겐소이다.

이상주의: 인간이 이성적이듯 국가도 이성적이고 합리적이라고 본다. 국가의 이익보다 인간의 존엄성, 자유, 평등 등 보편적인 가치를 달성 해야 한다고 주장한다. 이성적인 대화와 협력으로 국제기구, 국제법, 국제 규범 등의 제도를 개선해 나가면 분쟁을 해결할 수 있다고 본다. 대표적인 사상가는 칸트다.

23 | ④ 시민불복종이란 부정의한 법과 정책에 대한 시민들의 의도적 위법행위이다. 시민불복종이 정당화 되기 위해서는 공익성, 공개성, 비폭력성, 최후의 수단, 처벌 감수와 같은 조건이 있다. 대표적인 사례는 간디의 소금행진, 소로의 세금 납부 거부 운동, 마틴 루서 킹의 흑인 차별 철폐 운동이 있다.

24 | ② 갈퉁의 평화는 소극적 평화와 적극적 평화로 구분 된다. 소극적 평화는 전쟁, 테러, 범죄 등과 같이 직접적이고 물리적인 폭력이 없는 상태이고, 적극적 평화는 직접적인 폭력 뿐만 아니라 사회의 구조적, 문화적 폭력이 없어 인간적인 삶의 가능한 상태이다.

25 | ④ 생태 중심주의 관점은 흙, 물, 공기 등의 환경까지도 도덕적 대상으로 고려해 생태계의 조화에 주목한디. 지언에 존재히는 모든 것올 생태계의 구성원으로 바라보는 전체론 또는 전일주의 입장이다. 생태 중심주의의 한계는 환경 파시즘으로 생태계 전체의 선을 위하여 개별 구성원을 희생 시킬 수 있다는 것이다.

01	①	02	④	03	②	04	④	05	④
06	③	07	①	08	③	09	③	10	①
11	④	12	①	13	②	14	④	15	③
16	①	17	②	18	②	19	③	20	②
21	③	22	③	23	①	24	④	25	①

01 | ① 도덕적 딜레마는 어떤 상황에서 두 개 이상의 도덕 원칙이 충돌하여 결정을 내리기 어려운 상황을 가리킨다. 이러한 딜레마는 윤리적 판단이 모호하거나 상충하는 상황에서 발생한다.

⚠ **선지 더 알아보기**

이데아 : 이데아 혹은 에이도스(eidos)의 원뜻은 '눈에 보이는 형상' 인데, 소크라테스의 사상을 계승 · 발전시킨 플라톤에 의하면 이데아(관념)은 감각 세계의 너머에 있는 실재이자 모든 사물의 원형이다. 이데아는 지각되거나 시간에 의해 변형되거나 사라지는 것이 아니라 경험의 세계를 넘어서서 이루어지는 인식의 최고의 단계이다.

02 | ④ 사단, 오륜, 효제, 충서는 유교에서 말하는 사상들이다. 사단은 맹자가 주장한 것으로 모든 인간이 본래부터 가지고 있는 선한 마음이다. 측은지심, 수오지심, 사양지심, 시비지심이 있다. 오륜은 유교에서 말하는 기본적인 인간관계에서 지켜야 할 다섯가지 도덕규범이다. 부자유친, 군신유의, 부부유별, 장유유서, 붕우유신이다. 효제는 유교의 근본이 되는 사상으로 부모에 대한 효도와 형제에 대한 우애를 통틀어 이르는 말이다. 충서에서 충은 자신의 참된 마음을 다하는 것이고, 서는 참된 마음을 바탕으로 다른 사람의 마음을 헤아리는 것이다.

03 | ② 평화 윤리는 크게 갈등 해결과 소통의 윤리, 민족 통합의 윤리, 지구촌 평화의 윤리로 나뉘고 갈등 해결과 소통의 윤리에서는 사회 갈등과 사회 통합, 소통과 담론 윤리에 대해 다루고, 민족 통합의 윤리에서는 통일 문제를 둘러싼 쟁점과 통일 지향해야 할 가치에 대해 다루고, 지구촌 평화의 윤리에서는 국제 분쟁의 해결과 평화, 국제 사회에 대한 책임에 대해 다룬다.

04 | ④ 보편화 결과 검사는 문제가 되는 도덕 원리가 보편화되었을 때 나타날 수 있는 결과를 예상해 봄으로써 도덕 원리가 타당한지 판단하는 방법이다.

⚠ **선지 더 알아보기**

포섭 검사 : 선택한 도덕 원리를 더 일반적이고 포괄적인 도덕 원리에 따라 판단 해 보는 방법

05 | ④ 세대 갈등은 어느 사회에나 발생하는 보편적인 현상으로, 세대 간의 연령이나 경험 등에서 비롯된 서로의 차이를 이해하지 못해 발생하는 갈등이다. 새로운 기술이나 규범에 빠르게 적응하는 젊은세대와 상대적으로 그렇지 못한 기성세대 간의 갈등이 심화된다.

06 | ③ 바람직한 토론을 위해서는 토론의 규칙과 절차를 준수해 논리적으로 타당한 근거를 제시 해야 한다. 또한, 자신의 의견에 오류가 있을 수 있다는 것을 인정하고 타인의 의견과 인격을 존중하는 태도를 갖는다.

07 | ① 싱어는 동물 중심주의 관점에서 동물 해방론을 주장했다. 도덕적 고려 대상에 쾌고 감수 능력(쾌락과 고통을 느낄 수 있는 능력)을 가진 동물도 포함 시키자고 말하며 인간의 이익만 고려하지 말고 인간과 동물의 이익을 평등하게 고려하자고 했다. 또한, 인종차별이나 성차별처럼 동물 차별이 정당화 할 수 없는 종 차별주의라고 말했다. 해외원조에 대해서는 절대적 빈곤으로 고통 받는 사람들을 도와주는 것은 윤리적으로 당연히 해야 하는 행위라고 말하며 공리주의 관점에서 해외 원조의 필요성을 강조했다.

08 | ③ 공리주의는 19세기 중반 영국 제러미 벤담이 창시한 사회사상으로 가치 판단의 기준을 효용과 행복의 증진에 두어 최대 다수의 최대 행복 실현을 목적으로 한다. 행위의 동기보다는 이익과 행복이라는 결과를 중시한다. 이러한 공리주의 입장에 대한 비판점은 소수의 권리와 이익이 훼손될 우려가 있다는 것이다.

09 | ③ 분배적 정의는 각자에게 자신의 정당한 몫을 누릴 수 있게 하고, 아무도 불만을 제기하지 않는 방식으로 분배하는 것이다.

분배적 정의 기준	의미	장점	단점
절대적 평등	무조건 다 똑같이	기회 혜택의 균등한 분배	생산 의욕과 책임 의식 저하
필요	기본적인 욕구 충족이 어려운 사람들에게 재화나 가치를 우선적으로 분배	- 약자 보호 - 안정성 향상	- 재화 불충분 - 효율성 저하
능력	개인의 직무수행에 필요한 전문적인 지식이나 자질에 따라서 분배	탁월성과 실력에 대한 합당한 보상	우연성, 선천적 영향배제 어려움
업적	성취한 성과에 비례하여 분배	- 생산성 향상 - 객관적 평가 용이	- 약자 배려 약화 - 과열 경쟁 우려

10 | ① 프롬은 사랑이 수동적이거나 소유적인 감정이 아니라, 성장과 성숙, 인격적 성취를 촉진하는 능동적인 활동이라고 보았다. 프롬이 말하는 진정한 사랑은 생산적 사랑으로서, 서로의 개성을 존중하는 동시에 공동의 성장과 상호 이해를 촉진시키는 건강하고 균형잡힌 사랑이다.

11 | ④ 시민불복종이란 부정의한 법과 정책에 대한 시민들의 의도적 위법행위이다. 시민불복종이 정당화 되기 위해서는 공익성, 공개성, 비폭력성, 최후의 수단, 처벌 감수와 같은 조건이 있다. 대표적인 사례는 간디의 소금행진, 소로의 세금 납부 거부 운동, 마틴 루서 킹의 흑인 차별 철폐 운동이 있다.

12 | ① 생명 복제는 동일한 유전자는 가진 생명체를 인위적으로 만드는 것을 말한다. 종류는 동물 복제와 인간 복제(배아 복제, 개체 복제)로 나뉜다. 생명 복제 반대 측의 주장은 생명 복제를 하게 되면 생명의 존엄성이 훼손되고, 생명의 고유성이 사라지고, 자연의 질서에 어긋난다는 것이다.

13 | ② 공직자는 부정부패를 저지르면 안되고, 성실, 정직, 책임 그리고 청렴의 덕목을 가져야 한다.

14 | ④ 과학 기술자의 윤리적 자세는 내적 책임과 외적 책임으로 나뉜다. 내적 책임은 과학 기술자는 연구 과정에서 날조, 변조, 표절, 부당한 저자 표기 등 비윤리적인 행위를 하지 말아야 한다는 것이고, 외적 책임은 자신의 연구 결과가 사회에 미칠 영향에 대한 책임을 져야 한다는 것이다.

15 | ③ 니부어는 개인의 도덕성과 집단의 도덕성을 구분하면서 "개인의 도덕성만으로는 사회 집단의 비도덕성을 해결할 수 없다." 고 말했다. 정의로운 사회를 구현하기 위해서는 개인의 도덕성 함양뿐만 아니라 사회 구조와 제도가 도덕성 실현을 위해 노력 해야 한다고 보았다.

16 | ① 바람직한 통일 한국의 모습은 수준 높은 문화국가, 자주적인 민족국가, 정의로운 복지국가, 자유로운 민주국가, 창조적인 문화국가이다.

17 | ② 생명 중심주의는 도덕적 고려의 범위가 생명을 가지고 있는 모든 것이다. 인간과 동물뿐만 아니라 식물을 포함한 모든 생명체를 도덕적으로 고려 해야 한다고 본다. 동물 중심주의는 도덕적 고려의 범위가 인간과 동물이다. 그러므로 생명 중심주의와 동물 중심주의의 공통점은 도덕적 고려의 범위에 동물이 포함 된다는 것이다.

18 | ② 저작권침해란 저작권법에 의해 보호되는 저작물을 무단으로 이용하여 창작자의 권리를 침해 하는 행위를 말한다.

19 | ③ 대중문화란 대중사회를 기반으로 형성 되어 다수의 사람들이 공통으로 쉽게 접하고 즐기는 문화이다. 이러한 대중문화와 관련된 윤리적 문제는 대중문화의 선정성과 폭력성 문제, 대중문화의 자본 종속 문제, 대중문화의 윤리적 규제 논쟁이 있다. 그렇기에 대중문화에 대한 윤리적 규제를 찬성 하는 입장과 반대하는 입장이 있고, 찬성론자들은 성의 상품화 예방과 대중의 정서에 미칠 부정적 영향 방지를 주장하고, 반대론자들은 자율성 및 표현의 자유의 중요성과 대중의 다양한 문화를 누릴 권리 보장의 필요성을 강조한다.

20 | ② 다문화주의는 이주민의 고유한 문화와 자율성을 존중하여 문화 다양성을 실현하고자 한다. 이러한 다문화주의에 해당하는 이론은 샐러드 볼 이론이다. 샐러드볼 이론은 다른 맛을 가진 채소와 과일들이 그릇 안에서 서로 조화를 이루듯이 다양한 문화가 평등하게 조화를 이루는 것이다.

21 | ③ 의복 문화와 관련된 윤리적 문제는 유행 추구 현상, 명품 선호 현상, 동물 학대 등이 있다.

22 | ③ 원초적 입장은 상호 무관심한 사람들이 무지의 베일 하에서 합의를 통해 정의의 원칙을 도출하는 가상적 상황이다.
무지의 베일：무지의 베일은 원초적 입장의 인지적 조건으로 사람들이 공정한 사회를 만들기 위해 필요한 조건이다. 이 베일 뒤에 있는 사람들은 자신의 출신, 능력, 경제적 상황과 같은 개인 정보를 모른다고 가정하는 것이다. 이렇게 하면 누구에게나 유리하거나 불리하게 규칙을 만들 수 없고, 모두에게 공정한 사회를 만들 수 있게 된다.

⚠ **선지 더 알아보기**

판옵티콘：벤담이 소수의 감시자가 모든 수용자를 자신을 드러내지 않고 감시 할 수 있는 형태의 감옥을 제안하면서 이 말을 창안했다.
공유지의 비극：지하자원, 초원, 공기, 호수에 있는 고기와 같은 개방적인 자원에 개인이 이익에 따라 행동할 때 자원의 고갈을 일으키는 경제 과학적 상황을 말한다.

23 | ① 예술 도덕주의의 입장은 예술은 올바른 품성을 기르고 도덕적 교훈이나 모범을 제공해야 하며, 예술의 사회성을 강조하고, 예술에 대한 적절한 규제에 찬성한다.

24 | ④ 요나스의 책임 윤리는 앞으로 일어날 일을 예상하고 미래에 대한 책임의식 강조한다. 현 세대는 미래세대의 생존과 삶에 대한 책임감을 가지고 자연과 미래세대를 고려해 소비생활을 해야 한다. 요나스는 "너의 행위의 결과가 미래에 지구상에서 인간이 살아 갈 수 있는 가능성을 파괴하지 않도록 행위하라" 라고 말했다.

25 | ① 노직은 해외원조에 대해 해외 원조는 개인과 국가의 자유적 선택의 문제이고, 해외원조를 하라고 강요하는 것은 개인의 자유를 침해 하는 것이라고 주장 했다.

01	①	02	③	03	②	04	③	05	①
06	①	07	③	08	②	09	②	10	①
11	①	12	①	13	④	14	②	15	③
16	②	17	④	18	④	19	④	20	①
21	④	22	②	23	④	24	②	25	④

01 | ① 실천윤리학은 도덕 현상과 문제를 명확히 기술해 도덕 현상들 간의 인과 관계를 설명하고, 도덕 문제에 대한 해결 방안을 제시하는 것을 목표로 삼는다. 실천윤리의 예는 생명 윤리, 사회 윤리, 정보 윤리, 환경 윤리 등이다.

02 | ③ 환경 윤리란 인간과 환경 사이의 윤리적인 관계를 의미한다. 이는 우리가 자연환경에 대한 존중과 보호, 그리고 지속가능한 방식으로 자원을 이용하고 소비하는 것을 의미한다. 환경 윤리는 사회적, 경제적, 과학적, 정치적인 측면에서 다양한 관점을 포함하고 있으며, 우리가 살아가는 세계를 보다 지속가능한 방향으로 이끌기 위한 필수적인 원칙과 가치를 제시한다. 환경 윤리는 자연환경을 존중하고 보호하는 것을 중심으로 한다. 우리는 산림, 해양, 강과 같은 자연환경의 가치를 인정하고, 이들을 보호하는데 최선을 다해야 한다. 이는 산림을 불법 산업활동으로부터 보호하고, 해양 생태계를 오염으로부터 지키며, 강과 호수의 수질을 개선하는 것을 의미한다. 또한, 환경 윤리는 생물 다양성의 유지와 보전에도 중요한 역할을 한다. 우리는 멸종 위기에 처한 생물종을 보호하고, 서식지를 지키며, 생태계의 균형을 유지하는데 노력해야 한다.

03 | ② 맹자는 전국시대 사상가로 성선설을 주장했고, 사단을 강조했다. 사단은 모든 인간이 본래부터 가지고 있는 선한 마음으로 측은지심, 수오지심, 사양지심, 시비지심이 있다. 또한, 맹자는 '무항산(無恒産) 무항심(無恒心)' 즉, 일정한 생업(항산)이 없으면 일정한 마음(항심)이 없다고 말했다. 이것은 생활이 안정되지 않으면 바른 마음을 견지하기 어렵다는 말이다.

04 | ③ 공리주의는 19세기 중반 영국 제러미 벤담이 창시한 사회사상으로 가치 판단의 기준을 효용과 행복의 증진에 두어 최대 다수의 최대 행복 실현을 목적으로 한다. 행위의 동기보다는 이익과 행복이라는 결과를 중시한다. 대표적인 사상가는 양적 공리주의를 주장한 벤담과 질적 공리주의를 주장한 밀이 있다.

05 | ① 죽음에 대해 장자는 삶과 죽음을 자연스러운 현상으로 보고, 인간이 개입할 수 없는 필 연적인 과정이라고 보았다. 그는 "삶은 기(氣)의 모임이고 죽음은 기의 흩어짐이다."라고 정의하며, 죽음을 걱정할 필요가 없다고 하였다. 플라톤은 죽음을 영혼과 육체가 분리되는 것이라고 정의하였다. 영혼은 불멸한 것으로 출생 이전에는 이데아의 세계에 속해 있었으나 태어나서 육체에 갇혀 있다가 죽음으로써 육체에서 자유롭게 된다고 보았다. 한편 에피쿠로스는 "살아 있으면 죽음은 없고, 죽으면 느끼는 내가 없으므로 죽음을 의식하거나 두려워할 필요가 없다."라고 주장하였다. 그는 인간이 세계의 다른 존재들과 같이 원자로 구성 되어 있고, 죽음은 이런 원자가 분리되어 개별 원자로 돌아가는 것이라고 주장하였다.

06 | ① 제물은 어떤 차별도 시비도 미추도 선악도 귀
　　천의 구분도 없이 모든 사물의 근본은 모두 똑
　　같다는 뜻으로 장자의 제물론은 만물은 가지런
　　하다는 주장을 펼치는 글이다. 심재는 마음을
　　비움이라는 뜻으로 잡념과 사욕을 버리고 마음
　　을 고요한 상태로 만드는 것을 의미한다. 좌망
　　은 앉아서 잊음이라는 뜻으로 육신과 자아에
　　대한 집착을 버리고 도와 하나되는 경지를 추
　　구하는 것을 의미한다. 장자는 좌망과 심재에
　　이르게 되면 욕망과 욕심을 버리고 자유를 얻
　　을 수 있으며 자신과 세상이 하나되는 물아일
　　체의 경지에 이르게 된다고 보았다.

오륜 : 유교에서 말하는 기본적인 인간관계에서 지켜야 할
　　다섯가지 도덕규범으로, 부자유친, 군신유의, 부부유
　　별, 장유유서, 붕우유신이다.
효제 : 유교의 근본이 되는 사상으로 부모에 대한 효도와 형
　　제에 대한 우애를 통틀어 이르는 말
충서 : 충은 자신의 참된 마음을 다하는 것이고, 서는 참된
　　마음을 바탕으로 다른 사람의 마음을 헤아리는 것

07 | ③ 요나스의 책임 윤리는 앞으로 일어날 일을 예
　　상하고 미래에 대한 책임의식을 강조한다. 현
　　세대는 미래세대의 생존과 삶에 대한 책임감을
　　가지고 자연과 미래세대를 고려해 소비생활을
　　해야 한다. 요나스는 "너의 행위의 결과가 미래
　　에 지구상에서 인간이 살아 갈 수 있는 가능성
　　을 파괴하지 않도록 행위하라" 라고 말했다.

08 | ③ 시민불복종이란 부정의한 법과 정책에 대한 시
　　민들의 의도적 위법행위이다. 시민불복종이 정
　　당화 되기 위해서는 공익성, 공개성, 비폭력성,
　　최후의 수단, 처벌 감수와 같은 조건이 있다. 대
　　표적인 사례는 간디의 소금행진, 소로의 세금
　　납부 거부 운동, 마틴 루서 킹의 흑인 차별 철폐
　　운동이 있다.

09 | ② 프롬은 사랑의 요소를 보호, 책임, 존경, 이해
　　라고 하면서 상대를 있는 모습 그대로 인정하
　　는 것이 존경이라고 정의 했다. 존경이 없다면
　　쉽게 지배와 소유의 관계로 타락하게 된다고
　　말하면서 사랑하는 사람이 나에게 이바지 하
　　기 위해서가 아니라 스스로를 위해서 자기 나
　　름대로의 방식으로 성장하고 발달하기를 바라
　　는 것이 필요하다고 주장했다.

10 | ① 인간 중심주의는 인간을 도덕적 고려의 대상으
　　로 보는 관점이다. 인간을 자연과 구별되는 유
　　일한 존재로 보며, 인간만이 도덕적 가치를 지
　　닌다고 본다. 동물 중심주의는 도덕적 고려의
　　범위가 인간과 동물이다. 그러므로 인간 중심
　　주의와 동물 중심주의의 공통점은 도덕적 고려
　　의 범위에 인간이 포함 된다는 것이다.

11 | ① 칼뱅은 모든 직업이 신의 부름, 즉 소명에 따라
　　주어지는 것이므로 직업을 성실하게 수행하여
　　봉사를 적극적으로 실천해야 한다고 주장했다.
　　직업과 일은 인간의 삶과 분리 할 수 없으며, 항
　　상 절제하고 검약하는 생활 태도로 직업에 종
　　사해야 한다는 것이다. 이렇게 직업으로 헌신
　　하는 것은 각 개인의 위치에서 주어진 일에 최
　　선을 다할 수 있는 진실한 정신적 자세와 태도
　　를 기르는 것을 의미한다.

12 | ① 과학 기술자의 윤리적 자세는 내적 책임과 외
　　적 책임으로 구분 된다. 내적 책임은 과학 기술
　　자는 연구 과정에서 날조, 변조, 표절, 부당한
　　저자 표기 등 비윤리적인 행위를 하지 말아야
　　한다는 것이고, 외적 책임은 자신의 연구 결과
　　가 사회에 미칠 영향에 대한 책임을 져야 한다
　　는 것이다.

13 | ④ 사회 계약론은 국가 권위의 정당화 근거를 계
약으로 보는 관점인데 자연 상태에서 제대로
보장되지 못하는 생명과 자유, 재산을 보장받
기 위해서 개인 간에 계약을 통해 국가를 수립
하기로 합의하였다는 것이다.

🔍 개념 더 보기 국가 권위의 정당화 근거

1) 동의론 : 시민이 국가에 복종하기로 동의하였기 때문에
국가에 마땅히 복종해야 한다고 본다. 약속은 손해가 나
더라도 지켜야 하듯이, 한 국가의 시민으로 산다는 것은
명시적인 것은 아닐지라도 묵시적으로 그 국가의 구성
원이 되는데 동의한 것이다. 이로부터 국가에 복종해야
할 의무가 성립한다.

2) 혜택론 : 국가가 제공하는 여러 가지 혜택 때문에 국가에
복종 해야 한다고 본다. 국가는 국방과 치안 등 개인이
제공하기 어려운 공공재를 공급하거나, 도량형, 교통 법
규와 같이 사회적 관행을 정하고, 부정 청탁 등 잘못된
관행을 교정하는 역할을 한다. 또 국가 공동체에 소속됨
으로써 시민들 간의 소속감이나 연대감 등도 얻을 수 있
는 혜택이라고 볼 수 있다.

3) 사회 계약론 : 홉스, 로크, 루소의 계약론에는 동의와 혜
택의 관점이 모두 포함되어 있다. 즉 자연 상태에서 제
대로 보장되지 못하는 생명과 자유, 재산을 보장받기 위
해서 개인 간에 계약을 통해 국가를 수립하기로 합의하
였다는 것이다.

4) 정의론 : 국가의 명령과 법이 정의로울 경우, 그것을 따라
야 하는 것은 이성적으로 정당화될 수 있다. 이런 점에서
플라톤은 선의 이데아를 통찰한 통치자에게 복종하는
것을 정의로운 것으로 보았다. 동양의 유교 사상에서도
군주가 덕을 갖추고 백성을 다스린다면, 국가에 대한 충
(忠)의 자세를 백성에게 요구하는 것이 정당화 된다.

14 | ② A국가는 식량이 많아서 비만으로 건강을 해치
고, B국가는 식량이 부족해서 굶주림으로 고통
을 받는다. 이것은 식량 불평등 문제이다.

15 | ③ 예술 도덕주의의 입장은 예술은 올바른 품성을
기르고 도덕적 교훈이나 모범을 제공해야 하
며, 예술의 사회성을 강조하고, 예술에 대해 적
절한 규제에 찬성한다.

16 | ② 갈퉁의 평화는 소극적 평화와 적극적 평화로
구분 된다. 소극적 평화는 전쟁, 테러, 범죄 등
과 같이 직접적이고 물리적인 폭력이 없는 상
태이고, 적극적 평화는 직접적인 폭력 뿐만 아
니라 사회의 구조적, 문화적 폭력이 없어 인간
적인 삶의 가능한 상태이다.

17 | ④ 롤스의 분배적 정의는 공정으로서의 정의이다.
롤스가 말하는 절차적 정의는 공정한 절차에
의해 합의된 것이라면 정의롭다는 것이다. 그
리고 개인의 기본적 자유를 보장하고(제1원칙),
복지 정책과 같은 재분배 장치를 통해 실질적
인 평등을 도모한다.(제2원칙) 롤스는 정의가
선험적으로 주어진 것이 아니라 사회 구성원이
합의한 원칙에 의해 정해진다고 본다. 이 때 사
회 구성원들은 무지의 베일 상태에서 정의의
원칙을 선택해야 한다. 무지의 베일이란 자신
의 위치나 입장에 대해 전혀 모르는 상태를 의
미한다. 일반적인 상황은 모두 알고 있지만 자
신의 출신 배경, 가족관계, 사회적 위치, 재산
상태 등에 대해서는 알지 못한다는 가정이다.
자신의 이익에 맞춰 선택하는 것을 막기 위한
장치다. 이를 통해 사회 전체의 이익을 위한 정
의의 원칙을 찾아낼 수 있게 된다.

18 | ④ 응보주의는 형벌은 범죄 행위에 대한 응당한
보복과 정당한 대가이고, 범죄 행위에 상응하
는 동등한 형벌을 부과 해야 하며, 범죄에 대한
개인의 책임을 강조 한다.

19 | ④ 개인정보자기결정권의 헌법적 근거는 헌법 제10조의 인간의 존엄과 가치, 행복추구권과 헌법 제17조의 사생활의 비밀과 자유이다. 개인정보자기결정권은 자신에 관한 정보가 언제 누구에게 어느 범위까지 알려지고 또 이용되도록 할 것인지를 정보주체가 스스로 결정할 수 있는 권리이다. 개인정보자기결정권의 보호대상이 되는 개인정보는 개인의 신체, 신념, 사회적 지위, 신분 등과 같이 인격주체성을 특징 짓는 사항으로서 개인의 동일성을 식별할 수 있게 하는 일체의 정보를 의미하며, 반드시 개인의 내밀한 영역에 속하는 정보에 국한되지 않고 공적 생활에서 형성되었거나 이미 공개된 개인정보까지도 포함한다.

20 | ① 통일 비용은 통일 후 통일한국을 실현하는 투자 성격의 생산적 비용이다. 북한의 생산 및 기반 시설 확충, 남북한 철도 연결 등 투자 성격의 경제적 비용과 남북한 주민 간에 발생할 수 있는 사회적 갈등을 해소하기 위해 지출 하는 경제 외적 비용 등이 있다. 통일편익은 남북통일로 얻을 수 있는 편익을 말하는데, 이는 경제적 편익과 비경제적 편익으로 나눌 수 있다. 경제적 편익에는 군사비 등 분단으로 인해 지출되었던 비용이 사라지고, 경제 통합으로 시장의 규모가 확대되면서 교역의 증가 및 생산성 향상, 그리고 국토의 효율적 이용 등이 있다. 비경제적 편익에는 남북한 주민의 인권 신장과 국제 사회에서 통일 한국의 위상 제고, 전쟁에 대한 위험의 감소로 인한 문화, 관광, 여가의 기회 증가 등이 있다.

21 | ④ 니부어는 개인의 도덕성과 집단의 도덕성을 구분하면서 "개인의 도덕성만으로는 사회 집단의 비도덕성을 해결할 수 없다." 고 말했다. 정의로운 사회를 구현하기 위해서는 개인의 도덕성 함양뿐만 아니라 사회 구조와 제도가 도덕성 실현을 위해 노력 해야 한다고 보았다.

22 | ② 소수자 우대 정책은 사회로부터 인종, 성별 등의 이유로 차별을 받아온 특정 집단에 대해 그동안의 차별로 인한 불이익을 보상해 주기 위해 집단의 구성원에게 사회적 이익을 직접적, 간접적으로 부여하는 정책이다. 찬성하는 입장은 소수 집단의 구성원들은 소수 집단에 속한다는 사실만으로 받은 과거의 차별에 대해 보상을 받을 자격이 있고, 현재와 장래의 기회 균등을 위해서는 과거에 공정한 경쟁에 참가할 기회를 박탈당한 소수집단에게 일시적으로 더 많은 혜택을 주어 진정한 기회의 균등이 이루어질 수 있도록 해야 한다고 주장한다. 반대하는 입장은 기회 균등의 원칙에 반하며, 소수집단에 속하지 아니한 사람도 피해자일 수 있으므로 우선적 처우를 개별화하는 것이 바람직하다.

23 | ④ 하버마스가 주장하는 이상적인 담화 조건에는 대화 당사자들의 발언은 옳은 것이어야 하는 진리성, 대화 당사자들의 발언은 사회적으로 정당한 규범에 근거해야 하는 정당성, 대화 당사자들의 발언은 타인을 속이지 않아야 하는 진실성, 대화 당사자들의 발언은 서로가 이해할 수 있어야 하는 이해 가능성이 있다.

24 | ② 종교 간 갈등 해결을 할 때 힘의 논리에 따라 종교 간의 질서를 확립하는 것은 옳지 않다.

25 | ④ 공직자는 멸사봉공의 자세로 사적인 이익보다 국가와 국민을 위해 일해야 하며, 준법 정신, 청렴 의식, 청백리 정신을 지녀야 한다. 위임 받은 권한을 남용하지 말아야 한다. 국민을 위해 봉사 하는 자세를 지녀야 한다. 부정 청탁과 금품 수수는 절대 받으면 안된다.

01	④	02	④	03	④	04	①	05	②
06	③	07	③	08	④	09	④	10	③
11	①	12	④	13	②	14	③	15	①
16	①	17	④	18	②	19	②	20	④
21	①	22	①	23	③	24	②	25	①

01 | ④ 환경 윤리는 환경 문제와 기후 변화에 대한 주제를 다룬다.

 **실천 윤리학**

실천윤리학은 도덕 현상과 문제를 명확히 기술해 도덕 현상들 간의 인과 관계를 설명하고, 도덕 문제에 대한 해결 방안을 제시하는 것을 목표로 삼는다. 실천윤리의 예는 생명 윤리, 사회 윤리, 정보 윤리, 환경 윤리 등이다.
1) 생명 윤리 : 생명 복제, 유전자 치료, 동물 실험, 동물 권리
2) 사회 윤리 : 직업과 청렴, 사회 정의, 국가와 시민
3) 과학 윤리 : 과학 기술, 정보 사회
4) 환경 윤리 : 환경 문제, 기후 변화

02 | ④ 장자는 춘추전국시대의 도가 사상가이며, 노자의 사상을 이어 발전시켰다. 《장자》라는 책을 남겼으며, 장자는 인간은 억지로 애쓰지 말고, 자연의 흐름(도, 道)에 따라 살아야 한다고, 자연에 따르는 삶을 살아야 한다고 주장 한다. 또 하나의 핵심 사상은 무위자연으로 억지로 무엇을 하려 하지 말고, 자연 그대로를 따르라는 태도이다. 이것은 노자의 사상과 일치하며, 장자는 이를 보다 자유롭고 철학적으로 풀어냈다. 장자의 제물론은 만물은 가지런하다는 주장을 펼치는 글이다. 심재는 마음을 비움이라는 뜻으로 잡념과 사욕을 버리고 마음을 고요한 상태로 만드는 것을 의미한다. 좌망은 앉아서 잊음이라는 뜻으로 육신과 자아에 대한 집착을 버리고 도와 하나되는 경지를 추구하는 것을 의미한다. 장자는 좌망과 심재에 이르게 되면 욕망과 욕심을 버리고 자유를 얻을 수 있으며 자신과 세상이 하나 되는 물아일체의 경지에 이르게 된다고 보았다.

03 | ④ 도덕적 탐구란 윤리 문제에서 도덕적 판단의 근거를 찾고 이를 실천하는 과정이다. 도덕적 사고를 통해 이루어지는 이론적이고 지적인 활동이다. 탐구 대상의 옳고 그름, 선과 악을 따져 보아 행위의 정당화와 도덕적 실천에 중점을 둔다. 도덕적 탐구에는 도덕적 추론 능력이 필요하고, 이성적 사고(논리적 사고, 합리적 사고, 비판적 사고)와 정서적 측면(공감, 배려)을 함께 고려한다.

04 | ① 차별을 받아온 사회적 소수자들에게 고용이나 교육 등 다양한 측면에서 직간접적으로 혜택을 제공하는 것이 소수자 우대 정책이다. 이 정책으로 사회적 이익의 공정한 분배가 실현된다. 소수자 우대 정책의 예는 여성 고용 할당 제도, 장애인 의무 고용 제도, 농어촌 특별 전형 제도, 지역 균형 인재 선발 등이 있다.

05 | ② 의무론적 윤리관은 행위의 결과가 아니라 그 행위 자체가 옳은가, 그른가를 기준으로 도덕성을 판단하는 입장이다. "옳은 일은 결과와 상관 없이 해야 한다."라는 입장이다. 대표 사상가는 임마누엘 칸트로 칸트는 행위의 동기와 의무를 강조했고, 선의지에 근거하여 행위 할 때에만 그 행위가 도덕적 가치를 지닌다고 주장했다.

개념 더 보기 **윤리적 판단의 기준**

1) 결과론적 판단 기준 (공리주의 등)
핵심 질문 : "이 행동의 결과가 좋은가?"
핵심 개념 : 행위의 결과가 가져오는 이익이나 행복이 크면 도덕적으로 옳다는 입장
대표 사상가 : 벤담(J. Bentham), 밀(J.S. Mill)
예시 : 거짓말이 누군가를 살리거나 많은 사람을 행복하게 만든다면 도덕적으로 허용될 수 있음
장점 : 실제 삶에서 현실적인 판단을 가능하게 함
단점 : 소수의 권리가 무시될 수 있음, 결과가 항상 예측 가능하지 않음

2) 의무론적 판단 기준 (칸트 윤리학)

핵심 질문 : "이 행동은 도덕적으로 옳은 원칙에 따른 것인가?"

핵심 개념 : 결과와 상관없이, 옳은 원칙에 따라 행동하는 것이 도덕적

대표 사상가 : 칸트(Immanuel Kant) – "네가 하는 행위가 누구에게나 적용될 수 있는 도덕 법칙이 될 수 있는가?"를 스스로 물어야 함

예시 : 어떤 경우라도 거짓말은 해서는 안 됨, 진실을 말하는 것이 옳은 행동

장점 : 일관된 도덕 기준 제공, 인간 존엄성 존중

단점 : 상황에 따른 유연성이 부족, 너무 원칙적일 수 있음

3) 덕 윤리적 판단 기준 (인격 윤리)

핵심 질문 : "이 행동은 좋은 인격이나 덕을 드러내는가?"

핵심 개념 : 어떤 행동이 옳으냐보다 '어떤 사람'이 되는 것이 중요한가를 따짐
도덕적 인격(덕)을 기르면서 올바른 삶을 추구

대표 사상가 : 아리스토텔레스(Aristotle)

예시 : 정직, 용기, 배려, 절제 같은 인격적 덕을 실천하는 행동이 도덕적으로 옳음

장점 : 삶 전체의 방향성과 품성 중심 교육에 적합

단점 : 상황 판단 기준이 모호할 수 있음, 무엇이 '덕'인지 사회마다 다를 수 있음

---

06 | ③ 남북한 통일에 찬성하는 입장은 우리 민족의 동질성의 회복과 지구촌 평화 실현을 기여 할 수 있다고 주장한다. 반대하는 입장은 통일 과정에서 정치적 혼란이 초래 될 수 있고, 오랜 분단으로 인해 가치관, 제도 생활 방식이 달라져 사회 통합에 큰 어려움이 있을 수 있다고 말한다.

🔍 **개념 더 보기** **남북한 통일에 대한 찬성 VS 반대**

1) 찬성 입장

민족적 측면 : 남북은 같은 민족이므로 통일은 당연한 역사적 과제이다. "하나의 겨레, 하나의 국가"가 되어야 함

인도적 측면 : 이산가족 상봉, 인권 개선, 전쟁 위험 감소 등 사람 중심의 가치 실현 가능

경제적 측면 : 남한의 자본과 기술+북한의 자원과 노동력이 결합하면 시너지 효과 창출

안보 측면 : 군사적 긴장 완화, 전쟁 가능성 줄어듦→안전하고 평화로운 한반도 실현 가능

국제적 측면 : 한민족의 통일은 세계 평화에 기여하는 모범사례가 될 수 있음

2) 반대 입장

경제적 부담 : 통일 이후 북한의 인프라, 복지, 교육 등에 막대한 비용이 들어갈 수 있음 (독일 사례 참고)

이질감 문제 : 오랜 분단으로 인해 가치관, 제도, 생활 방식이 달라져 사회 통합에 큰 어려움이 있을 수 있음

정치 체제 차이 : 남북한의 정치 체제(민주주의 vs 사회주의)의 차이를 극복하기 어렵고 갈등 유발 가능성 존재

통일 방식의 위험성 : 급격한 통일은 혼란과 충돌을 불러올 수 있으므로, 섣부른 통일보다 점진적 교류가 더 현실적이라는 의견도 존재

---

07 | ③ 청렴은 욕심 없이 바르고 깨끗하게 살아가려는 마음과 태도를 말한다. 특히 공적인 일을 맡은 사람이 정직하고 공정하게 행동하려는 자세를 뜻한다.

🔍 **개념 더 보기** **청렴의 핵심 요소**

청렴은 자기 이익에 흔들리지 않고, 정직하고 공정하게 살아가려는 도덕적 자세이다.

1) **정직함** : 거짓 없이 바르게 말하고 행동하는 태도
2) **공정함** : 사적인 이익보다 공익을 우선시하고, 편파적이지 않음
3) **자기 절제** : 탐욕이나 유혹에 흔들리지 않고 자신을 다스리는 능력

08 | ④ 롤스는 해외 원조에 대해 "불리한 여건으로 인해 고통 받는 사회를 질서 정연한 사회가 되도록 돕는 것이 인류의 도덕적 의무다." 라고 말했다.

🔍 **개념 더 보기** **해외원조에 대한 입장**

1) **싱어** : 절대적 빈곤으로 고통 받는 사람들을 도와주는 것은 윤리적으로 당연히 해야 하는 행위라고 말하며 공리주의 관점에서 해외 원조의 필요성을 강조했다.
2) **롤스** : 불리한 여건으로 인해 고통 받는 사회를 질서 정연한 사회가 되도록 돕는 것이 인류의 도덕적 의무라고 말했다.
3) **노직** : 해외 원조는 개인과 국가의 자유적 선택의 문제이고, 해외원조를 하라고 강요하는 것은 개인의 자유를 침해 하는 것이라고 주장 했다.

09 | ④ 현실주의는 국가는 이기적인 인간들로 구성되어 있고, 세계도 자국의 이익을 추구하는 국가들로 이루어져 있다고 본다. 국가의 이익과 도덕성이 충돌할 경우 국가의 이익을 우선시해야 한다고 주장한다. 국가의 힘을 키워 세력 균형을 유지해야 분쟁을 해결 할 수 있다고 본다. 대표적인 사상가는 모겐소이다.

> **이상주의**: 인간이 이성적이듯 국가도 이성적이고 합리적이라고 본다. 국가의 이익보다 인간의 존엄성, 자유, 평등 등 보편적인 가치를 달성 해야 한다고 주장한다. 이성적인 대화와 협력으로 국제기구, 국제법, 국제 규범 등의 제도를 개선해 나가면 분쟁을 해결할 수 있다고 본다. 대표적인 사상가는 칸트다.

10 | ③ 인공 임신 중절이란 임신 중에 태아를 인공적으로 산모의 몸 밖으로 분리 시켜서 임신을 끝내는 행위이다. 이 행위에 대해 찬성하는 입장은 태아를 여성의 신체의 일부로 보고 여성은 자신의 신체에 대해 선택할 권리가 있다고 주장한다. 초기 태아는 독립 생명으로 보기 어렵다는 견해를 가져 초기 임신 중절은 생명권 침해가 아닌 선택의 문제로 본다는 관점이다.

11 | ① 부모는 자녀를 독립된 인격체로 존중하고, 가족 구성원들은 서로에 내한 배려가 필요하다.

가족 간에 지켜야 할 바람직한 자세

> 1) 가족 구성원 각자의 생각, 감정, 역할을 존중해야 한다. 부모와 자녀, 형제자매 간에 서로 다름을 인정하고 이해하려는 태도가 필요하다.
> 2) 자녀는 자녀로서, 부모는 부모로서 자신의 책임을 다하려는 자세가 중요하다.
> 3) 말과 행동으로 사랑을 표현하고 배려하는 태도가 필요하고, 특히 감정적으로 상처 주는 말이나 행동을 자제해야 한다.
> 4) 가족 간에도 솔직하게 마음을 나누는 대화가 필요하다. 그래서 서로를 신뢰하고 열린 마음으로 소통하는 분위기를 만드는 것이 중요하다.

12 | ② 윤리적 소비를 실천하기 위한 방법으로는 동물 복지 인증을 받은 상품을 구매하고, 노동자의 인권을 보호해주는 기업의 제품을 소비하고, 공정 무역 상품을 구매하고, 환경적으로 건전하고 지속 가능한 소비를 하는 것이다.

윤리적 소비

> 윤리적 소비는 소비를 하기 전에 타인, 사회, 환경, 인류에 바람직한 방향이 무엇인지 윤리적 가치 판단을 하고 소비하는 것으로 녹색소비와 착한 소비가 있다.
> 1) **녹색소비**: 환경을 생각하고 미래세대까지 고려하는 지속 가능한 소비
> 2) **착한 소비**: 불공정 무역 제품을 구매 하지 않고 공정무역 제품을 구매하는 것이다.
> 3) **윤리적 소비의 예**
> 공정무역, 공정여행, 로컬 푸드 운동, 자원 절약과 재활용, 친환경 제품, 동물의 생명을 존중하고 고통을 최소화하는 상품, 환경을 오염 하지 않는 방식으로 생산된 제품 사용.

13 | ② 종교 갈등 해결을 위해 필요한 덕목으로는 관용이 있다. 관용은 자신과 생각이나 신념, 행동이 다른 사람을 이해하고 받아들이는 태도이다. 비록 상대방의 말이나 행동이 내 생각과 다르더라도 쉽게 비난하거나 배척하지 않고, 포용하고 존중하는 마음을 갖는 것을 말한다.

14 | ③ 프롬은 사랑이 수동적이게 ㅏ 소유적인 감정이 아니라, 성장과 성숙, 인격적 성취를 촉진하는 능동적인 활동이라고 보았다. 프롬이 말하는 진정한 사랑은 생산적 사랑으로서, 서로의 개성을 존중하는 동시에 공동의 성장과 상호 이해를 촉진시키는 건강하고 균형잡힌 사랑이다. 또한, 프롬은 사랑의 요소를 보호, 책임, 존경, 이해로 보았다.

15 | ① 과학 기술의 발달에 따른 긍정적 측면은 난치병 치료이다.

과학 기술의 발달에 따른 긍정적 VS 부정적

1) 긍정적 측면

과학 기술의 발달은 인간의 삶을 더 풍요롭고 편리하게 만들고, 의료, 정보, 환경, 경제 등 다양한 분야에서 긍정적인 변화를 이끌어내는 핵심 원동력이다.

영역	긍정적 변화
생활 편의	전자기기, 인터넷, 스마트폰, AI 등으로 더 빠르고 편리한 생활 가능
의료 발전	질병 진단과 치료 기술 향상, 수명 연장과 건강 증진 실현
정보 접근성	지식과 정보에 누구나 쉽게 접근 가능 → 교육 기회 확대와 지식 평등
교통과 통신	세계가 더 가깝게 연결 → 세계화, 문화 교류 활성화
환경 기술	친환경 에너지, 재활용 기술 등으로 지속 가능한 삶 추구 가능
산업 생산성	자동화, 로봇, 인공지능 등으로 경제 효율과 생산성 향상
인간 능력 확장	우주 탐사, 인공 장기, 뇌과학 등 인간의 한계를 극복하는 기술 등장

2) 부정적 측면

과학 기술의 발달은 삶을 풍요롭게 하지만, 환경 파괴, 생명 경시, 인권 침해, 기술 의존, 불평등 등 심각한 부작용과 윤리적 문제를 낳을 수 있다.

영역	부정적 영향
환경 파괴	산업화, 기계화, 자원 남용으로 지구 온난화, 대기오염, 생태계 파괴 발생
개인 정보 침해	디지털 기술의 발달로 개인 정보 유출, 감시 사회 가능성 증가
생명 경시	생명 복제, 유전자 조작 등이 생명의 존엄성을 침해할 수 있음
기계 의존	스마트폰, 인공지능에 과도하게 의존 → 인간관계 단절, 사고력 저하 우려
기술 격차	선진국과 개발도상국, 계층 간 기술 접근성의 불평등 발생 → 디지털 불평등 문제로 이어짐
일자리 감소	자동화, 로봇 기술 발달로 인해 단순 노동 일자리 감소, 사회 양극화 우려
윤리 문제	인공지능, 빅데이터, 바이오 기술이 어떤 기준으로 사용되느냐에 따라 도덕적 논란 발생

16 | ① 정보 공유론의 입장에서 정보는 공공재다. 저작물을 공유하고 자유롭게 이용하면 창작 활동이 활발해지고 정보의 질적 발전이 이루어진다고 보는 관점이기에 정보에 대한 자유로운 접근을 허용하고, 정보를 공동의 이익을 위해서 사용해야 한다고 주장한다. 또한 정보 격차에 따른 불평등 역시 정보를 공유하면 해소 할 수 있다고 본다.

17 | ④ 시민의 정치 참여는 공정한 사회 제도 수립과 시민의 권리 보장, 사회 전체의 공공선 증진을 위해서 필요하다.

시민의 정치 참여가 필요한 이유

1) 민주주의 실현을 위해
- 민주주의는 시민의 참여를 바탕으로 운영되는 정치 체제이다.
- 시민이 투표, 토론, 의사 표현 등 다양한 방식으로 참여해야 정치가 국민의 뜻에 따라 움직일 수 있다. "시민이 참여하지 않는 민주주의는 껍데기뿐인 민주주의이다."

2) 공익 실현과 정의로운 사회를 위해
- 정치에 참여함으로써 공공의 이익을 지키고, 사회적 약자의 권리를 보호할 수 있다.
- 부당하거나 불공정한 제도나 정책에 대해 견제하고 개선 요구를 할 수 있다.

3) 정치적 무관심은 나쁜 정치를 낳는다
- 시민이 정치에 무관심하면 정치 권력이 남용되거나, 특정 계층에만 유리한 정책이 만들어질 수 있다.
- 시민 참여는 정치의 균형과 감시 기능을 수행한다.

4) 자신과 공동체의 삶에 직접적인 영향을 미치기 때문에
- 정치 결정은 세금, 교육, 환경, 복지, 취업 등 일상생활에 큰 영향을 준다.
- 시민이 참여할수록 자신의 삶과 미래를 스스로 결정하는 힘을 가질 수 있다.

5) 민주시민으로서의 책임과 의무
- 정치 참여는 권리이자 의무이다.
- 국민 주권의 원리에 따라 모든 시민은 공동체의 운영에 참여할 책임이 있다.

18 | ② 로컬 푸드 운동은 지역에서 생산된 농산물이나
식재료를 지역 안에서 소비하자는 운동이다. 생
산자(농민)와 소비자(시민)가 가까운 거리에서 연
결되어 신선하고 건강한 먹거리를 소비하고, 지
역 경제와 환경을 살리자는 실천 운동이다.

19 | ② 요나스의 책임 윤리는 앞으로 일어날 일을 예상
하고 미래에 대한 책임의식 강조한다. 현세대는
미래세대의 생존과 삶에 대한 책임감을 가지고
자연과 미래세대를 고려해 소비생활을 해야 한
다. 요나스는 "너의 행위의 결과가 미래에 지구상
에서 인간이 살아 갈 수 있는 가능성을 파괴하지
않도록 행위하라" 라고 말했다.

20 | ④ 동화주의는 비주류문화에 대한 존중 없이 주류
문화에 녹여서 하나로 통합하는 것으로 다양한
물질이 용광로에 녹아 형체를 잃고 하나로 만
들어지듯 하나의 문화를 만든다는 용광로 이론
이 있다.

21 | ① 생태 중심주의 관점은 흙, 물, 공기 등의 환경까
지도 도덕적 대상으로 고려해 생태계의 조화에
주목한다. 자연에 존재하는 모든 것을 생태계
의 구성원으로 바라보는 전체론 또는 전일주의
입장이다. 생태 중심주의의 대표적인 이론은
레오폴드의 대지 윤리로, 인간을 동식물, 물, 바
위 등과 함께 거대한 대지 공동체의 구성원으
로 바라봐야 한다는 입장이다.

22 | ① 예술 지상주의는 예술 그 자체나 예술적 아름
다움을 목적으로 추구하고, 예술의 자율성 강
조하며, 예술에 대한 윤리적 규제에 대해 반대
한다.

⚠ 선지 더 알아보기

예술 도덕주의 : 예술은 올바른 품성을 기르고 도덕적 교훈
이나 모범을 제공해야 하며, 예술의 사회성
을 강조하고, 예술에 대한 적절한 규제에
찬성한다.

23 | ③ "임금은 임금다워야 하고, 신하는 신하다워야
하며, 부모는 부모다워야 하고, 자식은 자식다
워야 한다." 는 공자의 정명 사상이다.

⚠ 선지 더 알아보기

묵자의 겸애 사상 : 가리지 않고 모든 사람을 똑같이 두루
사랑함
노자의 무위자연 : 사람의 힘을 더하지 않은 그대로의 자연
과 같이 억지로 무언가를 하려고 하지 않
는 이상적인 경지
불교의 해탈 : 고통으로부터 벗어난 상태

24 | ② 동물 실험에 반대하는 입장에서는 인간과 동물
은 생물학적으로 차이가 있어 실험의 결과를
인간에게 적용하기가 어렵고, 목적이 불분명한
실험으로 동물이 불필요한 고통을 당할 수 있
고, 실험용 동물에게도 정서적 문제가 발생 할
수 있고, 동물은 삶의 주체로서 도덕적 고려 대
상에 포함된다고 주장한다.

25 | ① 갈퉁의 평화는 소극적 평화와 적극적 평화로
구분 된다. 소극적 평화는 전쟁, 테러, 범죄 등
과 같이 직접적이고 물리적인 폭력이 없는 상
태이고, 적극적 평화는 직접적인 폭력 뿐만 아
니라 사회의 구조적,문화적 폭력이 없어 인간
적인 삶의 가능한 상태이다.

01	①	02	②	03	③	04	③	05	②
06	③	07	①	08	④	09	①	10	③
11	④	12	④	13	①	14	①	15	③
16	③	17	②	18	④	19	②	20	④
21	①	22	②	23	②	24	③	25	④

01 | ① 정보 윤리는 과학기술과 정보 사회에 대한 주제를 다룬다. 정보사회의 문제점으로는 사생활 침해, 저작권 침해, 사이버 폭력, 해킹과 바이러스 유포가 있다.

🔍 단어 더 보기

저작권 침해 : 저작권법에 의해 보호되는 저작물을 무단으로 이용하여 창작자의 권리를 침해하는 행위를 말한다.
사이버 폭력 : 가상 공간에서 타인에게 정신적, 물질적 피해를 주는 행위이다.

🔍 개념 더 보기 **실천 윤리학**

실천윤리학은 도덕 현상과 문제를 명확히 기술해 도덕 현상들 간의 인과 관계를 설명하고, 도덕 문제에 대한 해결 방안을 제시하는 것을 목표로 삼는다. 실천윤리의 예는 생명 윤리, 사회 윤리, 정보 윤리, 환경 윤리 등이다.
1) 생명 윤리 : 생명 복제, 유전자 치료, 동물 실험, 동물 권리
2) 사회 윤리 : 직업과 청렴, 사회 정의, 국가와 시민
3) 정보 윤리 : 과학 기술, 정보 사회
4) 환경 윤리 : 환경 문제, 기후 변화

02 | ② 보살은 불교의 이상적 인간상으로, 위로는 진리를 구하고 아래로는 중생을 구제하여 자비를 실천하는 사람을 말한다.

🔍 개념 더 보기 **동양 사회의 이상적 인간상**

1) 유교 : 성인, 군자, 예(禮)와 인(仁)을 실천하며 자신을 수양하고 사회의 질서를 바르게 세우는 도덕적 인간
2) 불교 : 보살, 깨달음을 얻되, 자신만 구원받지 않고 중생(모든 존재)을 함께 구제하려는 자비로운 인간
3) 도교 : 지인, 진인, 인위적 욕심을 버리고 자연(自然)에 따라 사는 자유롭고 순수한 인간

03 | ③ 메타 윤리학은 도덕적 언어의 의미를 분석하고, 도덕적 추론이 논리적으로 타당한지 따져 보며, 윤리학의 학문적 성립 가능성을 모색한다.

⚠ 선지 더 알아보기

기술 윤리학 : 가치 중립적인 자세를 갖고 도덕 현상과 문제를 있는 그대로 기록하며, 인과 관계를 설명한다.
규범 윤리학 : "인간이 어떻게 행위를 해야 하는가?"라는 질문에 답하려고 하며, 옳고 그름의 기준이 되는 보편적 도덕 원리나 규칙을 정립하는 것을 목표로 하는 윤리학

04 | ③ 유교는 도덕적 인격 완성을 강조하는 종교로 이상사회는 대동사회이고, 이상적 인간상은 성인, 군자이다. 유교에서 말하는 기본적인 인간관계에서 지켜야 할 세가지 법과 다섯가지 도덕 규범을 삼강오륜이라고 한다.

⚠ 선지 더 알아보기

도가의 대표적인 사상가 장자
: 좌망(앉아서 잊음)과 심재(마음을 비움)에 이르게 되면 욕망과 역심을 버리고 자유를 얻을 수 있으며, 물아일체의 경지에 이르게 된다고 주장함
대승불교의 원효
: 일체중생 실유불성 즉, 모든 존재가 불성을 지닌다고 주장함

05 | ② 칸트의 도덕법칙 키워드는 선의지, 정언 명령, 인격주의, 의무론이다.
1) **선의지** : 선한 것을 실천하고 싶어하는 것
2) **정언명령** : 인간이면 누구나 무조건적으로 따라야 할 당위 법칙
　"네 의지의 준칙이 언제나 동시에 보편적 입법의 원리가 되도록 행위 하라"
3) **인격주의**는 인간의 존엄성, 인간이 목적이다.
　"너 자신이나 다른 사람의 인격에서 인간성을 단지 수단으로만 대우 하지 말고 항상 동시에 목적으로 대우 하라"
4) **의무론** : 도덕법칙을 의무적으로 지켜야 한다는 것

06 | ③ 평화 통일을 위한 노력에는 남북한의 교류와 협력 활성화, 남북한이 상호 존중의 태도 지니기, 사회적·문화적 편견을 해소하기 위한 노력 등이 있다.

07 | ① 로버트 노직(Robert Nozick)의 정의의 원칙은 자유주의적(자유지상주의적) 정의론으로, '소유의 정의 이론'이다. 노직은 정의로운 분배는 국가가 강제로 하는 것이 아니라, 정당한 절차를 통해 개인이 얻은 소유를 존중하는 것이라고 주장했다.

  1) **취득의 원칙** - 누구의 소유도 아닌 것을 정당한 방법으로 취득했다면 그 소유는 정의롭다.

  2) **이전의 원칙** - 정당하게 가진 것을 자유롭게 교환 · 양도하면 그것도 정의롭다.

  3) **교정의 원칙** - 부당하게 취득한 소유는 바로잡아야 한다.

08 | ④ 배려윤리는 도덕의 본질을 타인에 대한 관심과 관계 속의 돌봄에서 찾는 관계 중심 윤리이다.

  1) 길리건

    주장 : 콜버그의 도덕 발달 이론이 남성 중심이라고 비판.

    핵심 내용 : 여성은 도덕 판단에서 추상적인 정의보다 관계와 타인에 대한 배려를 중시한다.

    핵심 키워드 : 관계 중심적 도덕성, 돌봄의 목소리.

  2) 나딩스

    주장 : 인간은 본래 관계적 존재이며, 진정한 도덕은 사랑과 돌봄의 관계에서 나온다.

    핵심 내용 : 배려는 일방적 감정이 아니라, '배려하는 사람'과 '배려받는 사람' 사이의 상호적 관계 속에서 이루어진다.

    핵심 키워드 : 상호성, 관계적 윤리, 실천적 배려.

09 | ① 시민불복종이란 부정의한 법과 정책에 대한 시민들의 의도적 위법행위이다. 시민 불복종이 정당화 되기 위해서는 공익성, 공개성, 비폭력성, 최후의 수단, 처벌 감수와 같은 조건이 있다. 대표적인 사례는 간디의 소금행진, 소로의 세금 납부 거부 운동, 마틴 루서 킹의 흑인 차별철폐운동이 있다.

10 | ③ 생명 중심주의는 도덕적 고려의 범위가 생명을 가지고 있는 모든 것이다. 인간과 동물뿐만 아니라 식물을 포함한 모든 생명체를 도덕적으로 고려 해야 한다고 본다.

  1) 슈바이처

    핵심 개념 : 생명외경사상

    주장 : 모든 생명은 그 자체로 존중받아야 하며, 인간은 모든 생명을 해치지 않으려는 도덕적 의지를 가져야 한다.

    핵심 요지 : 생명은 신성하고, 인간은 생명을 보살피고 보호할 책임이 있다.

  2) 테일러

    핵심 개념 : 생명 공동체의 평등

    주장 : 인간은 자연의 한 부분이며, 모든 생명체는 목적을 가진 존재로서 동등한 도덕적 고려 대상이다.

    핵심 요지 : 인간 중심적 사고(인간이 우월하다는 생각)를 버리고, 모든 생명체를 평등하게 존중해야 한다.

11 | ④ **찬성 입장**

  1) 의학적 관점 : 뇌 기능이 완전히 정지되면 의식과 자율호흡이 불가능하므로 생명 활동이 끝났다고 보는 것

  2) 사회윤리적 관점 : 뇌사를 죽음으로 인정하면 장기 이식이 가능해져 다른 생명을 구할 수 있다.

  3) 공리주의적 관점 : 장기적인 연명치료는 막대한 경제적 비용과 정신적 고통을 가족에게 안긴다. 뇌사를 죽음으로 인정해 존엄한 죽음을 선택하는 것이 합리적이다.

반대 입장

  생명 존중 관점 : 심장이 뛰고 체온이 유지되는 한 살아있다고 볼 수 있다. 뇌사를 죽음으로 보는 것은 생명을 경시하는 것

12 | ④ 인간의 성을 직, 간접적으로 이용해 이윤을 추구하는 것이 성상품화이다.

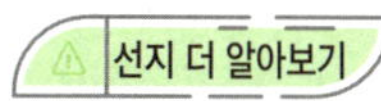

양성평등 : 남녀 모두의 인권을 동등하게 보장하는 것

13 | ① 톰 레건은 대표적인 동물권리론자로, 동물에게
도 인간처럼 고유한 주체라는 지위를 인정해야
한다고 주장한다. 그래서 동물을 감정만 가진
존재로 보지 않고, 믿음 · 욕구 · 기억 · 자각 등
삶을 주체적으로 영위할 능력이 있는 '삶의 주
체'로 본다. 따라서 도덕적 권리를 갖는 존재로
존중해야 한다고 주장한다.

개념 더 보기　**동물권리론자 톰 레건**

1) 주관성을 가진 존재
　믿음, 욕구, 감정, 기억, 미래 기대, 자각 등 → 자신의 삶
　을 스스로 구성할 능력
2) 도덕적 고려의 대상
　고통만 느끼는 존재가 아니라 자기 삶의 주체이기 때문
　에 '권리(rights)'를 지닌다.
3) 결론
　동물은 단순한 자원·도구가 아니라 권리를 가진 존재로
　존중해야 한다.

선지 더 알아보기

기계적 존재 : 자각과 감정 등의 주체성을 인정하지 않음
수단적 존재 : 목적을 위해 사용되는 도구적 존재
이성적 주체 : 칸트의 관점으로 인간만을 대상으로 함

14 | ① 벤담은 모든 쾌락을 양적으로 측정할 수 있다
고 보았고, 도덕적 기준은 최대 다수의 최대 행
복 원리라고 주장하였다. 따라서 A와 B 모두
"예"가 맞다.

개념 더 보기　**제러미 벤담의 공리주의**

1) 쾌락의 양적 계산 가능성
　모든 쾌락과 고통은 강도, 지속성, 확실성, 순수성, 범위 등
　기준을 이용해 양적으로 비교 측정 할 수 있다고 보았다.
2) 최대 다수의 최대 행복 원리
　도덕 판단 기준은 "가장 많은 사람에게 가장 큰 행복을
　가져오는가?" 이다. 그러므로 사회 전체의 총 행복을 극
　대화하는 것이 옳다.

15 | ③ 담론 윤리는 자유로운 비판, 대화에서의 평등,
의사소통의 합리성 모두를 충족해야 하므로 정
답은 예/예/예 이다. 학생은 그 중 2개를 맞혀서
점수는 2점이다.

개념 더 보기　**하버마스의 담론 윤리**

하버마스는 도덕 규범이 정당성을 갖기 위해서는 모든 당
사자가 참여하는 합리적 의사소통 절차를 통해 동의에 도
달하는 과정(담론)이 필요하다고 보았다.
담론 윤리는 자유로운 의사표현이 보장 되어야 하며, 대화
의 참여는 평등해야 하고, 의사소통의 과정은 합리적여야
한다는 것이다.

16 | ③ 윤리적 성찰은 올바른 가치관과 인격을 형성하
기 위해, 자신의 잘못을 반성하고 되풀이 하지
않기 위해, 더 나은 삶을 위해 삶의 의미를 재정
립하기 위해서 필요하다.

17 | ② 장자는 삶과 죽음을 자연스러운 현상으로 보
고, 인간이 개입할 수 없는 필연적인 과정으로
보았다. "삶은 기의 모임이고, 죽음은 기의 흩어
짐이다."

선지 더 알아보기

자연적 과정설 : 죽음은 자연의 흐름 속에서 이루어지는 과
　　　　　정이다. 인간이 통제하거나 거부할 수 있는
　　　　　것이 아니라 생명의 순환에 따라 자연스럽
　　　　　게 받아들여야 하는 것이다.
윤회사상 : 불교적 관점으로, 죽음은 단순한 자연적 끝이 아
　　　　니라 과거 업(행위)의 결과로 다음 생으로 이어
　　　　지는 과정이다.
영혼 불멸설 : 죽음은 단순 소멸이 아니라 육체는 죽어도 영
　　　　　혼은 존재를 이어간다는 관점이다.

18 | ④ (가) : 힘과 자국 이익을 중시하는 현실주의 관점
(나) : 국제법 · 국제 규범을 통한 평화 실현을 말
하는 이상주의 관점

1) 현실주의
   국제 사회는 무정부 상태로, 각 국가는 자국의 이익과 안전 보장을 최우선으로 추구한다. 그러므로 국제 관계는 힘(군사력, 경제력)의 논리, 세력 균형에 따라 움직인다고 본다.
2) 이상주의
   국제 사회에서도 법·규범·제도를 통해 평화와 협력이 가능하다고 본다. 국제법, 국제 기구(UN 등), 인권 규범을 중시하며 제도 개선을 통해 국제 평화를 추구한다.

19 | ②　이 비유는 각 문화가 고유한 특징을 잃지 않은 채, 서로 존중하며 공존하는 다문화 사회를 설명하고 있다. 이는 '샐러드 볼'에 여러 재료가 함께 담겨 있지만, 각 재료의 색·맛·형태가 그대로 살아 있는 모습과 같다.

⚠ 선지 더 알아보기

동화 주의 : 이주민·소수 문화가 주류 문화에 동화되어야 한다고 보는 관점.
국수 대접 모형 : 한 종류의 음식(국수)이 중심이고, 다른 재료는 곁들이는 수준으로 취급되는 모형으로, 주류 문화 중심성이 강하고 문화 간 대등성이 약한 상태를 비유할 때 사용.
자문화 중심주의 : 자기 문화는 우위에 두고, 다른 문화는 열등하게 여기는 태도.

20 | ④　공자와 순자는 모두 각자의 신분·지위에 맞는 역할을 성실히 수행하는 것을 강조한다.

   1) 공자 : 정명(正名)-이름(신분·역할)에 맞는 도리를 다해야 질서가 선다고 봄.
   2) 순자 : 인간은 교육·예(禮)를 통해 자기 직분을 다할 때 사회가 안정된다고 봄.

   두 사람의 공통점은 각자의 사회적 역할을 분담하고, 그 역할을 책임 있게 수행해야 사회가 조화롭다는 점이다.

⚠ 선지 더 알아보기

무위자연 : 도가(노자,장자)의 사상으로, 인위적 간섭을 최소화 하고 자연에 맡기자는 입장.
역성혁명 : 폭군은 몰아내고 덕 있는 새 왕조로 바꾼다는 맹자의 정치사상

21 | ①　사회 갈등은 무조건 피하는 것이 아니라, 대화·소통·다름의 존중과 합리적 절차로 해결해야 한다. 따라서 ①이 '갈등 해결을 위한 자세'로 부적절하다.

22 | ②　루소는 사회계약을 파괴하는 행위(특히 살인)를 한 사람은 사회 계약에서 스스로 탈퇴한 것과 같으며, 공동체를 지키기 위해 사형이 정당화될 수 있다고 주장했다.

⚠ 선지 더 알아보기

홉스 : 자연 상태를 "만인의 만인에 대한 투쟁"으로 설명하면서 절대 주권을 강조
요나스 : 책임윤리(미래세대에 대한 책임)을 강조하는 생명 윤리 사상가
베카리아 : 형벌 개혁 사상가로 사형제 반대를 주장

23 | ②　㉠은 예술의 목적이 도덕에 있다고 보는 예술 도덕주의의 관점으로 예술은 올바른 품성 함양에 도움이 되어야 한다고 주장한다.

개념 더 보기　예술(지상)주의와 예술 도덕주의

1) 예술 지상주의 : 예술 그 자체나 예술적 아름다움을 목적으로 추구하고, 예술의 자율성을 강조하며, 예술에 대한 윤리적 규제에 대해 반대한다.
2) 예술 도덕주의 : 미적 가치와 윤리적 가치의 관련성을 강조한다. 예술은 올바른 품성을 기르고 도덕적 교훈이나 모범을 제공해야 하며, 예술의 사회성을 강조하고, 예술에 대한 적절한 규제에 찬성한다.

24 | ③ 소비자가 개인의 도덕적 신념과 사회적 책임
        의식을 바탕으로 상품 구매를 통해 사회 문제
        해결에 참여하는 소비 방식을 설명하고 있다.
        이러한 소비를 윤리적 소비라고 한다.

🔍 개념 더 보기　윤리적 소비

윤리적 소비는 소비를 하기 전에 타인, 사회, 환경, 인류에
바람직한 방향이 무엇인지 윤리적 가치 판단을 하고 소비
하는 것으로 녹색소비와 착한소비가 있다. 녹색소비는 환
경을 생각하고 미래세대까지 고려하는 지속 가능한 소비
이고 착한소비는 불공정 무역 제품을 구매 하지 않고 공정
무역 제품을 구매하는 것이다. 윤리적 소비의 예는 공정무
역, 공정여행, 로컬 푸드 운동, 자원 절약과 재활용, 친환경
제품, 동물의 생명을 존중하고 고통을 최소화하는 상품, 환
경을 오염 하지 않는 방식으로 생산된 제품 사용이 있다.

25 | ④ 현대 환경 문제는 국경을 초월하는 전 지구적
        문제이다. 책임 소재를 명확히 가리기 어려운
        측면이 있으며, 인류의 생존을 위협하기도 한
        다. 모든 환경 문제는 범위가 넓고 계속 반복되
        는 문제라서 쉽게 회복이 불가능하다. 따라서
        옳지 않은 보기는 ④이다.

고등학교 졸업학력
검정고시

기술 · 가정
정답 및 해설

정답표

2021년 1회

01	①	02	②	03	②	04	①	05	②
06	④	07	②	08	③	09	②	10	②
11	③	12	②	13	④	14	③	15	③
16	③	17	①	18	①	19	③	20	④
21	④	22	②	23	①	24	④	25	②

2021년 2회

01	②	02	①	03	①	04	④	05	③
06	④	07	②	08	④	09	①	10	②
11	④	12	②	13	③	14	①	15	③
16	③	17	④	18	②	19	①	20	②
21	②	22	①	23	③	24	④	25	①

2022년 1회

01	④	02	②	03	②	04	③	05	①
06	①	07	③	08	②	09	①	10	④
11	③	12	④	13	④	14	③	15	②
16	②	17	④	18	③	19	④	20	①
21	①	22	③	23	①	24	③	25	②

2022년 2회

01	③	02	①	03	②	04	③	05	④
06	③	07	③	08	②	09	③	10	①
11	④	12	②	13	②	14	③	15	①
16	①	17	④	18	②	19	③	20	①
21	②	22	①	23	④	24	②	25	④

2023년 1회

01	②	02	③	03	②	04	①	05	③
06	④	07	③	08	①	09	③	10	①
11	④	12	②	13	①	14	③	15	①
16	④	17	①	18	②	19	④	20	③
21	④	22	②	23	①	24	②	25	①

2023년 2회

01	①	02	②	03	④	04	④	05	②
06	③	07	④	08	④	09	②	10	③
11	③	12	①	13	②	14	①	15	①
16	④	17	③	18	①	19	①	20	②
21	②	22	④	23	②	24	①	25	③

2024년 1회

01	②	02	①	03	④	04	③	05	③
06	④	07	④	08	③	09	①	10	②
11	①	12	④	13	④	14	②	15	③
16	④	17	④	18	①	19	②	20	④
21	①	22	②	23	①	24	③	25	②

2024년 2회

01	①	02	②	03	②	04	①	05	①
06	②	07	③	08	④	09	③	10	②
11	①	12	④	13	①	14	④	15	④
16	④	17	③	18	①	19	③	20	③
21	①	22	②	23	③	24	④	25	③

2025년 1회

01	③	02	②	03	④	04	③	05	④
06	③	07	③	08	②	09	①	10	①
11	③	12	①	13	①	14	③	15	①
16	②	17	①	18	④	19	②	20	④
21	②	22	①	23	③	24	②	25	②

2025년 2회

01	②	02	②	03	③	04	④	05	②
06	①	07	①	08	①	09	②	10	④
11	②	12	④	13	①	14	②	15	③
16	④	17	④	18	②	19	②	20	③
21	③	22	④	23	①	24	①	25	④

정답 및 해설

01	①	02	②	03	②	04	①	05	②
06	④	07	②	08	③	09	②	10	②
11	③	12	②	13	②	14	②	15	③
16	③	17	②	18	①	19	③	20	④
21	④	22	②	23	①	24	④	25	②

01 | ① 스턴버그는 사랑의 삼각형 이론을 주장한다. 사랑의 3요소는 열정, 친밀감, 헌신이다. 의무감 즉, 헌신만 있는 사랑은 공허한 사랑이다.

개념 더 보기 | 스턴버그의 사랑의 삼각형 이론

성숙한 사랑 : 열정, 친밀감, 헌신이 있는 사랑
공허한 사랑 : 헌신만 있는 사랑
도취성 사랑 : 열정만 있는 사랑
좋아함 : 친밀감만 있는 사랑
우애적 사랑 : 친밀감, 헌신이 있는 사랑
얼빠진 사랑 : 열정, 헌신이 있는 사랑
낭만적 사랑 : 열정, 친밀감이 있는 사랑

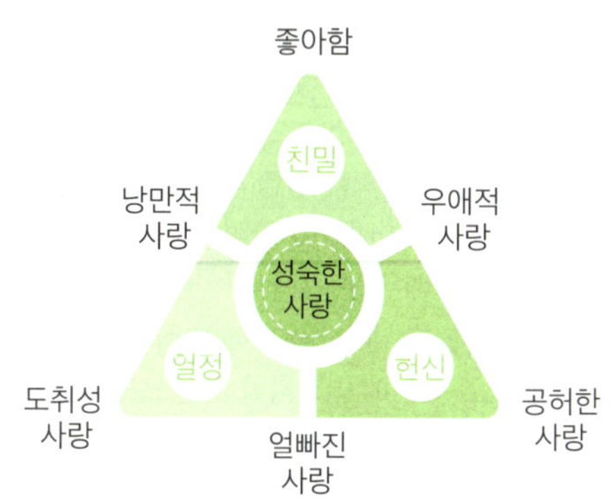

02 | ② 양수는 태아의 활동과 체온 조절을 돕고, 외부의 충격으로부터 태아를 보호한다.

선지 더 알아보기

난소 : 생식세포인 난자를 만드는 장소
태반 : 모체의 자궁벽과 태아를 연결 하여 영양 공급, 가스 교환, 노폐물 배출 등의 기능을 담당하는 기관
탯줄 : 혈관이 지나는 띠 모양으로 생겼고, 태아와 태반을 연결해 모체와 태아 사이의 물질 교환이 일어나는 통로

03 | ② 모로 반사는 갑자기 큰 소리가 나면 팔다리를 폈다가 오므린다.

선지 더 알아보기

걷기 반사 : 겨드랑이를 잡고 살짝 들어 세워주면 걸어가듯이 발을 뗀다.
빨기 반사 : 입에 닿는 것은 무엇이든지 빨려고 한다.
찾기 반사 : 입 주위에 자극을 주면 그 자극을 향해 고개를 돌린다.

04 | ① 우드리의 여과망 이론의 순서는 근접성→매력→사회적 배경→의견 일치→상호 보완성→결혼 준비 이다. 이러한 과정이 마치 여과망으로 걸러지는 것처럼 시간의 흐름에 따라 진행 되어 그 선택의 폭이 줄어들고 마침내 유일한 대상자에게 고정 된다는 이론이다.

05 | ② 영아기는 생후 4주부터 만 2세까지의 시기로 제 1차 성장 급등기이고, 젖니가 난다. 두 발로 걷기 시작하고, 옹알이를 하다가 단어를 말하기도 한다.

자녀의 발달 단계

신생아: 출생 후 4주까지의 시기
영아기: 생후 4주부터 만 2세까지의 시기, 제 1차 성장 급등기, 젖니가 난다.
유아기: 만 2세부터 6세까지의 시기, 폭발적인 언어발달로 질문이 많아진다.
아동기: 7세부터 12,13세까지의 시기, 초등학교에 다니는 시기, 젖니가 빠지고 영구치가 난다.

06 | ④ 출산 과정은 입구가 열리는 개구기, 태아가 산도로 나오는 산출기, 태반, 난막, 탯줄이 나오는 후산기이다. 출산 징후는 주기적 진통과 이슬이고, 출산 후에는 자궁 내벽과 산도의 상처에 있던 혈액이 섞여 있는 분비물인 오로가 나온다. 출산 후 호르몬의 변화로 산후 우울증을 겪기도 한다.

07 | ② 국민 연금 제도는 국민의 생활 안정을 위한 것으로 소득이 있을 때 보험료를 납부하고, 나이가 들었을 때 국가로부터 연금을 지급 받는 제도이다.

08 | ③ 발효 식품이란 젖산균이나 효모 등 미생물의 발효 작용을 이용한 식품이다. 발효 식품의 예는 김치와 된장, 막걸리 등이 있다.

09 | ② 처마는 기둥 밖으로 나와 있는 지붕의 일부로, 여름철 햇빛은 처마 끝에 걸려 차단 되고, 겨울철 햇빛은 깊게 낮추어 실내 내부까지 들어와 밝고 따뜻한 공간을 만든다.

온돌: 구들을 사용하여 방바닥 전체를 따뜻하게 한다.
주춧돌: 건축물의 기둥을 받쳐주는 돌이다.
대청마루: 적절한 높이의 마루는 지면으로부터 떨어져 있어 통풍이 가능하고 땅에서 올라오는 습기를 막아 쾌적하다.

10 | ② 중국의 전통 의상은 치파오이다. 대표 음식으로 동파육, 마파두부, 북경 오리구이 등이 있다.

일본: 전통의상 기모노, 대표음식은 낫토, 소바, 스시, 미소가 있다.
베트남: 전통의상 아오자이, 대표음식은 쌀국수, 분짜, 반미, 반쎄오가 있다.
프랑스: 전통의상 블루즈, 코르셋, 대표음식은 라타뚜이, 푸아그라, 에스카르고가 있다.

11 | ③ 지속 가능한 소비는 환경 친화적인 제품을 구매하는 녹색 소비와 인간이나 동물 및 환경에 해를 끼치는 상품은 피하고 환경과 지역 사회에 도움이 되는 윤리적 소비가 있다.

12 | ② 노인의 적응 유형 중 분노형은 젊은 시절의 계획한 인생 목표를 달성하지 못하고 늙어버린 것에 비통해 하며, 실패 원인을 다른 곳으로 돌려 배우자, 가족, 타인을 투사하거나 질책하며 화를 잘 낸다. 늙음에 대해 타협하지 않으려는 유형으로 노년기 적응에 어려움을 가진 노인이다.

노인의 적응 유형

방어형: 늙었다는 감정과 불안감을 회피하기 위해 사회적 활동을 계속해서 유지하는 유형으로 신체적 능력의 저하를 막고자 노력하는 노인
자학형: 지나온 삶에 대하여 후회하는 감정이 크고 자신과 자녀의 불행과 실패 원인이 자신의 부족함 때문이라고 생각하여 무가치와 열등감에 쌓이며, 우울감과 자책감이 높은 노인
은둔형: "흔들의자에 앉아서 지낸다" 은퇴 후 과거에 복잡했던 대인관계에서 벗어나 조용히 생활하면서 삶에 만족하려는 노인
분노형: 젊은 시절의 계획한 인생 목표를 달성하지 못하고 늙어버린 것에 비통해 하며, 실패 원인을 다른 곳으로 돌려 배우자, 가족, 타인을 투사하거나 질책하며 화를 잘 냄. 늙음에 대해 타협하지 않으려는 유형으로 적응에 어려움을 가진 노인
성숙형: 과거에 집착하지 않고 신중하게 현실을 받아들여 남은 생과 죽음에 대해 불안이 없는 현실 직시형, 일상의 성공과 행운에 감사하는 자세로 생활하는 자아통합 수행이 가능한 노인

13 | ④ 3D 프린터는 3차원 모델링 소프트웨어를 이용하여 설계한 3차원 도면을 바탕으로 재료를 열에 녹여서 한 층씩 쌓아올리면서 제품을 만드는 첨단 제조 기술 중 하나이다.

14 | ③ 초장대 교량은 지역 사회 개발을 유도하여 경제적 부가 가치를 창출, 기술적 상징성과 예술적 가치를 지닌다. 대표적인 예로 사장교, 현수교가 있다.

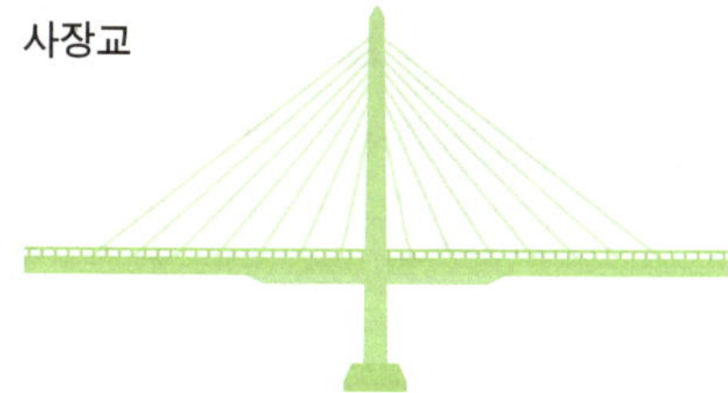
사장교

주 탑을 세우고 주 탑에서 바로 내린 케이블에 교량의 상부 구조를 매단 교량이다.

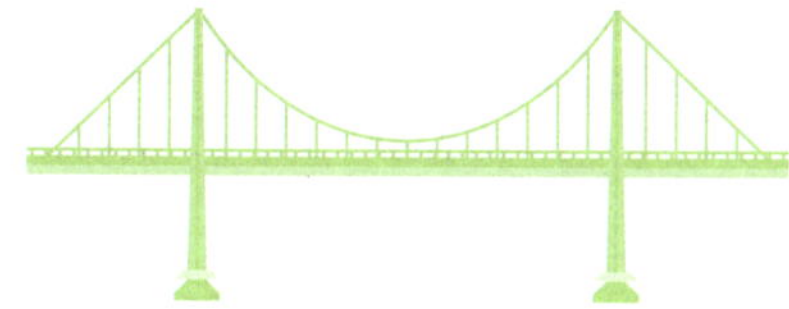
현수교

주 탑 사이를 주 케이블로 연결하고, 이 주 케이블에 상부 구조를 매단 교량이다.

15 | ③ 사물인터넷은 기존의 인터넷이나 모바일 인터넷보다 진화된 개념으로 모든 사물, 기기가 지능적으로 정보를 수집하고 다른 사물 또는 사람이 사용하는 기기와 무선 또는 유선 통신을 통해 정보를 주고 받는 것이다.

16 | ③ 원격진료란 상호작용하는 정보통신 기술을 이용하여 원리에 의료정보와 의료 서비스를 전달하는 모든 활동이다. 거리의 장벽을 없애 주고, 의료 서비스를 쉽게 접할 수 있도록 해 준디.

17 | ① 드론은 무선 전파를 이용하여 원격 조정 되는 무인 비행 물체이다. 자율 항법 장치에 의하여 자동 조종 되기도 한다. 사람이 가기 힘든 곳으로 쉽게 이동 할 수 있어 처음에는 군사적 목적으로 개발이 시작 되었고, 최근에는 고공 촬영과 배달 등으로 확대 되었다.

위그선 : 수면 위에 뜬 상태로 최고 시속 550km까지 이동할 수 있는 초고속선으로 해수면의 저항을 받지 않아 기존 선박보다 에너지 소모가 매우 적다.
하이퍼루프 : 진공 튜브 캡슐 열차
극초음속 비행기 : 마하 5 이상의 속도를 내는 비행기

18 | ① 적정 기술이란 사회 공동체의 정치적, 문화적, 환경적 조건을 고려하여 해당 지역에서 지속적인 생산과 소비가 가능하도록 만들어진 기술이다. 적정 기술의 조건은 적은 비용이여야 하고, 지역 주민 스스로 만들 수 있어야 한다. 특정 분야의 지식이 없어도 이용 가능 해야 하고 기술을 사용하는 사람들이 해당 기술을 이해 할 수 있도록 사용 방법이 간단해야 한다. 가능하면 현지에 나는 재료를 활용하고, 사람들의 협동 작업을 이끌어 내며 지역 사회 발전에 공헌해야 한다.

19 | ③ 지속 가능한 발전에서 환경적 측면의 목표는 깨끗한 환경을 조성하고 유지, 생태 도시 건설, 생물 다양성 정보화 사업, 자연형 하천 조성, 멸종 위기 동식물 보호 등이 있다.

20 | ④ 컨베이어 벨트는 2차 산업 혁명을 이끈 장치로, 작업자는 고정된 자리에 있고 작업 대상을 이동시키는 장치이다.

바이오센서 : 유전자, 암세포, 환경 호르몬 등 특정 물질의 존재 여부를 감지하여 전기, 형광, 발색 등의 신호로 나타낸다.
웨어러블 기기 : 일상생활에서 사용하기 편리하고 휴대 또는 착용 가능한 형태의 컴퓨터로 언제 어디서나 사용자의 요구에 응할 수 있는 유비쿼터스 컴퓨팅 환경을 제공한다.
예 스마트 콘택트렌즈, 귀에 넣는 스마트 기기, 스마트 펜던트, 스마트 의류, 바이오 스탬프, 환자를 위한 착용형 기기, 스마트 신발 안창

21 | ④ 항공우주공학기술자는 공기 중을 비행하는 물체 즉, 여객기, 전투기, 우주선 등의 각종 비행 물체를 설계하고 개발하는 일을 담당한다. 항공기 본체나 시스템 및 전자 설비(레이더 등)를 설계하고, 실험 및 연구를 통해 새로운 항공 공학 기술을 개발한다. 항공기 제조 공정을 감독하고 관련 기술을 지도하기도 한다.

22 | ② 배터리 경고등은 배터리가 방전되었거나 팬 벨트가 끊어졌을 때, 충전 장치가 고장 났을 때 점등 된다.

운행 전 확인 해야 할 자동차 경고등

냉각수 온도 경고등: 엔진 과열에 의한 다양한 문제 또는 수온 조절기의 문제가 발생하였을 때 점등

ABS경고등: 급제동할 때 바퀴가 잠기는 현상을 막는 장치(ABS)와 브레이크 이상이 감지되면 점등

오일 입력 경고등:엔진의 생명을 좌우하는 엔진의 오일이 순환하지 않거나 오일이 부족할 때 점등

에어백 경고등: 에어백에 이상이 있을 때 점등

배터리 경고등: 배터리가 방전되었거나 팬 벨트가 끊겼을 때, 충전 장치가 고장 났을 때 점등

엔진 경고등: 엔진 작동에 필요한 전자 제어 장치나 배기가스 제어 센서에 이상이 발견되었을 때 점등

타이어 공기압 경고등: 타이어의 공기압이 기준보다 낮으면 점등

주차 브레이크 경고등: 브레이크액이 부족할 때, 브레이크 패드가 닳아서 교체가 필요할 때 점등

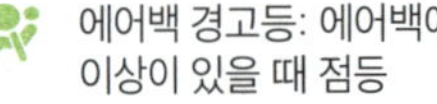

작동 상태 등 중요 정보 표시 — 초록색

주의를 나타내며 안전 위험 표시 — 주황색

즉시 안전한 곳에 차량을 세우고 문제를 해결해야 함을 표시 — 빨간색

23 | ① **정투상법**
정투상법은 물체의 각 면을 투상면에 나란히 놓고, 직각 방향에서 본 모양을 나타내는 방법이다. 물체의 모양과 크기를 정확하게 나타낼 수 있어 기계의 제작도를 그릴 때 주로 활용한다. 한국 산업 표준에는 **제 3각법**으로 그리는 것을 원칙으로 하고 있다.

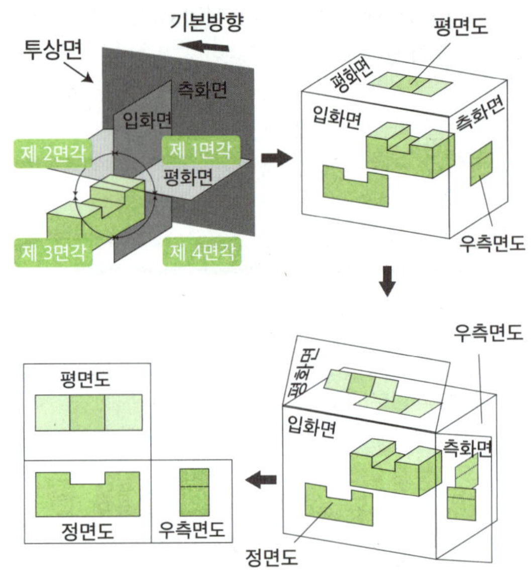

24 | ④ 특허 출원 단계는 선행 기술 검색→출원 신청→특허 심사→특허권 획득이다.

25 | ② 산업 재산권은 기술의 진보와 산업 발전을 목적으로 한다. 산업재산권의 종류에는 특허권, 실용 신안권, 디자인권, 상표권이 있다.

지식재산권 중 산업 재산권의 종류

1) **특허권** : 발명자가 발명품을 독점적으로 이용할 수 있도록 부여한 권리, 특허출원일로부터 20년간 권리가 보장된다.
2) **실용신안권** : 이미 발명된 제품의 모양이나 구조를 개선하여 편리성을 높인 발명에 주어지는 권리, 출원일로부터 10년간 권리가 보장된다.
3) **디자인권** : 물건의 형상, 색채, 질감 또는 이것들을 결합한 것, 즉 외관이나 디자인을 보호하는 권리, 등록일로부터 20년간 존속된다.
4) **상표권** : 제품의 차별성을 높이기 위한 문자, 식별기호, 도형 등과 같이 식별력 있는 상품 또는 서비스를 보호하는 권리, 등록일로부터 10년간 보장되며 10년마다 갱신할 수 있다.

01	②	02	①	03	①	04	④	05	③
06	④	07	②	08	④	09	①	10	②
11	④	12	②	13	③	14	①	15	③
16	③	17	④	18	②	19	①	20	②
21	②	22	①	23	③	24	④	25	①

01 | ② 스턴버그는 사랑의 삼각형 이론을 주장한다. 사랑의 3요소는 열정, 친밀감, 헌신이다. (가)는 열정이고, 열정만 있는 사랑은 도취성 사랑이다.

02 | ① 우리나라 결혼의 법적 요건은 결혼에 대한 당사자의 합의가 있어야 하며, 남녀 모두 만 18세 이상이여야 하는데 만 18세는 부모나 후견인의 동의가 필요하다. 그리고 중혼이 아니어야 하고, 8촌 이내 혈족 간의 근친혼도 아니어야 한다.

03 | ① 인공 수정은 여성의 배란기에 맞추어 남성의 정액을 인공적으로 자궁 내에 넣어 임신을 유도하는 방법이다.

기초체온법: 여성의 기초 체온의 변동에 의해 배란일을 알아내는 방법이다.
라마즈 분만: 출산의 고통을 최소화하는 분만법으로 호흡법, 이완법, 연상법이 있다.
르봐이예 분만: 아이가 태어나면서 발생하는 긴장과 스트레스를 줄여 주는 분만법이다.

04 | ④ 이슬은 분만 전에 보이는 소량의 출혈이고, 오로는 출산 후 자궁과 산도에 상처가 생겨 혈액과 분비물이 섞여 나오는 것이다.

05 | ③ 파악 반사는 잡기 반사라고도 불린다. 손에 물건을 쥐어 주면 빼내기 힘들 정도로 꽉 쥔다.

걷기 반사: 겨드랑이를 잡고 살짝 들어 세워주면 걸어가듯이 발을 뗀다.
모로 반사: 갑자기 큰 소리가 나면 팔다리를 폈다가 오므린다.
바빈스키 반사: 발바닥을 살짝 긁으면 발가락을 폈다가 오므린다.

06 | ④ 베트남 전통의상은 아오자이다. 긴 소매가 달리고 옆선에 트임이 있는 튜닉과 긴 바지로 구성 된다.

사리: 인도의 전통의상
한복: 대한민국의 전통의상
치파오: 중국의 전통의상

07 | ② 아동기에 보존 개념과 가역성 개념을 형성한다. 보존 개념은 면적, 부피 등 모양이 바뀌어도 그 특징을 유지한다는 것을 이해하는 능력이고, 가역성 개념은 어떤 변화가 일어났을 때 이것을 이전 상태로 되돌려 놓을 수 있게 되는 능력이다.

08 | ④ 대상 영속성은 물체가 눈 앞에 보이지 않아도 사라지지 않고 존재한다는 것을 알게 된다.

09 | ① 약식동원은 약과 음식의 근본은 같다는 의미이다. 밥보다 더 좋은 보약은 없다고 생각해 음식을 통해 건강을 유지하려고 한다.

10 | ② 한옥에서 온돌은 아궁이에 불을 지펴 구들장의 열기로 방바닥을 데우는 난방 방법이다.

11 | ④ 회복탄력성이란 원래의 자리로 되돌아오는 힘을 말한다. 고난과 역경을 새로운 변화의 기회로 받아들이는 반응과 태도이다.

12 | ② 태국 대표 음식은 똠얌꿍과 팟타이, 쌀국수이다. 태국은 열대지방으로 향신료를 많이 쓴다.

13 | ③ 업사이클링이란 재활용품을 새롭게 디자인하여 가치가 높은 제품으로 재탄생시키는 것을 말한다.

14 | ① 내진 설계란 제진 장치와 면진 장치를 이용해서 구조물이 지진에 견딜 수 있도록 설계하는 것이다.

15 | ③ 후처리는 입체로 된 출력물을 다듬는 단계이다. 출력물을 지탱하기 위한 지지대를 제거하는 작업, 표면을 고르게 다듬고 표면을 덮고 있는 분말을 털어내는 작업, 출력물의 색상을 바꾸는 작업을 한다.

🔍 개념 더 보기 3D 프린터를 활용한 제품 제작 과정

모델링 : 3차원 모델링 프로그램을 통해 원하는 형태로 설계한다.
슬라이싱 : 3차원 모델링 데이터는 슬라이서라고 하는 프로그램을 통해 여러 개의 얇은 층으로 나뉜 데이터로 변환한다.
프린팅 : 변환한 데이터를 3D 프린터로 보내면 재료를 쌓거나 굳히는 방법을 통해 입체로 된 출력물로 만든다.
후처리 : 출력물을 지탱하기 위한 지지대를 제거하는 작업, 표면을 고르게 다듬고 표면을 덮고 있는 분말을 털어내는 작업, 출력물의 색상을 바꾸는 작업을 한다.

16 | ③ 식물공장은 외부환경(기후, 계절)의 영향을 받지 않는 시설 안에서 빛, 온도, 수분 등을 조절해 작물의 성장을 위한 최적의 조건을 제공함으로써 작물의 최대생산량과 최고 품질을 얻는 새로운 농업 방식을 말한다.

17 | ④ 모듈러 하우스는 표준화된 실내 공간을 모듈 형태로 공장에서 제작해 현장으로 운송·조립해 완성하는 건축 기법이다. 공사 기간을 기존 공법 대비 35~44%까지 줄일 수 있다.

18 | ② 하이브리드란 2종류 이상의 요소를 조합했음을 의미하는 말로, 자동차에서는 두 가지 동력원을 가졌음을 나타낸다. 기존에는 가솔린 엔진뿐이었던 자동차에 모터를 동력으로 추가한 하이브리드 자동차는 엔진과 모터의 장점을 동시에 이용해 연비향상을 실현한다. 수소 연료 전지 자동차는 스택이라는 연료전지에서 수소하고 산소가 서로 화학반응을 일으키면서 전기를 발생시키는 원리로 작동된다. 연료전지를 사용해 전기모터로 자동차가 구동되며, 수소충전소에서 몇 분 만에 수소를 재충전해 사용한다. 기존의 가솔린 자동차와 큰 차이는 없는데, 배기가스가 전혀 없으며, 마실 수 있는 깨끗한 물만 나온다.

19 | ① 산업 재산권은 기술의 진보와 산업 발전을 목적으로 한다. 산업재산권의 종류에는 특허권, 실용신안권, 디자인권, 상표권이 있다. 그 중 상표권은 제품의 차별성을 높이기 위한 문자, 식별기호, 도형 등과 같이 식별력 있는 상품 또는 서비스를 보호하는 권리로 등록일로부터 10년간 보장되며 10년마다 갱신할 수 있다.

20 | ② 빅데이터는 많은 양의 데이터에서 빠르게 정보를 추출 및 분석하여 가치 있는 정보를 찾아내는 기술이다. 이 기술로 인해 정보를 재가공한 후 활용하는 분야가 늘어나고 있다.

21 | ② 자동차 사고에는 인적 요인, 환경 요인, 차량 요인이 있다. 인적 요인에는 과속, 졸음 운전이 있고, 환경 요인에는 기상 악화, 차량 요인에는 브레이크 고장이 있다.

🔍 개념 더 보기 자동차 사고의 원인

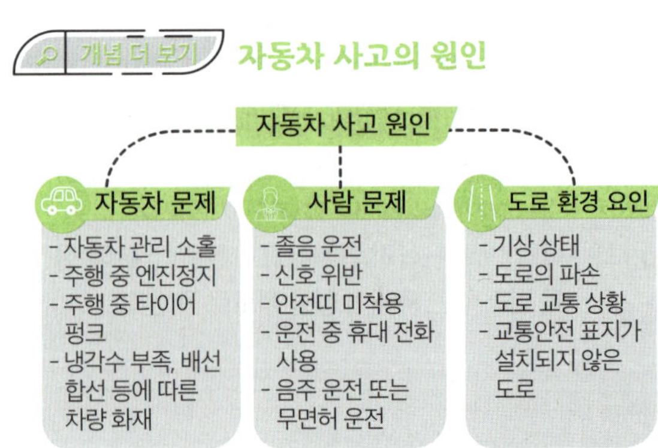

22 | ① Ø은 지름이고, 치수의 길이를 나타 낼 때 단위는 mm이며, 숫자만 기입하고 단위는 생략한다.

제품 설계도 기호

기호	용도
R	반지름
t	판의 두께
C	45° 모따기
Ø	지름
□	정사각형의 변

23 | ③ 정투상법은 물체의 각 면을 투상면에 나란히 놓고, 직각 방향에서 본 모양을 나타내는 방법이다. 제3각법으로 그리는데 제3각법의 투상도 배치는 아래의 그림과 같다.

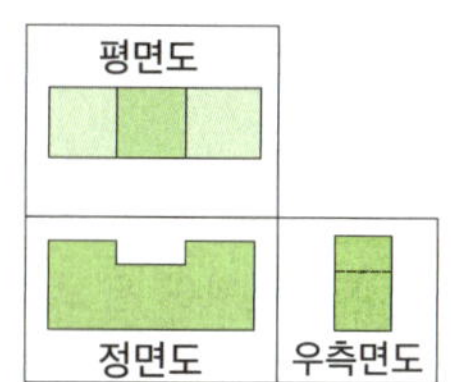

24 | ④ 표준화는 실질적이거나 잠재적인 문제와 관련해 주어진 상황에서 최선의 질서를 확립하는 것을 목적으로 일상적이고 반복되는 사용을 위한 규정을 수립하는 활동이다. usb포트로 규격을 통일하는 것은 제품 간 호환성을 높이는 표준화의 특징이다.

25 | ① 지속 가능한 개발의 목표는 빈곤 퇴치와 사회 불평등 해소이다.

지속 가능 발전 목표

모든 곳에서 모든 형태의 빈곤 종식하기 / 기아를 종식하고 지속 가능한 농업 강화하기 / 건강한 삶을 보장하고 삶의 질을 증진하기 / 양질의 교육 보장 및 평생 교육 증진하기

양성 평등 달성하기 / 깨끗한 물과 위생 설비 보장하기 / 적당한 가격의 지속 가능한 에너지 보장하기 / 지속 가능한 소비와 생산 보장하기

    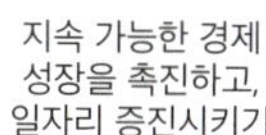

사회 기반 시설을 구축하고, 지속 가능한 산업화 증진하기 / 국가 내, 국가 간 불평등 감소시키기 / 지속 가능한 도시와 커뮤니티 보장하기 / 지속 가능한 경제 성장을 촉진하고, 일자리 증진시키기

기후 변화와 그 영향에 대응하기 / 해양 생태계 보호하기 / 육상 생태계 보호하기 / 정의, 평화 및 효과적인 제도 구축하기 / 글로벌 파트너쉽 활성화하기

01	④	02	①	03	②	04	③	05	①
06	①	07	③	08	②	09	①	10	④
11	③	12	④	13	④	14	③	15	②
16	②	17	④	18	③	19	④	20	①
21	①	22	③	23	①	24	③	25	②

01 | ④ 스턴버그는 사랑의 삼각형 이론을 주장한다. 사랑의 3요소는 열정, 친밀감, 헌신이다. 친밀감과 헌신만 있는 사랑은 우애적 사랑이다.

개념 더 보기   스턴버그의 사랑의 삼각형 이론

성숙한 사랑 : 열정, 친밀감, 헌신이 있는 사랑
공허한 사랑 : 헌신만 있는 사랑
도취성 사랑 : 열정만 있는 사랑
좋아함 : 친밀감만 있는 사랑
우애적 사랑 : 친밀감, 헌신이 있는 사랑
얼빠진 사랑 : 열정, 헌신이 있는 사랑
낭만적 사랑 : 열정, 친밀감이 있는 사랑

02 | ① 민주적 양육태도를 가진 부모는 자녀에게 온정적이며 자녀의 요구에 대한 수용도가 높고 민감하게 반응하는 부모로 적절한 자율성을 인정 해 주며, 소통을 가장 중요한 원칙으로 삼으며, 자녀가 자신의 생각과 감정, 욕구를 표현 할 수 있도록 격려한다. 이러한 양육을 받은 아이는 자신을 존중하고 다른 사람을 긍정적으로 대한다. 정서적으로 안정 되어 있고, 책임감이 있으며, 협동적이다.

03 | ② 산욕기는 출산 후 6~8주 정도의 기간이다. 출산 후 산모의 몸이 임신 전 상태로 회복 되는 시기이다.

04 | ③ 신생아는 태변 배설과 피부의 수분 증발로 생후 3~4일 동안 일시적으로 체중이 감소한다.

05 | ① 보존 개념은 면적이나 부피 등 모양이 바뀌어도 그 특징은 유지 한다는 것을 이해하는 능력이다. 모양이 넓은 같은 모양의 컵에 같은 양의 물을 보여준 뒤, 한 컵의 물을 모양이 다른 긴 컵에 부어도 이러한 긴 컵과 넓은 컵의 물의 양은 같다는 것을 이해하는 것이다.

⚠ 선지 더 알아보기

물활론적 사고 : 모든 사물이 살아 있다고 생각한다.
자기중심적 사고 : 자신의 입장에서만 생각하고, 다른 사람도 자신과 똑같이 생각한다고 믿는다.

06 | ① 한식은 계절에 나는 식재료로 균형 잡힌 식단을 추구한다. 식품의 저장성을 높이기 위해 장류, 김치, 젓갈류와 같은 발효식품이 발달했고, 덩달아 다양한 조리법과 양념이 발달했다. 약식동원과 음양오행 사상이 깃들어 있다.

약식동원 : 밥보다 더 좋은 보약은 없다고 생각해서 음식을 통해 건강을 유지 하려고 한다.
음양오행 : 동물성 식품과 식물성 식품을 적절하게 사용해 오곡, 오방색으로 음식을 조화롭게 만든다.

개념 더 보기   오방색과 오미

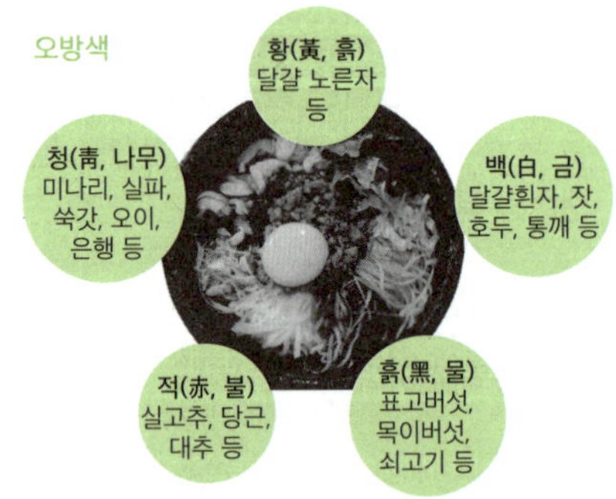

오미	
단맛(甘)	설탕, 꿀, 조청, 엿 등
신맛(醶)	식초, 감귤즙 등
매운맛(辛)	고추, 겨자, 후추, 생강 등
쓴맛(苦)	도라지, 고들빼기 등
짠맛(鹹)	소금, 간장, 된장, 고추장 등

07 | ③ 한복은 활동성이 있는 옷으로 상하가 분리 되고 앞을 여미는 구성으로 입고 벗기가 편하며 넉넉한 품을 두어 활동을 편안하게 한다. 체형 보완을 해 주는 옷으로 바지의 허리폭과 치마폭은 체형에 따라 조절이 가능하고 여성의 짧은 저고리와 긴 치마는 키를 커 보이게 한다. 한복의 소재는 보통 여름에는 모시이고 겨울에는 명주이다. 면, 마, 견 등 천연 소재를 이용하고 천연 염색을 하는 등 환경 친화적이고 지속 가능한 의생활 추구한다.

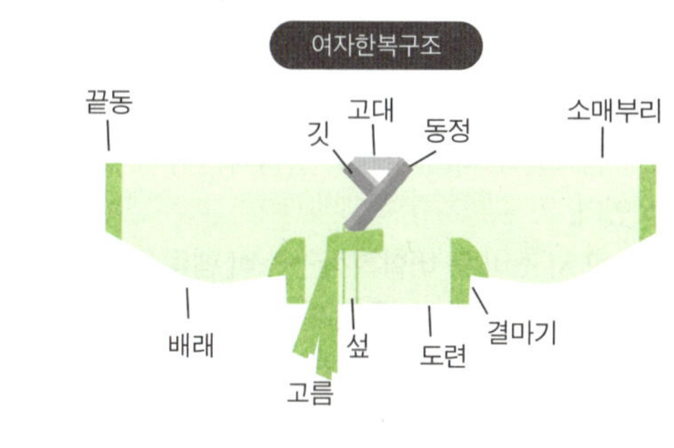

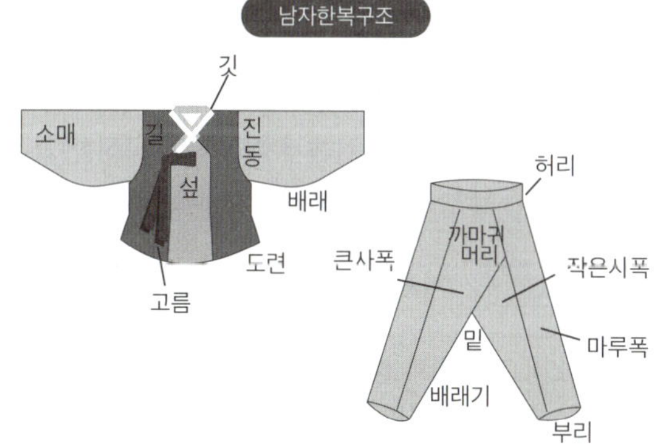

08 | ② 한옥에서 대청마루는 통풍구조이다. 적절한 높이의 마루는 지면으로부터 떨어져 있어 통풍이 가능하고 땅에서 올라오는 습기를 막아 쾌적하다.

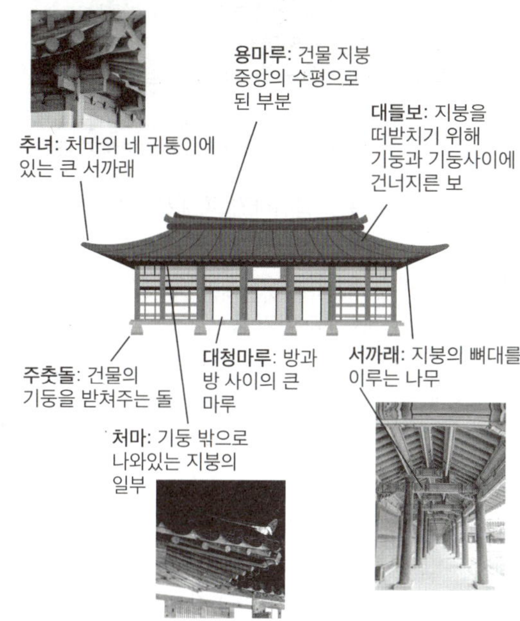

09 | ① 가정 폭력이란 남편과 아내, 부모와 자녀, 형제자매 및 기타 동거가족을 포함한 가족구성원 중의 한사람이 다른 구성원에게 의도적으로 물리적인 힘을 사용하거나, 정신적인 학대를 통하여 고통을 주는 행위이다. 가정 폭력 예방을 위해 폭력은 범죄임을 인지하고 폭력에 대한 민감성을 키우고 가족 안에서 발생하는 문제를 배려 있는 대화로 해결하며, 가족 구성원에 대해 이해와 존중의 자세를 가진다. 가정 폭력 발생시 외부에 도움을 구하고, 가족 상담 및 피해자 치료, 가해자 교정 프로그램에 참여한다.

가정폭력 유형 (모든 유형은 하나 또는 그 이상, 복합적으로 발생할 수 있습니다.)	
강제 위협하기	피해자를 구타하거나 흉기로 협박하기, 자해 또는 자살하겠다고 위협하기 등
부인, 비난	폭언, 멸시하기, 피해자가 폭력을 유발한 것처럼 말하기 등
남성중심적인 가부장적 행동	피해자를 하인처럼 취급하기, 모든 결정을 혼자 하기 등
가정 내 성적 학대	원치 않는 성관계를 강요하거나 성적으로 의심하기, 낙태 강요, 신체부위 등을 동의없이 촬영·유포하기 등
경제적 학대	낭비, 채무, 지출을 의심하거나 경제적으로 방임하기, 지속적으로 돈 요구하기, 직업을 갖지 못하게 하기, 허락을 구해 돈을 사용하게 하기 등
정서적 학대	피해자가 있는 장소 미행하기, 죄책감이나 모욕감을 느끼게 하기, 만나는 사람 또는 행동 통제하기, 고립시키기, 공포감 조성하기, 조롱하기 등
자녀 이용	아이들에게 폭력을 가하거나 떼어놓겠다고 위협하기, 피해자를 학대하는 모습을 자녀에게 보여주기 등
협박	눈빛, 행동, 제스처로 협박하기, 물건을 부수거나 반려동물을 학대하기, 무기 전시, 피해자 주변인에 대해 위협하기 등

10 | ④ 외상 후 스트레스 장애는 사람이 전쟁, 고문, 자연재해, 사고 등의 심각한 사건을 경험한 후 그 사건에 공포감을 느끼고 사건 후에도 계속적인 재경험을 통해 고통을 느끼며 그로부터 벗어나기 위해 에너지를 소비하게 되는 질환으로, 정상적인 사회 생활에 부정적인 영향을 끼치게 된다.

11 | ③ 가정 경제의 안정을 위협하는 요소로는 결혼, 주택 마련 등 일상적인 소득으로 감당할 수 없는 지출과 가족 구성원들이 처하게 되는 예기치 못한 위험, 노후 생활의 연장, 물가 상승 등이 있다. 위의 글은 경기 침체가 장기화 되면서 실업자가 된 상황으로 가정 경제의 안정을 위협하는 요소는 소득 감소이다.

1) 결혼, 출산, 자녀 교육, 주택 마련, 자녀 결혼 등 목돈을 지출하는 일이 발생한다.
2) 실업과 질병, 화재, 도난 등 현재의 소득과 자산에 손실을 줄 수 있는 예측 불가능한 위험이 존재한다.
3) 평균 수명의 증가로 노후가 길어지고, 자녀의 부모 부양 기간도 길어졌다.
4) 물가가 상승함에 따라 가계의 실질적인 구매력이 하락할 수 있다.
5) 과소비, 과시 소비 등 비합리적인 소비 행동은 지출을 증가시켜 가정 경제에 부담을 준다.
6) 각 가족 구성원의 다양한 욕구들이 서로 충돌함에 따라 지출 관리가 어려워진다.

12 | ④ 지속 가능한 소비의 실천 방법 중 하나로 공정 무역 제품 소비가 있다. 공정 무역 제품이란 국가 간 동등한 위치에서 거래되어 공정한 가격을 지급한 무역을 거친 제품이다.

1) **로컬소비** : 지역에서 생산된 상품과 서비스를 구매하여 지역 사회에 도움을 준다.
2) **절제와 간소한 삶** : 소비를 줄일 뿐만 아니라 간소한 삶을 지향하는 가치관을 형성한다.
3) **공정 무역** : 국가 간 동등한 위치에서 거래되어 공정한 가격을 지급한 무역을 거친 제품을 구매한다.
4) **녹색 소비** : 소비 행동의 결과가 환경에 미치는 영향을 고려한다.
5) **나눔의 실천** : 용돈이나 재능을 이웃과 나눔으로써 불평등을 해소하고 공동의 이익을 추구한다.
6) **소비 윤리 실천** : 재화나 서비스를 소비할 때 소비자가 지켜야 하는 도덕적 원칙을 준수한다.
7) **구매 운동과 불매 운동** : 친환경 제품이나 사회적 기업의 제품을 적극적으로 구매하고 비윤리적 기업 제품의 불매 운동에 참여한다.

13 ④ 건설 기술은 초고층 빌딩, 초장대 교량, 모듈러 하우스, 패시브 하우스 등이 있고, 제조 기술은 3D 프린터, 나노 기술, 메카트로닉스 등이 있다. 정보 통신 기술은 빅데이터, 사물 인터넷, 클라우드 컴퓨팅 등이 있고, 생명 기술은 유전자 재조합 기술, 세포 융합 기술, 인공 장기 등이 있다.

14 ③ 나노 기술은 원자나 분자 정도의 작은 크기 단위에서 물질을 합성하고 제어하여 그 성질을 활용하는 기술이다. 나노는 10억분의 1, 난쟁이라는 그리스어에서 유래했다. 이 기술은 제품의 소형화, 경량화 가능 및 휴대 간편 제품을 생산하는데 목적이 있다.

15 ② 초고층 빌딩은 GPS의 도움을 받아서 건물의 흔들림을 실시간 진단하고, 시공 단계에서 GPS 측량을 이용해 건물이 수직으로 오차 없이 건설 되는지 확인 할 수 있다.

16 ② 첨단 생명 기술을 활용해 의료 기술이 발달 하고 있다. 유전자 수준의 질병 진단과 치료가 가능해졌고, 줄기세포 연구를 통해 손상된 세포나 조직의 복원, 난치병 치료와 관련된 의료 기술이 연구 되고 있으며, 생명 기술을 활용한 바이오 의약품이 대량으로 제조되고 있다. 제조 기술과 융합하여 로봇을 활용한 진단 검사 및 치료·수술 등 의료 기술이 발달하고 있으며, 정보 통신 기술과 융합하여 원격 의료 시대를 맞이하고 있다.

17 ④ 플러그인 하이브리드 자동차는 단거리에서는 충전한 전기로 주행하다가 전기가 모두 소모되면 내연 기관을 이용하는 자동차이다. 전기 자동차보다 주행 거리가 길고, 일반 하이브리드 자동차보다 연비가 높다.

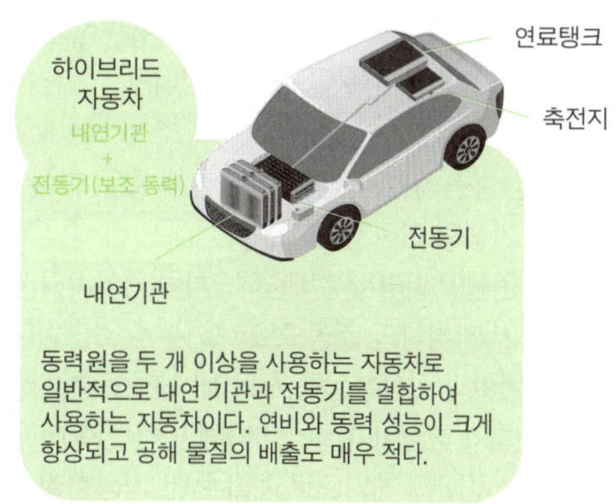

동력원을 두 개 이상을 사용하는 자동차로 일반적으로 내연 기관과 전동기를 결합하여 사용하는 자동차이다. 연비와 동력 성능이 크게 향상되고 공해 물질의 배출도 매우 적다.

단거리에서는 충전한 전기로 주행하다가 전기가 모두 소모되면 내연 기관을 이용하는 자동차이다. 전기 자동차보다 주행거리가 길고, 일반 하이브리드 자동차보다 연비가 높다.

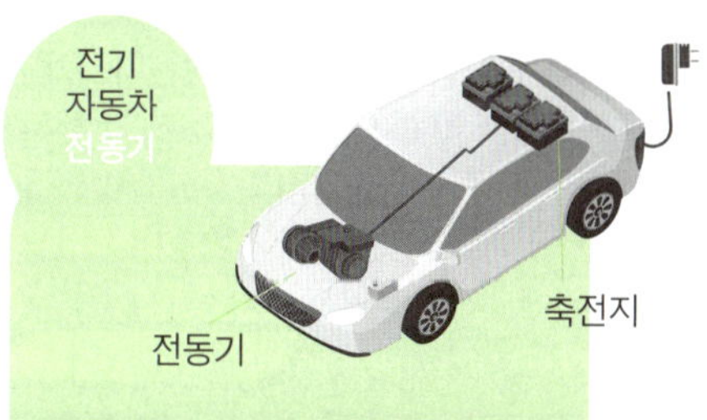

동력원으로 전동기만 사용해서 움직이는 자동차이다. 공해물질을 배출하지 않고, 변속기 등의 장치가 없어서 구조가 간단하다.

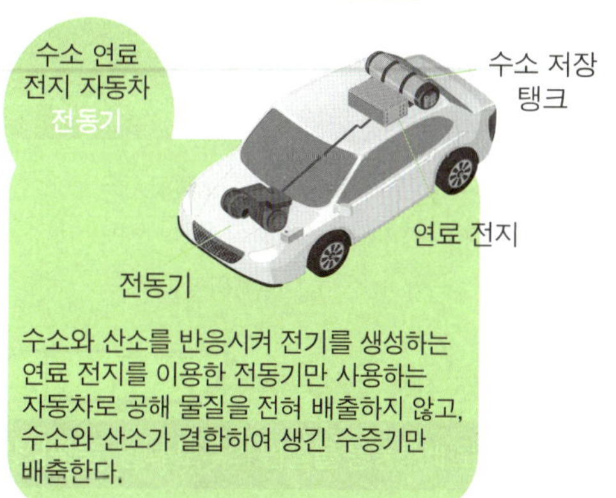

수소와 산소를 반응시켜 전기를 생성하는 연료 전지를 이용한 전동기만 사용하는 자동차로 공해 물질을 전혀 배출하지 않고, 수소와 산소가 결합하여 생긴 수증기만 배출한다.

18 | ③ 우주 정거장은 우주 개발과 탐사에 필요한 연구 기지로 활용되고 있다. 지구 궤도에 건설 해서 사람이 그 곳에서 생활 하면서 우주선을 정비하거나 우주 관측 및 실험을 한다.

19 | ④ 가상현실은 자신(객체)과 배경·환경 모두 현실이 아닌 가상의 이미지를 사용하는데 반해, 증강현실은 현실의 이미지나 배경에 3차원 가상 이미지를 겹쳐서 하나의 영상으로 보여주는 기술이다. 증강현실과 가상현실은 서로 비슷한 듯 하지만 그 주체가 허상이냐 실상이냐에 따라 명확히 구분된다. 컴퓨터 게임으로 예를 들면, 가상현실 격투 게임은 '나를 대신하는 캐릭터'가 '가상의 공간'에서 '가상의 적'과 대결하지만, 증강현실 격투 게임은 '현실의 내'가 '현실의 공간'에서 가상의 적과 대결을 벌이는 형태가 된다. 그러므로 증강현실이 가상현실에 비해 현실감이 뛰어나다는 특징이 있다.

20 | ① 산업 재해는 산업 현장에서 사고가 원인이 되어 나타나는 인명이나 재산상의 손실을 말한다. 끼임은 기계류의 동작부 등 움직이는 물체에 신체 일부분이 끼이는 재해로 회전기계를 사용 할 때, 면장갑을 착용 하면 안된다. 그리고 정비 및 수리를 할 때는 꼭 기계가 정지 했는지를 확인 하고 진행 해야 한다.

개념 더보기 — 산업 재해 유형과 예방법

맞음

날아오거나 떨어지는 물체에 맞아 발생하는 재해

예방법
- 중량물 적재 시 과도한 높이는 삼간다.
- 크레인에 손상된 줄을 사용하지 않는다.

무너짐
건축물이나 쌓인 물체가 무너져 발생하는 재해

예방법
- 계획에 맞는 시공 및 안전 시설물을 설치한다.
- 차량 적재 시 적재물이 고정되어 있는지 점검 후 출발한다.

화재 및 폭발

불 또는 인화성 물질의 취급 부주의에 의해 발생하는 재해

예방법
- 인화성 물질 취급 및 설비 작업 시 누출이 없도록 사전에 점검을 철저히 한다.
- 용접 작업 시 소화기를 비치한다.

질식

유독 가스에 의해 호흡이 곤란하여 발생하는 재해

예방법
- 작업 전에 안전 장비를 구비하고 감독관을 배치한다.
- 작업 전에 가스 농도를 측정하고 환기를 실시한다.
- 작업 중에도 지속적으로 환기하고, 가스 농도를 측정한다.

떨어짐

높은 곳에서 떨어져 신체적 상해를 입는 사망률이 가장 높은 재해

예방법
- 안전시설을 설치한다.
- 안전대, 안전모 등 개인 보호구를 착용한다.
- 근로자는 이동 시 적재함에 타지 않는다.

넘어짐

정리 정돈이 되지 않은 곳에서 미끄러지거나 물건에 걸려 넘어지는 재해

예방법
- 통로를 확인하고 정돈을 한다.
- 물건 운반 시 주위를 확인한다.
- 작업장 바닥과 계단을 청결하게 한다.

끼임

기계류의 동작부 등 움직이는 물체에 신체 일부분이 끼어지는 재해

예방법
- 면장갑은 착용하지 않고, 복장을 단정하게 한다.
- 위험 장소에 출입하지 않는다.
- 방호 장치를 해체하지 않는다.

부딪힘

시야가 확보되지 않은 채 움직이는 물체에 의해 부딪히는 재해

예방법
- 지게차 운행 시 시야를 확보하고 과속하지 않는다.
- 화물차 운행 시 유도자를 배치한다.
- 작업 변경 내에서 동시 작업을 하지 않는다.

21 | ① 한국 산업 규격 에서는 척도를 제도나 도면에서 도형 크기(길이)와 대상물의 크기(길이)와의 비율로 규정하고 있다. 실물과 동일하게 그릴 경우의 척도를 '현척'이라고 하며, 실물보다 큰 크기로 그릴 경우는 '배척'이라고 한다. 실물보다도 작은 크기로 그릴 경우의 척도를 '축척'이라고 한다. 척도의 표시 방법은 A:B로 인데, A는 그린 도면에서의 대응하는 길이고, B는 실물 크기이다.

1) 배척

   2:1, 5:1, 10:1, 20:1, 50:1, 100:1, 200:1, 500:1 등

2) 현척

   1:1 등

3) 축척

   1:2, 1:5, 1:10, 1:20, 1:50, 1:100, 1:200, 1:500 등

22 | ③ 물체의 보이지 않는 부분을 나타내는 선은 숨은선이라고 하는데 - - - - - - - - - - - 이렇게 그린다.

개념 더 보기 선의 종류와 용도

종류		모양	명칭	용도
실선	굵은 실선	——	외형선	물체의 보이는 부분을 나타내는선
	가는 실선	——	치수선, 치수 보조선, 지시선	치수, 기호, 참고사항 등을 나타내는 선
		〜〜	파단선	물체의 일부를 잘라 낸 경계를 나타내는 선
		⫽⫽⫽	해칭선	단면도에서 물체의 절단면을 나타내는 선
파선		- - - - -	숨은선	물체의 보이지 않는 부분을 나타내는 선
1점 쇄선		- · - · -	중심선	물체 및 도형의 중심을 나타내는 선
2점 쇄선		- ·· - ·· -	가상선	물체가 움직인 상태를 가상하여 나다내는 선

23 | ① 표준이란 제품과 부품의 치수·성능·재질·사용 방법 등에 통일된 기준을 말하며, 사회 활동과 산업 활동을 하는 데에 효율성과 편의성을 높이기 위해 일정한 기준과 규칙을 만드는 것이다. 표준 특허는 표준화 기구에서 제정한 표준 규격을 포함한 특허로, 해당 특허를 침해하지 않고는 제품의 생산, 판매, 서비스를 제공하기 힘든 특허를 말한다. 표준 특허는 표준으로 정해진 기술을 후발 주자로부터 보호하고, 표준 특허에 따른 로열티를 받게 함으로써 지속적인 수익을 창출할 수 있도록 해 준다.

24 | ③ 특허권은 발명자가 발명품을 독점적으로 이용할 수 있도록 부여한 권리, 특허출원일로부터 20년간 권리가 보장된다. 디자인권은 물건의 형상, 색채, 질감 또는 이것들을 결합한 것, 즉 외관이나 디자인을 보호하는 권리, 등록일로부터 20년간 존속된다.

25 | ② 사회적 측면에서 지속 가능한 발전 방안은 기술 발달이 우리 사회에 미칠 영향을 고려하여 제시되어야 한다. 기술 발전을 지속하기 위해서는 우리 사회가 누릴 혜택을 극대화하면서 이러한 발전이 가져올 수 있는 윤리적인 문제와 사회의 변화를 고려한 방안을 생각해야 한다. 모든 인간은 차별 없이 빈곤이나 기아로부터 벗어나도록 서로가 협력해야 하고, 인권을 존중하고 사회적 불평등 구조를 개선 해야 하다.

개념 더 보기 지속 가능한 발전 방안

01	③	02	①	03	②	04	③	05	④
06	③	07	③	08	②	09	③	10	①
11	④	12	②	13	④	14	③	15	①
16	①	17	④	18	②	19	③	20	①
21	②	22	①	23	④	24	②	25	④

01 | ③ 임신의 첫 징후로 월경이 중단 된다. 입덧이 시작되고 쉽게 피로해 진다.

⚠ 선지 더 알아보기

오로:출산시 자궁과 산도에 상처가 생겨 혈액이 섞인 분비물이 나오는 현상
이슬:출산의 징후 중 하나로 자궁 입구의 점액성 양막의 일부가 떨어지면서 혈액이 섞인 분비물이 나온다.
파수:출산의 징후 중 하나로 태아를 싸고 있던 양막이 터지면서 양수가 질을 통해 흘러나온다.

02 | ① 임신 중에는 정기 검진, 균형 잡힌 영양 섭취와 체중 조절, 적당한 운동과 휴식, 태교 등이 필요하다. 임신 28주까지는 월 1회, 36주까지는 월 2회, 36주이후에는 매 주 정기 검진을 받아 임신부와 태아의 건강 상태를 확인한다. 질 좋은 단백질과 칼슘, 철, 비타민 등을 충분히 섭취하고, 적정 체중을 유지한다. 임신 후기에 적당한 운동은 순산에 도움을 주므로 걷기, 스트레칭 등을 하고, 과로를 피하며, 충분한 휴식과 수면을 취한다. 말, 행동, 마음가짐 등을 바르게 하고, 긍정적이고 즐거운 생각으로 정서적 안정을 이루어 태아에게 신체적·정서적·심리적으로 좋은 영향을 주도록 한다.

03 | ② 신생아기는 출생부터 4주까지의 시기이다. 새로운 환경에 적응 해야 하는 시기이므로 신생아의 울음에 적절히 반응하여 기본적인 욕구를 충족시키고, 집중적으로 돌봄으로써 건강한 성장과 발육을 돕는다.

🔍 개념 더 보기　신생아기

1) 신생아의 생리적 특징

태변 배설:생후 1~2일경 암녹색의 끈적끈적한 태변을 보고, 며칠이 지나면 정상적인 변을 본다.
신생아 황달:간 기능이 미숙하여 눈동자와 피부가 노란색을 띠는 증상으로, 생후 2~3일경 나타나며, 일주일 정도 지나면 사라진다.
생리적 체중 감소:태변 배설, 피부의 수분 증발 등으로 생후 3~4일 동안 체중이 감소하다가 8~9일경 회복된다.

2) 신생아 돌보기

수유하기:신생아의 영양에는 모유가 좋으며, 수유 시 신체 접촉을 하면서 눈을 맞추면 아기는 정서적 안정감을 느끼고 친밀감과 신뢰감을 형성하므로 품에 안고 먹이도록 한다. 수유 후에는 아기를 세워 안아 등을 가볍게 쓸어 주어 트림을 시켜 준다.
재우기:하루 20시간 정도 잠을 자므로 방 안의 온도는 22~24℃, 습도는 40~60% 정도로 쾌적하게 유지하고 시끄럽지 않도록 하여 편안하게 충분히 잘 수 있도록 해 준다.
안기:신생아는 목을 스스로 가누지 못하므로 아기를 안을 때는 한 손으로 목을 받쳐준다.
목욕시키기:목욕은 신생아의 피부를 청결하게 하고 신진대사를 돕는다. 목욕 시간은 10분 이내로 하고, 물의 온도는 38~40℃가 적당하다.

04 | ③ 영아기는 출생 후 1개월~24개월까지로, 신체 발달이 급격하게 이루어지고 안정적인 애착 형성이 중요한 시기이다.

🔍 개념 더 보기　영아기

1) 운동기능 발달

3~4개월:목을 가눈다.
7~8개월:혼자 앉는다.
9~10개월:물건을 잡고 선다.
13~15개월:혼자 걷는다.
24개월:달린다.

2) 언어 발달

출생~2개월 : 울음으로 의사를 표현한다.

3~5개월 : 옹알이를 한다.

6~8개월 : '마', '다' 등의 단음절 소리를 낸다.

12개월 : 한 단어로 말한다.

12~24개월 : 두 단어로 말한다.

3) 사회성 발달

애착

: 양육자에 대해 강한 친밀감과 유대감을 느끼면서 애착 관계를 형성한다.

격리 불안

: 생후 6~8개월경 애착 대상에게서 떨어지면 불안해 하고, 낯선 사람에게 낯가림을 하며, 12개월경 가장 심해 졌다가 서서히 감소한다. 양육자가 안정 되고 일관적인 태도로 돌보면서 애착 관계를 형성하면 낯가림과 격리 불안이 점차 사라지고 사회성이 발달한다.

4) 정서 발달

생후 2~3개월경

: 쾌감·불쾌감의 감정이 분화된다. 성장하면서 분화되며, 기쁨, 슬픔, 분노, 공포 등 복잡한 정서가 발달한다. 만 2세 경에는 공감, 질투, 당황 등 대부분의 정서가 발달한다.

05 | ④ 과잉보호적 태도의 부모는 자녀에게 지나친 관심과 애정을 주며, 사소한 일도 걱정 하고, 자녀가 스스로 할 수 있는 일까지 대신 해 준다. 이러한 태도로 양육된 아이들은 정서적으로 미숙하고, 사회적 책임감이 낮다. 충동적이거나 반항적이고 독립심이 부족하다.

06 | ③ 결혼 직후부터 첫 자녀 출산 전까지의 시기를 가족 형성기라고 부르고, 새로운 가정과 역할에 적응한다. 가정 생활에 필요한 기본 규칙을 세우고, 장기적인 가족 계획과 경제 계획을 세운다.

07 | ③ 지속 가능한 소비의 실천 방법 중 하나로 로컬소비가 있다. 로컬소비란 지역에서 생산된 상품과 서비스를 구매하는 것으로 지역 사회에 도움을 준다.

08 | ② 영·유아는 신체 기능 발달이 미숙하고 상황에 대한 판단이나 대처 능력이 부족하여 항상 사고 위험에 노출되어 있다. 유모차에서는 안전 띠를 채워야 하고, 위험한 물건은 아기의 손이 닿지 않는 곳에 둔다. 화장실 바닥에 미끄럼 방지 테이프를 붙여서 미끄러지는 일을 미리 예방하는 것이 좋다.

 **영, 유아기 생활 안전사고 예방법**

영·유아 질식사고

- 영·유아의 질식은 줄에 의한 것, 삼킴으로 인한 것, 침구류에 의한 것 등 다양한 원인으로 발생한다.
- 질식은 뇌에 산소 공급을 막아 시간이 지나면 영구적인 장애나 사망에 이르게 할 가능성이 크므로 항상 아이에게 세심한 주의를 기울여야 한다.

예방과 대처 방안

- 항상 아이 주변에서 관찰 하기
- 삼킬 만한 작은 물건은 치우기
- 길게 늘어진 줄은 정리하기
- 폭신한 침구 사용하지 않기
- 응급 상황 발생 시 119에 신고하고 심폐 소생술, 기도 이물 폐쇄 응급 처치법 등을 실시하기

화상 사고

- 화상 사고는 열 기기나 전기 기기 등의 사용 과정에서 발생한다.
- 화상 사고는 영·유아 안전사고 중 큰 비중을 차지하며, 성인도 부주의로 발생하기 쉬우므로 항상 유의해야 한다.

예방과 대처 방안

- 전열기를 아이 손에 닿지 않는 곳에 두기
- 조리 시 도구 손잡이는 안쪽으로 두기
- 젖은 손으로 전기 제품 사용 하지 않기
- 쓰지 않는 플러그는 뽑아 두고, 콘센트 안전 덮개 사용하기
- 화상 입었을 경우 응급처치 하고 병원에 가기

유모차 사고

- 유모차 사고는 영·유아가 유모차에서 떨어지거나 유모차가 넘어져서 생기는 사고가 주를 이루고, 신체 일부가 유모차에 끼이거나 부딪히는 사고도 일어난다.
- 이러한 사고의 원인은 유모차의 결함 때문인 경우도 있지만, 대부분 보호자의 부주의가 원인이므로 보호자의 안전 의식이 매우 중요하다.

예방과 대처 방안

- 펼친 상태를 고정해 주는 잠금 장치를 하고, 안전띠 채우기
- 아이를 태운 채 유모차를 들고 계단 등을 오르내리지 않기
- 아이를 유모차에 혼자 두거나 어린 형제자매에게 유모차 맡기지 않기
- 유모차를 접기 전에 아이의 위치를 확인하여 끼임 사고 방지하기

09 | ③ 1년 중 밤이 가장 긴 날은 동지이다. 동지 때는 팥죽을 먹는다.

 **전통 시절식**

> 설날(음력 1월 1일) : 떡국 / 새해를 시작하는 날
> 정월 대보름(음력 1월 15일) : 부럼, 묵은 나물 / 가장 달이 밝은 날
> 삼짇날(음력 3월 3일) : 진달래화전 / 제비가 돌아오는 날
> 복날(음력 6, 7월) : 초복, 중복, 말복 삼계탕 / 더위에 지친 몸을 보양
> 추석(음력 8월 15일) : 송편 / 햇곡식으로 자연에 감사, 조상에 감사 제사
> 동지(음력 11월 중) : 팥죽 / 밤이 가장 긴 날

10 | ① 한옥에서 온돌은 아궁이에 불을 지퍼 구들장의 열기로 방바닥을 데우는 난방 방법이다.

11 | ④ 우리나라 결혼의 법적 요건은 결혼에 대한 당사자의 합의가 있어야 하며, 남녀 모두 만 18세 이상이여야 하는데 만 18세는 부모나 후견인의 동의가 필요하다. 그리고 중혼이 아니어야 하고, 8촌 이내 혈족 간의 근친혼도 아니어야 한다. 증인 2명의 서명을 받아 혼인 신고를 한다.

12 | ② 노년기에는 온도 차에 대한 감각 능력이 저하되고, 척추의 길이가 줄어 신장이 감소한다. 피부의 탄력성이 감소해 주름이 생기고, 골밀도가 낮아져 골절이 일어날 가능성이 높아서 작은 사고라도 조심 해야 한다.

13 | ④ 투자의 경우 수익성, 안정성, 환금성 등을 고려해야 한다. 원금과 이자가 보전되는 것이 안정성이고, 돈이 필요 할 때 현금화 할 수 있는 것이 유동성 즉 환금성이다.

14 | ③ 융합 기술이란 정보 통신 기술, 생명 공학 기술, 나노 기술 등의 첨단 기술이나 학문 분야가 하나로 합쳐지는 것을 말한다.

15 | ① 메커트로닉스는 기계(mechanics)와 전자(electronics)의 융합 기술로서, 지능형 로봇, 반도체와 디스플레이 제조 장비, 각종 자동화 장비 산업의 기반이 되는 기술이다. 오늘날 제조 과정에서는 정보 통신 기술과의 융합을 통해 설계 · 생산 · 설비 · 제조 · 유통 · 서비스에 이르는 제조 기술의 모든 과정이 자동화되고 있다. 그래서 인간의 노동력이 최소화 되고 있다.

16 | ① 모듈러 하우스는 표준화된 실내 공간을 모듈 형태로 공장에서 제작해 현장으로 운송 · 조립해 완성하는 건축 기법이다. 제작 순서는 공장에서 모듈을 제작하고 제작한 모듈을 차량으로 운반해 크레인으로 모듈을 설치하고 현장에서 모듈을 조립한다.

17 | ④ 유전자 가위란 원하는 유전자만을 골라서 활용할 수 있는 기술을 말하며 유전자 편집 기술이라고도 한다.

18 | ② 전기자동차는 동력원으로 전동기만 사용해서 움직이는 자동차이다. 공해 물질을 배출하지 않고, 변속기 등의 장치가 없어서 구조가 간단하다.

19 | ③ 인공 지능이란 컴퓨터가 인간의 지능적인 행동을 모방할 수 있도록 하는 기술로, 다양한 상황에 맞는 판단을 하거나 스스로 학습하는 능력을 지녔기 때문에 활용 가치가 매우 크다.

⚠ **선지 더 알아보기**

> **그래핀** : 가볍고 강도가 강하며 유연성을 갖춘 신소재로 투명하고 휘어지는 디스플레이를 만들 수 있다.
> **틸트로터** : 헬리콥터와 비행기의 장점을 결합한 항공기로 프로펠러를 수직으로 세워 헬기처럼 이착륙한다.
> **3D프린터** : 3차원 모델링 소프트웨어를 이용하여 설계한 3차원 도면을 바탕으로 재료를 열에 녹여서 한 층 씩 쌓아올리면서 제품을 만드는 첨단 제조 기술 중 하나이다.

20 | ① 떨어짐은 높은 곳에서 떨어져 신체적 상해를 입는 사망률이 가장 높은 재해이다. 이 재해를 예방 하기 위해선 안전 시설인 안전 난간과 보호망을 설치 하고, 안전대, 안전모 등 개인 보호구를 착용 해야 한다.

21 | ② (가)는 C이고, (나)는 t 이다. 치수는 물체가 완성 되었을 때의 크기를 나타낸 것으로, 치수를 기재 할 때는 도면을 읽는 사람이 쉽고 명확하게 알 수 있도록 해야 한다. 길이 단위는 mm를 사용하며, 단위 기호는 생략 한다. 치수선, 치수 보조선, 지시선, 치수 보조 기호 등을 사용하며, 가는 실선으로 긋는다.

개념 더 보기 — 치수 보조 기호

기호	용도
R	반지름
t	판의 두께
C	45° 모따기
Ø	지름
□	정사각형의 변

22 | ① 우측면도는 물체의 정면을 기준으로 우측에서 본 모양을 나타낸 그림이다.

개념 더 보기 — 정투상법

물체의 정면, 평면, 측면에서 본 모양을 각각 따로 그려서 물체를 나타내는 방법으로, 일반적으로 제 3각법으로 그린다.
평면도 : 물체의 정면을 기준으로 위에서 본 모양을 나타낸 그림이다.
정면도 : 물체를 정면에서 본 모양을 나타낸 그림으로, 물체의 특징을 가장 잘 나타낼 수 있는 방향을 정면으로 선정한다.
우측면도 : 물체의 정면을 기준으로 우측에서 본 모양을 나타낸 그림이다.

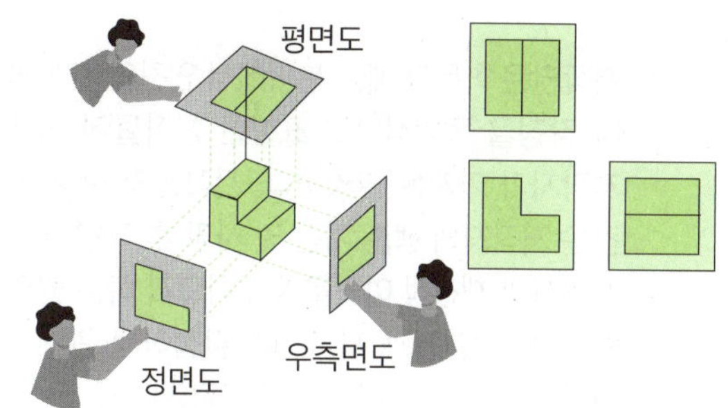

23 | ④ 기술 연구 개발 과정은 소비자 요구 분석→아이디어 구상 및 설계→시제품 제작→시험 및 평가→생산 설계→제품 생산이다.

개념 더 보기 — 기술 연구 개발 과정 각 단계에서의 표준화

1) **기초연구** : 시장조사를 통한 소비자의 요구를 객관적으로 파악하여 이를 올바르게 활용하기 위해 표준화된 검사도구를 만들어 활용한다.
2) **기술 개발**
   - 사람들의 기술, 지식, 경험, 노하우 등을 공유하기 위해 표준화된 의사소통 체계가 필요하다.
   - 아이디어를 구체화하여 도면으로 표현할 때에는 도면 작성 방법, 도면의 기호 등을 표준화해야 제품을 만들면서 혼란이 발생하지 않는다.
3) **시제품 개발** : 표준화 된 재료, 도구, 방법 등을 이용하여 시제품을 만든다.
4) **제품화 문제점 평가** : 제품의 성능을 확인하기 위해 신뢰성 있고 표준화된 검사 방법을 사용한다.
5) **제품 개발** : 본격적으로 제품을 대량 생산하는 제품 개발 단계에서는 부품뿐만 아니라 작업 순서, 방법 등의 생산 방식을 표준화하여 제품 생산에서의 혼란을 방지하고 완성된 제품에서 불량이 나지 않도록 한다.

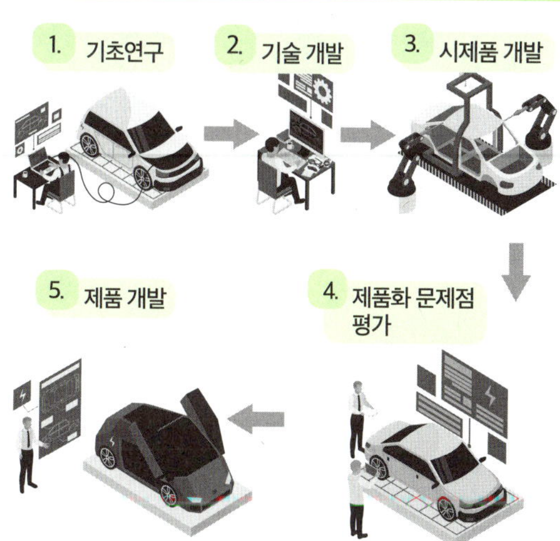

24 | ② 저작권은 학문과 예술 분야에서 인간의 사상이
나 감정을 독창적으로 표현한 창작물에 대해
저작자가 가지는 권리이다. 저작권의 보호 기
간은 저작자의 생존 기간 및 사망 후 70년이다.
저작자의 재산적 이익을 보호하고자 하는 권리
인 저작 재산권과 저작자와 밀접하게 관계된
자가 소유 하는 권리인 저작 인접권이 있다.

25 | ④ 지속 가능한 발전이란 환경의 수용 능력을 고
려하여 그 범위 내에서 개발하고, 미래 세대에
필요한 개발의 가능성을 손상시키지 않으면서
현재의 발전을 추구하는 것을 말한다. 이 그래
프는 신재생 에너지 생산량 증가 그래프로 모
두를 위한 에너지 보장이 목표라고 할 수 있다.

01	②	02	③	03	②	04	①	05	③
06	④	07	③	08	①	09	③	10	①
11	④	12	③	13	③	14	③	15	①
16	④	17	①	18	②	19	④	20	③
21	④	22	②	23	①	24	②	25	①

01 | ② 영아기는 출산 직후 1개월부터 24개월까지이다. 이 시기에 이유식을 먹고 배변 훈련을 시작한다. 생후 6개월 이후부터는 모유나 분유만으로 영양을 충분히 공급할 수 없으므로 이유식을 시작 한다. 배변 의사를 표시할 수 있는 18개월 이후에 서서히 배변 훈련을 시작하며, 개인차를 고려한다.

02 | ③ 지속 가능한 소비 생활 실천 방법에는 지역에서 생산된 상품과 서비스를 구매하여 지역 사회에 도움을 주는 로컬 소비가 있다. 불필요한 소비를 줄일 뿐만 아니라 간소한 삶을 지향하고, 필요 하지 않는 물건은 기부한다.

03 | ② 방임형 양육 태도를 가진 부모는 규칙이나 통제가 없고, 자녀에게 무엇이든 허용하며, 자녀가 제멋대로 하도록 내버려 둔다. 이러한 양육을 받은 자녀는 자기 통제력이 낮고, 충동적이고 공격적이며 권위를 무시한다.

04 | ① 배우자 선택 여과망 이론 중 2단계인 매력 여과망은 인성, 외모, 능력 등에 매력을 느끼며 호감을 갖는 상대를 선택한다.

우드리의 배우자 선택 여과망 이론

05 | ③ ㄱ은 질이고 여성의 생식 기관의 하나로서 자궁과 외부를 연결하는 통로이다. 사정된 정자가 여자의 몸 속으로 들어오는 길이고, 출산시 아이가 나가는 길이다. ㄴ은 자궁이고 여성의 생식 기관의 하나로서, 수정란이 착상 후 태아가 되어 출생할 때까지 자라는 곳이다. ㄷ은 수란관으로 난소와 자궁 사이를 연결하는 부위로 난소로부터 난자를 수집하고 수정이 이루어지며 수정란을 자궁으로 보내는 여성의 생식기관이다.

임신의 과정

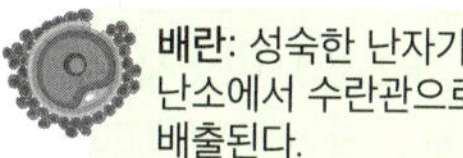
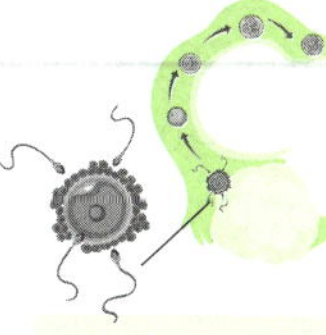
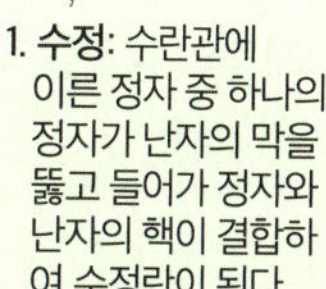

06 | ④ 한옥에서 대청마루는 통풍구조이다. 적절한 높이의 마루는 지면으로부터 떨어져 있어 통풍이 가능하고 땅에서 올라오는 습기를 막아 쾌적하다. 창과 문의 창호지는 습도 조절, 단열 및 통풍 효과가 있고, 방 안으로 들어오는 햇빛을 은은하게 만들어 준다.

07 | ③ 설날(음력 1월 1일)은 새해를 시작하는 날이고 떡국을 먹는다. 정월 대보름(음력 1월 15일)은 가장 달이 밝은 날이고 부럼, 묵은 나물을 먹는다. 추석(음력 8월 15일)은 햇곡식으로 인해 자연에 감사, 조상에 감사 제사를 드리고 송편과 토란탕을 먹는다.

08 | ① 아들과 아버지의 대화를 통해 아들은 현실 도피를 위해 결혼을 생각하고 있다.

개념 다지기 결혼의 부정적 동기

> 사회적 압력, 순간적인 열정, 외로움에서의 도피, 명예나 지위 상승의 수단, 사랑의 실패에 대한 반발, 불행한 가족이나 환경으로부터의 도피

09 | ③ 일본의 전통 의상인 기모노는 직선으로 재단된 형태로, 품에 여유가 있고, 앞이 트여 있어 앞자락을 포개어 여미어 입는다. 기모노의 일종인 유카타는 간편한 평상복으로, 목욕 후나 여름철 가정에서 입고, 여름 축제에 입기도 한다. 일본은 생선, 채소, 콩을 이용한 음식이 발달하였다. 맛이 담백하고, 음식의 색·모양·향기 등의 조화와 변화를 중요시한다. 식사 전후에 인사하고, 젓가락만 사용하여 그릇을 들고 먹는다. 대표 음식에는 스시(초밥), 미소시루(된장국), 돈부리(덮밥), 사시미(생선회), 덴푸라, 스키야키, 우동, 낫토 등이 있다. 일본은 고온 다습한 기후 때문에 환기와 통풍을 중요하게 여겨 바닥으로부터 공간을 띄워 지으며, 골풀로 엮어 만든 다다미를 바닥에 깐다. 지진에 대비하여 유연성이 좋은 목조 주택이 많고, 집 높이를 낮게 짓는 편이다. 또한, 지붕의 경사를 급하게 하여 다우와 다설에 대비하였다.

10 | ① 0~5세 유아를 대상으로 어린이집 보육료를 지원하여 양육의 부담을 덜어주는 복지 서비스가 있다.

개념 다지기 가정 생활 복지 서비스

보육료 지원	0~5세 유아를 대상으로 어린이집 보육비를 지원한다.
고등학교 학비 지원	저소득 가구의 고등학생 자녀를 대상으로 입학금, 수업료 등을 지원한다.
영·유아 건강 검진	만 6세 미만 영·유아는 무료 건강 검진을 지원한다.
어린이 예방 접종 지원	만 12세 이하 영·유아 어린이를 대상으로 무료로 국가 예방 접종을 지원한다.
양육 수당	보육 시설을 이용하지 않고 가정에서 양육하는 가정에 보육료를 지원한다.
문화 누리 카드	다양한 문화 예술 프로그램의 관람, 음반 및 도서 구입 등을 이용할 수 있는 카드를 제공한다.
아이 돌봄 서비스	시간제 돌봄 서비스 : 임시적으로 3~12세 아동의 집에 방문하여 등, 하원 동행 등 돌봄을 제공한다.
	영아 종일제 돌봄 서비스 : 생후 3~24개월 영아를 대상으로 보육 서비스를 제공한다.
예비부부 건강 검진	보건소에서 예비부부의 건강 검진을 무료로 시행하여 건강한 임신과 출산을 지원한다.
맞춤형 기초 생활 보장	부양 의무자가 없거나 저소득 부양 의무자 가족에게 의료, 생계, 주거, 교육 급여를 지원한다.
결혼 이민 여성 인턴	결혼 이민 여성의 재능과 특성을 살린 일자리를 연계해 주고, 직장 체험 기회를 제공한다.
다문화 보육료 지원	어린이집을 이용하는 다문화 가정의 영·유아 자녀에게 보육료를 지원한다.

11 | ④ 현재 재무 상태를 평가 할 때는 수입, 지출, 투자 상태, 보험, 저축액 등을 확인 한다. 수입과 지출은 정기적인 것과 일시적인 것으로 나누어 파악하고, 재산을 파악할 때는 부채를 고려한다.

가계 재무 설계 과정

가계 재무 상태의 평가
:가계의 수입, 지출, 자산, 부채, 가입한 금융 상품의 정보로 재무 상태 평가

가계 재무 목표의 설정
:개인과 가족의 생애 주기에 맞추어 재무 목표의 우선순위와 기간별 재무 목표를 설정

계획의 수립과 실행
:목표 금액에 달성하는 방법과 금융 상품의 종류 등을 구체적으로 계획하고 실행

검토와 수정
:재무 목표 달성 정도를 점검하고 문제점을 파악한 후 재무 목표와 실행 계획을 수정

12 | ② 기초 연금 제도는 65세 이상의 전체 노인 중 가구의 소득인정액이 선정 기준액 이하인 노인에게 매달 일정액의 연금을 지급하는 제도이다.

노인 연금 제도

국민 연금 제도
:나이가 들어 생업에 종사할 수 없게 되는 경우와 예기치 못한 장애나 사망의 경우에 대비해 의무적으로 보험료를 납부하고, 노령, 장애, 사망시 본인이나 유족에게 연금을 지급하여 생활 안정에 기여하고자 국가에서 시행하는 사회 보장 제도

기초 연금 제도
:65세 이상의 전체 노인 중 가구의 소득인정액이 선정 기준액 이하인 노인에게 매달 일정액의 연금을 지급하는 제도

퇴직 연금 제도
:기업이 근로자가 재직하는 동안 퇴직금을 외부 금융기관에 적립하여 근로자가 퇴직할 때 연금 또는 일시금으로 지급하는 제도

주택 연금 제도
:주택 소유지가 집을 담보로 제공히고, 내 집에 계속 살면서 평생동안 매월 연금을 받을 수 있도록 국가가 보증하는 제도

13 | ③ 하이브리드 자동차의 동력 장치는 엔진과 전동기이다.

14 | ③ 로봇의 제어부는 사람의 두뇌에 해당하며, 정보를 처리하고, 로봇의 센서부는 사람의 오감에 해당하며 정보를 수집한다.

15 | ① 내풍 설계는 건축물에 미치는 바람의 작용에 대해 안전상 또는 사용상 지장이 없도록 골조나 각 부 구조를 설계하는 작업이다.

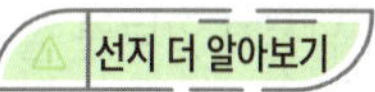

내화 설계 :화재발생시 화재 또는 연소에 대한 저항성을 올려주는 설계

16 | ④ 패시브 기술이란 건물 내에서 사람, 가전제품 등에서 나오는 열과 태양 에너지와 같이 외부에서 유입 되는 열이 밖으로 빠져 나가지 않게 하는 기술이다.

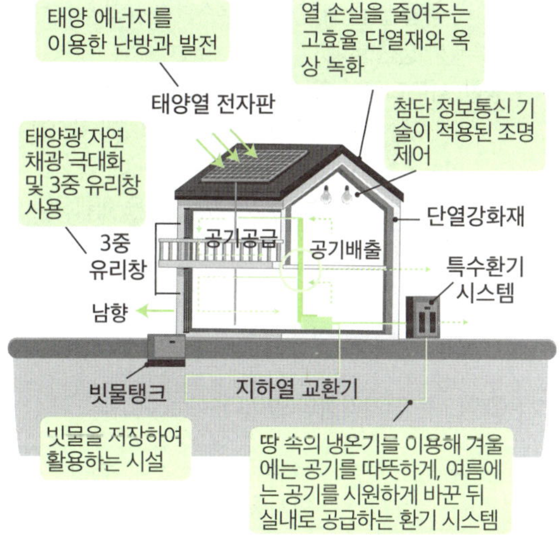

17 | ① 정투상법의 정면도로 나타낼 때, 물체의 보이지 않는 부분을 나타내는 선인 숨은선이 추가로 필요하다.

18 | ② 증기기관은 1차 산업 혁명을 이끈 장치로, 제조업의 기계화로 대량 생산 가능하다.

19 | ④ 클라우드 컴퓨팅은 인터넷(클라우드)을 통해 서버, 스토리지, 데이터베이스, 네트워킹, 소프트웨어, 분석, 인텔리전스 등의 컴퓨팅 서비스를 제공하는 것이다.

20 | ③ 생명 기술과 정보 통신 기술의 융합으로 원격 진료가 가능해졌다. U-헬스는 인터넷, 휴대 전화 등 유·무선 네트워크를 통해 시간과 장소와 관계없이 환자와 병원 및 의료진을 연결하여 실시간으로 건강 진단 및 질병 치료, 예방 등이 가능한 서비스이다.

21 | ④ 유전자 재조합은 생물체의 유전자 일부를 잘라 내고 그 자리에 다른 생물체의 유전자를 결합하는 기술로 원하는 특성을 가진 유전자를 만들어 영양소를 강화하거나 병충해나 재해에 강한 작물을 생산한다.

⚠ **선지 더 알아보기**

조직 배양: 생물체의 세포나 조직의 일부를 떼어 영양 배지에서 분화하고 증식하는 기술로 번식력이 약한 식물, 멸종 위기 식물, 우수한 형질의 식물을 대량 생산한다.
세포 융합: 서로 다른 두 종류의 세포를 융합하여 새로운 잡종 세포를 만드는 기술로 각각의 생물체가 가지고 있는 우수한 형질을 갖도록 품종을 개량한다.
핵 이식: 복제하려는 생물의 체세포에서 핵을 채취하여 이를 핵을 제거한 다른 생물체의 난자에 이식하는 기술로 생물의 복제, 멸종 위기 생물의 보존에 이용한다.

22 | ② □ 는 정사각형의 변이다.

기호	용도	읽기
R	반지름	아르
t	판의 두께	티
Ø	지름	파이
□	정사각형의 변	사각

23 | ① 특허 조건 중 하나인 신규성은 기존에 존재하지 아니한 새로운 것이여야 한다는 것이다. A씨가 특허 출원 하려던 기술이 다른 사람이 이미 등록한 상태라서 신규성 조건을 충족하지 못해 특허 등록을 거절 당했다.

 **특허 조건**

산업상 이용 가능성: 그 발명이 산업상 이용할 수 있는 것
신규성: 기존에 존재하지 아니한 새로운 것
진보성: 종래의 기술보다 개량·진보된 것

24 | ② 스캠퍼 기법은 7가지 질문으로 아이디어를 창출 해 내는 방법이다. 거꾸로 접는 우산은 대체하기로 기존과 다른 시각의 생각을 유발하기 위해 기존의 것을 다른 것으로 **대체**해 만들어진 것이고, 지우개 달린 연필은 두 가지 이상의 것들을 **결합**해 새로운 것을 만드는 결합하기 질문으로 만들어진 도구이고, 무선 마우스는 제거하기 영역으로 원래 있던 마우스의 선을 **제거**해 만들어진 것이다.

⚠ **선지 더 알아보기**

ALU 사고기법
: 다양한 아이디어를 강점(Advantage), 약점(Limitation), 특이한 점(Unique),으로 나누어 살펴보고 최선의 아이디어를 결정하는 기법
평가 행렬법
: 아이디어를 창의성, 실용성, 경제성, 제작 가능성 등 미리 정해 놓은 기준에 따라 체계적으로 평가하는 방법
역브레인 스토밍
: 구상한 아이디어를 실제로 제작하거나 적용했을 때에 발생하는 문제점이나 단점을 미리 생각 해 보는 방법

 **확산적 사고 기법**

확산적 사고 기법: 문제를 확인 하고 이를 해결하기 위한 다양한 아이디어를 내는 발상 기법
1) **브레인 스토밍**: 어떤 구체적인 문제에 대한 해결 방안을 생각할 때, 서로 비판하지 않고, 머릿속에 떠오르는 대로 아이디어를 내게 하는 방법
2) **마인드맵**: 생각지도, 중심 주제로부터 가지에 가지를 계속 붙여 나가면서 생각이나 아이디어를 확장 시켜 시각화 하는 방법
3) **스캠퍼**: 대치하기, 혼합하기, 적용하기, 수정하기, 다른 용도로 사용하기, 제거하기, 재배열하기 등 항목을 제시하여 다양한 아이디어를 발상하도록 하는 방법

SCAMPER 각 알파벳 설명과 활용 예시

SCAMPER 각 알파벳 설명

	아이디어 도출 예시	
Substitute 대체하기	A → B	파스타 소스를 한국식 (된장, 고추장 등)으로 대체하면?
Combine 결합하기	A + B	카페와 독서실을 결합하면?
Adapt 응용하기	A' → A	덥거나 추워도 실내에선 상온을 유지하는 흰개미 집을 건축에 응용하면?
Modify 수정하기	A B → A B	PC방에서 음식을 파는 메뉴와 비중을 확대하면?
Put to other uses 다르게 사용하기	A → ㄱ	제품 포장 용도로 받은 종이박스를 다른 용도로 사용하면?
Eliminate 제거하기	A → ✕	마트에서 계산원을 없애면?
Reverse 반전하기	a b → b a	겉과 속을 뒤집어, 전혀 다른 스타일로 입을 수 있는 옷을 만들면?

25 | ① 특허권은 발명자가 발명품을 독점적으로 이용할 수 있도록 부여한 권리로 특허출원일로부터 20년간 권리가 보장되고 실용신안권은 이미 발명된 제품의 모양이나 구조를 개선하여 편리성을 높인 발명에 주어지는 권리로 출원일로부터 10년간 권리가 보장된다.
(가) 20년 + (나) 10년 = 30년

01	①	02	②	03	④	04	④	05	②
06	③	07	③	08	④	09	②	10	③
11	③	12	①	13	②	14	①	15	①
16	④	17	③	18	①	19	①	20	③
21	②	22	④	23	②	24	①	25	③

01 | ① 스턴버그는 사랑의 삼각형 이론을 주장한다. 사랑의 3요소는 열정, 친밀감, 헌신이다. 친밀감과 열정만 있는 사랑은 낭만적 사랑이다.

⚠ **선지 더 알아보기**

도취적 사랑 : 열정만 있는 사랑
성숙한 사랑 : 헌신, 열정, 친밀감이 있는 사랑
우애적 사랑 : 친밀감과 헌신만 있는 사랑

02 | ② 결혼의 사회적 의의는 사회 구성원을 충원하여 사회를 유지하고 존속시키고, 부부 관계 이외의 성관계를 통제하여 사회의 성 질서를 유지하고, 새로운 가족 문화를 창조하고 계승해 나가는 것에 있다.

03 | ④ 호르몬이 함유된 피임약을 복용하여 배란과 월경을 조절한다. 성관계 후 72시간 이내에 약을 복용하여 임신을 방지하는 사후 피임약도 있다.

🔍 **개념 더 보기** **수태 조절법**

월경 주기법 : 배란일을 예측하여 임신 가능 기간을 진단하는 방법
기초 체온법 : 배란 후 체온이 상승하므로 기초 체온을 측정하여 배란일을 예측하는 방법
먹는 피임약 : 약을 복용하여 배란과 월경을 조절하는 방법
사후 피임약 : 성관계 후 72시간 이내에 약을 복용하여 임신을 방지하는 방법
자궁 내 장치(루프) : 자궁 안에 기구를 삽입하여 수정란의 착상을 막는 방법
난관 수술 : 수란관을 묶거나 절단하여 수정을 막는 방법
콘돔 : 음경에 막을 씌워 정자가 질 내로 들어가는 것을 막는 방법
정관 수술 : 정관을 묶거나 절단하여 정자의 이동을 차단하는 방법

04 | ④ 임신 중에는 정기 검진, 균형 잡힌 영양 섭취와 체중 조절, 적당한 운동과 휴식, 태교 등이 필요하다. 임신 28주까지는 월 1회, 36주까지는 월 2회, 36주이후에는 매 주 정기 검진을 받아 임신부와 태아의 건강 상태를 확인한다. 질 좋은 단백질과 칼슘, 철, 비타민 등을 충분히 섭취하고, 적정 체중을 유지한다. 임신 후기에 적당한 운동은 순산에 도움을 주므로 걷기, 스트레칭 등을 하고, 과로를 피하며, 충분한 휴식과 수면을 취한다. 말, 행동, 마음가짐 등을 바르게 하고, 긍정적이고 즐거운 생각으로 정서적 안정을 이루어 태아에게 신체적·정서적·심리적으로 좋은 영향을 주도록 한다.

05 | ② 신생아기는 출생 후 4주까지의 시기로 신생아의 영양에는 모유가 좋으며, 수유 시 신체 접촉을 하면서 눈을 맞추면 아기는 정서적 안정감을 느끼고 친밀감과 신뢰감을 형성하므로 품에 안고 먹이도록 한다. 수유 후에는 아기를 세워 안아 등을 가볍게 쓸어 주어 트림을 시켜 준다. 하루 20시간 정도 잠을 자므로 방 안의 온도는 22~24℃, 습도는 40~60% 정도로 쾌적하게 유지하고 시끄럽지 않도록 하여 편안하게 충분히 잘 수 있도록 해 준다. 신생아는 목을 스스로 가누지 못하므로 아기를 안을 때는 한 손으로 목을 받쳐준다. 목욕은 신생아의 피부를 청결하게 하고 신진대사를 돕는다. 목욕 시간은 10분 이내로 하고, 물의 온도는 38~40℃가 적당하다.

06 | ③ 세대 간 조화를 이루는 건강한 가족 문화를 실천하기 위해서는 가족 구성원이 서로 원활한 의사소통을 해야 하며, 가족의 역할을 공유하고 분담해야 한다. 또한, 가족이 함께 여가 활동을 하고 가족 고유의 전통을 만들어 나가면서 친밀감과 유대감을 키워야 한다. 세대 간 문화를 이해하고 다름을 존중한다.

07 | ④ 상징적 사고는 물체에 의미를 부여 하고, 자신의 눈 앞에 없는 것을 상상하여 생각 할 수 있다.

서열화 : 사물을 일정한 기준에 따라 분류 하거나 서열화 할 수 있다.
보존개념 : 어떤 물체의 형태가 바뀌어도 양은 변하지 않는 다는 것을 아는 능력

개념 더 보기　유아기 인지발달

상징적 사고 : 물체에 의미를 부여 하고, 자신의 눈 앞에 없는 것 을 상상하여 생각 할 수 있다.
자기중심적 사고 : 자신의 입장에서만 생각 하고, 다른 사람도 자신과 똑같이 생각 한다고 믿는다.
물활론적 사고 : 모든 사물이 살아있다고 생각 한다.
직관적 사고 : 사물의 여러가지 특성 중 한 가지 측면으로 사물을 판단 한다.

08 | ④ 이탈리아는 지중해성 기후로 신선한 육류와 해산물을 이용한 요리, 밀가루를 이용한 파스타 요리가 발달하였다. 토마토, 올리브유, 치즈, 마늘 등을 다양하게 이용한다. 대표 음식으로는 피자(로마식은 얇게 밀어 구운 것, 나폴리식은 두툼하게 밀어 구운 것), 파스타, 리소토 등이 있다.

09 | ② 이 그림을 보면 답은 고름이다

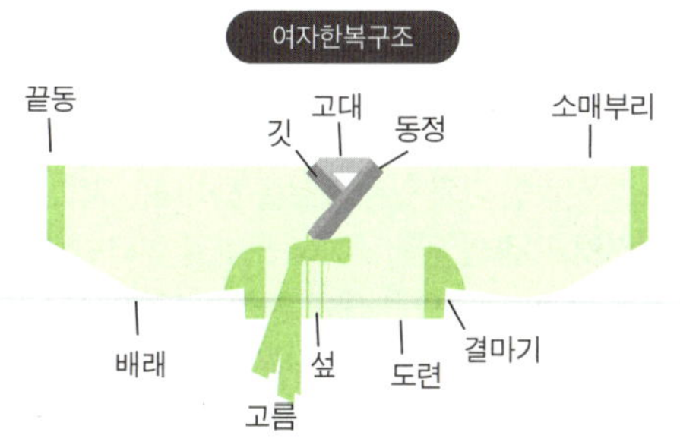

10 | ③ 영유아기는 영유아 검진을 받고, 청소년기는 wee 클래스 상담을 받고, 청장년기는 고용 지원 서비스를 받고 노년기는 기초연금을 받는다.

11 | ③ 가정 경제의 안정을 위협하는 요소로는 결혼, 주택 마련 등 일상적인 소득으로 감당할 수 없는 지출과 가족 구성원들이 처하게 되는 예기치 못한 위험, 노후 생활의 연장, 물가 상승 등이 있다.

12 | ① 가정 축소기는 자녀 독립기이자 노후기이다. 이 시기에는 성인이 된 자녀의 정서적, 경제적 독립 지원하고, 부부 관계 재조명 및 생활 방식을 재정비하면서 은퇴 후 가족생활을 준비 하는 것이 필요하다. 또한, 조부모 역할에 대해 준비하고 적응하고, 신체적 노화에 적응하고 여가 잘 활용한다. 경제적 자원을 안정적으로 관리하고, 배우자, 친구, 자신의 죽음에 대해 심리적으로 준비한다.

13 | ② 노년기의 인지적 특성은 기억력, 주의 집중력, 공간 지각력, 정보 조직력, 귀납적 추리력 등이 저하 되면서 문제 해결이나 새로운 지식 습득이 어려워진다. 그에 반해 통찰력, 공감능력, 이해력, 일상생활의 대처 능력 등이 높아져 삶의 지혜로 나타난다.

14 | ① 엔진의 과열 방지를 위해 냉각수가 필요하다.

개념 더 보기　자동차 안전 요소의 역할

엔진 오일 : 엔진 부품의 마모 방지
냉각수 : 엔진의 과열 방지
에어컨 필터 : 외부에서 유입되는 공기를 자동차 실내로 보내기 전에 공기를 정화함
브레이크 패드 : 브레이크 패드가 마모되면 제동성이 낮아져서 사고 위험률 높음
에어백 : 자동차가 사고로 충격을 받았을 때, 운전자와 동승자의 부상률을 낮춰주기 위해 설치된 공기 주머니
안전띠 : 생명띠라고 불리고, 차량 충돌시 승객을 보호하고 부상을 줄이는 장치

15 | ① 사투상법은 안쪽 길이를 실제 길이의 1/2로 그린다.

사투상법

물체의 정면을 실물과 똑같은 모양으로 그린 후, 각 꼭짓점에서 45°각도로 선을 긋고 물체의 안쪽 길이를 실제 길이의 1/2로 그린다. 경사선의 각은 30°, 60° 등으로 달리하여 나타내기도 한다.

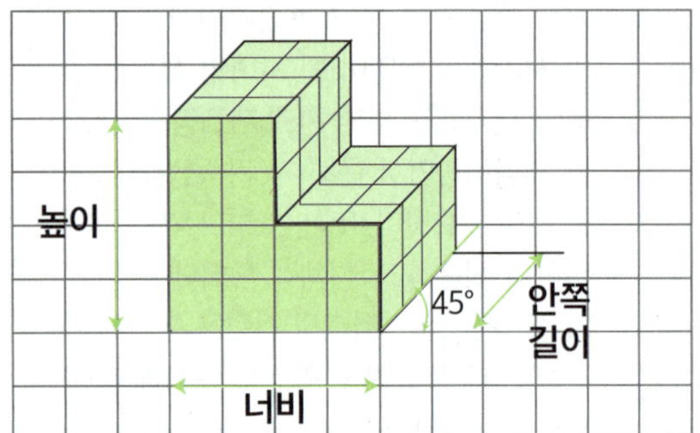

16 | ④ 기술 연구 개발 과정에서 표준화를 하는 목적은 품질의 안정성 향상, 비용 절감, 업무 능률 향상과 통일화, 명확한 정보 전달, 기술 축적과 향상, 기술자의 건강 유지 및 생명 보호이다.

17 | ③ 바이오 센서란 유전공학으로 처리된 미생물과 바이오칩을 더해 만든 것으로 유전자, 암세포, 환경 호르몬 등 특정 물질의 존재 여부를 감지하여 전기, 형광, 발색 등의 신호로 나타낸다.

18 | ① 제도에서 물체의 보이지 않는 부분을 나타내는 선을 숨은선이라고 한다.

파선	굵은 파선	-------	숨은선	물체의 보이지 않는 부분을 나타내는 선
	가는 파선	------------		

19 | ① 자율 주행 자동차는 사람이 직접 운전하지 않아도 다양한 센서로 주변 상황을 인식하고, 인식한 데이터를 처리하며 주행하는 자동차를 말한다. 사물 이동에 필요한 시간 및 비용과 운전 미숙으로 인한 사고가 줄어들어 삶의 질이 향상 될 것이다. 방향 제어, 사물 탐지 및 충돌 방지, 종합 분석 시스템으로 구성 되며 이 시스템이 유기적으로 작동 할 수 있도록 설계 해야 한다. 그래서 카메라, GPS, 전파탐지기, 컴퓨터 등이 필요하다.

20 | ③ 특허란 새로운 발명에 특허권을 부여하여 발명가의 권리를 보호하고 발명을 장려하는 제도이다. 새로운 발명을 한 사람이 국가를 상대로 그 특허의 권리를 요구하는 것이 특허 출원이다.

특허 소멸 : 유효하게 발생한 특허권이 일정한 법정사유에 의해 장래를 향하여 효력이 상실되거나, 소급하여 처음부터 없었던 것으로 보는 것

21 | ② 수송기술의 발달로 더욱 빠르게 이동 할 수 있고, 생명 기술의 발달로 친환경 에너지를 생산 할 수 있는 것은 기술의 발달에 따른 긍정적인 영향이다.

22 | ④ 건축법에 의하면 높이 200m 이상 또는 50층 이상인 건축물을 초고층 빌딩이라고 한다. 초고층 빌딩은 각종 사무 공간과 주거 공간, 쇼핑몰, 병원, 정원 등을 모두 포함하고 있어 작은 도시의 역할을 한다. 초고층 빌딩을 건설하기 위해 지진과 바람에 견디기 위한 첨단 공법이 적용되고 있으며, 지면에서 정확하게 수직으로 빌딩이 건설될 수 있도록 인공위성을 이용한 위성 측량 시스템을 이용하고 있다.

23 | ② 첨단 정보 통신 기술은 정보 기기로 정보를 처리하고 통신하는 기술의 결합으로 빅데이터, 사물 인터넷, 클라우드 컴퓨팅이 있다.

빅데이터 : 많은 양의 데이터에서 빠르게 정보를 추출 및 분석하여 가치 있는 정보를 찾아내는 기술
사물 인터넷 : 기존의 인터넷이나 모바일 인터넷보다 진화된 개념으로 모든 사물, 기기가 지능적으로 정보를 수직하고 다른 사물 또는 사람이 사용하는 기기와 무선 또는 유선 통신을 통해 정보를 주고 받는 것
클라우드 컴퓨팅 : 인터넷(클라우드)을 통해 서버, 스토리지, 데이터베이스, 네트워킹, 소프트웨어, 분석, 인텔리전스 등의 컴퓨팅 서비스를 제공하는 것

24 | ① 변리사는 새로운 기술에 관한 발명이나 디자인, 상표 등의 권리 취득을 위한 법률적, 기술적인 상담과 지원을 해 주고, 그와 관련된 소송을 대신해 주는 지식 재산권 전문 대리인이다. 구체적으로는 특허권을 획득하고자 하는 대상의 설계도, 명세서, 제품 등을 조사·검토하며, 기존 다른 산업 재산권의 침해 여부, 발명이나 고안이 동일한지 혹은 유사한지의 여부를 감정한다. 특허 등록을 위한 문서 작성을 하여 고객과 검토한 후 문제가 없으면 특허권을 출원·청구하기도 하며, 특허 관련 소송이 있는 경우 변론을 하기도 한다.

25 | ③ 적정 기술이란 사회 공동체의 정치적, 문화적, 환경적 조건을 고려하여 해당 지역에서 지속적인 생산과 소비가 가능하도록 만들어진 기술이다. 적정 기술의 조건은 적은 비용이여야 하고, 지역 주민 스스로 만들 수 있어야 한다. 특정 분야의 지식이 없어도 이용 가능 해야 하고 기술을 사용하는 사람들이 해당 기술을 이해 할 수 있도록 사용 방법이 간단 해야 한다. 가능하면 현지에서 나는 재료를 활용하고, 사람들의 협동 작업을 이끌어 내며 지역 사회 발전에 공헌해야 한다.

01	②	02	①	03	④	04	③	05	③
06	④	07	④	08	③	09	①	10	②
11	①	12	④	13	④	14	②	15	④
16	④	17	④	18	③	19	②	20	②
21	①	22	②	23	①	24	③	25	②

01 | ② 스턴버그는 사랑의 삼각형 이론을 주장한다. 사랑의 3요소는 열정, 친밀감, 헌신이다. 친밀감, 열정, 헌신의 세 요소가 조화를 이룬 사랑은 성숙한 사랑이다.

⚠ **선지 더 알아보기**

낭만적 사랑 : 헌신이 없고 열정과 친밀감이 있는 사랑
얼빠진 사랑 : 친밀감이 없고 열정과 헌신이 있는 사랑
우애적 사랑 : 열정이 없고 친밀감과 헌신이 있는 사랑

02 | ① 개인의 성숙 중 경제적 성숙은 부모로부터 독립하여 자신과 가족을 부양 할 수 있는 경제적인 준비가 되어 있어야 한다.

⚠ **선지 더 알아보기**

사회적 성숙 : 사회의 권위와 전통을 존중하고, 원만한 사회 생활에 필요한 기본 지식과 행동 양식을 갖추어야 한다.
신체적 성숙 : 건강한 부부 생활과 자녀 출산 및 양육이 가능하도록 신체적으로 충분히 성숙하고 건강해야 한다.

03 | ④ 부모의 양육태도는 권위적이다. 자녀의 자율성을 인정하지 않고, 부모의 권위를 내세워 자녀를 통제 한다. 이러한 양육을 받은 자녀는 소극적 · 수동적으로 행동하고, 자신감이 부족하다. 청소년기에는 반항적인 행동을 보이기도 한다.

04 | ③ 양수는 외부의 충격으로부터 태아를 보호하며, 태아의 활동과 체온 조절을 돕고, 출산시 산도를 부드럽게 한다.

05 | ③ 영아기에는 양육자에 대해 강한 친밀감과 유대감을 느끼면서 애착 관계를 형성 한다. 항상 아기와 눈을 맞추고 신체 접촉을 하여 안정적인 애착을 형성해야 하며, 이를 통해 영아는 양육자를 의지하고 신뢰하게 된다. 부모에게서 충분한 애정을 받은 아기는 자신감과 호기심을 가지게 되어 인지가 발달하고, 성장 과정에서 좋은 대인 관계를 형성할 수 있다.

06 | ④ 발효식품은 젖산균이나 효모 등 미생물의 발효 작용을 이용하여 만든 식품으로 고추장, 된장, 김치 등이 있다.

07 | ④ 자기중심적 사고는 자신의 입장에서만 생각하고, 다른 사람도 자신과 똑같이 생각한다고 믿는 유아기의 사고이다.

⚠ **선지 더 알아보기**

상징적 사고 : 물체에 의미를 부여 하고, 자신의 눈 앞에 없는 것을 상상하여 생각 할 수 있다.
직관적 사고 : 사물의 여러가지 특성 중 한 가지 측면으로 사물을 판단 한다.
물활론적 사고 : 모든 사물이 살아있다고 생각 한다.

08 | ③ 오늘날 가족 문화의 변화요인은 기본적으로 산업화·도시화 · 세계화가 있고, 개인주의와 양성평등 의식 확대 그리고 여성 사회 진출 증가가 있다. 결혼관 · 자녀관의 변화와 가족 형태의 다양화 등의 이유도 있다.

09 | ① 게르는 유목민족인 몽골의 전통 주거 형태이다. 조립과 해체가 쉬워 이동이 편리하다.

10 | ② 육아 휴직 제도는 남녀 근로자는 만8세 이하 또는 초등학교 2학년 이하의 자녀 양육을 위하여 1년이내의 휴직을 사용 할 수 있으며, 육아 휴직 급여를 받을 수 있다.

11 | ① 재무 설계 과정은 이와 같다.

재무목표 설정

: 가족의 가치관과 욕구, 재무 상태 등을 고려해 장·단기적 재무 목표를 설정한다.

재무상태 분석

: 재무 상태와 이용할 수 있는 자원을 파악 한다.

계획 수립

: 목표 달성을 위해 필요한 자금을 언제까지 어떠한 방법으로 마련할 것인지 계획을 세운다.

실행

: 재무 목표 달성을 위해 수립한 계획을 실행한다.

평가와 수정

: 목표 달성 정도를 평가하고, 목표를 달성 하지 못했을 때는 문제점을 파악하여 수정한다.

그러므로 (가)는 목표 설정 (나)는 계획의 수립과 실행 (다)는 검토와 수정이다.

12 | ④ 지속 가능한 소비는 나와 가족의 욕구를 충족하면서 미래 세대의 자원과 환경을 보존하는 소비이다.

13 | ③ 초장대 교량은 지역 사회 개발을 유도하여 경제적 부가 가치를 창출하고 기술적 상징성과 예술적 가치를 지닌다. 예를 들어 사장교와 현수교가 있다. 그 중 현수교는 주 탑 사이를 주 케이블로 연결하고, 이 주 케이블에 상부 구조를 매단 교량이다.

14 | ② 식물공장은 외부환경(기후, 계절)의 영향을 받지 않는 시설 안에서 빛, 온도, 수분 등을 조절해 작물의 성장을 위한 최적의 조건을 제공함으로써 작물의 최대생산량과 최고 품질을 얻는 새로운 농업 방식을 말한다.

15 | ③ 사물 인터넷은 컴퓨터 간의 통신을 넘어 모든 사물이 통신망으로 연결되어 정보를 생산, 수집, 공유하는 기술이다. 이 기술은 서로 다른 사물이 지닌 기능을 더욱 지능화, 자동화되도록 하며 다양한 사물 간의 연결을 통한 정보의 생산과 융합으로 인간에게 유용한 지식과 더 좋은 서비스를 제공하고 있다. 사물 인터넷의 활용 분야는 스마트 홈, 스마트 자동차, 원격 검침, 헬스 케어 등이 있다.

16 | ④ 수소 연료 전지 자동차는 스택이라는 연료전지에서 수소하고 산소가 서로 화학반응을 일으키면서 전기를 발생시키는 원리로 작동된다. 연료전지를 사용해 전기모터로 자동차가 구동되며, 수소충전소에서 몇 분 만에 수소를 재충전해 사용한다. 기존의 가솔린 자동차하고 큰 차이가 없는데, 배기가스가 전혀 없으며, 마실 수 있는 깨끗한 물만 나온다.

17 | ④ 첨단 생명 기술은 유전자 재조합 기술, 세포 융합 기술 등과 같은 생명 기술을 통해 원하는 유전자를 확보·삽입함으로써 유전자를 변형시켜 새로운 특성을 갖게 한 유전자 변형 농산물과 동물을 만든다.

18 | ③ 전기 자동차는 동력원으로 전동기만 사용해서 움직이는 자동차이다. 공해 물질을 배출하지 않고, 변속기 등의 장치가 없어서 구조가 간단하다.

19 | ② 나노 기술은 원자나 분자 정도의 작은 크기 단위에서 물질을 합성하고 제어하여 그 성질을 활용하는 기술이다. 나노는 10억분의 1, 난쟁이라는 그리스어에서 유래했다. 이 기술은 제품의 소형화, 경량화 가능 및 휴대 간편 제품을 생산하는데 목적이 있다. 대표적인 예로는 탄소 원자로 만든 그래핀이 있다.

20 | ② 정투상법은 물체의 각 면을 투상면에 나란히 놓고, 직각 방향에서 본 모양을 나타내는 방법이다. 평면도는 물체의 정면을 기준으로 위에서 본 모양을 나타낸 그림이다.

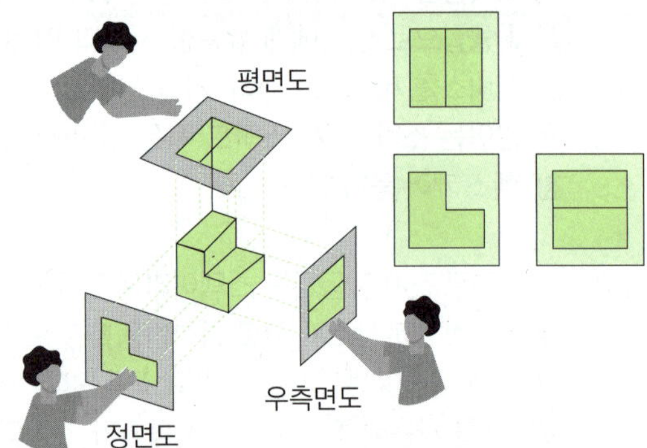

21 | ① 모듈러 하우스는 표준화된 실내 공간을 모듈 형태로 공장에서 제작해 현장으로 운송·조립해 완성하는 건축 기법이다. 제작 순서는 공장에서 모듈을 제작하고 제작한 모듈을 차량으로 운반 해 크레인으로 모듈을 설치하고 현장에서 모듈을 조립한다. 공사 기간이 짧고, 기존 공사 방법에 비해 비용이 적게 든다.

22 | ② 외형선은 굵은 실선으로 긋고, 치수선, 치수 보조선, 지시선, 치수 보조 기호 등은 가는 실선으로 긋는다.

🔍 개념 더 보기 치수 기재의 실체

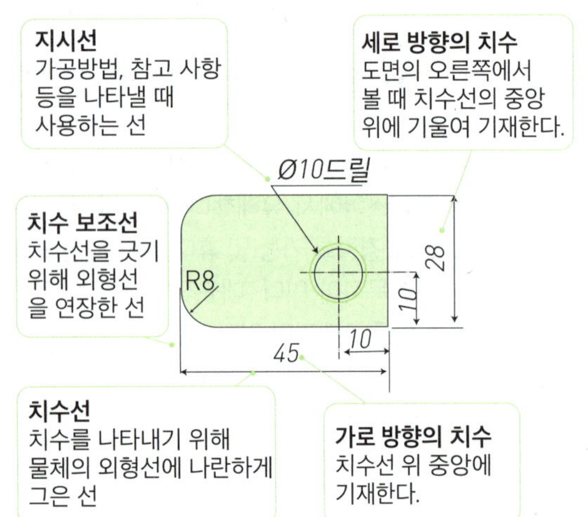

23 | ① 특허권은 발명자가 발명품을 독점적으로 이용할 수 있도록 부여한 권리, 특허출원일로부터 20년간 권리가 보장된다.

24 | ③ 떨어짐은 높은 곳에서 떨어져 신체적 상해를 입는 사망률이 가장 높은 재해이다. 이 재해를 예방 하기 위해선 안전 시설인 안전난간과 보호망을 설치하고, 안전대, 안전모 등 개인 보호구를 착용해야 한다.

25 | ② 생명 공학 연구원은 세포나 DNA연구를 위해 새롭게 개발된 장비나 기술들을 사용하여 품종 개발, 백신 개발 등을 실시한다.

⚠️ 선지 더 알아보기

로봇 공학자
: 로봇의 설계와 제작에 프로그래밍, 기계 공학, 전자 공학 등의 전문적 지식을 융합하여 활용한다.

인공 지능 전문가
: 인간만이 갖고 있는 특징을 이해하고, 이를 바탕으로 컴퓨터와 로봇 등이 인간처럼 생각하고 결정을 내리도록 하는 기술을 개발한다.

공장 자동화 컨설턴트
: 기업체의 의뢰를 받아 최적의 방법으로 공장의 생산 설비를 자동화하기 위하여 최신 제조 기술, 자동화 기술 등을 자문한다.

01	③	02	②	03	②	04	①	05	①
06	②	07	③	08	④	09	③	10	②
11	①	12	④	13	①	14	④	15	④
16	④	17	③	18	①	19	③	20	②
21	①	22	②	23	③	24	④	25	③

01 | ③ 부모는 자녀에게 필요한 의식주를 적절하게 제공하여 자녀가 건강하고 안전하게 성장할 수 있도록 해야 한다. 또 자녀의 성장 시기별 발달 과업에 맞는 교육과 활동을 지원하여 자녀가 사회에서 자립적이고 올바른 인간으로서 행복한 삶을 살아갈 수 있도록 도와야 한다. 부모가 자녀에게 주는 진실한 사랑과 관심은 자녀가 자아 존중감과 정서적 안정감을 가지고 살아갈 수 있게 하는 힘이 된다. 따라서 부모는 자녀에게 책임을 다하는 좋은 부모가 되기 위해 사회적, 신체적, 정서적, 경제적 준비를 해야 한다.

⚠ **선지 더 알아보기**

사회적 준비 : 사회에서 독립적인 성인으로서 책임을 질 수 있어야 한다.
정서적 준비 : 자녀를 바람직하게 양육할 수 있도록 정서적으로 성숙해야 한다.
신체적 준비 : 자녀를 건강하게 출산하고 양육할 수 있도록 신체적으로 성숙해야 한다.
경제적 준비 : 자녀가 독립할 때까지 자녀를 양육하고 지원할 수 있는 경제적 능력을 갖추어야 한다.

02 | ② 부모의 양육 태도는 자녀의 행동이나 사회적·정서적 발달에 큰 영향을 끼친다. **허용적 태도**는 자녀에게 지나친 관심과 애정을 주며, 사소한 일도 걱정하고, 자녀가 스스로 할 수 있는 일까지 대신해 준다. 그래서 자녀는 신경질적이고 정서적 성숙이 느리며, 의존적이고 책임감이 부족하다. **민주적 태도**는 자녀의 의견과 자율성을 인정하며, 깊은 관심과 애정을 가지고 자녀를 독립된 인간으로 존중한다.

자녀는 독립성, 자율성, 책임감이 있으며, 정서적으로 안정되어 있다. **방임적 태도**는 규칙이나 통제가 없고, 자녀에게 무엇이든 허용하며, 자녀가 제멋대로 하도록 내버려 둔다. 자녀는 자기 통제력이 낮고 충동적·공격적이며 권위를 무시한다. **권위주의적 태도**는 자녀의 자율성을 인정하지 않고, 부모의 권위를 내세워 자녀를 통제 한다. 이러한 부모 밑에서 자란 자녀는 소극적·수동적으로 행동하고, 자신감이 부족하다. 청소년기에는 반항적인 행동을 보이기도 한다.

03 | ② 풍진은 풍진 바이러스에 의한 감염으로 발생하며 귀 뒤, 목 뒤의 림프절 비대와 통증으로 시작되고 이어 얼굴과 몸에 발진(연분홍색의 홍반성 구진)이 나타난다. 발진이 있는 동안 미열이 동반되며 전염력이 높은 감염성 질환이다. 임신 초기에 임부가 감염되면 태아에게 선천성 풍진 증후군이 나타나 눈, 귀, 심장, 신경계의 이상을 일으킬 수 있다.

04 | ① 임신 5개월에 태동을 느낀다. 태반이 안정되어 유산의 위험이 줄어들고, 식욕이 증가한다. 배가 눈에 띄게 불러 오고, 몸무게가 큰 폭으로 증가하며, 유방도 눈에 띄게 커진다.

05 | ① 반사 행동은 태어날 때부터 가지고 있는 무의식적인 행동 패턴으로, 신경 조직이 발달하면서 점차 사라진다. **모로 반사**는 놀랐을 때 팔 다리를 벌렸다가 오므리며 껴안으려 하는 것이고, **바빈스키 반사**는 발바닥을 살살 간질이면 발가락을 쫙 펴는 행동을 말한다.

06 | ② **도리도리**는 머리를 좌우로 흔들듯 이리저리 생각해 하늘의 이치와 천지 만물의 도리를 깨치라는 것이다. **곤지곤지**는 오른손 집게손가락으로 왼쪽 손바닥을 찍는 시늉을 하며 '땅=곤(坤)'의 의미를 깨닫게 하는 것이다. **섬마섬마**는 남에게 의존하지 말고 스스로 일어서 굳건히 살라는 뜻에서 아이를 손바닥 위에 올려 세우는 시늉을 하는 것이다. **짝짜꿍짝짜꿍**은 음양의 결합을 뜻하는 것으로 천지의 조화 속에 흥을 돋우라는 뜻에서 두 손바닥을 마주치며 박수를 치는 것이다.

07 | ③ 발효의 영향으로 재료 본래 형태와 고유한 색이 사라지기 쉽상인데, 이 때 음식에 생기를 불어 넣어주는 것이 바로 고명의 역할이다. 선조들은 오랫동안 음식을 푹 고아 발효, 숙성을 거쳐 깊어진 맛과 풍미를 소중하게 여기되, 음식의 색감은 양념과 함께 고명으로 살리는 방법으로 완성한 것이다. 그래서 음식에 고명을 올리는 이유는 모양과 빛깔을 돋보이게 하는 것이다.

08 | ④ 색동저고리는 색동으로 소매를 대어서 만든 어린이의 저고리이다. 색동으로는 붉은색, 파란색, 노란색, 흰색, 검은색의 다섯가지 색이 사용되었다. 색이 다채롭고 호화스러운 옷이어서 경사스러운 날이나 명절에 많이 입었다.

⚠ **선지 더 알아보기**

철릭 : 고려시대 원나라에서 들어온 남자 포로 한복의 한 종류이다. 저고리 부분과 치마 부분을 따로 재단한 후 치마의 허리 부분에 주름을 잡아 저고리와 연결한 철릭은 치마폭이 넓어서 활동적이고 말을 타기 편해서 일상복은 물론 융복으로도 널리 착용 되었다.

조바위 : 한국의 전통 복장 중 하나로서 여성의 쓰개 중 하나이다. 여자의 방한모의 하나로 위는 터져 있으며, 귀와 뺨을 가리게 되어 있다.

대수장군 : 넓은 소매인 대수와 치마인 장군을 합친 형태의 포이며 조선시대 여자상복의 구성 요소 중 하나이다.

09 | ③ 한옥의 특징 중 하나인 기단은 건물의 하중을 지반에 고루 전달해주는 기초이고, 방습과 통풍, 처마와 함께 일사량을 조절한다. 기단의 종류는 쌓는 재료와 방법에 따라 토축기단, 장대석기단, 자연석기단, 가구식기단, 혼합식기단 등으로 구분하며 쌓는 기법도 다양하다.

자연석기단　　　　　장대석기단

10 | ② 가족 회복 탄력성은 가족이 예기치 못한 위기 상황에 직면 했을 때 이를 극복해내고 더 나은 성장을 이룰 수 있는 가족의 능력을 의미한다. 가족 회복 탄력성이 강한 가족은 시련과 역경에 대한 의미를 공유하고, 현재와 미래에 대한 희망과 변화의 가능성을 믿고 긍정적 시각을 가진다. 또한, 가족 내외의 자원을 활용하여 함께 소통하며 역경에 대처하는 과정을 통해 더욱 건강한 가족으로 거듭날 수 있다. Walsh는 가족 회복 탄력성 강화를 위한 지침을 이렇게 정리했다.

가족탄력성 강화를 위한 지침(Walsh, 2006)
- 가족이 함께 노력해 역경을 극복할 수 있다는 자신감 전달하기
- 공손한 언어를 사용하고, 고통을 공감하며, 전후 사정 이해하기
- 고통과 두려움을 함께 극복하기 위한 안전한 안식처 제공하기
- 강점과 잠재력을 확인하고 지지하기
- 문제 해결을 위해 친족과 지역사회, 영성적인 자원 활용하기
- 위기를 학습과 변화, 성장의 기회로 여기기
- '문제'에서 '가능성'으로 초점 이동하기
- 역경을 헤쳐 나간 경험을 개인 삶의 일부로 통합하기

11 | ① 가족 형성기는 새로운 가정과 역할에 적응하면서 가정 생활에 필요한 기본 규칙을 세우고 장기적인 가족계획과 경제계획을 세우는 시기이다. 이 때에는 저축이나 투자를 늘려야 한다.

 **가족생활주기**

가족형성기

- 새로운 가정과 역할에 적응한다.
- 가정생활에 필요한 기본 규칙을 세운다.
- 장기적인 가족계획과 경제계획을 세운다.

가족 관계	- 부부 상호간에 역할 분담을 어떻게 할 것인가? - 양가 친척, 부모님과의 원만한 관계를 유지하기 위해 어떠한 노력을 할 것인가?
자녀 교육	- 자녀는 언제, 몇 명을 출산할 것인가? - 예비 부모로서 갖추어야 할 덕목은 무엇인가? - 바람직한 부모가 되기 위해 어떤 노력을 할 것인가?

건강	- 건강한 임신과 출산을 위하여 어떤 준비를 할 것
	  인가?
	- 부부가 됨으로써 나타나는 신체적·정신적 변화에
	  어떻게 대처할 것인가?

경제
생활
	- 자녀 출산을 준비하기 위하여 저축, 보험 등은 어
	  떻게 관리할 것인가?
	- 주거 공간 마련과 노후 자금 준비 등을 위하여 장
	  기 계획을 어떻게 세울 것인가?

가족확대기

자녀 양육기
- 가사 노동의 역할을 분담한다.
- 안정적인 자녀 양육 환경을 마련한다.
- 자녀 성장에 따른 경제 계획을 세운다.

자녀 교육기
- 자녀 교육 계획을 세운다.
- 자녀와의 정서적 유대감을 강화한다.
- 자녀 독립과 노후를 위한 경제 계획을 세운다.

가족
관계
	- 자녀 양육에 따라 증가한 가정일을 어떻게 분담할
	  것인가?
	- 원만한 부모와 자녀 관계를 위하여 어떤 노력을 할
	  것인가?
	- 원만한 형제자매 관계를 위하여 어떤 노력을 할 것
	  인가?

자녀
교육
	- 자녀 교육과 인성 교육 등을 위하여 어떤 노력을
	  할 것인가?
	- 자녀의 올바른 진로 선택을 위하여 어떤 도움을
	  줄 것인가?

건강	- 자녀 출산 후 산후조리를 어떻게 할 것인가? - 성장기 자녀의 건강을 위하여 어떤 노력을 할 것 인가?

경제
생활
	- 자녀의 교육을 위한 재정적 준비는 어떻게 할 것
	  인가?
	- 가족의 확대로 인한 주거 공간 확장 비용은 어떻
	  게 조달할 것인가?
	- 자녀의 독립을 지원하기 위한 비용과 노후 생활
	  준비는 어떻게 할 것인가?

가족축소기

자녀 독립기
- 은퇴 후의 안정적인 노후를 준비한다.
- 부부를 중심으로 가족생활을 재정비한다.
- 자녀의 배우자와 원만한 관계를 형성한다.
- 자녀 독립을 위해 경제적·정서적으로 지원한다.

노후기
- 죽음에 대비한다.
- 다양한 사회적 역할을 수행한다.
- 신체적·정서적인 건강을 유지한다.
- 여가 생활을 통해 긍정적인 노후 생활을 한다.

가족
관계
	- 변화된 부부간의 역할을 어떻게 조정할 것인가?
	- 자녀의 배우자 및 사돈과 원만한 관계 유지를 위해
	  어떤 노력을 할 것인가?
	- 조부모·부모·자녀 세대 간 세대 차이를 줄이기 위하
	  여 어떤 노력을 할 것인가?

자녀 교육	- 손자녀 양육에 어떤 도움을 줄 것인가? - 손자녀 양육 시 어떻게 교육할 것인가? - 자녀의 성공적인 자립을 위하여 어떤 도움을 줄 것인가?

건강	- 노화에 따른 건강 관리를 어떻게 할 것인가?
	- 배우자와의 사별 후 정신적 상실감을 어떻게 극복
	  할 것인가?
	- 중년기에 나타나는 신체 변화를 인정하고 극복하
	  기 위해 어떻게 노력할 것인가?

경제 생활	- 의료비 지출은 어떻게 대비할 것인가? - 자녀의 독립에 경제적 지원을 얼마나 할 것인가? - 자녀의 독립으로 가족 구성원이 축소된 이후 주택 의 규모는 어떻게 결정할 것인가?

12 | ④ 가족생활 설계 과정은 가족 구성원이 원하는 가족생활의 목표를 설정하고 생활 영역별로 하위 목표를 세운 다음 목표 달성을 위한 실천 방안을 마련하는 일련의 과정을 거친다.

가족생활 설계의 과정	
자발성	가족 구성원이 직접 목표를 설정하였는가?
종합성	가족의 생활 전체를 고려하였는가?
융통성	상황에 따라 목표의 내용이나 방향, 시기 등을 조절할 수 있는가?
적합성	목표가 우리 가족에 적합한 수준인가?
현실성	설계의 내용이 구체적이고 실현가능한가?

13 | ① **개인연금**은 개인이 자발적으로 가입하는 사적 연금이다. 공적연금과 퇴직연금만으로 노후 생활을 충분히 보장받기 어렵기 때문에, 이를 보완하기 위해 개인이 추가로 가입하는 형태이다. **연금저축**은 개인이 금융기관(은행, 보험사 등)에서 가입할 수 있는 연금 상품으로, 소득세 공제 혜택이 있는 금융상품이다. 연금저축은 납입 기간에 따라 일정한 세액 공제를 받을 수 있으며, 일정 나이가 되면 연금 형태로 수령할 수 있다. 연금보험은 생명보험사나 손해보험사에서 운영하는 상품으로, 납입한 보험료를 기반으로 연금을 받는 상품이다. 연금 수령액과 방식에 따라 다양한 보험 상품이 있다.

개념 더 보기   연금의 종류

1) **공적 연금** : 공적연금은 정부가 운영하는 연금 제도로, 국민의 노후를 보장하기 위해 법적으로 강제 가입해야 하는 연금이다. 주요 공적연금으로는 국민연금이 있으며, 특정 직군을 위한 연금으로는 공무원연금, 군인연금, 사학연금 등이 있다. 국민연금은 대한민국에서 법적으로 모든 국민이 가입해야 하는 대표적인 연금제도이다. 국민연금공단에서 운영하며, 일정 나이(현행 만 18세 이상 60세 미만)에 도달하면 소득에 기반하여 보험료를 납부하고, 노령, 장애, 사망 시 연금을 지급받는다.
2) **퇴직 연금** : 퇴직연금은 근로자가 퇴직한 후 받을 수 있는 연금으로, 기업이 근로자들의 노후를 지원하기 위해 마련하는 연금 제도이다. 주로 회사가 운영하며 근로자와 회사가 일정 비율로 기여금을 납부한다. 퇴직금 대신 적립된 연금을 노후에 받을 수 있도록 하는 제도이다.

3) **개인 연금** : 개인연금은 개인이 자발적으로 가입하는 사적 연금이다. 공적연금과 퇴직연금만으로 노후 생활을 충분히 보장받기 어렵기 때문에, 이를 보완하기 위해 개인이 추가로 가입하는 형태이다. 연금저축은 개인이 금융기관(은행, 보험사 등)에서 가입할 수 있는 연금 상품으로, 소득세 공제 혜택이 있는 금융상품이다. 연금저축은 납입 기간에 따라 일정한 세액 공제를 받을 수 있으며, 일정 나이가 되면 연금 형태로 수령할 수 있다. 연금보험은 생명보험사나 손해보험사에서 운영하는 상품으로, 납입한 보험료를 기반으로 연금을 받는 상품이다. 연금 수령액과 방식에 따라 다양한 보험 상품이 있다.

14 | ④ 증기기관은 1차 산업혁명을 이끈 장치이다.

15 | ④ 사물인터넷(Internet of Things, 약어로 IoT)은 각종 사물에 센서와 통신 기능을 내장하여 인터넷에 연결하는 기술. 즉, 무선 통신을 통해 각종 사물을 연결하는 기술을 의미한다. 여기서 사물이란 가전제품, 모바일 장비, 웨어러블 디바이스 등 다양한 임베디드 시스템이 된다. 사물인터넷에 연결되는 사물들은 자신을 구별할 수 있는 유일한 아이피를 가지고 인터넷으로 연결되어야 하며, 외부 환경으로부터의 데이터 취득을 위해 센서를 내장할 수 있다.

16 | ④ 제로 에너지 하우스는 고성능 단열재와 고기밀성 창호 등을 채택, 에너지 손실을 최소화하는 '패시브(Passive)기술'과 고효율기기와 신재생 에너지를 적용한 '액티브(Active)기술' 등으로 건물의 에너지 성능을 높여 사용자가 외부로부터 추가적인 에너지 공급 없이 생활을 영위할 수 있도록 건축한 건물을 이야기한다. 소비성 에너지나 오염 물질이 나오지 않고 태양열 에너지나 풍력 에너지, 지열 에너지 등을 사용한 집을 예로 들 수 있으며, 채광, 환기, 단열이 잘 되어 있는 집을 말하기도 한다.

17 | ③ 면진 기술은 건물과 지반 사이에 유연한 받침을 삽입하여 지반의 흔들림이 건물에 전달되는 것을 최소화 하는 방법이다.

고층 건물의 내진 설계

제진 기술 : 건물이 파손되기 전에 진동 감쇠 장치가 지진 에너지를 흡수하는 방법

내진 기술 : 지진 에너지를 건물 구조물의 내력으로 견뎌 내도록 하는 방법

면진 기술 : 건물과 지반 사이에 유연한 받침을 삽입하여 지반의 흔들림이 건물에 전달되는 것을 최소화하는 방법

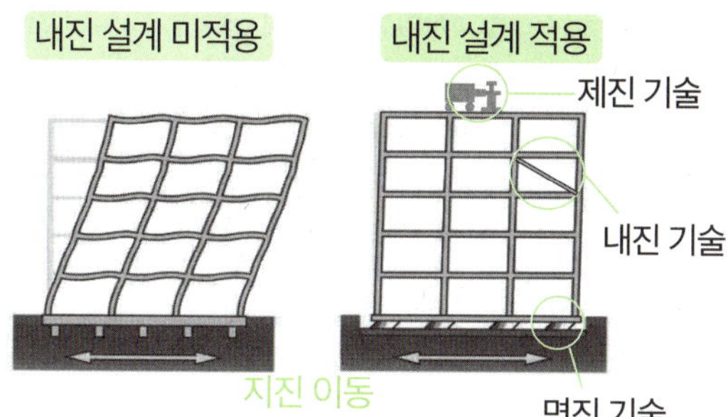

18 | ① 근거리 무선 통신(NFC)은 표준 기반 연결 기술로 이를 사용하면 거래와 디지털 콘텐츠 교환, 장치 연결이 더 편해진다. 다양한 장치 간의 근거리 무선 통신이 가능한 기술로 무단 통신을 방지한다. 약 1cm인 최대 판독 거리 내에 두 대의 NFC 장치를 함께 두면 활성화된다. NFC로 휴대폰과 다른 NFC 장치(IC 태그, 휴대폰, 기타 모바일 장치, 결제 장치, 홈 오디오 및 비디오 장치 등) 간에 정보를 전송할 수 있다. 예를 들어 웹 주소, 연락처, 전화번호, 음악 트랙, 비디오, 사진을 공유할 수 있다.

19 | ③ 가솔린 자동차와 수소 연료 전지 자동차는 연료 탱크가 반드시 필요하고 전기 자동차는 전동기로 동력원을 삼기 때문에 연료 탱크가 필요 없다.

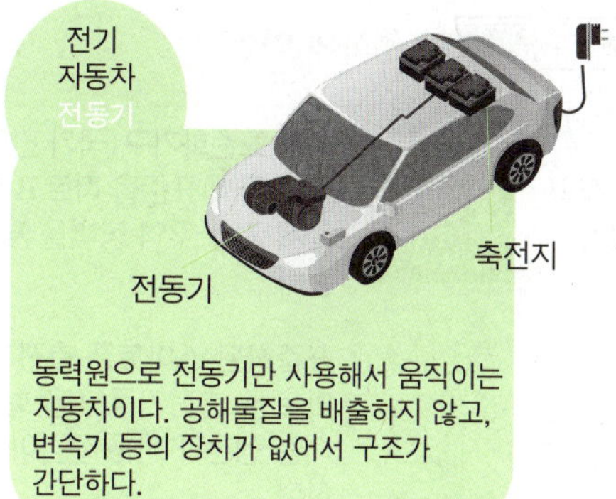

동력원으로 전동기만 사용해서 움직이는 자동차이다. 공해물질을 배출하지 않고, 변속기 등의 장치가 없어서 구조가 간단하다.

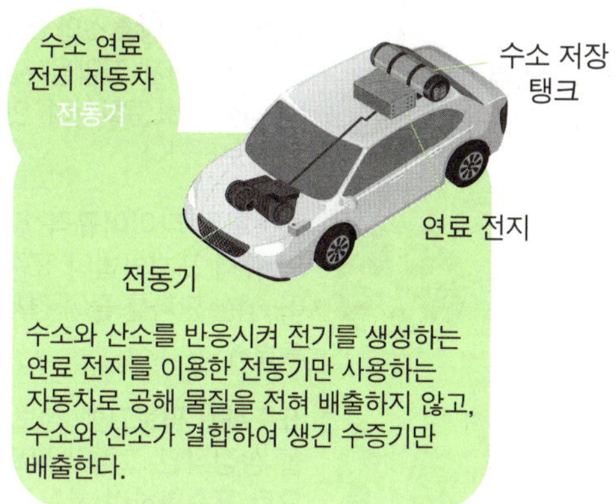

수소와 산소를 반응시켜 전기를 생성하는 연료 전지를 이용한 전동기만 사용하는 자동차로 공해 물질을 전혀 배출하지 않고, 수소와 산소가 결합하여 생긴 수증기만 배출한다.

20 | ② 정투상법은 물체의 각 면을 투상면에 나란히 놓고, 직각 방향에서 본 모양을 나타내는 방법이다. 제3각법으로 그리는데 제3각법의 투상도 배치는 아래의 그림과 같다.

①,③,④의 우측면도   ②의 우측면도

21 | ① 표준이란 제품과 부품의 치수·성능·재질·사용 방법 등에 통일된 기준을 말하며, 표준을 설정하고 활용하는 것을 표준화라 한다. 표준화의 목적은 생산, 소비, 유통 등 다양한 분야에서 호환성을 높여 품질을 개선하고 생산 능률을 높이는 데 있다. 예를 들면, 자동차 타이어 규격 표시 방법은 국제 표준으로 지정되어 세계 어느 나라에 가더라도 자신이 운전하는 자동차의 타이어를 선택하여 교체 할 수 있다. 이와 같이 표준화를 통해 타이어 제조 과정에서의 경제성을 향상할 수 있다. 이처럼 전 세계가 공통으로 사용하는 제품이면 표준화는 필수적인 요건이며, 이같은 표준화는 표준 인증을 통해 이루어진다.

기술 장벽 제거		국제 표준화기구 : 국가 간의 무역은 국제 표준을 따르고 있어, 국제 기술 무역 장벽을 제거해 준다.
호환성 향상		표준화된 스마트폰 충전기 : 스마트폰 충전기를 표준화하여 대량 생산과 비용 절감이 가능하다.
공공 이익의 증대		표준화된 소방호스와 소화전 : 즉각적인 화재 진압을 위해 소방 시설을 표준화하여, 안정성을 확보하였다.
경제성 추구		표준화된 타이어규격 : 타이어의 규격 표시방법이 표준화되어, 생산 단가를 줄여 경제성을 높일 수 있다.
원활한 의사 소통		표준화된 픽토그램 : 정보 제공을 상징적인 그림인 픽토그램으로 표준화하여 사회 통합과 발전의 기초를 제공한다.

22 | ② 타이어는 적정 공기압을 유지해야 하고, 타이어 위치 교환을 통해 타이어의 수명을 연장 해야 한다. 타이어 위치 교환시 앞바퀴와 뒷바퀴의 위치를 교환한다. 타이어는 시간이 지남에 따라 고무가 경화되고 성능이 저하되기 때문에, 제조일자로부터 일정 기간이 지나면 교체가 필요하다. 그리고 마모 한계선까지 닿기 전에 교체 하는 것이 좋다.

1) **축전지** : 축전지의 상단에 표시된 점검 창의 색깔이 녹색이면 정상, 검은색이면 충전 필요, 흰색이면 축전지를 교체해야 한다. 보통 축전지 교체 주기는 3년 정도이다.

2) **엔진 냉각수** : 엔진 안의 높은 열을 식히기 위한 냉각수(부동액)는 보닛 안의 엔진 룸을 통해 그 양과 상태를 점검하여 엔진 과열을 예방한다.

3) **에어컨 필터** : 외부에서 유입되는 공기를 자동차 실내로 보내기 전에 공기를 정화하는 에어컨 필터(케빈 필터)의 교환 주기는 보통 6개월 정도를 권장한다.

4) **엔진 오일** : 엔진 오일은 엔진에 꽂혀 있는 오일 게이지를 뽑아 게이지 하단 부에 표시된 F(full)와 L(low) 사이에 오일이 묻어 나오는지 확인하여 엔진 오일의 양을 확인한다. 엔진 오일을 교환할 때 불순물을 걸러주는 엔진 오일 필터를 함께 교환한다.

5) **브레이크 패드** : 브레이크 패드가 마모되면 제동성이 낮아져 사고 발생률이 높아진다. 보닛 안의 브레이크액의 양을 체크하여 브레이크액이 기준선 밑으로 내려가 있으면 브레이크 패드의 마모가 많이 진행되었을 가능성이 있으며 교체가 필요하다.

6) **타이어** : 장기간 자동차를 운행하면 바퀴가 틀어지거나 한쪽으로만 마모되는데 휠 얼라이먼트를 통해 타이어 위치를 조정하거나 타이어를 교체해야 한다. 타이어의 마모 한계선을 확인하고 자동차의 운행 상태나 운전자의 운전 습관에 따라 교체 시기를 조성한다.

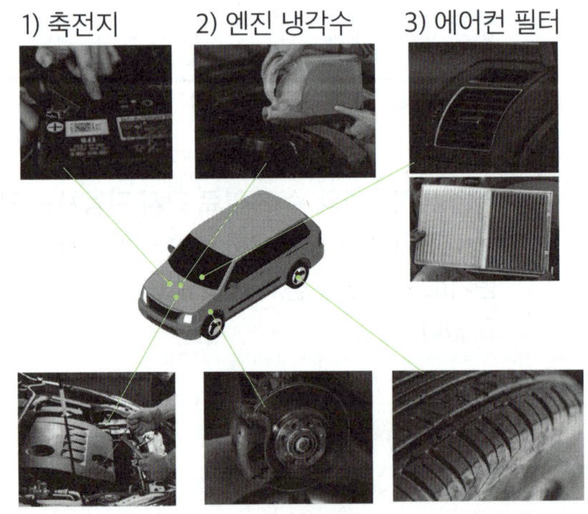

23 | ③ 지식 재산권이란 인간의 창조적 활동이나 경험으로 만들어진 창작물에 대한 권리를 말하며, 크게 산업 재산권, 신지식 재산권, 저작권으로 구분한다. 산업 재산권은 산업과 관련된 지적 활동에 관련된 결과물에 관한 권리이다. 산업 재산권의 종류에는 특허권, 실용 신안권, 디자인권, 상표권이 있다. 상표권은 10년마다 갱신되고, 디자인권의 존속 기간은 출원일로부터 20년이다. 저작권은 학문과 예술 분야에서 인간의 사상이나 감정을 독창적으로 표현한 창작물에 대해 저작자가 가지는 권리이다. 저작권의 보호 기간은 저작자의 생존 기간 및 사망 후 70년이다.

24 | ④ 탄소배출권 거래 중개인은 온실가스 배출권 거래시장에서 탄소배출권을 사고파는 일을 한다. 구체적으로, 탄소배출권 시장의 동향을 분석하고 탄소배출권의 미래 가격을 분석할 뿐더러 사고파는 가장 좋은 시점을 정하고 거래한다. 또 탄소배출권과 관련한 여러 상품을 개발하고 운영하며, 온실가스 감축을 위한 관련 법규와 지침도 분석한다. 해외의 탄소배출권 시장 동향과 관련 정보를 문헌과 웹사이트를 통해 지속해서 업데이트하기도 한다.

25 | ③ 적정 기술이란 사회 공동체의 정치적, 문화적, 환경적 조건을 고려하여 해당 지역에서 지속적인 생산과 소비가 가능하도록 만들이진 기술이다. 적정 기술의 조건은 적은 비용이여야 하고, 지역 주민 스스로 만들 수 있어야 한다. 특정 분야의 지식이 없어도 이용 가능 해야 하고 기술을 사용하는 사람들이 해당 기술을 이해 할 수 있도록 사용 방법이 간단 해야 한다. 가능하면 현지에서 구할 수 있는 재료를 활용하고, 사람들의 협동 작업을 이끌어 내며 지역 사회 발전에 공헌 해야 한다.

01	④	02	②	03	④	04	③	05	④
06	③	07	③	08	②	09	①	10	①
11	③	12	①	13	①	14	③	15	①
16	②	17	①	18	④	19	②	20	④
21	②	22	①	23	③	24	②	25	②

01 | ④ 부모됨의 개인적 의의는 부모라는 역할을 갖게 되고, 인격적으로 성숙해지고 자아 성장의 기회를 가지게 된다.

개념 더 보기 — 부모됨의 개인적 의의

1) 부모라는 역할을 갖게 된다.
2) 가족의 결속력이 강화된다.
3) 인격적으로 성숙해지고 자아 성장의 기회를 가진다.
4) 자녀의 성장을 지켜보고 지원하며 성취감을 느낀다.

02 | ② 우드리의 배우자 선택 여과망 단계 중에서 사회적 배경 여과망은 나이, 종교, 직업, 교육수준 등의 상태를 말한다.

개념 더 보기 — 우드리의 배우자 선택 여과망 이론

1단계 근접성 여과망
현실적 · 지리적으로 쉽게 만날 수 있는 상대

2단계 매력 여과망
인성, 외모, 능력 등에 매력을 느끼며 호감을 갖는 상대

3단계 사회적 배경 여과망
나이, 종교, 직업, 교육 수준 등이 비슷한 상대

4단계 의견일치 여과망
가치관, 견해, 태도 등이 비슷한 상대

5단계 상호 보완성 여과망
서로의 욕구와 필요를 보완해 줄 수 있는 상대

6단계 결혼 준비 상태 여과망
결혼을 위한 준비가 되어 있는 상태

결혼에 성공한 부부

03 | ④ 반사 행동은 태어날 때부터 가지고 있는 무의식적인 행동 패턴으로, 신경 조직이 발달하면서 점차 사라진다. 모로 반사는 놀랐을 때 팔 다리를 벌렸다가 오므리며 껴안으려 하는 것이고, 바빈스키 반사는 발바닥을 살살 간질이면 발가락을 쫙 펴는 행동을 말한다.

04 | ③ 태아의 발달을 돕는 기관은 태반과 탯줄이다.

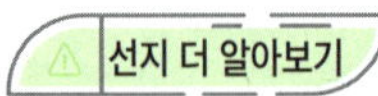

선지 더 알아보기

태반 : 모체의 자궁벽과 태아를 연결 하여 영양 공급, 가스 교환, 노폐물 배출 등의 기능을 담당하는 기관
탯줄 : 혈관이 지나는 띠 모양으로 생겼고, 태아와 태반을 연결해 모체와 태아 사이의 물질 교환이 일어나는 통로

05 | ④ 초유는 면역 성분이 들어 있고, 태변 배설을 도와준다. 또한, 모유는 아기에게 필요한 영양소가 골고루 들어 있고, 소화와 흡수가 잘 된다.

06 | ③ 중국의 전통 의상은 치파오이다. 대표 음식으로 동파육, 마파두부, 북경 오리구이 등이 있다. 전통 주택으로 사합원, 토루 등이 있다.

선지 더 알아보기

토루

07 | ③ 처마는 기둥 밖으로 나와 있는 지붕의 일부로, 여름철 햇빛은 처마 끝에 걸려 차단 되고, 겨울철 햇빛은 깊게 낮추어 실내 내부까지 들어와 밝고 따뜻한 공간을 만든다. 그래서 처마의 역할은 채광 조절이다.

08 | ② 무엇이든 입에 가져가는 아기들의 습성 때문에 크기가 작은 물질 흡입으로 인한 질식이 자주 발생한다. 쉰 숨소리, 쉰 울음소리, 얼굴에 청색증이 보일 경우 기도가 막힌 것으로 판단할 수 있다. 영유아는 질식사고 발생시 3~6분 정도 기도가 막히면 사망하는 경우가 있어, 바로 119 신고를 하는 것이 중요하다. 그리고 즉시 응급 처치를 시행해야 한다.

1 1세 이하 영아의 기도폐쇄 2 등 두드리기 5회 3 흉부압박 5회

4 구강 내 이물확인 (눈에 보이는 이물제거) 5 기도확보 6 인공호흡

09 | ① 예금은 은행에 돈을 맡기고, 일정 기간 후 이자를 받아 원금을 돌려받는 금융 상품으로 원금과 이자가 보전되어 안정성이 가장 높다.

10 | ① 지속가능한 소비 생활은 환경, 사회, 경제적 측면에서 긍정적인 영향을 미치도록 소비 패턴을 변화시키는 것을 의미한다. 지속가능성을 고려한 소비는 자원 낭비를 줄이고, 환경에 미치는 부정적인 영향을 최소화하며, 사회적 책임을 다하는 방식으로 이루어진다. 공정무역과 로컬 소비는 지속 가능한 소비생활과 관련된 내용이다.

11 | ③ 캥거루족은 자식이 부모 집에 나이가 들어서도 계속 살고 있는 경우를 의미하는 용어이다. 부모와 자녀가 함께 살거나, 자녀가 직장을 다니면서도 부모 집에 거주하는 사회적 현상에서 유래하였다.

12 | ① 가족생활 주기는 가정 형성기, 가정 확대기, 가정 축소기 순으로 이루어진다.

가족형성기	
- 새로운 가정과 역할에 적응한다. - 가정생활에 필요한 기본 규칙을 세운다. - 장기적인 가족계획과 경제계획을 세운다.	
가족 관계	- 부부 상호간에 역할 분담을 어떻게 할 것인가? - 양가 친척, 부모님과의 원만한 관계를 유지하기 위해 어떠한 노력을 할 것인가?
자녀 교육	- 자녀는 언제, 몇 명을 출산할 것인가? - 예비 부모로서 갖추어야 할 덕목은 무엇인가? - 바람직한 부모가 되기 위해 어떤 노력을 할 것인가?
건강	- 건강한 임신과 출산을 위하여 어떤 준비를 할 것인가? - 부부가 됨으로써 나타나는 신체적·정신적 변화에 어떻게 대처할 것인가?
경제 생활	- 자녀 출산을 준비하기 위하여 저축, 보험 등은 어떻게 관리할 것인가? - 주거 공간 마련과 노후 자금 준비 등을 위하여 장기 계획을 어떻게 세울 것인가?

가족확대기	
자녀 양육기 - 가사 노동의 역할을 분담한다. - 안정적인 자녀 양육 환경을 마련한다. - 자녀 성장에 따른 경제 계획을 세운다. **자녀 교육기** - 자녀 교육 계획을 세운다. - 자녀와의 정서적 유대감을 강화한다. - 자녀 독립과 노후를 위한 경제 계획을 세운다.	
가족 관계	- 자녀 양육에 따라 증가한 가정일을 어떻게 분담할 것인가? - 원만한 부모와 자녀 관계를 위하여 어떤 노력을 할 것인가? - 원만한 형제자매 관계를 위하여 어떤 노력을 할 것인가?
자녀 교육	- 자녀 교육과 인성 교육 등을 위하여 어떤 노력을 할 것인가? - 자녀의 올바른 진로 선택을 위하여 어떤 도움을 줄 것인가?
건강	- 자녀 출산 후 산후조리를 어떻게 할 것인가? - 성장기 자녀의 건강을 위하여 어떤 노력을 할 것인가?

경제 생활	- 자녀의 교육을 위한 재정적 준비는 어떻게 할 것인가? - 가족의 확대로 인한 주거 공간 확장 비용은 어떻게 조달할 것인가? - 자녀의 독립을 지원하기 위한 비용과 노후 생활 준비는 어떻게 할 것인가?

가족축소기	
자녀 독립기 - 은퇴 후의 안정적인 노후를 준비한다. - 부부를 중심으로 가족생활을 재정비한다. - 자녀의 배우자와 원만한 관계를 형성한다. - 자녀 독립을 위해 경제적·정서적으로 지원한다. **노후기** - 죽음에 대비한다. - 다양한 사회적 역할을 수행한다. - 신체적·정서적인 건강을 유지한다. - 여가 생활을 통해 긍정적인 노후 생활을 한다.	
가족 관계	- 변화된 부부간의 역할을 어떻게 조정할 것인가? - 자녀의 배우자 및 사돈과 원만한 관계 유지를 위해 어떤 노력을 할 것인가? - 조부모·부모·자녀 세대 간 세대 차이를 줄이기 위하여 어떤 노력을 할 것인가?
자녀 교육	- 손자녀 양육에 어떤 도움을 줄 것인가? - 손자녀 양육 시 어떻게 교육할 것인가? - 자녀의 성공적인 자립을 위하여 어떤 도움을 줄 것인가?
건강	- 노화에 따른 건강 관리를 어떻게 할 것인가? - 배우자와의 사별 후 정신적 상실감을 어떻게 극복할 것인가? - 중년기에 나타나는 신체 변화를 인정하고 극복하기 위해 어떻게 노력할 것인가?
경제 생활	- 의료비 지출은 어떻게 대비할 것인가? - 자녀의 독립에 경제적 지원을 얼마나 할 것인가? - 자녀의 독립으로 가족 구성원이 축소된 이후 주택의 규모는 어떻게 결정할 것인가?

13 | ① 그래핀은 탄소 원자가 서로 연결 되어 벌집 모양의 구조를 이루는 물질이다. 가볍고 강도가 강하며 유연성을 갖춘 신소재로 투명하고 휘어지는 디스플레이를 만들 수 있다.

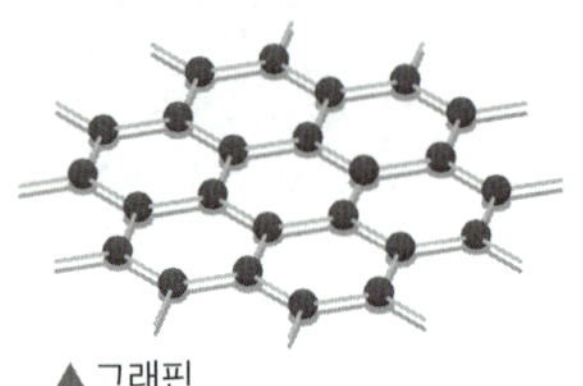

▲ 그래핀

14 | ③ 3D 프린터는 3차원 모델링 소프트웨어를 이용하여 설계한 3차원 도면을 바탕으로 재료를 열에 녹여서 한 층씩 쌓아 올리면서 제품을 만드는 첨단 제조 기술 중 하나이다. 제작 순서는 모델링(설계)→슬라이싱→프린팅→후처리 순이다.

개념 더 보기 — 3D 프린터를 활용한 제품 제작 과정

모델링(설계)→슬라이싱→프린팅→후처리

1) 모델링 : 3차원 모델링 프로그램을 통해 원하는 형태로 설계한다.
2) 슬라이싱 : 3차원 모델링 데이터는 슬라이서라고 하는 프로그램을 통해 여러 개의 얇은 층으로 나뉜 데이터로 변환한다.
3) 프린팅 : 변환한 데이터를 3D 프린터로 보내면 재료를 쌓거나 굳히는 방법을 통해 입체로 된 출력물로 만든다.
4) 후처리 : 출력물을 지탱하기 위한 지지대를 제거하는 작업, 표면을 고르게 다듬고 표면을 덮고 있는 분말을 털어내는 작업, 출력물의 색상을 바꾸는 작업을 한다.

15 | ① 초장대 교량은 길이가 매우 긴 교량으로, 대개 수백 미터 이상의 스팬을 갖습니다. 이들은 강이나 바다, 두 산을 잇는 다리 등에서 사용된다. 긴 스팬을 가지고 있기 때문에 교량의 설계는 하중 분산, 진동 관리, 바람의 영향 등을 철저히 고려해야 한다. 그래서 고강도 케이블 기술이 사용되고, 안전 관리 시스템이 있고, 첨단 도로 포장 공법을 사용해 도로를 만든다.

개념 더 보기 — 초장대 교량

1) 초장대 교량의 대표적인 예
사장교와 현수교는 초장대 교량에서 가장 많이 사용되는 구조이다.

- **사장교**
  사장교는 교각 위에 케이블이 수평으로 장착되어 있는 구조로, 길이가 긴 교량에 적합합니다. 케이블이 교량의 상판을 지탱하는 방식이다.
  케이블과 타워 : 사장교는 강철 케이블과 이를 지탱하는 타워를 사용하여 하중을 분산시킵니다. 케이블의 장력을 조절하여 교량의 안전성을 높인다.
  재료 : 고강도 강철과 프리스트레스 콘크리트가 사용되며, 강철 케이블은 교량의 하중을 효율적으로 지탱하고 분산시킬 수 있도록 설계된다.

- **현수교**
  현수교는 두 개의 타워에 수직으로 매달린 케이블을 사용하여, 케이블이 교량 상판을 지탱하는 구조이다. 현수교는 매우 긴 스팬을 처리할 수 있어 대형 교량에 적합하다.
  케이블과 타워 : 현수교는 매우 긴 스팬을 유지할 수 있도록 설계된 케이블과 타워를 사용한다. 케이블은 수평 방향으로 장력을 받으며, 교량 상판을 수직 방향으로 지탱한다.
  하중 분배 : 케이블은 자기장력을 이용하여 하중을 수직으로 전달하고, 교량의 하중을 효율적으로 분산시킨다.
  강철 재료 사용 : 강철과 프리스트레스 콘크리트를 조합하여, 교량의 내구성을 높이고 긴 스팬을 안정적으로 지탱할 수 있도록 한다.

2) 초장대 교량의 설계 및 건설 기술
초장대 교량은 그 길이와 규모로 인해 설계와 건설 시 고도의 기술적 정밀함과 안전성을 요구한다.
  하중 분석 및 구조 설계 : 초장대 교량은 차량, 기차, 보행자 등 다양한 하중을 견뎌야 하므로, 설계 단계에서 하중 분포와 구조적 안정성을 철저히 분석해야 한다.
  재료 선택 : 초장대 교량은 강도가 뛰어나고 내구성이 강한 재료가 필요하다. 고강도 강철, 프리스트레스 콘크리트, 내식성 재료 등이 사용되며, 재료의 특성에 따라 교량의 설계가 달라진다.
  진동 및 풍압 분석 : 초장대 교량은 바람과 지진 등의 영향을 받을 수 있다. 이를 견디기 위해 풍압 분석과 진동 제어 기술을 적용하여 댐퍼나 진동 감쇠 장치를 설치하기도 한다.

3) 스마트 교량 기술
초장대 교량은 긴 스팬과 높은 고도에서 건설되기 때문에, 교량의 상태 모니터링이 매우 중요하다. 이를 위해 스마트 교량 기술이 적용된다.

센서 및 모니터링 시스템

: 교량에 진동 센서, 온도 센서, 변형 센서 등을 설치하여 교량의 상태를 실시간으로 모니터링한다. 이를 통해 하중이나 환경적 변화에 대한 정보를 실시간으로 받아보며, 교량의 안전성을 유지할 수 있다.

데이터 분석 및 예측 유지보수

: 수집된 데이터를 기반으로 교량의 상태를 분석하고, 예측 유지보수를 통해 필요한 시점에 보수 작업을 수행할 수 있다.

4) 지속 가능한 교량 건설 기술

친환경 재료 사용

: 초장대 교량의 건설 시 환경에 미치는 영향을 최소화하기 위해 친환경 재료를 사용한다. 또한, 재활용 가능한 자재를 활용하여 교량의 환경적 영향을 줄인다.

에너지 효율성

: 교량 건설 과정에서 에너지를 절감하고, 재생 가능 에너지를 사용하여 친환경적인 교량 건설이 이루어진다.

16 | ② R은 원의 반지름이고 R20은 반지름 20mm를 뜻한다. 치수 보조 기호의 기본 단위는 mm이다.

치수 보조 기호

치수는 물체가 완성되었을 때의 크기를 나타낸 것으로, 치수를 기재할 때는 도면을 읽는 사람이 쉽고 명확하게 알 수 있도록 해야 한다. 길이 단위는 mm를 사용하며, 단위 기호는 생략한다. 도면을 읽는 사람이 계산하지 않고도 모든 치수를 알 수 있도록 표시해야 하고, 같은 치수를 중복하여 표시하지 않도록 한다. 치수선, 치수 보조선, 지시선, 치수 보조 기호 등을 사용하며, 가는 실선으로 긋는다.

기호	용도
R	반지름
t	판의 두께
C	45° 모따기
Ø	지름
□	정사각형의 변

17 | ① 자동차 사고에는 인적 요인, 환경 요인, 차량 요인이 있다. 인적 요인에는 과속, 졸음 운전이 있고, 환경 요인에는 기상 악화, 차량 요인에는 브레이크 고장이 있다.

자동차 사고 원인		
자동차 문제	**사람 문제**	**도로 환경 요인**
- 자동차 관리 소홀 - 주행 중 엔진정지 - 주행 중 타이어 펑크 - 냉각수 부족, 배선 합선 등에 따른 차량 화재	- 졸음 운전 - 신호 위반 - 안전띠 미착용 - 운전 중 휴대 전화 사용 - 음주 운전 또는 무면허 운전	- 기상 상태 - 도로의 파손 - 도로 교통 상황 - 교통안전 표지가 설치되지 않은 도로

18 | ④ 인공 장기 조직 개발자는 생명공학 분야에서 활동하는 전문가들로, 인공 장기와 조직을 개발하여 장기 이식을 위한 대체 치료 방법을 제공하는 역할을 맡고 있다. 이들은 생체 조직을 재생하거나, 인공적으로 만들어 인간의 신체에 맞게 기능을 수행하도록 설계한다. 인공 장기 조직 개발은 의료 기술과 생명과학의 융합으로, 인간의 생명을 구하고 생명 연장에 중요한 기여를 하고 있다.

19 | ② 산업 재해 유형 중 넘어짐에 대한 예방법은 통로를 확인하고 정리 정돈하고, 물건 운반 시 주위를 확인하고, 작업장 바닥과 계단을 청결하게 하는 것이다. 또한 미끄럼 방지 안전화를 착용하면 된다.

높은 곳에서 떨어져 신체적 상해를 입는 사망률이 가장 높은 재해

예방법

- 안전시설을 설치한다.
- 안전대, 안전모 등 개인 보호구를 착용한다.
- 근로자는 이동 시 적재함에 타지 않는다.

정리 정돈이 되지 않은 곳에서 미끄러지거나 물건에 걸려 넘어지는 재해

예방법

- 통로를 확인하고 정돈을 한다.
- 물건 운반 시 주위를 확인한다.
- 작업장 바닥과 계단을 청결하게 한다.

기계류의 동작부 등 움직이는 물체에 신체 일부분이 끼어지는 재해

예방법

- 면장갑은 착용하지 않고, 복장을 단정하게 한다.
- 위험 장소에 출입하지 않는다.
- 방호 장치를 해체하지 않는다.

시야가 확보되지 않은 채 움직이는 물체에 의해 부딪히는 재해

예방법

- 지게차 운행 시 시야를 확보하고 과속하지 않는다.
- 화물차 운행 시 유도자를 배치한다.
- 작업 변경 내에서 동시 작업을 하지 않는다.

20 | ④ 등각 투상법은 세 개의 기본축을 120도 간격으로 설정한다.

개념 더 보기 · 등각 투상법

등각 투상법은 세 개의 기본 축을 120° 간격으로 설정하고 이 축에 물체의 높이, 너비, 안쪽 길이를 옮겨서 물체를 나타내는 방법이다. 세 개의 면을 동시에 볼 수 있어 제품의 구상도나 설명도를 그릴 때 주로 쓴다.

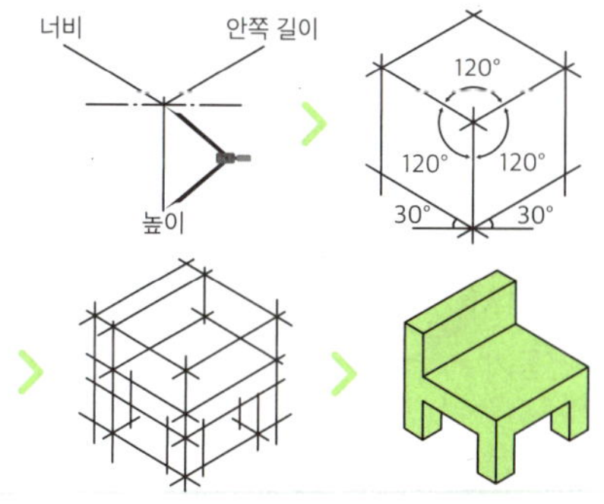

1) 기본 축을 120° 각도로 긋고, 디바이더로 치수를 옮긴다.
2) 물체의 모양을 그린다.
3) 물체의 모양을 세부적으로 그린다.
4) 필요한 선만 굵게 나타내고, 필요 없는 선은 지운다.

21 | ② 제작도를 그리는 순서는 이러하다. 용지의 크기 및 척도 결정 하기→윤곽선, 표제란, 중심 마크 그리기→선의 종류를 구분하여 도면에 그리기→도면에 치수 기입하기

개념 더 보기 · 제작도

1) 용지의 크기 및 척도 결정하기

제작도를 그리기 전에 어떤 크기의 용지에 도면을 그릴지 결정한다. 보통 A4, A3, A2 등의 용지 크기가 사용된다. 도면의 실제 크기와 도면에 그려지는 크기의 비율인 척도를 결정한다. 예를 들어, 2:1(실제 크기보다 두 배로 크게 그리기)나 1:10(실제 크기보다 10배 작게 그리기)와 같은 척도를 사용한다.

2) 윤곽선, 표제란, 중심 마크 그리기

윤곽선은 도면의 외형을 나타내는 선이다. 도면의 전체적인 모양을 정의하는 중요한 부분이다. 표제란은 도면 하단 또는 오른쪽 상단에 제작도에 대한 기본 정보로, 도면 이름, 작성자, 날짜, 버전, 척도 등 정보를 포함한다. 중심 마크는 도면의 중심을 나타내는 표시이다. 이는 부품의 대칭성을 쉽게 확인할 수 있도록 도와준다.

3) 선의 종류를 구분하여 도면에 그리기

제작도에는 여러 종류의 선이 사용된다. 각 선은 특정 목적을 가지고 있으며, 이를 구분하여 정확히 그려야 한다. 또한, 각 선을 적절하게 구분하여 사용함으로써 도면의 명확성과 이해도를 높인다.

종류		모양	명칭	용도
실선	굵은 실선	——	외형선	물체의 보이는 부분을 나타내는선
	가는 실선	——	치수선, 치수보조선, 지시선	치수, 기호, 참고 사항 등을 나타내는 선
		〰	파단선	물체의 일부를 잘라 낸 경계를 나타내는 선
		⧫	해칭선	단면도에서 물체의 절단면을 나타내는 선
파선		- - - - -	숨은선	물체의 보이지 않는 부분을 나타내는 선
1점 쇄선		- — - — -	중심선	물체 및 도형의 중심을 나타내는 선
2점 쇄선		- — - - — -	가상선	물체가 움직인 상태를 가상하여 나타내는 선

4) 도면에 치수 기입하기

도면의 각 부분에 대해 정확한 크기를 기입한다. 이는 실제 제작이 가능하도록 돕는 중요한 부분이다.

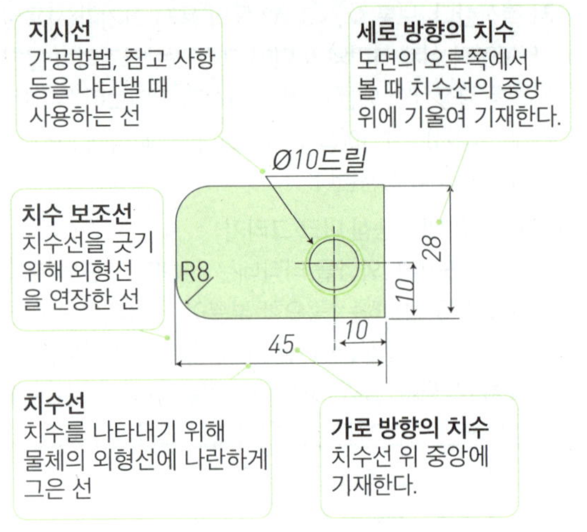

22 | ① 한국 산업 표준에서는 제3각법에 의한 정투상법을 원칙으로 하며, 정면도를 중심으로 위에 평면도를, 오른쪽에 우측면도를 나타낸다.

개념 더 보기 · 정투상법

물체의 정면, 평면, 측면에서 본 모양을 각각 따로 그려서 물체를 나타내는 방법으로, 일반적으로 제 3각법으로 그린다.

평면도: 물체의 정면을 기준으로 위에서 본 모양을 나타낸 그림이다.

정면도: 물체를 정면에서 본 모양을 나타낸 그림으로, 물체의 특징을 가장 잘 나타낼 수 있는 방향을 정면으로 선정한다.

우측면도: 물체의 정면을 기준으로 우측에서 본 모양을 나타낸 그림이다.

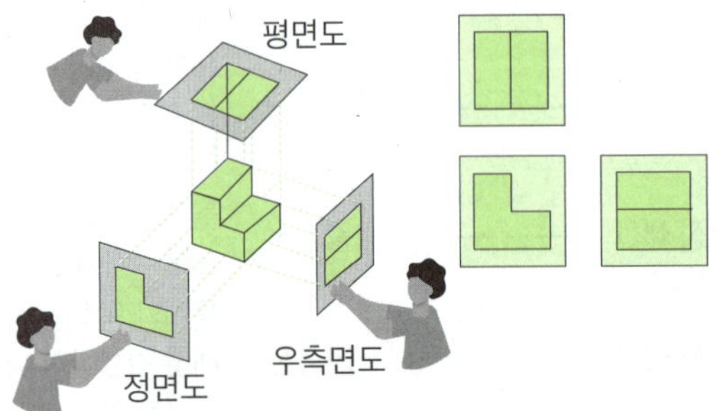

23 | ③ 전기자동차는 축전지에 전기 에너지를 충전해서 동력원으로 전동기만 사용해서 움직이는 자동차이다. 공해 물질을 배출하지 않고, 변속기 등의 장치가 없어서 구조가 간단하다.

 개념 더 보기 · 친환경 자동차 종류

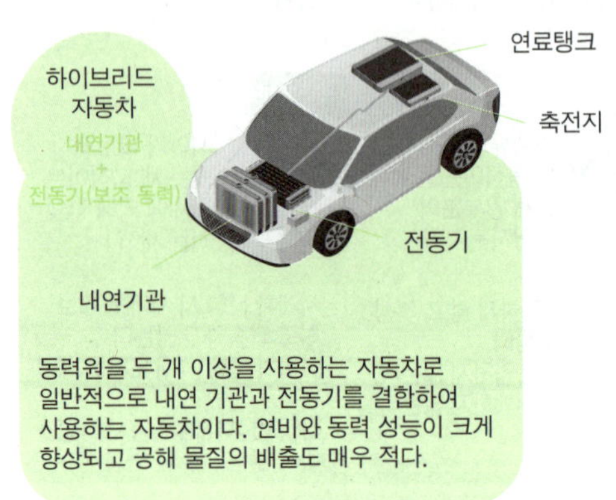

동력원을 두 개 이상을 사용하는 자동차로 일반적으로 내연 기관과 전동기를 결합하여 사용하는 자동차이다. 연비와 동력 성능이 크게 향상되고 공해 물질의 배출도 매우 적다.

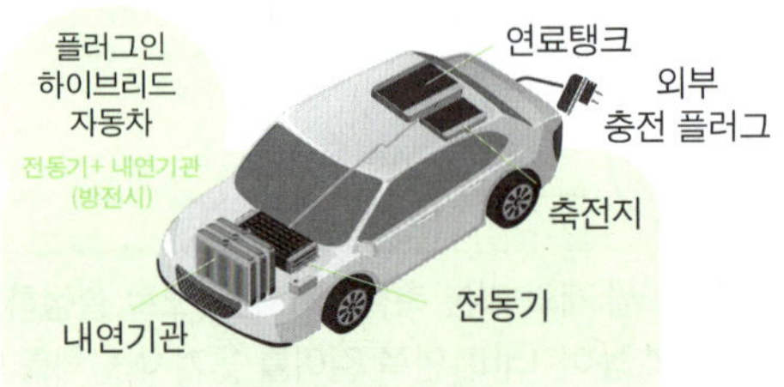

단거리에서는 충전한 전기로 주행하다가 전기가 모두 소모되면 내연 기관을 이용하는 자동차이다. 전기 자동차보다 주행거리가 길고, 일반 하이브리드 자동차보다 연비가 높다.

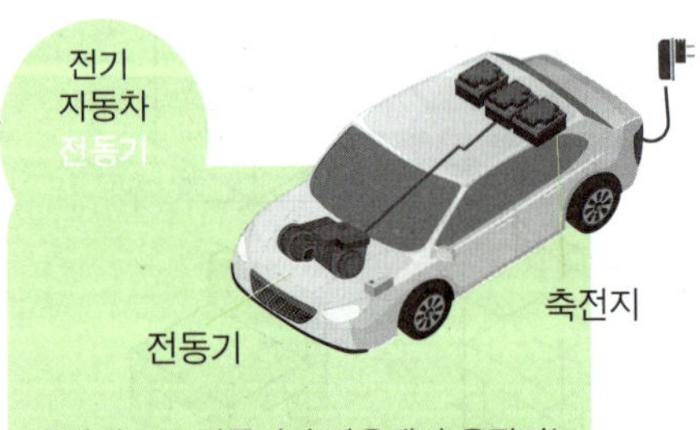

동력원으로 전동기만 사용해서 움직이는 자동차이다. 공해물질을 배출하지 않고, 변속기 등의 장치가 없어서 구조가 간단하다.

수소와 산소를 반응시켜 전기를 생성하는 연료 전지를 이용한 전동기만 사용하는 자동차로 공해 물질을 전혀 배출하지 않고, 수소와 산소가 결합하여 생긴 수증기만 배출한다.

24 | **②** **평가 행렬법**: 아이디어를 창의성, 실용성, 경제성, 제작 가능성 등 미리 정해 놓은 기준에 따라 체계적으로 평가하는 방법으로 수렴적 사고 기법이다.

마인드맵과 브레인 스토밍은 문제를 확인하고 이를 해결하기 위한 다양한 아이디어를 내는 발상기법인 확산적 사고 기법이다.
마인드맵: 생각 지도, 중심 주제로부터 가지에 가지를 계속 붙여 나가면서 생각이나 아이디어를 확장 시켜서 시각화하는 방법
브레인 스토밍: 어떤 구체적인 문제에 대한 해결 방안을 생각할 때, 서로 비판하지 않고, 머릿속에 떠오르는 대로 아이디어를 내게 하는 방법

25 | **②** 표준화는 우리 생활의 다양한 분야에서 사용되고 있다. 사람들의 편리와 안전을 도모하기 위해 사용되는 표준화는 점차 확대되어 세계 어디서든지 표준화 된 제품을 만날 수 있다. USB는 컴퓨터 주변 기기는 병렬 포트, 직렬 포트, PS/2 포트 등으로 다양한 인터페이스 규격을 가지고 있었으나, USB는 단순한 구조와 저렴한 제작 비용으로 표준 규격으로 인정되었다.

표준화의 사례

볼트, 너트

제품을 결합하기 위해 쓰이는 볼트와 너트를 표준화하여 호환성과 안전성을 확보하였다.

유에스비(USB)

컴퓨터 주변 기기는 병렬 포트, 직렬 포트, PS/2포트 등으로 다양한 인터페이스 규격을 가지고 있었으나, USB는 단순한 구조와 저렴한 제작 비용으로 표준 규격으로 인정되었다.

식료품

식료품의 매운맛, 제품의 크기와 양, 음료수의 크기를 표준화하여 세계 어디에서나 같은 맛이 나올 수 있도록 하였다.

블루투스

개인 근거리 무선 통신의 표준으로 인정되어 무선 스피커, 무선이어폰, 무선 조종기 등 다양한 웨어러블(wearable) 장치에서 활용되고 있다.

페트병
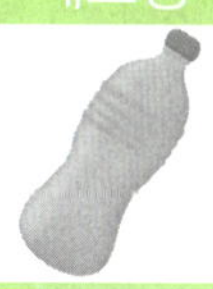
다양한 모양과 크기의 페트병 입구와 뚜껑의 모양을 표준화하여 재활용 공정을 쉽게 할 수 있도록 하였다.

휴대 전화 자판

휴대 전화 제조 회사마다 자판 형태가 달라 불편하였으나, 천지인·나랏글 등을 표준으로 지정하여 모든 휴대 전화에서 자판 형태를 그 중 하나로 정할 수 있게 하였다.

01	②	02	②	03	③	04	④	05	②
06	①	07	①	08	①	09	②	10	④
11	②	12	④	13	①	14	②	15	③
16	④	17	④	18	②	19	②	20	③
21	③	22	④	23	①	24	①	25	④

01 | ② 스턴버그는 사랑의 삼각형 이론을 주장한다. 사랑의 3요소는 열정, 친밀감, 헌신이다.

스턴버그의 사랑의 삼각형 이론

성숙한 사랑 : 열정, 친밀감, 헌신이 있는 사랑
공허한 사랑 : 헌신만 있는 사랑
도취성 사랑 : 열정만 있는 사랑
좋아함 : 친밀감만 있는 사랑
우애적 사랑 : 친밀감, 헌신이 있는 사랑
얼빠진 사랑 : 열정, 헌신이 있는 사랑
낭만적 사랑 : 열정, 친밀감이 있는 사랑

02 | ② 방임형 양육 태도를 가진 부모는 규칙이나 통제가 없고, 자녀에게 무엇이든 허용하며, 자녀가 제멋대로 하도록 내버려 둔다. 이러한 양육을 받은 자녀는 자기 통제력이 낮고, 충동적이고 공격적이며 권위를 무시한다.

부모의 양육 태도

부모의 양육 태도는 자녀의 행동이나 사회적·정서적 발달에 큰 영향을 끼친다.
1) 허용적 태도 : 자녀에게 지나친 관심과 애정을 주며, 사소한 일도 걱정하고, 자녀가 스스로 할 수 있는 일까지 대신해 준다. 그래서 자녀는 신경질적이고 정서적 성숙이 느리며, 의존적이고 책임감이 부족하다.
2) 민주적 태도 : 자녀의 의견과 자율성을 인정하며, 깊은 관심과 애정을 가지고 자녀를 독립된 인간으로 존중한다. 자녀는 독립성, 자율성, 책임감이 있으며, 정서적으로 안정되어 있다.
3) 방임적 태도 : 규칙이나 통제가 없고, 자녀에게 무엇이든 허용하며, 자녀가 제멋대로 하도록 내버려 둔다. 자녀는 자기 통제력이 낮고 충동적·공격적이며 권위를 무시한다.

4) 권위주의적 태도 : 자녀의 자율성을 인정하지 않고, 부모의 권위를 내세워 자녀를 통제 한다. 이러한 부모 밑에서 자란 자녀는 소극적·수동적으로 행동하고, 자신감이 부족하다. 청소년기에는 반항적인 행동을 보이기도 한다.

03 | ③ 태반은 모체의 자궁 내벽에 위치하여 태아와 탯줄로 연결 되어 있다. 태아에게 모체의 영양소를 공급하고 태아의 노폐물을 배출하는 기능을 한다.

 **태반과 탯줄**

태아의 발달에는 두 기관이 핵심 역할을 한다.
1) 태반
　- 모체의 자궁 내벽에 붙어 있음
　- 산소·영양소 공급
　- 노폐물 배출
　- 면역 성분 전달 등 태아 생존에 필수적인 역할
2) 탯줄
　- 태아와 태반을 연결하는 통로
　- 혈관이 지나가며, 이를 통해 태아와 모체 사이의 물질 교환이 이루어진다.

선지 더 알아보기

질 : 자궁과 외부를 연결하는 여성의 생식기관으로, 분만 시 태아가 통과하는 산도이다.
정자 : 남성의 생식세포로, 난자와 결합해 수정이 이루어진다.
난자 : 여성의 생식세포로, 정자와 만나 수정란을 형성한다.

04 | ④ 산욕열은 출산 중이나 출산 후에 자궁, 질, 외음부 등에 세균이 감염되어 염증이 생기면서 고열이 나는 상태를 말한다. 위생 관리가 좋지 않거나, 상처 부위 감염 등으로 발생할 수 있어 산후 관리에서 중요한 주의 사항이다.

선지 더 알아보기

이슬 : 분만 전후에 나오는 붉고 끈적한 점액성 분비물
입덧 : 임신 초기에 나타나는 메스꺼움, 구토 등의 증상
태동 : 임신 중 태아가 움직이는 느낌을 의미하는 것

05 | ② 협동 놀이는 역할을 나누고(역할 분담), 공동의 목표를 위해 함께 놀이를 조직적으로 진행하는 놀이이다.

06 | ① 녹색 소비(지속 가능한 소비)란 환경·사회·경제에 미치는 부정적 영향을 줄이기 위해 자원 절약·재활용·필요한 만큼만 소비하는 행동을 말한다. 친환경 상품 구매, 재활용·재사용으로 자원과 에너지 절약, 불필요한 소비 줄이기(과소비·충동구매 지양) 등의 실천방법이 있다. 소비의 빈도나 양을 늘려 필요하지 않아도 구매하는 것은 과소비이다.

07 | ① 접힌 종이를 다시 펴면 처음 상태로 돌아간다는 되돌릴 수 있는 생각 → 가역성
생명이 없는 곰 인형을 배고픈 존재로 여기며 말을 거는 모습 → 물활론적 사고

가역성과 물활론적 사고

1) 가역성 (되돌이 생각)
어떤 행동이나 변화를 거꾸로 되돌릴 수 있다고 생각하는 능력
예 종이를 접었다 펴면 다시 처음 모양으로 돌아간다고 이해함.
2) 물활론적 사고
생명이 없는 사물도 사람처럼 생각하고 느낀다고 여기는 사고 방식
예 인형이 배고프다고 느낀다, 장난감이 아프다고 말하는 것 등.

08 | ① 약식동원은 '약과 음식의 근원이 같다'는 뜻으로, 평소 음식을 바르게 섭취하는 것이 곧 건강을 지키는 길이라는 전통 식생활 사상이다. 우리나라 음식 가운데 삼계탕, 약밥, 인삼 요리 등은 이 사상이 잘 드러나는 예이다. 약식동원은 식사의 상차림(첩수)와는 관련이 없으므로 ①번이 옳지 않은 설명이다.

09 | ② '기모노'와 '오비'는 일본의 전통 의상 용어이므로, 이와 같은 의생활 문화를 가진 나라는 일본이다.

인도	사리, 쿠르타
중국	치파오
베트남	아오자이

10 | ④ 분합문은 들어 올려 고정할 수 있어 통풍을 조절하는 한옥의 문 구조이다.

분합문

- 문짝을 들어 올려 위에 걸어 고정할 수 있는 구조
- 여름철에 문을 떼어내거나 위로 올려 통풍을 좋게 함
- 공간을 넓게 트는 기능도 있음

굴뚝	연기를 배출하는 구조
마루	바닥을 띄워 통풍
구들장	온돌 난방용 돌판

11 | ② 금융상품을 고려할 때, 수익성, 안정성, 환금성 등을 고려 해야 한다.
수익성 : 투자한 원금에 대해 얼마나 이익(수익)을 얻을 수 있는가를 나타내는 정도
안정성 : 원금과 이자가 보전되는 정도
환금성 : 돈이 필요 할 때 현금화 할 수 있는 정도

12 | ④ 다음 그림과 같이 ㉠은 마루폭이다.

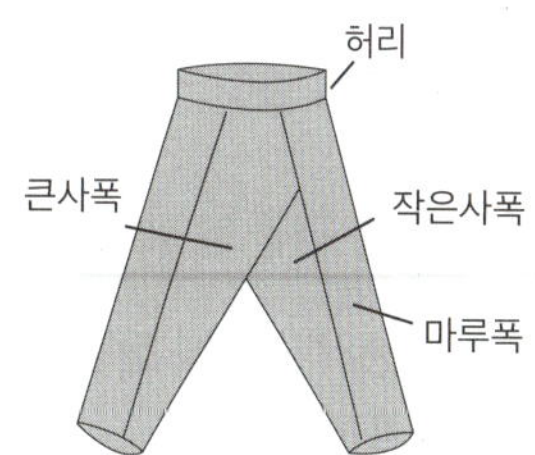

13 | ① 무장형은 부정적인 적응유형으로 노화나 연령 변화를 부정하고 젊었을 때와 동일한 역할·활동을 계속하려고 한다. 현실을 받아들이지 않고 "나는 아직 젊다"라는 태도를 유지한다.

⚠ 선지 더 알아보기

분노형 : 노화와 환경 변화에 대해 불평, 분노, 짜증을 드러내는 유형
은둔형 : 사회적 활동을 줄이고 집 안에 머무르며 소극적으로 생활
자학형 : 스스로 자신을 비하하거나 무기력해 하는 부정적 유형

14 | ② ① 단계는 3D 프린터 사용 전 컴퓨터에서 제품을 설계(모델링)하는 단계로 정답은 ②이다.

🔍 개념 더 보기   3D 프린터를 활용한 제품 제작 과정

모델링(설계)→슬라이싱→프린팅→후처리
1) 모델링 : 3차원 모델링 프로그램을 통해 원하는 형태로 설계한다.
2) 슬라이싱 : 3차원 모델링 데이터는 슬라이서라고 하는 프로그램을 통해 여러 개의 얇은 층으로 나뉜 데이터로 변환한다.
3) 프린팅 : 변환한 데이터를 3D 프린터로 보내면 재료를 쌓거나 굳히는 방법을 통해 입체로 된 출력물로 만든다.
4) 후처리 : 출력물을 지탱하기 위한 지지대를 제거하는 작업, 표면을 고르게 다듬고 표면을 덮고 있는 분말을 털어내는 작업, 출력물의 색상을 바꾸는 작업을 한다.

15 | ③ 제진 설계는 건물 내부에 감쇠 장치(댐퍼 등)를 설치하여 지진으로 생기는 진동에너지를 분산·흡수해 흔들림을 줄이는 설계 방법이다.

🔍 개념 더 보기   고층 건물의 내진 설계

제진 기술 : 건물이 파손되기 전에 진동 감쇠 장치가 지진 에너지를 흡수하는 방법
내진 기술 : 지진 에너지를 건물 구조물의 내력으로 견뎌 내도록 하는 방법
면진 기술 : 건물과 지반 사이에 유연한 받침을 삽입하여 지반의 흔들림이 건물에 전달되는 것을 최소화하는 방법

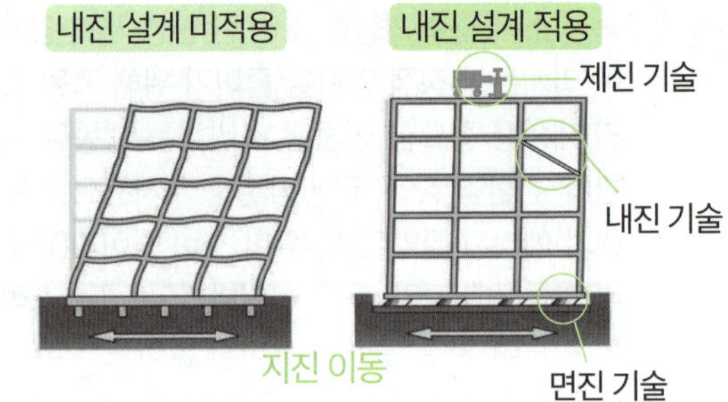

⚠ 선지 더 알아보기

내화 설계 : 건물이 화재에 견디도록 하는 설계(불에 강한 자재 사용 등)
단열 설계 : 건물 안팎의 온도 차를 줄여 열 손실을 막는 설계
회로 설계 : 전기·전자 제품, 시스템 내부의 전기 회로 구성을 설계하는 분야

16 | ④ **액티브 하우스** → 태양광 패널, 지열 등으로 집이 스스로 에너지를 생산하는 주택
능동적 에너지 생산 → 태양광, 풍력 등 신재생에너지로 직접 전기를 생산
패시브 하우스 → 단열 공법, 기밀 구조 등을 활용해 에너지 손실을 최소화하는 초고효율 주택
액티브 하우스+패시브하우스=에너지 제로 하우스
즉, 에너지 소비량 ≤ 에너지 생산량, 에너지 자립이 가능한 집이다.

⚠ 선지 더 알아보기

GPS : 인공위성을 이용해 사용자의 위치·속도·시간 정보를 계산하는 위치 기반 시스템이다. 스마트폰·차량 내비게이션·지도 서비스 등에서 정확한 위치 측정을 위해 사용된다.
가상 현실(VR) : 컴퓨터 기술을 통해 만들어진 가상 공간에 사용자가 몰입·체험할 수 있게 하는 기술이다. 게임, 교육, 시뮬레이션 등에서 실제와 유사한 체험 환경을 제공한다.
원격 의료 기술 : 정보통신 기술을 활용해 의사가 환자를 직접 대면하지 않고 진단·모니터링·상담하는 의료 방식이다. 병원 방문이 어려운 상황에서도 의료 접근성을 향상시키는 역할을 한다.

17 │ ④ 스마트 농장은 사물 인터넷(IoT), 센서, 통신 기술 등을 활용해 온도·습도·일조량·이산화탄소·토양 상태 등을 자동으로 측정·제어하는 농장이다. 작물별로 필요한 인공 햇빛, 물, 비료, CO_2 등을 자동 공급해 생산성을 높이고 노동력을 줄인다.

홀로그램: 레이저 빛의 간섭 현상을 이용하여 입체적인 3차원 영상을 재현하는 기술이다. 실제 물체가 눈앞에 있는 것처럼 입체감·깊이감·원근감을 표현한다.

세포 융합: 서로 다른 두 개의 세포를 결합시켜 하나의 새로운 세포로 만드는 생명공학 기술이다. 작물 품종 개선, 의약품 개발 등 생명과학 연구에 활용된다.

연료 전지: 수소와 산소의 전기화학 반응을 통해 전기와 열을 생산하는 친환경 발전 장치이다. 연소 과정 없이 반응하므로 효율이 높고 오염물질 배출이 적다.

18 │ ② 적정 기술은 주로 낙후된 지역이나 소외된 계층의 삶의 질을 개선하기 위해 개발된 기술이다. 값이 싸고, 만들기·사용하기 쉬우며, 지속 가능한 생산·소비에 도움이 되도록 설계된다.
대표 예: 페트병 전구, 플레이 펌프 등

인공지능(AI): 인간의 학습·추론·판단 능력을 컴퓨디가 수행하도록 만든 기술이다. 데이터 분석을 기반으로 문제 해결, 패턴 인식, 예측 등을 자동으로 실행한다.

증강 현실(AR): 현실 화면 위에 가상 정보(이미지·텍스트·3D 모델)를 겹쳐 보여주는 기술이다. 실제 환경을 기반으로 현실+가상 요소가 결합된 상호작용 경험을 제공한다.

스마트 시티: 도시의 교통·에너지·환경·안전 등을 ICT(정보통신기술)로 통합 관리하는 도시 모델이다. 도시 운영 효율을 높이고 생활 편의·안전·환경 문제를 개선하는 데 중점을 둔다.

19 │ ② 데이터가 짧은 시간 안에 빠르게 생성·유입되는 것은 속도(Velocity)에 해당한다.

개념 더 보기 — 빅데이터의 특징

1) 규모(Volume)
빅데이터는 전통적인 데이터 처리 방식으로 감당하기 어려울 정도로 데이터 양이 매우 방대하다. SNS, 센서, 로그 데이터 등에서 지속적으로 대규모 데이터가 축적된다.

2) 속도(Velocity)
데이터가 아주 빠른 속도로 생성·유입·처리되는 특징이다. 실시간 분석이 필요한 금융, 교통, IoT 서비스에서 중요하게 작동한다.

3) 다양성(Variety)
텍스트, 이미지, 영상, 음성, 센서 데이터 등 형식과 종류가 매우 다양하다. 정형·비정형 데이터를 모두 포함해 처리 복잡성이 높다.

4) 정확성(Veracity)
수집된 데이터의 신뢰도·정확성·오류 여부를 의미한다. 불확실한 데이터를 걸러내고 유효한 데이터를 확보하는 것이 핵심이다.

5) 가치(Value)
데이터가 활용될 때 새로운 의미·부가가치가 창출되는 정도를 말한다. 활용될 때 비로소 경제적·사회적 가치가 창출된다.

시각화 (Visualization): 데이터를 그래프·차트·이미지 등으로 눈으로 쉽게 이해하도록 표현하는 기술

20 | ③ 사투상도는 물체의 정면을 있는 그대로 그리고, 깊이 방향 선을 45° 등 일정한 각도로 뒤로 기울여 그리는 투상도이다. 정면 치수가 실제와 같아서 구조를 이해하기 쉽다.

사투상법

물체의 정면을 실물과 똑같은 모양으로 그린 후, 각 꼭짓점에서 45° 각도로 선을 긋고 물체의 안쪽 길이를 실제 길이의 1/2로 그린다. 경사선의 각은 30°, 60° 등으로 달리하여 나타내기도 한다.

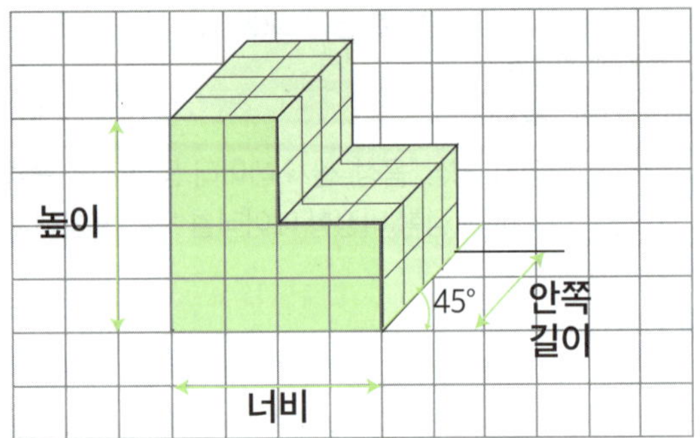

전개도 : 입체 물체를 잘라 평면 위에 펼쳐 놓은 도형이다. 종이접기 · 상자 만들기 등에 쓰인다.
평면도 : 물체나 건축물을 위에서 내려다본 모양을 나타내는 도면이다.
우측면도 : 물체를 오른쪽에서 바라본 모양을 나타내는 정투상도이다. 단순한 옆모습 평면도.

21 | ③ 도면에서 ㉠이 가리키는 선은 글자(Ø10 드릴)과 해당 부분(구멍)을 연결해 주는 가는 사선이다. 이처럼 치수·기호·문자 설명을 어느 위치에 적용하는지 가리키는 선을 지시선이라고 한다.

선의 종류와 용도

종류		모양	명칭	용도
실선	굵은실선	——————	외형선	물체의 보이는 부분을 나타내는선
	가는실선	——————	치수선, 치수 보조선, 지시선	치수, 기호, 참고사항 등을 나타내는 선
		〜〜〜	파단선	물체의 일부를 잘라 낸 경계를 나타내는 선
		/////	해칭선	단면도에서 물체의 절단면을 나타내는 선
파선		- - - - - - - -	숨은선	물체의 보이지 않는 부분을 나타내는 선
1점 쇄선		- — - — - —	중심선	물체 및 도형의 중심을 나타내는 선
2점 쇄선		- — — - — —	가상선	물체가 움직인 상태를 가상하여 나타내는 선
절단선		¬⋯⋯⌐		단면도를 그릴 경우, 그 절단 위치를 대응하는 그림에 표시하는 데 사용한다.

숨은선 : 물체의 보이지 않는 모양(구멍, 홈 등)을 나타내는 선이다. 짧은 선과 간격이 반복되는 파선(- - - -) 형태로 그린다.
가상선 : 실제로 존재하지 않지만 이동 경로, 회전 위치, 대칭선 등을 표시할 때 쓰는 선이다. 긴 선과 짧은 선이 반복되는 1점 쇄선(-·-)으로 표현한다.
절단선 : 물체를 어디에서 잘라 단면을 나타내는지 위치를 표시하는 선이다. 가는 1점 쇄선으로 끝부분 및 방향이 변하는 부분을 굵게 한다.

22 | ④ 표준 특허는 국제 표준화 기구에서 정한 기술 표준에 포함된 특허를 말한다. 해당 기술 표준을 사용하려면 반드시 이용해야 하는 필수 특허이다.

> **사업 등록**:사업을 시작할 때 관청에 사업자 정보를 신고·등록하는 행정 절차
> **시장 조사**:제품이나 서비스와 관련된 수요, 경쟁, 소비자 성향 등을 파악하는 조사 활동
> **창업 자금**:새로운 사업을 시작할 때 필요한 초기 투자 비용으로 설비·인건비·마케팅 등에 쓰이는 돈

23 | ① PMI는 한 아이디어에 대해 장점(Plus), 단점(Minus), 흥미로운 점(Interesting)을 나누어 정리하는 발명·사고 기법이다. 아이디어의 다양한 측면을 균형 있게 평가하도록 돕는 수렴적 사고 기법이다. 날개 없는 선풍기에 대해 장점-단점-흥미로운 점을 정리하고 있으므로 PMI 기법이다.

> **스캠퍼(SCAMPER)**:기존 제품이나 아이디어를 대체·결합·응용·변형·재배열 등 7가지 방식으로 확장시키는 발상 기법이다. "바꿔보기/조합하기" 등 변형 중심으로 아이디어를 확산시킨다.
> **트리즈(TRIZ)**:발명 문제를 해결하기 위해 기술 모순을 분석하고 해결원리를 적용하는 체계적 발명 이론이다. 창의적 문제 해결을 위한 공학 기반 사고 기법이다.
> **평가 행렬법**:여러 아이디어를 기준(창의성·경제성·실용성 등)에 따라 점수화해 평가하는 분석법이다.

24 | ① 특허 제도의 핵심은 발명을 '공개'하는 조건으로 독점권을 부여받는 것이다.

25 | ④ 플러그 인 하이브리드 자동차(PHEV)는 내연기관(엔진)과 전동기(모터)를 함께 동력원으로 사용하는 하이브리드 자동차이다. 일반 하이브리드와 달리, 외부 전원에 플러그를 꽂아 축전지를 직접 충전할 수 있는 것이 특징이다.

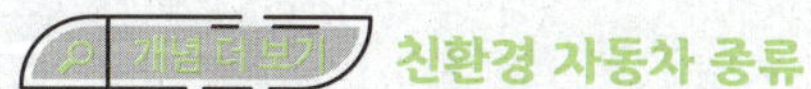

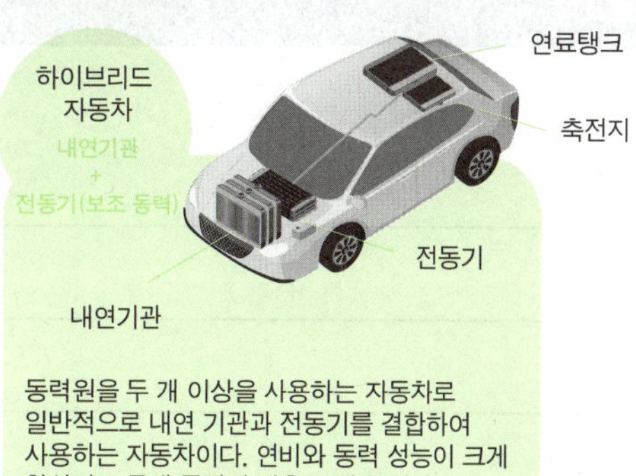

동력원을 두 개 이상을 사용하는 자동차로 일반적으로 내연 기관과 전동기를 결합하여 사용하는 자동차이다. 연비와 동력 성능이 크게 향상되고 공해 물질의 배출도 매우 적다.

단거리에서는 충전한 전기로 주행하다가 전기가 모두 소모되면 내연 기관을 이용하는 자동차이다. 전기 자동차보다 주행거리가 길고, 일반 하이브리드 자동차보다 연비가 높다.

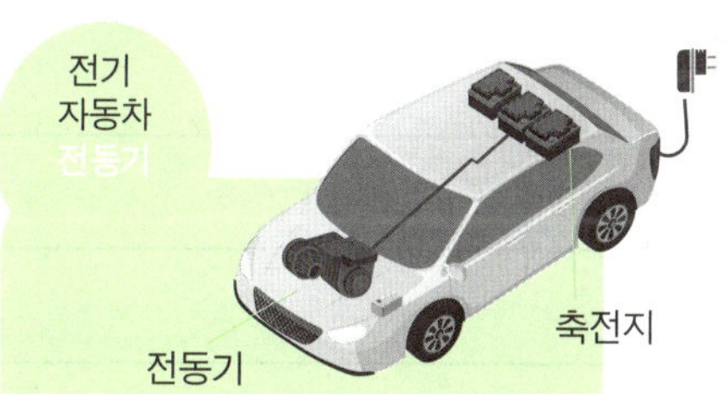

동력원으로 전동기만 사용해서 움직이는 자동차이다. 공해물질을 배출하지 않고, 변속기 등의 장치가 없어서 구조가 간단하다.

수소와 산소를 반응시켜 전기를 생성하는 연료 전지를 이용한 전동기만 사용하는 자동차로 공해 물질을 전혀 배출하지 않고, 수소와 산소가 결합하여 생긴 수증기만 배출한다.

고등학교 졸업학력
검정고시

체육
정답 및 해설

정답표

2021년 1회

01	③	02	②	03	②	04	③	05	③
06	④	07	①	08	④	09	①	10	①
11	③	12	①	13	②	14	②	15	③
16	④	17	②	18	④	19	①	20	③
21	④	22	④	23	①	24	④	25	②

2021년 2회

01	②	02	③	03	④	04	③	05	④
06	①	07	②	08	①	09	②	10	①
11	①	12	①	13	②	14	③	15	④
16	③	17	②	18	②	19	④	20	④
21	①	22	②	23	③	24	①	25	④

2022년 1회

01	②	02	④	03	④	04	③	05	①
06	①	07	③	08	①	09	①	10	④
11	②	12	②	13	③	14	②	15	②
16	②	17	④	18	③	19	④	20	③
21	③	22	①	23	①	24	④	25	④

2022년 2회

01	③	02	②	03	②	04	④	05	④
06	③	07	①	08	③	09	①	10	②
11	②	12	④	13	②	14	③	15	①
16	③	17	④	18	④	19	①	20	③
21	④	22	③	23	②	24	①	25	④

2023년 1회

01	④	02	③	03	②	04	④	05	③
06	④	07	④	08	①	09	①	10	③
11	①	12	①	13	②	14	③	15	①
16	②	17	①	18	②	19	①	20	②
21	④	22	②	23	③	24	④	25	③

2023년 2회

01	②	02	①	03	④	04	③	05	①
06	③	07	④	08	③	09	④	10	④
11	④	12	①	13	②	14	①	15	②
16	②	17	①	18	②	19	③	20	③
21	②	22	③	23	①	24	④	25	①

2024년 1회

01	②	02	②	03	①	04	①	05	③
06	③	07	④	08	④	09	①	10	②
11	④	12	①	13	①	14	①	15	③
16	④	17	③	18	④	19	②	20	①
21	②	22	②	23	①	24	③	25	④

2024년 2회

01	④	02	③	03	③	04	③	05	①
06	③	07	①	08	①	09	④	10	③
11	③	12	①	13	①	14	①	15	②
16	④	17	②	18	①	19	②	20	④
21	①	22	①	23	②	24	②	25	②

2025년 1회

01	②	02	②	03	③	04	①	05	①
06	②	07	④	08	①	09	④	10	④
11	④	12	①	13	②	14	④	15	③
16	④	17	①	18	③	19	②	20	①
21	③	22	①	23	①	24	②	25	①

2025년 2회

01	③	02	①	03	④	04	④	05	②
06	②	07	①	08	③	09	③	10	④
11	④	12	①	13	①	14	②	15	①
16	②	17	③	18	④	19	②	20	④
21	①	22	②	23	③	24	②	25	④

정답 및 해설

2021년 1회

01	③	02	②	03	②	04	③	05	③
06	④	07	①	08	④	09	①	10	①
11	③	12	③	13	②	14	②	15	③
16	④	17	②	18	④	19	①	20	③
21	④	22	④	23	①	24	④	25	②

01 | ③ 건강 관리를 위해 충분한 수면과 규칙적인 운동이 필수적이고 외출 후 귀가 하면 비누로 손을 씻는 것이 중요하다.

02 | ② 운동 빈도는 '일주일 동안 운동을 몇 회나 실천할 것인가'를 정하는 것으로, 운동 능력과 목표에 따라 정하는 것이 좋다.

⚠ 선지 더 알아보기

운동 강도 : '운동을 얼마나 힘들게 할 것인가'를 정하는 것으로, 처음부터 무리한 운동보다는 자신의 체력 수준보다 약간 높은 강도를 지속시키는 것이 좋다.

운동 시간 : 1회 운동을 '얼마나 오래 할 것인가'를 정하는 것으로, 운동 빈도와 운동 강도에 따라 운동 시간을 조절하는 것이 효과적이다.

운동 형태 : 운동을 하는 목적에 따라 '어떤 운동을 할 것인가'를 정하는 것으로, 되도록 자신이 좋아하면서 꾸준하게 실천할 수 있는 운동이 좋다.

03 | ② 트레킹은 가벼운 배낭을 메고 산이나 야외를 여유 있게 걸으면서 휴식과 즐거움을 찾는 여가 스포츠 활동이다. 트레킹은 일반 평지를 걸어 다니는 것이 아니라, 산이나 들 어느 곳이든지 도보로 비교적 장시간 걷기 때문에 근력과 심폐 지구력을 기르고 호흡 및 순환 기능을 증진하는 데 효과가 크다.

⚠ 선지 더 알아보기

요가 : 요가는 고대 인도에서 전해 오는 심신 단련법으로 자세와 호흡을 가다듬는 훈련을 통해 정신과 신체 건강을 모두 증진할 수 있다. 요가를 규칙적으로 하면 심리적인 안정감을 얻고 몸에 활력을 줄 수 있어 체력 증진은 물론 스트레스 해소와 체형 관리, 자세 교정에도 매우 효과적이다.

배드민턴 : 두 선수 또는 두 팀이 중앙에 네트를 두고 라켓으로 셔틀콕을 쳐서 네트를 넘기는 것으로 승부를 겨루는 경기

04 | ③ 운동은 신체를 활발하게 움직이게 함으로써 근육을 강화하고 체지방을 감소시키는데 효과적이다. 규칙적인 운동은 심혈관 기능을 개선하고 심폐 기능을 강화하여 개선하며, 혈액순환을 활발하게 함으로써 신체 내 영양분을 고르게 공급하여 전반적인 건강을 지원한다. 또한 운동은 신체의 유연성과 균형을 향상시켜 부상 예방에도 도움을 준다. 이것이 운동의 신체적 효과이다.

05 | ③ 자전거 타기에서 헬멧은 머리를 보호하기 위해 반드시 착용해야 하고, 머리에 꼭 맞는 것으로 착용한다.

🔍 개념 더 보기 **자전거 탈 때의 안전 수신호**

06 | ④ 유연성을 측정 하는 종목으로는 앉아 윗몸 앞
　　　　으로 굽히기, 종합 유연성 검사가 있다.

팔굽혀 펴기 : 근력 및 근지구력 측정
왕복 오래 달리기 : 심폐지구력 측정
제자리 멀리 뛰기 : 순발력 측정

07 | ① 체조 경기 종목이 남자와 여자가 다른데 남자 종
　　　　목은 마루, 철봉, 평행봉, 안마, 링, 도마이고 여자
　　　　종목은 마루, 평균대, 2단 평행봉, 도마이다. 남자
　　　　만 실시하는 종목은 안마와 철봉과 링이다.

08 | ④

필드 경기	도약 경기	멀리 뛰기, 높이 뛰기, 세단 뛰기, 장대 높이 뛰기
	투척 경기	포환 던지기, 원반 던지기, 창 던지기, 해머 던지기

09 | ① 골 라인 안으로 공이 들어가야 득점이므로 답
　　　　은 ㉠이다.

10 | ① 배영은 4개의 영법 중 유일하게 물 안에서 출발
　　　　한다. 채운 물 위에 떠서 팔을 크게 휘저으며 노
　　　　력하는 영법이다. 배영은 개인 혼영에서는 두
　　　　번째 순서고, 혼계영에서는 첫번째 순서이다.

11 | ③ 투기 스포츠란 선수끼리 맞붙어 싸우는 방식의
　　　　경기다. 예로 씨름과 유도가 있다.

12 | ③ 스페어는 제 1투구에서 남은 핀을 제 2 투구에
　　　　서 모두 쓰러뜨리는 것을 말한다. 남은 핀을 처
　　　　리 하는데 성공하면 스코어 판에서는

　　　　로 표시된다.

13 | ② 테니스 경기 점수는 15, 30, 40 이렇게 있다. 그
　　　　래서 ㉡인 20인 옳지 않다.

  테니스 경기 점수

0포인트 : love
1포인트 : fifteen
2포인트 : thirty
3포인트 : forty
4포인트 : game

4포인트를 먼저 따내면 1게임이고, 6게임을 선취하면 1세
트를 이기게 된다.

14 | ② 볼 카운트에서 B는 볼이고, S는 스트라이크이
　　　　고, O는 아웃이다.

15 | ③ 언더핸드 패스는 주로 서비스 리시브를 할 때
　　　　에나 강하게 날아오는 공을 받을 때 사용 한다.
　　　　몸이 공의 정면을 향하도록 이동하여 무릎 사
　　　　이에서 팔꿈치를 펴고, 팔을 길게 뻗어 공을 받
　　　　는다.

16 | ④ 화살이 표적의 경계에 맞았을 때는 높은 점수
　　　　를 인정한다. 그러므로 이 과녁판에서 득점은 8
　　　　점이다.

17 | ② 뒤차기는 상대방이 자신의 앞에 있을 때 몸을
　　　　뒤로 180도 회전 하면서 발바닥이나 뒤꿈치로
　　　　차는 기술이다.

18 | ④ 사이클링 히트는 한 선수가 한 게임에서 1루타,
　　　　2루타, 3루타, 홈런을 순서에 관계없이 모두 쳐
　　　　낸 것을 말한다.

19 | ① 심폐소생술은 호흡이 멈췄거나 심장 마비가 의
　　　　심 되는 사람에게 실시하는 응급 처치이다. 주
　　　　로 가슴 압박을 통해 이루어진다.

20 | ③ 수비자가 찬 공이 자기편 골대 쪽의 골 라인 밖으로 나간 경우 코너킥의 기회가 주어진다. 코너킥이 주어진 경우에는 골문 앞으로 길게 패스하여 공격하거나 동료에게 짧게 패스한 후 센터링이나 슛을 한다.

21 | ④ 박스 아웃은 골 지역에서 리바운드 자리를 확보하기 위한 동작이다.

어시스트 : 팀 동료에게 볼을 넘김으로써 팀 동료가 필드골에 의해 득점 할 수 있게 하는 방식
트래블링 : 공을 가지고 드리블 없이 3보 이상 걸었을 경우
레이업 슛 : 림에 최대한 가까이 점프하여 가장 높은 위치에 공을 올려놓듯이 슛하는 방법

22 | ④ 치어리딩은 일반적인 스포츠 경기 장면에서 응원을 주도하던 응원 문화가 공연의 형태로 발전된 표현 활동 분야이다. 스포츠 경기에서 소속 팀의 승리를 위하여 구호, 함성, 응원 춤 등을 실시함으로써 경기에 대한 흥미와 집중력을 높이는 효과가 있다.

룸바 : 라틴 댄스 중 하나로 느린 음악과 단순한 스텝이다. 사랑을 표현한 춤으로 여성 댄서의 아름다운 몸동작이 매력을 더한다
왈츠 : 유럽에서 유래한 모던 댄스 중 하나로 시작부터 끝까지 우아하고 격조 높은 춤이다. 동작의 부드러운 연결이 중요하다.
차차차 : 룸바와 함께 쿠바에서 탄생한 춤이다. 정확한 리듬과 강한 비트의 익살스러운 표현이 매력이다.

23 | ① 발레는 유럽의 체계화된 전통 표현 기법에 바탕을 둔 무용으로, 16세기경부터 전문적인 무대 무용의 형식으로 발달하였다. 발레는 정해진 포지션과 자세, 동작을 이용하여 자기 생각과 감정을 아름답게 표현할 수 있는 심미적 표현 활동이다. 발레는 특히 우아함과 조화로움, 균형 등을 강조하며, 신체의 아름다운 선을 엄격하게 표현한다.

삼바 : 브라질 흑인 노예들이 만든 춤으로 강렬하고 독특한 율동의 생동감 넘치는 춤이다. 허리와 엉덩이를 튕겨주는 동작이 많다.
탱고 : 모던 댄스 중 유일하게 무빙 댄스가 아니며, 강약 조절로 사랑, 열정 등의 감정을 표현한다.
자이브 : 라틴 아메리카 댄스 중 가장 인기 있는 종목 중 하나로, 활기가 넘치고 신나게 춤을 추는 것이 특징이다. 자이브는 4/4 박자의 음악을 사용하는데, 무릎을 이용해 몸을 아래위로 움직이는 동작을 자연스럽게 표현하는 것이 중요하다.

24 | ④ 안전사고 발생 원인 중 환경적 요인은 시설이나 장비 결함, 안전 시설 불량 및 부족, 상대방의 반칙 행위, 갑작스러운 기후 변화가 있다.

 안전사고의 발생 원인

인적 요인

환경적 요인

25 | ② 출혈의 응급처치 방법은 지혈이다.

01	②	02	③	03	④	04	③	05	④
06	①	07	②	08	①	09	②	10	①
11	①	12	③	13	②	14	③	15	④
16	③	17	②	18	②	19	④	20	④
21	①	22	③	23	③	24	①	25	④

01 | ② 씨름은 모래판 위에서 두 사람이 상대 선수의 샅바를 잡고 힘을 겨루어 상대 선수를 넘어뜨리는 경기이다. 씨름의 기술에는 앞무릎치기 · 오금당기기 등의 손기술, 밭다리 걸기 · 발목 빗장걸이 등의 발기술, 들배지기 · 뒤집기 등의 허리 기술이 있다.

02 | ③ 심폐 지구력은 오래 달리기처럼 운동을 오랫동안 지속적으로 하는 능력으로 왕복오래 달리기, 오래달리기-걷기, 스텝 검사로 측정 할 수 있다.

03 | ④ 태권도는 상대와 신체적 기량을 겨루기 위해 손과 발을 사용하여 공격과 방어 하며 승부를 결정하는 경기이다. 겨루기는 공격 기술과 방어 기술을 응용하여 상대와 실제로 대결하는 것이다. 두 사람이 미리 약속한 동작으로 연습하는 맞춰겨루기와 약속된 동작 없이 자유롭게 서로의 기량을 겨루는 자유 겨루기가 있다.

04 | ③ 요가는 고대 인도에서부터 전해오는 심신 단련법의 하나로 숨을 들이쉴 때 배가 나오고 내쉴 때 배가 들어가는 복식호흡을 사용한다.

05 | ④ 리듬 체조는 줄, 후프, 공, 곤봉, 리본 등의 기구를 이용하여 신체 율동을 표현하는 체조 종목의 하나이다. 예술적 가치가 상대적으로 높은 스포츠로 여성 경기만이 올림픽 종목으로 채택되어 있다.

06 | ① 루틴은 자신만의 고유한 동작이나 절차를 의미한다. 운동 수행시 불안과 긴장을 해소하고 집중력을 높일 수 있다.

07 | ② 승무는 승려들이 추는 속칭 '중춤'이라 하지만 불교의식에서 승려가 추는 춤이 아니고 흰 장삼에 붉은 가사를 어깨에 매고 흰 고깔을 쓰고 추는 민속 무용이다.

08 | ① 네트형 스포츠에는 배구, 배드민턴, 탁구 등이 있고, 영역형 스포츠에는 축구, 농구, 핸드볼 등이 있다.

09 | ② 멀리뛰기는 일정 거리를 도움닫기한 뒤 발구름판에서 한 발로 발 구르기를 해서 멀리 뛴 거리를 겨루는 경기이다. 도움닫기, 발 구르기, 공중 동작, 착지의 연결 동작으로 이루어지므로, 도움닫기의 가속력을 이용하여 자연스럽게 동작을 연결해야 좋은 결과를 얻을 수 있다.

10 | ① 듀스 상황에서 2점을 앞선 경우 해당 세트에서 승리한다.

11 | ① 골프는 넓고 다양한 환경의 경기장에서 티샷에서부터 마지막 퍼팅으로 홀 아웃이 되기까지 타수의 많고 적음으로 승부를 겨루는 운동 경기이다. 유연성, 근력, 조정력, 자기 관리 능력 등을 기를 수 있으며 집중력을 키우는 데도 좋다.

개념 더 보기 — 골프장

티잉 그라운드 : 각 홀의 공을 처음 치는 구역
페어웨이 : 풀을 말끔히 다듬어 놓은 지역
러프 : 풀이 길게 자라고 있는 지대
워터 해저드 : 구덩이에 물을 채워 넣은 장애물
벙커 : 구덩이에 모래를 채워 넣은 장애물
그린 : 퍼팅을 하기 위해 잔디를 짧게 자른 지역
핀 : 홀에 꽂아 놓은 깃발

12 | ③ 서비스는 배구공을 엔드 라인 뒤쪽에서 상대팀 코트로 보내는 기술로, 서비스를 통해 경기가 시작되면 거리, 각도, 속도 등을 고려하여 동료에게 정확한 패스를 할 수 있어야 한다.

개념 더 보기 — 배구 서비스

스파이크 서비스
: 도움닫기한 후에 내려오는 타이밍에 맞춰 점프하여 서브한다.

언더핸드 서비스
: 공을 허리 정도에서 쳐올려 포물선을 그리며 안전하고 정확하게 서브한다.

오버핸드 서비스
: 공을 머리 위로 토스하여 스파이크 하듯 서브한다.

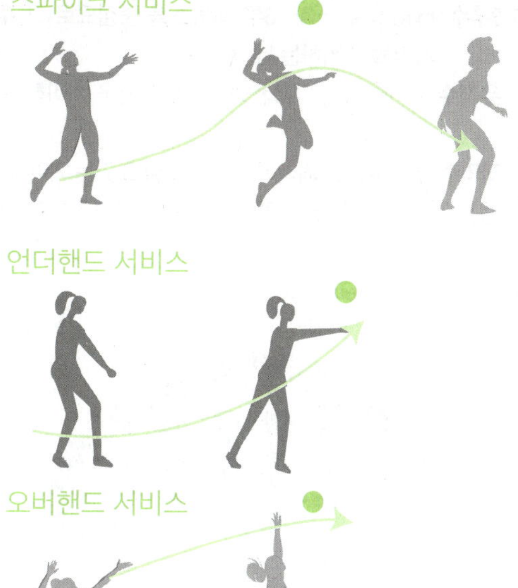

13 | ② 덩크슛은 공을 들고 뛰어서 림 위에서 아래로 공을 강하게 내리 꽂는 공격 기술이다. 농구의 랜드마크가 되는 기술이다.

14 | ③ 축구에서 페널티킥은 페널티 에어리어 안에서 직접 프리킥에 해당하는 반칙을 범한 경우 오프사이드는 공격 팀의 선수가 상대 진영 내에서 골키퍼를 제외한 마지막 수비수의 위치보다 상대 골 라인에 더 가까이 위치 할 때 선언된다.

15 | ④ ⓐ은 홈플레이트다.

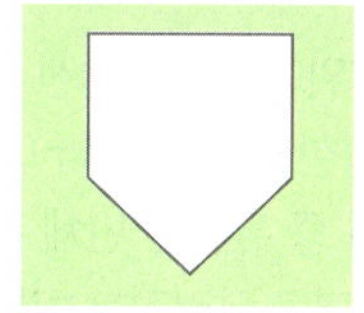

개념 더 보기 — 야구 포지션

1. **투수** : pitcher, 수비 팀에서 타자에게 공을 던지는 선수
2. **포수** : catcher, 투구를 받고 홈플레이트를 지키는 야수
3. **1루수** : first base man, 1루 베이스를 중심으로 그 주변 지역을 수비하는 내야수
4. **2루수** : second base man, 2루 베이스를 중심으로 그 주변을 수비하는 선수

5. 3루수 : third base man, 3루 베이스를 중심으로 그 주변 지역을 수비하는 내야수

6. 유격수 : short stop, 2루와 3루 사이 지역을 수비하는 내야수

7. 좌익수 : left Fielder, 좌측에서 수비를 맡고 있는 외야수

8. 중견수 : center Fielder, 외야 한가운데 지역을 맡아 수비하는 선수

9. 우익수 : right Fielder, 오른쪽에 있는 외야수

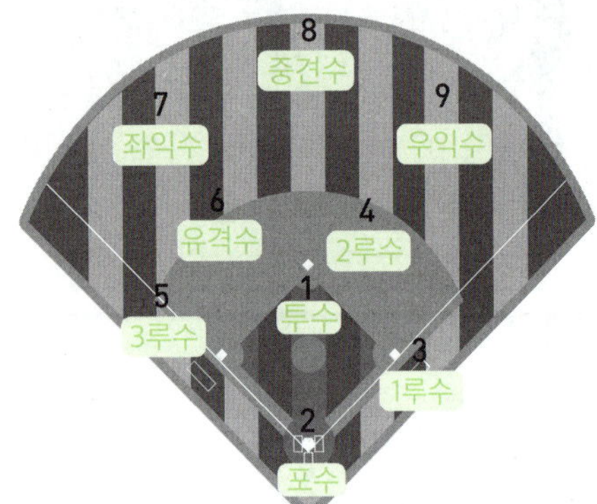

16 | ③ 찰과상은 넘어지거나 긁히는 등의 마찰에 의하여 피부 표면에 입는 상처로 쓰리고 통증과 함께 출혈이 있다. 처치법은 압박을 하여 지혈하고 상처를 흐르는 물로 씻어 낸다. 상처의 오염 정도가 심하면 소독액을 사용하여 닦아 낸다.

17 | ② 접영은 양팔로 물을 끌어 모아 뒤로 밀어내면서 허리, 허벅지, 종아리, 발목 순으로 파도를 타는 돌고래차기로 헤엄쳐 나아간다. 양팔은 좌우 대칭을 이루며, 나비의 날갯짓과 흡사하여 버터플라이라고 불린다.

18 | ② 이어달리기는 트랙 위에서 4명의 선수가 배턴을 주고받으며 일정한 거리를 나누어 달리는 경기이다. 육상 경기 중 유일한 단체 경기이다. 육상 경기에서의 장애물 달리기는 허들 경기를 말한다. 트랙에 일정한 간격을 허들을 설치해 놓고, 허들을 빠르게 넘어 정해진 거리를 달리는 경기이다.

19 | ④ 트라이애슬론은 어원상 라틴어로 tri(3가지), athlon(경기)의 합성어로 수영, 사이클, 마라톤 세 종목을 연이어 하는 경기이다. 극기와 인내력을 요하는 내구성 경기로, 수영, 사이클, 마라톤 각 종목의 합계시간으로 순위가 결정된다.

20 | ④ 평균대는 여자 체조 경기의 한 종목, 또는 그 경기에 사용되는 기구의 명칭. 규격은 높이 1.25m, 길이 5.0m, 너비 10㎝이며 대 위에 약간의 탄력성이 있는 천 등이 씌워진다. 매우 좁은 대 위에서 연기를 하는 것이므로 균형 감각을 유지하는 것이 가장 중요하다. 평균대 전체를 활용하며 비행 요소와 회전, 점프 등을 다양하게 연출해야 좋은 점수를 받을 수 있다.

21 | ① 농구 경기에서 자유투를 성공하면 1점이다.

22 | ③ 스매시는 배드민턴, 탁구, 테니스 등의 종목에 있는 기술로 라켓을 빠르게 휘둘러 공을 강하게 내려치는 공격 기술이다.

23 | ③ 하체 근력 강화를 위한 운동 방법으로는 스쿼트가 있다.

24 | ① 신체적 여가 활동은 수영, 스키, 골프, 스포츠 클라이밍, 트라이애슬론 등이 있다.

25 | ④ 하임리히법이란 기도가 이물질로 인해 폐쇄되었을 때, 즉 기도이물이 있을 때 응급처치법이다. 서 있는 어른의 경우에는 뒤에서 시술자가 양팔로 환자를 뒤로부터 안듯이 잡고 칼돌기(검상돌기)와 배꼽 사이의 공간을 주먹 등으로 세게 밀어 올리거나 등을 세게 친다. 단, 1세 미만의 영아에 대해서는 45도 각도로 하임리히를 시행하도록 한다.

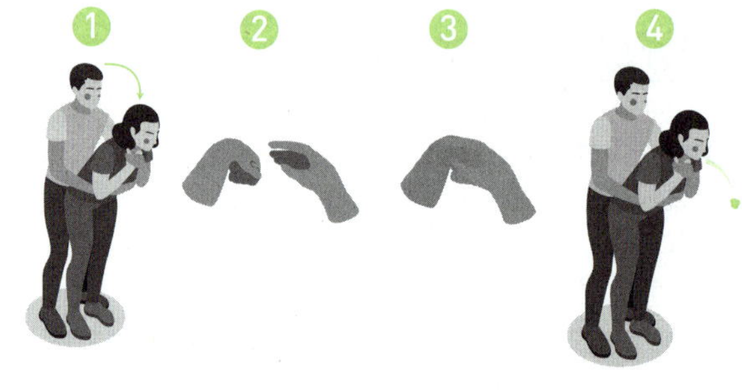

01	②	02	④	03	④	04	③	05	①
06	①	07	③	08	①	09	①	10	④
11	②	12	②	13	③	14	②	15	②
16	②	17	④	18	③	19	④	20	③
21	③	22	①	23	①	24	②	25	④

01 | ② 씨름은 모래판 위에서 두 사람이 상대 선수의 샅바를 잡고 힘을 겨루어 상대 선수를 넘어뜨리는 우리나라의 전통 스포츠이다. 씨름의 기술에는 앞무릎치기 · 오금당기기 등의 손기술, 밭다리 걸기 · 발목 빗장걸이 등의 발기술, 들배지기 · 뒤집기 등의 허리 기술이 있다.

02 | ④ 건강을 유지 하기 위해서는 규칙적으로 운동하고, 올바른 자세를 유지하고, 균형 잡힌 영양의 식사를 하는 것이 좋다.

03 | ④ 인터벌 트레이닝은 짧은 운동 시간으로 높은 운동 효과를 내는 운동 방법으로, 높은 강도의 운동 사이에 가벼운 운동을 넣어 불완전한 휴식을 취하고 다시 강도 높은 운동을 하여 운동 지속 능력을 높인다. 인터벌 트레이닝은 심폐지구력과 근력·근지구력 강화 운동에 주로 활용된다.

04 | ③ 스포츠 클라이밍은 건물 벽면이나 인공 암벽에 홀드를 설치 해 놓고 손과 발을 이용하여 암벽을 등반하는 활동이다.

🔍 개념 더 보기 — 스포츠 클라이밍 장비

퀵드로 : 카라비너에 안전벨트와 암벽, 로프 등을 연결한다.
자일 : 암벽에서 떨어질 때 체중을 지탱하여 안전을 지켜 준다.
암벽화 : 홀드를 밟아 체중을 지탱 해야 하기 때문에 발끝에 힘을 모을 수 있는 암벽화를 선택한다.
안전벨트 : 자일과 몸을 연결하여 안전에 대비하여 착용한다.
초크와 초크통 : 손에 땀이 나서 미끄러지는 것을 방지한다.

05 | ① 운동 처방의 원리 중 하나인 개별성의 원리는 트레이닝 목표를 개인의 특성에 입각하여 세워야 한다는 원리로 성별, 나이, 성향 등 개인이 지닌 신체적, 정신적 차이와 특성을 고려하여 운동하는 원리이다.

⚠ 선지 더 알아보기

과부하의 원리
: 운동이라는 자극에 대하여 인체가 효과적으로 적응하기 위해서 일상생활의 부하보다 더 높은 부하를 주어야 적용되는 부위나 체력적 요소가 발달한다는 원리

점진성의 원리
: 부하를 가벼운 것부터 시작하여 그 무게나 시간을 계획적으로 늘려 나가는 원리

06 | ① 접영은 양팔로 물을 끌어 모아 뒤로 밀어내면서 허리, 허벅지, 종아리, 발목 순으로 파도를 타는 돌고래차기로 헤엄쳐 나아간다. 양팔은 좌우 대칭을 이루며, 나비의 날갯짓과 흡사하여 버터플라이라고 불린다. 배영은 4개의 영법 중 유일하게 물에서 출발한다. 채운 물 위에 떠서 팔을 크게 휘저으며 노력하는 것은 영법이다. 배영은 개인 혼영에서는 두번째 순서고, 혼계영에서는 첫번째 순서이다.

07 | ③ 리듬 체조는 줄, 후프, 공, 곤봉, 리본 등의 기구를 이용하여 신체 율동을 표현하는 체조 종목 중 하나이다. 예술적 가치가 상대적으로 높은 스포츠로 여성 경기만이 올림픽 종목으로 채택되어 있다.

08 | ① 골프에서 점수 -1 은 버디로 파보다 1개 적은 타수를 말한다.

09 | ① 볼링에서 2개의 스트라이크를 연속으로 기록하면 더블이라고 한다.

10 | ④ 육상 경기에서의 장애물 달리기는 허들 경기를 말한다. 트랙에 일정한 간격을 허들을 설치해 놓고, 허들을 빠르게 넘어 정해진 거리를 달리는 경기이다.

11 | ② 링은 기계 체조에서 남자 종목으로 긴 줄에 매달린 고리 모양의 손잡이를 잡고 버티기, 흔들기 등의 동작을 실시한다. 평균대는 기계 체조에서 여자 종목으로 폭 10cm 정도의 긴 들모 모양을 하나의 측면이 수평이 되도록 지주 또는 받침대에 고정한 기구이며, 선수가 수평면에서 연기한다. 좁은 평균대 위에서 몸의 유연성이나 몸의 중심을 이동시키는 평형성과 함께 연속 동작의 미적 표현이 조화를 이루어야 한다.

12 | ② 스로인은 공이 터치 라인 밖으로 나갔을 때 경기장 밖에서 안으로 공을 던져서 공격하는 기술이다.

스로인

양손으로 공을 잡는다. 두발이 땅에 닿아 있어야 한다. 머리 위를 통과해서 던져야 한다. 양 발이 터치 라인 위 또는 터치 라인 밖에 있어야 한다. 상체의 방향과 공을 던지는 방향이 같아야 한다. 스로인은 득점으로 인정되지 않는다.

13 | ③ 핸드볼은 골키퍼를 제외한 선수의 손이나 팔에 공이 닿았을 때 선언되며, 직접 프리킥이 주어진다.

14 | ② 품새는 공격과 방어 기술을 혼자서 수련할 수 있도록 구성한 일련의 동작을 말한다. 개인의 수준에 따른 기초 기술을 익힐 수 있는 유급자 품새와 기초 기술을 응용한 고급 동작으로 구성한 유단자 품새가 있다. 최근 들어 태권도 품새의 기술적 발전을 위한 품새 경기가 개최되고 있는데 공인 품새, 경기 품새, 자유 품새 종목이 있다.

15 | ② 농구에서 바이얼레이션은 파울 이외의 규칙 위반이다.

스로인이 주어지는 경우

다음과 같은 규칙 위반 행위로 상대 팀에게 스로인이 주어진다.

키킹: 수비 도중 공이 다리에 맞은 경우
트레블링: 공을 가지고 드리블 없이 3보 이상 걸었을 경우
더블 드리블: 드리블 하다가 공을 잡고 다시 드리블 한 경우
하프 라인 바이얼레이션: 하프 라인을 넘어왔다가 다시 뒤로 돌아간 경우
3초 룰: 공격수가 제한 구역에서 3초 이상 머물러 있는 경우

16 | ② 드리블은 손으로 공을 바닥에 튀기면서 이동하는 기술로, 돌파하거나 동료에게 패스나 슛의 기회를 만들기 위해서 사용한다.

17 | ④ 피겨 스케이팅은 얼음판 위를 활주하며 여러 동작으로 기술의 정확성과 율동의 아름다움을 겨루는 스포츠다.

18 | ③ 공격이나 수비 할 때 네트에 몸이 닿으면 네트 터치가 선언되며, 신체 일부가 네트 위로 상대편 코트를 넘은 경우 오버 네트가 선언되어 실점한다.

19 | ④ 야구에서 타자가 친 공이 땅에 닿기 전에 수비수에게 잡힌 경우 타자가 아웃 된다.

20 | ③ 배드민턴 단식 경기 방식은 서버가 포인트를 얻지 못했거나 점수가 짝수인 경우는 우측에서, 점수가 홀수인 경우는 좌측에서 서비스 한다. 리시버는 서버의 대각선 위치의 코트에서 리시브한다. 그러므로 정답은 3번이다.

21 | ③ 테니스는 라켓으로 공을 쳐서 주고받는 네트형 스포츠이고, 테니스의 점수를 읽는 방법은 이렇다. 0포인트는 love, 1포인트는 fifteen, 2포인트는 thirty, 3포인트는 forty, 4포인트는 game이다. 경기 규칙은 4포인트를 먼저 따내면 1게임이고, 6게임을 선취하면 1세트를 이기게 된다.

22 | ① 골키퍼는 양팀의 유니폼과 구별되는 색의 유니
폼을 입는다. 실점에 있어서 다양한 상황에 적
절하게 대처하는 골키퍼의 상황 판단력이 매우
중요하다.

골키퍼의 방어 자세

골키퍼의 위치에 따른 수비 범위
슈터와 골키퍼의 거리가 가까울수록 강한 슛에 대한
수비 범위가 좁아진다.

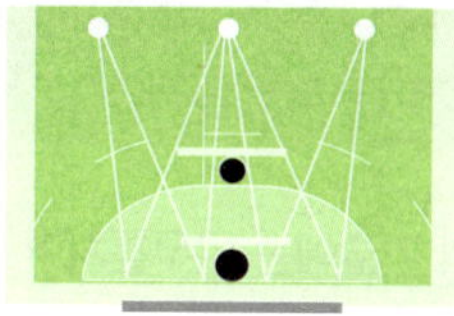

23 | ① 순간적으로 큰 힘을 발휘 할 수 있는 능력인 순
발력은 50m 달리기나 제자리 멀리 뛰기로 측
정 할 수 있다.

24 | ④ RICE는 Rest(안정), Ice(얼음찜질), Compression(압
박), Elevation(환부 높임)의 첫 알파벳을 땄다. 이
요법은 외부로부터 충격을 받았거나 무리한 운동
을 장기간 반복하여 타박이나 염좌 등이 발생하였
을 때 사용한다.

25 | ④ 자동 심장 충격기 AED는 심정지 환자의 심장
에 강한 전기 자극을 주어 심장이 다시 활동 할
수 있도록 해 주는 응급 처치 장비이다.

01	③	02	②	03	②	04	④	05	④
06	③	07	①	08	③	09	①	10	②
11	②	12	④	13	②	14	③	15	①
16	③	17	④	18	④	19	①	20	③
21	④	22	③	23	②	24	①	25	④

01 | ③ 운동이 정신건강에 미치는 효과는 스트레스 해소, 불안감과 우울증의 감소, 자신감의 향상, 인지기능의 향상, 수면에 도움이 있다.

근육량 증가, 면역력 향상, 심폐 지구력 향상은 운동의 신체적 효과이다.

02 | ② 상체 근력 강화를 위해서 가장 효과적인 운동 방법은 팔굽혀 펴기이다.

03 | ② 서킷 트레이닝은 여러가지 운동을 한 세트로 구성하여 실시한다. 세트로 구성한 운동을 쉬지 않고 순환하여 실시한다. 한 세트를 실시한 후에는 완전한 휴식을 취한다.

04 | ④ 협응성은 두 가지 이상의 신체 움직임을 동시에 매끄럽고 정확하게 연결할 수 있는 신체의 조화 능력이다. 복잡한 운동 수행을 조정하고 통제하는 데 도움을 준다.

민첩성: 신속하게 방향을 바꾸거나 반복 동작을 빠르게 수행 할 수 있는 능력
순발력: 순간적으로 큰 힘을 발휘 할 수 있는 능력
평형성: 정지 상태 또는 움직임 중에 신체의 균형을 유지하는 능력

05 | ④ 자전거를 탈 때는 반드시 헬멧을 착용하고, 주행 중 전화 통화를 하면 안되고, 야간에는 전조등과 후미등을 켜고 주행 해야 한다.

06 | ③ 동작 도전 스포츠는 자기 신체로 표현 할 수 있는 동작에 대한 도전이다. 평소에 접하지 않는 동작을 수행하는 과정에서 능동적으로 도전하는 태도와 할 수 있다는 자신감을 기를 수 있다. 대표적인 예로는 평균대 운동, 스노보드, 도마 운동, 마루 운동, 다이빙 등이 있다.

기록 스포츠는 속도와 거리, 정확성 등의 기록 경신에 대한 도전이고, 모든 스포츠의 기본이며, 자신이나 타인이 세운 기록을 경신하거나 자기 목표를 향해 끊임없이 도전하는 특성이 있다. 대표적인 예로는 볼링, 양궁, 스피드 스케이팅, 원반던지기, 높이뛰기, 단거리 달리기 등이 있다.

07 | ① 씨름의 기술에는 앞무릎치기 · 오금당기기 등의 손기술, 밭다리 걸기 · 발목 빗장걸이 등의 발기술, 들배지기 · 뒤집기 등의 허리 기술이 있다.

08 | ③ 바인딩은 플레이트와 부츠를 연결하는 장치로, 안전성이 높고 신고 벗기 쉬운 것이 좋다.

폴: 중심을 유지하고 추진력을 얻거나 회전할 때 사용하며, 지면과 수직이 되도록 잡았을 때 팔꿈치 높이가 되는 것이 좋다.
고글: 자외선으로부터 눈을 보호하고 시야를 확보한다.

09 | ①

기계	남자 종목	평행봉, 링, 마루, 안마, 도마, 철봉
체조	여자 종목	마루, 평균대, 이단 평행봉, 도마

10 | ②

필드	도약 경기	멀리뛰기, 높이뛰기, 세단뛰기, 장대 높이뛰기
경기	투척 경기	포환던지기, 원반던지기, 창던지기, 해머던지기

11 | ② 홀인원은 첫번째 티샷이 바로 홀컵에 들어가는
      것이다. 주로 파(par)3 홀에서 이루어지며, 이
      경우 기준 타수보다 2타 줄이게 된다.

러프 : 풀이 길게 자라고 있는 지대
해저드 : 호수의 형태를 가진 장애물
핸디캡 : 골퍼의 평균 스코어 수준을 나타내는 지표로 한 라
        운드를 할 때 예상하는 스코어를 의미한다. 파 72
        코스에서 평균 80타를 친다는 의미이다.

12 | ④ 스페어는 제 1투구에서 남은 핀을 제 2 투구에
      서 모두 쓰러뜨리는 것을 말한다. 남은 핀을 처
      리 하는데 성공하면 스코어 판에서는

      로 표시된다.

미스 : 제 2 투구에서 핀을 모두 쓰러뜨리지 못한 경우
더블 : 2번 연속 스트라이크인 경우
거터 : 공이 레인 옆의 홈이 팬 곳에 빠진 경우

13 | ② 트래핑은 팔 이외의 신체 부위(가슴, 무릎, 발
      등)를 이용하여 구르거나 날아오는 공을 받아
      서 정지 시키거나 나른 동삭으로 쉽게 연결하
      기 위한 기술이다. 트래핑 할 때, 공이 오는 반
      대쪽으로 몸을 끌어당겨 공의 속도와 힘을 감
      소시키면 공을 몸 앞에 트래핑할 수 있다.

14 | ③ 스로인은 공이 터치 라인 밖으로 나갔을 경우
      상대 팀 선수가 공을 잡고 경기장 안으로 던지
      는 기술이다. 오프사이드는 공격 팀의 선수가
      상대 진영 내에서 골키퍼를 제외한 마지막 수
      비수의 위치보다 상대 골 라인에 더 가까이 위
      치 할 때 선언된다. 축구는 스로인과 오프사이
      드가 있지만, 풋살은 스로인과 오프사이드가
      없다.

15 | ① 피벗은 한쪽 발 앞부분을 축으로 하여 바닥에
      서 떨어지지 않은 상태에서 방향을 전환하는
      공격자의 풋워크이다.

16 | ③ 팀의 동료들과는 다른 색의 경기복을 입는 리
      베로는 공격에는 참여하지 않고 수비만을 담당
      하며, 상대 팀의 공격을 빠르고 정확하게 읽어
      내고 판단하여 리시브 할 수 있는 능력이 필요
      하다.

세터 : 팀의 선수가 공격 할 수 있도록 공을 올려주는 역할
센터 : 주로 중앙에서 공격하는 역할
레프트 : 주로 왼쪽에서 공격을 하는 공격수이지만 라이트
        와 달리 수비에 가담하는 포지션이다. 리베로와 함
        께 리시브를 책임진다.

17 | ④ 배드민턴 복식 서브 영역 안에 들어가면 IN, 벗
      어나면 OUT이다.

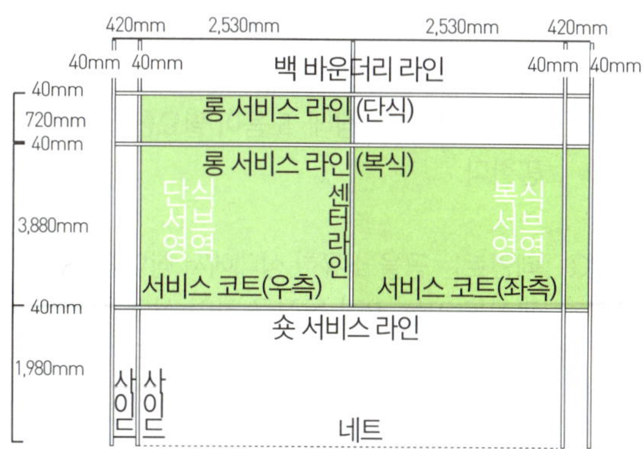

18 | ④ 물의 저항이 클수록 추진력이 약해지므로, 몸을
수면과 평행하게 하여 팔과 다리 동작을 하면 저
항이 최소화되어 앞으로 잘 나아갈 수 있다.

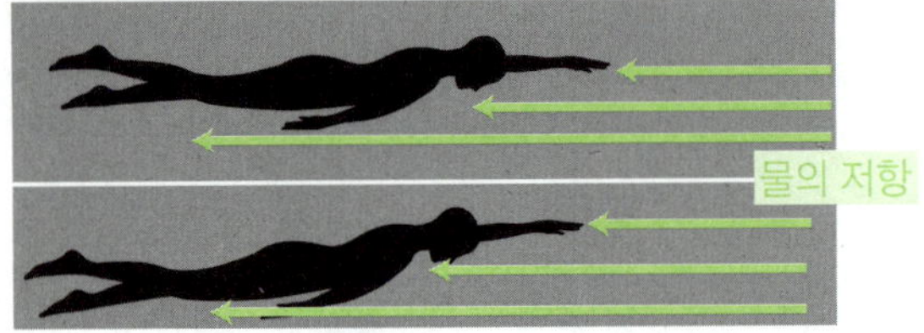

19 | ① 도루는 문자 그대로 '루를 훔친다'는 의미이다.
주자가 수비팀의 허점을 이용해 다음 루로 가
려고 시도하는 행위를 도루라고 한다.

20 | ③ 탁구는 가로 152.5cm, 세로 274cm, 높이 76cm
인 탁구대에서 15.25cm 높이의 네트를 라켓으
로 공을 넘겨서 득점을 겨루는 경기이다. 직접
적인 신체 접촉이 없으며, 좁은 장소에서 적은
인원으로도 언제나 즐길 수 있는 생활 체육의
대표적인 종목 중 하나이다. 공에 회전을 걸어
다양한 기술을 구사할 수 있다. 11점을 먼저 획
득하거나 듀스 상황에서 2점을 앞선 경우 해당
세트에서 승리한다.

21 | ④ 심폐소생술은 심장으로 가는 혈액 공급이 갑자
기 중단되어 심장이 정지된 상태의 사람에게
하는 응급 처치이다. 일단 심폐소생술 시작 전
에 반응을 확인하고 119에 신고를 하는 것이 필
요하다. 쓰러진 사람의 주변 환경이 안전한지
확보한 후, 환자의 반응을 확인하고, 신고 시 발
생 장소와 상황, 상태, 도움이 필요한 상황을 설
명한다.

22 | ③ 페인트는 공을 소유한 상태에서 상대팀 선수의
관심을 끄는 거짓 동작을 하여 상대를 속이고
전진한다. 축구, 럭비, 농구, 핸드볼 등의 종목에
서 주로 사용 되는 기술이다.

23 | ② 자이브는 라틴 아메리카 댄스 중 가장 인기 있
는 종목 중 하나로, 활기가 넘치고 신나게 춤을
추는 것이 특징이다. 자이브는 4/4 박자의 음악
을 사용하는데, 무릎을 이용해 몸을 아래위로
움직이는 동작을 자연스럽게 표현하는 것이 중
요하다.

⚠ 선지 더 알아보기

발레 : 발레는 정해진 포지션과 자세, 동작을 이용하여 자기 생
각과 감정을 아름답게 표현할 수 있는 심미적 표현 활동
이다. 발레는 특히 우아함과 조화로움, 균형 등을 강조
하며, 신체의 아름다운 선을 엄격하게 표현한다.
꾸미기 체조 : 여러 사람이 모둠을 이루어 다양한 모양을 만
드는 체조이다. 건물, 꽃, 기구 등을 형상화 하
여 표현한다.
피겨 스케이팅 : 얼음판 위를 활주하며 여러 동작으로 기술
의 정확성과 율동의 아름다움을 겨루는 스
포츠다.

24 | ① 탈춤은 얼굴이나 온몸에 탈을 쓰고 추는 민속 무
용으로, 춤과 대사를 통해 서민의 정서를 표현한
다. 가면 속에 숨겨진 예술이라고도 한다.

⚠ 선지 더 알아보기

살풀이 : 흰 수건을 들고 살풀이장단에 맞추어 추는 민속 무용
으로, 한을 풀어내어 흥겨움으로 승화시키는 춤이다.
수건춤이라고도 부른다.
태평무 : 나라의 평안과 태평성대를 위해 췄던 한국 전통 무
용이다. 우리나라 춤 중에서 가장 기교적인 발짓춤
이다.
강강술래 : 서민의 정서와 소박한 감정을 비교적 자유로운
몸짓으로 표현하고, 노래와 춤 그리고 놀이가 한
데 섞여 있는 민속 무용이다.

25 | ④ 안전사고 발생 원인 중 환경적 요인은 시설이나 장비 결함, 안전 시설 불량 및 부족, 상대방의 반칙 행위, 갑작스러운 기후 변화가 있다. 인적 요인은 준비 운동 부족, 안전 불감증, 기초 체력 부족, 승부에 대한 지나친 집착, 주의력 부족, 부주의가 있다. ①, ②, ③은 인적 요인이고 ④는 환경적 요인이다.

인적 요인

승부에 대한 지나친 집착

기초 체력 부족

준비 운동 부족

안전 불감증

주의력 결핍

환경적 요인

시설이나 장비 결함

안전 시설의 불량, 부족

상대방의 반칙 행위

갑작스런 기후 변화

01	④	02	③	03	②	04	④	05	③
06	④	07	④	08	①	09	①	10	③
11	①	12	①	13	②	14	④	15	①
16	②	17	②	18	①	19	④	20	②
21	④	22	②	23	③	24	④	25	③

01 | ④ 노년기는 모든 신체 기관에 노화가 진행 되어 기능 이상이 나타날 수 있다. 각종 생활 습관병을 비롯하여 안과 질환, 치매, 우울증 등이 나타나기 쉽다. 근육과 뼈가 현저히 감소하여 신체 활동에 제한을 받게 된다. 그래서 이 시기에는 적극적인 신체 활동(유산소 운동, 근력 운동, 평형성 운동)이 필요하고 긍정적인 삶을 위한 사교 활동을 적극적으로 하면서 균형 있는 영양 관리를 하는 것이 중요하다.

02 | ③ **사이클링**은 생활 속에서 쉽게 즐기면서 심신을 단련할 수 있는 여가 스포츠 활동으로, 가벼운 자전거 산책을 비롯하여 장거리 자전거 여행과 같은 대규모적인 것까지 포함한다.
요가는 고대 인도에서 전해 오는 심신 단련법으로 자세와 호흡을 가다듬는 훈련을 통해 정신과 신체 건강을 모두 증진할 수 있다. 요가를 규칙적으로 하면 심리적인 안정감을 얻고 몸에 활력을 줄 수 있어 체력 증진은 물론 스트레스 해소와 체형 관리, 자세 교정에도 매우 효과적이다.

⚠ **선지 더 알아보기**

트레킹 : 가벼운 배낭을 메고 산이나 야외를 여유 있게 걸으면서 휴식과 즐거움을 찾는 여가 스포츠 활동이다. 트레킹은 일반 평지를 걸어 다니는 것이 아니라, 산이나 들 어느 곳이든지 도보로 비교적 장시간 걷기 때문에 근력과 심폐 지구력을 기르고 호흡 및 순환 기능을 증진하는데 효과가 크다.
클라이밍 : 건물 벽면이나 인공 암벽에 홀드를 설치해 놓고, 손과 발을 이용하여 암벽을 등반하는 활동이다.

03 | ② 심폐 지구력은 수영, 달리기, 등산, 사이클링 등 유산소 운동을 통해 향상 된다.

🏷 **건강 체력 요소**

근력 : 근육이 수축 할 때 발휘되는 힘
근지구력 : 윗몸 일으키기처럼 일정한 크기의 근력을 반복해서 오래 발휘 할 수 있는 능력
심폐 지구력 : 오래 달리기처럼 운동을 오랫동안 지속적으로 하는 능력
유연성 : 관절이 부상이나 통증 없이 움직일 수 있는 범위
신체 구성 : 신체를 구성하는 체지방과 제지방 성분의 비율

04 | ④ 3000mSC는 3000m장애물 경주로 400m트랙에 다섯 개의 고정 장애물이 설치되는데, 이 중 네번째 장애물은 물웅덩이다. 따라서 3000m 장애물 달리기를 완주하기 위해서는 스물여덟 개의 장애물과 일곱 개의 물웅덩이를 넘어야 한다.

⚠ **선지 더 알아보기**

100mH(여자 100m장애물 달리기)
110mH(남자 110m 장애물 달리기)
400mH(400m 장애물 달리기)

05 | ③ 멀리 뛰기의 순서는 도움닫기→발 구르기→공중 동작→착지이다.

06 | ④ 장대 높이 뛰기는 육상 도약 경기 종목 중 하나이다. 이 종목의 선수들은 신축성이 강하고 긴 장대를 쥐고 도움닫기를 해 가로대를 넘는다.

트랙 경기	단거리	100m, 200m, 400m
	중 · 장거리	800m, 1,500m, 3,000m, 5,000m, 10,000m(남)
	이어달리기	400mR, 1,600mR
	장애물 달리기	100mH(여), 110mH(남), 400mH, 3,000mSC
필드 경기	도약 경기	멀리뛰기, 세단뛰기, 높이뛰기, 장대높이뛰기(남)
	투척 경기	포환던지기, 원반던지기, 창던지기, 해머던지기

mR: 미터 릴레이(m: meter, R: Relay)의 약자
mH: 장애물 달리기(m: meter, H: Hurdle)의 약자
SC: 장애물 경주(Steeple Chase)의 약자

⬛ : 중등부 경기 종목

07 | ④ 스피드 스케이팅은 스케이트를 신고 얼음판 위를 달려 속도로 승부를 겨루는 빙상경기의 한 종목이다. 동계 스포츠의 대표적인 종목으로 가장 오랜 역사를 지닌 종목 가운데 하나다. 선수들은 400m 길이의 타원형 트랙 위에서 속도를 겨루며, 스케이트 날로 얼음을 밀어낸 후 그 힘으로 활주하면서 앞으로 나아간다.

08 | ① 들배지기는 씨름의 허리 기술 중 하나로 샅바를 잡아당겨 상대방의 중심을 높게 만들고 허리 회전으로 넘어뜨린다.

밭다리 걸기
: 다리가 길거나 키가 클 때 유리하며, 샅바를 당기고 오른쪽 다리로 상대 방의 오른쪽 다리를 걸어, 왼쪽 다리를 지지대로 상대방을 넘어뜨리는 기술이다.

앞무릎 치기
: 오른손을 상대방의 오른쪽 무릎에 댄다. 상대방의 오른발을 밀어 올리고 머리와 허리를 이용하여 오른쪽으로 밀어 쓰러뜨린다.

오금 당기기
: 오른손으로 상대방의 오른쪽 뒷무릎을 잡아당겨, 왼손과 함께 재빠르게 내 가슴 쪽으로 잡아 당겨 중심을 무너뜨려 상대 선수를 어깨로 밀어 넘어뜨린다.

밭다리 걸기

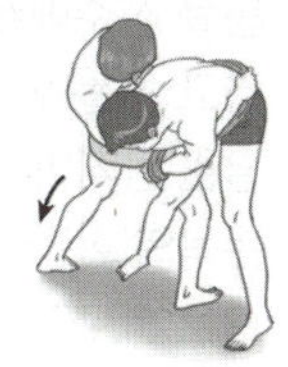

앞무릎 치기

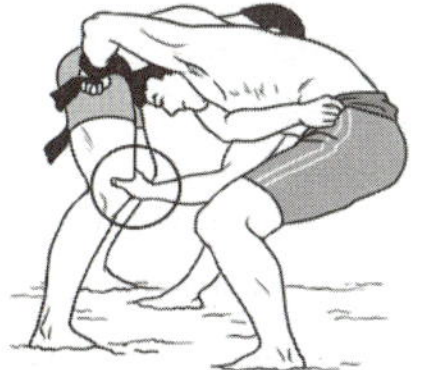

오금 당기기

09 | ① 배영은 물속에서 출발대 손잡이를 잡은 자세에서 출발한다.

자유형 · 평영 · 접영은 출발대 위에서 다이브로 출발한다.

그랩 스타트: 두 발을 모은 자세에서 무릎을 굽혔다가 펴는 반동을 이용하여 출발한다.
크라우칭 스타트: 달리기 출발 자세처럼 두 발을 앞뒤로 벌리고 섰다가 출발한다.

그랩 스타트

크라우칭 스타트

10 | ③ 여자만 실시하는 기계 체조 경기 종목은 평균대이다.

체조 경기	남자 종목	마루, 철봉, 평행봉, 안마, 링, 도마
	여자 종목	마루, 평균대, 2단 평행봉, 도마

11 │ ① 동료 선수에게 손으로 공을 던지는 것을 패스
       라고 하는데, 숄더 패스는 어깨 위에서 아래로
       팔을 움직이며 공을 던지는 기술로, 허리, 어깨,
       손목의 회전을 순차적으로 이용하여 공을 정면
       으로 빠르고 멀리 보낼 때 사용한다.

개념 더 보기 · 핸드볼 패스

> **숄더패스** : 어깨 위에서 아래로 팔을 움직이며 공을 던지는
> 기술로, 허리, 어깨, 손목의 회전을 순차적으로
> 이용하여 공을 정면으로 빠르고 멀리 보낼 때 사
> 용한다.
> **래터럴패스** : 수비수가 앞에 위치해 있을 때, 가까이에 있는
> 측면의 동료에게 공을 보낼 때 사용하는 기술
> 로 던지고자 하는 방향으로 손바닥이 향하게
> 하여 공을 밀어내듯이 던진다.
> **바운드패스** : 공을 바닥에 튕겨서 다른 선수에게 패스하는
> 기술로 수비수에게 가로막혔을 때 이를 피하
> 기 위해서 주로 사용한다.
> **푸시패스** : 가슴 정도의 높이에서 한쪽 손목의 스냅을 이용
> 하여 패스 할 때 사용한다.
> **체스트패스** : 가슴 높이에서 양손으로 공을 잡고 정확하게
> 패스 할 때 사용한다.

12 │ ① 야구에서 스트라이크 3개가 누적 되었을 경우,
       타자가 친 플라이 볼을 수비수가 직접 잡은 경
       우에 아웃이다.

13 │ ② 홈런은 타자가 친 공이 페어 지역의 외야 담장을
       넘어간 경우이다. 홈런일 때 득점 계산은 주자와
       타자 모두 득점이다.

14 │ ③ 바운드 패스는 수비수가 팔을 들고 있어 정상
       적인 패스가 어려울 때 패스를 받는 동료 쪽으
       로 공을 바닥에 튀겨 패스한다.

15 │ ① 푸싱은 몸의 어느 부분으로든 상대를 억지로 밀
       어내는 부당한 신체 접촉이다.

16 │ ② 볼링은 레인 위로 공을 굴려 레인 끝에 삼각형 대
       형으로 세워 둔 10개의 핀을 쓰러뜨리는 종목으
       로, 남녀노소를 가리지 않고 누구나 즐길 수 있는
       경기이다. 손목 보호대는 손목을 보호하고 스핀
       이 잘 들어가게 도와준다. 볼링공은 선수 체중의
       1/10이 이상적이다. 핀은 충격에 잘 견딜 수 있도
       록 나무로 되어 있다.

17 │ ② 서비스는 경기의 시작을 위해 상대 팀에게 셔
       틀 콕을 쳐서 넘기는 기술이다.
       헤어핀은 셔틀콕을 네트에 살짝 넘기는 기능으
       로 서비스를 받을 때, 수비에서 공격으로 전환
       할 때 효과적이다.
       하이클리어는 가장 기본이 되는 경기 기능으
       로, 셔틀콕을 길고 높게 쳐서 상대방의 코트의
       끝에 떨어지도록 한다.

개념 더 보기 · 배드민턴 기술

> **헤어핀** : 셔틀콕을 네트에 살짝 넘기는 기능으로 서비스를 받
> 을 때, 수비에서 공격으로 전환 할 때 효과적이다.
> **하이클리어** : 가장 기본이 되는 경기 기능으로, 셔틀콕을 길
> 고 높게 쳐서 상대방의 코트의 끝에 떨어지도
> 록 한다.
> **드리븐 클리어** : 상대 선수의 라켓이 미치지 않을 정도의 높
> 이로 셔틀콕을 빠르고 강하게 쳐서 상대 코
> 트의 끝에 떨어지도록 한다.
> **드롭** : 하이 클리어와 같은 동작을 취하지만, 실제로는 상대
> 코트의 앞쪽에 떨어뜨리는 기능으로, 상대방의 수비
> 를 혼란시킬 수 있다.
> **드라이브** : 복식 경기에서 매우 중요한 기술로 셔틀 콕이 네
> 트를 스친다는 느낌으로 낮고 빠르게 보내는 것
> 이 중요하다.
> **스매시** : 가장 공격적인 기술로, 셔틀콕을 머리 위에서 강하
> 게 쳐서 상대 코트로 보내어 상대 선수의 몸 쪽을
> 공략하면 효과적이다.
> **푸시** : 네트 근처로 살짝 넘어오는 셔틀콕을 손목의 스냅을 이
> 용하여 짧게 끊어치는 기능이다.

18 │ ① 그린은 퍼팅을 하기 위해 잔디를 짧게 자른 지
       역으로 홀이 있다.

19 | ③　오프 사이드는 공격 팀의 선수가 상대 진영 내에서 골키퍼를 제외 한 마지막 수비수의 위치보다 상대 골라인에 더 가까이 위치 할 때 선언된다.

20 | ②　포지션이란 기본적으로 선수들의 위치를 의미한다. 필드 플레이어는 다시 수비수, 미드필더, 공격수로 나뉜다. 그리고 골키퍼가 있다.

개념 더 보기　**축구 포지션**

중앙 공격수 CF		
좌측 윙 포워드 LWF	세컨드 스트라이커 SS	우측 윙 포워드 RWF
	공격형 미드필더 AM	
좌측 측면 미드필더 LM	중앙 미드필더 CM	우측 측면 미드필더 RM
좌측 윙백 LWB	수비형 미드필더 DM	우측 윙백 RWB
좌측 풀백 LB	중앙 수비수 CB	우측 풀백 RB
골키퍼 GK		
유틸리티 플레이어		
공격수	미드필더	수비수

21 | ④　드라이브는 공의 윗부분을 감아치는 기술로, 강한 전진 회전을 줄 때 사용하는 기술이다. 허리를 틀며 라켓을 아래에서 위로 크게 휘두르며 공을 친다.

개념 더 보기　**탁구의 기술**

서비스 : 경기를 시작하기 위해 상대에게 공을 보내는 기술로, 포핸드 서비스와 백핸드 서비스로 구분 할 수 있다.

드라이브 : 공의 윗부분을 감아치는 기술로, 강한 전진 회전을 줄 때 사용하는 기술이다.

스매시 : 높이 떠서 오는 공을 위에서 강하게 내리치는 방법으로, 강력한 공격을 하기 위한 기술이다.

쇼트 : 상대가 친 공을 짧게 받아치는 기술로, 공이 바운드 된 후 정점에 오르기 전에 쳐야 한다.

커트 : 상대가 친 공에 역회전을 걸어 넘기는 기술로, 공이 튄 후 정점에서 내려올 때 친다.

(1) 서비스

포핸드 서비스

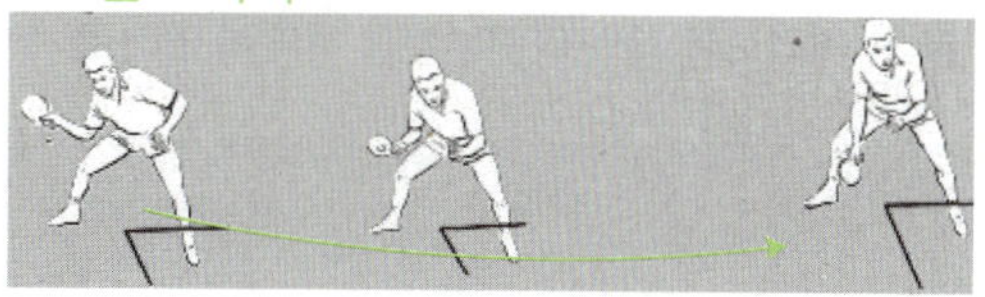

손바닥 위에 공을 올리고 수직으로 던져 올린다.　라켓의 면으로 공을 치고 자연스럽게 폴로 스루한다.

백핸드 서비스

팔꿈치를 몸 앞으로 이동시키며 백스윙하고 뒷발로 보냈던 체중을 앞발로 옮기면서 친다.　손바닥 위에 공을 올리고 수직으로 던져 올린다.

(2) 드라이브

포핸드 드라이브

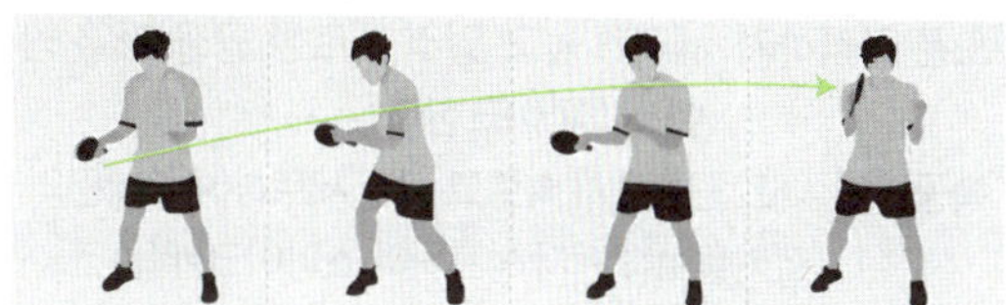

허리를 틀며 라켓을 아래에서 위로 크게 휘두르며 공을 친다.

(3) 스매시

포핸드 스매시

봄의 숭심을 뒤에서 앞으로 옮기며 허리와 어깨의 회전으로 공을 친다.

(4) 쇼트

백핸드 쇼트

라켓을 몸 앞에 두고 공이 튄 직후 라켓을 밀어 친다.

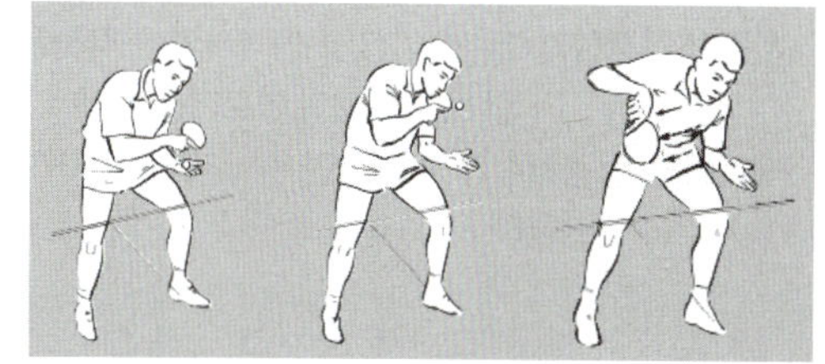

(5) 커트

백핸드 커트

튄 후 내려오는 공의 아랫부분을 위에서 아래로
내리며 깎아 친다.

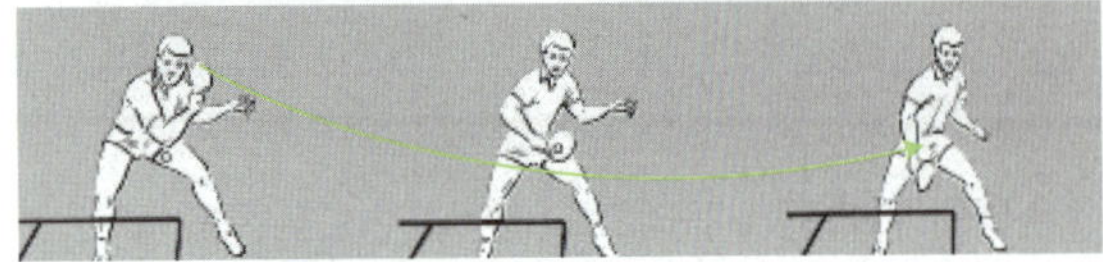

22 | ② 후위 공격이란 공격수가 어택 라인 뒤에서 점
프하여 스파이크 한다. 이 때 선수가 점프 할
때, 어택 라인을 밟으면 반칙으로 실점이다.

개념 더 보기 · 배구 공격 전술

오픈 공격하기 : 세터가 높고 멀리 세트한 공을 좌우 공격
수가 스파이크한다.

속공하기 : 네트 근처에서 빠르고 낮게 세트하여 상대편의 블
로커들보다 먼저 점프하여 스파이크한다.

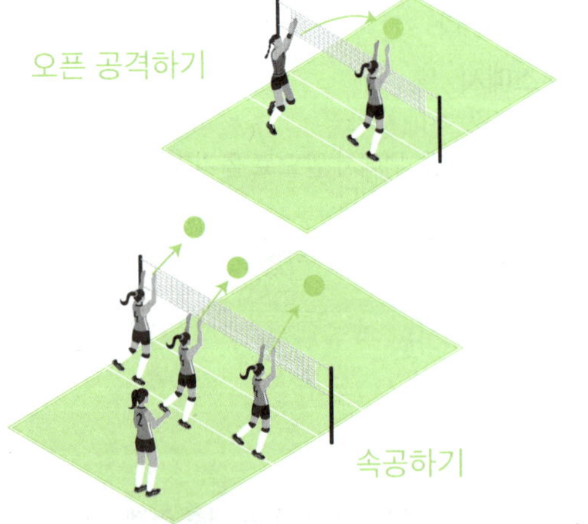

시간차 공격하기 : 두 명 이상의 공격자가 공격하는 것처
럼 보여 상대의 블로커를 속인다.

백어택하기 : 공격수가 어택 라인 뒤에서 점프하여 스파이
크한다.

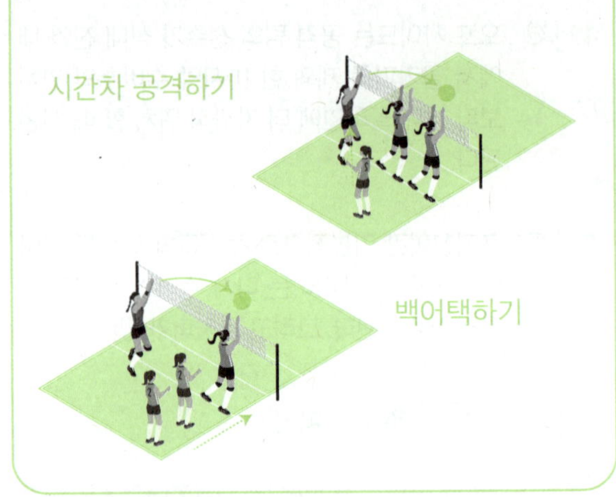

23 | ③ 살풀이는 흰 수건을 들고 살풀이장단에 맞추어
추는 민속 무용으로, 한을 풀어내어 흥겨움으
로 승화시키는 춤이다. 수건춤이라고도 부른
다.

24 | ④ 타박상은 외부의 충격으로 근육 등에 손상을
입어 피부에 피가 나고 붓는 상태이다. 타박상
의 증상은 상처 부위가 붓기 시작하면서 통증
이 심하며, 혈관 출혈로 멍이 들기도 한다.

25 | ③ RICE는 Rest(안정), Ice(얼음찜질),
Compression(압박), Elevation(환부 높임)의 첫
알파벳을 땄다. 이 요법은 외부로부터 충격을 받
았거나 무리한 운동을 장기간 반복하여 타박이나
염좌 등이 발생하였을 때 사용한다.

개념 더 보기 · RICE 요법의 절차

Rest(안정) : 부상 부위를 움직이지 않고 편안한 자세를 취
하면서 신체를 안정시킨다.

Ice(냉찜질) : 냉찜질을 하여 출혈과 통증을 완화한다.

Compression(압박) : 부상 부위를 압박 붕대 등으로 감아서
고정한다. 혈액 순환이 잘 되도록 가볍
게 감는다.

Elevation(환부 높임) : 부상 부위를 심장보다 높게 올려 주어
붓는 것을 방지한다.

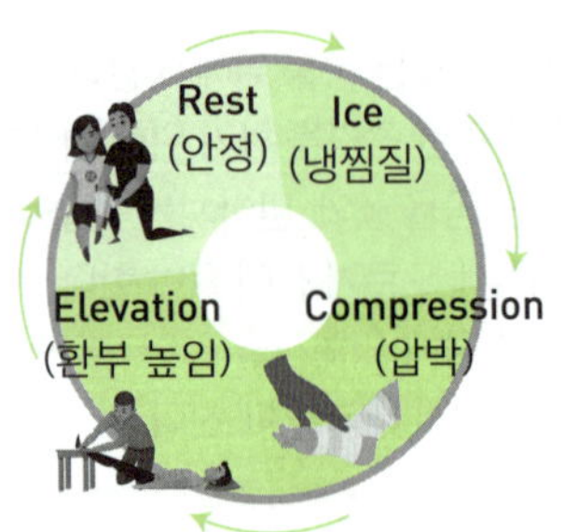

01	②	02	①	03	④	04	③	05	①
06	③	07	④	08	③	09	④	10	④
11	④	12	②	13	②	14	①	15	②
16	②	17	①	18	②	19	③	20	③
21	②	22	③	23	①	24	④	25	①

01 | ② 체력은 학업이나 직업활동과 여가 생활을 포함한 일상생활을 활기차게 수행할 수 있는 신체적 활동 능력이다.

건강 체력 요소

> **근력** : 근육이 수축할 때 발휘 되는 힘
> **근지구력** : 일정한 크기의 근력을 반복해서 오래 발휘 할 수 있는 능력
> **심폐 지구력** : 운동을 오랫동안 지속적으로 하는 능력
> **유연성** : 관절이 부상이나 통증 없이 움직일 수 있는 범위
> **신체구성** : 신체를 구성하는 체지방과 제지방 성분의 비율

02 | ① 민첩성은 운동 체력 요소 중 하나로 신속하게 방향을 바꾸거나 반복 동작을 빠르게 수행 할 수 있는 능력이다.

운동 체력 요소

> **협응성** : 두 가지 이상의 신체 움직임을 동시에 매끄럽고 정확하게 연결할 수 있는 신체의 조화 능력
> **민첩성** : 신속하게 방향을 바꾸거나 반복 동작을 빠르게 수행 할 수 있는 능력
> **순발력** : 순간적으로 큰 힘을 발휘 할 수 있는 능력
> **평형성** : 정지 상태 또는 움직임 중에 신체의 균형을 유지하는 능력
> **스피드** : 위치를 옮기거나 움직일 수 있는 능력

03 | ④ 관절의 가동 범위를 넓혀 운동 손상 예방에 도움을 줄 수 있는 능력은 유연성이다. 앉아 윗몸 앞으로 굽히기를 통해 유연성을 측정 할 수 있다.

체력요소와 측정 종목

> **근력 및 지구력** : 팔굽혀 펴기(남), 무릎 대고 팔굽혀 펴기(여), 악력 검사, 윗몸 말아 올리기 검사
> **심폐 지구력** : 왕복오래달리기, 오래 달리기-걷기, 스텝 검사
> **유연성** : 앉아 윗몸 앞으로 굽히기, 종합 유연성 검사
> **순발력** : 50m 달리기, 제자리 멀리 뛰기
> **신체 구성** : 체질량 지수, 체지방률 검사

04 | ③ 기계체조는 철봉, 도마, 평행봉, 평균대, 뜀틀 등의 기구를 사용해서 하는 체조 경기이다.

남녀 체조 경기 종목

남자 종목	마루, 철봉, 평행봉, 안마, 링, 도마
여자 종목	마루, 평균대, 2단 평행봉, 도마

05 | ① 오버 네트는 상대가 친 셔틀콕이 네트를 넘어오기 전에 라켓이 네트를 넘어가 셔틀콕을 치거나 헛치는 경우이다.

배드민턴 서비스 반칙

> 1) **풋 폴트** : 서비스가 넘어갈 때까지 서버와 리시버가 양 발을 경기장에 고정하지 않은 경우
> 2) **오버 웨이스트** : 셔틀콕의 타점이 서버의 허리보다 높은 경우
> 3) **오버 핸드** : 서버가 셔틀을 치는 그 순간에 그립이 샤프트보다 밑에 있는 경우
> 4) 서비스 도중 헛치거나 서비스한 셔틀콕이 네트 아래 혹은 네트 사이로 통과한 경우
> 5) **오버 네트** : 셔틀콕이 네트를 넘어오기 전에 치거나 라켓이나 선수의 몸이 네트에 닿은 경우
> 6) 셔틀콕을 두 번 이상 친 경우

06 | ③ 트래핑은 팔 이외의 신체 부위(가슴, 무릎, 발등)를 이용하여 구르거나 날아오는 공을 받아서 정지 시키거나 다른 동작으로 쉽게 연결하기 위한 기술이다. 트래핑 할 때, 공이 오는 반대쪽으로 몸을 끌어당겨 공의 속도와 힘을 감소시키면 공을 몸 앞에 트래핑 할 수 있다.

태클은 넘어지면서 상대방의 공격을 저지하는 기술로 상대 선수의 정면 또는 측면에서 공을 빼앗는 기술이다. 태클할 때는 상대방이 다치지 않게 해야 하며 상대방의 뒤에서 시도하거나 신체를 향해 태클하지 않는다.

트래핑의 종류

발바닥 트래핑 : 발 앞쪽으로 누르듯 공을 받는다.
발 트래핑 : 발을 약간 뒤로 빼면서 공을 받는다.
허벅지 트래핑 : 허벅지를 들었다가 뒤로 빼면서 공을 받는다.
가슴 트래핑 : 상체를 뒤로 젖히면서 공을 받는다.

07 | ④ 돌려차기는 태권도의 공격 기술 중 하나로 몸통을 반 바퀴(180도) 회전하여 무릎을 접었다 펴면서 상대방을 공격한다.

08 | ③ 전면성의 원리는 특정 부위에 치중하지 않고 전신을 고루 운동하여 신체를 균형있게 발달 시키는 원리이다.

운동 처방의 기본 원리

특이성의 원리 : 운동 형태, 운동강도 및 운동시간 등에 따라 해당 부위의 근육 및 그와 관련된 요소에만 변화가 생기는 원리
개별성의 원리 : 트레이닝 목표를 개인의 특성에 입각하여 세워야 한다는 원리로 성별, 나이, 성향 등 개인이 지닌 신체적, 정신적 차이와 특성을 고려하여 운동하는 원리
과부하의 원리 : 운동이라는 자극에 대하여 인체가 효과적으로 적응하기 위해서 일상생활의 부하보다 더 높은 부하를 주어야 적용 되는 부위나 체력적 요소가 발달한다는 원리

점진성의 원리 : 부하를 가벼운 것부터 시작하여 그 무게나 시간을 계획적으로 늘려 나가는 원리
다양성의 원리 : 운동에 대한 흥미를 높이고 참여도를 극대화 하기 위해 다양한 운동 종목과 프로그램 등이 계획되어야 한다는 원리
전면성의 원리 : 특정 부위에 치중하지 않고 전신을 고루 운동하여 신체를 균형있게 발달 시키는 원리

09 | ④ 심폐소생술은 심장으로 가는 혈액 공급이 갑자기 중단되어 심장이 정지된 상태의 사람에게 하는 응급 처치이다. 일단 심폐소생술 시작 전에 반응을 확인하고 119에 신고를 하는 것이 필요하다. 쓰러진 사람의 주변 환경이 안전한지 확보한 후, 환자의 반응을 확인하고, 신고 시 발생 장소와 상황, 상태, 도움이 필요한 상황을 설명한다.

심폐소생술 순서

1) 반응 확인 및 119 신고
: 쓰러진 사람의 주변 환경이 안전한지 확보한 후, 환자의 반응을 확인하고, 신고시 발생 장소와 상황, 상태, 도움이 필요한 상황을 설명한다.

2) 호흡 확인
: 환자의 얼굴과 가슴을 10초 정도 관찰하여 반응이 없고 비정상적인 호흡을 보이면 심정지 상태로 판단할 수 있다.

3) 가슴 압박
: 깍지를 끼고 팔을 편 상태로 환자의 몸과 수직을 이루면서 실시하고, 분당 100~120회 속도로 실시한다.

4) 인공호흡
: 환자의 머리를 젖히고 턱을 들어올려 기도를 개방한다. 가슴이 부풀어 오를 정도의 양으로 인공호흡을 2회 한다.

5) 가슴 압박과 인공호흡 반복
: 구조대가 도착할 때까지 가슴압박(30회), 인공호흡(2회)를 계속 시행한다.

6) 회복 자세
: 환자의 호흡을 확인하고, 호흡이 회복 되었으면 옆으로 돌려 눕혀서 기도가 막히는 것을 예방한다.

10 | ④ 경영 결승 경기 레인 배정은 준결승 경기의 결과와 관련이 있다. 준결승 경기의 기록 순에 따라 1위 경기자를 가운데인 4레인에 배정하고, 그 다음 좋은 기록의 경기자를 왼쪽, 오른쪽에 교대로 배정한다.

11 | ④ 외야수는 좌익수, 중견수, 우익수를 말한다. 외야수는 넓은 지역을 수비하므로 정확한 판단력과 강한 송구능력이 필요하다.

> **좌익수** : 외야의 왼쪽 지역을 수비하는 역할
> **중견수** : 외야의 한가운데를 수비 하는 역할
> **우익수** : 외야의 오른쪽 지역을 수비하는 역할

⚠ 선지 더 알아보기

> **투수** : 수비 팀에서 타자에게 공을 던지는 역할을 한다.
> **내야수** : 필드 안쪽, 내야지역에서 수비를 하는 수비수로 1루수, 2루수, 3루수, 유격수를 뜻한다.
> **유격수** : 2루와 3루 사이의 지역을 수비하는 역할을 한다.

12 | ② 공간의 변화는 신체 표현 창작의 구성 요소 중 하나로 신체가 공간 속에서 차지하는 움직임의 범위, 위치, 크기, 높낮이, 방향, 이동 경로 등의 변화를 통하여 다양한 느낌을 전달할 수 있다.

🔍 개념 더 보기 **신체 표현 창작의 구성요소**

> 신체의 움직임은 신체, 공간, 시간, 힘, 흐름, 관계 등의 요소를 포함한다.
>
> **공간의 변화** : 신체가 공간 속에서 차지하는 움직임의 범위, 위치, 크기, 높낮이, 방향, 이동 경로 등의 변화를 통하여 다양한 느낌을 전달할 수 있다.
> **시간의 변화** : 신체의 움직임은 리듬, 속도, 박자 등의 시간 요소를 변화시킴으로써 다양한 느낌을 표현할 수 있다.
> **힘의 변화** : 신체의 움직임은 강함과 부드러움, 무거움과 가벼움 등 힘이나 무게의 변화에 따라 전달되는 느낌이 달라신나.
> **흐름의 변화** : 움직임을 연결하는 흐름은 연속, 단절 등의 방법을 통해 구성할 수 있는데, 이를 통해 자신의 생각을 보다 효과적으로 표현할 수 있다.

13 | ② 영역형 스포츠는 받기, 던지기, 차기 등과 같은 경기 기능을 사용하여 상대 영역에서 득점을 하는 경기이다. 대표적인 예로 축구, 농구, 핸드볼, 럭비, 얼티미트 등이 있다.

⚠ 선지 더 알아보기

> 탁구는 네트형 스포츠로 상대편 지역에 공을 떨어뜨려 득점하는 경기이다.

14 | ① 밭다리 걸기는 다리가 길거나 키가 클 때 유리하며, 샅바를 당기고 오른쪽 다리로 상대 방의 오른쪽 다리를 걸어, 왼쪽 다리를 지지대로 상대방을 넘어뜨리는 기술이다.

⚠ 선지 더 알아보기

> **안다리 걸기** : 상대방의 왼쪽 다리가 자신의 발 앞으로 왔을 때 샅바를 당기고 오른 다리를 상대방 왼쪽 오금에 걸어서 넘어뜨린다. 상대방이 안다리 걸기를 풀면 되치기가 가능하다.
> **앞무릎 치기** : 오른손을 상대방의 오른쪽 무릎에 댄다. 상대방의 오른발을 밀어 올리고 머리와 허리를 이용하여 오른쪽으로 밀어 쓰러뜨린다
> **오금 당기기** : 오른손으로 상대방의 오른쪽 뒷무릎을 잡아 당겨, 왼손과 함께 재빠르게 내 가슴 쪽으로 잡아 당겨 중심을 무너뜨려 상대 선수를 어깨로 밀어 넘어뜨린다.

15 | ② 운동 처방의 요소는 운동 유형이나 종목, 운동 강도, 운동 시간, 운동 빈도, 운동 기간 등이 있다.

운동처방의 5요소 적용 예

	근력 및 근지구력 증진 운동	- 심폐 지구력 증진 운동 - 비만 관리 운동	유연성 증진 운동
운동 종목	저항성 운동: 체중 이용 운동, 밴드 운동, 바벨 운동	수영, 달리기, 등산, 사이클링 등 유산소 운동	스트레칭 운동(신체 부위별)
운동 강도	근력 증진 운동 : 최대 근력의 70~80% 무게, 최대 15~20회 반복 가능한 무게 근지구력 증진 운동 : 최대 근력의 60% 정도의 무게, 최대 15회~20회 반복 가능한 무게	최대 심박수의 70~80%(심박수 150~160회), 최고 기록의 60~70%	근육에 긴장이 느껴지는 단계까지 (통증을 느끼기 직전까지)
운동 시간	최대 반복×2~3세트	4km, 30~60분	20초 2회
운동 빈도	주당 3~5일		
운동 기간	4~6주		

경기 종목과 기술

배구: 서비스, 패스, 세트, 스파이크, 블로킹
축구: 킥, 트래핑, 리프팅, 드리블, 헤더
농구: 패스, 드리블, 슛, 리바운드, 피벗
핸드볼: 패스, 캐치, 드리블, 슛, 블로킹
배드민턴: 서비스, 풋워크, 스트로크(하이 클리어, 드라이브, 스매시, 드롭, 헤어핀, 푸시)
탁구: 서비스, 드라이브, 스매시, 쇼트, 커트, 풋워크

18 | ② 공인구의 크기 순서는 탁구(지름 4cm)→테니스(지름 7cm)→핸드볼(19cm)→농구(지름 24cm)

스포츠 공 크기 비교

16 | ② 스크린은 공을 가진 우리 팀 선수를 방어하는 수비수의 진행 경로를 막아 공격을 하는 기술이다. 공을 잡은 동료와 진행 방향을 예상하여 미리 수비수의 진행 경로를 막고, 열린 공간으로 공격한다.

리바운드
: 림이나 백보드를 맞고 떨어지는 공을 잡는 기술로, 공격이나 수비팀 모두에게 매우 중요하다. 방법은 공이 날아오는 속도를 예측하여 이동해 공이 떨어지는 속도를 예측하여 점프한다. 공을 최대한 가슴 쪽으로 끌어당겨 받아서 몸통 중심으로 이동시키고 다음 동작을 취한다.

17 | ① 배구에 '스매시'는 없다. 배구에 있어서 가장 중요한 공격 기술은 스파이크이다. 스파이크는 세트업된 공을 점프하여 강하게 내려치는 기술이다. 강한 힘과 타이밍이 적절하게 결합해야 하며, 강한 자신감이 요구 되는 기술이다.

19 | ③ 강강술래는 서민의 정서와 소박한 감정을 비교적 자유로운 몸짓으로 표현하고, 노래와 춤 그리고 놀이가 한데 섞여 있는 민속 무용이다. 강강술래를 할 때 앞사람은 뒷사람의 움직이는 속도를 배려하여 너무 빨리 가거나 잡아당기지 않아야 한다. 또, 뒷사람은 원이 끊어지지 않도록 속도를 맞추는 것이 필요하다.

승무: 승려들이 추는 속칭 '중춤'이라 하지만 불교의식에서 승려가 추는 춤이 아니고 흰 장삼에 붉은 가사를 어깨에 매고 흰 고깔을 쓰고 추는 민속 무용이다.

소고 춤: 소고를 들고 추는 춤으로, 농악에서 소고치배들이 추거나, 교방춤에서 입춤이나 교방춤 끝에 춘다.

봉산탈춤: 황해도 봉산군에 전승되던 탈춤이다. 탈춤은 얼굴이나 온몸에 탈을 쓰고 추는 민속 무용으로, 춤과 대사를 통해 서민의 정서를 표현한다.

20 | ③ 찰과상은 넘어지거나 긁히는 등의 마찰에 의하여 피부 표면에 입는 상처로 쓰리고 통증과 함께 출혈이 있다. 처치법은 압박을 하여 지혈하고 상처를 흐르는 물로 씻어 낸다. 상처의 오염 정도가 심하면 소독액을 사용하여 닦아 낸다.

골절: 외부의 충격 때문에 뼈가 부러진 것으로 골절 부위 부종과 심한 통증이 있으며, 골절 부위가 변형되어 정상적인 기능이 불가능하다. 골절 부위를 부목으로 고정하고 응급처치를 한 뒤 빨리 병원으로 이동하여 의사의 치료를 받도록 한다.

염좌: 손상 부위가 붓고 통증이 심하며 멍이 들고 관절을 움직일 수 없는 경우가 있다. 처치는 RICE 요법을 실시한다.

타박상: 넘어지거나 부딪치는 과정에서 모세 혈관이 터져 멍이 들고 부어 오른다. 상처 부위를 가슴보다 높게 하고 얼음찜질을 한다.

21 | ② 육상은 속도를 겨루는 트랙경기와 거리, 높이 등을 겨루는 필드 경기가 있다. 필드 경기의 예는 높이뛰기와 포환던지기가 있다.

육상 종목

트랙 경기 종목

단거리 달리기	100m, 200m, 400m
중·장거리 달리기	800m, 1,500m, 5,000m, 10,000m
이어달리기	400mR, 1,600mR
장애물 달리기	100mH(여), 110mH(남), 400mH, 3,000mSC

필드 경기 종목

도약 경기	멀리뛰기, 높이뛰기, 세단뛰기, 장대높이뛰기
투척경기	포환던지기, 원반던지기, 창던지기, 해머던지기

22 | ③ 3점 라인 안에서 슛을 성공하면 2점이고, 3점 라인 밖에서 슛을 성공하면 3점이므로 2개의 슛은 3점 라인 안에서 해서 4점이고, 나머지 2개의 슛은 3점 라인 밖에서 해서 6점이라서 총 10점이다.

23 | ① 백스윙은 어깨 축과 일직선이 되도록 공을 뒤로 올려준다. 몸을 앞으로 기울여 상체를 숙인다.

볼링의 투구 동작

어드레스
1. 어깨축과 일직선이 되게 공을 들고 에임 스폿을 응시한다.
2. 몸을 15° 정도 앞으로 기울인다.
3. 무릎이 발끝보다 약간 앞으로 나오게 구부린다.

푸시 어웨이
스텝을 밟으며 두 손으로 공을 앞으로 내어준다.

다운스윙
1. 반대쪽 팔을 이용하여 균형을 잡는다.
2. 백스윙을 위해 공을 아래로 내린다.

백스윙
1. 어깨 축과 일직선이 되도록 공을 뒤로 올려준다.
2. 몸을 앞으로 기울여 상체를 숙인다.

어드레스　　푸시 어웨이　　다운스윙　　백스윙

24 | ④ 파3홀에서 버디를 기록하면 −1타, 파4홀에서
이글을 기록하면 −2타이다.

 **골프 스코어 용어**

	타수	용어
언더파	−5	오스트리치(ostrich, 타조)
	−4	콘도르(condor, 콘도르)
	−3	앨버트로스(albatross, 신천옹)
	−2	이글(eagle, 독수리)
	−1	버디(birdie, 어린 새)
해당 홀의 목표 타수	0	파(par)
오버파	+1	보기(bogey)
	+2	더블 보기(double bogey)
	+3	트리플 보기(triple bogey)
	+4	쿼드러플 보기(quadruple bogey)
더블 파 : 각 홀 파 기준의 2배 타수		

25 | ① 자동 제세동기 AED는 심정지 환자의 심장에
강한 전기 자극을 주어 심장이 다시 활동 할
수 있도록 해 주는 응급 처치 장비이다.

 **AED 사용방법**

1) **전원 켜기** : 커버를 열고 전원 버튼을 누른다.
2) **두 개의 패드 부착** : 두 개의 패드 중 1개는 오른쪽 빗장
뼈 바로 아래에, 다른 하나는 왼쪽 젖꼭지 옆 겨드랑이
사이에 부착한다.
3) **심장 리듬 분석** : 제세동이 필요하면 자동으로 제세동기
가 충전을 시작, 필요 없으면 음성 지시가 나오는데, 이
때는 즉시 심폐 소생술을 시작한다.
4) **제세동 시행** : 제세동 버튼을 눌러 제세동을 시작한다.
5) **심폐 소생술을 다시 시행** : 제세동 시행 후 가슴압박과
인공호흡을 30 : 2 비율로 한다.
6) **회복 자세** : 기도가 막히지 않도록 환자를 옆으로 돌려
회복 자세를 취하게 한다.

01	②	02	②	03	①	04	①	05	③
06	③	07	④	08	④	09	①	10	②
11	④	12	③	13	①	14	②	15	③
16	④	17	③	18	④	19	②	20	①
21	②	22	②	23	③	24	③	25	④

01 | ② 청소년기(13~20세)는 신체 성장이 가장 활발하게 진행되는 시기로 성인이 되기 위한 준비 과정으로 신체적·사회적·도덕적 발달이 이루어지고 자아 정체성을 형성한다. 청소년기는 평생 건강의 기틀을 마련하는 중요한 시기이다. 따라서 건강의 소중함에 대해 올바르게 인식하고, 규칙적인 운동과 건전한 여가 생활을 즐길 수 있는 생활 태도를 갖도록 노력 하는 것이 좋다.

02 | ② 근력과 근지구력은 팔 굽혀 펴기(남), 무릎 대고 팔 굽혀 펴기(여), 악력 검사, 윗몸말아올리기 검사로 측정한다.

03 | ① 과부하의 원리는 운동이라는 자극에 대하여 인체가 효과적으로 적응하기 위해서 일상생활의 부하보다 더 높은 부하를 주어야 적용 되는 부위나 체력적 요소가 발달한다는 원리이다.

04 | ① 스키는 눈이 덮인 설원에서 대자연의 아름다움을 즐기며 호연지기를 기르고 스트 레스를 해소할 수 있는 여가 활동이다. 스키는 인내심과 극기, 도전 의식을 함양하고 근력·근지구력 등의 체력과 균형 감각, 리듬감을 향상하며, 정서를 순화하고 즐거움을 느낄 수 있다.

05 | ③ 이어달리기는 트랙 위에서 4명의 선수가 배턴을 주고받으며 일정한 거리를 나누어 달리는 경기이다. 육상 경기 중 유일한 단체 경기이다. 배턴을 잘 주고받기 위해서는 선수들 사이의 팀워크가 중요하다. 제1주자는 배턴을 손에 쥐고 크라우칭 스타트로 출발하여 출발 신호와 동시에 재빠르게 뛰어나간다.

개념 더 보기 · 이어달리기 주자 배치

제 1주자 : 출발이 빠르고 곡선 주로를 잘 달리는 사람
제 2주자 : 직선 주로를 잘 달리는 사람
제 3주자 : 곡선 주로를 잘 달리는 사람
제 4주자 : 질주 능력과 후반 가속이 좋고 승부욕이 강한 사람

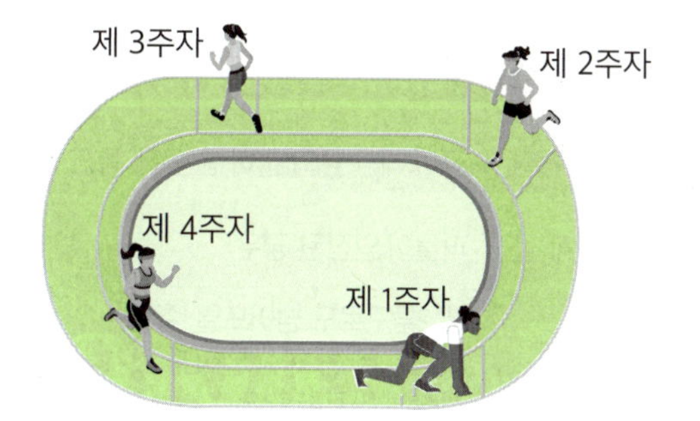

06 | ③ 포환 던지기는 육상 필드 경기 중 투척 경기의 하나로 지름 2.135m의 원 안에서 한 쪽 손으로 쇠공을 멀리 던지는 경기이다. 기록은 34.92°의 유효 구역에 떨어진 포환과 서클의 직선거리를 측정한다. 포환 던지기는 준비, 글라이드(이동 동작), 던지기, 리버스의 연결 동작으로 이루어지는 운동이다. 포환을 멀리 던지기 위해서는 정지 상태에서 이동하는 가속을 통해 힘을 집중시키고, 포환을 밀어내는 각도를 잘 조절하는 것이 필요하다.

개념 더 보기 · 포환던지기 경기장

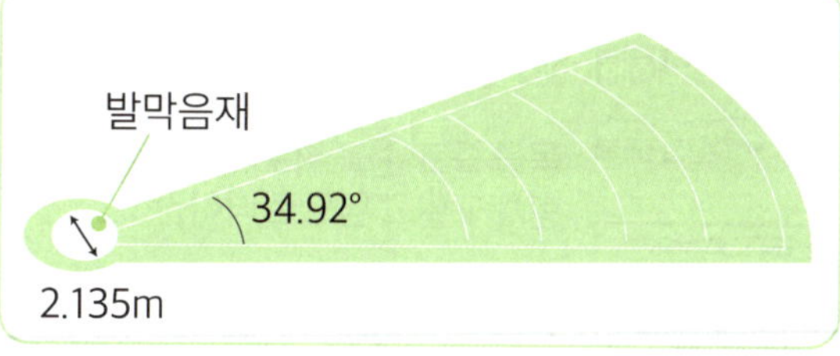

07 | ④ 볼링은 레인 위로 공을 굴려 레인 끝에 삼각형 대형으로 세워 둔 10개의 핀을 많이 쓰러 뜨려 승부를 겨루는 경기이다. 제 1구로 10개의 핀을 전부 쓰러뜨린 경우를 스트라이크라고 하며

이 기호를 쓴다.

볼링 점수 기록 방법

	스트 라이크	제 1구로 10개의 핀을 전부 쓰러트린 경우 **더블**:2회 연속 스트라이크 한 경우 **트리플**:3회 연속 스트라이크 한 경우
	스페어	제 1투구에서 남은 핀을 제 2투구에서 모든 쓰러트린 경우
—	미스	제 2투구에서 핀을 모두 쓰러트리지 못 한 경우
G	거터	공이 레인 옆의 홈이 팬 곳에 빠진 경우
F	파울	파울이 인정된 경우
S	스플릿	제 2투구로도 넘어뜨릴 수 없는 핀과 핀 사이가 한 핀 이상 떨어져 있거나 동일 선상에 위치한 경우로, 1번 핀이 남는 것 은 인정하지 않음.

08 | ④ 평영은 양팔로 물을 잡아당기고 발로 물을 차면서 전진하는 영법이다. 다른 영법에 비해 물의 저항을 많이 받아서 속도가 느리지만, 시야가 넓고 숨쉬기가 쉬우며 체력 소모가 적어 장거리 수영에 유리하다. 되돌기를 할 때는 양손으로 벽을 짚으면서 다리를 모은다. 무릎을 가슴 안쪽으로 끌어당긴다. 몸을 틀고 손을 머리 위로 모아 벽을 힘차게 밀고 앞으로 나아간다.

양손으로 벽을 짚으면서 다리를 모은다.

무릎을 가슴 안쪽으로 끌어당긴다.

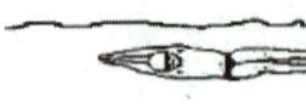

몸을 틀고 손을 위로 모아 벽을 힘차게 밀고 앞으로 나아간다.

혼계영 경기

혼계영 경기는 400m 거리를 4명의 선수가 각각 배영, 평영, 접영, 자유형의 순서로 헤엄쳐 속도를 겨루는 경영 경기이다. 경영 종목의 영법을 모두 사용하므로 혼계영 경기는 매우 다채롭고 박진감 있으며 흥미진진하다.

1영자 - 배영:수면 위에 바로 누운 자세로 헤엄친다. 얼굴이 수면 위에 올라와 있어 호흡이 쉽다.

2영자 - 평영:물 속에 엎드려 양팔로 물을 잡아당기고 양발로 물을 치면서 나아간다.

3영자 - 접영:양팔로 물을 끌어모아 뒤로 밀어내면서 허리, 허벅지, 종아리, 발목 순으로 파도를 타는 돌고래차기로 헤엄쳐 나아간다.

4영자 - 자유형:수면에 엎드려 양팔로 물을 잡아당기고 양발로 교차하여 발차기 하여 앞으로 나아간다.

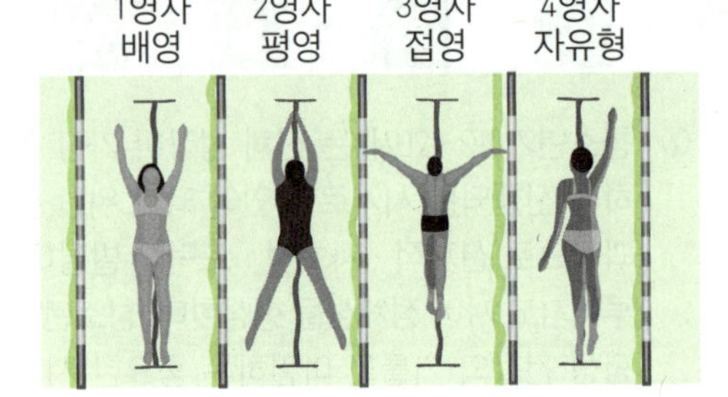

09 | ① 링은 기계 체조 종목 중 남자 종목으로 긴 줄에 매달린 고리 모양의 손잡이를 잡고 버티기, 흔들기 등의 동작을 한다.

기계 체조 종목

남자 종목:평행봉, 링, 마루, 안마, 도마, 철봉
여자 종목:마루, 평균대, 이단 평행봉, 도마

10 | ② 옆차기는 몸을 90도 틀면서 무릎을 접었다가
       뻗으며 몸통이나 얼굴을 찬다.

무릎을 접었다 펴면서 발의 옆측으로 상대방을
공격한다.

11 | ④ 오금 당기기는 오른손으로 상대방의 오른쪽 뒷
       무릎을 잡아당겨, 왼손과 함께 재빠르게 내 가
       슴 쪽으로 잡아 당겨 중심을 무너뜨려 상대 선
       수를 어깨로 밀어 넘어뜨린다.

들배지기 : 상대를 배 높이까지 들어 올린 뒤 몸을 돌려 넘
          어뜨리는 기술이다.
안다리 걸기 : 상대방의 왼쪽 다리가 자신의 발 앞으로 왔을
          때 샅바를 당기고 오른 다리를 상대방 왼쪽
          오금에 걸어서 넘어뜨린다. 상대방이 안다리
          걸기를 풀면 되치기가 가능하다.
엉덩배지기 : 상대가 무거워 배지기로 넘기지 못할 때, 상대
          방을 들면서 엉덩이에 밀착시켜 넘겨 버린다.

12 | ① 퍼팅은 그린 위에서 홀을 향하여 공을 치는 기
       술이다.

러프 샷 : 러프에서 치는 샷으로 러프는 잔디가 길고 불규칙
        적으로 나 있어서 공을 칠 때 비거리에 제약을 많
        이 받고, 샷의 방향도 빗나간다.
벙커 샷 : 벙커에서 치는 샷으로 벙커는 모래로 되어 있어
        서 공을 칠 때 비거리와 방향에 러프보다 더 많은
        방해를 받는다.

13 | ① 스로인은 공이 터치 라인 밖으로 나갔을 경우
       상대 팀 선수가 공을 잡고 경기장 안으로 던지
       는 기술이다. 던지는 사람은 양발을 지면에 붙
       인 채 양손으로 공을 잡아 오버 헤드 동작으로
       딘저아 한다.

코너킥 : 수비자가 찬 공이 자기편 골대 쪽의 골 라인 밖으
        로 나간 경우
페널티킥 : 페널티 에어리어 안에서 직접 프리킥에 해당하
         는 반칙을 범한 경우
오프사이드 : 공격 팀의 선수가 상대 진영 내에서 골키퍼를
          제외한 마지막 수비수의 위치보다 상대 골 라
          인에 더 가까이 위치 할 때 선언된다.

14 | ② 야구에서 투수는 수비 팀에서 타자에게 공을
       던지는 역할을 하고, 포수는 투구를 받고 홈플
       레이트를 지키는 야수이다. 유격수는 2루와 3
       루 사이의 지역을 수비하는 역할을 한다.

15 | ③ 언더핸드 서비스는 초보자가 하기 쉬운 서비스
       로 공을 허리 정도에서 쳐올려 포물선을 그리
       며 안전하고 정확하게 서브한다.

16 | ④ 스파이크는 세트업 된 공을 점프하여 때리는 기
       술로, 득점을 올리기 위한 강력한 공격 방법이며,
       블로킹은 상대 팀의 스파이크와 같은 공격을 네
       트 근처에서 점프하여 막는 기능이다.

스파이크

블로킹

상대의 공격 타이밍에
맞춰 힘껏 점프한다.

17 | ③ **하이클리어**는 가장 기본이 되는 경기 기능으로, 셔틀콕을 길고 높게 쳐서 상대방 코트의 끝에 떨어지도록 한다.

헤어핀은 셔틀콕을 네트에 살짝 넘기는 기능으로 서비스를 받을 때, 수비에서 공격으로 전환할 때 효과적이다.

푸시 : 네트 근처로 살짝 넘어오는 셔틀콕을 손목의 스냅을 이용하여 짧게 끊어치는 기능이다.
드라이브 : 복식 경기에서 매우 중요한 기능으로, 셔틀콕이 네트를 스친다는 느낌으로 낮고 빠르게 보내는 것이 중요하다.

18 | ④ 배드민턴 단식 경기 방식은 서버가 포인트를 얻지 못했거나 점수가 짝수인 경우는 우측에서, 점수가 홀수인 경우는 좌측에서 서비스 한다. A는 9점이라 홀수라서 좌측에서 서비스를 넣었을 것이고, 빨간색 단식의 서브 영역이면 IN, 영역 밖이면 OUT이라서 ④이 옳다.

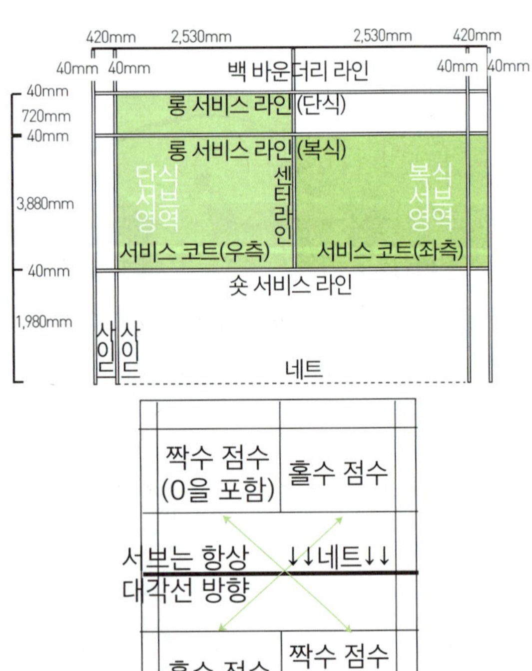

19 | ② 탁구는 가로 152.5cm, 세로 274cm, 높이 76cm인 탁구대에서 15.25cm 높이의 네트를 라켓으로 공을 넘겨서 득점을 겨루는 경기이다. 직접적인 신체 접촉이 없으며, 좁은 장소에서 적은 인원으로도 언제나 즐길수 있는 생활 체육의 대표적인 종목 중 하나이다. 공에 회전을 걸어 다양한 기술을 구사할 수 있다. 11점을 먼저 획득하거나 듀스 상황에서 2점을 앞선 경우 해당 세트에서 승리한다.

20 | ① 푸싱은 몸의 어느 부분으로든 상대를 억지로 밀어내는 부당한 신체 접촉이다.

홀딩 : 상대방 선수를 잡아 저지하는 부당한 신체 접촉으로 상대의 옷이나 몸을 잡아 끄는 행위이다.
트래블링 : 공을 가진 채 3걸음 이상 가는 경우, 볼을 소유한 상태에서 드리블을 하지 않고 피벗축 발이 떨어지는 경우로 반칙으로 기록되지는 않으나 공격권이 넘어간다.
더블 드리블 : 공을 가진 선수가 잠시 공을 잡았다가 슛이나 패스를 하지 않고 다시 드리블을 하는 경우, 드리블을 하다가 두 손을 함께 공에 대는 경우 등을 말한다. 반칙이 선언되어 공격권을 상대 팀에게 넘겨줘야 한다.

21 | ② 자유투는 농구에서 반칙을 당했을 때 얻을 수 있는 공격권으로 상대편의 방해를 받지 않고 공을 던지게 된다. 슛이 성공하면 1점을 얻는다.

22 | ② 우리나라 민속 무용에는 승무, 탈춤, 살풀이, 강강술래 등이 있다.

23 | ③ 치어리딩은 운동 경기를 하는 선수들이 힘을 내도록 음악에 맞추어 화려한 동작을 섞어 선보이는 응원 활동에서 시작되었다. 구호, 팔 동작, 특수한 점프, 파트너 스턴트, 스턴트 피라미드 등의 기술이 있다.

> **⚠ 선지 더 알아보기**
>
> **자이브**: 라틴 아메리카 댄스 중 가장 인기 있는 종목 중 하나로, 활기가 넘치고 신나게 춤을 추는 것이 특징이다. 자이브는 4/4 박자의 음악을 사용하는데, 무릎을 이용해 몸을 아래위로 움직이는 동작을 자연스럽게 표현하는 것이 중요하다.
>
> **강강술래**: 서민의 정서와 소박한 감정을 비교적 자유로운 몸짓으로 표현하고, 노래와 춤 그리고 놀이가 한데 섞여 있는 민속 무용.
>
> **티니클링**: 두 개의 긴 대나무의 안쪽 및 바깥쪽으로 무용수가 뛰거나 춤을 추는 필리핀의 민속무용.

24 | ③ 심폐소생술 순서는 이러하다.

1) 반응확인 및 119 신고: 쓰러진 사람의 주변 환경이 안전한지 확보한 후, 환자의 반응을 확인하고, 신고 시 발생 장소와 상황, 상태, 도움이 필요한 상황을 설명한다.

2) 호흡확인: 환자의 얼굴과 가슴을 10초 정도 관찰하여 반응이 없고 비정상적인 호흡을 보이면 심정지 상태로 판단할 수 있다.

3) 가슴 압박: 깍지를 끼고 팔을 편 상태로 환자의 몸과 수직을 이루면서 실시하고, 분당 100~120회 속도로 실시한다.

4) 인공호흡: 환자의 머리를 젖히고 턱을 들어 올려 기도를 개방한다. 가슴이 부풀어 오를 정도의 양으로 인공호흡을 2회 한다.

5) 가슴 압박과 인공호흡 반복: 구조대가 도착할 때까지 가슴압박(30회), 인공호흡(2회)를 계속 시행한다.

6) 회복 자세: 환자의 호흡을 확인하고, 호흡이 회복되었으면 옆으로 돌려 눕혀서 기도가 막히는 것을 예방한다.

25 | ④ 인적 요인은 준비 운동 부족, 안전 불감증, 기초 체력 부족, 승부에 대한 지나친 집착, 주의력 부족, 부주의 등이 있다. 인적 요인은 ㄱ, ㄴ, ㄷ이고 환경적 요인이 ㄹ이다.

01	④	02	③	03	③	04	③	05	①
06	③	07	①	08	①	09	④	10	③
11	③	12	①	13	②	14	④	15	②
16	④	17	②	18	①	19	②	20	④
21	①	22	①	23	②	24	②	25	②

01 | ④ 근지구력은 윗몸 일으키기처럼 일정한 크기의 근력을 반복해서 오래 발휘 할 수 있는 능력이다.

02 | ③ 체질량 지수(BMI)는 자신의 몸무게(kg)를 키의 제곱(m)으로 나눈 값이다. 체질량지수는 비만도를 측정할 수 있지만 건강을 측정하는 절대 지표가 아니며, 근육과 지방의 무게를 구별하지 못하므로 무조건적으로 신뢰하지 않는 것이 좋다. 다만 간편한 방법으로 비만여부를 알 수 있고 손쉽게 체질량지수 간의 변화되는 상황을 비교할 수 있는 이점이 있다.

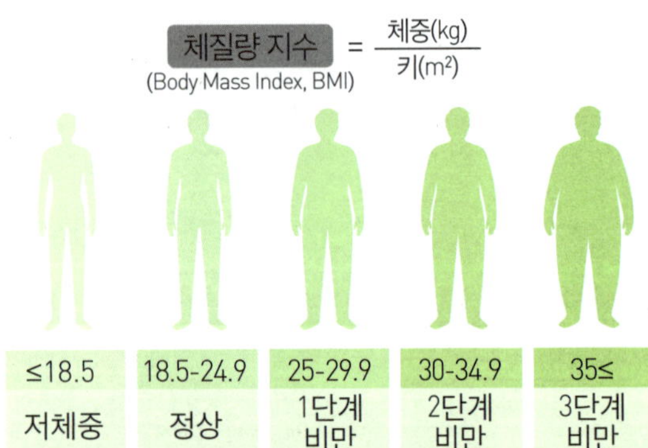

03 | ③ 점진성의 원리는 부하를 가벼운 것부터 시작하여 그 무게나 시간을 계획적으로 늘려 나가는 원리이다.

04 | ③ 유연성은 관절을 둘러싼 근육이 최대한 어디 범위까지 관절을 움직일 수 있는가를 나타내는 능력이다. 유연성의 크기는 관절의 가동범위에 의해서 결정되는데 이러한 유연성을 키우는 운동이 바로 스트레칭이다.

협응성:다양한 신체 부위나 근육을 조화롭게 움직일 수 있는 능력

05 | ① 부상을 입은 부위에 부목을 대는 방법이 부목법이다. 부목은 몸의 외상, 골절, 탈구 염좌 등 응급수단으로서 기동성을 제한하기 위해 신체에 붙여 고정시키는 교정 장치이다.

06 | ③ 투기 종목은 싸우는 기술을 겨루는 종목으로 씨름과 태권도가 이에 속한다.

07 | ① 볼링은 레인 위로 공을 굴려 레인 끝에 삼각형 대형으로 세워 둔 10개의 핀을 쓰러뜨리는 종목으로, 남녀노소를 가리지 않고 누구나 즐길 수 있는 경기이다.

08 | ① 기록 도전 스포츠는 시간·속도·거리·무게 등의 기록 및 측정을 통해 자신 또는 타인과의 기량이나 기록을 경쟁하는 스포츠 활동이다. 대표적인 예로는 트랙경기, 필드경기, 경영, 양궁, 스피드스케이팅, 사격, 포환 던지기 등이 있다.

 **스포츠 유형**

기록 도전
: 시간·속도·거리·무게 등의 기록 및 측정을 통해 자신 또는 타인과의 기량이나 기록을 경쟁하는 스포츠 활동이다. 대표적인 예로는 트랙경기, 필드경기, 경영, 양궁, 스피드스케이팅, 사격, 포환 던지기 등이 있다.

동작 도전
: 신체 또는 기구를 이용하여 점차적으로 난이도를 높여가며 최상의 동작과 자세를 수행하기 위해 도전하는 스포츠 활동이다.대표적인 예로는 기계체조, 리듬체조, 다이빙, 마루운동, 도마운동, 철봉운동 등이 있다.

투기 도전
: 상대방과 신체적 기량을 겨루며 득점 부위를 때리거나 넘어뜨려 승부를 겨루는 스포츠 활동이다.대표적인 예로는 태권도, 유도, 레슬링 등이 있다.

영역형 경쟁

:두 팀이 각각의 영역을 갖고, 상대 팀의 영역에 침범하여 신체 부위를 활용해 공을 상대 팀의 골대에 넣으며 승패를 가리는 스포츠 활동이다. 대표적인 예로는 축구, 농구, 미식축구, 하키, 핸드볼 등이 있다.

필드형 경쟁

:일정 공간에서 두 팀이 공격과 수비를 번갈아 가며 신체와 도구를 사용하여 공을 치고, 던지고 받으며 승부를 가리는 스포츠 활동이다. 대표적인 예로는 야구, 소프트볼, 크리켓 등이 있다.

09 | ④ **㉠티잉그라운드**:각 홀의 공을 처음 치는 구역
　　　㉡워터 해저드:구덩이에 물을 채워 넣은 장애물
　　　㉢벙커:구덩이에 모래를 채워 넣은 장애물
　　　㉣그린:퍼팅을 하기 위해 잔디를 짧게 자른 지역

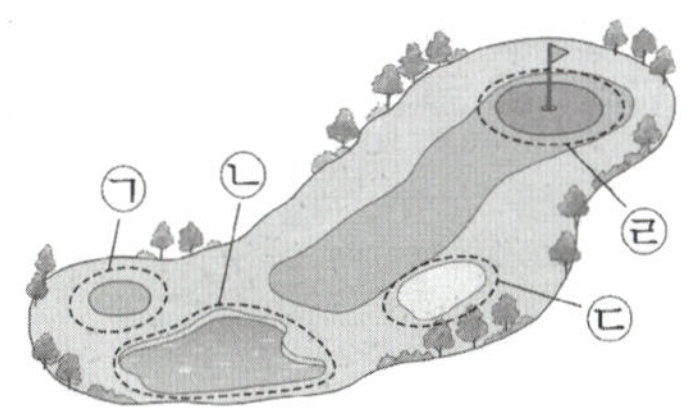

㉣은 골프 코스에서 퍼팅을 하기 위해 잔디를 짧게 깎아 정비 해 둔 지역인 그린이다. 그린 위에는 각 홀의 플레이에 있어서 최종적으로 공을 넣는 구멍을 두게 되는데 이 구멍을 홀 또는 컵이라고 한다. 이 컵에는 멀리서도 컵의 위치를 알 수 있는 깃대를 꽂아둔다.

10 | ③ 육상은 속도를 겨루는 트랙경기와 거리, 높이 등을 겨루는 필드 경기가 있다. 그 중 트랙 경기 종목은 단거리, 중·장거리, 이어달리기, 장애물 달리기가 있다. 단거리는 100m, 200m, 400m가 있고, 중·장거리는 800m, 1500m, 3000m, 5000m, 10000m(남)이 있다. 이어달리기에는 400mR, 1600mR이 있고, 장애물 달리기에는 100mH(여), 110mH(남), 400mH, 3000mSC가 있다.

11 | ③ 높이뛰기란 양쪽에 설치된 지주대에 가로로 설치되어 있는 바(bar)를 뛰어넘는 활동으로, 육상 종목 중 하나이며 올림픽 정식 종목이다. 높이뛰기의 움직임은 네 단계인데 도움 닫기→발구르기→공중 동작→착지이다. 위 그림의 단계는 세번째 단계로 공중 동작 단계이다.

 **높이 뛰기의 공중 동작**

역사적으로는 가장 먼저 높이뛰기 종목의 방법으로 사용한 것은 제자리에서 서서 높이뛰기였다. 그러나 시간이 지나면서 가위뛰기→엎드려뛰기(롤 오버)→배면뛰기(포스베리)로 발전되었다.

가위 뛰기:발 구르기를 한 다음 발 구르기를 하지 않은 반대쪽 다리를 위로 차올려 바를 넘기고, 이 순간 구름 발도 높이 들어서 바를 넘긴다.

엎드려 뛰기:구름 발의 반대 다리를 수직으로 들어 올리면서 머리를 낮추고 몸통을 바 위로 감싸듯이 엎드린 자세를 만들어 바를 넘는다.

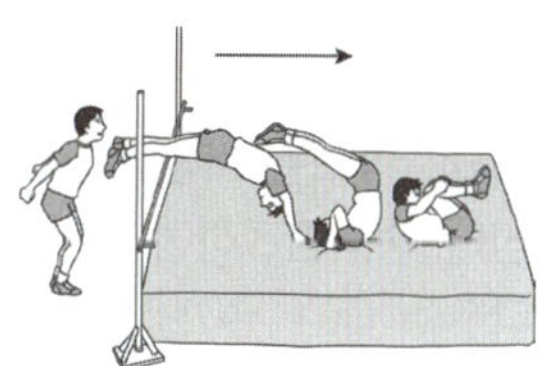

배면 뛰기:몸을 뒤로 젖힌 상태로 활처럼 만들어 머리, 어깨, 엉덩이가 바를 넘어가면 다리를 들어올려 바에 걸리지 않게 한다.

12 | ① 자유형·평영·접영은 출발대 위에서 다이브로 출발하고, 배영은 유일하게 물에서 출발한다. 채운 물 위에 떠서 팔을 크게 휘저으며 노력하는 영법이다.

13 | ② 도마는 체조 기구 중 하나이며, 그 기구를 사용하는 종목의 명칭이다. 체조 경기에서 남녀 모두 행해지는 종목이지만, 남녀간의 실시 규칙에 차이가 있다. 135cm (여자는 125cm)의 높이로 설정되어 그 앞에 로이터판을 둔다. 선수는 도움닫기를 하여 도마에 손을 짚고 뛰어 오른다. 이후 여러 가지 연기를 하고 착지한다. 도마의 점수는 단행 후 착지를 완료 할 때까지이며, 도움닫기 중에 정지하거나 걸려 넘어져서 균형을 잃는 것은 감점 대상이 되지 않는다.

14 | ④ 양궁은 일정한 거리 밖에 있는 과녁이나 표적을 겨냥하여 활을 이용, 화살로 쏘아 맞히는 경기이다. 표적을 맞혀 득점을 겨루는 경기로서 넓은 그라운드를 이용한다. 30~90m의 거리에 30~40개의 표적을 세운 장소, 살막이와 위아래 방향의 위험을 막기위한 쇠그물, 차양 등을 갖추어야 한다. 원거리용 표적은 지름 122cm, 근거리용은 80cm인데, 5가지 색의 원형으로 되어 있다.

15 | ② 배드민턴은 두 선수 또는 두 팀이 중앙에 네트를 두고 라켓으로 셔틀콕을 쳐서 네트를 넘기는 것으로 승부를 겨루는 경기이다. 스매시는 라켓을 빠르게 휘둘러 공을 강하게 내려치는 공격 기술이다.

16 | ④ 스파이크 서비스는 도움닫기한 후에 내려오는 타이밍에 맞춰 점프하여 공을 강하게 쳐서 서브한다.

17 | ② 래터럴 패스는 수비수가 앞에 위치해 있을 때, 가까이에 있는 측면의 동료에게 공을 보낼 때 사용하는 기술로 던지고자 하는 방향으로 손바닥이 향하게 하여 공을 밀어내듯이 던진다.

18 | ① 심폐소생술은 호흡이 멈췄거나 심장 마비, 심정지가 의심 되는 사람에게 실시하는 응급 처치이다.

19 | ② 골키퍼는 상대 팀의 득점으로부터 골을 지키는 포지션으로 다른 선수들과 다르게 손 사용이 가능하다. 골키퍼가 있는 스포츠에는 축구, 풋살, 필드하키, 아이스하키, 핸드볼 등이 있다.

20 | ④ 코너킥의 수신호는 부심의 수신호로 부심이 자신과 가까운 코너 아크를 가르킨다.

축구 경기 심판의 수신호

주심의 수신호			
직접 프리킥	간접 프리킥	경고 · 퇴장	플레이 온
호루라기를 불면서 손으로 공을 차는 방향을 가리킨다.	호루라기를 불면서 공을 찰 때까지 팔을 든다.	노란색·빨간색 카드를 들어 보인다.	양손을 허리 높이에서 가슴 높이 까지 올린다.

부심의 수신호			
스로인	오프사이드	골킥	코너킥
스로인 할 방향으로 기를 비스듬히 들어올린다.	기를 들어 올렸다가 오프사이드 위치를 가리킨다.	기를 들어 골킥을 할 진영을 가리킨다.	자신과 가까운 코너 아크를 가리킨다.

21 | ① 농구는 1팀당 5명의 선수가 선발되고, 야구는 지명타자 없는 9명, 지명타자 포함시 10명이다. 축구는 1팀당 11명이고, 핸드볼은 7인제와 11인제가 있는데 정식 경기는 7인제로 실시 된다.

22 | ① 포수는 투구를 받고 홈플레이트를 지키는 야수이다.

23 | ② 번트는 야구의 타격 기술 중 하나로 야구 방망이를 스윙하지 않고 내야에 공이 천천히 구르도록 일부러 볼에 배트를 살짝 갖다 대는 것이다. 일반적인 번트의 주목적은 페어존(파울라인 안쪽)으로 가능하면 수비수들을 피해서 공을 구르게 해서 주자가 진루를 하게 돕는 것이다.(희생 번트)

> **도루** : 야구의 인플레이 상황에서 주자가 공과는 상관 없이 다음 루로 가려고 시도하는 것을 말한다.
> **홈런** : 야구나 소프트 볼에서 담장을 넘겨서 점수를 따거나 타자가 타격을 한 뒤 모든 루를 통과하여 홈으로 돌아와 자신의 힘으로 득점을 올리는 것을 말한다.
> **슬라이딩** : 야구에서 베이스에 타자나 주자가 닿을 때 미끄러지듯 몸을 던지는 동작을 말한다.

24 | ② 댄스 스포츠는 음악에 맞춰 남녀가 한 쌍을 이루어 춤을 통해 미적 가치를 창조하는 예술 활동으로서, 스텝이나 회전 등의 표현 동작을 활용하여 신체를 아름답게 표현할 수 있다. 또한, 신체 발달과 건강 증진, 예술성을 동시에 추구할 수 있는 활동이다. 댄스 스포츠는 유럽에 기원을 둔 모던 스탠더드 댄스와 멕시코 남쪽 지역 춤에서 유래한 라틴 아메리카 댄스로 구분된다. 모던 스탠더드 댄스에는 왈츠, 탱고, 폭스트롯, 퀵스텝, 비엔나 왈츠 등 5종목이 있고, 라틴 아메리카 댄스에는 룸바, 삼바, 자이브, 차차차, 파소도블레 등 5종목이 있다.

댄스 스포츠의 특징

모던 스탠더드 댄스의 특징
- 클로즈드 홀드로만 진행한다.
- 모든 춤은 시계 반대 방향(LOD)으로 진행된다.
- 낭만적이고 우아한 동작을 추구한다.

라틴 아메리카 댄스의 특징
- 다양한 홀드와 포지션이 있다.
- 춤의 진행 방향이나 위치에 제한이 없다.(삼바, 파소도블레 제외)
- 화려하고 역동적인 동작을 추구한다.

25 | ② 농악무는 우리나라 민속 무용 중 하나이다. 농악무에 사용 되는 악기는 꽹과리, 징, 북, 장구, 소고, 과거엔 호적, 현재엔 태평소 등이다. 악기의 소리에 맞춰 벙거지에 매단 털이나 띠를 빙빙 돌리며 춤을 춘다. 농악무는 상모놀이에 중점을 두는 '윗놀이춤'과 손짓과 발짓을 다양하게 이용하는 '밑놀이춤'으로 구분할 수 있다. 농악무에는 노동에 대한 농민들의 가치관이 잘 반영되어 나타난다. 힘겨운 노동의 피로를 풀기 위해 낙천적이고 활기찬 율동과 흥겨운 장단으로 이루어지는 것이 일반적이다.

01	②	02	②	03	③	04	①	05	①
06	②	07	④	08	①	09	④	10	④
11	④	12	②	13	②	14	④	15	③
16	③	17	②	18	②	19	③	20	①
21	③	22	①	23	①	24	④	25	①

01 | ② 청소년기는 아동에서 성인으로 성장하는 시기로 2차 성징이 나타난다. 외모와 이성문제, 학업, 경쟁, 인간 관계 등으로 스트레스가 많아진다. 그래서 건강한 신체와 정신 함양을 위한 운동을 꾸준히 실천해야 한다.

생애주기별 건강 문제 및 건강 관리 방법

영 유아기 0~6세	
생애 주기별 건강문제	- 다양한 움직임을 통해 운동 기능이 빠르게 발달함 - 유아들은 불의의 사고, 선천적 이상, 폐렴 및 기관지염 등으로 사망하는 경우도 발생 - 백일해, 홍역, 볼거리, 풍진, 소아마비 등의 감염병에 취약하므로 적기에 접종하는 것이 중요함
건강관리 방법	- 적절한 시기에 맞추어 필요한 예방 접종 실시 - 운동 발달을 위한 다양한 형태의 운동 경험과 적극적인 놀이 활동 체험
아동기 7~12세	
생애 주기별 건강 문제	- 신체가 빠르게 성장하면서 움직임의 협응 능력과 조절 능력이 발달함. - 추락, 중독, 화상, 교통사고 등에 대한 적절한 감독과 보호 장구 착용, 안전 교육 등이 필요 - 젖니가 영구치로 바뀌면서 생기는 충치, 치주염, 부정 교합 등의 문제를 잘 관리하는 것이 필요함.
건강관리 방법	- 다양한 신체 활동경험을 통해 기초체력 증진 및 운동 기능 발달 촉진 - 아동기 비만 예방을 위한 균형 잡힌 식습관 형성 - 적절한 구강 관리

청소년기 13~20세	
생애 주기별 건강 문제	- 아동에서 성인으로 성장하는 시기로 2차 성징이 나타남. - 생리적·심리적·정서적으로 급격한 변화가 일어남. - 외모와 이성 문제, 학업, 경쟁, 인간관계 등으로 스트레스가 많아짐. - 성적 모험, 음주, 흡연, 약물 사용 등을 접할 가능성이 커짐. - 운동 부족과 영양 불균형 문제가 발생할 수 있으므로 관리가 필요함.
건강관리 방법	- 흡연, 음주, 성에 관한 바른 인식을 바탕으로 올바른 습관 형성 - 건강한 신체와 정신 함양을 위한 운동을 꾸준히 실천 - 신체의 성장 발달을 위한 균형 있는 영양 관리
성년기 21~40세	
생애 주기별 건강 문제	- 신체 기능이 가장 왕성한 시기이며, 성장이 멈추는 시기 - 직장 생활, 결혼, 임신 및 출산 등 주도적이고 독립적인 생활을 하는 시기로서 피로와 스트레스가 증가할 수 있음. - 바쁜 사회생활에 적응하는 과정에서 건강을 해치는 음주, 흡연, 약물 오·남용, 운동 부족 등 건강에 해로운 생활 습관을 갖기 쉬움.
건강관리 방법	- 일과 휴식의 조화를 통한 효율적 시간 관리가 필요 - 건강 증진과 스트레스 해소를 위한 적절한 운동 실천 - 균형 있는 식습관 유지
중년기 41~65세	
생애 주기별 건강 문제	- 노화가 진행되어 근육량과 골밀도가 감소하고, 요통이나 관절통 등의 증상이 나타나는 등 신체 기능이 저하함. - 여러 가지 생활 습관병이 발행하는데, 개인의 신체 활동 수준, 영양 섭취 등 그동안 유지해 온 생활습관에 따라 차이가 나타남.
건강관리 방법	- 정기적 건강 검진을 통해 생활 습관병의 조기 발견 및 치료가 필요 - 생활 습관병 예방을 위한 운동과 식생활 관리

노년기 66세 이상	
생애 주기별 건강 문제	- 거의 모든 신체 기관에 노화가 진행되어 기능 이상이 나타날 수 있음. - 각종 생활 습관병을 비롯하여 안과 질환, 치매, 우울증 등이 나타나기 쉬움. - 근육과 뼈가 현저히 감소하여 신체 활동에 제한을 받게 됨. - 이러한 건강 문제들은 이전부터 지속해 온 개인의 건강관리 정도에 따라 차이가 남.
건강관리 방법	- 적극적인 신체 활동 실천 - 긍정적인 삶을 위한 사교 활동을 적극적으로 실천 - 균형 있는 영양 관리

02 | ② 심폐 지구력은 심장과 폐가 오랫동안 운동을 지속할 수 있는 능력으로, 왕복 오래달리기나 오래달리기로 측정이 가능하다. 유연성은 관절을 크고 부드럽게 움직일 수 있는 능력으로, 앉아 윗몸 앞으로 굽히기나 종합 유연성 검사를 통해 측정 가능하다.

체력요소와 측정 종목

근력 및 지구력: 팔 굽혀 펴기(남), 무릎 대고 팔 굽혀 펴기(여), 악력 검사, 윗몸 말아 올리기 검사

심폐 지구력: 왕복 오래 달리기, 오래 달리기 – 걷기, 스텝 검사

유연성: 앉아 윗몸 앞으로 굽히기, 종합 유연성 검사

순발력: 50m 달리기, 제자리 멀리 뛰기

신체 구성: 체질량 지수, 체지방률 검사

03 | ③ 운동 처방의 요소는 운동 유형이나 종목, 운동 강도, 운동 시간, 운동 빈도, 운동 기간 등이 있다. 운동 종류는 수영이고, 운동 빈도는 주 3회, 운동 강도는 최대 심박수의 5 - 60%이다.

운동 처방 요소의 예

	근력 및 근지구력 증진 운동	- 심폐 지구력 증진 운동 - 비만 관리 운동	유연성 증진 운동
운동 종목	저항성 운동: 체중 이용 운동, 밴드 운동, 바벨 운동	수영, 달리기, 등산, 사이클링 등 유산소 운동	스트레칭 운동(신체 부위별)
운동 강도	근력 증진 운동 : 최대 근력의 70~80% 무게, 최대 15~20회 반복 가능한 무게 근지구력 증진 운동 : 최대 근력의 60% 정도의 무게, 최대 15회~20회 반복 가능한 무게	최대 심박수의 70~80%(심박수 150~160회), 최고 기록의 60~70%	근육에 긴장이 느껴지는 단계까지 (통증을 느끼기 직전까지)
운동 시간	최대 반복×2~3세트	4km, 30~60분	20초 2회
운동 빈도	주당 3~5일		
운동 기간	4~6주		

04 | ① 운동 처방의 원리 중 하나인 개별성의 원리는 트레이닝 목표를 개인의 특성에 입각하여 세워야 한다는 원리로 성별, 나이, 성향 등 개인이 지닌 신체적, 정신적 차이와 특성을 고려하여 운동하는 원리이다.

운동 처방의 기본 원리

특이성의 원리: 운동 형태, 운동강도 및 운동시간 등에 따라 해당 부위의 근육 및 그와 관련된 요소에만 변화가 생기는 원리

개별성의 원리: 트레이닝 목표를 개인의 특성에 입각하여 세워야 한다는 원리로 성별, 나이, 성향 등 개인이 지닌 신체적, 정신적 차이와 특성을 고려하여 운동하는 원리

과부하의 원리: 운동이라는 자극에 대하여 인체가 효과적으로 적응하기 위해서 일상생활의 부하보다 더 높은 부하를 주어야 적용 되는 부위나 체력적 요소가 발달한다는 원리

점진성의 원리 : 부하를 가벼운 것부터 시작하여 그 무게나 시간을 계획적으로 늘려 나가는 원리

다양성의 원리 : 운동에 대한 흥미를 높이고 참여도를 극대화 하기 위해 다양한 운동 종목과 프로그램 등이 계획되어야 한다는 원리

전면성의 원리 : 특정 부위에 치중하지 않고 전신을 고루 운동하여 신체를 균형 있게 발달 시키는 원리

05 | ① 웨이트 트레이닝은 중량을 통해 근력과 근육량을 증가시키는 훈련이다.

트레이닝 방법

트레이닝 방법은 각각의 목표와 신체 능력에 맞춰 적절하게 선택해야 효과적이다. 웨이트 트레이닝은 근력과 근육량을 증가시키며, 유연성 트레이닝은 부상을 예방하고 운동 성능을 향상시킨다. 이미지 트레이닝은 정신적 준비와 집중을 도와주며, 인터벌 트레이닝은 지구력과 체지방 감소에 효과적인 훈련법이다.

1) 웨이트 트레이닝

목표 : 근육의 크기와 힘을 증가시키기 위한 훈련

방법 : 저항 훈련으로, 덤벨, 바벨, 기계 등을 사용하여 근육을 자극한다. 세트와 반복 횟수를 설정하여 훈련을 진행하며, 보통 1세트에 8~12회의 반복을 실시한다.

효과 : 근육량 증가 (근육 비대)와 근력 향상, 기초 대사율이 증가하여 체지방 감소에 도움을 줌, 골밀도 증가와 관절 보호에도 효과적이다.

2) 유연성 트레이닝

목표 : 관절과 근육의 유연성을 증가시켜 운동 능력을 높이고 부상을 예방하는 훈련

방법 : 스트레칭을 통해 근육의 길이를 늘려주고, 관절의 가동 범위를 확장한다. 정적 스트레칭과 동적 스트레칭을 병행할 수 있다.

- 정적 스트레칭 : 일정 시간 동안 한 자세를 유지하며 근육을 늘리는 방법 (예 햄스트링 스트레칭).
- 동적 스트레칭 : 움직이면서 근육을 늘리는 방법 (예 다리 들기, 팔 흔들기).

효과 : 운동 전후에 부상 예방, 운동 범위가 넓어져 운동 성능 향상, 근육의 피로 회복을 돕고, 긴장 완화에 효과적이다.

3) 이미지 트레이닝

목표 : 정신적인 훈련을 통해 운동 성과를 높이는 방법으로, 주로 상상력과 멘탈 훈련이다.

방법 : 운동 수행을 시각화하며, 실제 훈련처럼 마음속으로 동작을 떠올리는 훈련법이다. 예를 들어, 경기나 운동 수행을 상상하면서 그 과정과 결과를 시각적으로 머릿속에 그려낸다.

효과 : 자신감 향상과 스트레스 감소에 도움이 된다. 정신적 준비와 집중력을 높여 실제 훈련이나 경기에 좋은 영향을 미친다. 기술 향상에 도움을 주며, 경기 전 긴장을 완화시킬 수 있다.

4) 인터벌 트레이닝

목표 : 고강도 훈련과 저강도 회복을 반복하여 체력과 지구력을 동시에 향상시키는 방법이다.

방법 : 일정 시간 동안 고강도 운동을 한 후, 저강도 운동 또는 휴식을 취한다. 예를 들어, 30초 고강도 운동 후 1분 가벼운 조깅을 반복하는 방식이다.

효과 : 지구력과 심폐 지구력을 향상시키며, 체지방 감소에 매우 효과적이다. 효율적인 시간 관리가 가능하여 짧은 시간 안에 강도 높은 훈련을 할 수 있다. 기초 대사율을 증가시켜 체중 관리에도 도움을 준다.

06 | ② 동작 도전 스포츠는 자기 신체로 표현 할 수 있는 동작에 대한 도전이다. 평소에 접하지 않는 동작을 수행하는 과정에서 능동적으로 도전하는 태도와 할 수 있다는 자신감을 기를 수 있다. 대표적인 예로는 평균대 운동, 스노보드, 도마 운동, 마루 운동, 다이빙 등이 있다.

07 | ④ 투기 도전 스포츠는 상대방과 신체적 기량을 겨루며 득점 부위를 때리거나 넘어뜨려 승부를 겨루는 스포츠 활동이다. 대표적인 예로는 태권도, 유도, 레슬링 등이 있다.

08 | ① 육상 멀리뛰기에서 유효한 발구르기란, 선수의 발이 발구름판을 벗어나지 않고, 정확하게 발구름판 안에 들어가는 상황을 의미한다. 발구름판은 뛰는 시작점으로, 발구르기 순간 선수의 발이 판을 정확히 밟고, 넘지 않아야만 비로소 유효한 시도로 인정된다. 혹여나 발구름판을 넘게 되면 반칙으로 간주되어 무효 처리가 된다.

09 | ④ 평영은 수영 영법 중 하나로, 가장 오래된 형태의 수영 기술이다. 주로 가슴 수영이라고도 불리며, 다른 영법들에 비해 속도보다는 기술과 효율성에 중점을 둔다. 평영은 두 팔을 동시에 밀고 당기며, 두 다리는 동시에 젓는 특징을 가진다. 그래서 개구리가 헤엄치는 모습과 비슷하다.

10 | ④ 육상은 속도를 겨루는 트랙경기와 거리, 높이 등을 겨루는 필드 경기가 있다. 그 중 트랙 경기 종목은 단거리, 중·장거리, 이어달리기, 장애물 달리기가 있다. 단거리는 100m, 200m, 400m가 있고, 중·장거리는 800m, 1500m, 3000m, 5000m, 10000m(남)이 있다. 이어달리기에는 400mR, 1600mR이 있고, 장애물 달리기에는 100mH(여), 110mH(남), 400mH, 3000mSC가 있다.

11 | ④ 남자 기계 체조 종목 중 평행봉은 체조 선수들이 두 개의 평행한 봉 위에서 몸의 균형을 맞추며 다양한 기술을 수행하는 종목이다. 평행봉은 남자 체조에서 중요한 종목 중 하나로, 고난도 기술과 균형 감각, 상체 근력을 요구하는 종목이다.

개념 더 보기 평행봉

1) 평행봉의 기본 구조

평행봉은 두 개의 봉이 수평으로 평행하게 배치되어 있으며, 선수는 이 두 봉을 이용해 여러 동작을 수행한다. 각 봉은 높이가 약 1.7m에서 2.0m 사이로 설정되며, 선수의 키와 능력에 맞게 높이를 조절할 수 있다. 봉은 일반적으로 목재나 합성 소재로 만들어져 있으며, 고무로 코팅되어 미끄러짐을 방지한다.

2) 평행봉에서의 기본 동작

평행봉에서 수행되는 동작은 크게 상체 근력과 균형 감각을 요구하는 여러 가지 기술들이 포함된다.

지지 동작 : 선수가 두 봉을 잡고 몸을 수평으로 유지하며, 이 자세에서 다른 동작을 준비한다.

스윙 : 몸을 앞뒤로 흔들며 에너지를 생성하여 다른 동작을 위한 힘을 모은다.

리프트 : 손을 이용해 몸을 들어 올리는 동작으로, 손으로 봉을 잡고 상체를 완전히 올리거나 반대로 몸을 아래로 내리기도 한다.

스핀 및 회전 : 선수는 몸을 회전시키며 여러 스핀과 회전 동작을 시도한다. 이 동작들은 고난도 기술을 포함하며 정확한 타이밍과 균형을 요구한다.

롤링 : 몸을 전후로 굴리는 동작으로, 일정한 리듬과 타이밍을 맞춰야 한다.

3) 평행봉에서의 기술

평행봉에서는 여러 가지 고난도 기술이 수행되며, 이들은 대개 기술 점수에 큰 영향을 미친다.

엘리베이션 : 몸을 봉 위로 올리는 동작으로, 손과 팔의 근력을 잘 활용하여 몸을 올리고, 상체와 하체를 균형 있게 유지해야 한다.

티켓 : 봉 위에서 스윙하면서 빠르게 움직이는 동작으로, 여러 번 반복하여 기술을 수행한다.

포스트 : 팔을 굽히고 몸을 높이 들어 올리는 자세로, 선수가 무릎을 굽히지 않으며 상체를 똑바로 유지하는 것이 중요하다.

레이즈 : 몸을 봉 위로 들어 올리며, 그 상태에서 몸을 일직선으로 만들거나 다른 기술을 준비하는 동작이다.

4) 평행봉에서의 평가 기준

평행봉에서의 연기는 기술의 난이도, 균형 유지, 동작의 정확성, 연속성 등을 기준으로 평가된다. 평가 요소는 다음과 같다.

기술 난이도 : 각 동작의 난이도에 따라 높은 점수를 받을 수 있다. 고난도 기술일수록 점수가 높아진다.

연속성 : 각 동작이 자연스럽게 연결되고, 기술이 끊어지지 않고 이어지는지 여부가 중요하다.

균형 유지 : 평행봉에서 수행되는 동작 중에서 선수는 균형을 잘 유지해야 하며, 흔들리거나 미끄러지지 않도록 해야 한다.

정확성 : 각 동작을 얼마나 정확하게 수행했는지도 중요한 평가 요소이다.

스타일과 유려함 : 평행봉에서의 동작은 미적 요소도 중요하므로, 유려한 동작과 몸의 흐름이 중요한 평가 기준이다.

5) 평행봉 훈련의 중요성

평행봉은 상체 근력, 근육의 협응력, 균형 감각, 유연성 등을 종합적으로 키울 수 있는 훈련이다. 선수는 기본적인 동작부터 고난도 기술까지 꾸준히 연습하여, 근육의 힘과 정확한 타이밍을 익혀야 한다. 평행봉 훈련은 지구력과 상체 근력을 동시에 기를 수 있는 효과적인 방법이다.

12 | ② 높이뛰기는 주어진 높이를 넘는 것을 목표로 하며, 경기 중에는 높이가 점차적으로 조정된다. 한 번의 시도에서 높이를 넘지 못하면 실패로 간주되며, 세 번의 시도 내에 성공해야 유효한 기록이 된다. 그래서 1.35m까지 성공한 B선수가 1위이다.

13 | ② 씨름은 모래판 위에서 두 사람이 상대 선수의 샅바를 잡고 힘을 겨루어 상대 선수를 넘어뜨리는 경기이다. 씨름의 기술에는 앞무릎치기 · 오금당기기 등의 손기술, 밭다리 걸기 · 발목 빗장걸이 등의 발기술, 들배지기 · 뒤집기 등의 허리 기술이 있다.

14 | ④ 필드형 경쟁 스포츠는 일정 공간에서 두 팀이 공격과 수비를 번갈아 가며 신체와 도구를 사용하여 공을 치고, 던지고 받으며 승부를 가리는 스포츠 활동이다. 대표적인 예로는 야구, 소프트볼, 크리켓 등이 있다.

15 | ③ 영역형 경쟁 스포츠는 두 팀이 각각의 영역을 갖고, 상대 팀의 영역에 침범하여 신체 부위를 활용해 공을 상대 팀의 골대에 넣으며 승패를 가리는 스포츠 활동이다. 대표적인 예로는 축구, 농구, 미식축구, 하키, 핸드볼 등이 있다.

16 | ③ 홈런은 타자가 친 공이 담장 밖으로 나가거나, 외야를 넘어 경기장 밖으로 출발하여 1루, 2루, 3루를 돌아 홈으로 돌아오는 것을 의미한다. 홈런은 득점을 의미하며, 타자는 상대 팀의 수비를 피해 베이스를 돌아 홈으로 돌아오는 과정에서 안전하게 점수를 올린다. 주자 없이 친 홈런은 솔로홈런으로 1점이고, 주자1명과 타자가 홈으로 들어오면 2점, 주자 2명과 타자가 홈으로 들어오면 3점, 주자 3명과 타자가 홈으로 들어오면 4점이다.

17 | ② 최종 수비수인 골키퍼는 최종 선에서 골 포스트에 날아오는 공을 손과 발을 사용하여 막아야 한다. 골키퍼는 방어의 총지휘자로서 수비 선수들과 적절한 콤비네이션을 이루며 순간적인 판단력에 의하여 반사적 동작과 정신력을 막은 뒤 긴 패스를 통해 속공을 주도한다. 골키퍼가 있는 스포츠에는 축구, 풋살, 필드하키, 아이스하키, 핸드볼 등이 있다.

18 | ③ 농구에서 리바운드는 슛이 실패하여 공이 림이나 백보드에서 튕겨 나올 때, 그 공을 잡아내는 기술이다. 리바운드는 공격과 수비 양쪽에서 매우 중요한 역할을 하며, 팀의 공격 기회를 증가시키고, 상대팀의 공격 기회를 차단하는데 중요한 역할을 한다. 리바운드를 잘 잡는 선수는 팀의 성공적인 플레이에 큰 기여를 한다.

19 | ③ 양 팔을 좌우로 벌리는 야구 수신호의 의미는 세이프이다. 세이프는 주자가 안전하게 또는 규정에 맞게 진루한 경우를 의미한다. 세이프는 주자가 아웃되지 않고 다음 베이스로 이동하거나, 기본적으로 안전하게 도달한 상태를 뜻한다. 주자가 세이프가 되는 상황은 여러 가지가 있다.

　1) 안타 : 타자가 공을 쳐서 볼이 땅에 떨어지거나 공중으로 날아가 땅에 떨어지면, 타자는 1루에 안전하게 도달할 수 있다. 이때, 수비수가 공을 잡기 전에 타자가 1루에 발을 딛게 되면 세이프가 된다.

　2) 도루 : 주자가 1루에서 2루로, 또는 2루에서 3루로 뛰어가는데, 투수가 공을 던지는 동안 수비가 태그를 하지 못하면 주자는 세이프이다. 도루를 성공적으로 시도할 때, 수비수의 태그가 늦거나 정확하지 않으면 주자는 세이프로 처리된다.

　3) 기습 번트 : 타자가 번트를 시도하여 공을 투수나 내야수에게 보내는데, 그 공이 수비수에 의해 제대로 처리되지 않거나, 주자가 1루를 밟고 안전하게 도달하면 세이프이다. 타자가 공을 번트한 후 빠르게 1루로 달려가 수비수의 태그를 피하면 세이프가 된다.

개념 더 보기 　**야구 수신호**

20 | ① 탁구에서 서비스는 추첨으로 서비스 권을 결정하고, 2점을 득점할 때마다 서비스를 교대하는데, 10 : 10 동점 이후와 경기 촉진 제도가 적용되면 1점마다 교대한다. 복식 경기에서는 반드시 자신의 오른쪽 코트에서 대각선의 상대 코트로 서비스해야 한다. 복식에서는 서버→리시버→서버의 파트너→리시버의 파트너→서버→리시버와 같은 순서대로 리턴을 해야 한다.

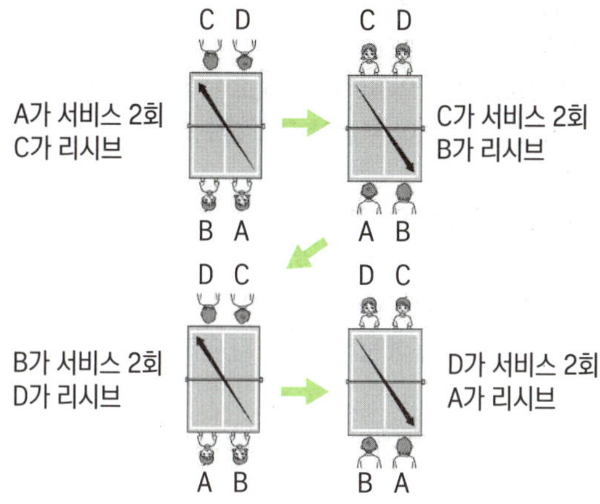

21 | ③ 경기는 언제나 공정해야 한다. 경기 중에는 정당한 방법으로 경기를 진행하고 반칙 하면 안된다.

개념 더 보기 **경쟁 스포츠 경기 예절**

1) 상대방에 대한 존중

공정한 경기

: 경기 중에는 항상 정당한 방법으로 경기를 진행하고, 반칙을 하지 않아야 한다. 상대 팀이나 선수에게 불필요한 방해나 위협을 가하지 않으며, 경기 규칙을 준수해야 한다.

비신사적인 행동 금지

: 상대를 향한 욕설, 비웃음, 비하 발언 등은 엄격히 금지된다. 상대를 존중하고, 경기 중에는 상대방을 배려하는 태도를 유지해야 한다.

2) 심판에 대한 존중

심판의 결정 존중

: 경기 중 심판이 내리는 판정에 대해 불만을 표시하지 않고 그 결정을 존중해야 한다. 판정에 불만이 있을 경우, 예의 바르게 대화로 해결해야 한다.

공정한 판단

: 심판이 공정하게 경기를 이끌 수 있도록 도와야 하며, 심판을 향한 공격적인 태도나 행동은 피해야 한다.

3) 경기 중 태도

스포츠맨십

: 경기 중 과도한 승부욕보다는 공정하고 정직한 플레이를 하는 것이 중요하다. 경기가 끝난 후에는 승자와 패자 모두 서로 존중하며, 경기 예절을 지켜야 한다.

자기 조절

: 경기 중에는 감정을 조절하고, 상대방을 존중하는 태도를 유지해야 한다. 이기는 것만큼 중요한 것은 상대방을 배려하고 예의를 지키는 것이다.

4) 팀워크와 협력

협력적인 태도

: 팀 스포츠에서는 서로 협력하며, 팀원들이 함께 경기를 즐기고 팀워크를 발휘해야 한다. 상대팀과의 협력적 태도도 중요하다.

상대 팀과의 공정한 경쟁

: 경기에서는 상대와 공정하게 경쟁하고, 승패에 연연하지 않고 모두가 즐길 수 있는 경기가 되도록 해야 한다.

5) 경기 후 예절

경기 후 인사

: 경기가 끝난 후에는 승패에 상관없이 상대방과 악수하거나 인사를 나누며 서로의 노력을 인정해야 한다. 승리했더라도 격려의 말을 전하는 것이 중요하다.

패배에 대한 자세

: 패배를 겸손히 받아들이고 자신의 실수를 인정하며, 다음 경기를 위한 성장과 발전을 다짐하는 태도가 필요하다.

감사의 표현

: 경기 중 지원해 준 사람들에게 감사의 뜻을 전하는 것도 중요하다. 예를 들어, 코치, 심판, 팬들에 대한 감사한 마음을 표현하는 것이 스포츠 정신을 기르는 데 도움이 된다.

6) 안전과 규칙 준수

안전

: 경기 중 자신과 상대의 안전을 항상 우선시해야 한다. 부상을 예방하기 위한 준비 운동과 경기 후 스트레칭을 철저히 해야 한다.

규칙 준수

: 경기 규칙을 잘 숙지하고 이를 철저히 지키는 태도가 필요한다. 규칙을 준수하는 것이 스포츠의 공정성을 보장하는 기본적인 예절이다.

7) 사회적 책임

스포츠는 공동체에서 중요한 역할을 하며, 각자가 사회적 책임을 다하는 태도를 지녀야 한다. 경기를 통해 건강한 사회와 긍정적인 가치관을 확립할 수 있도록 노력해야 한다.

22 | ① 외국 전통 표현은 발레와 플라멩코이고, 우리나라 전통 표현은 강강술래와 봉산탈춤이다.

발레: 유럽의 체계화된 전통 표현 기법에 바탕을 둔 무용으로, 16세기경부터 전문적인 무대 무용의 형식으로 발달하였다. 발레는 정해진 포지션과 자세, 동작을 이용하여 자기 생각과 감정을 아름답게 표현할 수 있는 심미적 표현 활동이다. 발레는 특히 우아함과 조화로움, 균형 등을 강조하며, 신체의 아름다운 선을 엄격하게 표현한다.

플라멩코: 스페인 안달루시아 지역에서 유래한 전통적인 춤, 음악, 노래를 포함한 예술 형식으로, 주로 춤과 악기 연주가 중요한 요소이다.

23 | ① 치어리딩은 일반적인 스포츠 경기 장면에서 응원을 주도하던 응원 문화가 공연의 형태로 발전된 표현 활동 분야이다. 스포츠 경기에서 소속 팀의 승리를 위하여 구호, 함성, 응원 춤 등을 실시함으로써 경기에 대한 흥미와 집중력을 높이는 효과가 있다.

24 | ④ 자동 제세동기 AED는 심정지 환자의 심장에 강한 전기 자극을 주어 심장이 다시 활동 할 수 있도록 해 주는 응급 처치 장비이다. 그러므로 환자가 의식을 회복하기 위해 사용해야 하는 것이고, 환자가 의식을 회복하면 사용할 이유가 없다.

🔍 개념 더 보기 　심폐소생술 순서

1) **반응확인 및 119 신고**: 쓰러진 사람의 주변 환경이 안전한지 확보한 후, 환자의 반응을 확인하고, 신고시 발생 장소와 상황, 상태, 도움이 필요한 상황을 설명한다.
2) **호흡확인**: 환자의 얼굴과 가슴을 10초 정도 관찰하여 반응이 없고 비정상적인 호흡을 보이면 심정지 상태로 판단할 수 있다.
3) **가슴 압박**: 깍지를 끼고 팔을 편 상태로 환자의 몸과 수직을 이루면서 실시하고, 분당 100~120회 속도로 실시한다.
4) **인공호흡**: 환자의 머리를 젖히고 턱을 들어올려 기도를 개방한다. 가슴이 부풀어 오를 정도의 양으로 인공호흡을 2회 한다.
5) **가슴 압박과 인공호흡 반복**: 구조대가 도착할 때까지 가슴압박(30회), 인공호흡(2회)를 계속 시행한다.
6) **회복 자세**: 환자의 호흡을 확인하고, 호흡이 회복되었으면 옆으로 돌려 눕혀서 기도가 막히는 것을 예방한다.

25 | ① 염좌는 뼈에는 이상이 없으나 인대가 늘어나거나 손상된 것으로 손상 부위가 붓고 통증이 심하며 멍이 들고 심한 경우 관절을 움직일 수 없다. 처치는 RICE 요법을 실시한다.

01	③	02	①	03	④	04	④	05	②
06	②	07	③	08	③	09	③	10	④
11	④	12	①	13	①	14	②	15	①
16	②	17	③	18	④	19	②	20	④
21	①	22	②	23	③	24	②	25	④

01 | ③ 규칙적인 운동, 균형 잡힌 식사, 올바른 생활 습관은 건강을 지키는 기본 관리 방법이다. 약물은 치료를 위해 필요한 최소한만 사용해야 하며, 약물 오 · 남용은 언제나 건강 관리에 '해로운 행동'이다.

🔍 **단어 더 보기**

오용 : 약을 용법·용량에 맞지 않게 잘못 사용하는 것
남용 : 약을 필요 이상으로 과도하게 사용하는 것

02 | ① 문항의 그림은 악력계(握力計, Grip dynamometer)를 양손으로 번갈아 쥐어 손의 쥐는 힘을 측정하는 장면이다. 악력은 근력(근수의 힘)을 대표하는 측정 항목으로 사용되며, 근력 요소 평가의 표준 방법이다. 악력 검사와 함께 팔 굽혀 펴기, 윗몸 말아 올리기(근지구력) 등도 근력·근지구력을 측정하는 대표 종목이다.

03 | ④ 전면성의 원리는 신체의 일부가 아닌 전신을 골고루 운동해야 한다는 원리이다. 균형 잡힌 신체 발달을 위한 핵심 원리로 근육 불균형, 부상 위험을 줄여 준다.

⚠️ **선지 더 알아보기**

개별성의 원리 : 개인의 체력 수준·나이·성별 등 개인적 특성에 맞춘 운동을 해야 한다는 원리
과부하의 원리 : 평소보다 더 높은 부하를 줘야 체력 향상이 일어남
반복성의 원리 : 운동 자극을 지속적·반복적으로 실시해야 효과가 발생

04 | ④ 인터벌 트레이닝은 고강도 운동과 저강도 운동 (또는 휴식)을 번갈아 반복하는 훈련 방법이다.
예 30초 전력 달리기 → 1분 가벼운 조깅 → 다시 30초 전력 달리기…
심폐 지구력 향상과 체지방 감소에 매우 효과적인 트레이닝이다.

⚠️ **선지 더 알아보기**

웨이트 트레이닝 : 덤벨·바벨 등 중량을 사용하여 근력·근육량을 증가시키는 훈련. 심폐 지구력보다는 근력 향상 목적.
유연성 트레이닝 : 스트레칭 등을 통해 관절 가동 범위를 넓히고 부상 예방에 도움.
이미지 트레이닝 : 실제 동작을 머릿속으로 상상하며 시각화하는 정신적 훈련으로, 기술·멘탈 향상에 도움.

05 | ② 여가는 "라이세레(licere : 자유롭다)"에서 온 말로, 일·의무에서 벗어나 자유롭게 즐거움을 추구하는 활동 시간을 의미한다. 사람들은 여가 활동을 통해 심리적 휴식, 스트레스 해소, 삶의 질 향상을 경험한다.

06 | ② 그림을 보면 도약 후 몸을 뒤로 젖힌 상태로 막대를 넘고, 매트에 등으로 떨어지는 동작이 나타난다. 이 동작은 높이뛰기에서 사용하는 배면 뛰기의 특징이다. 현재 경기에서 가장 많이 사용되는 방법이다.

⚠️ **선지 더 알아보기**

가위뛰기 : 몸을 세운 상태에서 다리를 가위질하듯 번갈아 넘김. 막대를 넘을 때 몸이 거의 옆으로 선 자세에 가깝다.
앞으로 뛰기, 엎드려 뛰기 : 막대를 넘을 때 상체가 막대 쪽을 향하거나 엎드린 자세가 되어, 배·가슴이 막대를 향한다.

07 | ③ 100m는 전 구간을 직선 코스에서 달리는 단거리 트랙 경기이다. 그래서 곡선 주로(코너)에서 출발하지 않고, 결승선이 있는 직선 주로의 반대쪽 끝(직선의 시작 지점)에서 출발한다. 그림을 보면 결승선은 오른쪽 직선 주로 끝부분에 표시되어 있고, 그 반대쪽 직선 끝에 표시된 위치가 ⓒ이다.

육상경기(TRACK AND FIELD)

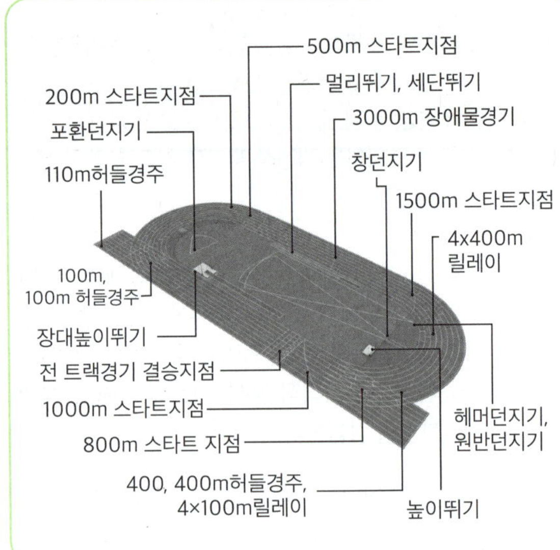

08 | ③ 접영은 양팔을 좌우 대칭으로 동시에 앞으로 뻗었다가 뒤로 젓는 동작을 반복한다. 다리는 돌고래 킥(몸통과 허리를 이용해 상하 파동처럼 차기)으로 움직인다. 나비가 날개를 펄럭이는 모습과 비슷해 버터플라이라고 부른다.

⚠ **선지 더 알아보기**

배영: 등을 물에 대고 천장을 보고 누운 자세에서 팔을 번갈아 젓고, 다리는 엇갈리게 킥.
입영: 제자리에서 몸을 세우고 물 위에 떠 있는 상태 유지 (수구, 구조 활동 등에서 사용).
평영: 양팔을 앞으로 모아 가슴 앞으로 끌어오고, 다리는 개구리발 차기 동작.

09 | ③ 그림에서 ㉠로 표시된 위치는 넓은 직사각형 매트가 깔린 구역이다. 기계 체조 경기장에서 이렇게 큰 정사각형 또는 직사각형 매트를 사용하는 종목은 마루 운동이다.

마루 운동의 특징

1) 넓은 매트 위에서 구르기, 점프, 도약, 회전, 아크로바틱 동작 등을 연속적으로 수행한다.
2) 음악 없이 신체 움직임과 기술 구성만으로 이루어진다.
3) 남녀 모두 실시하는 대표적인 개인 종목이다.

10 | ④ 기계 체조에서
남자 전용 종목 : 마루 운동, 안마, 링, 도마, 평행봉, 철봉
여자 전용 종목 : 마루 운동, 도마, 평균대, 2단 평행봉
즉, 보기 중 여자만 실시하는 종목은 평균대와 2단 평행봉이다.

11 | ④ 태권도 경기에서의 득점 가능한 공격 부위·방법
1) 주먹 공격(앞주먹지르기) → 상대의 몸통 보호대에만 허용
2) 발 공격(차기 기술) → 상대의 몸통 보호대와 얼굴(머리)에 허용
즉, 얼굴은 발로만 공격할 수 있고, 주먹으로 얼굴을 치는 것은 규칙상 금지된 반칙 행위이다.

12 | ① 볼링은 레인 위로 공을 굴려 레인 끝에 삼각형 대형으로 세워 둔 10개의 핀을 많이 쓰러뜨려 승부를 겨루는 경기이다. 제 1구로 10개의 핀을 전부 쓰러뜨린 경우를 스트라이크라고 하며

이 기호를 쓴다.

 볼링 점수 기록 방법

◨	스트라이크	제 1구로 10개의 핀을 전부 쓰러트린 경우 **더블**:2회 연속 스트라이크 한 경우 **트리플**:3회 연속 스트라이크 한 경우
◪	스페어	제 1투구에서 남은 핀을 제 2투구에서 모두 쓰러트린 경우
—	미스	제 2투구에서 핀을 모두 쓰러트리지 못한 경우
G	거터	공이 레인 옆의 홈이 팬 곳에 빠진 경우
F	파울	파울이 인정된 경우
S	스플릿	제 2투구로도 넘어뜨릴 수 없는 핀과 핀 사이가 한 핀 이상 떨어져 있거나 동일 선상에 위치한 경우로, 1번 핀이 남는 것은 인정하지 않음.

13 | ① 샅바는 씨름 선수의 허리와 다리에 감아 묶는 띠이다. 공격(들배지기, 앞무릎치기 등)과 방어 기술을 할 때 상대의 샅바를 잡아 힘을 겨루는 기본 도구로 씨름 경기의 필수 장비이다.

14 | ② 탁구에서 서비스는 공을 위로 toss 한 뒤, 자기 코트 바운드 1번 → 네트를 넘어 상대 코트 바운드 1번이 되도록 넣어야 한다.
배구 · 테니스 · 배드민턴은 서브 시 자기 코트에 먼저 공이 바운드되지 않고 바로 네트 너머로 보내는 것이 특징이므로 보기의 설명과 다르다.

15 | ① 배구에서 로테이션(rotation)은 상대가 서브를 넣기 직전, 자기 팀이 득점을 하여 서브권을 획득했을 때, 선수 6명이 정해진 자리 순서대로 한 칸씩 이동하는 것이다. 이때 이동 방향은 시계 방향이다.

16 | ② 리베로는 팀의 수비 전담 선수로, 주로 리시브와 디그를 담당한다. 다른 선수와 유니폼 색이 다르며 앞줄(전위)에서 공격과 블로킹을 못하고, 서브도 제한되는 규칙을 가진다. 후위선수와는 로테이션과 무관하게 여러번 자유롭게 교대가 가능하다.

세터:공격수가 스파이크를 할 수 있도록 정확하게 토스를 올려주는 역할을 한다. 팀의 전술 운영을 책임지는 배구의 플레이메이커이다.
블로커:네트 근처 전위에서 상대의 공격(스파이크)을 손과 팔로 막아내는 수비역할을 담당한다.
후위 공격수:후위 (1, 5, 6번 자리) 위치에서 뛰며, 3m 라인 뒤에서 점프하여 공격을 수행한다.

17 | ③ 슬라이딩은 주자가 손이나 발을 앞으로 내밀고 몸을 낮춰 미끄러지면서 베이스에 닿는 동작이다. 태그를 피하거나, 짧은 시간 안에 안전하게 베이스에 닿기 위해 사용한다.

스윙:타자가 배트를 휘둘러 공을 치려는 동작
캐치:공을 잡는 행위. 야수나 포수가 공을 포구하는 동작
희생 번트:타자가 공을 살짝 굴려 자신은 아웃되더라도 주자를 진루시키기 위한 번트 기술

18 | ④ 야구에서 패스트볼은 직구로 투구 중 가장 빠른 속도를 가진다. 변화가 적고 직선에 가깝게 뻗어 들어온다. 몸쪽으로 꽉 차게 파고들어 타자를 압박하는 공을 흔히 속구라고 한다.

커브:느린 속도 + 아래로 크게 떨어지는 변화구
슬라이더:수평으로 옆으로 휘는 변화가 있음
체인지업:패스트볼처럼 보이지만 속도가 느린 공, 타자의 타이밍을 빼앗는 변화구

19 | ② 축구에서 레드카드가 의미하는 것은 선수의 퇴장이다. 레드카드는 심각한 반칙, 폭력 행위, 명백한 득점 기회 방해 등 중대한 규칙 위반시 심판이 붉은색 카드를 제시하며 신수는 즉시 경기장에서 퇴장한다. 해당선수는 더 이상 경기에 참여할 수 없고, 팀은 한 명이 부족한 상태로 경기를 계속 해야 한다.

20 | ④ 레이업 슛은 농구에서 골대 근처에서 사용하는 슛이다. 드리블하며 골대 쪽으로 달려 들어가다가 한 발을 딛고 점프한다. 공을 손에 쥔 채로 백보드에 부딪쳐 골대로 떨어지도록 부드럽게 올려놓는다. 골대 가까이에서 확률 높은 득점을 노릴 때 사용한다.

발리슛:축구에서 공이 땅에 닿기 전 공중에 있을 때 차는 킥
헤딩슛:축구에서 머리로 공을 맞혀 차는 슛
다이빙 슛:축구·핸드볼·배구 등에서 몸을 날려 공을 차는 동작

21 | ① 드롭샷은 코트 뒤쪽(후위)에서 가볍게 쳐서 셔틀콕을 상대 코트 네트 근처에 떨어뜨리는 기술이다.

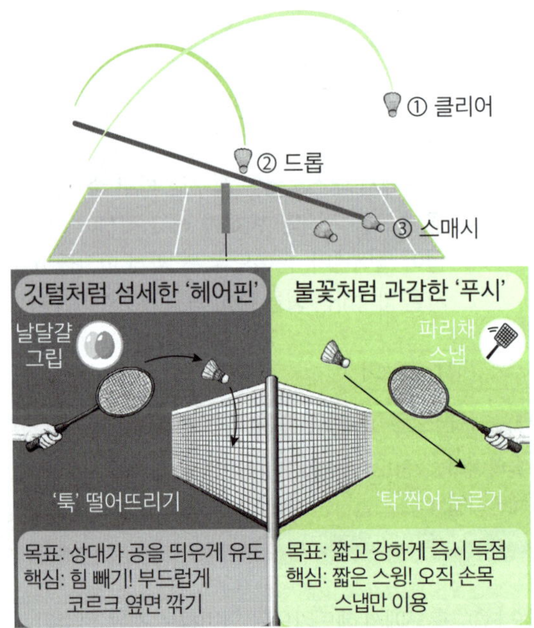

22 | ② 리듬체조는 줄, 후프, 볼, 곤봉, 리본 등 핸드 기구를 사용한다. 음악에 맞춘 유연하고 표현적인 동작이 핵심이다. 점프와 회전, 균형 등 난도 요소와 예술성이 함께 평가 된다.

난도 요소 : 연기 중 수행하는 기술의 난이도를 점수화하여 평가하는 요소이다. 점프, 회전, 균형, 위험 동작 등 어려운 기술을 정확하게 수행할수록 높은 난도 점수가 부여된다.

23 | ③ 봉산 탈춤은 황해도 봉산 지방에서 전승된 한국의 전통 탈춤이다. 탈을 쓰고 익살 · 풍자 · 해학을 담아 서민의 삶과 감정을 표현한다. 장단(풍물)에 맞춘 춤과 대사, 연극적 요소가 결합된 종합 예술이다. 고개잡이 · 사당춤 · 영노춤 등 다양한 장면 구성이 있다.

승무:장삼 소매를 길게 휘날리며 추는 불교적 색채의 전통 무용
부채춤:부채를 펼쳐 여러 모양을 만드는 창작 한국무용
강강술래:여성들이 원을 그리며 부르는 노래와 춤

24 | ② 골절은 뼈가 부분적으로 금이 가거나 완전히 부러진 상태이다. 통증과 붓기를 동반하고, 움직임에 제한이 있다. 심한 경우 뼈가 비정상적인 방향으로 꺾인 듯한 모양이 보일 수 있다.

경련:근육이 갑자기 수축하여 생기는 통증
탈구:관절이 제 위치에서 빠져나간 상태

25 | ④ 이 상황은 심정지는 아니지만 의식이 없고 호흡은 있는 환자에게 시행하는 필수 응급 처치로, 이를 회복 자세라고 한다. 회복 자세의 목적은 혀가 뒤로 말려 기도가 막히는 것을 방지하고, 구토물이 기도로 흘러 들어가는 흡인 위험을 예방한다. 환자를 안전한 측면 자세로 유지하여 호흡을 안정적으로 지속하게 한다.

고등학교 졸업학력
검정고시

음악
정답 및 해설

정답표

2021년 1회

01	①	02	④	03	②	04	②	05	③
06	①	07	④	08	③	09	④	10	①
11	③	12	④	13	②	14	④	15	④
16	④	17	②	18	③	19	④	20	②
21	②	22	③	23	①	24	②	25	①

2021년 2회

01	②	02	①	03	①	04	②	05	②
06	④	07	③	08	①	09	①	10	④
11	①	12	②	13	③	14	②	15	④
16	④	17	①	18	②	19	③	20	③
21	③	22	③	23	④	24	②	25	④

2022년 1회

01	②	02	③	03	③	04	③	05	①
06	①	07	④	08	②	09	③	10	①
11	②	12	④	13	②	14	④	15	①
16	②	17	①	18	④	19	③	20	④
21	③	22	②	23	③	24	②	25	④

2022년 2회

01	③	02	③	03	①	04	①	05	④
06	②	07	①	08	①	09	④	10	①
11	②	12	②	13	④	14	③	15	②
16	④	17	③	18	④	19	①	20	②
21	④	22	③	23	④	24	②	25	③

2023년 1회

01	③	02	④	03	③	04	①	05	②
06	②	07	①	08	①	09	④	10	①
11	③	12	③	13	④	14	②	15	④
16	③	17	②	18	③	19	①	20	②
21	①	22	④	23	②	24	④	25	③

2023년 2회

01	④	02	③	03	①	04	③	05	②
06	③	07	①	08	③	09	②	10	④
11	②	12	④	13	②	14	④	15	③
16	②	17	①	18	②	19	①	20	④
21	①	22	④	23	④	24	②	25	①

2024년 1회

01	②	02	①	03	③	04	②	05	②
06	④	07	④	08	①	09	③	10	②
11	④	12	③	13	①	14	①	15	③
16	②	17	①	18	③	19	④	20	①
21	②	22	④	23	④	24	③	25	①

2024년 2회

01	①	02	②	03	④	04	①	05	②
06	③	07	②	08	②	09	③	10	④
11	②	12	③	13	②	14	③	15	③
16	②	17	①	18	①	19	④	20	④
21	①	22	③	23	④	24	①	25	④

2025년 1회

01	①	02	④	03	①	04	②	05	④
06	④	07	①	08	④	09	③	10	③
11	④	12	③	13	①	14	②	15	②
16	②	17	④	18	④	19	②	20	②
21	④	22	①	23	④	24	②	25	③

2025년 2회

01	④	02	②	03	④	04	③	05	③
06	①	07	①	08	①	09	③	10	②
11	②	12	④	13	④	14	①	15	②
16	③	17	④	18	④	19	②	20	③
21	①	22	③	23	①	24	①	25	②

정답 및 해설

01	①	02	④	03	②	04	②	05	③
06	①	07	④	08	③	09	④	10	①
11	③	12	④	13	②	14	②	15	④
16	④	17	②	18	②	19	④	20	②
21	②	22	③	23	①	24	②	25	①

**01 | ① ** 플랫이 1개 있는 바장조의 곡이다.

🔍 **개념 더 보기** **조성**

샵이나 플랫이 아무것도 없는 것은 다장조

다장조

계이름 도(Do) 레(Re) 미(Mi) 파(Fa) 솔(Sol) 라(La) 시(Si) 도(Do)

음이름 C D E F G A B C
　　　 다 라 마 바 사 가 나 다

 # : 사라가마나바다

1개는 사장조, # 2개는 라장조, # 3개는 가장조, # 4개는 마장조, #5개는 나장조, # 6개는 올림바장조, # 7개는 올림다장조

b : 바나마가라사다

플랫 1개는 바장조, 플랫 2개는 내림나장조, 플랫 3개는 내림마장조, 플랫 4개는 내림가장조, 플랫 5개는 내림라장조, 플랫 6개는 내림사장조, 플랫 7개는 내림다장조

**02 | ④ ** Allegretto(알레그레토)는 조금 빠르게 이다.

🔍 **개념 더 보기** **빠르기를 나타내는 말**

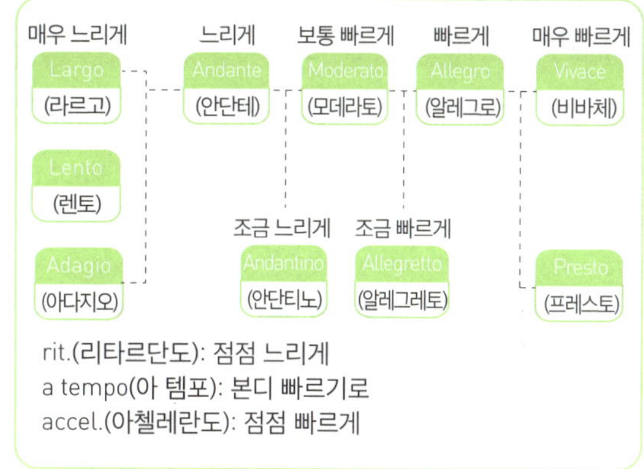

rit.(리타르단도): 점점 느리게
a tempo(아 템포): 본디 빠르기로
accel.(아첼레란도): 점점 빠르게

**03 | ② ** 1마디에 4분음표를 1박으로 4박이 들어 있으므로 이 악곡의 박자는 4/4이다.

♪	♪	♩	♩	𝅝
반의 반	반박	1박	2박	4박
16분 음표	8분 음표	4분 음표	2분 음표	온음표
＼	＼	∨	∨∨	∨∨∨
	♪	♩.	♩.	
	점	1박 반	3박	
	∨	∨∨	∨∨∨	

**04 | ② ** 2박 음표 + 1/2박 음표 + [　　] = 3박
그러므로 1/2박 쉼표인 8분쉼표 𝄾 가 필요하다.

음표와 쉼표 이름과 길이(4분음표가 1박인 경우)

음표이름	쉼표이름	길이	박자
o 온음표	▬ 온쉼표		4박
♩ 2분 음표	▬ 2분 쉼표		2박
♩ 4분 음표	⸓ 4분 쉼표		1박
♪ 8분 음표	⸓ 8분 쉼표		1/2박
♬ 16분 음표	⸓ 16분 쉼표		1/4박

05 | ③ (나)의 계이름은 '시'다. '시'는 건반에서 ㄷ 이다.

건반과 계이름 자리

06 | ① 점점세게는 cresc. 크레센도이다.

tenuto(테누토): 음표가 가지고 있는 길이를 충분히 연주
a tempo(아템포): 본래 빠르기로
staccato(스타카토): 음을 짧게 끊어서 연주

셈여림을 나타내는 말

07 | ④ 칸초네는 '노래' 라는 뜻으로, 이탈리아의 대중가요를 말한다. 나폴리의 칸초네는 독자적인 장르를 형성하고 있는데, 항구 도시인 나폴리의 동서 문화 교류를 반영하고 있으며, 가사도 이탈리어가 아닌 나폴리어로 되어 있다. 전통적인 칸초네는 멜로디가 밝고 내용도 사랑의 마음을 솔직하게 표현한 노래가 많다.

리트: 독일의 가곡이다. 가곡들이 독일 작곡가들에 의해 쓰여졌기 때문에 리트라고 하는 독일어 용어가 적용된다. 가곡은 시와 음악의 긴밀한 결합으로, 낭만시대에 나타난 음악의 형태이다.
샹송: 프랑스의 대중가요를 뜻하는 말로, 세계 대전 이후에 유럽 뿐만 아니라 전 세계적으로 인기를 누리게 되었다.
요들: 스위스의 '요들'은 산 위에서 멀리까지 들리도록 두성과 흉성을 교차하며 소리를 낸다.

08 | ③ 오페라의 구성 요소로는 서곡, 레치타티보, 아리아, 중창, 합창, 오케스트라 등이 있다.
서곡: 막이 오르기 전 에 극의 분위기를 암시 하는 관현악 곡
레치타티보: 대사를 말하듯이 노래하며 아리아의 앞이나 중간에 쓰임
아리아: 등장 인물이 혼자 부르는 선율적인 노래
중창: 두 사람 이상이 등장 하여 대화를 나누듯이 표현 하는 노래
합창: 군중이 함께 참여 하여 극적인 효과를 내는 노래
오케스트라: 오케스트라 파트에서 서곡, 반주 등을 담당함

09 | ④ 이 악보에서 연주하는 마디 수는 9마디이다.

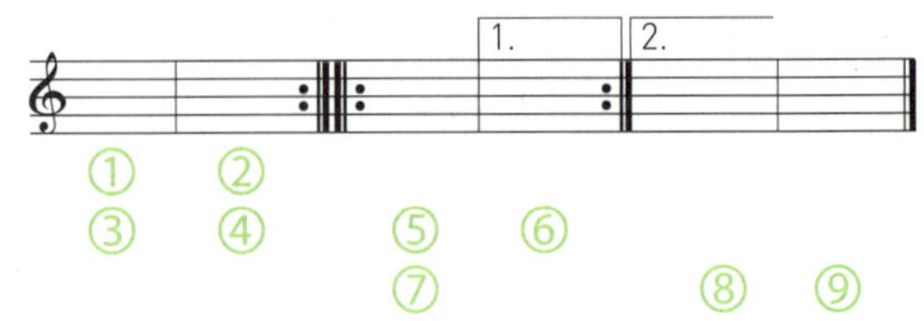

10 | ① 거슈윈이 피아노를 연주하고 폴 화이트먼이 지휘
하는 그의 악단이 연주를 맡았던 [랩소디 인 블
루]는 피아노 솔로와 재즈 밴드를 위한 곡으로, 클
래식 음악의 요소와 재즈로부터 받은 영향을 결
합한 새로운 시도로 주목 받았다.

11 | ③ 고전파 음악은 바로크 음악에 이어 18세기 후
반 오스트리아 빈을 중심으로 융성했던 음악이
다. 정돈된 형식과 정신적인 내용으로 음악 역
사상 하나의 절정을 이루었는데, 이 시대의 대
표적인 음악가로는 하이든·모차르트·베토벤 등
이 있다.

12 | ④ 오카리나는 흙을 빚어 가마에서 구워낸 도자기
형 취주악기이다. 작은 거위라는 뜻을 지닌 손
바닥 크기의 악기이다. 음색이 곱고 우아하며
연주하기 어렵지 않아 아이들의 학습용으로 많
이 쓰인다.

13 | ② 마림바는 실로폰의 한 종류로 공명기가 달려
있는 타악기로 음정을 연주 할 수 있다. 마림바
의 구성은 톤바, 프레임, 레조네이터, 레일, 가스
스프링, 지지대 등으로 이루어진다.

유율 타악기

유율악기들의 대표 악기들로는 팀파니, 실로폰, 마림바, 글
로켄슈필, 차임벨, 비브라폰 등으로 연주에 있어 진체직인
멜로디를 담당하거나 특정 포인트 멜로디 연주, 근음과 딸
림음 등의 포인트를 주는 연주를 하기도 한다.

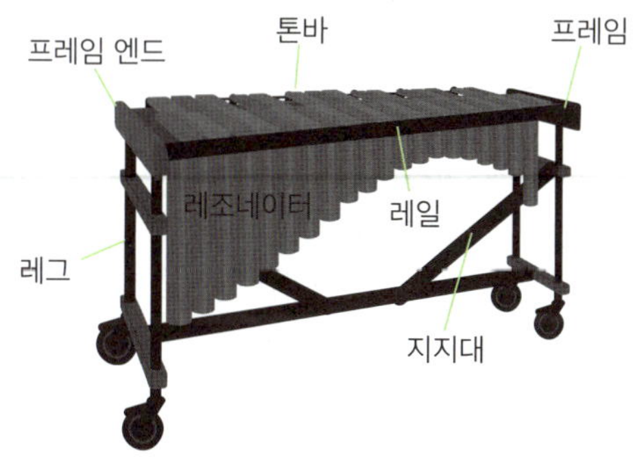

14 | ④ 여성 3부 합창에서 (가)에 들어갈 성부는 메조
소프라노이다.

합창의 성부 배치

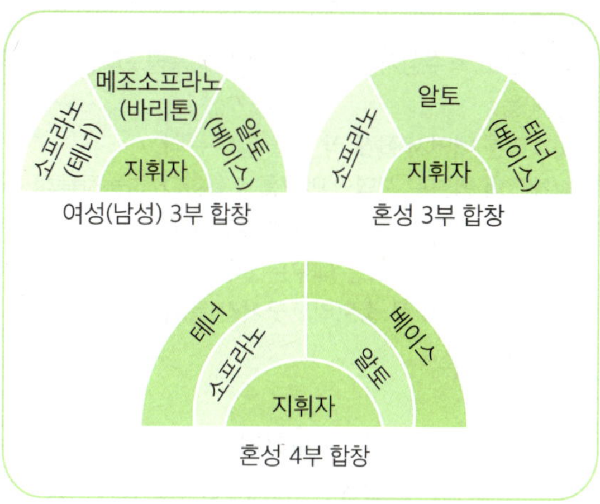

15 | ④ 판소리는 한 사람의 소리꾼이 고수의 북 반주와
추임새에 맞추어 소리(창), 아니리(독백), 발림(몸
짓)으로 긴 이야기를 노래하는 극음악이다. 판소
리 "춘향가"는 춘향과 몽룡의 만남, 사랑과 이별,
신임사또 부임과 춘향의 고통, 몽룡의 과거급제
와 어사출도로 전개되며, 특히 음악의 짜임새가
좋은 것으로 정평이 나 있다. 쑥대머리는 판소리
춘향가 중에서 옥에 갇힌 춘향이 쑥대처럼 헝클
어진 형색으로, 떠나간 몽룡에 대한 그리움을 노
래하는 대목이다.

16 | ④ 소리북은 판소리에서 고수가 가객의 소리에 맞
추어 장단을 칠 때 쓰는 북으로 고장북이라고
도 한다.

17 | ② 동부는 태백산맥의 동쪽 지방 즉 경상도·강원
도·함경도의 해안 지방의 민요를 총칭하는 말
이다.

지역	동부민요의 대표적인 곡
경상도	<밀양 아리랑>, <쾌지나 칭칭 나네>, <울산 아가씨>, <보리 타작 노래> 등
강원도	<강원도 아리랑>, <정선 아리랑>, <한오백년>
함경도	<신고산 타령>, <애원성>, <궁초댕기> 등

서도민요

대표민요: <수심가>, <배따라기>, <몽금포타령>, <싸름> 등

- 콧소리를 내면서 잘게 '라' 음을 떨어 준다.
- 황해도와 평안도 지역의 민요를 포함한다. 하늘하늘한 콧소리가 특징이며, 큰 소리로 부르다가 콧소리를 섞어 잘게 떤다. 평안도 민요는 대부분 일정한 장단이 없으나, 황해도 민요는 주로 중모리·굿거리 등의 일정한 장단을 가지고 있다.

경기민요

대표민요: <아리랑>, <도라지타령>, <천안 삼거리>, <닐리리야>, <한강수타령>, <경복궁타령> 등.

- 부드럽고 서정적이며 차례가기의 가락 진행이 많다.
- 경기도와 서울, 충청도 일부 지역의 민요를 포함한다. 맑고 경쾌하며 분명하고 부드러우며, 유창하고 서정적이다. 주로 세마치·굿거리장단을 빠른 한배로 부르기 때문에 경쾌하다.

동부민요

대표민요: <강원도아리랑>, <한오백년>, <옹헤야>, <쾌지나 칭칭 나네>, <밀양아리랑> 등

- 선율이 올라갈 때는 뛰어가기가 많으나, 내려올 때는 차례로 진행된다.
- 함경도, 강원도, 경상도 지역의 민요를 포함한다. 함경도와 강원도 민요는 슬픈 애원조의 음악이 대부분인 반면, 경상도 민요는 밝고 경쾌한 음악이 주를 이룬다.

남도민요

대표민요: <진도아리랑>, <새타령>, <강강술래>, <육자배기>, <농부가> 등

- 떠는음, 평으로 내는 음, 꺾는음을 사용하여 구성지게 부른다.
- 전라도와 경기 남부, 충청도 서부, 경상도 서·남부 지역의 민요를 포함한다. 극적이고 굵은 목을 눌러 내는 특유의 발성법을 사용하여, 특히 떠는음의 농음과 꺾는음의 처리는 상당한 기교를 요구한다. 진양·중모리·중중모리·자진모리 등의 장단을 사용한다.

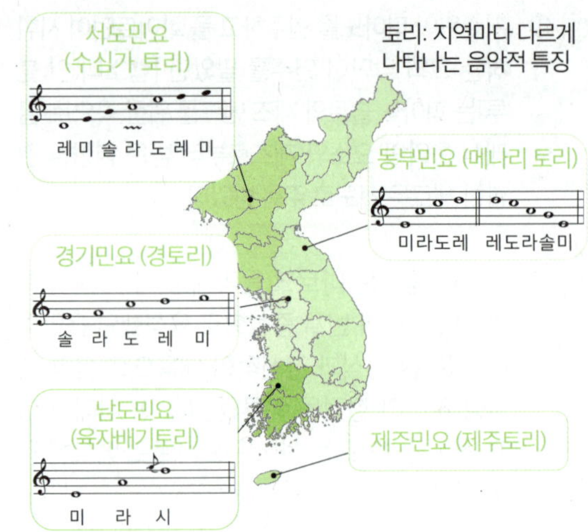

18 | ③ 쿵이 북편을 치는 거라서 3회이다.

한자 표기	부호	명칭	구음	양 악보	연주 방법
雙 쌍		합장단	덩		북편과 채편을 동시에 친다.
鞭 편	|	채편	덕		채편의 변죽이나 복판을 친다.
鼓 고	○	북편	쿵		북편을 친다.
搖 요	⋮	굴림채	더러러러		채편을 굴려 친다.
	|	겹채	기덕		채편을 겹쳐 친다.

19 | ④ 가야금은 오동나무 판에 12줄을 안족으로 받쳐 놓고 손가락으로 연주하는 악기이다. 기러기 발 모양의 줄 받침대가 안족이다. 안족은 가야금의 음높이를 조절하는 것으로 필요할 때마다 안족을 옮겨서 음을 맞춘다.

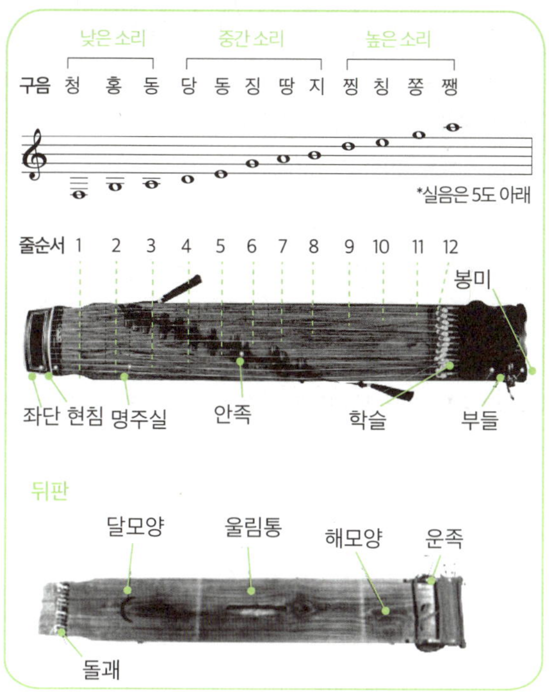

20 | ② 고구려는 중국 및 서역과 문화를 교류하면서 삼국 중 음악 활동이 가장 왕성했다. 안악 제3호분 벽화와 왕산악이 만든 거문고가 대표적인 예이다. 백제는 삼국 중에서 가장 먼저 일본에 음악을 전하였는데, 미마지는 중국에서 '기악무'라는 가면극을 배워 일본에 전파하였다. '백제 금동 대향로'를 통해 백제 악기 다섯가지(금, 소, 완함, 고, 적)를 확인 할 수 있고, <정읍사>와 같은 노래가 유행하였다. 신라는 진흥왕 때 가야의 우륵을 통해 가야금과 가야의 음악을 받아들여 신라의 음악을 새롭게 부흥시켰다.

21 | ② 산조는 민속음악에 속하는 기악독주곡 형태의 하나이다. 19세기 말 김창조의 가야금산조를 효시로 거문고산조, 대금산조, 해금산조, 피리산조, 아쟁산조 등으로 발전하였다. 산조를 연주할 때는 장구의 반주가 필수적이며, 처음에는 느린 진양조로 시작하여 점차 급한 중모리 · 자진모리 · 휘모리로 바뀌어 가며 병창과 대를 이루어 진행된다.

22 | ③ 삼죽은 신라 시대의 악기인 대금(大笒) · 중금(中笒) · 소금(小笒)을 가리키는 말이다.

23 | ① 극음악은 극장풍의 연주형식을 가진 음악이다. 연주 형식이란 음악이 동작 · 미술 · 의상 · 조명을 포함한 무대와 대본과의 결합에 의해 연극에 음악적 분위기를 부여하여 음악적 내용을 높이는 경우를 이르며, 그 대표적인 예가 오페라와 창극이다. 창극은 오늘 우리 시대에 와서 민족적 특성과 현대성을 훌륭히 구현한 주체적인 민족가극으로 계승 발전되었다.

24 | ② "레미제라블"은 프랑스의 작가 빅토르 위고가 쓴 같은 제목의 소설을 바탕으로 제작된 뮤지컬이다. 19세기 프랑스를 배경으로 등장인물들이 혁명과 속죄를 위해 투쟁하는 이야기를 담고 있다. 대표곡은 <민중들의 노랫소리가 들리는가?> 이다.

25 | ① 공연기획지는 음악 공연을 제작하는 사람으로 공연의 총괄적인 계획 수집과 집행 과정을 결정 해야 한다.

01	②	02	①	03	①	04	②	05	②
06	④	07	③	08	①	09	①	10	④
11	①	12	②	13	③	14	②	15	④
16	④	17	①	18	②	19	③	20	③
21	③	22	③	23	④	24	②	25	④

01 | ② 이 곡은 조표에 샵이나 플랫이 없는 으뜸음이 다(도)인 다장조의 곡이다.

02 | ① Andante(안단테)는 느리게 이다.

조금 빠르게 : Allegretto 알레그레토
빠르게 : Allegro 알레그로
매우 빠르게 : Vivace 비바체, Presto 프레스토

03 | ① (1/2박＋1/2박)음표＋1박 음표＋[   ]＋1/2 박 음표＋1/2박 음표＋1/2박 음표＝4박
그러므로 1/2박 쉼표인 8분쉼표 ♪ 가 필요하다.

04 | ② 1마디에 4분음표를 한 박으로 4박이 들어가므로 이 악곡의 박자는 4/4이다.

05 | ② (가)는 솔샵으로 솔 건반에서 반음 올린 ㄴ이다.

06 | ④ (나) 글리산도(gliss.)는 미끄러지듯 연결하여 노래 하라는 표시이다.

07 | ③ 합창에서는 정확한 발음과 복식 호흡으로 노래를 부르고, 공명강을 울려 풍부한 소리로 노래를 불러야 한다.

08 | ① 현악4중주란 바이올린 2, 비올라 1, 첼로 1의 현악기로 이루어진 실내악중주이다.

기악의 연주 형태

독주	한 사람이 한 개의 악기로 연주하는 것
2중주	두 개의 독주 악기로 연주하는 것
현악 3중주	바이올린＋비올라＋첼로
피아노 3중주	피아노＋바이올린＋첼로
현악 4중주	제1바이올린＋제2바이올린＋비올라＋첼로
피아노 4중주	피아노＋바이올린＋비올라＋첼로
목관 5중주	플루트＋오보에＋클라리넷＋바순＋호른
금관 5중주	트럼펫1, 2＋호른＋트롬본＋튜바
합주	두 개 이상의 악기로 동시에 연주하는 것

09 | ① 2/4박자 구간이므로 2박을 젓는 1번이 답이다.

박자 젓기

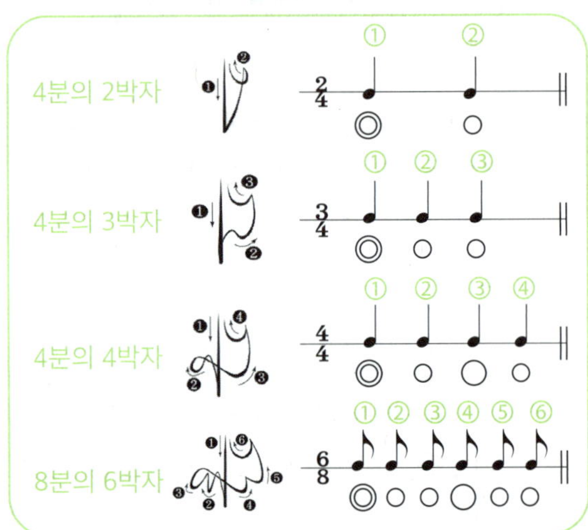

10 | ④ 팀파니는 서양 타악기 중 하나로 현대 오케스트라에서 빠질 수 없는 타악기다. 음정을 조절할 수 있기 때문에 유율 타악기에 속한다.

11 | ① 바흐는 음악의 아버지라고 불릴 만큼 아주 훌륭한 곡을 많이 작곡 하였다. 바흐는 바로크시대 작곡가로 평균율과 대위법의 발전에 기여하였고, 대표 작품으로는 <토카타와 푸가>, <브란덴부르크 협주곡>, <무반주 첼로 모음곡>, <미사곡> 등이 있다.

12 | ② 음악 저작권법이란 저작권법이 인정하는 음악 저작물의 사용을 허락하거나 금지할 수 있는 권리로, 작사가, 작곡가, 연주가, 가수, 음반 제작자, 방송 사업자 등에게 주어지는 권리이다. 저작권은 저작물을 이용하는 형태에 따라 다양한 권리를 보호하고 있는데, 첫 번째로 음악 저작물을 가창, 연주 등으로 표현할 수 있는 권리 보호, 그리고 저작물을 방송으로 내보내거나 대중에게 상영하는 것에 대한 권리 보호, 마지막으로 저작물을 인쇄, 녹음 등의 방법으로 복제해 판매, 대여, 배포, 공개하는 것에 대한 권리 보호가 있다.

13 | ③ 소나타 형식은 '제시부, 전개부, 재현부'로 구성이 흐르며, 대조와 반복의 원리가 구현되는 형식이다. 교향곡과 협주곡의 1악장에 주로 사용된다. 하이든, 모차르트, 베토벤 등에 의해 확립 되었다.

개념 더 보기 — 여러가지 형식

세도막 형식 : 세 부분으로 구성되는 악곡의 형식으로, ABA 등과 같이 보통 두 개의 같은 부분과 대조되는 한 부분으로 이루어진다.

겹세도막 형식 : 두도막 형식 또는 세도막 형식 세 개가 결합된 형식이다.

소나타 형식 : '제시부, 전개부, 재현부'로 구성이 흐르며, 대조와 반복의 원리가 구현되는 형식이다.

변주곡 형식 : 하나의 주제를 여러 방법으로 변화시켜 다른 가락으로 만드는 형식이다.

론도 형식 : 주제부 A가 반복되는 사이에 삽입부 B, C 등을 끼워 넣은 형식이다.

14 | ② 비틀즈는 영국의 4인조 팝, 록 밴드로 1962년에 데뷔하여, 1970년에 해체된 밴드다. 대중음악의 인식을 바꾸면서 대중음악이 만들어지는 방식을 바꿨다고 평가받는 그룹이다. 음악사적으로 비틀즈를 기점으로 본격적인 현대 대중음악의 시대가 시작된다고 말할 수 있다. 대표곡은 < 렛잇비 >, < 예스터데이 > 가 있다.

15 | ④ 음악회를 열 때 음악회 성격에 맞게 연주곡을 선정하고, 초대장을 만들어 홍보 한 뒤 충분한 연습과 음악회 전 리허설로 음악회를 준비한다. 그리고 연주가 끝나면 박수로 격려 해 주는 것이 필요하다.

개념 더 보기 — 음악회 구성시 주의 사항

- 전체 연주 시간을 고려한다.
- 많은 사람이 참여할 수 있도록 한다.
- 연주 장소를 고려하여 편성을 다양하게 구성한다.
- 연주자의 이동 경로와 이동 시간을 감안하여 구성한다.
- 사회자의 유무, 특별 순서 등을 미리 정한다.

16 | ④ < 자진 농부가 > 는 중중모리 장단으로 중모리를 조금 더 빠르게 몰아가는 장단으로, 보통 3개의 작은 박이 4개씩 모여 한 장단을 이룬다. 중중모리의 구음은 덩 덕쿵덕 덕쿵쿵덕쿵 쿵이다.

개념 더 보기 — 기본 장단

세마치 장단 : < 아리랑 >, < 진도아리랑 >, < 너영나영 >
굿거리장단 : < 뱃노래 >, < 늴리리야 >, < 풍년가 >
중모리장단 : < 몽금포타령 >
중중모리장단 : 《춘향가》 중 < 사랑가 >
자진모리장단 : < 자진뱃노래 >
단모리장단 : < 옹헤야 >

세마치 장단

굿거리 장단

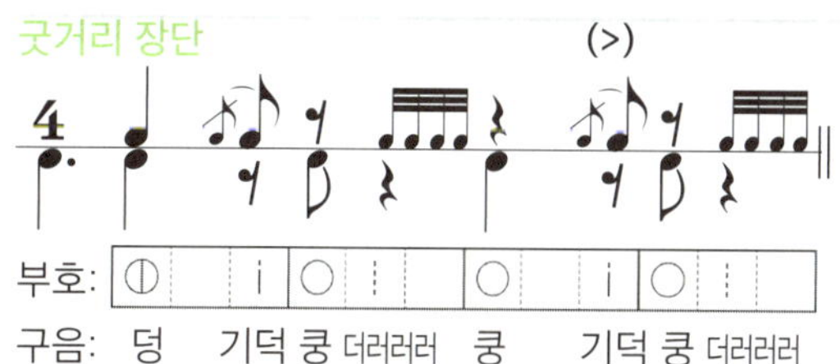

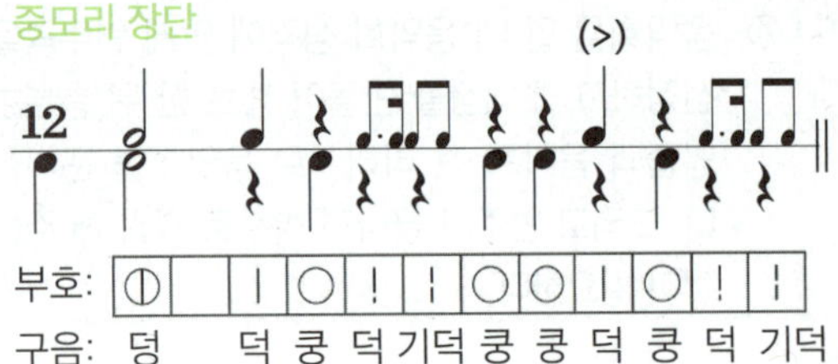

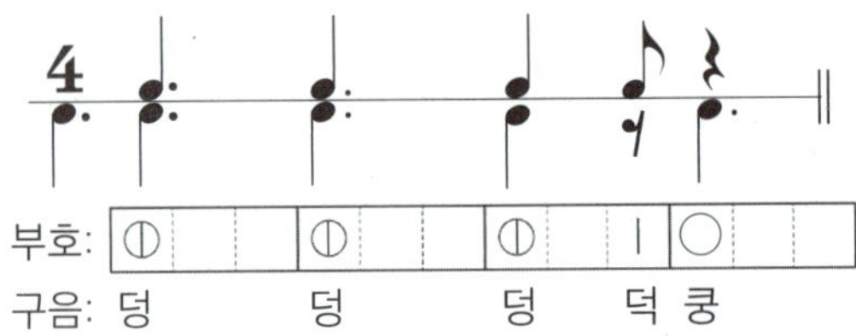

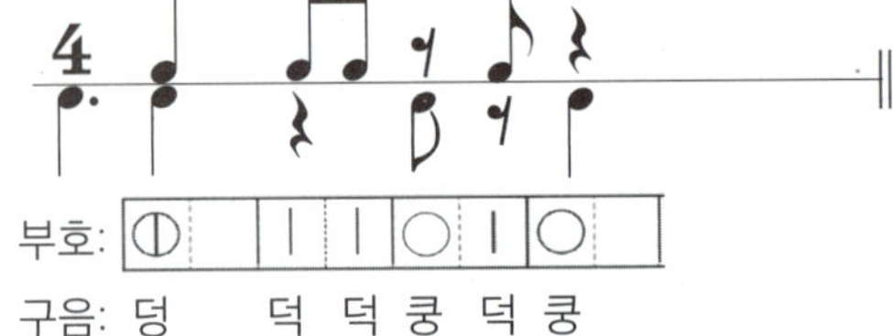

17 | ① (가)는 꺾는 소리다.

개념 더 보기 시김새

시김새란 국악의 장식음을 뜻하는 용어로, 선율을 이루는 주된 음의 앞이나 뒤에서 꾸며 주는 장식음, 혹은 음 길이가 짧은 잔가락을 의미한다. 시김새를 통해 선율 선을 자연스럽게 연결하거나 유연한 흐름을 만들 수 있고, 가락을 화려하고 멋스럽게 표현할 수 있다.

예시)

18 | ② 우리나라에서 활로 연주하는 악기는 해금과 아쟁이 있고, 서양에서 활로 연주하는 악기는 바이올린, 비올라, 첼로, 콘트라 베이스가 있다.

19 | ③ 대금은 삼죽 중 하나고, 죽부 속하는 악기로, 취구 1개, 지공 6개, 청공 1개가 있다. 취구에 입김을 불어 넣어 소리를 낸다.

개념 더 보기 한국악기의 재료에 의한 분류

악기의 모든 재료에 의한 분류방법은 금·석·사·죽·포·토·혁·목 여덟 가지를 말하며 이것을 팔음이라고 한다.

재료		악기
금(金)	쇠붙이로 만든 악기	편종, 특종, 방향 등
석(石)	돌을 깎아 만든 악기	편경, 특경 등
사(絲)	실을 꼬아 만든 악기	거문고, 가야금 등
죽(竹)	대나무로 만든 악기	피리, 대금, 단소 등
포(匏)	바가지로 만든 악기	생황
토(土)	흙을 구워 만든 악기	훈, 부 등
혁(革)	가죽을 씌워 만든 악기	장구, 좌고, 북 등
목(木)	나무로 만든 악기	박, 축, 어 등

20 | ③ 말붙임새는 판소리 등의 성악곡에서 장단에 사설을 붙이는 방법을 뜻하며, 다양한 말붙임새는 음악을 생동감 있고 다채롭게 만들어 준다.

개념 더 보기 '사랑가' 말붙임새

중중모리장단은 3박 단위로 진행

이	리	오	너	라	업	고	놀	자	
이		리	오	너	라	업	고	놀	자
사	랑	사	랑	사	랑	내	사	랑	이	야
사	랑	이	로	구	나	내	사	랑	이	야
이		이		이		내	사	랑	이로	다
아			마		도	내	사	랑	아

앞과는 다르게 2박 단위로 진행이 변화함.

여기서부터 다시 3박 단위로 변함.

21 | ③ (가)는 추임새로 고수나 청중이 흥을 돋우기 위해 즉흥적으로 더하는 소리이다.

22 | ③ 긴자진 형식은 긴(느린) 소리 뒤에 자진(빠른) 소리를 이어 부르는 형식이다. 주로 민요에 나타나는 형식으로 농부가와 자진농부가, 육자배기와 자진육자배기, 방아타령과 자진방아타령, 배따라기와 자진배따라기 등이 있다. 이 형식은 장단의 한배에 따른 변화를 잘 나타내고 있어 '한배에 따른 형식'이라고도 한다.

메기고 받는 형식 : 메기는 소리는 독창으로, 받는 소리는 제창으로 부름

23 | ④ 태조 왕건은 통일 신라의 전통을 이어받아 불교를 국교로 삼고, 불교 행사인 연등회와 천지와 산천을 제사한 팔관회에서 음악과 춤을 연행하게 하였다. 한편 중국에서 당악과 대성아악을 받아들여 우리 고유의 향악과 공존하게 되면서 우리 음악은 당악, 대성아악, 향악의 3가지로 구분되기 시작하였다. 궁중 무용인 정재가 성행하였고, 고려 가요가 많이 불렸다.

당악 : 당나라와 송나라에서 들어온 중국의 속악을 총칭한다. 대체로 송나라의 사악이 많으며, 수용 후 향악화되었다. 현재까지 남아 있는 당악은 '보허자'와 '낙양춘'이다.

아악 : 중국 송나라의 제례 음악, 즉 고려 예종 11년(1116)에 들어온 대성아악을 뜻한다. 헌재 남아 있는 아악은 '문묘 제례악' 하나뿐이다.

향악 : 아악과 당악이 아닌 우리나라 고유의 음악을 총칭한다. 삼국과 고려 시대, 조선 초기의 음악 등을 가리키는 말이다.

24 | ② <아리랑>은 우리나라의 대표적인 민요로, 지역마다 가락과 가사가 다양하게 나타난다. 2012년에 유네스코 인류 무형 문화유산으로 지정 되었다.

25 | ④ 스트리밍은 인터넷이 연결 되어야만 실행이 가능한 기술로, 멀티미디어 파일을 실시간으로 전송하여 재생하는 것이다.

01	②	02	③	03	③	04	③	05	①
06	①	07	④	08	②	09	③	10	①
11	②	12	④	13	②	14	④	15	①
16	②	17	①	18	④	19	③	20	④
21	③	22	②	23	③	24	②	25	④

01 | ② #이 2개인 라장조의 곡이다.

02 | ③ 1마디에 4분음표를 1박으로 4박이 들어 있으므로 이 악곡의 박자는 4/4이다.

03 | ③ 3박 음표+(가)=4박
(가)는 1박인 4분 쉼표인 𝄽 이다.

04 | ③ 매우 빠르게는 Presto 프레스토다.

> ⚠ **선지 더 알아보기**
>
> **Largo** : 매우 느리게
> **Adagio** : 매우 느리게
> **Andantino** : 조금 느리게

05 | ① 큰 악절은 작은 악절 2개가 모여 만들어지는데, 작은 악절은 2개의 동기 즉 네 마디로 구성 된다. 큰 악절이 한 개면 한도막 형식이고, 두 개면 두도막 형식, 세 개면 세도막 형식이다.
동기 : 선율적 또는 리듬적 특징이 있는 음악 형식의 가장 작은 단위로, 보통 두 마디로 구성된다.
작은 악절 : 두 개의 동기가 모여 만들어지며, 두 동기는 서로 같거나 비슷하다.
큰악절 : 작은악절 두 개가 모여 만들어지며, 완결성을 갖는 최소의 단위. 큰악절이 한 개면 한도막 형식, 두 개면 두도막 형식, 세 개면 세도막 형식이다.

06 | ① 이 악보에서 연주 해야하는 마디 수는 9마디이다.

07 | ④ 목관 5중주는 플루트, 오보에, 클라리넷, 바순, 호른이다.

08 | ② 3/4라서 박자 젓기가 3번까지 있다.

09 | ③ 이 곡은 파와 도에 조표가 붙은 라장조의 곡이다. 파와 도를 반음 올려서 연주 해야 하므로 ㄷ이다.

10 | ① (나)는 decresc. 데크레센도는 점점 여리게 이다.

11 | ② 경복궁타령은 자진타령장단이고, 경기민요이다. 경기 민요에는 <아리랑>, <도라지타령>, <천안 삼거리>, <닐리리야>, <한강수타령> 등이 있다.

12 | ④ 자진타령 장단은 속도가 빠른 타령장단으로, 특히 서울 지방의 굿판에서 무당의 춤 반주에 쓰이는 중요한 장단이다.

⌽	합장단	덩
|	채편	덕
◯	북편	쿵

은 있으나

┊	굴림채	더러러러

은 없다.

13 | ② **해금** : 2줄
가야금 : 12줄 or 25줄
바이올린 : 4줄
우쿨렐레 : 4줄

14 | ④ 편종은 쇠붙이로 만든 악기로 금부에 속하는 악기이다. 두 단의 나무틀에 16개의 종을 매단 악기로 각 종이 고유한 음정을 내는 유율타악기이다. 각퇴로 종을 쳐서 연주한다. 전통 음악에서는 주로 궁중의 합주 음악 연주에 사용된다.

15 | ① 판소리는 조선 후기에 서민들이 삶의 희로애락과 사회 풍자를 담아 즐겼던 1인극으로, 고수의 북장단에 맞춰 소리꾼이 소리, 아니리, 발림을 표현한다. 국가 무형 문화재 제5호이며, 2003년 유네스코 인류 무형 문화유산으로 지정되었다. 현재 ≪춘향가, 심청가, 수궁가, 흥보가, 적벽가≫의 다섯 마당이 전해진다.

  소리 : 고수의 장단에 맞춰 부르는 노래
  아니리 : 상황의 전개나 인물의 심정을 말하듯이 표현하는 것
  발림 : 몸짓으로 표현하는 동작이나 연기

16 | ② 판소리 춘향가 안에는 이몽룡과 춘향의 사랑이 점점 깊어가는 과정을 노래하는 사랑가, 이 도령과 춘향의 이별의 비장함을 잘 드러내는 이별가, 춘향이 옥중에서 자신의 신세를 한탄하고 임에 대한 그리움을 노래하는 쑥대머리가 있다.

17 | ① 가곡은 시조시를 가사로 하는 5장 형식의 전통 성악곡으로 전문 가객이 관현악 반주에 맞춰 노래한다.

구분	가곡	시조
발전된 시기	조선후기	
장소	풍류방	
가사	시조 시	
장 구성	5장	3장
반주 형태	관현악 반주	간단한 악기 또는 무릎장단
전주, 후주	있음(대여음, 중여음)	없음
장단	16박 장단과 10박 징단	5박과 8박 장단을 번길아 연주

18 | ④ 국가 무형 문화재 제1호인 종묘 제례악은 조선 시대 역대 왕들과 왕비들에게 제사를 지내는 종묘 제례에서 연주하는 음악이다. <보태평> 11곡 과 <정대업> 11곡으로 구성되며, 노래와 무용, 기악이 조화를 이루어 웅장함과 화려함을 느끼게 한다. 종묘 제례악은 오늘날까지 연주되고 있으며 2001년에는 그 문화적 가치를 국제적으로 인정받아 유네스코 세계 인류 무형 문화유산으로 등재되었다.

19 | ③ 정간보에서 가장 짧게 연주되는 율명은 '황'이다.

20 | ④ 슈베르트는 오스트리아의 작곡가이자 연주자이다. 31년의 짧은 인생 동안 600여 편의 가곡을 비롯하여 약 1,000곡의 수많은 작품을 남겼다. 음악과 시의 결합을 통해 가곡의 예술적 가치를 높였으며 '가곡의 왕'이라고 불린다.

21 | ③ 협주곡은 콘체르토(Concerto), 시대에 따라 의미가 많이 변화된 용어로 '경쟁하듯이 협력하다'의 합성어로 알려져 있다. [conserere(맺다) + certamen(경쟁하다)] 바로크 시대에는 합주 협주곡이 유행하였고, 비발디 이후 바이올린을 중심으로 한 독주 협주곡도 자주 나타났다. 고전 시대에는 관악기와 현악기가 조화를 이룬 오케스트라가 독주 악기와 협주하는 방식이 선호되었고, 낭만 시대에는 장인적 연주 기교가 더욱 돋보였고, 강한 오케스트라 음향이 청중을 압도했다.

22 | ② 여성 3부 합창은 알토, 메조 소프라노, 소프라노로 구성 된다.

23 | ③ 음악 공연(음악회)을 할 땐 음악 공연 기획→연습 및 공연 준비→홍보 및 리허설→공연 정리 및 평가의 순서대로 진행 해야 한다.

24 | ② 조율사는 피아노의 올바른 동작과 정확한 음률 및 음색을 내게 하기 위한 피아노의 분해, 조립, 수리, 조정, 조율 및 정음을 하는 전문가이다.

25 | ④ (가)는 "지킬 앤 하이드"이고, (나)는 "오페라의 유령"이다. 뮤지컬 "지킬 앤 하이드"는 존재의 양면성을 다루는데 그 중심에 있는 OST가 <지금 이 순간> 이다. 뮤지컬 "오페라의 유령"의 대표적인 노래는 <오페라의 유령>, <밤의 노래>, <바램은 그것뿐>, <생각해줘요> 이다.

01	③	02	③	03	①	04	①	05	④
06	②	07	①	08	①	09	④	10	①
11	②	12	②	13	④	14	③	15	②
16	④	17	③	18	④	19	①	20	②
21	④	22	③	23	④	24	②	25	③

01 | ③ 플랫이 1개 있는 조성은 바장조이다.

02 | ③ 이 곡은 3박자씩 2부분 개념으로 나눠지기에 6/8 박자이다.

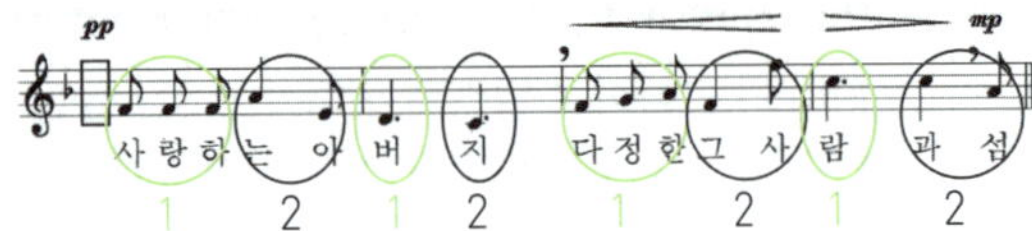

> **개념 더 보기**
>
> ### 6/8 박자와 3/4 박자 구분하기
>
> **6/8 박자** : 한 마디 안에 8분 음표가 6개 들어가고, 3박자로 2개의 파트로 끊어진다. 바~~람이, 머~물다간 이렇게 2개로 끊어지면 6/8 박자이다.
>
> **3/4 박자** : 1박자로 3개의 파트로 끊어진다. 깊은, 사안, 속 이렇게 3개로 끊어지면 3/4 박자이다.

03 | ① 이 악보에는 스타카토가 없다.

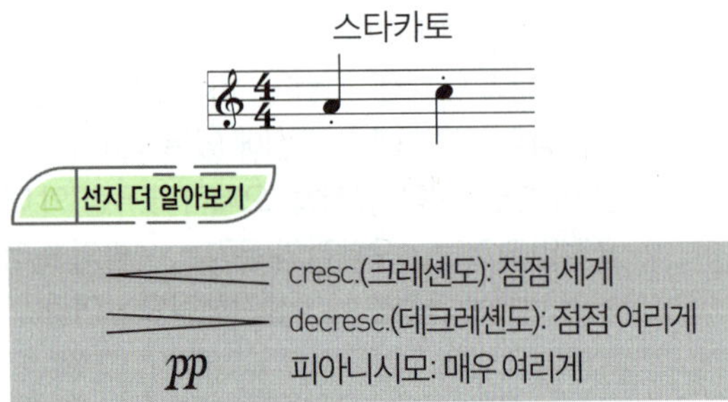

> **선지 더 알아보기**
>
> 
> cresc.(크레센도): 점점 세게
> decresc.(데크레센도): 점점 여리게
> pp 피아니시모: 매우 여리게

04 | ① 음악을 구성하는 가장 작은 단위는 동기로 2마디다.

> **선지 더 알아보기**
>
> **론도 형식** : 주제부 A가 반복되는 사이에 삽입부 B, C 등을 끼워 넣은 형식이다.
> **두도막 형식** : 큰악절이 2개면 두도막 형식이다.
> **세도막 형식** : 세 부분으로 구성되는 악곡의 형식으로, A B A 등과 같이 보통 두 개의 같은 부분과 대조되는 한 부분으로 이루어진다.

05 | ④ 4/4 박자에서 못갖춘마디를 지휘 할 때는 시작은 4번 부분에 해당한다.

06 | ② (나)는 레샵인데 미플랫과 같다.

07 | ① 젬베, 카혼, 심벌즈는 무율타악기로 음정을 나타낼 수 없고, 기타는 음정을 나타낼 수 있어서 연주가 가능하다.

08 | ① ①는 도미솔로 C코드이다.

> **개념 더 보기**
>
> ### 메이저 코드

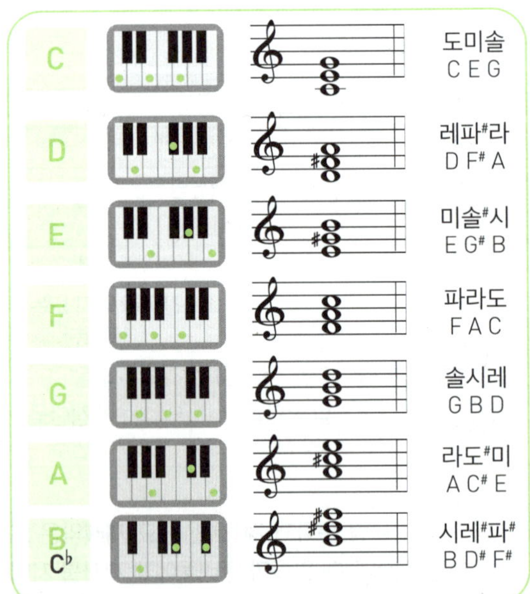

09 | ④ 바이올린은 현악기로, 활로 현을 마찰하여 소리 내며, 4개의 현 (G, D, A, E)으로 구성 된다. 현악 3중주, 피아노 3중주, 현악 4중주, 피아노 4중주에 바이올린이 있다.

10 | ① 포르투갈어로 일그러진 진주를 의미하는 바로크는 르네상스 이후 17세기에서 18세기에 걸친 시대를 이야기한다. 바로크 시대는 성악 음악과 기악 음악의 동반 전성기로 오페라가 탄생했고, 조성 음악이 확립되었다. 작곡가로는 몬테베르디, 쉬츠, 륄리, 파헬벨, 코렐리, 퍼셀, 비발디, 젤렌카, 텔레만, 바흐, 헨델 등이 있다.

11 | ② 드뷔시는 프랑스 작곡가로, 전통적 기능 화성에서 벗어나 인상주의 양식을 창시하였다. 드뷔시는 순간의 느낌을 음악으로 표현 하기 위해 반음계 및 온음 음계, 병진행 등으로 음악을 색채적으로 표현하였다. 대표곡으로 <목신의 오후에의 전주곡>, <바다>, <피아노 전주곡>, <어린이 차지>, <오페라 펠레아스와 멜리장드 모음곡 "베르가마스크" 중 달빛> 등이 있다.

12 | ② 교향곡(심포니)은 관현악으로 연주하는 다악장 형식의 악곡이다. 1악장은 소나타 형식이며, 보통 3개 또는 4개의 악장으로 구성 되어있다. 가장 전형적인 오케스트라 음악 장르로, 악기들이 진행하는 오페라로 보기도 한다. 공개 연주회를 통해 사회석 향유 음악으로 격상되었고, 가장 복합적인 음악 창작물로 인정받았다. 고전 시대에 대규모 순수 기악곡으로 자리 잡았고, 근대 시민 사회의 발달과 더불어 대규모 공개 연주회 형태로 연주되면서 큰 호응을 얻었다. 대표곡으로는 하이든 교향곡 <런던>, 모차르트 교향곡 <주피터>, 베토벤 교향곡 <운명>, <합창>, 드보르자크 <신세계 교향곡> 등이 있다.

13 | ④ (가)와 (나)의 가사를 보면 이 2곡이 아리랑이라는 공통된 제목을 가지고 있음을 알 수 있다.

14 | ③ 아리랑은 세마치 장단이다.

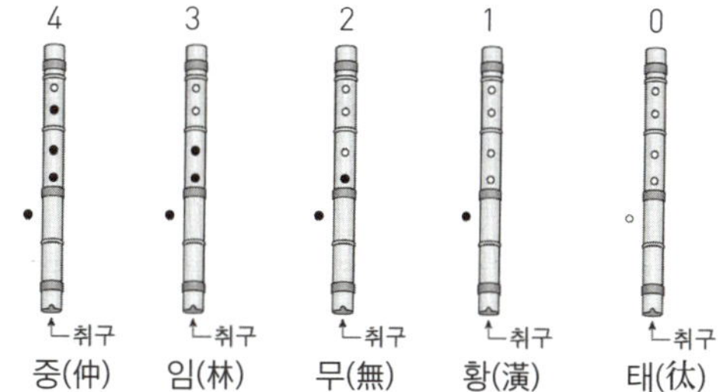

15 | ② 지역 방언과 같이 지역에 따라 다르게 나타나는 음악적 특징을 '토리'라고 한다.

서도 민요 : 수심가토리
동부 민요 : 메나리토리
경기 민요 : 경토리
남도 민요 : 육자배기토리

16 | ④ '태' 는 막는 구멍의 개수가 0개인 운지법이다.

17 | ③ 처용무는 조선 시대 궁중 정재의 하나로, 신라 헌강왕 때의 처용설화에서 기원하였다. 파랑, 노랑, 빨강, 하양, 검정 옷을 입은 다섯 무동이 치용탈을 쓰고 다섯 방위로 벌여 여러 징면으로 바꾸어 가며 춤을 춘다.
　* 수제천은 백제 가요 <정읍사>를 노래했던 성악곡이었으나, 현재는 기악곡으로 전해진다. 4장으로 구성 되어 있고, 연음 형식으로 향피리 중심의 관악 합주로 연주한다. 처용무의 반주 음악으로 쓰인다.

18 | ④ 창작 국악은 국악의 특징을 살려 새롭게 작곡한 노래로 다양한 음악 경향을 수용하고 있다. 고가 신조, 국악가요, 크로스오버 국악 등 노래로 표현하는 다양한 창작 국악 장르가 있다.

19 | ① 뮤지컬 "렌트"는 1996년 초연된 미국의 오프 브로드웨이 뮤지컬로, 90년대 록 뮤지컬 최고의 히트작이다.푸치니의 오페라 라보엠을 현대화한 록 뮤지컬로 가난한 예술가들의 꿈과 열정, 사랑과 우정을 담았다. 대표곡은 <Seasons of Love>이다. 뮤지컬 "빨래"는 명랑씨어터 수박 제작의 한국 창작 뮤지컬이다. 대표곡은 <서울살이 몇핸가요>이다. 뮤지컬 "영웅"은 안중근 의사의 마지막 1년을 다룬 국내 창작 뮤지컬이다. 대표곡은 <누가 죄인인가>이다. 뮤지컬 "명성 황후"는 국내 작품 최초로 브로드웨이 및 웨스트엔드로 진출하였고 국내 뮤지컬 작품 최초 100만 관객 돌파의 기록을 수립하였다. 대표곡은 <백성들이여 일어나라>이다.

20 | ② 꽹과리는 테두리가 있는 둥근 그릇 모양의 놋쇠 몸통(울림판)을 나무 채로 두들겨 연주하는 소형 공(gong)이다. 꽹과리는 쇠붙이로 만든 금부 악기에 속한다.

21 | ④ 흥보가의 <화초장 타령> 이다. 화초장은 문짝에 유리를 붙이고 화초 무늬를 채색한 장이다. 화초장 타령의 내용은 이러하다. 놀보는 부자가 된 흥보를 찾아와 금은보화가 든 화초장을 얻어 돌아간다. 이때 놀보가 도랑에 빠져 '화초장'이라는 이름을 잊어버리는데, '화초장'의 이름을 다시 기억해 내기 위해 '장'자가 붙은 물건을 나열하는 대목이다.

22 | ③ 재즈는 19세기 후반에서 20세기 초 미국 루이지애나주 뉴올리언스의 아프리카계 문화에서 탄생해 20세기 초반에서 중반까지 전세계적으로 크게 유행한 음악 장르이다. 유럽의 악기와 음악적 틀을 기반으로 아프리카의 리듬과 화성, 그리고 아프리카계 미국인의 특유의 감성, 그리고 새로운 음악적 시도 등이 혼합된 장르인데, 연주할 때 기존 클래식의 엄격함과 정형성에서 탈피하여, 즉흥적인 면과 변화 및 다양성을 강조한다.

23 | ④ 쇼 스토퍼는 익살스러운 노래나 연기를 삽입 하여 분위기를 전환하는 뮤지컬의 구성 요소이다.

뮤지컬

뮤지컬은 대중성을 가진 음악극의 한 분류로서 대중 연극·오페라 · 오페레타 · 발라드 오페라 등에서 영향을 받아 생겨났다. 20세기 초 미국과 영국을 중심으로 발달하였으며, 뉴욕의 브로드웨이와 런던의 웨스트엔드는 뮤지컬이 유행한 대표적 장소이다. 뮤지컬의 구성 요소로는 서곡, 오프닝 넘버(=오프닝 코러스), 제시, 쇼 스토퍼, 아리아, 커튼콜 등 이 있다.

서곡 : 극이 시작 되기 전에 연주 하여 극 전체의 분위기를 암시해 줌
오프닝넘버 : 서곡 이후 극이 시작 될 때 처음으로 연주 하는 곡이나 합창
제시 : 앞으로 진행 될 극 중 상황의 배경에 대해 알려 주는 노래
쇼스토퍼 : 익살스럽게 분위기를 전환하는 노래
아리아 : 극의 절정에서 주인공이 부르는 서정적인 노래
커튼콜 : 공연이 끝난 뒤, 관객의 환호에 답하는 의미로 퇴장했던 배우들이 앞으로 나와 인사하며 막을 내리는 것

24 | ② 샘플링은 기존에 있던 곡의 일부 음원을 잘라내 새롭게 가공하고 배치하는 행위를 말한다.

25 | ③ 음악 치료사는 음악을 도구로 이용하여 심리, 정서, 그리고 신체 기능을 치료하는 일을 담당하는 전문가다. 치료 센터, 복지관, 병원, 그리고 상담 기관에서 일하며, 발달 장애, 정신 장애, 치매 등의 질환을 가진 사람에게 체계적인 음악 활동을 제공하여 변화를 유도한다.

01	③	02	④	03	③	04	①	05	②
06	②	07	①	08	①	09	④	10	①
11	③	12	③	13	④	14	②	15	④
16	③	17	②	18	③	19	①	20	②
21	①	22	④	23	②	24	④	25	③

01 | ③ 이 곡은 플랫이 1개 있는 바장조이다.

02 | ④ '시' 에서 플랫은 반음을 내려 르이다.

03 | ③ (나)의 연주법은 음의 길이를 충분히 연주 하는 것이다. 테누토는 음표가 가지고 있는 길이를 충분히 지켜서 폭넓게 연주하도록 지시하는 기호이다. 음표의 머리에 '‒' 로 표시 하거나 'ten.' 라고 표기한다.

<테누토>

04 | ① 셋잇단음표는 기준음표의 길이를 3등분한 것으로 (가)는 1박, 4분음표이다. 4분음표보다 길이가 짧은 음표는 8분 음표이다.

🔍 **개념 더 보기 셋잇단음표**

05 | ② 겹세로줄을 쓰는 이유는 박자가 변화 할 때이다. 4/4에서 2/4로 갈 때 겹세로줄을 썼고, 2/4에서 다시 4/4로 갈 때 겹세로줄을 썼다.

🔍 **개념 더 보기 겹세로줄**

겹세로줄은 이전에 흘러가던 곡의 흐름과 다르게 '무언가' 가 바뀐다는 표시이다.

1. 박자표의 변화

악보에서 박자표가 바뀔 때 두 줄로 겹세로줄 표시를 해 준다.

2. 조표의 변화

악보에서 조표가 바뀔 때 두 줄로 겹세로줄 표시를 해 준다.

3. 단락(테마)의 변화

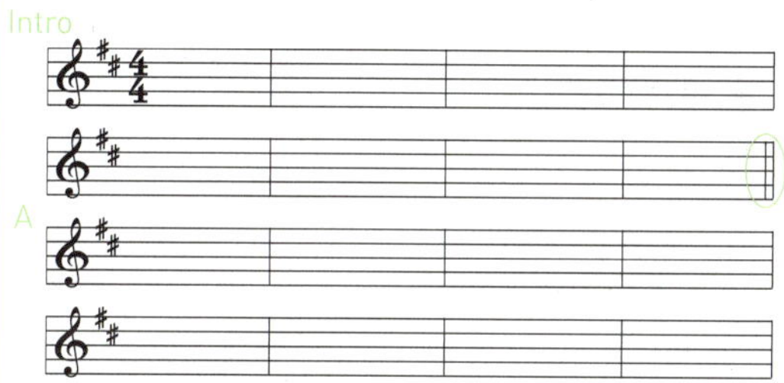

곡의 전체 흐름과 느낌이 바뀔 시 (테마가 바뀔 시) 두 줄로 겹세로줄 표시를 해준다.

06 | ② 트리오는 3중주로 세 개의 악기가 함께 연주하는 것이다.

피아노 3중주	바이올린, 첼로, 피아노
현악 3중주	바이올린, 비올라, 첼로
플룻 3중주	플룻, 바이올린, 첼로
목관 3중주	플룻, 클라리넷, 바순

⚠️ **선지 더 알아보기**

듀엣 : 2중주, 2개의 악기가 함께 연주 하는 것
콰르텟 : 4중주, 4개의 악기가 함께 연주하는 것
퀸텟 : 5중주, 5개의 악기가 함께 연주하는 것

07 | ① 작은 악절은 보통 4마디로 구성 되며 큰 악절은 두 개의 작은 악절로 이루어진다.

08 | ① ㄱ은 타악기군이다.

오케스트라 악기 편성

시대에 따라, 지휘자에 따라, 혹은 연주 상황에 따라 여러 가지 형태로 구성 되는 오케스트라이지만 일반적으로 유럽식과 미국식 구성으로 나뉜다.

유럽식 구성의 특징
: 제1바이올린과 제2바이올린이 양쪽에서 똑같은 힘을 구사하는데 의의를 둔다.

미국식 구성의 특징
: 지휘자의 왼쪽에 제1, 2바이올린을 배치하고 오른쪽에 첼로와 비올라를 배치 한다는 점에서 유럽식과 차이를 보인다.

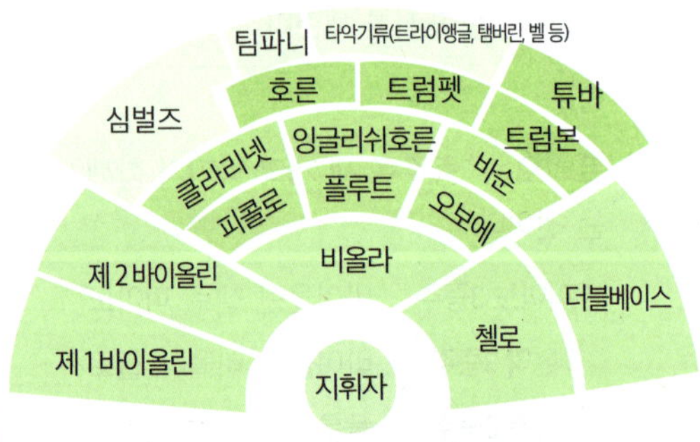

09 | ④ 우쿨렐레의 C 코드는 4번이다. 1번은 F코드, 2번은 Bm7코드, 3번은 G7코드이다.

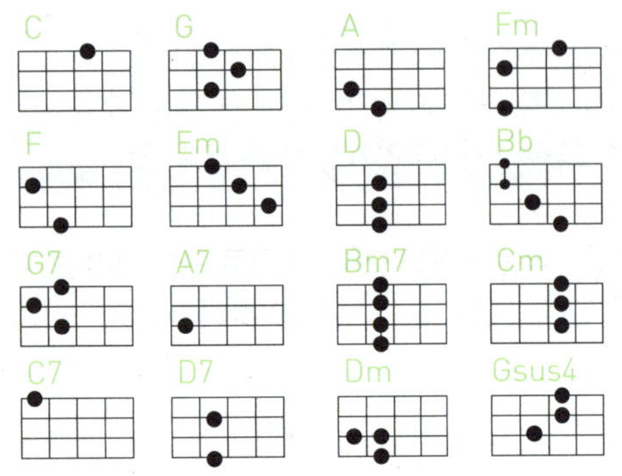

10 | ① 바순은 세로로 부는 목관 악기로 목관 악기군에서 낮은 음역을 연주한다. 겹리드 사용하고, 중간 음역의 아름답고 부드러운 음색이 특징이다.

11 | ③ (가)를 연주하는 것은 베이스 드럼으로 가장 낮고 큰 음을 내며, 오른발로 페달을 밟아 연주한다.

드럼 세트의 구성과 명칭

드럼 연주자세
: 허리를 곧게 펴고, 의자에 앉는다. 왼발은 하이햇 페달 위에, 오른발은 베이스 드럼 페달 위에 올려 놓는다.

스몰 톰톰, 라지 톰톰
: 마디의 끝을 강조한다. 톰톰 중에서는 스몰 톰톰의 음 높이가 가장 높으며 그 다음은 라지 톰톰이 높다.

크래시 심벌
: 첫 박에 한 번씩 곡의 시작과 끝을 알리거나 강조 부분에서 쓰인다.

하이햇 심벌
: 두 장의 심벌을 마주보게 놓고, 오른쪽 스틱으로 치며 페달로 열거나 닫아 연주한다.

스네어 드럼
: 철사로 된 체인을 감아 떠는 소리가 난다. 리듬의 강세를 만드는 역할을 하며 주로 왼쪽 스틱으로 친다.

베이스 드럼
: 가장 낮고 큰 음을 내며, 오른발로 페달을 밟아 연주한다.

라이드 심벌
: 가볍고 아름다운 소리로 노래 중간에 하이햇 대신 쓰인다.

플로어 톰톰
: 노래가 끝나는 부분에 주로 사용하며 스네어와 함께 연주하기도 한다.

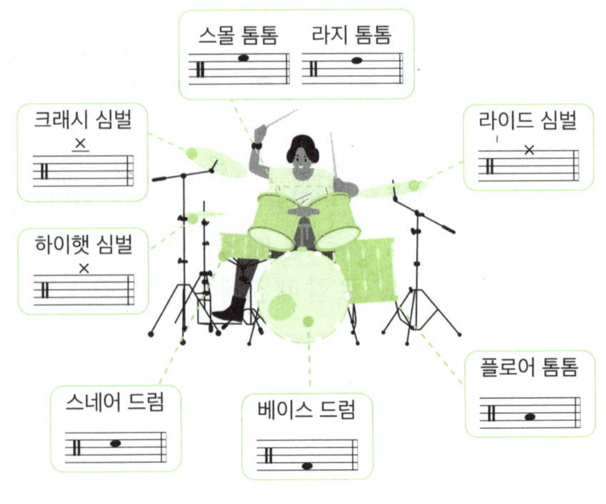

12 | ③ 야상곡은 밤에 연주하는 음악. 이라는 뜻이고, 영어식 읽기표현으로는 녹턴, 불어식은 녹튀르 라고 한다. 조용한 밤의 분위기를 나타낸 서정적인 피아노곡으로 19세기 초에 필드(Field, J.)가 처음으로 작곡한 형식으로, 특정한 박자와 형식은 없고 세도막 형식 또는 론도형식을 따른다. 쇼팽의 19곡이 가장 유명하다.

13 | ④ 돌을 깎아서 만든 악기인 석부의 종류는 편경과 특경 등이 있다.

14 | ② 음악은 사람의 목소리로 나타내는 성악과 악기로 나타내는 기악으로 크게 나눌 수 있다. 성악은 사람의 목소리로 나타내는 음악의 총칭이다. 사람의 목소리로 나타내는 성악곡은 민요와 판소리이다.

15 | ④ 국가 무형 문화재 제1호인 종묘 제례악은 조선 시대 역대 왕들과 왕비들에게 제사를 지내는 종묘 제례에서 연주하는 음악이다. <보태평> 11곡 과 <정대업> 11곡으로 구성되며, 노래와 무용, 기악이 조화를 이루어 웅장함과 화려함을 느끼게 한다. 종묘 제례악은 오늘날까지 연주되고 있으며 2001년에는 그 문화적 가치를 국제적으로 인정받아 유네스코 세계 인류 무형 문화유산으로 등재되었다.

16 | ③ 굿거리 장단의 부호는 이러하다.

17 | ② 남도 민요는 전라도와 경기 남부, 충청도 서부, 경상도 서·남부 지역의 민요를 포함한다. 극적이고 굵은 목을 눌러 내는 특유의 발성법을 사용하며, 특히 떠는 음의 농음과 꺾는 음의 처리는 상당한 기교를 요구한다. 진양·중모리·중중모리·자진모리 등의 장단을 사용한다. 남도 민요의 대표곡은 <진도아리랑>, <새타령>, <강강술래>, <육자배기>, <농부가> 등이 있다.

18 | ③ 삼현 육각은 향피리2, 대금1, 해금1, 장구1, 좌고1명으로 구성된 주로 무용 반주를 위한 악기 편성이다.

19 | ① 대취타는 조선 시대 왕의 행차나 군대의 행진 등에 사용된 곡으로, 느리고 단순하면서도 위풍당당한 선율 진행이 특징이다. 집사의 신호에 따라 태평소, 나발, 나각, 용고, 징, 자바라 등의 악기로 연주 한다.

20 | ② <투란도트>중 NessunDorma 라는 곡의 내용은 고대 중국 황제의 딸인 투란도트가 자신에게 구혼하는 젊은이들에게 세 가지 수수께끼를 내서 풀지 못하면 위험에 처하게 만드는 내용이다.

21 | ① 오페라의 구성요소는 서곡, 레치타티보, 아리아, 중창, 합창, 오케스트라이고, 뮤지컬의 구성요소는 서곡, 오프닝넘버(=오프닝 코러스), 제시, 쇼 스토퍼, 아리아, 커튼콜이다. 오페라와 뮤지컬의 공통 구성 요소로는 서곡과 아리아가 있다.

22 | ④ 민족주의 음악이란 각 민족의 음악적 특성이 당시의 후기 낭만주의적 음악어법에 첨가된 것이다. 민족주의 작곡가들의 두드러진 면모는 자기 나라의 민요 선율과 민속춤, 그리고 민속춤의 리듬을 인용하거나 모방함으로써 독특하고 색다른 정취를 느끼게 하는 것이었다. 이러한 경향이 특히 두드러진 지역은 동부 유럽과 러시아 그리고 노르웨이, 덴마크, 스웨덴, 핀란드 등 북유럽의 스칸디나비아 반도에 위치한 나라들이었다. 대표적인 작곡가는 그리그(노르웨이), 시벨리우스(핀란드), 스메타나(보헤미아), 드보르자크(보헤미아)가 있다.

23 | ② 힙합은 1980년대 미국에서부터 유행하기 시작한 다이내믹한 춤과 음악의 총칭이다. 1970년대 후반 뉴욕 할렘가에 거주하는 흑인이나 스페인계 청소년들에 의해 형성된 새로운 문화운동 전반을 가리키는 말이다. 힙합을 이루는 요소로는 주로 네 가지, 랩 · 디제잉 · 그라피티 · 브레이크댄스가 거론된다.

24 | ④ 전자 음악은 전자기기의 힘으로 소리를 제작, 변형, 녹음, 재생시켜 음악을 만드는 현대음악이다.

25 | ③ 저작자의 권리를 보호하는 저작권법으로 음악의 창작 저작권을 보호하는 권리다. 작곡가, 작사가, 음악 제작자 등이 갖는 음악 저작물의 권리를 말하며, 음악 저작물이 이용되는 형태에 따라 실연권, 공연권, 복제권 등 다양한 권리가 보호된다. 그리고 실연자, 음반 제작자, 방송국의 저작 인접권에 대한 권리도 보호한다. 이러한 저작권은 원작자의 사후 70년까지 유지된다.

01	④	02	③	03	①	04	③	05	②
06	③	07	①	08	③	09	②	10	④
11	②	12	④	13	②	14	④	15	③
16	②	17	①	18	①	19	①	20	③
21	①	22	④	23	④	24	②	25	①

01 | ④ 이 곡은 # 이 1개 있는 사장조의 곡이다.

02 | ③ 이 악곡의 빠르기는 Allegretto(알레그레토)로 조금 빠르게 이다.

⚠ **선지 더 알아보기**

느리게 : Andante 안단테
조금 느리게 : Andantino 안단티노
빠르게 : Allegro 알레그로

03 | ① (가)는 레샵으로 ㄱ이다.

04 | ③ 클라리넷은 목관 악기로 한 개의 리드를 사용하고, 아름다운 음색과 넓은 음역 때문에 각종 합주에서 중요한 역할을 한다.

05 | ② ㄱ은 베이스 자리다.

⚠ **선지 더 알아보기**

소프라노-메조 소프라노-알토는 여성 3부 합창이다.

06 | ③ 12음 기법은 한 옥타브 안의 12개 반음에 동등한 위상을 부여하여 새롭게 조직한 음렬로 작곡하는 방법이다. 기본 음렬과 그것의 역행, 전위, 선위역행 형태의 음렬이 있다.
쇤베르크는 오스트리아 태생의 미국 작곡가로, 표현주의를 이끌고, 12음 기법의 창시자이다. 대표작으로는 <구레의 노래>, <달에 홀린 피에로>, <바르샤바의 생존자> 등이 있다.

기본음렬 활용 방법

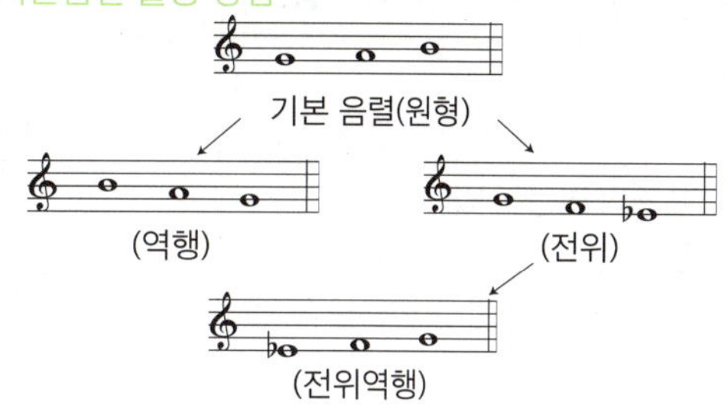

07 | ① 1마디에 4박이 들어 있으므로 이 악곡의 박자는 4/4이다.

08 | ③ 점8분 음표 + 16분 음표 = 1박
1박이라서 4분 음표인 3번이 답이다.

♪.	점8분음표	1/2박 + 1/4박	∨
♪	16분음표	1/4박	∨

09 | ② <4분 33초>는 아방가르드 작곡가 존 케이지가 1952년 작곡한 피아노를 위한 작품으로, 연주 시간 동안 아무 연주도 하지 않는 음악 작품으로 유명하다.

10 | ④ 차이콥스키는 낭만주의 시대의 러시아 제국의 작곡가, 지휘자이다. 백조의 호수와 호두까기 인형, 비창 교향곡, 사계(the seasons : 12개의 성격적 소품)의 작곡자이다. 그의 작품은 선율적 영감과 관현악법에 뛰어났다는 평가를 받는다.

11 | ② 반음은 2번이다.
온음(⌒) 반음(⌣)

다장조의 온음과 반음

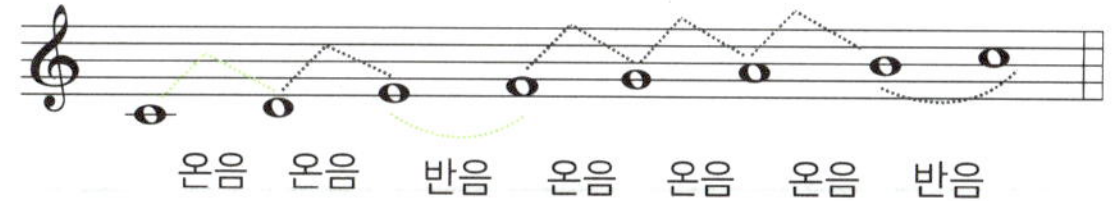

반음

- 음계 구성 음 중 가장 최소 단위로, 한 옥타브 안에는 12개의 반음이 있다.

온음

- 2도 간격의 음정 중 반음을 제외한 2도 간격을 온음이라고 한다.
- 온음은 반음 두 개의 간격과 같다.

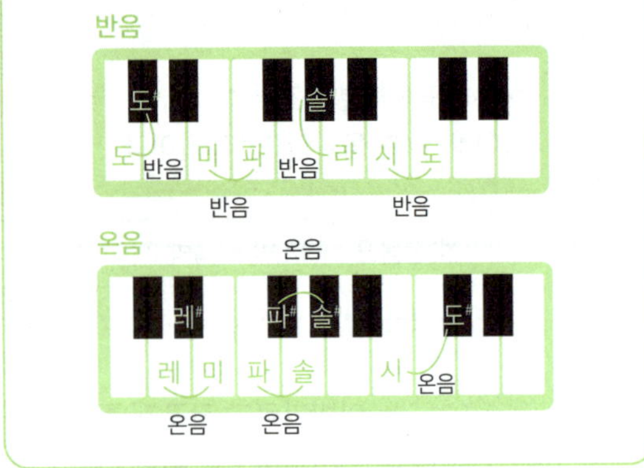

12 ④ 예술가곡은 시, 노래, 반주가 긴밀하게 연관된 음악으로서 18세기 피아노와 시 문학의 발달과 함께 발전하였고, 고유한 정서를 담은 다양한 언어로 애창되고 있다.

13 ② (가)는 떠는 소리이다.

14 ④ ◯ 구음은 쿵이고, 북편을 친다.

15 ③ 삼현 육각은 향피리2, 대금1, 해금1, 장구1, 좌고 1명으로 구성된 주로 무용 반주를 위한 악기 편성이다. 그 중 해금은 2줄로 된 현악기이며, 활로 연주한다.

16 ② 생황과 단소의 이중주를 '생소병주'라고 한다.

17 ① 세종 대왕은 동양 최초로 음의 길이와 높이를 표현할 수 있는 정간보를 제작하였고, 조선 건국의 정당화를 목적으로 <여민락>, <보태평>, <정대업> 등의 새로운 악곡을 창작하였다. 박연을 통해 율관 제작, 아악용 악기 제작 등의 아악 정비를 실시하였다.

우륵: 대가야의 악사였던 우륵은 가실왕의 명을 받들어 중국의 악기인 쟁을 모방해 가야금을 만들고 12악곡을 지었다.
미마지: 백제 가면극인 기악무를 일본에 전해 주었다.
왕산악: 고구려 사람으로 거문고를 만들었다.

18 ① 엮음 형식은 악곡의 장단 수는 변하지 않고, 그 장단 안에 가사를 촘촘히 엮어서 부르는 형식이다. 상황이나 줄거리의 전달을 위해 대사를 빠르게 읽어나가는 것으로, 노래라기보다는 서양 오페라의 레치타티보와 같은 역할이라고 할 수 있다. 가곡에서는 <편락>, <편수대엽>, <언편> 등과 같이 곡의 제목에 '편'자를 붙여서 엮음 형식을 나타낸다. 민요에서는 '엮음'이라는 말을 붙여 나타내며 <수심가-엮음수심가>가 그 예다. 이렇게 일반 민요와 엮음 형식으로 된 민요가 짝을 이루기도 하고, <정선 아리랑>처럼 한 곡의 민요 자체가 엮음 형식으로 된 것도 있다.

19 ① 가곡은 시조시를 가사로 하는 5장 형식의 전통 성악곡으로 전문 가객이 관현악 반주에 맞춰 노래한다.

20 ③ <여민락>은 '백성과 더불어 즐긴다' 라는 뜻으로, 세종 대왕이 백성을 사랑하는 정신을 음악에 담은 곡이다. 원래 관현악 반주에 맞추어 <용비어천가>를 노래하던 성악곡이었으나, 조선 후기부터 기악곡으로 변하여 지금은 노래 없이 전해지고 있다. 외국 사신을 위한 잔치나 왕의 행차 때 사용되었다. 가야금, 거문고, 대금, 향피리, 해금, 아쟁, 소금, 장구, 좌고, 박 등의 관현악 합주 편성이다.

21 ① 이 악곡은 굿거리장단이다

굿거리 장단

22 | ④

이 기호는 제자리표로, 제자리로 돌아가라는
뜻이다.

 **임시표**

종류	명칭	뜻
♯	올림표	반음 올리라는 뜻
♭	내림표	반음 내리라는 뜻
𝄪	겹올림표	온음 올리라는 뜻
♭♭	겹내림표	온음 내리라는 뜻
♮	제자리표	제자리로 돌아가라는 뜻

23 | ④ 크로스 오버는 다른 장르가 교차한다는 음악
용어로, 작품이나 연주자에 적용되는 용어다.

24 | ② 지휘자는 연주자들을 연습 시키며, 무대 위에
서 직접 지휘를 한다. 악곡을 해석하고, 필요에
따라 편곡하여 여러 사람이 함께 하는 음색과
화음의 조화를 만들어 간다. 음악적 지식, 총보
읽는 법, 뛰어난 청력 등이 필요하며, 단원들의
화합을 이끌어내는 통솔력을 갖추어야 한다.

25 | ① 뮤지컬의 구성과 형식을 파악하고, 각 분야에
해당하는 활동 내용을 살펴보고, 역할을 정한
다. 대본을 만들고, 노래 및 연기 연습을 하고,
최종 리허설을 한 뒤 발표 및 평가를 한다.

01	②	02	①	03	③	04	②	05	②
06	④	07	④	08	①	09	③	10	②
11	④	12	③	13	①	14	①	15	③
16	②	17	①	18	③	19	④	20	①
21	②	22	④	23	④	24	③	25	①

01 | ② *P* 는 피아노로 여리게라는 뜻의 기호이다.

조금 세게	세게	매우 세게
mf	*f*	*ff*
메조 포르테	포르테	포르티시모

02 | ① (나)의 음표는 16분 음표로, 같은 길이의 쉼표는 𝄾(16분쉼표) 이다.

03 | ③ Am 코드는 라도미로 3번 위치이다.

🔖 개념더보기 건반 마이너코드

메이저코드에서 3음(가운데음)을 반음 내려주면 마이너코드가 된다.

04 | ② #이 2개 있는 라장조의 곡이다.

05 | ② 겹 앞꾸밈음은 원음표의 앞에 작은 음표가 두 개 붙어 있는 것이다. 작은음표는 16분음표를 이용해 나타낸다. 겹 앞꾸밈음의 첫번째 작은 음표는 어떤 음정을 가지든 상관이 없지만, 두 번째 작은 음표는 원음표의 음정보다 1도 높거나 낮은 음정을 가져야 한다.

🔖 개념더보기 앞꾸밈음(짧은 앞꾸밈음, 긴 앞꾸밈음, 겹 앞꾸밈음)

짧은 앞꾸밈음 : 원음표 앞에 붙어있는 작은 음표에 사선이 그어져 있는 것을 말한다. 작은 음표는 주로 8분음표를 이용해서 나타낸다. 짧은 앞꾸밈은은 원음표의 음정보다 1도 높거나 낮은 음정을 갖는다.

긴 앞꾸밈음 : 원음표 앞에 작은 음표가 하나 붙어 있는 것을 말한다. 작은 음표는 원음표가 2분음표 일 때는 4분음표로, 원음표가 4분음표 일 때는 8분음표로 나타낸다. 긴 앞꾸밈음은 원음표의 음정보다 1도 높거나 낮은 음정을 갖는다.

겹 앞꾸밈음 : 원음표의 앞에 작은 음표가 두개 붙어 있는 것이다. 작은음표는 16분음표를 이용해 나타낸다. 겹 앞꾸밈음의 첫번째 작은 음표는 어떤 음정을 가지든 상관이 없지만, 두번째 작은 음표는 원음표의 음정보다 1도 높거나 낮은 음정을 가져야 한다.

짧은 앞꾸밈음

긴 앞꾸밈음

겹 앞꾸밈음

06 | ④ 이 악상에는 페르마타(늘임표)가 있고 크레센도(점점 세게)와 데크레센도(점점 여리게)도 있고 이음줄도 있다. 정답은 ④이다.

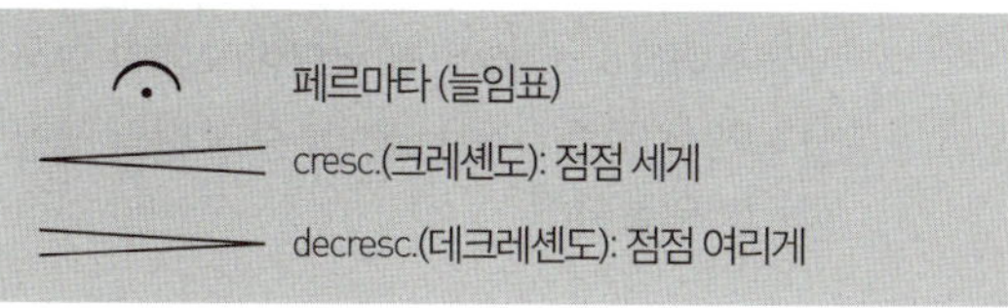

07 | ④ 레치타티보는 오페라의 구성 요소 중 하나로 대사를 말하듯이 노래하며 아리아의 앞이나 중간에 쓰인다. 극의 상황을 설명한다.

08 | ① 하이햇 심벌은 두 장의 심벌을 마주보게 놓고, 오른쪽 스틱으로 치며 페달로 열거나 닫아 연주한다.

드럼 연주자세
: 허리를 곧게 펴고, 의자에 앉는다. 왼발은 하이햇 페달 위에, 오른발은 베이스 드럼 페달 위에 올려 놓는다.

스몰 톰톰, 라지 톰톰
: 마디의 끝을 강조한다. 톰톰 중에서는 스몰 톰톰의 음 높이가 가장 높으며 그 다음은 라지 톰톰이 높다.

크래시 심벌
: 첫 박에 한 번씩 곡의 시작과 끝을 알리거나 강조 부분에서 쓰인다.

하이햇 심벌
: 두 장의 심벌을 마주보게 놓고, 오른쪽 스틱으로 치며 페달로 열거나 닫아 연주한다.

스네어 드럼
: 철사로 된 체인을 감아 떠는 소리가 난다. 리듬의 강세를 만드는 역할을 하며 주로 왼쪽 스틱으로 친다.

베이스 드럼
: 가장 낮고 큰 음을 내며, 오른발로 페달을 밟아 연주한다.

라이드 심벌
: 가볍고 아름다운 소리로 노래 중간에 하이햇 대신 쓰인다.

플로어 톰톰
: 노래가 끝나는 부분에 주로 사용하며 스네어와 함께 연주하기도 한다.

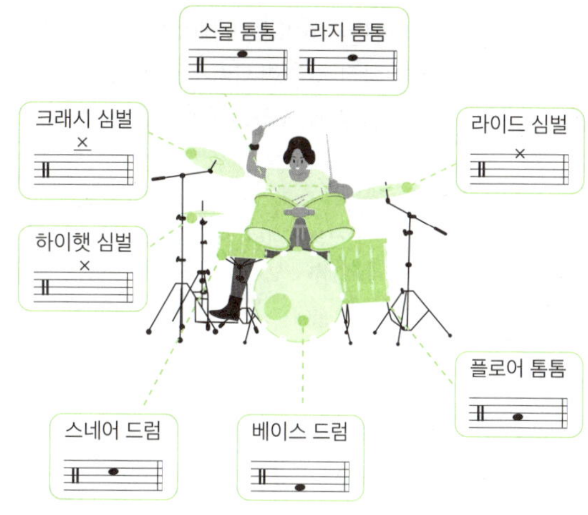

09 | ③ 8비트 리듬이다.

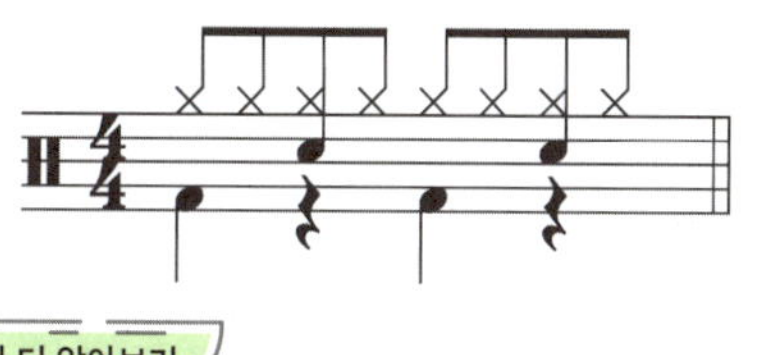

선지 1번은 4비트 리듬이다.

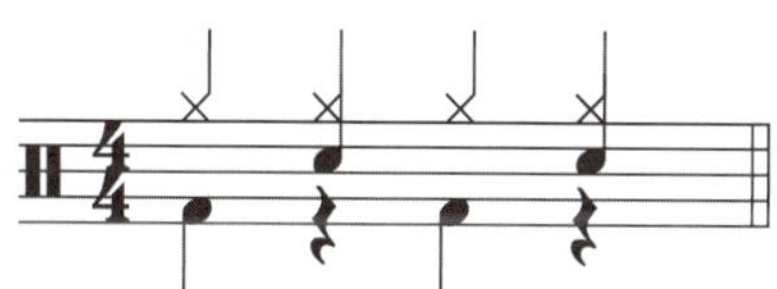

10 | ② 트럼본은 마우스피스, 슬라이드, 나팔꼴의 총 세 부분으로 이루어졌고, 슬라이드 관을 움직여 소리를 변화 시킨다. 트럼펫의 저음용으로 쓰인다.

11 | ④ 표현주의는 서양음악의 한 사조로, 객관적인 사실보다는 주관적인 감정과 느낌을 표현 한다. 모든 이전(특히 고전주의, 인상주의)의 기법들을 근본적으로 타파한다. 20세기 초 쇤베르크, 베베른 등에 의해 발전되었으며 오스트리아와 독일을 중심으로 일어났다. 불협화음을 주로 사용하고, 무조 음악의 영향을 받는다.

12 | ③ 소비자는 음악 상품을 최종적으로 구매하는 시장의 궁극적인 주체이다. 이러한 의미에서 소비자는 그 사회의 음악 문화 산업의 방향에 큰 영향을 미친다.

13 | ① 하프의 위치는 ㄱ이다. 이 배치도는 유럽식과 미국식의 장점을 결합시켜 제1바이올린, 제2 바이올린, 첼로, 비올라의 순으로 배치하는 절충식이다.

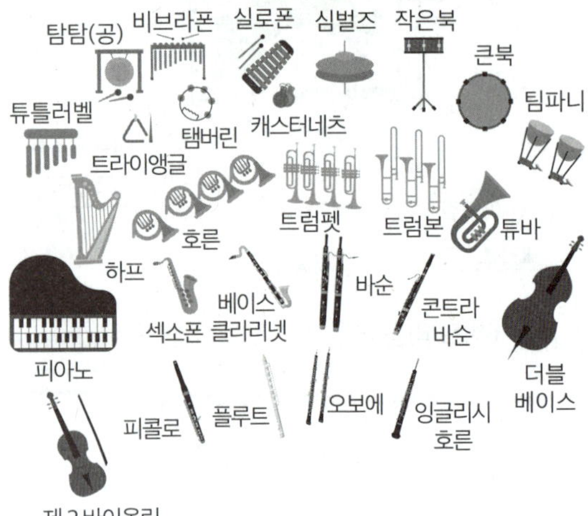

14 | ① 뮤지컬 "렌트"는 1996년 초연된 미국의 오프 브로드웨이 뮤지컬로, 90년대 록 뮤지컬 최고 의 히트작이다.푸치니의 오페라 라보엠을 현대화한 록 뮤지컬로 가난한 예술가들의 꿈과 열정, 사랑과 우정을 담았다. 대표곡은 <Seasons of Love>이다.

15 | ③ 르네상스는 고대 그리스의 인본 주의를 다시 부흥시킨다는 뜻에서 붙인 시대 이름이다. 상공업의 발달에 따른 시민 계급의 대두와 더불어 이탈리아를 중심으로 인본주의 문화 운동이 일어났다. 이러한 변화는 학문과 예술 분야 뿐만 아니라 사회 전반에 스며들었고, 점차 유럽 전역에 퍼졌다. 르네상스 시대에 음악적인 변화는 다성부 합창 음악(아카펠라)의 번성과 독립적 기악 음악의 태동이 있었다. 금속 활판 인쇄술이 발달 되어 악보 보급이 쉬워졌다. 작곡가는 뒤파이, 뱅슈아, 오케험, 조스캥, 이삭, 팔레스트리나, 라소, 조반니 가브리엘리 등이 있다.

16 | ② 영산회상은 9곡으로 구성된 조선 후기의 대표적인 합주 음악 중 하나이다. 현재는 모음곡 형태의 기악곡으로 연주되고 있다. <영산회상불보살>이라는 가사를 가진 불교 성악곡이었으나, 17세기 후반부터 기악곡으로 전해진다. 풍류방 음악인 <현악 영산회상>, 궁중 연례악인 <평조회상>, 무용 반주 음악인 <관악 영산회상>의 세 종류가 있는데, 이 중 <현악 영산회상>이 원형이다.

17 | ① <수궁가>는 판소리 다섯 마당 중 하나로, 용왕이 병이 들자 약에 쓸 토끼의 간을 구하기 위하여 자라는 세상에 나와 토끼를 꾀어 용궁으로 데리고 간다. 그러나 토끼는 꾀를 내어 용왕을 속이고 살아 돌아오는 내용이다. <토끼 타령>, <별주부 타령>라고 부르기도 한다.

18 | ③ 북과 장구는 혁부, 징은 금부, 박은 목부이다.

19 | ④ 아리랑, 판소리, 강강술래는 유네스코 인류 무형 문화유산으로 등재 되어 있다.

20 | ① <쾌지나 칭칭 나네>는 굿거리 장단이다.

21 | ② 이 부호는 덩이고 북편과 채편을 동시에 친다.

22 | ④ 메기고 받는 형식은 메기는 소리는 독창으로, 받는 소리는 여러 명이 제창으로 후렴구를 받아서 노래를 부른다.

23 | ④ 사물놀이는 사물, 꽹과리 · 장구 · 북 · 징의 네 가지 악기 놀이(연주)라는 의미이다. 풍물놀이를 무대용으로 재구성한 음악으로 1978년 김덕수 놀이패에 의해 처음으로 소개 되었다.

24 | ③ 조선 전기에는 세종이 정간보와 오음약보를 발명하고 신악(여민락, 보태평, 정대업 등)을 창제했다. 아악을 정비하고, 종묘 제례악의 기틀 마련 했으며, 음악 이론 책인 <악학궤범>을 편찬 했다.

25 | ① 서도 민요는 황해도와 평안도 지역의 민요를 포함한다. 하늘하늘한 콧소리가 특징이며, 큰 소리로 부르다가 콧소리를 섞어 잘게 떤다. <수심가>, <배따라기>, <몽금포타령>, <싸름> 등이 대표곡이다.

01	①	02	②	03	④	04	①	05	②
06	③	07	②	08	③	09	③	10	④
11	②	12	③	13	②	14	③	15	③
16	②	17	①	18	①	19	④	20	④
21	①	22	③	23	④	24	①	25	④

01 | ① 8분음표를 한박으로 한마디에 6박자가 들어가는 8분의 6박자의 곡이다.

02 | ② (나)의 음은 미인데 이 곡은 '시'와 '미'에 조표(내림표)가 있으므로 건반의 위치는 ⓒ이다.

03 | ④ 'O sole mio(나의 태양)'는 이탈리아 칸초네의 나폴리 민요이다. 칸초네는 '노래'라는 뜻으로, 이탈리아의 대중가요이다. 전통적인 칸초네는 멜로디가 밝고 내용도 사랑의 마음을 솔직하게 표현한 노래가 많다.

04 | ① 짧은 앞꾸밈음으로 앞의 꾸밈음은 짧게 본음은 본박자로 길게 연주된다. 반면 긴 앞꾸밈음은(꾸밈음에 사선 없음) 보통 원음표의 절반의 길이로 꾸밈음에 악센트를 넣어 연주한다.

개념 더 보기 꾸밈음

긴 앞꾸밈음 : 선율의 음과 같은 길이, 또는 그보다 긴 시가의 앞 꾸밈음. 악센트를 가짐.

기보 

주법 

짧은 앞꾸밈음 : 선율을 이루는 음 앞에 붙는 아주 짧은 꾸밈음. 악센트 없음. 작은 음표에 빗금을 그어 나타내며, 보통 그 작은 음표와 본음을 슬러로 잇는다.

기보 

주법 

겹 앞꾸밈음 : 선율을 구성하는 음의 앞에 붙은 **2음** 이상의 꾸밈음. 악센트는 주요음에 있다.

기보 

주법

05 | ② (나)의 음표는 2분음표로 2박자이며 ②번 (▬)이 2분 쉼표로 길이가 같다.

⚠ 선지 더 알아보기

① 16분 쉼표
② 2분쉼표
③ 8분쉼표
④ 4분쉼표

음표이름	쉼표이름	길이	박자
o 온음표	▬ 온쉼표		4박
2분 음표	2분 쉼표		2박
4분 음표	4분 쉼표		1박
8분 음표	8분 쉼표		1/2박
16분 음표	16분 쉼표		1/4박

06 | ③ 해당악기는 트럼펫이다. 트럼펫은 트롬본과 더불어서 금관악기 중에 가장 많이 쓰이는 악기로, 가장 높은 음을 낸다.

드럼 : 인류의 가장 오래되고 원초적인 타악기인 북의 한 종류이다. 이 악기를 다루는 연주자를 드러머라고 칭한다. 막대기나 손으로 때려서 소리를 내는 북 종류의 타악기를 총칭하는 단어이기도 하나, 흔히 드럼이라고 하면 드럼 세트를 뜻한다. 드럼의 대표적인 특징은 듣는 사람에게 곡에서 기준이 되는 "박자감"을 만들어준다.

첼로 : 서양의 현악기로 바이올린족에서 3번째로 큰 악기로 바이올린 바로 다음으로 인지도가 높다. 주로 중저음역을 담당하지만, 하이 포지션으로 가면 비올라 정도의 상당히 높은 음도 어렵지 않게 연주할 수 있으며 바이올린 수준의 매우 높은 음도 낼 수 있어 상당히 넓은 음역을 커버하는 악기이다.

클라리넷 : 서양음악의 대표적인 관악기들 중 하나이다. 자단나무 같은 경질 목재를 몸통 재료로 쓰므로 목관악기로 분류하고, 한 겹의 리드를 마우스피스 밑동에 감아 쓰기 때문에 싱글리드(단서) 악기로도 분류한다. 서양의 목관악기들 중 가장 개량과 보급이 늦었지만 오늘날에는 플루트 다음으로 인지도와 보급률이 높다. 클래식과 재즈, 블루스 등 다양한 분야에서 매우 중요한 역할을 담당하고 있다.

07 | ② 해당 음은 '가(라)'음으로 올림표, 내림표, 제자리표의 조표를 붙여 나타내었다. 보기 중 가장 높은음은 '가(라)'에서 반음을 올린 2번의 '라올림음'이다.(건반 참조)

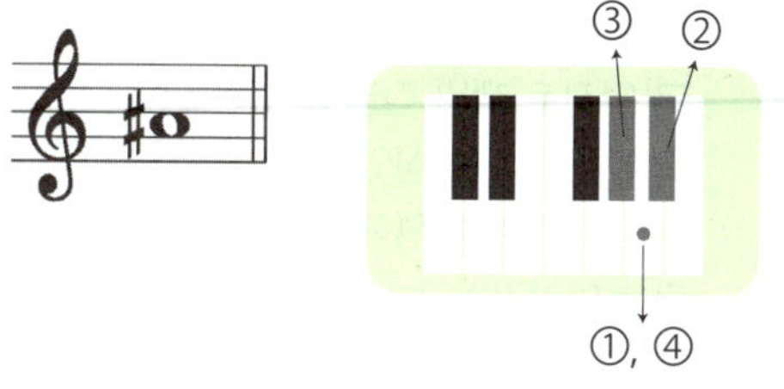

08 | ③ 플랫 2개가 있는 조성은 내림나장조이다.

09 | ③ 4/4 박자 젓기는 3번이다.

① 2/4박자
② 3/4박자
③ 4/4박자
④ 6/8박자

10 | ④ 보기 중 가장 짧은 것은 ④의 점 8분음표이다.
가 - 2분음표 : 2박자
나 - 4분음표 : 1박자
다 - 점2분음표 : 3박자
라 - 점8분음표 : 반박자반

음표이름	쉼표이름	길이	박자
𝅝 온음표	온쉼표		4박
♩ 2분 음표	2분 쉼표		2박
♩ 4분 음표	4분 쉼표		1박
♪ 8분 음표	8분 쉼표		1/2박
♬ 16분 음표	16분 쉼표		1/4박

11 | ② 뮤지컬 지킬 앤 하이드는 존재의 양면성을 다루는데 대표적인 OST는 <지금 이 순간> 이다.

12 | ③ 보기 중 공연이 끝나고 하는 활동은 커튼콜이다. 커튼콜은 공연이 끝나고 막이 내린 뒤, 관객이 찬사의 표현으로 환성과 박수를 보내 무대 뒤로 퇴장한 출연진들이 관객의 박수에 응하기 위해 무대 앞으로 다시 나와 출연자들이 최종인사를 하는 것이다. 뮤지컬은 공연이 다 끝난 후 커튼콜 때부터 촬영이 가능하다.

13 | ② 노동요는 민요의 기능에 따른 분류에서 노동, 곧 일을 하면서 부르는 민요를 말한다. 노동요는 공동체 구성원들이 집단적으로 노동을 하는 경우에 집중적으로 연행되는 경향이 있다. 노동요의 주요 기능이 집단을 조직적으로 통솔하여 일의 능률을 올리는 것이기 때문이다.

> **대취타** : 조선 시대 왕의 행차나 군대의 행진 등에 사용된 곡으로, 느리고 단순하면서도 위풍당당한 선율 진행이 특징이다. 집사의 신호에 따라 태평소, 나발, 나각, 용고, 징, 자바라 등의 악기로 연주한다.
> **종묘 제례악** : 국가 무형 문화재 제1호인 종묘 제례악은 조선 시대 역대 왕들과 왕비들에게 제사를 지내는 종묘 제례에서 연주하는 음악이다.

14 | ③ 동부는 태백산맥의 동쪽 지방 즉 경상도·강원도·함경도의 해안 지방의 민요를 총칭하는 말이다.

지역	동부민요의 대표적인 곡
경상도	<밀양 아리랑>, <쾌지나 칭칭 나네>, <울산 아가씨>, <보리타작 노래> 등
강원도	<강원도 아리랑>, <정선 아리랑>, <한오백년>
함경도	<신고산 타령>, <애원성>, <궁초댕기> 등

15 | ③ 강원도 아리랑은 엇모리 장단이다.

16 | ② 병주는 한국의 전통음악에서 두 악기가 나란히 연주되는 것으로, '2중주'에 해당된다. 단소와 생황, 양금과 단소, 당적과 운라, 거문고와 대금 등의 편성은 모두 아름답고 깨끗하고 병주로 유명하다. 그 중 생황과 단소의 이중주를 '생소 병주'라고 한다.

17 | ① 사물놀이는 사물 꽹과리 · 장구 · 북 · 징의 네 가지 악기 놀이(연주)라는 의미이다. ㄱ은 북이다.

18 | ① 장구는 한국 전통 타악기 중의 하나로 채로 치는 북이라는 뜻이다. 허리가 잘록하여 '요고'라고 불리기도 했다. 가죽으로 만든 두 개의 면이 있는 것이 특징이며 두드리는 위치와 방식에 따라 다양한 소리를 낼 수 있다.

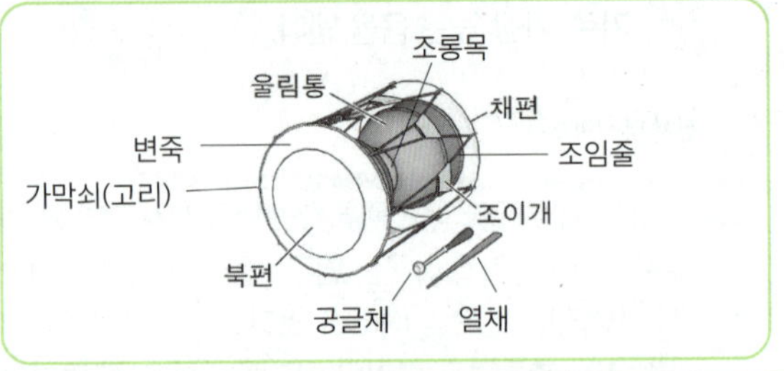

부호	구음	연주 방법
◐	덩	북편과 채편을 동시에 친다.
		덕	채편의 변죽이나 복판을 친다.
○	쿵	북편을 친다.
┆	더러러러	채편을 굴려친다.
╎	기덕	채편을 겹쳐친다.

19 | ④ 음성서는 통일 신라 시대에 궁중 음악을 관장하던 관청이다. 음악인을 궁에 상주시켜 연주 교육 등을 담당하게 했다.

20 | ④ 제비와 박씨라는 글자를 보아 흥보가임을 알 수 있다. 흥보가 또는 흥부가, 박타령, 흥부타령은 판소리 다섯 마당 중의 하나로 작자미상이다. 욕심 많고 심술궂은 형 놀보(놀부)와 마음씨 착하고 우애 있는 아우 흥보(흥부) 사이의 갈등이 주된 내용이다. 놀보는 부자로 살면서 아우를 내쫓는다. 쫓겨난 흥보는 갖은 고생을 한다. 어느 날 흥보가 부러진 제비 다리를 고쳐주자 이듬해 제비가 박씨를 물어다 줬는데, 박씨를 심었더니, 열린 박 속에서 온갖 보물이 나와 흥보는 부자가 되었다. 놀보는 더 부자가 되겠다고 억지로 제비 다리를 부러뜨렸다가 고쳐 주고 얻은 박씨를 심었다가, 박 속에서 나온 상전, 놀이패, 장수 따위에게 혼이 난 뒤 개과천선 한다는 이야기이다.

21 | ① 박은 6조각의 얇고 긴 판목을 모아 한쪽 끝을 끈으로 꿰어 폈다 접었다 하며 소리 낸다. 음악의 시종(처음과 끝)과 음절, 완급을 지시하며, 무작의 변화와 속도를 조절한다.

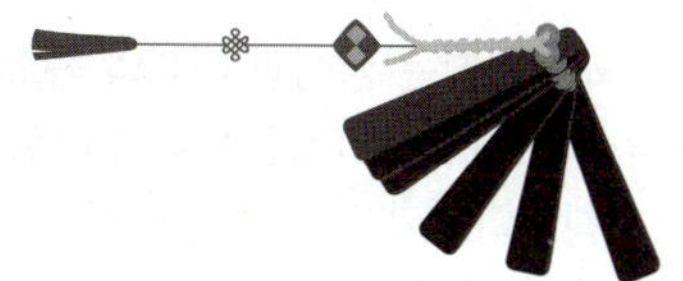

22 | ③ 카덴차는 협주곡에서 반주를 멈춘 동안 화려하고 기교적인 애드리브 혹은 그 풍을 살린 연주를 통해 독주자의 역량을 과시하는 대목이다. 흔히 독주자가 한 명인 협주곡이나 협주곡풍 작품에서 등장하며, 두 명 이상일 경우에는 작곡가가 직접 작곡해 넣는 경우가 보통이다.

23 | ④ 낭만주의는 서양음악에서 낭만의 표출과 심정의 주관적 표현을 중시한 19세기 유럽음악을 칭한다. 음악이 가장 활발했던 시기 중 하나이다. 1810년대부터 1920년대 사이로 간주되며, 흔히들 19세기 음악이라고 하면 이 시기를 통칭한다. 이 시기를 수식하는 데는 주관적, 개인적, 극단적, 비현실적, 초자연적과 같은 어휘가 붙으며, 고전주의에서 탈피하는 모습이 보인다. 고전주의 음악을 아폴론적 음악이라고 흔히들 일컫듯이, 낭만주의 음악은 디오니소스적 음악이라고들 한다. 중세를 모델로 하는 경우가 많다. 프랑스 대혁명 이후 인권과 개인주의에 영향을 받게 된다. 이 시기에는 다른 분야의 예술과 통섭적인 교류가 이루어지는데, 문학가나 화가들과 밀접하게 주제의식을 교류하는 면이 있다. 예술가곡(시＋노래)으로서 쇼팽, 프란츠 리스트, 슈베르트, 슈만, 요하네스 브람스 등이 아성을 떨쳤으며, 당시로서 이국적이라 평가받았던 스페인이나 튀르키예의 영향을 받기도 했다. 이 시기를 관통하는 유명한 음악으로 슈베르트의 Sonata en A minor Arpeggione D821이 있다.

24 | ① 인디 음악은 인디 뮤지션이 개인이나 소규모의 회사에서 자체적으로 제작하는 음악이다. 인디 음악의 뜻을 좀 더 구체적으로 설명하자면, 타인의 자본(제작자의 자본)에 종속되지 않고, 자신의 돈으로 직접 앨범을 제작하고, 홍보 역시 자신의 돈으로 하는 등 독립적으로 활동하는 뮤지션을 인디 뮤지션이라고 하고, 이들의 음악을 인디 음악이라고 한다. Indie라는 단어는 'Independent'에서 유래된 것으로 여기서의 독립은 '대형 기획사의 통제로부터 독립한'정도를 의미한다고 보면 된다.

25 | ④ 음악 평론가는 음악에 대한 전문적인 지식과 감각을 가지고 다양한 음악 작품을 분석하고 평가하는 역할을 수행한다. 이는 음악 팬들에게 음악을 더 깊이 이해하고 새로운 음악 작품을 발견하는데 큰 도움을 준다. 또한 음악 평론가는 음악 세계에서의 트렌드와 동향을 파악하고 예술적인 가치를 높이는데 기여한다. 음악 평론가의 역할은 다양하다. 첫째, 음악을 분석하고 평가함으로써 음악 작품의 가치를 판단한다. 둘째, 작곡기법과 음악 구조, 악기 연주 등 다양한 측면에서 음악을 분석하고 이를 평가하는 역할을 수행한다. 이를 통해 음악 작품의 장단점을 독자들에게 알림으로써 음악을 더 깊이 이해하고 평가할 수 있는 기회를 제공한다.

01	①	02	④	03	①	04	②	05	④
06	④	07	①	08	④	09	③	10	③
11	④	12	③	13	①	14	②	15	②
16	②	17	④	18	④	19	②	20	②
21	④	22	①	23	④	24	③	25	③

01 | ① 프레데리크 쇼팽(Frédéric Chopin)은 낭만주의 음악을 대표하는 폴란드 출신 작곡가이자 피아니스트인 그의 음악은 감정적 깊이와 기술적 정교함을 바탕으로 한 음악적 혁신을 이끌었다. 쇼팽은 피아노의 표현력을 극대화시키고, 피아노 음악을 고급화시키는 데 큰 영향을 미쳤다. 그는 피아노의 음색과 터치를 섬세하게 다루며, 피아노 음악의 한계를 확장했다. 쇼팽의 주요 작품은 녹턴이다. 쇼팽의 녹턴은 밤의 고요함과 감성을 표현한 곡들로, 부드럽고 서정적인 멜로디가 특징이고 특히 녹턴 Op.9 No.2가 유명하다. 쇼팽은 피아노 기술을 발전시키기 위해 연습곡을 작곡했는데 그 중 Op.10 No.3('슬픈 연습곡')은 그의 감정적 깊이를 보여주는 작품으로 유명하다. 또한 쇼팽은 왈츠의 형식을 이용하여 우아하고 경쾌한 음악을 작곡했다. 그의 왈츠 중 Op.64 No.2는 가장 유명한 곡 중 하나이다. 그리고 폴로네이즈는 폴란드의 전통 춤인 폴로네이즈를 바탕으로 한 작품으로, 특히 Op.53 "영웅"은 그의 대표작으로, 조국 폴란드에 대한 애국적인 감정이 담겨 있다.

02 | ④ 4번 보기인 비브라폰은 타악기 중 하나로, 금속으로 된 막대(건반 모양)를 두드려서 소리를 내는 멜로디 타악기이다. 실로폰이나 마림바와 생김새는 비슷하지만, 재질과 소리의 특징이 다르다. 떨리는 비브라토 효과가 특징이다. 서양음악에 사용되는 타악기는 일반적으로 일정한 음높이를 갖는 유율악기와 음높이를 갖지 않는 무율악기로 분류할 수 있다. 음높이를 가지는 타악기로는 팀파니, 실로폰, 비브라폰, 글로켓슈필, 마림바, 벨 등이 있으며 무율악기로는 드럼, 심벌즈, 트라이앵글, 탬버린 캐스터네츠, 우드블록 등이 있다.

03 | ① 혼성 4부 합창은 남성과 여성의 목소리가 함께 어우러져 네 개의 다른 성부로 나뉘어 노래하는 합창이다. 4개의 성부는 여자 목소리 중 가장 높은 음역대인 소프라노, 여자 목소리 중 낮은 음역대인 알토, 남자 목소리 중 높은 음역대인 테너, 남자 목소리 중 가장 낮은 음역대인 베이스가 있다.

04 | ② 플랫이 3개면 내림마장조이고, 시미라를 반음 내려서 쳐야한다. (가)의 계이름은 파솔파(미b)레(미b)이고, 건반으로는 ㄷㄹㄷ 미b ㄱ 미b이라서 ㄴ보기가 사용되지 않았다.

05 | ④ (나)a tempo(아템포)는 본디(원래) 빠르기로를 뜻하는 악상 표현이다.

빠르기를 나타내는 말

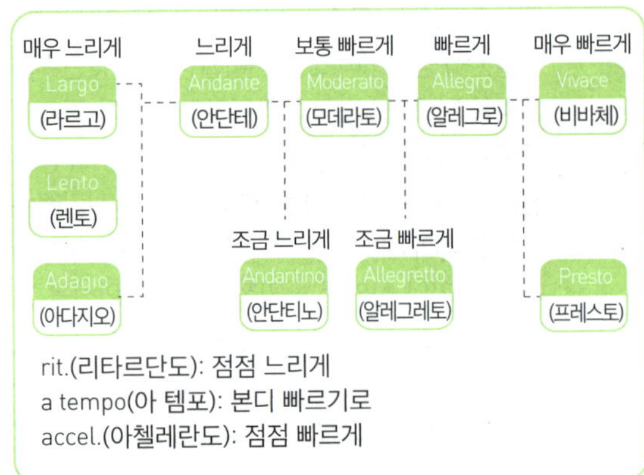

rit.(리타르단도): 점점 느리게
a tempo(아 템포): 본디 빠르기로
accel.(아첼레란도): 점점 빠르게

06 | ④ 스트로크는 손이나 픽으로 여러 줄을 동시에 쓸어내며 연주하는 주법이다. 리듬감을 살릴 수 있어 반주에 자주 쓰이며, 주로 코드 연주에 사용된다. 손으로도 할 수 있지만 일반적으로 픽을 사용한다.

07 | ①

㉠	♪	8분음표	\	반박자
㉡	♪.	점 8분음표	∨̇	
㉢	♫	셋잇단음표	∨	한박자

길이 비교: ㉠ < ㉡ < ㉢

08 | ④ 조표에 b이 하나 있으면 바장조이다.

샵이나 플랫이 아무것도 없는 것은 다장조

다장조

계이름	도(Do)	레(Re)	미(Mi)	파(Fa)	솔(Sol)	라(La)	시(Si)	도(Do)
음이름	C	D	E	F	G	A	B	C
	다	라	마	바	사	가	나	다

#:사라가마나바다

1개는 사장조, # 2개는 라장조, # 3개는 가장조, # 4개는 마장조, #5개는 나장조, # 6개는 올림바장조, # 7개는 올림다장조

b:바나마가라사다

플랫 1개는 바장조, 플랫 2개는 내림나장조, 플랫 3개는 내림마장조, 플랫 4개는 내림가장조, 플랫 5개는 내림라장조. 플랫 6개는 내림사장조, 플랫 7개는 내림다장조

09 ③ 한 마디에 4분음표를 1박으로 4박으로 이루어진다. 8분음표 셋잇단음표는 4분음표 길이다. 그래서 이 곡은 4/4박자이다.

10 ③ 인상주의는 19세기 말~20세기 초에 등장한 음악 사조로, 회화의 인상주의(모네, 르누아르 등)에서 영향을 받았다. 정확한 형태보다는 느낌(인상), 분위기, 색채를 중시한다. 감정을 섬세하게 표현하며, 꿈꾸듯 몽환적인 분위기를 자주 나타낸다.

1) 음악적 특징

- 전통적인 조성과 형식을 벗어남
- 독특한 음계 사용 : 전음계, 교회선법, 오음음계 등
- 하모니(화성)가 풍부하고 불안정함
- 리듬이 불규칙하고 자유로움
- 악기의 음색을 다양하게 활용하여 색채감을 표현

2) 대표 작곡가

클로드 드뷔시(Claude Debussy)
- 인상주의 음악의 창시자라 불림
- 대표 작품 : 《목신의 오후에의 전주곡》, 《달빛 (Clair de Lune)》, 《바다 (La Mer)》

모리스 라벨(Maurice Ravel)
- 드뷔시와 비슷하지만 좀 더 구조적이고 명확한 음악을 씀
- 대표 작품 : 《볼레로 (Boléro)》, 《거울》, 《쿠프랭의 무덤》

11 ④ 변주곡은 하나의 주제를 여러 방법으로 변화시켜 다른 가락으로 만드는 형식이다.

12 ③ 상송은 프랑스의 대중가요를 뜻하는 말로, 세계대전 이후에 유럽 뿐만 아니라 전 세계적으로 인기를 누리게 되었다. 대표곡으로는 《사랑의 찬가》, 《샹젤리제》가 있다.

⚠️ **선지 더 알아보기**

팝 : 'Popular music(대중음악)'의 줄임말로, 많은 사람들에게 널리 사랑받는 음악을 의미한다. 20세기 중반 미국과 영국을 중심으로 발전했으며, 지금은 전 세계적으로 가장 영향력 있는 음악 장르 중 하나이다.

교향시 : 19세기 낭만주의 시대에 나타난 관현악곡(오케스트라 음악)의 한 형식이다. 문학, 그림, 자연, 전설 등 이야기나 감정을 음악으로 표현한 곡이다. 보통 한 악장(단일 악장)으로 되어 있으며, 음악이 마치 시처럼 감정을 묘사한다.

13 ① 힙합은 1980년대 미국에서부터 유행하기 시작한 다이내믹한 춤과 음악의 총칭이다. 1970년대 후반 뉴욕 할렘가에 거주하는 흑인이나 스페인계 청소년들에 의해 형성된 새로운 문화운동 전반을 가리키는 말이다. 힙합을 이루는 요소로는 주로 네 가지, 랩 · 디제잉 · 그라피티 · 브레이크댄스가 거론된다.

14 | ② 서곡은 뮤지컬이 시작되기 전에 연주되는 기악곡이다. 오케스트라가 연주하며, 극이 시작되기 전 분위기를 조성하고 관객의 집중을 유도한다. 프로덕션 넘버는 뮤지컬 중간에 나오는 화려하고 대규모의 공연 장면을 말하는데 춤, 합창, 무대 연출이 결합된 시각적·음악적 하이라이트이다. 극의 줄거리를 진전시키거나, 캐릭터의 감정 폭발, 분위기 전환에 사용되고 관객에게 강한 인상을 남기는 장면 중 하나이다.

15 | ② 1-2-3-4-2-3-5-6 순으로 8마디를 연주하게 된다.

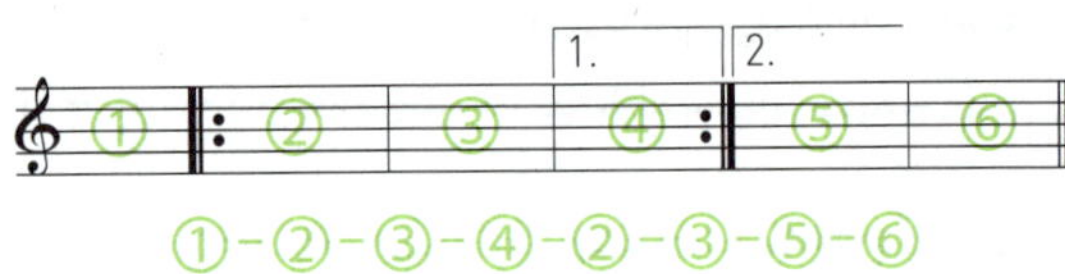

①-②-③-④-②-③-⑤-⑥

16 | ② 산조는 민속음악에 속하는 기악독주곡 형태의 하나이다. 조선 후기 19세기 말 김창조의 가야금산조를 효시로 거문고 산조, 대금 산조, 해금 산조, 피리 산조, 아쟁 산조 등으로 발전하였다. 산조를 연주할 때는 장구의 반주가 필수적이며, 처음에는 느린 진양조로 시작하여 점차 급한 중모리·자진모리·휘모리로 바뀌어 가며 병창과 대를 이루어 진행된다.

민요: 백성(민중, 일반 사람들)이 부르던 노래로, 오랫동안 구전(입으로 전해짐)되어 온 전통적인 노래이다. 즉, 특별한 작곡가가 만든 것이 아니라, 여러 세대를 거쳐 사람들이 자연스럽게 만들어 부른 생활 속의 노래이다.

판소리: 조선 후기에 서민들이 삶의 희로애락과 사회 풍자를 담아 즐겼던 1인극으로, 고수의 북장단에 맞춰 소리꾼이 소리, 아니리, 발림을 표현한다. 국가 무형 문화재 제5호이며, 2003년 유네스코 인류무형문화유산으로 지정되었다. 현재 ≪춘향가, 심청가, 수궁가, 흥보가, 적벽가≫의 다섯 마당이 전해진다.

17 | ④ 추임새는 소리(창)를 부르는 사람에게 장단 맞춰 넣어주는 짧은 말이나 감탄사이다. 판소리를 듣는 고수(북 치는 사람)나 관객이 흥을 돋우기 위해 넣는다.

소리: 고수의 장단에 맞춰 부르는 노래
아니리: 상황의 전개나 인물의 심정을 말하듯이 표현하는 것
발림: 몸짓으로 표현하는 동작이나 연기

18 | ④ (가)는 안족으로 각 줄 아래에 있는 작은 받침대다. 줄의 높이를 조절하고, 음 높이(피치)를 조절하는데 중요하다. 나무로 만들어졌고, 줄마다 하나씩 있다. 연주자가 안족의 위치를 옮겨 조율할 수 있다.

 가야금의 명칭

1) **좌단**: 가야금의 제일 오른쪽 머리부분으로 가야금을 연주할 때 이곳에 오른손의 옆면이 놓인다.
2) **현침**: 좌단을 따라 있는 약 1.5cm 정도 높이의 둥근 대이며, 12개의 홈이 파여 있어서 가야금의 12줄이 이 홈을 지나 뒤판 쪽의 돌괘에 각각 매여진다.
3) **안족**: 가야금의 줄을 받쳐주는 12개의 기둥으로서 가야금의 몸통위에 놓인다. 안족을 위, 아래(현침쪽 또는 부들쪽)로 움직여서 음을 높게 또는 낮게 한다. 기러기 발 모양을 닮았다하여 기러기발 또는 안족이라 부른다.
4) **부들**: 가야금 12줄을 고정시키기 위해 실로 꼬아 만든 줄, 한쪽 끝은 고리 모양으로 현침, 안족을 거쳐온 가야금 줄이 이 고리에 꿰어지며 다른 한쪽은 줄로서 '봉미 또는 양이두'의 구멍에 꿰어진다. 부들을 잡아당기거나 늦추어서 줄의 세기(장력)을 조절한다.
5) **학슬**: 부들의 실고리 왼쪽 밑 색사로 감긴 부분으로 학의 무릎같다하여 붙여진 이름.
6) **봉미와 양이두**: 가야금의 제일 왼쪽 끝부분으로, 가야금의 몸통에 덧붙인 12개의 구멍이 뚫린 나무판. 이 구멍에 부들이 꿰어진다. 산조가야금은 봉의 꼬리같다 하여 봉미, 풍류가야금은 양이두가 원래의 모습이다.

7) **돌괘**: 가야금의 현침부분 앞쪽에서 뒤쪽으로 나온, 줄을 고정시키는 괘. 오른쪽, 왼쪽으로 돌려서 미세한 음정의 차이를 조절한다.

8) **울림구멍**: 가야금의 뒷판에 나 있는 구멍으로 공명통의 역할을 한다. 풍류가야금은 뒤판을 넓고 길게 파내지만 산조가야금은 뒤판 가운데쯤에 손이 겨우 들어갈 정도의 작은 직사각형 크기의 구멍을 낸다. 중앙의 이 구멍 이외에 우주를 상징하는 뜻으로 해와 달 모양을 본뜬 구멍이 위, 아래에 각기 있는데 이것도 공명통의 구실을 하기도 한다.

9) **운족**: '구름다리'라는 뜻풀이로 뒷판 하단에 있어 가야금을 바닥에 고정시키는 구름문양의 틀이다.

산조가야금

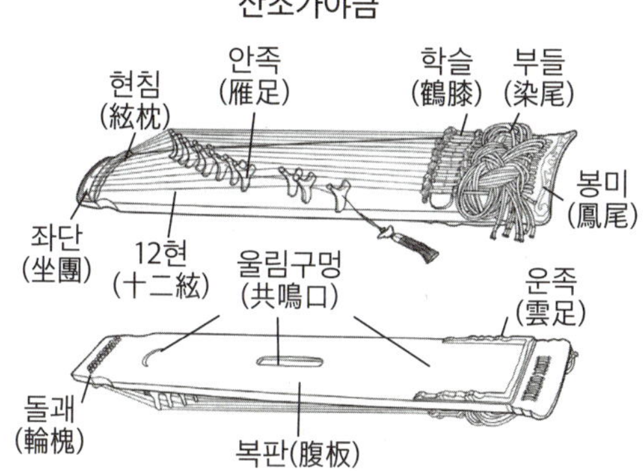

19 │ ② 가장 낮은 음은 중(仲)이다.

① 시작음은 중(仲)이다. 악보의 시작은 오른쪽 위고 악보는 오른쪽에서 왼쪽으로, 위에서 아래로 읽는다. 이 악보를 읽으면 "중임 중임무황 무황태" 이다.
③ 임(林)에 표시 되어있는 '^' 이 표시는 본 음을 부르기 전에 한 음 위의 음을 매우 짧게 치고, 곧 본 음으로 내려오는 장식음이다.
④ 정간 안의 율명은 음의 높이를 나타낸다.

 정간보와 율명

정간보
1) 세종이 만든 소리의 길이와 높이를 정확히 표시하기 위하여 만든 우리나라의 악보
2) 우물모양을 본떠 만들었다.

율명
1) 우리나라 음악에서 쓰는 음을 율이라고 하고, 그 이름을 율명이라고 한다.
2) 총 12개의 음이 있고, 정간보에 쓸 때는 율명의 첫 글자만 쓴다.
3) 기준이 되는 중성이 있고, 한 옥타브 높은 음역은 삼수변을 붙여서 표시한다.

중성	仲	林	無	潢	汰
	중	임	무	황	태

정간보 읽는 방법

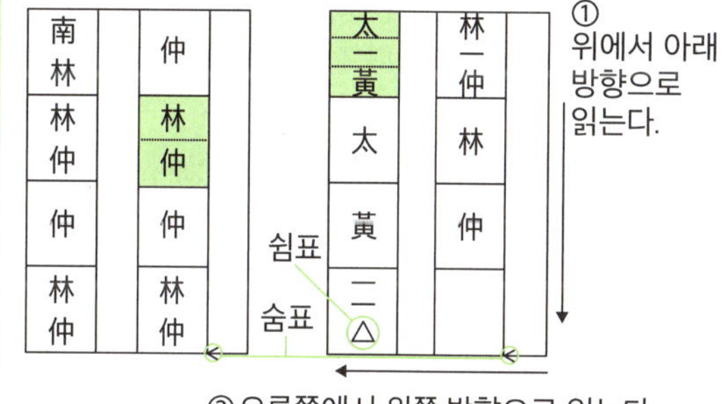

20 │ ② 남도 민요는 전라도와 경기 남부, 충청도 서부, 경상도 서·남부 지역의 민요를 포함한다. 극적이고 굵은 목을 눌러 내는 특유의 발성법을 사용하며, 특히 떠는 음의 농음과 꺾는 음의 처리는 상당한 기교를 요구한다. 진양·중모리·중중모리·자진모리 등의 장단을 사용한다. 남도 민요의 대표곡은 <진도아리랑>, <새타령>, <강강술래>, <육자배기>, <농부가> 등이 있다.

21 | ④ 채편을 치는 것은 덕으로 기호는 丨 이다. 이 악보를 읽으면 '덩 덕쿵덕덕쿵쿵덕쿵 쿵'으로 덕이 총 4회 있어서 채편만 치는 횟수는 4회이다.

장구 부호 및 연주법

한자 표기	부호	명칭	구음	양악보	연주 방법
雙 쌍	◐	합장단	덩		북편과 채편을 동시에 친다.
鞭 편	丨	채편	덕		채편의 변죽이나 복판을 친다.
鼓 고	○	북편	쿵		북편을 친다.
搖 요	⋮	굴림채	더러러러		채편을 굴려친다.
	丨	겹채	기덕		채편을 겹쳐친다.

22 | ① 소금은 우리나라 전통 관악기 중 하나로, 대나무로 만든 가로로 부는 피리(죽관악기, 죽부악기)이다. 크기는 대금보다 작고, 이름 그대로 "작은 피리"이다. 이 악기는 총 6개의 지공(손가락 구멍)과 1개의 청공(청을 붙이는 구멍)이 있다. 맑고 밝은 소리를 내고 때로는 약간 떨림이 있는 음색이고, 높은 음역을 주로 연주한다. 그래서 섬세하고 화려한 장식음을 넣을 수 있다.

23 | ④ 수제천은 백제 가요 <정읍사>를 노래했던 성악곡이었으나, 현재는 기악곡으로 전해진다. 4장으로 구성 되어 있고, 연음 형식으로 향피리 중심의 관악 합주로 연주한다. 처용무의 반주 음악으로 쓰인다.

> 창극 : 판소리를 극 형식으로 확장한 전통 음악극으로, 노래(창), 연기, 무대 미술이 어우러진 우리나라 고유의 종합 공연 예술.
> 대취타 : 조선시대 왕의 행차나 군대의 행진 등에 사용된 곡으로, 느리고 단순하면서도 위풍당당한 선율 진행이 특징이다. 집사의 신호에 따라 태평소, 나발, 나각, 용고, 징, 자바라 등의 악기로 연주한다.

24 | ③ 세종이 정간보를 창안하였고, 성종 때 악학궤범이 편찬되었다.

> - 대가야의 악사였던 우륵이 가야금 음악을 발전시켰다.
> - 퓨전 국악곡이 창작된 것은 1990년대 이후로, 국악＋서양 음악(팝, 재즈, 클래식 등)이 결합한 것이다.

25 | ③ 음악 저작물 이용 시 음악 소프트웨어를 정품으로 구매하고, 원곡을 리메이크할 때 저작권료를 지불한다. 또한, 개인이 구입한 음원을 블로그에 공유하면 안된다.

음악 저작물 이용 시 지켜야 할 사항

1) 허락 없이 무단 사용 금지
음악을 공연, 방송, 유튜브, 영상 배경음 등으로 사용할 때는 반드시 저작권자의 허락(이용허락)을 받아야 한다. 특히 상업적 목적이 있을 경우 더 엄격하게 적용된다.

2) 공정 이용(공정 사용) 조건을 지켜야 함
수업 시간처럼 교육 목적, 비영리적, 일부만 사용하는 경우에는 예외적으로 허용될 수 있음 (그러나 반드시 조건 충족 시)

3) 저작권료를 내야 하는 경우
노래를 부르거나 배경음악으로 사용하는 행위가 공연, 전시, 공개 방송 등에 해당하면 저작권료를 납부해야 함

4) 출처 명시하기
악보, 가사, 음원 등을 사용할 때는 누가 만든 것인지, 어디에서 가져왔는지를 반드시 밝히는 것이 예의이자 법적 의무

01	④	02	②	03	④	04	③	05	③
06	①	07	①	08	①	09	③	10	②
11	②	12	④	13	④	14	①	15	②
16	③	17	④	18	④	19	②	20	③
21	①	22	③	23	①	24	①	25	②

01 | ④ 그림에 있는 트럼펫, 트롬본, 호른은 모두 입김을 마우스피스에 불어 넣어 소리를 내는 금속 재질의 관악기로, '금관 악기'에 속한다.

♪ 개념 더 보기 금관악기

금속(주로 황동)으로 만들어지고, 마우스피스를 입에 대고 입술을 진동시켜 소리를 내는 관악기로 호른, 트럼펫, 트롬본, 튜바 등이 있다.

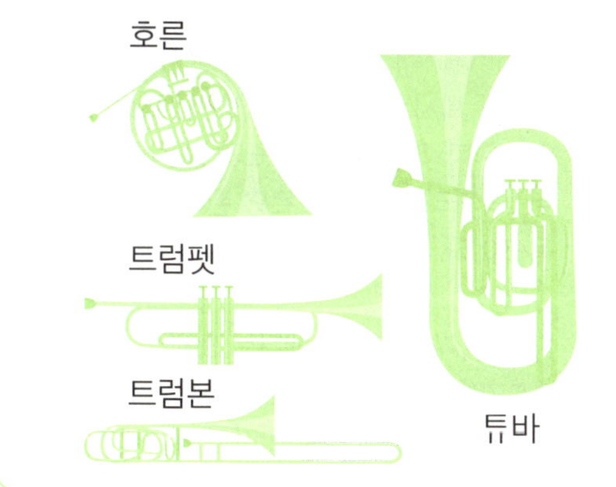

02 | ② 낮은 음자리표에서의 도는 다음과 같다. 그러므로 제시된 음표의 계이름은 '파'이다.

03 | ④ 왈츠는 독일과 오스트리아의 전통 춤곡이다, 3박자의 경쾌한 리듬이 특징이고 대표 작곡가에는 요한 슈트라우스('왈츠의 왕')가 있다.

범패: 절에서 재를 올릴 때 쓰는 불교 의식 음악, 가곡과 판소리와 함께 한국 3대 성악곡에 속한다.
승무: 승복을 입고 추는 한국의 전통무용, 흰 장삼에 붉은 가사, 흰 고깔을 쓰고 춤을 춘다.
삼바: 브라질 리우데자네이루의 흑인 문화에서 기원한 춤과 음악. 강한 리듬과 빠른 비트가 특징이다.

04 | ③ 1마디에 4분음표를 1박으로 4박이 들어 있으므로 이 악곡의 박자는 4/4이다.

♪	♪	♩	♩	𝅝
반의 반	반박	1박	2박	4박
16분 음표	8분 음표	4분 음표	2분 음표	온음표
＼	＼	∨	∨∨	∨∨∨
	♪.	♩.	𝅗𝅥.	
	점	1박 반	3박	
	∨	∨∨	∨∨∨	

05 | ③ Moderato(모데라토)는 이탈리아어로 '보통 빠르게'라는 뜻이다. 너무 느리지도, 너무 빠르지도 않은 중간 정도의 빠르기이다. 일상적인 템포의 곡에서 가장 자주 쓰이는 빠르기 말 중 하나이다.

♪ 개념 더 보기 빠르기를 나타내는 말

rit.(리타르단도): 점점 느리게
a tempo(아 템포): 본디 빠르기로
accel.(아첼레란도): 점점 빠르게

06 | ① p = *piano* = 여리게

pp = *pianissimo* = 매우 여리게로
p(여리게)보다 더 부드럽고 작게 소리를 내야
한다.

 셈여림을 나타내는 말

매우 여리게	여리게	조금 여리게	조금 세게	세게	매우 세게
pp	*p*	*mp*	*mf*	*f*	*ff*
피아니시모	피아노	메조 피아노	메조 포르테	포르테	포르티시모

cresc.(크레셴도): 점점 세게

decresc.(데크레셴도): 점점 여리게

07 | ① 고전주의는 18세기 후반~19세기 초 음악으로
형식·조화·균형을 강조 했다. 소나타 형식이 확
립되고 교향곡과 현악4중주가 발전했다. 대표
작곡가는 하이든과 모차르트, 베토벤이 있다.

민족주의 : 19세기 초 정치적 독립운동과 함께 출현해, 각
민족의 민요와 전통 리듬을 예술 음악에 적극 반
영하였다. 대표 작곡가로는 그리그, 스메타나,
드보르자크 등이 있다.

인상주의 : 19세기 말에서 20세기 초에 나타난 음악 사조로,
색채감과 음향, 순간적 인상과 분위기 표현을 중시
하였다. 대표 작곡가로는 드뷔시 라벨이 있다.

원시주의 : 19세기 말 후기 낭만파의 세련된 음악에 대한 반동
으로, 강렬하고 반복적인 리듬과 원초적 에너지를
강조하였다. 대표 작품으로는 스트라빈스키의 「봄
의 제전」이 있다.

08 | ① "너는 듣고 있는가 분노한 민중의 노래" 이 문
장은 레 미제라블 '민중의 노래(Do You Hear
the People Sing?)' 한국어 번역 가사다.

09 | ③ F 코드는 F - A - C 음으로 구성된다. 흰 건반
F(파)를 기준으로 그 위의 A(라)-장 3도, 그 위
의 C(도) 완전 5도를 쌓은 구조 이다.(세 개가
동시에 눌린 그림은 3번이다.)

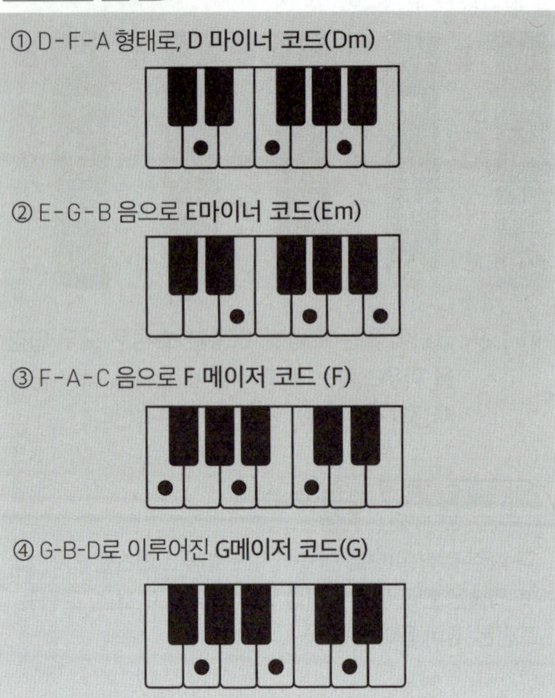

① D-F-A 형태로, D 마이너 코드(Dm)

② E-G-B 음으로 E마이너 코드(Em)

③ F-A-C 음으로 F 메이저 코드 (F)

④ G-B-D로 이루어진 G메이저 코드(G)

10 | ② (나)에 제시된 음표는 셋잇단음표로 1박자로
연주된다. 따라서 4분음표와 같은 길이의 음표
= 1박짜리 음표를 고르면 된다.선지 ②가 4분
음표이다.

11 | ② Fine : 여기서 곡을 끝낸다는 표시
D.C. (Da Capo) : "처음으로 돌아가라"는 뜻
도돌이표 (𝄇) : 그 부분을 다시연주
연주순서 : 1-2-3-4-5-6-5-6-7(D.C.)-1-
2(Fine)의 순으로 연주하여 11마디
로 연주하게 된다.

12 | ④ 그레고리오 성가는 중세 가톨릭 교회에서 사
용된 단선율·무반주·라틴어 가사로 이루어진
음악이다. 일정한 리듬이 없고, 경건하고 명상
적인 성격을 가진다.

발라드: 느린 템포의 서정적 분위기를 가진 대중가요 스타일의 노래로 멜로디 중심, 감성적 가사, 부드러운 호흡과 감정 표현이 특징이다.

소나타: 고전주의 시대에 정립된 기악곡 형식으로, 보통 3~4악장 구성된다. 제1악장에서 소나타 형식(제시-전개-재현)을 사용하는 것이 특징이다.

세레나데: 원래는 저녁에 연인을 위해 연주하던 예찬적이고 서정적인 음악이다. 고전·낭만 시대엔 관현악 또는 실내악 형태의 밝고 우아한 곡으로 발전했다.

13 | ④ 피아노와 현악기 두 대(바이올린 + 첼로)가 함께 연주하는 편성을 피아노 트리오(piano trio)라고 한다. 즉, 피아노 1, 바이올린 1, 첼로 1 → 피아노 3중주가 정확한 명칭이다.

금관 3중주: 금관악기(트럼펫 · 호른 · 트롬본 등) 3대로 이루어진 편성.

목관 3중주: 플루트 · 오보에 · 클라리넷 등 목관악기 3대로 구성.

현악 3중주: 바이올린 · 비올라 · 첼로로 이루어진 순수 현악 트리오.

14 | ① '경복궁 타령'은 대표적인 경기 민요이다. 맑고 밝은 창법, 서양식 장단과 조성에 잘 어울리는 음계를 사용 한다. 대표적인 경기 민유로 「아리랑」, 「노랫가락」, 「창부타령」, 「방아타령」 등이 있다.

개념 더 보기　지역에 따른 민요

서도민요

대표민요: <수심가>, <배따라기>, <몽금포타령>, <싸름> 등

콧소리를 내면서 잘게 '리' 음을 떨어 준다.
- 황해도와 평안도 지역의 민요를 포함한다. 하늘하늘한 콧소리가 특징이며, 큰 소리로 부르다가 콧소리를 섞어 잘게 떤다. 평안도 민요는 대부분 일정한 장단이 없으나, 황해도 민요는 주로 중모리 · 굿거리 등의 일정한 장단을 가지고 있다.

경기민요

대표민요: <아리랑>, <도라지타령>, <천안 삼거리>, <늴리리야>, <한강수타령>, <경복궁타령> 등.
- 부드럽고 서정적이며 차례가기의 가락 진행이 많다.
- 경기도와 서울, 충청도 일부 지역의 민요를 포함한다. 맑고 경쾌하며 분명하고 부드러우며, 유창하고 서정적이다. 주로 세마치 · 굿거리장단을 빠른 한배로 부르기 때문에 경쾌하다.

동부민요

대표민요: <강원도아리랑>, <한오백년>, <옹헤야>, <쾌지나 칭칭 나네>, <밀양아리랑> 등
- 선율이 올라갈 때는 뛰어가기가 많으나, 내려올 때는 차례로 진행된다.
- 함경도, 강원도, 경상도 지역의 민요를 포함한다. 함경도와 강원도 민요는 슬픈 애원조의 음악이 대부분인 반면, 경상도 민요는 밝고 경쾌한 음악이 주를 이룬다.

남도민요

대표민요: <진도아리랑>, <새타령>, <강강술래>, <육자배기>, <농부가> 등
- 떠는음, 평으로 내는 음, 꺾는음을 사용하여 구성지게 부른다.
- 전라도와 경기 남부, 충청도 서부, 경상도 서 · 남부 지역의 민요를 포함한다. 극적이고 굵은 목을 눌러 내는 특유의 발성법을 사용하여, 특히 떠는음의 농음과 꺾는음의 처리는 상당한 기교를 요구한다. 진양 · 중모리 · 중중모리 · 자진모리 등의 장단을 사용한다.

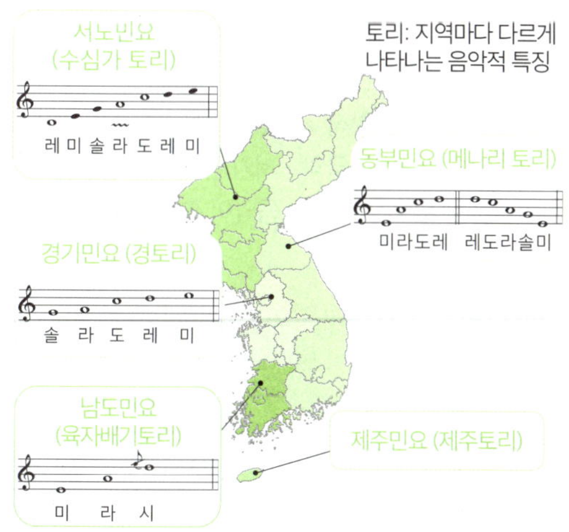

15 | ② (가) 의 구음은 '덩 덩 덩 덩 덕쿵덕' 이다. 그러므로 덩의 연주 횟수는 4회이다.

16 | ③ 석부는 악기를 재질 기준으로 분류한 팔음(八音) 체계 중 '돌(石)'로 만든 악기 부류를 말한다.단단한 돌을 깎아 음판이나 공명체를 만들며, 맑고 청아한 타격음을 내는 것이 특징이다. 석부 악기의 대표적인 악기는 편경과 특경이다.

편경 : 음높이가 다른 16개의 돌판을 매달아 연주하는 대표적 석부 악기.

특경 : 의례 시작·종료 신호로 사용하는 큰 돌판 악기.

단소 : 대나무로 만든 세로로 부는 관악기(죽부)
장구 : 가죽으로 만든 양면 타악기(혁부)
가야금 : 열두 줄의 현악기(사부)에 속하는 한국 대표 현악기

17 | ④ 삼현(三絃) : 가야금, 거문고, 향비파 → 3개의 줄악기
삼죽(三竹) : 대금, 중금, 소금 → 3개의 대나무 관악기

병창 : 한 사람이 악기를 연주하면서 동시에 노래하는 형태
수제천 : 고려와 조선시대 궁중에서 연주된 정재 반주 음악(향악)
영산회상 : 조선 후기 발전한 기악 독주와 합주곡 모음

18 | ④ 근·현대 음악의 특징
서양 음악 이론·합창·관현악 등이 본격적으로 도입되고, 일제강점기·광복·전쟁 이후 국악 보존 및 창작 기관(국립국악원 등)이 설립되었으며, 전통 국악+서양 음악+대중음악이 융합된 새로운 형태의 음악이 활발히 창작되었다.

상고 시대 : 음악의 기원적 형태로 제천행사나 주술적 음악 중심
고려 시대 : 대성악·당악·향악이 체계화되었으며 아악이 전래됨
조선 시대 : 세종대왕의 아악 정비, 악학궤범 정리, 악기 제작 발전 등이 특징

19 | ② 시조는 조선 시대부터 전승된 정가(正歌)의 한 갈래로, 시조 시(3장 형식)를 가사로 사용한다. 반주는 주로 대금·장구 등이 쓰이며, 그림 속 연주 편성과도 일치한다. 대표적인 시조 성악곡은 「동창이 밝았느냐」, 「청산리 벽계수야」가 있다.

농악 : 농사 공동체에서 연행되는 타악 중심의 야외 음악(꽹과리·장구·북 등).
생소병주 : 생황과 소금이 함께 연주하는 기악 합주곡(병주 형태).
레치타치보 : 서양 오페라에서 대사처럼 말하듯 노래하는 창법.

20 | ③ 시김새는 한국 민요·정가·판소리 등에서 사용되는 음의 꾸밈 기법을 말한다. 떠는 소리(요성), 꺾는 소리(전성), 미는 소리, 평으로 내는 소리 등이 대표적 요소이며, 한국음악 특유의 맛과 표현력을 만들어준다.

대취타 : 조선시대 군례·의식에서 연주한 관악·타악 중심의 행진 음악.
벨칸토 : 이탈리아 오페라 전통의 아름다운 성악 발성법.
스타카토 : 서양 음악에서 음을 짧게 끊어 연주하는 기호.

21 | ① 중(仲) : 1-4공 닫기
임(林) : 1-3공 닫기
무(無) : 1-2 공 닫기
황(潢) : 1공 닫기
태(汰) : 모두 다 열기
따라서 그림의 율명은 중(仲)이다.

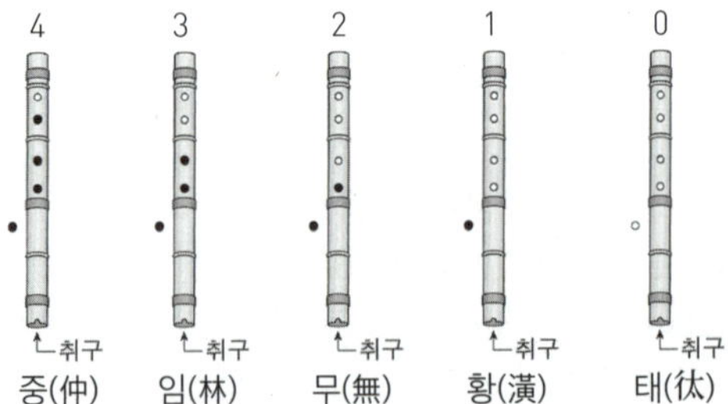

22 | ③ 리메이크는 기존 노래를 바탕으로 하되, 편곡을
한다. 악기 구성이나 리듬, 스타일 변화를 통해 새
로운 버전으로 다시 녹음 해 발표하는 것이다.

라임 : 시나 랩 가사에서 끝소리의 운율이 반복되는 현상
푸가 : '도주'를 뜻하는 이탈리아어에서 유래한 대위법적 모
방 형식의 다성악 형식으로, 한 주제가 여러 성부에
차례로 '모방(답변)' 되며 얽히는 구조가 핵심이다.
아 카펠라 : 악기 반주 없이 목소리만으로 연주하는 방식

23 | ① 비틀스(Beatles), 롤링 스톤즈(Rolling Stones)
는 록의 대표 밴드이다.
록 밴드 구성
= 보컬＋일렉트릭 기타＋베이스＋드럼
따라서 (㉠)은 록이다.

탱고 : 유럽에서 아르헨티나와 우루과이로 이주한 이주민
들로부터 시작된 민족음악이다. 보통 2대의 바이올
린, 피아노, 더블베이스 그리고 반도네온에 의해 연
주된다. 탱고 음악은 탱고 춤과 함께 세계적으로 유
명하다. 기본적인 리듬은 2/4박자이다.
트로트 : 한국의 대중가요 장르 중 하나로, 꾸밈음과 3연음
느낌의 리듬이 특징
사물놀이 : 꽹과리, 장구, 북, 징으로 연주하는 한국의 타악
합주

24 | ① 공연 기획 단계에서는 어떤 주제로 공연할지,
어떤 무대 구성, 편성, 스토리로 만들지, 공연
날짜와 장소, 예산 등을 결정한다.

공연 발표 : 공연을 실제로 무대에서 연주와 노래로 실현하
는 단계
공연 연습 : 출연자들이 공연을 위해 곡 연습과 앙상블 훈련
을 하는 단계
공연 평가 : 공연 후 관객 반응과 완성도, 개선점 등을 분석
하는 단계

25 | ② 연주자는 악기(기타, 피아노 등)를 연주하거나 노
래와 연기를 통해 음악을 실현하는 직업군이다.
기타리스트 → 악기 연주자
피아니스트 → 건반 연주자
뮤지컬 배우 → 노래·연기·무용을 포함한 무
대 실연자
이 직업들은 모두 '연주자'의 범주 안에 속한다.

기자 : 기사를 쓰는 직업
평론가 : 음악 작품을 분석하고 평가하는 직업
음반제작자 : 음반 기획과 제작을 담당하는 사람(프로듀서
의 역할도 포함)

고등학교 졸업학력
검정고시

미술
정답 및 해설

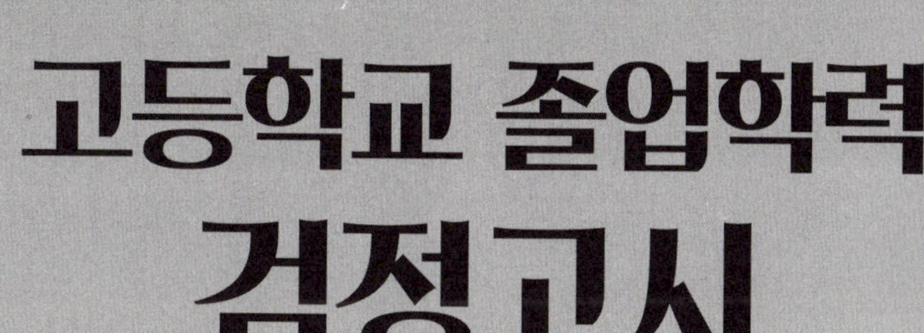

정답표

2021년 1회

01	③	02	③	03	④	04	③	05	③
06	②	07	①	08	④	09	②	10	④
11	③	12	①	13	①	14	③	15	②
16	④	17	②	18	④	19	①	20	②
21	③	22	④	23	②	24	④	25	①

2021년 2회

01	①	02	③	03	③	04	④	05	①
06	①	07	②	08	③	09	④	10	②
11	④	12	③	13	②	14	③	15	④
16	④	17	④	18	①	19	④	20	①
21	①	22	③	23	③	24	②	25	③

2022년 1회

01	③	02	④	03	①	04	④	05	②
06	②	07	①	08	②	09	①	10	④
11	④	12	③	13	①	14	①	15	③
16	④	17	②	18	③	19	②	20	④
21	④	22	③	23	②	24	③	25	②

2022년 2회

01	③	02	①	03	③	04	④	05	②
06	④	07	①	08	②	09	①	10	④
11	①	12	③	13	②	14	②	15	③
16	④	17	②	18	③	19	①	20	④
21	①	22	④	23	②	24	④	25	③

2023년 1회

01	③	02	④	03	④	04	②	05	④
06	②	07	①	08	③	09	④	10	②
11	①	12	③	13	②	14	②	15	③
16	④	17	①	18	③	19	①	20	①
21	②	22	③	23	②	24	④	25	①

2023년 2회

01	②	02	②	03	④	04	①	05	③
06	④	07	②	08	①	09	②	10	④
11	②	12	②	13	③	14	③	15	④
16	④	17	③	18	③	19	④	20	①
21	②	22	①	23	④	24	③	25	①

2024년 1회

01	②	02	④	03	④	04	①	05	②
06	③	07	②	08	④	09	④	10	①
11	②	12	③	13	②	14	②	15	①
16	①	17	④	18	④	19	①	20	③
21	②	22	②	23	④	24	①	25	④

2024년 2회

01	①	02	③	03	②	04	③	05	④
06	②	07	③	08	④	09	③	10	②
11	④	12	③	13	④	14	①	15	②
16	①	17	④	18	①	19	④	20	②
21	④	22	③	23	①	24	③	25	①

2025년 1회

01	③	02	①	03	①	04	②	05	①
06	③	07	④	08	③	09	④	10	④
11	①	12	①	13	④	14	②	15	④
16	②	17	④	18	③	19	④	20	③
21	②	22	④	23	②	24	①	25	②

2025년 2회

01	①	02	②	03	②	04	②	05	④
06	③	07	④	08	②	09	②	10	②
11	②	12	④	13	③	14	③	15	④
16	③	17	④	18	①	19	④	20	③
21	②	22	③	23	①	24	③	25	②

정답 및 해설

01	③	02	③	03	④	04	③	05	③
06	②	07	①	08	④	09	②	10	④
11	③	12	①	13	①	14	③	15	②
16	④	17	②	18	④	19	①	20	②
21	③	22	④	23	②	24	④	25	①

01 | ③ 조형 원리 중 하나인 통일은 화면에 질서를 부여하는 것으로, 정돈되고 안정된 느낌을 준다.

🔍 개념 더 보기   조형원리

조형 원리는 조형 요소를 유기적으로 조직하여 내적 질서를 부여하는 것으로, 통일, 균형, 조화, 비례, 율동, 변화, 강조, 동세 등이 있다.

통일: 화면에 질서를 부여하는 것으로, 정돈되고 안정된 느낌을 준다.

변화: 크기나 형, 색채 등을 서로 다르게 표현하여 다양함을 주는 것으로 지나치면 산만하다.

대비: 두 가지 이상의 요소를 비교하여 어울리게 하거나 반대되는 요소를 조화롭게 배치해 표현한다.

균형: 어느 한 쪽으로 치우치지 않는 시각적 무게의 평형과 안정을 이룬 상태를 말한다.
- 대칭균형(균제): 상하좌우의 형, 색, 크기가 같아서 균형이 된 상태이다.
- 비대칭균형(불균제): 형, 색, 크기 등은 다르지만 어느 쪽에 치우치지 않고 균형이 된 상태이다.

율동: 조형 요소의 반복과 점진으로 생기는 질서의 흐름으로, 리듬감과 운동감을 느낄 수 있다.
- 반복: 동일한 모양과 색이 연이어 나타나는 것을 말한다.
- 점증 · 점이: 크기, 간격, 굵기, 색 등이 점점 증가하거나 옮아가는 것을 말한다.

동세: 작품에 나타나는 운동감과 생명감, 대상의 움직임, 방향감을 말한다.

강조: 특정 부분을 강하게 표현하여 시선을 집중시키는 요소로 긴장감을 준다.

비례: 길이의 장단, 부분과 부분, 전체와 부분의 크기나 관계, 면적, 부피 등의 상대적 비율을 통해 아름다움을 만들어 낼 수 있다.

02 | ③ 유리 공예품은 단단하고 아름다운 광택을 항상 유지 할 수 있으며 자유롭게 색을 입히거나 형태를 만들 수 있다. 하지만 온도의 급격한 변화나 외부의 충격에 약하고 깨지기 쉬운 단점이 있다.

03 | ④ 아크릴 물감은 합성수지로 만든 재료로 접착력이 강하고 건조가 빠르며 내구성이 강하다. 아크릴화는 1930년대 멕시코에서 벽화 제작을 위해 만들어진 것으로, 발색과 혼색이 좋고 사용이 간편하다. 물을 많이 섞으면 수채화 느낌을, 덧칠하면 유화 느낌을 줄 수 있다. 일단 굳으면 피막이 형성되므로 물이나 기름에 녹지 않는다. 녹이려면 아세톤을 사용한다.

04 | ③ 그림자 애니메이션은 종이를 오려서 만든 캐릭터를 유리판에 펴 놓고 그 밑에서 조명을 비추면 검은 형태(그림자)가 생기는데, 이 그림자를 조금씩 움직여 가면서 한 컷씩 촬영을 하여 연속적으로 영사하므로서 움직임을 만들어 내는 애니메이션 기법이다. <로테 라이니거의 아크메트 왕자의 모험>이 이 기법의 초기 유명작품이다.

⚠ 선지 더 알아보기

클레이 애니메이션

: 철사나 골격 구조에 점토를 입혀 모델을 조금씩 움직이며 촬영해 제작한다. 배경 세트와 등장인물의 연속적인 동작을 자유롭게 표현할 수 있는 찰흙이나 지점토를 이용하여 한 컷씩 촬영한 후 연결하여 움직임을 나타낼 수 있다. 캐릭터의 섬세한 질감과 움직임을 표현하기에 좋다.

05 | ③ 서각은 책을 찍기 위한 인쇄용 목판본이나 건물의 현판처럼 나무나 돌 위에 문자를 새기거나, 새겨 낸 것이다.

06 | ② 낭만주의는 19세기의 미술로 강렬한 색채와 동적인 구도를 강조하였으며, 이국적인 소재와 색채에 관심을 가졌다. 대표 작가로 제리코, 들라 크루아가 있다.

07 | ① 문자도는 민화의 한 종류로 글자의 의미와 관계 있는 고사 등의 내용을 한자 획 속에 그려 넣어 서체를 구성한 그림이다. 유교적 교훈의 내용을 가진 문자도와 기복신앙적 측면을 강조한 문자도로 나누어 볼 수 있다.

▲ 작가 미상(조선) 문자도 '효(종이에 채색 / 74.2×42.2cm / 조선후기) 글자에 설화의 내용을 대표하는 상징물을 그려 넣어 그림과 문자의 조화를 선명한 색채로 표현하였다.

① 작자 미상(한국) 문자도 (종이에 채색 / 62.5×32.5cm / 조선시대)
② 이재열(1969~ / 한국) 문자도 (캔버스에 아크릴릭/45×45cm/2012년) | 재미있는 캐릭터를 이용하여 문자를 소재로 한 민화를 생동감 있게 재창조하였다.

08 | ④ 확대는 작품의 크기를 감상하는 사람보다 크게 하는 것으로, 발상을 위한 다양한 시도 중 하나이다.

발상을 위한 다양한 시도

확대와 축소 : 사물이 지닌 본래의 크기를 확대, 축소한다.
투시 : X선 촬영을 통해 관찰 한다.
반사와 왜곡 : 구슬, 물 등에 비쳐 왜곡된 모습을 만들어낸다.
절단 : 대상의 단면 등을 잘라본다.
원시 : 멀리서 관찰한다.
분해와 집합 : 대상을 분해하거나 한곳에 모아 본다.
의인화 : 사물이나 무생물에 사람처럼 생명력을 부여한다.
착시 : 시각적인 착각을 유도한다.
뒤집어 생각하기 : 상식을 뛰어넘어 다르게 또는 반대로 생각해 본다.

09 | ② 과학은 미술가들에게 새로운 주제와 재료를 제공하였으며 상상 속에만 머물렀던 아이디어를 작품으로 표현할 수 있게 하였다. 미술가들은 의학, 물리학, 생물학, 지리학 등 다양한 분야의 지식을 융합한 작품을 제작하여 미술의 영역을 넓히고 있다. 그 중 라이트 아트는 빛의 효과를 활용해 시각 이미지를 창조하려는 실험에 의해 탄생했다.

10 | ④ 포토 콜라주는 인쇄된 사진을 오려서 대지에 붙여 맞추는 수법이다. 현재에는 이것들을 복사하거나 또한 인쇄기술을 도입해서 새로운 시도를 하고 있다. 포토 몽타주에 선행해서 1920년대부터 30년대에 걸쳐 가장 유행했다. 환상이나 풍자적인 표현효과를 얻을 수 있다.

스크래치 : 밝은 색 크레파스나 색연필 등으로 칠한 다음 어두운 색을 덧칠하여 송곳이나 칼끝으로 긁어서 바탕색이 나오게 하는 회화 기법
프로타주 : 오목하거나 볼록한 물체에 종이를 대고 색연필, 크레용 등으로 문질러 거기에 베껴지는 무늬나 효과를 얻는 회화 기법
데칼코마니 : 종이 위에 물감을 두껍게 칠하고 반으로 접거나 다른 종이를 덮어 찍어서 대칭적인 무늬를 만드는 회화 기법

11 | ③ 증강현실은 현실의 이미지나 배경에 3차원 가상 이미지를 겹쳐서 하나의 영상으로 보여주는 기술이다.

픽토그램 : 픽토(Picto)와 전보를 뜻하는 텔레그램 (Telegram)의 합성어로, 사물과 시설 그리고 행동 등을 상징화하여, 불특정 다수의 사람들이 빠르고 쉽게 이해할 수 있도록 나타낸 시각 디자인이다.

12 | ① 오방색은 우리나라의 전통색으로 다섯 방위를 상징하는 색이다. 동쪽은 청색, 서쪽은 흰색, 남쪽은 적색, 북쪽은 흑색, 가운데는 황색이다.

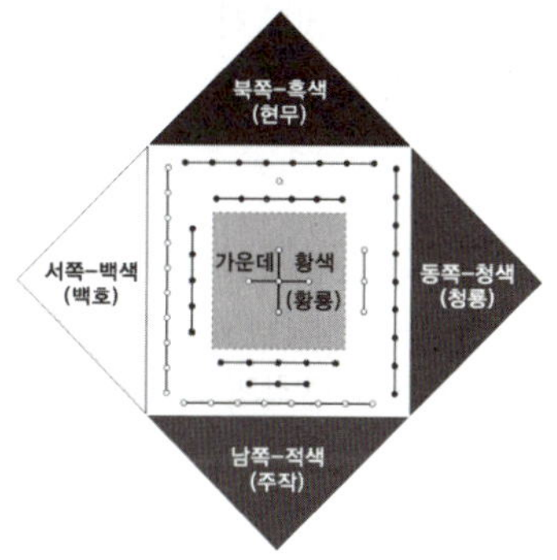

13 | ① 비디오아트는 텔레비전 모니터, 비디오 장치 등 멀티미디어를 표현 매체로 활용하였다. 대표 작가로 백남준, 소니어가 있다.

14 | ③ 인포그래픽은 정보와 그래픽의 합성이다. 관찰이나 측정으로 얻어지는 값이나 사실을 데이터라 하며, 정보는 데이터를 분석, 관리, 구조화하여 특정 목적에 맞게 만든 의미 있는 지식 또는 자료를 말한다. 이러한 정보를 시각적으로 표현하여 더욱 직관적으로 이해할 수 있게 해주는 것이 인포그래픽이다. 인포그래픽은 쉽고 빠른 정보의 전달 뿐만 아니라 심미성까지 지니고 있어 현대 사회에서 새로운 시각 문화로 표현되고 있다.

마스코트 : 행운을 가져온다고 믿는 물체, 사람, 동물을 가리키는 용어이다.
캐리커처 : 인물을 익살스럽게 과장하여 표현한 그림이다.
컬리그래피 : 좁게는 서예를 가리키고 넓게는 활자 이외의 서체를 뜻하는 말로 글자를 아름답게 쓰는 기술을 말한다.

15 | ② 세한도는 조선 말기의 사대부 서화가 완당 김정희가 1844년 제주도 유비지에서 수묵으로만 간략하게 그린 문인화이다. 유배지에 있는 자신을 도와준 제자 이상적의 인품을 날씨가 추워진 뒤에 제일 늦게 낙엽지는 소나무와 잣나무의 지조에 비유하여 그려 준 것이다.

16 | ④ 스트리트 퍼니처는 쉽게 말해 거리의 가구라는 뜻이다. 공원이나 광장 등 시민들이 공동생활을 하는 공동 공간에 존재하는 다양한 목적으로 설치된 시설물이다. 과거에는 가로등이나 정류장, 공중 전화, 우체통. 쓰레기통 등의 여러 시설물을 도시 미관이나 보행자에 상관 없이 설치하였으나 이들을 가구의 개념으로 바꾸어 디자인이나 배치된 후의 도시 미학적인 관점을 적용하자는 뜻에서 시작 되었다.

그래피티 : 그래피티(Graffiti art)는 벽이나 그밖의 화면에 낙서처럼 긁거나 스프레이 페인트를 이용해 그리는 그림을 말한다. 어원은 '긁다, 긁어서 새기다.'라는 뜻의 이탈리아어 'Graffito'와 그리스어 'Sgraffito'에서찾을 수 있다. 그래피티의 유래를 찾아 보면 뉴욕의 할렘에서 시작된 것으로, 주로 사회 반항적이거나 인종차별주의를 신랄하게 비판하는 메시지를 담고 있는 그림들이 많다
인테리어 : 실내공간을 벽면이나 천장면, 그 안에 놓이는 가구 등을 기능적이고 조형적으로 정리하는 것이다.
슈퍼그래픽 : 건축물이나 인공 구조물의 큰 벽면을 그래픽 디자인으로 장식 하는 것이다.

17 | ② 그리스 헬레니즘 조각이 인도 간다라 불상의
탄생에 영향을 준 것이 대표적인 사례이다. 불
상이 동아시아로 전파되는 과정 에서도 고유한
형식은 유지되었지만 세부적인 모습은 지역에
따라 바뀌었다. 중국의 도자기 또한 세계로 수
출되면서 각 지역의 고유한 도자기 문화 형성
에 영향을 미쳤다.

그리스 아기
디오니소스를
안고 있는
헤르메스(부분/
대리석/기원전 4 5세기경)

인도 라호르
중앙 박물관
불입상(부분/
사암)

중국 원강 20
굴 본존불 좌
상(부분/사암/4
60~490년)

한국 석굴암
본존상(부분/
화강암/8세기)

일본 동대사
대불(부분/금
동/8세기
중엽)

독일 마이센
박스(높이
10.7cm/18
세기)

터키 꽃무늬
원통형 컵 (높이
19.6cm/1570~1
600년경)

중국 청화
영회 개관
(높이
37.2cm/16
세기)

한국 백자 청화
매조죽문호
(높이 16.5cm/15
세기)

일본 색화
화조문 대발
(높이
21.4cm/17
세기)

18 | ④ 추상화는 작가의 사상이나 감정, 내면의 세계
를 점, 선, 면, 형, 색 등의 순수한 조형 요소만으
로 표현하는 것이다. 표현재료에 제약 받지 않
으며, 효과를 살리기 위해 변형·과장·단순화하
여 나타내기도 한다.

19 | ① 다다이즘은 1차 세계대전 말엽부터 유럽과 미
국을 중심으로 등장했다. 전통과 관습의 부정,
우연성 강조, 자유로운 표현 기법의 활용이 특
징이다. 대표 작가로 뒤샹, 피카비아, 만 레이,
아르프가 있다.

20 | ② 무어의 < 비스듬히 누운 인물 > 은 추상 조소이
다. 추상은 형태의 근본을 찾아 단순화 시켜 표
현한다. 현대 조각의 아버지라 불리는 헨리무
어의 < 비스듬히 누운 인물 > 을 보면 보는 방
향에 따라 마치 다른 작품이라고 생각할 정도
로 다양한 형태와 곡선을 포함하고 있다. 앞뒤,
상하, 좌우 어느 각도에서 보나 각각의 공간 구
성이 변화무쌍하고 독창적이다.

21 | ③ 김준권의 < 향촌에서 > 는 볼록 판화의 한 종류
인 목판화이다. 일련번호와 총 매수, 제목, 서명
은 연필로 표기했고, 이 그림은 80장 중 17번째
의 그림이다. 볼록판화는 조각된 판의 볼록한
부분에 잉크를 묻혀 찍어낸다. 음각과 양각의
강한대비 효과로 인해 선명한 느낌이 난다.

22 | ④ 푸드스타일리스트는 주어진 음식을 최대한 먹
고 싶게 만들고 아름답게 배치하는 일들을 하
는 직업이다. 음식에 어울리는 음악, 분위기, 소
품까지 모든 부분에 있어서 촬영 할 때 시각적
으로 멋있어 보여야 한다. 즉 오감을 음식으로
만족시키는 직업이다보니 색채감각과 예술성
을 갖춘 사람이여야 한다.

23 | ② 사진은 최초의 사진은 회화의 복제 수단으로 사용되었다. 오늘날 사용하는 카메라의 원형인 카메라 옵스큐라 (Camera obscura : 어둠 상자)는 그림을 정확하게 그리기 위한 복제 도구로 사용되었다.

⚠ 선지 더 알아보기

데생 : 대상의 형태, 명암, 양감, 질감 등을 자세히 관찰하여 그린다.
스케치 : 채색화의 밑그림으로 대상의 특징을 간략하게 그린다.
정밀 묘사 : 대상을 섬세하고 세밀하게 관찰하여 그린다.

24 | ④ 업사이클링 디자인은 폐기물이나 원치 않는 제품을 더 높은 품질이나 가치를 지닌 새로운 품목으로 바꾸는 창의적이고 환경 친화적인 디자인이다. 원래의 재료를 유지하지만 창의적인 재설계와 용도 변경을 통해 그 가치를 높인다.

25 | ① 화론육법 중 기운생동은 작품의 생명력이 기준이다. 작품에 생명력이 넘쳐 살아 있는 듯 생생하게 표현함을 의미한다. 조형 요소는 작품 제작에 필요한 기본적인 구성 요소로 점, 선, 면, 형, 명암, 양감, 색, 질감, 재질감 등을 통해 구체적 형태나 이미지가 나타난다.

🔍 개념 더 보기   **조형요소**

점 : 구성의 최소 단위이며 크기에 따라 면으로 느껴지기도 한다.
선 : 대상의 윤곽이나 형을 암시하기도 하며 굵기, 속도, 방향, 힘 등에 따라 느낌이 다르다.
면 : 선과 선의 연결로 만들어진 넓이를 지닌 2차원 평면으로, 양감이나 공간의 깊이를 암시한다.
형 : 외관에 나타난 모양으로 회화에서는 2차원의 평면을, 조각 건축에서는 3차원의 입체를 말한다.
• 구상형 : 사불의 모양을 구체적으로 알아볼 수 있는 형을 말한다.
• 반추상형 : 인위적으로 변형하여 상징적으로 표현한 형을 말한다.
• 추상형 : 사물의 모양을 구체적으로 알아볼 수 없는 형을 말한다.

양감 : 작품에 표현된 대상의 덩어리감 또는 물체의 부피 · 무게 · 두께 등의 느낌을 말한다.
색 : 빛의 스펙트럼 파장에서 지각되며, 본래의 물체색인 고유색과 자연 광선의 변화에 따른 인상의 색, 자기 감정이나 생각에 따라 표현되는 심상의 색 등으로 구분된다.
질감 : 작품의 표면에서 느껴지는 시각적인 촉감을 말한다.
재질감 : 작품에 쓰인 소재, 재료 표면에 대한 자연 그대로의 촉각적 느낌을 말한다.
명암 : 색의 농담이나 밝기의 정도를 말한다.

01	①	02	③	03	③	04	④	05	①
06	①	07	②	08	③	09	④	10	②
11	④	12	③	13	②	14	②	15	④
16	④	17	④	18	①	19	④	20	①
21	①	22	③	23	③	24	②	25	③

01 | ① 금속공예는 금속을 주재료로 하며 생활에 필요한 일용품이나 장식품을 만드는 공예이다. 쓰이는 재료에 따라 귀금속 공예와 보통 금속 공예로 나누며, 주금, 단금, 프레스 등의 기술이 사용된다.

02 | ③ 정밀 묘사는 대상의 형태, 명암, 양감, 질감 등을 세밀하게 표현하는 그림이다.

⚠ **선지 더 알아보기**

> **스케치** : 대상의 형태와 특징 등을 간결하게 그리는 그림
> **크로키** : 움직이는 대상의 동작을 포착하여 빠르게 그리는 그림
> **컨투어 드로잉** : 대상의 윤곽선에 초점을 맞추어 선으로 표현하는 그림

03 | ③ 율동은 조형 요소의 반복과 점진으로 생기는 질서의 흐름으로, 리듬감과 운동감을 느낄 수 있다. 반복은 동일한 모양과 색이 연이어 나타나는 것을 말한다. 점증과 점이는 크기, 간격, 굵기, 색 등이 점점 증가하거나 옮아가는 것을 말한다.

⚠ **선지 더 알아보기**

> **명암** : 조형 요소 중 하나로 색의 농담이나 밝기의 정도를 말한다.
> **비례** : 길이의 장단, 부분과 부분, 전체와 부분의 크기나 관계, 면적, 부피 등의 상대적 비율을 통해 아름다움을 만들어 낼 수 있다.
> **질감** : 조형 요소 중 하나로 작품의 표면에서 느껴지는 시각적인 촉감을 말한다.

04 | ④ 백묘법은 붓을 쓰는 방법인 용필법의 하나로 선으로만 그리는 방법이다.

⚠ **선지 더 알아보기**

> **고원법(앙시)** : 전통회화의 원근법 중 하나로 밑에서 위를 올려다 본 시점으로 자연의 위압감이나 웅대함을 표현한다

🔍 **개념 더 보기** **용필법(붓을 쓰는 방법)**

> **구륵법** : 대상의 윤곽선을 그린 다음 그 안에 먹색의 농담이나 채색을 넣어주는 화법
> **몰골법** : 윤곽선 없이 농담(색)으로 표현하는 화법
> **백묘법** : 선으로만 그리는 화법
> **감필법** : 운필을 절제하여 간략히 함축적으로 표현하는 화법

05 | ① 셀 애니메이션은 종이에 그린 그림을 투명한 셀룰로이드에 그린 뒤, 뒷면에 채색을 한 다음 배경 위에 놓고 촬영하는 기법이다. 역할 분담이 쉽고 제작 시간이 짧아 주로 장편 애니메이션 제작에 많이 사용된다.

⚠ **선지 더 알아보기**

> **클레이 애니메이션**
> : 철사나 골격 구조에 점토를 입혀 모델을 조금씩 움직이며 촬영해 제작한다. 배경 세트와 등장인물의 연속적인 동작을 자유롭게 표현할 수 있는 찰흙이나 지점토를 이용하여 한 컷씩 촬영한 후 연결하여 움직임을 나타낼 수 있다. 캐릭터의 섬세한 질감과 움직임을 표현하기에 좋다.

06 | ① 스캠퍼는 대체, 결합, 수정, 다른 용도로 사용, 제거, 재배열의 앞글자를 따서 부르는 말로 창의적 사고 기법 중 하나이다.

 **스캠퍼(SCAMPER) 발상 기법**

대체(Substitute)

: 대상의 소재, 형태, 용도 등을 바꿈.

결합(Combine)

: 대상에 다른 대상을 결합함.

적용(Adapt)

: 대상에 다른 방식이나 원리를 적용함.

수정(Modify)/축소(Minify)/확대(Magnify)

: 대상의 형태를 수정하거나 축소하거나 확대함.

다른 용도로 사용(Put to other uses)

: 대상을 본래의 용도와 다른 용도로 사용함.

제거(Eliminate)

: 대상의 일부분을 제거함.

재배열(Rearrange)/뒤집기(Reverse)

: 대상을 뒤집거나 다시 배열함.

07 | ② 자동기술법은 의식을 배제하고 손 가는 대로, 또는 머릿속에 떠오르는 대로 그리는 방법이다.

08 | ③ 투조는 조소의 표현 방법 중 하나로 필요 없는 부분을 파내거나 뚫어내어 깊이감을 주는 방법이다.

△ **선지 더 알아보기**

부조 : 평면에 입체감이 나타나도록 하여 한쪽에서 감상할 수 있다.
심조 : 부조에서 바닥 표면보다 낮게 파내어 입체감을 만들어 내는 방법이다.
환조 : 3차원의 입체로 사방에서 감상할 수 있다.

09 | ④ 석가탑은 통일 신라 시대에 지어진 탑으로 불국사에 있다. 삼층 석탑으로 불교를 대표하는 탑이다.

10 | ② 오방색은 우리나라의 전통색으로 다섯 방위를 상징하는 색이다. 동쪽은 청색, 서쪽은 흰색, 남쪽은 적색, 북쪽은 흑색, 가운데는 황색이다.

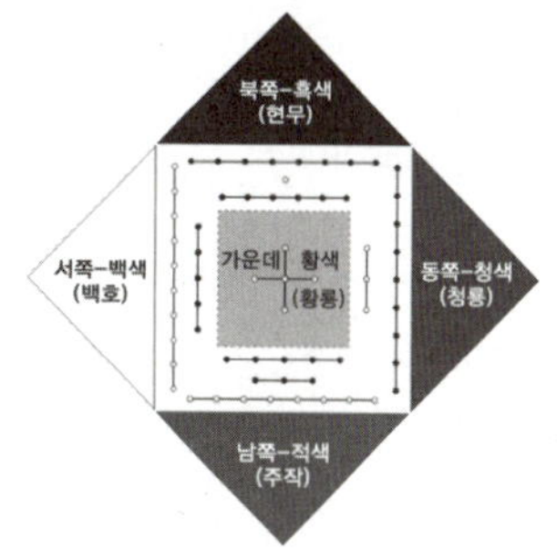

11 | ④ 셉테드 디자인은 범죄 예방 환경 디자인(Crime Prevention Through Environmental Design)의 약자로 안전하고 쾌적한 삶을 위한 공공 디자인이다.

12 | ③ 미술관 에듀케이터는 미술관에서 교육과 관련된 모든 업무를 기획, 담당 하는 사람이다.

△ **선지 더 알아보기**

애니메이터
: 만화나 만화 영화를 그리거나 제작하는 사람.

미술품 경매사
: 미술품 경매가 원활히 이루어질 수 있도록 경매 관련 제반 업무를 수행한다.

미술품 보존 · 복원가
: 미술작품의 보존과 안전을 책임지며 콜렉터들과 긴밀한 협력을 통해 작품을 관리하는 것이 미술품 보존가의 일이며, 보존의 과정에서 손상된 예술품을 다시 살리는 것은 미술품 복원가의 일이다.

13 | ② (가) 오목판화는 오목한 자리에 잉크를 묻혀 찍어 낸다.
(나) 공판화는 뚫린 구멍 사이로 잉크를 밀어 넣어 찍어낸다.
(다) 평판화는 평평한 판에 잉크를 묻혀 찍는다. 붓 자국의 질감을 표현 할 수 있다.
(라) 볼록 판화는 조각된 판의 볼록한 부분에 잉크를 묻혀 찍어낸다. 음각과 양각의 강한 대비 효과로 인해 선명한 느낌이 난다.

공간 예술	볼록판화	오목판화
판화의 종류	- 우드 컷 - 우드 인그레이	- 드라이 포인트 - 인그레이빙 - 메조틴트 - 에칭 - 에쿼틴트
판	- 널목판 - 고무판 - 리놀륨판	- 아크릴판 - 구리판 - 아연판
도구	목판용칼, 끌, 뷰린, 스푼	에칭 니들, 뷰린, 버니셔, 스크레이퍼, 그라운드, 송진
인쇄 용구	목판용 프레스, 스푼	동판 프레스
찍히는 면	표면에서 볼록하게 돌출한 부분	표면에서 오목하게 들어간 부분
선	흰색 배경에 검정의 선/ 검은 배경에 흰색 선	에칭 니들로 드로잉한 선
특징	- 명암의 대비가 강함 - 판과 그림의 좌우가 뒤바뀜 - 칼자국의 표현 효과	- 섬세한 드로잉 효과 - 판과 그림의 좌우가 뒤바뀜 - 여러 단계의 농담 효과

공간 예술	평판화	공판화
판화의 종류	석판화	- 실크 스크린 - 세리그래피
판	- 석회석 - 아연판 - 알루미늄판	실크, 나일론
도구	리소 펜슬, 크레용, 해묵	스퀴지, 스크린, 글루, 해묵, 감광제
인쇄 용구	리소 프레스	스퀴지, 실크 스크린 틀
찍히는 면	판에 그려진 부분	스탠실에 구멍이 난 부분

선	크레용, 붓, 펜으로 드로잉한 선	붓으로 드로잉한 선, 칼로 잘라낸 선
특징	- 펜, 붓, 크레용 등의 표현 효과 - 판과 그림의 좌우가 뒤바뀜 - 여러 단계의 농담 효과	- 천의 질감 - 판과 그림의 좌우가 뒤바뀌지 않음

14 | ② 풍속화는 인간의 생활상을 그린 그림이다.

⚠ **선지 더 알아보기**

산수화 : 산과 계곡 등 자연의 경치를 그린 그림
화조화 : 꽃과 새를 소재로 그린 그림
기명절지화 : 그릇, 꽃, 나뭇가지 등 일상의 용품을 배치하여 그린 그림

15 | ④ 홀치기염은 천을 실로 매거나 천 자체를 매듭지어 묶은 부분은 염색이 되지 않게 하는 방법이다. 직접염은 염료를 붓에 묻혀 천에 직접 그림을 그려서 염색하는 방법이다.

개념 더 보기 **염색 공예**

직접염(그림염색) : 염료를 붓에 묻혀 천에 직접 그림을 그려서 염색하는 방법이다.
홀치기염 : 천을 실로 매거나 천 자체를 매듭지어 묶은 부분은 염색이 되지 않게 하는 방법이다.
파라핀염 : 파라핀으로 그림을 그린 후 염료를 칠해서 염색하는 방법이다.
날염 : 무늬를 새겨서 공판화처럼 찍는 방법으로 반복무늬 효과를 표현한다.
침염 : 염료에 담가서 염색한다.
전사염 : 종이에 염료로 그리거나 날염하여 섬유에 전사시키는 방법이다.
인염 : 도장을 찍듯 문양의 판에 염색물감을 묻혀 찍어내는 방법으로 연속무늬의 표현이 가능하다.
크레용 염색 : 크레용으로 그림을 그린 후 뒤집어 다리미로 다린다.

16 | ④ 도자기 제작 과정은 도자기 만드는 과정은 모양 만들기(성형) → 그늘에서 말리기 → 초벌구이(700~800℃) → 무늬 그리기 → 유약 바르기 → 재벌구이(1250~1300℃) → 완성한다.

17 | ④ 양각은 글씨 부분을 남기고 배경을 파내는 기법으로 글자가 붉게 보인다. 음각은 바탕은 그대로 두고 글자를 파내는 기법으로 글자가 하얗게 찍힌다. 아호인은 호를 새긴 인장으로 양각기법을 사용하고, 성명인은 이름을 새긴 인장으로 음각기법을 사용한다.

18 | ① 박수근(1914~1965)의 삶과 예술은 한마디로 '서민화가'로 요약할 수 있다. 박수근은 사후에 더 유명해졌고, 독학으로 자신만의 화풍을 구축하고 생계를 위해 그림을 그렸다. 일제강점기에 태어나 암울한 시대를 살아가며 노상과 장터 등 가난하고 소박한 일상을 정감 있게 표현했다. 대표적인 작품으로 <봄을 기다리는 나목>, <나무와 두 여인>, <복숭아>, <빨래터>, <노상>, <시장의 사람들> 등이 있다.

19 | ④

▲ 미켈란젤로의 피에타. (성 베드로 대성당, 로마)

▲ 아테네 학당 The School of Athens Scuola di Atene
작가 라파엘로 산치오

▲ 레오나르도 다 빈치의 그림 <최후의 만찬>.
산타 마리아 델레 그라치에 성당 (Santa Maria delle Grazie) 에 전시하기 위해 그렸음

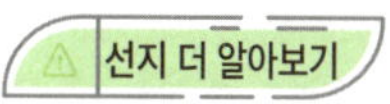
선지 더 알아보기

칼레의 시민 : 백년 전쟁 당시 프랑스의 도시 '칼레'에서 벌어진 사건을 지칭하는 말이다. 이를 소재로 하여 오귀스트 로댕이 만들었다.

20 | ① 팝아트는 대중문화의 이미지를 차용하여 현대 사회의 상업주의와 소비문화를 드러냈다. 대표 작가로 앤디 워홀, 리히텐슈타인이 있다.

선지 더 알아보기

다다이즘 : 전통과 관습의 부정, 우연성 강조, 자유로운 표현 기법의 활용이 특징이다. 대표 작가로 뒤샹, 피카비아, 만 레이, 아르프가 있다.
표현주의 : 형태를 변형하거나 단순화시키고 색채를 주관적으로 사용하여 작가의 내면과 사회적 문제 등을 표현하였다. 대표 작가로 뭉크, 놀데, 코코슈카가 있다.
키네틱 아트 : 움직임이 나타나는 작품을 뜻하는 말로 시간의 흐름에 따라 형태가 변화한다.

21 | ① <사과 바구니가 있는 정물>은 사과가 담긴 바구니와 병이 담긴 테이블을 묘사한 캔버스에 유화로 그린 그림이다. 세잔은 의도적으로 기하학적인 균형이 맞지 않는 정물을 그렸다. 정물화는 당시에 별로 인기 없는 장르였는데 세잔이 전통의 제한을 받지 않고 자유롭게 의미를 부여하면서 그렸고 피카소, 마티스 등 20세기 화가들도 즐겨 그리는 장르가 되었다.

22 │ ③ <빌렌도르프의 비너스>의 제작 시기는 BC 25000년 전으로 구석기 시대로 추정하고 있고 <다비드>는 미켈란젤로가 1501년과 1504년 사이에 조각한 대리석상이고, <공간 속 연속성의 독특한 형태>는 이탈리아의 조각가인 움베르토 보초니가 1913년에 제작한 미래파 청동 조각 작품이다.

23 │ ③ 전서체는 획의 굵기가 일정하다. 획이 곡선적이며 세로로 긴 장방형이다. 가장 오래된 한자 서체이다.

궁서체 : 궁녀들이 제작한 서체로 모음의 가로획이나 세로획이 강조되어 길어진다. 받침의 유무에 따라 글자의 크기가 다르게 나타난다.
판본체 : 문자의 중심이 중앙에 있다. 가로와 세로획의 굵기가 비슷하며 직선이다. 필세가 단단하고 장중한 느낌을 가진다.

24 │ ② 조선 후기의 화가인 겸재 정선이 영조 때 소나기가 지나간 뒤 비에 젖은 인왕산을 그린 진경산수화이다.

25 │ ③ 미술은 정치, 경제, 사회, 종교, 문화 등의 역사적 사실을 기록하는 기능을 가진다. 김홍도의 그림을 통해서 정조의 화성능행 당시 행사의 규모와 격식에 대한 정보를 구체적으로 알 수 있다.

🔍 **개념 더 보기** **미술의 역할**

미술은 삶을 풍요롭게 하고 세상을 아름답게 만든다. 아름다움을 동경하고, 아름다움에 감동하는 것은 인간의 본능이다. 이런 인간 본능 속에서 표현된 미술은 인간의 정신과 생활을 윤택하게 하여 삶의 질을 높이는 중요한 역할을 한다.

1) 미적 만족의 기능 : 미술품은 그 자체로 감각적이고 지적인 만족과 함께 미적 쾌감을 준다. 고대 그리스 시대의 건축물이나, 미켈란젤로나 레오나르도 다 빈치의 작품들, 우리의 석굴암 등은 현실적인 가치나 문화적, 역사적 배경에 대한 부연 설명이 없더라도 거기서 아름다움을 느끼고 감동과 감탄을 하게 된다. 이것이 바로 미적 쾌감이며, 많은 사람들이 박물관이나 미술관을 찾아 문화 유산과 미술가들이 남긴 작품을 감상하는 이유도 미적 만족을 얻을 수 있기 때문이다.

2) 역사적 사실의 기록 : 미술은 정치, 경제, 사회, 종교, 문화 등의 역사적 사실을 기록하는 기능을 가진다. 구석기 시대의 원시인들이 그린 동굴 벽화에서부터 전쟁의 승리를 기념하는 조각, 시대의 영웅을 찬미하는 그림, 한 시대의 풍속이나 풍물을 그린 그림 등 오늘날까지 인간이 남겨 놓은 많은 조형물들을 살펴보면, 역사를 밝혀 주는 기록의 역할과 기능을 수행하고 있음을 잘 알 수 있다.

3) 교육적 기능 : 미술은 새로운 시대를 여는 사회의 감각적 기능을 해 왔는데, 이는 미술이 직관에 의해 새로운 진리를 발견하고 제시하는 기능을 지녔기 때문이다. 현대는 정보화 사회이며 시각적 사고와 창의성이 필요한 문화 시대이다. 삶의 질을 요구하는 문화 시대에 미술 교육은 생활 속에서 미술의 중요성을 인식하고, 다양한 창조적 표현과 함께 대중들이 쉽게 미술을 경험할 수 있도록 이루어져야 한다. 이와 함께 사회가 가진 교육적 역량을 모아서 미술 교육을 다양하게 전개해 나가야 한다.

4) 상업적 기능 : 미술이 대중들의 관심 대상이 되고, 상업적 가치를 지니게 되자 시장을 형성하면서, 예술 분야를 넘어 경제의 한 영역을 차지하게 되었다. 미술 시장을 형성하는 요소에는 작가, 화랑, 소장자가 있는데, 이를 시장 경제에 비추어 본다면 공급자, 중계자, 수요자의 3요소로 바꾸어 말할 수 있다. 미술 시장이 제 기능을 발휘하려면, 미술품을 단순한 거래 대상의 차원을 넘어 문화적 대상으로 여길 때, 미적 가치에 대한 경제적인 행위가 바람직하게 연결된다.

5) 생활 공간의 문화 창조 기능 : 인간은 의식주와 같은 인간의 기본적인 삶의 조건을 좀더 아름답고 편리하며 쓸모 있게 하기 위해 끊임없이 노력하고 있으며, 이러한 활동들은 대부분 미술과 관련되어 있다. 이 밖에, 주거 공간이나 주변 환경을 목적과 조형미를 살려 그림이나 조소 작품으로 꾸미는 일도 미술의 큰 기능이다.

01	③	02	④	03	①	04	④	05	②
06	②	07	①	08	②	09	①	10	④
11	④	12	③	13	①	14	①	15	③
16	④	17	②	18	③	19	②	20	④
21	④	22	③	23	②	24	③	25	②

01 | ③ 동세는 작품에 나타나는 운동감과 생명감, 대상의 움직임, 방향감을 말한다.

⚠ 선지 더 알아보기

강조:특정 부분을 강하게 표현하여 시선을 집중시키는 요소로 긴장감을 준다.
대비:두 가지 이상의 요소를 비교하여 어울리게 하거나 반대되는 요소를 조화롭게 배치해 표현한다.
통일:화면에 질서를 부여하는 것으로, 정돈되고 안정된 느낌을 준다.

02 | ④ 브레인스토밍은 문제 해결을 위해 다양한 아이디어를 자유롭게 제시하고 취합해 독창적인 아이디어를 얻는 발상법으로, 타인의 아이디어를 비판하지 않으면서 많은 아이디어를 자유 롭게 내놓으며 발상해 보는 방법 이다.

03 | ① 학예 연구사는 미술관에서 관람객을 위하여 전시회를 기획·개최하고, 작품 또는 유물을 구입·수집·관리하는 업무를 담당하는 직업이다. 미술관의 전시나 기획 등을 전문적으로 수행하는 학예 종사자를 가리키며, 보통 학예사 또는 큐레이터라고 부르기도 한다. 예술 작품에 관한 전문적 지식은 물론, 전시 의도를 관람객들에게 잘 전달할 수 있도록 기획할 수 있는 창의성과 혁신석 사고가 요구되는 직종이다.

04 | ④ 형식주의적 관점은 작품에 드러나는 조형 요소와 원리를 이성적으로 판단하는 관점이다.

🔍 개념 더 보기 — 미술 비평 관점

모방론적 관점
:작품이 대상을 얼마나 충실하게 재현하였는지 판단하는 관점

표현주의적 관점
:작품을 통해 작가의 감정과 정서가 어떻게 전달되었는지 판단하는 관점

형식주의적 관점
:작품에 드러나는 조형 요소와 원리를 이성적으로 판단하는 관점

도구주의적 관점
:작품이 사회·문화에 미치는 영향과 효과 등을 판단하는 관점

의도주의적 관점
:예술가가 예술 작품을 생산할 때의 의도를 따져서 작품을 설명하고 이해하려는 관점

05 | ② 프로타주는 오목하거나 볼록한 물체에 종이를 대고 색연필, 크레용 등으로 문질러 거기에 베껴지는 무늬나 효과를 얻는 회화 기법이다.

⚠ 선지 더 알아보기

마블링:물 위에 유성물감을 떨어뜨리고 저은 후 종이를 수면 위에 대고 들어내면 우연적이고도 예상치 않은 유동적인 대리석 무늬가 찍힌다.
데칼코마니:종이 위에 물감을 누섭게 질하고 반으로 접거나 다른 종이를 덮어 찍어서 대칭적인 무늬를 만드는 회화 기법
데페이즈망:초현실주의 작가들이 쓴 기법 중 하나로 어떤 물건을 원래 있던 환경에서 떼어내 전혀 이질적인 환경으로 옮겨 물체끼리의 기이한 만남을 연출하는 방법

06 | ② 보색은 색상환에서 서로 마주 보는 색으로 서로 반대되는 두 색이고, 서로 혼합했을 때 무채색이 되는 두 색을 말한다. 가장 대비가 심한 두 색이다.

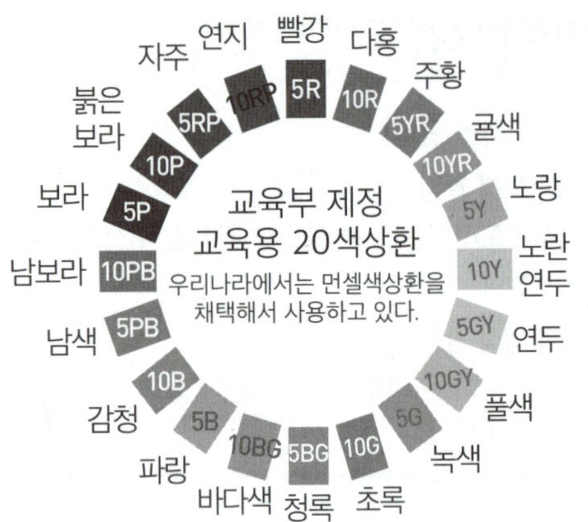

07 | ① 흉상은 머리에서 가슴까지 상반신을 중심으로 만들어진 작품이다.

🔍 개념 더 보기 · 인물 표현 부위 따른 분류

> **두상** : 인물의 목 위 얼굴과 머리를 중심으로 만들어진 작품이다.
> **흉상** : 머리에서 가슴까지 상반신을 중심으로 만들어진 작품이다.
> **토르소** : 머리나 팔, 다리 등이 없는 몸통 작품을 나타내는 말이다.
> **전신상** : 머리, 몸, 팔, 다리 등 인체의 전체가 드러나도록 제작된 작품이다.
> **군상** : 한 작품 안에 두 명 이상이 존재하도록 표현된 작품이다.

08 | ② 소조는 조소의 표현 기법 중 하나로 찰흙이나 지점토 등을 붙여가며 형태를 제작하는 기법이다. 영구성이 떨어져 테라코타, 브론즈, 석고형 뜨기 등 2차 가공이 필요하다.

⚠ 선지 더 알아보기

> **부조** : 평면에 입체감이 나타나도록 하여 한쪽에서 감상할 수 있다.
> **심조** : 부조에서 바닥 표면보다 낮게 파내어 입체감을 만들어 내는 방법이다.
> **환조** : 3차원의 입체로 사방에서 감상할 수 있다.

09 | ① 모빌은 콜더가 창안한 움직이는 추상조소로, 여러 모양의 쇳조각이나 나뭇조각 등을 기다란 철사, 실 등으로 매달아 균형이 되게 한 것이다. 물리적 자극으로 반복적인 율동미를 가짐으로써 보는 사람으로 하여금 시각적인 흥미를 유발한다.

⚠ 선지 더 알아보기

> **오브제** : 물건, 물체, 객체 등을 의미하는 프랑스어로, 일상생활 용품의 용도에 예술적 속성을 부여하여 새로운 의미를 탄생시킨 물체를 말한다. 오브제의 대표적인 예는 < 뒤샹의 샘 > 이다.
> **그라피티** : 락카, 스프레이, 페인트 등을 이용해 주로 공공 장소에 그림을 그리거나 글자 및 기타 흔적을 남기는 행위이다.
> **어셈블리지** : '집합', '조립'을 나타내는 말로 우리 주위에서 볼 수 있는 폐품이나 일회용품, 잡다한 물건들을 쌓거나 조립해 만든 작품을 말한다.

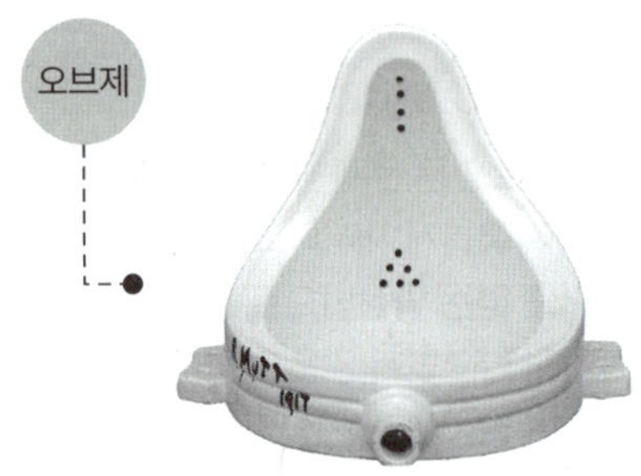

▲ 뒤샹(Duchamp, Marcel / 프랑스→미국 / 1887~1968) 샘(세라믹 소변기 / 61×48×36cm / 1917년의 원작이 분실된 후 1964년 다시 복제) 일상품을 미술 작품으로 전시함으로써 전통적인 예술관념을 완전히 뒤집는 전환점을 가져온 작품이다.

10 | ④ 컬리그래피는 좁게는 서예를 가리키고 넓게는 활자 이외의 서체 를 뜻하는 말로 글자를 아름답게 쓰는 기술을 말한다. '아름다운 손글씨'를 뜻하는 컬리그래피가 최근 출판, 광고, 의류 등의 분야에서 널리 활용되고 있다.

11 | ④ 인물화는 인물을 소재로 그린 그림이고, 좌상
화는 인물의 앉아 있는 자세를 그린 그림이다.
초상화는 특정한 사람의 모습을 그리는 그림을
말한다. 자기 자신을 그린 초상화는 자화상이
라고 한다.

12 | ③ 초서는 점, 획의 연결이나 생략, 단순화가 많다.
예술성이 강하며 개성적인 서체로 활달한 느낌
을 준다.

 한문 서체의 특징

전서:획의 굵기가 일정하다. 획이 곡선적이며 세로로 긴 장
방형이다. 가장 오래된 한자 서체이다.
예서:가로로 긴 장방형이다. 문서의 번잡함을 줄이기 위
해 고안하였다.
해서:가로획보다 세로획의 획이 굵고, 가로획의 오른쪽
이 약간 올라간다. 점, 획의 간격이 고르고 정돈된
정자체이다.
행서:점, 획이 부드럽고 곡선적이다. 해서체에 비해 점·획
에 적절한 연결, 생략, 변화가 있다. 속도에 적절한 변
화를 주면서도 안정감 있게 써야 한다.
초서:점, 획의 연결이나 생략, 단순화가 많다. 예술성이 강하
며 개성적인 서체로 활달한 느낌을 준다.

13 | ① 백문인은 바탕은 그대로 두고 글자를 파내는
음각 기법으로 글자가 하얗게 찍힌다.

사구인:뜻 깊은 말이나 좋아하는 문구를 새긴 인장
주문인:글씨 부분을 남기고 배경을 파내는 양각 기법으
로 글자가 붉게 보인다.
초형인:동식물이나 사물을 새긴 인장

14 | ① 가상 현실은 자신(객체)과 배경·환경 모두 현실
이 아닌 가상의 이미지를 사용해 실제와 유사
한 공간적, 시간적 체험이 가능하다.

사실주의:눈에 보이는 현실의 모습을 꾸밈없이 사실적
으로 표현하였다. 대표 작가로 쿠르베, 도미에
가 있다.
정크아트:다양한 폐품을 활용하여 만든 작품을 말한다.
퍼포먼스:신체를 이용하여 행동이나 행위로 조형 표현
을 하는 것으로 음악, 문학, 조형 예술, 연극 등
여러 장르를 포함한다.

15 | ③ 상감기법은 흙으로 모양을 만든 후 표면이 마
르기 전에 무늬를 음각한 다음, 그 부분에 다른
색의 흙으로 메워 무늬를 나타내는 기법이다.
주로 고려 청자에 쓰였다.

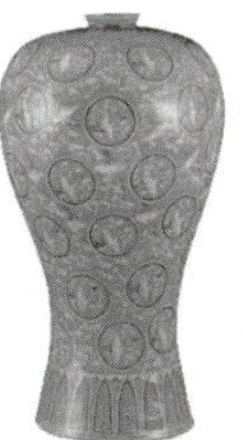

▲ **청자 상감 운학무늬 매병** (도자 / 높이 42.1cm / 고려 시대)

16 | ④ 민화는 주로 생활공간을 장식할 목적이나 그
밖의 실용적인 목적으로 그린 그림으로 복을
기원하는 세속적 주제를 다루었다. 형식에 얽
매 이지 않고 자유롭게 그린 그림으로 조선 후
기 무명화가들에 이해 그려졌다.

17 | ② 김홍도 〈서당〉은 조선 후기 때 그려진 풍속
화이고, 윤두서 〈자화상〉은 조선 후기 선비
화가인 공재 윤두서가 직접 그린 자화상으로
정면을 응시하는 눈이 사람을 꿰뚫어 보는 것
처럼 힘이 느껴진다. 정선 〈박연폭포〉는 조선
후기 때 그려진 진경산수화이다.

박수근은 일제강점기에 태어나 단순화된 선과 구도, 회백
색의 화강암과 같은 질감으로 우리의 토속적인 미감과
정서를 담아낸 그림을 그렸다.

18 | ③ <모나리자>는 레오나르도 다 빈치의 대표작 중 하나로, 전 세계에서 가장 유명한 미술품이 자, 전 세계에서 가장 가치가 높은 미술품이다. 이 그림은 유럽 문화의 황금기인 르네상스 시대의 거장인 레오나르도 다 빈치가 죽을 때까지 가지고 있었던 그림이기에 레오나르도의 대표 작품이 되었다.

19 | ② 라이트 아트는 빛의 효과를 활용해 시각 이미지를 창조하려는 실험에 의해 탄생했다. 빛을 이용해 시각적 이미지를 만드는데 전구, 네온, 형광등, 레이저, 홀로그램 등을 사용한다.

야수파
: 20세기의 미술로 대상의 변형, 강렬한 색채, 자유로운 붓질, 평면적이고 장식적인 표현이 특징이다. 대표 작가로 마티스, 루오, 블라맹크가 있다.

추상 표현주의
: 작가의 사상이나 감정, 내면의 세계를 점, 선, 면, 형, 색 등의 순수한 조형요소만으로 표현하는 것이다. 표현재료에 제약 받지 않으며, 효과를 살리기 위해 변형 · 과장 · 단순화하여 나타내기도 한다.

콤바인 페인팅
: 콜라주에서 발전된 개념으로 2차원 평면에 3차원의 물질이 결합된 작품을 말한다.

20 | ④ 나전칠기는 목기의 바탕을 소재로 나전을 가공하고 부착하여 칠을 한 공예품을 말한다. 조개, 소라, 전복 등의 껍질로 기물의 면과 가구의 면을 칠과 함께 장식하여 완성한다.

21 | ④ 클레이 애니메이션은 철사나 골격 구조에 점토를 입혀 모델을 조금씩 움직이며 촬영해 제작한다.

셀 애니메이션
: 종이에 그린 그림을 투명한 셀룰로이드에 그린 뒤, 뒷면에 채색을 한 다음 배경 위에 놓고 촬영하는 기법

종이 애니메이션
: 셀 위에 그림을 그리지 않고 종이 위에 직접 그림을 그리고 촬영하여 움직임을 만드는 애니메이션 기법

그림자 애니메이션
: 종이를 오려서 만든 캐릭터를 유리판에 펴 놓고 그 밑에서 조명을 비추면 검은 형태(그림자)가 생기는데, 이 그림자를 조금씩 움직여 가면서 한 컷씩 촬영을 하여 연속적으로 영사함으로써 움직임을 만들어 내는 애니메이션 기법

22 | ③ **스톤헨지**는 기원전 2800~2200년경으로 추정 되는 선사시대 거석기념물이다. **콜로세움**은 고대 로마 시대의 건축물로 로마 제국 시대에 만들어진 타원형 경기장이다. **롱샹성당**은 프랑스 보주 주에 있는 건축물로 근대 건축의 아버지로 불리는 르 코르뷔지에의 후기 작품 중 하나이다.

23 | ② <아비뇽의 처녀들>은 파블로 피카소가 1907년에 제작한 그림이다. 이 작품은 피카소의 화력에 중요한 전기를 보여주는 것일뿐만 아니라 20세기 회화로서도 기념비적 가치의 전환을 의마하는 의미 깊은 작품이다. 미술사 최초의 입체주의 작품으로 평가받는다.

24 | ③ 평판화는 평평한 면에 잉크를 묻혀 물과 기름의 반발 원리를 이용 하여 찍어 낸다. 펜이나 붓 등의 농담과 터치가 그대로 살아난다. 평판화의 종류에는 석판화, 모노타이프 등이 있다. 모노타이프는 유리 판, 아크릴 판, 금속 판 등 판 위에 직접 그림을 그리고 물감이 마르기 전에 찍어낸다.

25 | ② 공공미술은 미술관이 아닌 공원이나 거리로 나온, 대중들을 위한 미술을 뜻한다. 대부분 도시에 설치 되며, 조각, 벽화, 스트리트퍼니처, 포장작업, 디자인 등 다양한 장르를 포괄 한다.

01	③	02	①	03	③	04	④	05	②
06	④	07	①	08	②	09	①	10	④
11	①	12	①	13	②	14	②	15	③
16	③	17	①	18	①	19	③	20	④
21	①	22	④	23	②	24	①	25	③

01 | ③ 유채물감은 기름의 성분을 가진 물감으로 캔버스에 그림을 그린다. 건조 시간이 굉장히 느리다. 다른 물감에 비해 특유의 광택과 질감 텍스처가 있고, 다양한 기법으로 사용할 수 있기 때문에 작업하면서 흥미를 유도할 수 있으며, 내구성은 여러 물감에 비해서 우수하고 투명도도 잘 표현할 수 있고 빛, 진동, 공기의 효과 등 세밀하고 미묘한 자연의 묘사에 큰 효과를 넣을 수 있고 전체적인 그림 화면상으로도 색의 깊이감이 뚜렷하다.

02 | ① 흉상은 머리에서 가슴까지 상반신을 중심으로 만들어진 작품이다.

> ⚠ **선지 더 알아보기**
>
> **마스크** : 안면상으로 얼굴 부분만 표현한다.
> **토르소** : 머리나 팔, 다리 등이 없는 몸통 작품을 니디네는 말이다.
> **반신상** : 허리기준으로 상반신상과 하반신상으로 나뉜다.

03 | ③ 바니타스는 '공허한'을 뜻하는 라틴어 형용사 바누스가 어원으로 '공허', '헛됨' 또는 '가치 없음'을 뜻한다. 17세기 전후 네덜란드를 중심으로 유행한 정물화 양식이다. 인생의 덧없음과 허무, 세속적 욕망의 허망함을 상징적으로 표현한다. 일반적인 바니타스화의 상징에는 죽음의 필연성을 상기시키는 두개골, 썩은 과일(부패), 거품(인생의 짧음과 죽음의 갑작성), 연기, 시계, 모래시계(인생의 짧음), 악기(인생의 간결함과 덧없음)이 포함된다.

> ⚠ **선지 더 알아보기**
>
> **민화** : 주로 생활공간을 장식할 목적이나 그 밖의 실용적인 목적으로 그린 그림으로 복을 기원하는 세속적 주제를 다루었다. 형식에 얽매이지 않고 자유롭게 그린 그림으로 화조, 동물, 산수, 설화, 풍속, 윤리 등 전통 회화의 화제뿐 아니라 기록화, 궁중 장식화(십장생, 일월오악도) 등 다양한 내용을 담았다.
> **패러디** : 차용은 단순한 모방이 아니라 원작을 과장·변형·합성하여 새로운 의미를 창출하는 것이다. 차용의 방법 중 원작의 풍자와 비판에 중점을 둔 것을 패러디라고 한다.
> **스크래치** : 밝은 색 크레파스나 색연필 등으로 칠한 다음 어두운 색을 덧칠하여 송곳이나 칼끝으로 긁어서 바탕색이 나오게 하는 회화 기법

04 | ④ 조형 요소는 작품 제작에 필요한 기본적인 구성 요소로 점, 선, 면, 형, 명암, 양감, 색, 질감, 재질감 등을 통해 구체적 형태나 이미지가 나타난다.

> 🔍 **개념 더 보기** **조형요소**
>
> **점** : 구성의 최소 단위이며 크기에 따라 면으로 느껴지기도 한다.
> **선** : 대상의 윤곽이나 형을 암시하기도 하며 굵기, 속도, 방향, 힘 등에 따라 느낌이 다르다.
> **면** : 선과 선의 연결로 만들어진 넓이를 지닌 2차원 평면으로, 양감이나 공간의 깊이를 암시한다.
> **형** : 외관에 나타난 모양으로 회화에서는 2차원의 평면을, 조각 건축에서는 3차원의 입체를 말한다.
> - **구상형** : 사물의 모양을 구체적으로 알아볼 수 있는 형을 말한다.
> - **반추상형** : 인위적으로 변형하여 상징적으로 표현한 형을 말한다.
> - **추상형** : 사물의 모양을 구체적으로 알아볼 수 없는 형을 말한다.
> **양감** : 작품에 표현된 대상의 덩어리감 또는 물체의 부피·무게·두께 등의 느낌을 말한다.
> **색** : 빛의 스펙트럼 파장에서 지각되며, 본래의 물체색인 고유색과 자연 광선의 변화에 따른 인상의 색, 자기 감정이나 생각에 따라 표현되는 심상의 색 등으로 구분된다.

질감 : 작품의 표면에서 느껴지는 시각적인 촉감을 말한다.

재질감 : 작품에 쓰인 소재, 재료 표면에 대한 자연 그대로의 촉각적 느낌을 말한다.

명암 : 색의 농담이나 밝기의 정도를 말한다.

05 | ② 전신론은 '전신사조'의 준말로 초상화를 그릴 때 인물의 외형 묘사 뿐 아니라 인격과 내면세계까지 표출해야 한다는 초상화론이다.

사군자 : 매화, 난초, 국화, 대나무를 말한다. 흔히 매란국죽이라고도 한다.

문방사우 : 문방사우는 선비가 문방이나 서재에서 늘 다루는 도구인 종이와 붓, 먹과 벼루를 일컫는다.

서화동법 : 글씨와 그림은 기원이 같고 본질적으로 동일하다고 하는 설

06 | ④ 인상주의는 고유색을 부정하며 빛의 변화에 따른 순간의 인상을 담으려 했던 화파이다. 햇빛에 의해 시시각각 움직이는 색채의 변화 속에서 대상을 표현하려고 하였다. 대표 작가로 마네, 모네, 르누아르가 있다.

07 | ① 삼원법은 중국 북송의 화가 곽희가 정립한 동양의 원근법이다. 서양의 과학적인 투시 원근법과 달리 다원적, 복합적, 주관적 시점을 제시하였다.

 삼원법

삼원법은 화면 구도와 시점 관계에 따라 고원, 평원, 심원으로 나뉜다.

고원법(앙시)

: 밑에서 위를 올려다 본 시점으로 자연의 위압감이나 웅대함을 표현 한다.

평원법(수평시)

: 가까운 산으로부터 먼 산을 바라 본 시점으로 자연의 광활함을 표현 한다.

심원법(부감시)

: 높은 곳에서 아래로 내려다보는 시점으로 첩첩이 쌓여 있는 골짜기의 무한한 깊이감을 표현 한다.

08 | ② 정크아트는 다양한 폐품을 활용하여 만든 작품을 말한다. 쓸모가 없어 보이는 주변의 사물도 독창적인 시각으로 바라보면 훌륭한 예술이 될 수 있다.

옵 아트 : 조형 요소를 반복적으로 배치하여 착시를 일으키는 추상표현의 한 방법이다. 대표 작가로 바자렐리, 라일리가 있다.

라이트 아트 : 빛의 효과를 활용해 시각 이미지를 창조하려는 실험에 의해 탄생했다.

미니멀 아트 : 주관성을 억제하고 최소한의 조형 수단만을 사용하여 단순하게 표현하였다. 대표 작가로 스텔라, 저드, 모리스가 있다.

09 | ① (가) 수렵도는 벽화로 5세기, 삼국 시대 고구려 때 만들어졌다.

(나) 인왕제색도는 조선시대 후기 정선이 그린 수묵담채화이다.

(다) 황소는 화가 이중섭이 1953년에 그린 유채화이다.

10 | ④ '영자팔법'은 붓글씨로 한자를 쓸 때 자주 나오는 획의 종류 여덟 가지를 길 영(永) 자를 통해 설명한 것이다. 왕희지가 고안했다고 전해지는데, '영(永)' 자에는 해서의 운필법이 모두 모여 있어서 이를 운필 연습의 기본으로 삼았다. 지금도 영자팔법은 한문 서예의 기본 학습 방법으로 쓰이고 있다.

11 | ① 유니버설 디자인은 성별, 연령, 국적, 문화적 배경, 장애의 유무 등에 상관없이 누구나 손쉽게 쓸 수 있는 제품 및 사용 환경을 만드는 디자인이다.

 유니버설 디자인의 일곱가지 원칙

1. 공평한 사용성
2. 사용상의 융통성
3. 간단하고 직관적인 사용성
4. 정보 이용의 용이성
5. 오류에 대한 포용력
6. 최소한의 신체적 부담
7. 사용에 적합한 크기와 공간

12 | ③ 데페이즈망은 초현실주의 작가들이 쓴 기법 중 하나로 어떤 물건을 원래 있던 환경에서 떼어 내 전혀 이질적인 환경으로 옮겨 물체끼리의 기이한 만남을 연출하는 방법이다.

프로타주:오목하거나 볼록한 물체에 종이를 대고 색연필, 크레용 등으로 문질러 거기에 베껴지는 무늬나 효과를 얻는 회화 기법
데칼코마니:종이 위에 물감을 두껍게 칠하고 반으로 접거나 다른 종이를 덮어 찍어서 대칭적인 무늬를 만드는 회화 기법
자동기술법:의식을 배제하고 손 가는 대로, 또는 머릿속에 떠오르는 대로 그리는 방법

13 | ② 잔상효과라는 것은 이미지가 사라져도 사람의 눈이나 뇌에 이전 이미지가 계속 남아 있어 인식되는 것을 말한다. 잔상효과가 사라지기 전에 이전 이미지와 조금 다른 이미지가 보이면 사람이 이를 연속적인 영상인 동영상으로 인식하게 된다. 일반적으로 초당 15~20장 이상의 그림이면 사람은 자연스러운 움직임으로 인식한다.

보색:색상환에서 서로 마주 보는 색을 말한다.
명시성:두 가지 이상의 색·선·모양을 대비시켰을 때 멀리서도 잘 보이는 성질을 말한다.
주목성:색 자체가 자극성이 강하여 사람들의 시선을 끄는 정도의 성질을 말하며, 고채도, 난색계의 색은 주목성이 높디.

14 | ② 면적 대비는 같은 색이라도 면적이 크고 작음에 따라 명도와 채도가 다르게 보이는 현상을 말한다. 채도 대비는 주위 색의 채도에 따라 원래 색의 채도가 다르게 느껴지는 현상이다.

보색 대비:색상 차가 가장 큰 보색끼리 조합 하였을 때 서로의 채도가 높아 뚜렷이 보이는 현상이다.
명도 대비:주위 색의 명도에 따라 원래 색의 명도가 다르게 보이는 현상이다.
색상 대비:주위 색의 색상에 따라 두 색의 색상 차이가 커 보이는 현상이다.

15 | ③ 콤바인 페인팅은 콜라주에서 발전된 개념으로 2차원 평면에 3차원의 물질이 결합된 작품을 말한다.

스핀 아트
:스핀 아트는 페인트, 광택지와 같은 캔버스 및 회전 플랫폼을 사용하는 예술 형식이다. 모든 연령의 사람들이 즐길 수 있지만 주로 아이들을 예술 창작 과정에 참여시키고 노출시키는 데 사용된다.

액션 페인팅
:이미지의 정착보다는 그린다는 행위(액션) 그 자체에서 순수한 의미를 찾아내려는 경향이며, 대표적인 작가로는 잭슨 폴록, 빌럼 데 쿠닝, 프란츠 클라인 등에 의하여 대표된다.

인터렉티브 아트
:관람자와 작품 사이의 상호작용을 중심으로 한 예술 형식을 의미한다.

16 | ③ 파르테논 신전은 그리스 아테네의 아크로폴리스에 있는 건축물로 아테나 여신에 봉헌된 신전이다. 황금비인 1:1.618이 적용뇌어 만들어진 안정감과 균형감이 있는 건축물이다.

17 | ② 모래 애니메이션은 그림의 재료로 모래를 이용한 애니메이션이다. 유리 밑에서 빛을 비추고 그 위에 모래로 형상을 그리거나 만들어 한 장씩 촬영하여 움직임을 만들어내는 애니메이션 기법이다.

18 | ① 백제금동대향로는 1993년 국립부여박물관에서 부여 능산리절터를 발굴하던 도중에 발견되었다. 발견 당시 금동대향로가 보여준 완벽한 정형성과 뛰어난 예술성은 세상을 깜짝 놀라게 하였으며, 동시에 백제 장인의 예술혼과 기술력이 어느 정도였는지를 다시 한 번 실감할 수 있는 계기가 되었다. 향로는 원래 종교 의식을 거행할 때, 냄새의 제거나 의식의 신성함을 표현하기 위해 구도자가 정진을 하면서 향을 피웠던 도구이다.

19 | ④ 풍속화는 인간의 생활상을 그린 그림이다. 혜원 신윤복은 김홍도, 김득신과 더불어 조선 시대의 3대 풍속화가로 손꼽히는 인물이다. 당시 서민 사회의 풍속을 매우 세밀하게 관찰하고 있으면서 양반 중심의 체제적 문화에서 벗어나 부녀자나 기녀들을 그리는 등 그림의 소재를 매우 다변화시키고 있다. 또한 혜원의 그림에는 젊음과 함께 은은한 남녀의 정이 깔려 있어서 보는 이에게 선명하게 내용이 전달된다. 주요 작품으로는 「단오풍정」, 「방문」, 「검무」, 「선유도」, 「월하정인」, 「미인도」, 「야연도」, 「전모 쓴 여인」, 「풍속도」 등이 있다. 또한, 16세기 플랑드르에서 활동한 피터르 브뢰헬은 시골 축제의 정겨운 풍경을 다룬 작품들을 많이 남기고 있는데, <농민의 결혼식 춤>(1566), <농민의 축제장터>(1567-68년경)와 더불어 <농부의 결혼식>이 손꼽힌다. 대담하게 단순화한 화면 속에 낙천적인 농민들의 생활상을 재치 있게 풀어 놓은 이 그림은 브뢰헬의 후기 작품들의 특성을 가장 잘 반영하고 있기도 하다.

20 | ④ 오목 판화는 오목한 자리에 잉크를 묻혀 찍어낸다. 자세하고 세밀한 표현 효과가 나타난다. 증권이나 지폐 등 섬세한 것들의 제작에 주로 사용된다. 판의 패인 부분에 잉크를 밀어 넣고 프레스의 강한 압력으로 찍는다.

21 | ① 구륵법은 대상의 윤곽선을 그린 다음 그 안에 먹색의 농담이나 채색을 넣어주는 방법이다. 몰골법은 대상의 윤곽선을 그리지 않고 붓에 먹이나 색을 직접 묻혀 한 붓에 그리는 방법이다.

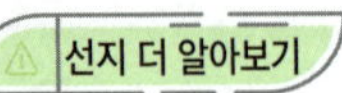

백묘법 : 선으로만 그리는 방법이다.

22 | ④ 도자기 만드는 과정은 모양 만들기(성형)→그늘에서 말리기→초벌구이 (700~800℃)→무늬 그리기→유약 바르기→재벌구이(1250~1300℃)→완성한다.

23 | ② 안견의 <몽유도원도>는 조선 전기의 화가 안견의 산수화로 안평대군이 꿈에 도원에서 본 광경을 안견에게 말하여 그리게 한 것이다. 몽유도원도에는 안견의 그림뿐 아니라 안평대군의 제서와 발문, 그리고 1450년(세종 32) 정월에 쓴 시 한 수를 비롯해 20여 명의 당대 문사들과 1명의 고승이 쓴 제찬을 포함해서 모두 23편의 찬문이 곁들여져 있다. 글과 그림이 어울려 하나의 작품을 이루는 이와 같은 서화합벽은 안평대군을 중심으로 크게 유행하였다.

24 | ④ 키네틱 아트는 움직임이 나타나는 작품을 뜻하는 말로 시간의 흐름에 따라 형태가 변화한다.

스태빌 : 움직이는 모빌과 반대되는 개념으로 정지되어 있는 작품을 말한다. 규모가 큰 기념비적 추상작품이 많으며 환경과 조화를 이룬다.
그래피티 : 그래피티(Graffiti Art)는 벽이나 그밖의 화면에 낙서처럼 긁거나 스프레이 페인트를 이용해 그리는 그림을 말한다.
픽토그램 : 픽토(Picto)와 전보를 뜻하는 텔레그램(Telegram)의 합성어로, 사물과 시설 그리고 행동 등을 상징화하여, 불특정 다수의 사람들이 빠르고 쉽게 이해할 수 있도록 나타낸 시각 디자인이다.

25 | ③ 표현주의 비평은 작가의 정서, 표현의 솔직성, 독특한 개성이 기준이 되어 작품을 통해 작가의 감정과 정서가 어떻게 전달되었는지 분석하면서 비평한다.

01	③	02	④	03	④	04	②	05	④
06	①	07	①	08	④	09	④	10	②
11	①	12	③	13	④	14	②	15	③
16	④	17	①	18	④	19	①	20	①
21	②	22	③	23	②	24	④	25	①

01 | ③ 수채 물감은 안료에 물을 섞어서 사용한다. 글리세린을 물에 섞어 사용하면 건조 속도를 늦출 수 있다. 알코올을 섞어 사용하면 빨리 건조된다. 투명성 유지를 위해 검은색과 흰색 사용을 자제 하는 것이 좋다.

02 | ④ 조형 원리는 조형 요소를 유기적으로 조직하여 내적 질서를 부여하는 것으로, 통일, 균형, 조화, 비례, 율동, 변화, 강조, 동세 등이 있다.

⚠ **선지 더 알아보기**

질감 : 조형 요소 중 하나로 작품의 표면에서 느껴지는 시각적인 촉감을 말한다.

03 | ④ 타이포그래피는 글자를 의미하는 그리스어 'Typo' + 술[학], 글이나 그림의 형식, 이미지 표현 기술법을 의미하는 'Graphy'를 결합한 것으로 글자를 사용한 디자인 예술을 의미한다. 전통적으로 활판인쇄술과 관련하여 글자의 활자 및 조판의 디자인을 의미하는 말이었으나, 미디어가 확장됨에 따라 볼록판 인쇄나 금속 활자 인쇄가 지배적이지 않은 현대의 디자인에서는 훨씬 넓은 의미를 갖게 되었다. 좁은 의미에서는 활자를 사용한 디자인 또는 조판 중심의 기술과 미학을 가리키고, 넓은 의미 에서는 활판 인쇄술, 글자꼴의 디자인, 레터링, 판짜기 방법, 편집 디자인, 가독성 등을 모두 포괄하는 총체적인 조형적 활동을 말한다.

⚠ **선지 더 알아보기**

모자이크 : 색지나 돌, 색유리 같은 작은 조각들을 일정한 형상이나 모양으로 붙여 표현하는 기법이다.
캐리커처 : 인물을 익살스럽게 과장하여 표현한 그림이다.
에코 디자인 : 제품의 개발시, 설계에서 폐기에 이르기까지 전 과정에서 비용 · 품질과 함께 환경을 배려하는 친환경적인 디자인이다. 그린 디자인이라고도 불린다.

04 | ② 설치 미술은 1970년대 이후 회화 · 조각 · 영상 · 사진 등과 대등한 현대 미술의 표현 방법 장르의 하나이다. 특정한 실내나 야외 등에 오브제와 장치를 설치하고, 작가의 의도에 따라 공간을 구성하고 변화시켜 장소와 공간 전체를 작품으로 체험하는 예술이다. 비디오 영상을 상영하여 공간을 구성하기도 하며, 음향 등을 이용해 공간을 조성할 수도 있다. 공간 전체가 작품이기 때문에 감상자는 작품을 감상하기보다는 체험하게 된다. 감상자가 그 공간을 체험 (보고, 듣고, 느끼고, 생각하고)하는 방법을 어떻게 변화시킬지를 요점으로 하는 예술기법이다.

⚠ **선지 더 알아보기**

마블링
: 물 위에 유성물감을 떨어뜨리고 저은 후 종이를 수면 위에 대고 들어내면 우연적이고도 예상치 않은 유동적인 대리석 무늬가 찍힌다.

자동기술법
: 의식을 배제하고 손 가는 대로, 또는 머릿속에 떠오르는 대로 그리는 방법이다.

일러스트레이션
: 삽화(Illustration)는 특히 서적 (사본, 인쇄본 등), 잡지, 신문, 광고 등에서 문장 내용을 보충하거나 강조하기 위한 목적으로 첨부하는 그림이다.

05 | ④ 기명절지화는 그릇, 꽃, 나뭇가지 등 일상의 용품을 배치하여 그린 그림이다. 위의 그림에서는 제기, 문구류, 꽃가지, 과일, 화초 등이 있다.

06 | ② 프레스코는 석회를 바르고 회칠이 마르기 전에
수성 물감으로 그리는 벽화 기법을 말한다. 습
기에 약하고 건조 후 더 밝아진다.

데생 : 대상의 형태, 명암, 양감, 질감 등을 자세히 관찰하
여 그린다.
모노타이프 : 평판화의 예로 평평한 판 위에 물감으로 그림
을 그린 후 종이를 덮어 찍어 내는, 한 장 밖에
찍을 수 없는 판화이다.
애니메이션 : 정지된 그림이나 사물이 마치 살아 움직이
는 것처럼 보이도록 연속적인 이미지를 만
들어 내는 영화 또는 기술을 말한다.

07 | ① 볼록판화 : 목판화, 고무판화, 리놀륨 판화, 지판
화 등이 있다.
오목판화 : 직접법(인그레이빙, 드라이포인트,
메조틴트), 간접법(에칭, 포토에칭,
애쿼틴트)이 있다.
평판화 : 석판화, 모노타이프 등이 있다.
공판화 : 실크 스크린, 스텐실 등이 있다.

판화의 제작방법

볼록판화
종류
: 목판화, 고무판화, 리놀륨 판화, 지판화 등이 있다.
목판화 제작과정
: 나무판에 반대로 밑그림 그리기→조각도로 새기기→롤
러로 잉크를 골고루 칠하기→바렌으로 문질러 찍기→
완성한다.
지판화 제작과정
: 두꺼운 종이를 원하는 모양으로 오리기→두꺼운 종이
판에 붙이기→롤러로 잉크를 골고루 칠하기→바렌으로
문질러 찍기→완성한다.
오목 판화
종류
: 직접법(인그레이빙, 드라이포인트, 메조틴트), 간접법
(에칭, 포토에칭, 애쿼틴트)이 있다.

드라이포인트 제작과정(직접법)
: 동판에 철필(송곳)로 그리기→잉크 바르기→오목한 곳
에 잉크 밀어 넣기→불필요한 곳의 잉크 닦아내기→프
레스기로 찍기→완성한다.
에칭 제작과정(간접법)
: 동판에 방식제 바르기→철필(송곳)로 그리기→질산 용
액에 담가 부식 시키기→흐르는 물에 판 닦기→잉크 바
르기→오목한 곳에 잉크 밀어 넣기→불필요한 곳의 잉
크 닦아내기→프레스기로 찍기→완성한다.
평판화
종류
: 석판화, 모노타이프 등이 있다.
석판화 제작과정
: 석판에 해먹이나 리소크레용으로 그림 그리기→아라비
아 고무액 바르기→스펀지로 물 바르고 씻기→잉크 바
르기→석판기로 찍기→완성한다.
공판화
종류
: 실크 스크린, 스텐실 등이 있다.
실크스크린 제작과정
: 실크판에 그림 그리기→감광액 바르기→감광 후 세척
하기→스퀴지로 잉크 밀어 찍기→완성한다.
스텐실 제작과정
: 종이 혹은 필름지에 그림 그리기→칼로 오려 내어 구
멍 내기→스펀지나 면봉에 잉크를 묻혀서 찍기→완성
한다.

08 | ③ <밀로의 비너스>는 기원전 130~120년경, <칼
레의 시민>은 1884~1889년, <풍선 개>는 1994
년~2000년으로 시대순은 (나)→(다)→(가)이다.

▲ 밀로의 비너스(대리석 / 높이 204cm / 기원전130~120년
경) 그리스의 작은 섬 밀로에서 발견된 비너스로 유연한 곡
선과 황금비를 나타내는 이상적인 아름다움이 느껴진다.

▲ 로댕(Rodin, Auguste / 프랑스 / 1840~1917) 칼레의 시민(청동 / 223×289×209.6cm / 1884~1889년) 영국의 프랑스 백년 전쟁에서 칼레시를 구하기 위해 여섯 명의 시민 대표가 목숨을 바쳤다는 일화를 소재로 삼은 기념상으로, 노블레스 오블리주를 상징하는 대표작으로 평가받고 있다.

▲ 쿤스(Koons, Jeff / 미국 / 1955~) 풍선 개(스테인리스 스틸 / 307.3×363.2×114.3cm / 1994~2000년)

09 | ④ 정선이 그린 <박연폭포>는 진경산수화이다. 민화는 주로 생활공간을 장식할 목적이나 그 밖의 실용적인 목적으로 그린 그림으로 복을 기원하는 세속적 주제를 다루었다. 형식에 얽매이지 않고 자유롭게 그린 그림으로 화조, 동물, 산수, 설화, 풍속, 윤리 등 전통 회화의 화제뿐 아니라 기록화, 궁중 장식화(십장생, 일월오악도) 등 다양한 내용을 나타내었다.

 **민화의 소재와 상징**

바위와 국화:오래오래 장수함을 상징
감과 불로초:하는 일이 마음대로 됨을 상징
포도, 박, 덩굴:자손만대가 번창함을 상징
소나무와 흰머리:새 부부의 백년 해로를 상징
원앙과 연꽃:귀한 자손을 얻는 것을 상징

10 | ② 초현실주의는 꿈, 환상, 이상의 세계를 그림의 소재로 다루었으며 대표 작가로는 샤갈, 달리, 마그리트, 에른스트 등이 있다.

11 | ① 도상학적 비평은 작품에 나타난 형상의 상징성, 우의성 등을 분석하고 비교함으로써 작품의 주제나 신화적, 역사적 의미 등을 해석하면서 비평한다.

⚠ **선지 더 알아보기**

인상주의 비평:체계적 이론과 기준을 거부하고, 비평가의 경험, 인상을 바탕으로 비평하는 방법을 말한다. 예술 작품이 불러일으키는 관념, 심상, 기분, 정서 등을 기록하고 서술하면서 비평한다.
표현주의 비평:작가의 정서, 표현의 솔직성, 독특한 개성이 기준이 되어 작품을 통해 작가의 감정과 정서가 어떻게 전달되었는지 분석하면서 비평한다.
형식주의 비평:작품에 보이는 조형 요소, 원리, 형식적 조직 등이 구조적으로 잘 연관되어 있는지를 분석하고 비평한다.

 **미술 비평의 유형**

규칙에 의한 비평
:'실제로 닮게 그렸는가?', '도덕적으로 기품이 있는가?', '정서적으로 호소력이 있는가?' 등 작품의 좋고 나쁨을 판단할 수 있는 기준을 바탕으로 비평하는 방법이다.

맥락 비평
:예술 작품이 창작된 사회적 배경에 대해 관심을 두는 비평이다. 작품이 창작된 상황들, 작품이 사회에 미치는 효과, 작품이 다른 것들과 맺고 있는 관계와 상호 작용을 전부 포함하는 말이다.

인상주의 비평
:체계적 이론과 기준을 거부하고, 비평가의 경험, 인상을 바탕으로 비평하는 방법을 말한다. 예술 작품이 불러일으키는 관념, 심상, 기분, 정서 등을 기록하고 서술하면서 비평한다.

의도주의 비평
:예술가가 예술 작품을 생산할 때의 의도를 따져서 작품을 설명하고 이해하려는 비평 방법이다.

내재적 비평
:작품 안에 담긴 내재적인 성격이나, 본질에만 집중적으로 주목하려는 비평으로 예술 작품의 독특성을 존중한다.

형식주의 비평
:작품에 보이는 조형요소, 원리, 형식적 조직 등이 구조적으로 잘 연관되어 있는지를 분석하고 비평한다.

도구주의 비평
:예술이 도덕적, 종교적, 정치적, 심리적 목표를 발전시키는 도구라고 인식하는 관점을 반영한 비평이다.

전체주의 비평
:규칙에 의한 비평, 맥락에 의한 비평, 인상주의 비평, 의도주의 비평, 내재적 비평 등을 종합하여 비평하는 방법을 말한다.

12 | ③ 강제 결합은 서로 관계가 없는 둘 이상의 대상을 강제로 연결시켜 아이디어를 창출하는 방식이다. 조금 인위적인 방법이기는 하지만 지식과 경험이 부족할 때나 더 이상 아이디어가 생성되지 않을 때 유용하게 사용 할 수 있다. 강제 결합은 두 대상의 관계성이 낮을 때 효과가 더 크게 나타날 수 있다.

▲ **쿠쉬(Kush, Vladimir / 1965~ / 러시아) 날개 달린 배의 출항 (캔버스에 유채 / 78.7×99cm /2000년)** | 나비와 배를 결합하여 실제로 존재할 수 없는 상상 속 장면을 표현하였다.

13 | ② 지공예는 종이를 이용하여 기물을 만들거나 장식하는 공예이다. 일상의 다양한 용품에서부터 지등 같은 연회 · 의례용품까지 널리 쓰였다. 재료는 닥종이로 글씨 연습 후 휴지, 책을 만드는 제지, 또는 파지를 이용하였다. 만드는 방법에는 종이를 여러 번 겹쳐 발라 사용하는 지도 기법이 있다. 또 종이를 물에 불려 사용하는 지호기법, 종이를 꼬아서 사용하는 지승기법이 있다. 종이 기물은 가볍고 질기며 깨지지 않는다. 또 휴지나 파지로 쉽게 제작할 수 있어 조선 시대 서민 계층에 널리 유행하였다.

14 | ② 레디메이드는 '기성품'을 의미하나 모던아트에서는 오브제의 장르 중 하나이다. 실용성으로 만들어진 기성품이라는 그 최초의 목적을 떠나 별개의 의미를 갖게 한 것. 마르셀 뒤샹이 변기, 술병걸이, 자전거 바퀴, 삽 등을 예술품으로 제출한 데서 시발한다. 자연물이나 미개인의 오브제 등과 다른 점은, 이것은 기계문명에 의해 양산되는 제품으로서 거기에는 일품 제작의 수공품인 예술에 대한 아이러니가 숨어 있음과 동시에, 물체에 대한 새로운 인식의 길이 암시되어 있다. 뒤샹은 이것을 '예술작품의 비인간화', '물체에 대한 새로운 사고'라고 부르고 있다.

드로잉 : 선으로 어떤 이미지를 그려내는 것을 말하며 색채보다는 선적인 수단을 통하여 대상의 형태를 표현하는데 중점을 둔다.
키네틱 아트 : 움직임이 나타나는 작품을 뜻하는 말로 시간의 흐름에 따라 형태가 변화한다.
콤바인 페인팅 : 콜라주에서 발전된 개념으로 2차원평면에 3차원의 물질이 결합된 작품을 말한다.

15 | ③ 양감은 조형 요소 중 하나로 작품에 표현된 대상의 덩어리감 또는 물체의 부피 · 무게 · 두께 등의 느낌을 말한다.

16 | ④ 초형인은 동식물이나 사물을 새긴 인장이다.

사구인 : 뜻 깊은 말이나 좋아하는 문구를 새긴 인장
성명인 : 이름을 새긴 인장
아호인 : 호를 새긴 인장

17 | ① 김정희는 추사체라는 고유명사로 불리는 최고의 글씨는 물론이고 세한도로 대표되는 그림과 시와 산문에 이르기까지 학자로서, 또는 예술가로서 최고의 경지에 이른 인물이다.

박수근

: 박수근(1914~1965)의 삶과 예술은 한마디로 '서민화가'
로 요약할 수 있다. 박수근은 사후에 더 유명해졌고, 독학
으로 자신만의 화풍을 구축하고 생계를 위해 그림을 그렸
다. 일제강점기에 태어나 암울한 시대를 살아가며 노상과
장터 등 가난하고 소박한 일상을 정감 있게 표현했다.

백남준

: 한국 출신의 비디오 아티스트 1960년대 플럭서스 운동의
중심에 있으면서 전위적이고 실험적인 공연과 전시로 센
세이션을 일으켰다. 비디오 예술의 선구자이며 다양한 매
체를 통해 예술에 대한 정의와 표현의 범위를 확대시켰다.

이중섭

: 한국의 서양화가이다. 박수근과 함께 한국 근대서양화
의 양대 거목으로 시대의 아픔과 굴곡 많은 생애의 울분
을 '소'라는 모티프를 통해 분출해냈다. 대담하고 거친
선묘를 특징으로 하면서도 해학과 천진무구한 소년의
정감이 작품 속에 녹아 있으며, 경쾌하고 유연한 필선의
은지화는 그 고유성을 인정받아 뉴욕 현대미술관
(MoMA)에 소장되어 있다.

18 | ④ 진채화는 농채화라고도 불리는데 진하게 채색
하는 채색 위주의 그림이다. 물감을 여러 번 덧
칠하여 두껍고 화려하게 채색한다.

 전통 회화 기법

수묵화(묵화) : 먹색의 농담만으로 그리는 그림
수묵담채화 : 먹으로 그린 다음 그 위에 엷게 채색하여 나
타낸 그림
진채화(농채화) : 진하게 채색하는 채색 위주의 그림

19 | ① 고딕 양식은 중세 미술 양식 중 하나로 높은 첨
탑과 스테인드글라스가 특징이며, 빛을 적절히
이용하여 수직적 상승감을 강조하였다.

 중세 미술

교회를 중심으로 예배당 건축과 모자이크 벽화, 스테인드
글라스, 금속 공예 등이 발전하였다. 건축 양식에 따라 비
잔틴 양식, 로마네크스 양식, 고딕 양식으로 구분한다.

비잔틴 양식 : 기독교적 내용에 동양적 장식성을 가미하였으
며, 돔 지붕과 모자이크 양식이 특징이다.
로마네스크 양식 : 두꺼운 벽과 좁은 창문, 삼각형 지붕과
아치형 창, 내부의 프레스코 장식이 특
징이다.
고딕 양식 : 높은 첨탑과 스테인드글라스가 특징이며, 빛을
적절히 이용하여 수직적 상승감을 강조하였다.

20 | ① 국보 83호 반가사유상은 우리나라 고대 불교조
각사 연구의 출발점이자 6, 7세기 동아시아의
가장 대표적인 불교조각품 가운데 하나로 잘
알려져 있다.

21 | ② 포장 디자인은 제품의 내용물을 보호하고 운반
하거나 저장하기에 편리하며, 제품의 종류를
빨리 알도록 하는 디자인이다. 구매 의욕을 증
가시키고, 시각적인 효과를 전달할 뿐 아니라
환경까지 고려하여 디자인한다.

22 | ③ <반구대 암각화>는 울산광역시 울주군 언양
읍에 있는 선사시대 바위 그림이다. 매끈한 바
위면에 고래, 개, 늑대, 호랑이, 사슴, 멧돼지, 곰,
토끼, 어우, 거북, 물고기, 사림 등의 모습과 고
래잡이 모습, 배와 어부의 모습, 사냥하는 모습
이 그려져 있다. 이 그림을 통해 종족의 번성과
풍요를 기원하는 그 시대의 사람들의 마음을
알 수 있다.

23 | ② 테라코타는 이탈리아어로 '구운 흙'이라는 의
미이다. 점토로 조형한 작품을 그대로 건조하
여 굽는 것으로 쉽게 만들 수가 있고, 내구성이
높다.

24 | ④ 어셈블리지는 '집합', '조립'을 나타내는 말로 우
       리 주위에서 볼 수 있는 폐품이나 일회용품, 잡
       다한 물건들을 쌓거나 조립해 만든 작품이다.

드리핑 : 붓을 사용하지 않고 물감을 뿌리거나 흘려 표현
         하는 기법
크로키 : 움직이는 대상의 동작을 포착하여 빠르게 그리
         는 그림
프로타주 : 오목하거나 볼록한 물체에 종이를 대고 색연필,
           크레용 등으로 문질러 거기에 베껴지는 무늬나
           효과를 얻는 회화 기법

25 | ①

▲ **수변의 수렵 –** 이집트 제18왕조 / B.C.1500년 경, 회칠 벽
   채색, 83 × 97cm, 이집트 테베 출토, 런던 대영 박물관
   소장.

위 그림에서 인물들은 기하학적 규칙성에 따라
그려진 반면, 새와 고양이, 물고기 등과 같은 자
연물은 매우 사실적으로 묘사된 것을 알 수 있
다. 이집트의 화가들은 인물을 그릴 때 전해오
는 관념에 따른 기하학적 규칙성을 중요시했으
며, 그 외에 동물이나 자연물을 그릴 때는 사실
적인 관찰 결과를 보다 중요시해서 그렸다.

01	②	02	②	03	④	04	①	05	③
06	②	07	②	08	①	09	②	10	④
11	②	12	②	13	③	14	③	15	④
16	④	17	③	18	③	19	④	20	①
21	②	22	①	23	④	24	③	25	①

01 | ② 초충도는 풀과 벌레 등을 소재로 그린 그림이다.

⚠ **선지 더 알아보기**

산수화 : 산과 계곡 등 자연의 경치를 그린 그림
화조화 : 꽃과 새를 소재로 그린 그림
기명절지화 : 그릇, 꽃, 나뭇가지 등 일상의 용품을 배치하
여 그린 그림

02 | ② 선은 연속된 점들이 모인 것으로 대상의 윤곽
을 나타낸다. 선의 굵기, 속도감, 방향, 힘 등에
따라 느낌이 다르다.

▲ 이우환(한국→일본 / 1936~) 선으로부터 (캔버스에 안
료 / 91×116.8cm / 1978년) 선들을 위에서 부터 아래로
길게 내려 그어가면서 그 흔적을 담은 작품이다.

03 | ④ 보색 대비는 색상 차가 가장 큰 보색끼리 조합
하였을 때 서로의 채도가 높아 뚜렷이 보이는
현상이다.

⚠ **선지 더 알아보기**

가산 혼합 : RGB빛(색광)의 혼합으로 빨강(RED), 초록
(GREEN), 파랑(BLUE)의 3광원색을 혼합할수
록 평균 명도가 높아지는 혼합을 말한다.
감산 혼합 : CMY(물감) 즉, 시안(cyan), 마젠타(magenta),
옐로(yellow)의 3원색 색료 혼색으로 색을 혼
합할 수록 평균 명도와 채도가 낮아지는 혼합
을 말한다.
면적 대비 : 같은 색이라도 면적이 크고 작음에 따라 명도
와 채도가 다르게 보이는 현상을 말한다.

04 | ① 궁서체는 궁녀들이 제작한 서체로 모음의 가로
획이나 세로획이 강조되어 길어진다. 받침의
유무에 따라 글자의 크기가 다르게 나타난다.

⚠ **선지 더 알아보기**

전서체 : 획의 굵기가 일정하다. 획이 곡선적이며 세로로
긴 장방형이다.
초서체 : 점, 획의 연결이나 생략, 단순화가 많다. 예술성
이 강하며 개성적인 서체로 활달한 느낌을 준다.
판본체 : 문자의 중심이 중앙에 있다. 가로와 세로획의 굵
기가 비슷하며 직선이다. 필세가 단단하고 장중
한 느낌을 가진다.

05 | ③ 오방색은 우리나라의 전통색으로 다섯 방위를
상징하는 색이다. 동쪽은 청색, 서쪽은 흰색, 남
쪽은 적색, 북쪽은 흑색, 가운데는 황색이다.

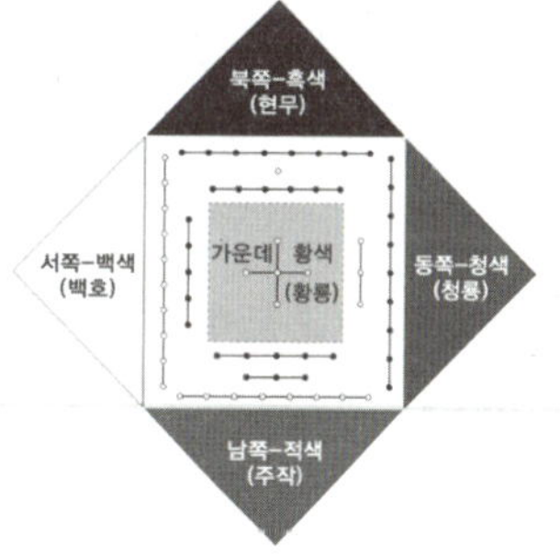

06 | ④ 홀치기염이란 천을 실로 매거나 천 자체를 매
듭 지어 묶은 부분은 염색이 되지 않게 하는 방
법이다. 홀치기염 제작 과정은 이러하다. (다)
천을 실로 묶거나 매듭 짓는다.→(가) 천을 염
료에 담가 염색한다.→(나) 천을 묶은 실을 풀
고 찬물에 헹군다.

07 | ② 석판화는 평판화의 하나의 종류로 평평한 면에 잉크를 묻혀 물과 기름의 반발원리를 이용하여 찍어낸다. 판을 새기지 않고 평평한 판면에 유성 재료로 그린 후 잉크를 묻혀 찍는다. 펜이나 붓 등의 농담과 터치가 그대로 살아난다.

08 | ① 결합(Combine)은 발상법 스캠퍼에서 **C**에 해당하는 방법으로 서로 관계가 없는 둘 이상의 대상을 강제로 연결시켜 아이디어를 창출하는 방식이다. 조금 인위적인 방법이기는 하지만 지식과 경험이 부족할 때나 더 이상 아이디어가 생성되지 않을 때 유용하게 사용 할 수 있다. 강제 결합은 두 대상의 관계성이 낮을 때 효과가 더 크게 나타날 수 있다.
작품 아프리카 소나타는 아프리카의 동물들을 오케스트라의 악기와 연관하여 상상하게 한다. 코끼리는 트럼펫 순록은 하프를 연결하여 표현했다. 다른 동물들이 어떤 악기를 연주할지 상상하게 되며 동물들의 오케스트라 소리가 궁금해 지는 작품이다. 쿠쉬의 작품들을 가볍게 본다면 '신기한 작품이다.' 라고 단순하게 느낄 수 있지만, 작품 설명을 보지 않아도 자신만의 생각으로 다양하게 상상할 수 있는 작품 세계에 놀라게 된다.

▲ 아프리카 소나타(**African sonata**). prints on canvas, 61×53.3cm

09 | ② 콜로세움은 고대 로마시대 7-80년경 세워진 경기장 겸 극장이다.

경복궁은 조선 전기에 창건되어 정궁으로 이용된 궁궐이다.

▲ 서울 경복궁 중 광화문과 근정전 일대

타지마할은 인도 아그라에 위치한 무굴 제국의 대표적 건축물이다.

파르테논 신전은 그리스 아테네의 아크로폴리스에 있는 건축물로 아테나 여신에 봉헌된 신전이다.

10 | ④ 액션 페인팅은 1952년 미국의 비평가 해럴드 로젠버그가 명명한 전후 미국의 대표적인 표현 양식이다. 이미지의 정착보다는 그린다는 행위(액션) 그 자체에서 순수한 의미를 찾아내려는 경향이며, 대표적인 작가로는 잭슨 폴록, 빌럼 데 쿠닝, 프란츠 클라인 등에 의하여 대표된다.

▲ 폴록(Pollock, Jackson / 미국 / 1912~1956) No.31(캔버스에 유채, 에나멜 물감 / 269.5×530.8cm / 부분 / 1950년) 추상 표현주의를 대표하는 작품으로, 바닥에 놓인 캔버스에 물감을 뿌리는 액션 페인팅으로 제작하였다.

11 | ② 슈퍼 그래픽은 건축물이나 인공 구조물의 큰 벽면을 그래픽 디자인으로 장식하는 것이다.

레디메이드 : 예술로 전시하기 위해 임의로 선택한 후 양산된 기성품을 나타내는 말로 마르셀 뒤샹이 창조한 용어이다.

12 | ② 목탄은 나뭇가지를 구워 만든 일종의 숯으로, 부드러운 명암 표현에 좋다. 완성 후 정착액(픽사티브)을 뿌려 보관한다.

13 | ③ <브로드웨이 부기우기>는 피트 몬드리안이 1943년에 그린 그림으로 캔버스 유채화이다. 몬드리안의 유명한 신조형주의적인 그림들은 강렬한 추상성이 특징이다. 그의 그림의 주된 모티브는 빨강, 파랑, 노랑 등의 원색을 가진 직사각형 면과 그와 섞인 흰색과 검은색 면, 그리고 검정색 선들이다.

14 | ③ 문인화는 그림을 직업으로 하지 않는 선비나 사대부들이 여흥으로 자신들의 심중을 표현하여 그린 그림을 일컫는 말로서 사인지화 혹은 사대부화 · 문인지화로 불리다가 문인화가 되었다. 주로 서화나 서예, 인물화 · 사군자 등 주제에 구애받지 않고 다양한 분야를 다루었다.

15 | ④ (다) 빗살무늬 토기는 신석기, (나) 청자 상감 운학문 매병은 고려시대, (가) 백자 달 항아리는 조선시대이다.

16 | ④ 컷 아웃 애니메이션은 종이 위에 형태를 그리고 잘라낸 다음 각각의 종이들을 한 장면씩 움직여 가면서 촬영하여 연속 동작을 만드는 애니메이션 기법. 인물을 표현한다면 전체 인물 모습과 함께 팔, 다리, 손, 머리, 눈, 입술 등을 각각 잘라내어 그것들을 움직여 가면서 촬영해 인물의 다양한 동작과 표정을 움직이는 형태로 묘사할 수 있다. 하나의 그림을 계속해서 사용할 수 있으므로 작업 시간과 작업량을 절약할 수 있다는 장점이 있다. 반면 형태 자체는 변하지 않고 각 부분만 움직인다.

플립 북 : 책이나 공책의 한 귀퉁이에 조금씩 변해가는 그림을 한 장 한 장 그려 놓고 그것을 빠르게 넘기면 그림이 마치 움직이는 것처럼 보이는 효과이다.
모래 애니메이션 : 그림의 재료로 모래를 이용한 애니메이션이다. 유리 밑에서 빛을 비추고 그 위에 모래로 형상을 그리거나 만들어 한 장씩 촬영하여 움직임을 만들어내는 애니메이션 기법이다.
클레이 애니메이션 : 철사나 골격 구조에 점토를 입혀 모델을 조금씩 움직이며 촬영해 제작한다.

17 | ③ 신인상주의는 원색의 색점과 보색 대비의 병치 혼합을 활용한 점묘법으로 대상을 표현하였다. 대표 작가로 쇠라, 시냐크가 있다.

다다이즘 : 전통과 관습의 부정, 우연성 강조, 자유로운 표현 기법의 활용이 특징이다. 대표 작가로 뒤샹, 피카비아, 만 레이, 아르프가 있다.
대지 미술 : 산, 해변, 사막 등 거대한 자연환경을 표현 매체로 적극적으로 이용하였다. 대표 작가로 크리스토, 스밋슨, 골즈 워디가 있다.
초현실주의 : 초현실주의는 꿈, 환상, 이상의 세계를 그림의 소재로 다루었으며 대표 작가로는 샤갈, 달리, 마그리트, 에른스트 등이 있다.

18 | ③ 앤디 워홀은 미국의 화가, 영화 제작자이다. 만화, 배우사진 등 대중적 이미지를 채용하여 그들의 이미지를 실크스크린 기법을 구사하여 되풀이하는 반회화, 반예술적 영화를 제작하여 팝 아트의 대표적 존재가 되었다. 월간지 '인터뷰'를 발간하였고, 대표작에 '2백 개의 수프 깡통'이 있다.

19 | ④ 미켈란젤로의 <피에타>는 머리, 몸, 팔, 다리 등 인체의 전체가 드러나도록 제작된 작품으로 전신상이다.

20 | ① 아호인은 호를 새긴 인장이다.

사구인 : 뜻 깊은 말이나 좋아하는 문구를 새긴 인장
초형인 : 동식물이나 사물을 새긴 인장
성명인 : 이름을 새긴 인장

21 | ② 정물화는 주변에서볼 수 있는 꽃, 과일, 야채, 기물 등을 실내에 보기 좋게 배치해 놓고 그린다.

인물화 : 살아 있는 사람을 대상으로 비례, 균형, 표정, 동세를 살려 생동감 있게 표현한다.
풍경화 : 우리 주변의 건물이나 산과 들 같은 자연을 소재로 표현한다. 보는 사람과 대상과의 거리에 따른 멀고 가까움(원근)과 계절의 변화, 기후의 변화에 따른 자연의 아름다움을 표현한다.
풍속화 : 시대의 풍습이나 생활상을 그린 그림

22 | ① 오브제는 물건, 물체, 객체 등을 의미하는 프랑스어로, 일상생활 용품의 용도에 예술적 속성을 부여하여 새로운 의미를 탄생시킨 물체를 말한다.

모자이크 : 색지나 돌, 색유리 같은 작은 조각들을 일정한 형상이나 모양으로 붙여 표현하는 기법이다.
영자팔법 : 붓글씨로 한자를 쓸 때 자주 나오는 획의 종류 여덟 가지를 길 영(永) 자를 통해 설명한 것이다.
프로타주 : 오목하거나 볼록한 물체에 종이를 대고 색연필, 크레용 등으로 문질러 거기에 베껴지는 무늬나 효과를 얻는 회화 기법

23 | ④ 전이모사는 옛 선인의 그림을 본떠서 그리며 전통적인 묘사 기법을 수련하고 체득 하였는가를 평가하는 기준이다.

🔍 개념 더 보기 동양화 비평기준

기운생동(氣韻生動) : 작품의 생명력
작품의 생명력이 넘쳐 살아 있는 듯 생생하게 표현함을 의미한다.

골법용필(骨法用筆) : 붓의 안정된 필선
붓에 힘이 깃들어야 한다는 말로, 안정된 필선으로 작품을 형상화해야 함을 의미한다.

응물상형(應物像形) : 형태의 사실성
형상을 묘사하는 사실력이 있어야 한다는 뜻으로, 형태를 닮게 그려야 함을 의미한다.

수류부채(隨類賦彩) : 적절한 색채
먹의 농담 표현을 잘하거나 채색을 적절히 하여 사물의 색채를 표현해야 함을 의미한다.

> **경영위치(經營位置) : 좋은 구도**
> 그림을 그릴 때 주제와 부주제 등의 위치를 잘 잡아 배열함으로써 좋은 구도를 잡아야 한다는 의미이다.
>
> **전이모사(轉移模寫) : 옛 그림의 모사**
> 옛 선인의 그림을 본떠서 그리며 그 기법을 체득해야 함을 의미한다.

24 | ③ 심원법은 높은 곳에서 아래로 내려다보는 시점으로 첩첩이 쌓여 있는 골짜기의 무한한 깊이감을 표현 한다.

⚠ 선지 더 알아보기

평원법 : 가까운 산으로부터 먼 산을 바라 본 시점으로 자연의 광활함을 표현 한다.

🔍 개념 더 보기 용필법 (붓을 쓰는 방법)

구륵법 : 대상의 윤곽선을 그린 다음 그 안에 먹색의 농담이나 채색을 넣어주는 화법
몰골법 : 윤곽선 없이 농담(색)으로 표현하는 화법
백묘법 : 선으로만 그리는 화법
감필법 : 운필을 절제하여 간략히 함축적으로 표현하는 화법

25 | ① 노르웨이의 화가 뭉크의 1893년 작품이다. <절규>는 표현주의 그림으로, 핏빛의 하늘을 배경으로 괴로워하는 인물을 묘사했다. 화가이 절망적인 심리 상태를 역동적으로 움직이는 것처럼 보이는 붉은 구름으로 나타내었으며, 화면 하단에서 비명을 지르고 있는 인물은 마치 유령과 같은 모습을 하고 있는데, 뭉크는 깊은 좌절에 빠진 사람을 극적으로 표현하기 위해 이와 같은 형태의 왜곡을 했다.

01	③	02	④	03	④	04	①	05	②
06	③	07	②	08	④	09	④	10	①
11	①	12	③	13	④	14	②	15	①
16	①	17	④	18	④	19	①	20	③
21	①	22	②	23	①	24	①	25	④

01 | ③ 황금비는 시각적으로 가장 균형적이고 이상적인 비율이다. 가로와 세로의 비율에 있어서 사람의 눈이 편안하게 인식 할 수 있도록 도와 준다. 황금비율은 1 : 1.618이다.

그리스 아테네의 파르테논 신전과 황금비
: 신전을 정면에서 보았을 때 외부 윤곽은 완벽한 황금사각형입니다. 또 신전 기둥의 윗부분은 전체 높이를 황금분할하고, 왼쪽에서 네번째 기둥과 다섯번째 기둥은 각각 전체 가로의 길이를 1 : 1.618로 황금분할 합니다.

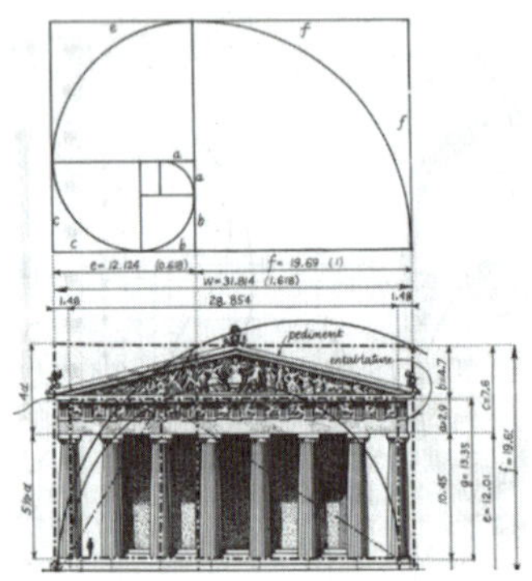

▲ 파르테논 황금비

밀로의 비너스에 나타난 황금비율

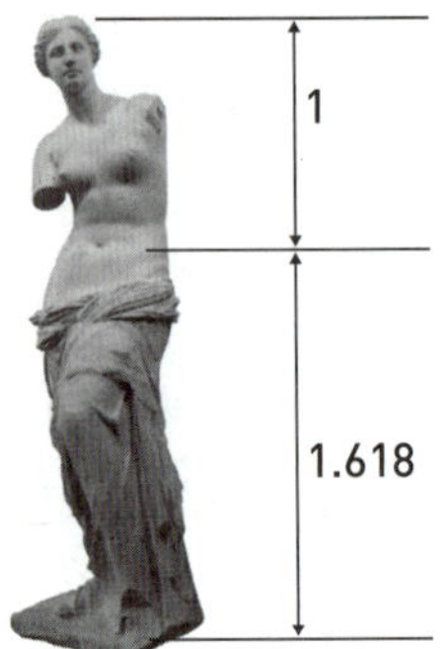

02 | ④ 미니멀 아트는 주관성을 억제하고 최소한의 조형 수단만을 사용하여 단순하게 표현하였다. 대표 작가로 스텔라, 저드, 모리스가 있다.

> ⚠ **선지 더 알아보기**

옵 아트 : 조형 요소를 반복적으로 배치하여 착시를 일으키는 추상표현의 한 방법이다. 대표 작가로 바자렐리, 라일리가 있다.
팝 아트 : 대중(Popular)과 예술(Art)의 합성어로 대중문화적 이미지를 미술 영역으로 수용한 구상미술의 한 경향을 가리킨다. 1960년대 초엽에 뉴욕을 중심으로 출현한 미술의 한 장르이다. 로이 리히텐슈타인, 앤디 워홀, 클라스 올덴버그 등이 그 대표적인 작가로 알려져 있다.
다다이즘 : 전통과 관습의 부정, 우연성 강조, 자유로운 표현 기법의 활용이 특징이다. 대표 작가로 뒤샹, 피카비아, 만 레이, 아르프가 있다.

03 | ④ 카메라 옵스큐라(camera obscura)는 camera(Room) + obscura(어두운)으로 '어두운 방'이란 의미이다. 카메라 옵스큐라는 어두운 방의 한 부분에 구멍을 뚫어 놓으면 밖의 풍경이 구멍을 통해 들어와 맞은편 벽에 거꾸로 맺히게 되는 장치이다.

> ⚠ **선지 더 알아보기**

카툰 : 넓은 의미로 만화 전체를 아우르는 용어이지만, 보통은 '한 눈에 작가의 메시지를 전달받는 만화'를 뜻한다. 한 칸 만화가 대부분이지만, 칸이 나뉘어 있는 경우도 있다. 내부에 완결된 이야기가 없다면 카툰으로 부를 수 없다.
애니메이션 : 정지된 그림이나 사물이 마치 살아 움직이는 것처럼 보이도록 연속적인 이미지를 만들어 내는 영화 또는 기술을 말한다.
타이포그래피 : 글자의 형태, 색상, 배치 등의 요소를 디자인하여 의미와 감정을 시각화한다.

04 | ① 목공예는 나무를 이용하여 물건을 만드는 공예이다. 가구나 집기류를 주로 만든다.

금속 공예: 금, 은, 동, 철 등의 금속을 이용하여 만든 공예이다. 대표적인 제작 기법으로 주금, 판금, 누금 등이 있다.

도자 공예: 도토를 빚어서 구워 만드는 공예이며 자기 · 도기 · 토기로 구분된다. 도기는 그 재료를 어디에서나 구할 수 있으며 생산도 용이하고, 그 제품은 내열과 내산성이 강하다.

유리 공예: 유리의 특성을 활용해 인간 생활에 필요한 물건을 만든다. 실용성과 인간의 마음을 즐겁게 하는 요소를 겸비한 공예이다.

05 | ② 콩테는 흑연 또는 숯을 가루로 갈아서 밀랍 또는 점토와 섞어 압축해 만든 그림 도구이다. 단면은 정사각형이고, 1795년 니콜라자크 콩테가 발명했다. 제작 단가가 싸고 경도를 쉽게 조절할 수 있다.

목탄: 나뭇가지를 구워 만든 일종의 숯으로, 부드러운 명암 표현에 좋다. 완성 후 정착액(픽사티브)을 뿌려 보관한다.

템페라: 달걀이나 아교질 · 벌꿀 · 무화과 나무의 수액 등을 용매로 사용해서 색채 가루인 안료와 섞어 물감을 만들고 이것으로 그린 그림이다.

수채 물감: 수채 물감은 안료에 물을 섞어서 사용한다. 물의 양을 조절하여 겹침, 번짐, 흘림 등 다양한 기법이 가능하다.

06 | ③ 궁서체는 시작과 끝이 날카롭게 비침 되는 반면 판본체 글씨는 둥글고 각진 방필, 원필로 쓰는 점이 포인트입니다.

07 | ② 그래피티(graffiti art)는 벽이나 그밖의 화면에 낙서처럼 긁거나 스프레이 페인트를 이용해 그리는 그림을 말한다. 어원은 '긁다, 긁어서 새기다.'라는 뜻의 이탈리아어 'graffito'와 그리스어 'sgraffito'에서 찾을 수 있다. 그래피티의 유래를 찾아 보면 뉴욕의 할렘에서 시작된 것으로, 주로 사회 반항적이거나 인종차별주의를 신랄하게 비판하는 메시지를 담고 있는 그림들이 많다.

모빌
: 콜더가 창안한 움직이는 추상조소로, 여러 모양의 쇳조각이나 나뭇조각 등을 기다란 철사, 실 등으로 매달아 균형이 되게 한 것이다.

비디오 아트
: 텔레비전 모니터, 비디오 장치 등 멀티미디어를 표현 매체로 활용하였다. 대표 작가로 백남준, 소니어가 있다.

스트리트 퍼니처
: 거리나 길가에 인간의 생활에 편리함과 유용성을 주기 위해 만든 기구, 소품, 인공물을 통틀어 나타내는 말이다. 우체통, 쓰레기통, 기로등, 신호등, 벤치, 버스 정류장 등이 있다.

08 | ④ 오방색은 우리나라의 전통색으로 다섯 방위를 상징하는 색이다. 동쪽은 청색, 서쪽은 흰색, 남쪽은 적색, 북쪽은 흑색, 가운데는 황색이다. 그러므로 ④ 분홍색이 틀린 선지이다.

09 | ④ 콜라그래프란 목판이나 하드보드지 위에 종이, 천, 실 골판지 등 다양한 재료를 콜라주하여 판을 만든 후에 프레스를 사용하여 찍어내는 판화이다.

> **석판화** : 평판화의 하나의 종류로 평평한 면에 잉크를 묻혀 물과 기름의 반발원리를 이용하여 찍어낸다.
>
> **스텐실** : 공판화의 하나의 종류로, 투명 필름지 등에 도안을 그리고 모양대로 오려낸 후, 종이나 벽, 가구 등 원하는 곳에 필름을 붙인 후 오려낸 자리에 물감을 두드려 발라서 도안과 같은 그림, 문자를 만드는 형식의 용법이다.

10 | ① 고구려는 강서 고분, 쌍영총, 무용총 등의 고분 벽화를 통해 고구려인의 생활상과 진취적 기상을 읽을 수 있다.

11 | ③ 전각은 나무, 돌 등을 재료로 하여 글자나 그림을 새겨서 찍는 것으로, 보통 한문 서체 중 전서로 새기기 때문에 전각이라고 부른다.

▲ 김정희(1786~1856/조선) 불이선란(종이에 수묵/54.9×30.6cm/조선 후기) | 성명인, 아호인, 수장인 등 15개의 전각이 찍혀 있다.

주문인은 글씨 부분을 남기고 배경을 파내는 양각 기법으로 글자가 붉게 보인다. '아호인'이라 하여, '겸재 정선'의 겸재처럼 호를 양각으로 제작한다. 백문인은 '성명인'이라 하여, '혜원 신윤복' 의 신윤복처럼 이름을 음각으로 제작한다.

 전각의 제작과정

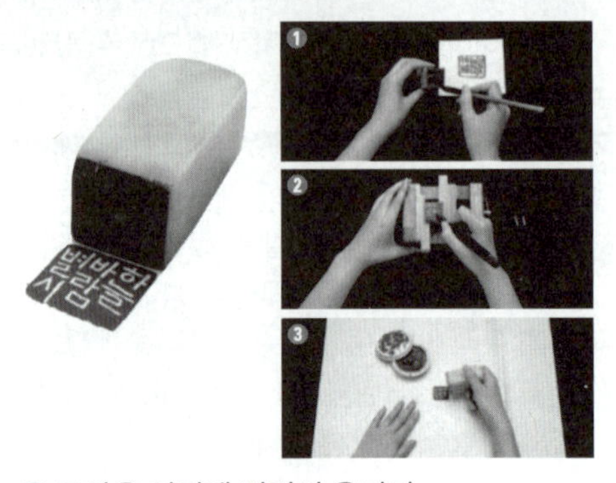

❶ 도안을 인면에 뒤집어 옮기기
❷ 전각도로 문자 새기기
❸ 찍어 가며 수정하기

12 | ③ 색채 원근법은 기하학적인 선원근법(투시도법)과는 달리, 눈과 대상사이의 공기층이나 빛으로 생기는 대상의 색채와 윤곽의 변화를 포착하여, 색채의 강약이나 농담 등으로 표현하는 방법이다. 같은 물체라도 가까이 있는 것은 선명하고 강하게, 멀리 있는 것은 흐리고 약하게 표현한다.

13 | ② 바로크 미술은 르네상스의 고전주의에 반발하여 역동적이고 과장된 표현을 강조하였다. 회화는 강한 명암 대비와 역동적 구도가 특징이며, 대표 작가로 벨라스케스, 렘브란트, 루벤스가 있다.

▲ 이사벨라 공주 플랑드르의 화가 루벤스의 작품.

야수파는 20세기의 미술로 대상의 변형, 강렬한 색채, 자유로운 붓질, 평면적이고 장식적인 표현이 특징이다. 대표 작가로 마티스, 루오, 블라맹크가 있다.

▲ **마티스**(Matisse, Henri / 1869~1954 / 프랑스) **마티스 부인의 초상** (캔버스에 유채 / 40.5×32.5cm / 1905년)

리히텐슈타인(Lichtenstein, Roy/1923~1997/미국) 뉴욕 출신의 팝아티스트. 미국의 대중적인 만화를 작품 소재로 선택하였다. 밝은 색채와 단순화된 형태, 뚜렷한 윤곽선, 기계적인 인쇄로 생긴 점(Dot)들을 특징으로 한다. 저급문화로 알려진 만화를 회화에 도입해 일상과 예술의 경계를 허문 팝아트의 대표적인 작가이다.

▲ 리히텐슈타인 '우는 여인'

14 | ② 캐리커처는 인물을 익살스럽게 과장하여 표현한 그림이다.

15 | ① 군상은 한 작품 안에 두 명 이상이 존재하도록 표현된 작품을 가리키는 말인데 위의 두 작품은 한 작품 안에 1명을 표현 했기 때문에 군상이라고 할 수 없다. 위의 두 작품은 서 있는 입상이면서 3차원의 입체로 사방에서 감상할 수 있는 환조이고, 머리, 몸, 팔, 다리 등 인체의 전체가 드러나도록 제작된 전신상이다.

16 | ① **산수화** : 산과 계곡 등 자연의 경치를 그린 그림이다.
　　　 어해화 : 물고기나 게 따위의, 물에 사는 동물을 그린 그림이다.
　　　 영모화 : 새와 짐승 등을 소재로 그린 그림이다.
　　　 초충도 : 풀과 벌레 등을 소재로 그린 그림이다.

17 | ④ 항아리는 아래위가 좁고 배가 부른 질그릇이다.

매병 : 아가리가 좁고 어깨는 넓으며 밑이 홀쭉하게 생긴 병.

연적 : 벼루에 먹을 갈 때 쓰는, 물을 담아 두는 그릇.

편병 : 자라 모양으로 만든 병. 납작하고 둥근 몸통에 짧은 목이 달려 있다.

18 | ④ 추상주의는 점, 선, 면, 색으로만 자신의 느낌을 표현한다. 자연의 대상을 떠나 순수한 조형요소만으로 창조된 형태이다.

19 | ① 도슨트는 미술관, 박물관 등에서 자원봉사자로 일하며 일반 관람객들에게 작품, 작가 그리고 각 시대 미술의 흐름을 설명해 주는 사람이다.

20 | ③ 〈이삭줍기〉는 프랑스의 사실주의 화가 장 프랑수아 밀레의 대표적인 작품이다. 밀레는 과장하거나 감상도 섞지 않고, 일하는 농민의 모습을 종교적인 분위기로 심화시켜 소박한 아름다움으로 표현했다. 또한 농부 집안에서 태어난 그는 '하찮아 보이는 농부들의 일을 숭고하게 표현'했다. 이 작품은 자연 대상을 있는 그대로 묘사하는 중점을 둔 예술 사조이므로 자연주의이다.

미래주의 : 기계의 속도와 움직임에 긍정적인 관심을 두고 이를 표현하고자 하였다. 대표 작가로 보초니, 발라, 카라가 있다.

야수주의 : 20세기의 미술로 대상의 변형, 강렬한 색채, 자유로운 붓질, 평면적이고 장식적인 표현이 특징이다. 대표 작가로 마티스, 루오, 블라맹크가 있다.

신고전주의 : 고전, 고대의 부활을 목표로 고고학적 정확성에 강한 관심을 두고 합리주의적 미학에 바탕을 두었다. 고대적 모티브를 많이 쓰고 냉철한 표현의 완성을 특징으로 한다.

21 | ③ 단원 김홍도는 조선 후기 풍속화를 그린 화가이다.

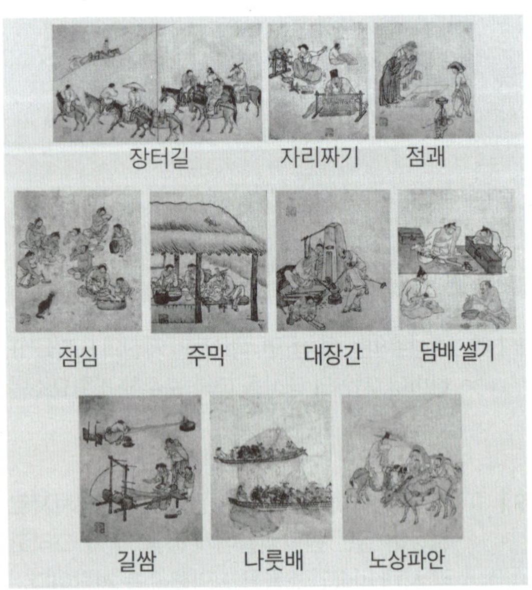

22 | ② 작품이 대상을 얼마나 충실하게 재현하였는지 판단하는 비평 관점은 모방주의다.

맥락주의 비평
: 예술 작품이 창작된 사회적 배경에 대해 관심을 두고 비평한다.

표현주의 비평
: 작가의 정서, 표현의 솔직성, 독특한 개성이 기준이 되어 작품을 통해 작가의 감정과 정서가 어떻게 전달되었는지 분석하면서 비평한다.

형식주의 비평
: 작품에 보이는 조형 요소, 원리, 형식적 조직 등이 구조적으로 잘 연관되어 있는지를 분석하고 비평한다.

23 | ① 사군자는 매화, 난초, 국화, 대나무를 말한다. 흔히 매란국죽이라고도 한다.

24 | ① 미술분야에서 포트폴리오는 작가의 작품 경향과 과거 및 현재의 작업들을 한눈에 볼 수 있도록 견본이나 사진을 정리하여 모아둔 것을 지칭한다. 공모전이나 작가 선정 및 입시 등의 초기 판단 자료로도 사용된다.

25 | ④ 인터렉티브 아트는 관람자와 작품 사이의 상호작용을 중심으로 한 예술 형식을 의미한다. 이는 기존의 일방적인 예술 경험과 달리 관람자들이 참여하고 작품에 직접적인 영향을 미칠 수 있는 형태를 말한다. 관람자들은 작품을 터치하거나 움직임에 반응하며, 시각적인 변화나 소리, 조명 등 다양한 방식으로 작품과 상호작용할 수 있다.

프로타주 : 오목하거나 볼록한 물체에 종이를 대고 색연필, 크레용 등으로 문질러 거기에 베껴지는 무늬나 효과를 얻는 회화 기법

레디메이드 : 예술로 전시하기 위해 임의로 선택한 후 양산된 기성품을 나타내는 말로 마르셀 뒤샹이 창조한 용어이다.

어셈블리지 : '집합', '조립'을 나타내는 말로 우리 주위에서 볼 수 있는 폐품이나 일회용품, 잡다한 물건들을 쌓거나 조립해 만든 작품을 말한다.

01	①	02	③	03	②	04	③	05	④
06	②	07	③	08	④	09	④	10	②
11	④	12	③	13	④	14	①	15	②
16	①	17	④	18	①	19	④	20	②
21	④	22	③	23	①	24	③	25	①

01 | ① 먹은 동양에서 글씨와 그림을 그릴 때 사용한 기본적인 재료이다. 구성은 그을음+아교+향료로 구성 되어 있고, 벼루를 사용해 갈아서 액상, 잉크의 형태로 만들어 사용한다. 그을음은 먹의 색을 결정하고 아교는 먹물을 만들었을 때 번짐과 붓을 쓸 때 느껴지는 점도, 보관성, 먹의 수명, 먹물을 만드는 속도 등을 결정한다. 먹과 아교로만 만들면 꿉꿉한 냄새가 나기에 향을 넣는다. 보통 박하의 일종인 용뇌를 사용한다.

02 | ③ **바니타스**는 16-17세기 네덜란드와 플랑드르 지역에서 유행한 정물화의 한 장르로 중세 말 흑사병, 종교 전쟁 등 여러 비극적인 경험으로 인해 탄생했다. **기명절지화**는 기명(그릇)과 절지(꺾인 가지)로 구분되는 정물화의 성격을 지닌 그림으로 우리 조선 옛 선비들이 즐겨 사용하던 문방구류 (필기구, 붓, 벼루, 종이,먹)와 제기(그릇),식기(음식그릇), 화기(꽃병), 아끼던 골동품 그릇 그리고 행운의 뜻을 지닌 각종 꽃과 과일 등을 계절이나 용도에 구애 받지 않고 조화롭게 배열하여 제작했다. 바니타스는 서양의 정물화이고, 기명절지화는 동양의 정물화이다. 그러므로 두 그림의 공통점은 정물화이다.

03 | ② 디자인은 합목적성으로 해결 되어 있어야 되고 아름다움(심미성)을 지니고 있어야 한다. 디자인에 알맞은 적당한 가격의 경제성과 독창성이 필요하고 마지막으로 이 조건들이 따로 고립된 것이 아니라 서로 조화를 이루어 유지되는 질서성이 있어야 한다.

동양화 비평기준

1) 합목적성(실용성, 기능성, 효용성) : 디자인이란 인간 생활에 실용성을 주기 위한 것으로 사용 목적에 맞게 디자인 되어야 한다. 디자인의 목적이 합리적으로 설정되고 적합한 구조로 세부까지 명확하게 설계 되어 있어야 한다.

2) 심미성(조형성) : 심미성은 합목적성의 반대로 서로 대립되는 조건이라고 할 수 있다. 심미성을 해결하는 것은 아름다운 느낌, 즉 미의식이다. 디자인의 심미성을 성립시키는 미의식은 시대성, 민족성, 국제성, 사회성, 개인성, 유행, 개성 등의 복합이며 각 미의식에 따라 나타날 수 있다. 그래서 감성적이고 주관적이지만, 대중에 의해 공감대가 형성되는 미를 추구 해야 한다.

3) 독창성 : 디자인에서 최종적으로 생명을 불어넣는 요소이며, 디자인의 핵심이라고 볼 수 있다. 디자이너의 아이디어가 창의적이어야 하며, 다른 디자인과의 차별성, 주목성, 특징적인 요소가 있어야함과 동시에 편리성도 있어야 된다. 현실적으로 독창성은 모방과 개선을 통한 역사적인 결과물이다.

4) 경제성(생산성) : 디자인이란 경제성에 밀착됨으로써 참된 아름다움이 생기는 것이고 거기서 비로소 심미성이 근대적 디자인의 원리가 되는 것이다. 허용된 경비, 주어진 조건 안에서 가장 우수한 디자인과 경제적 효과를 창출해야 하는 경제의 원칙을 디자인에 적용한 것이다. 최소의 비용과 자재, 노력의 투자로 최대의 부가가치를 생성 해야 한다.

5) 질서성 : 합목적성, 심미성, 독창성, 경제성은 각기 조화를 이루어 유시되는 것이다. 디자인의 레이아웃은 깔끔해야 하며, 편집과 정리가 잘 되어야 한다. 질서가 느껴져야, 나머지 위의 4가지 요소가 파악 될 수 있어야 굿 디자인이라고 할 수 있다.

04 | ③ 워홀의 '캠벨 스프 캔'은 그의 팝 아트 시리즈 중 가장 유명하고 상징적인 작품이다. 이 작품은 1960년대 초에 탄생하였으며, 워홀이 일상적이고 상업적인 대중 문화를 표현하는 방식으로 큰 주목을 받았다.

해석1) 대중 문화의 상징
: '캠벨 스프 캔'은 단순한 슈퍼마켓 상품인 캠벨 스프의 캔을 일반적인 예술 작품으로서 소재로 삼은 것이다. 워홀은 이를 통해 대중 문화의 아이코닉한 상징물을 미술 작품으로 표현하며, 현대 사회에서의 소비문화와 대중적인 문화적 상품화를 비판하고자 했다.

해석2) 일반화와 복제
: 워홀은 '캠벨 스프 캔'을 한정된 색상과 패턴으로 반복하여 그림으로써, 제품의 일반화와 대중화된 복제성을 강조했다. 이는 소비 사회에서 제품이 어떻게 대량생산되고 대중화되는지를 시각적으로 보여준다.

해석3) 존재의 본질과 가치에 대한 질문
: 워홀의 작품은 예술이나 제품의 실제 존재에 대한 질문을 던진다. 제품의 일상적이고 반복적인 모습을 예술 작품으로 소개함으로써, 우리가 무엇을 예술이라고 인식하는지에 대한 사고를 유도한다.

해석4) 시대적인 문맥과 의미
: '캠벨 스프 캔'은 워홀이 팝 아트 운동의 중심에서 상업적이고 대중적인 요소를 활용하여 현대 예술에 새로운 방향을 제시한 사례로, 그의 시대적 문맥과 현대 예술의 발전에 큰 영향을 미쳤다.

05 | ④ 분청사기는 청자를 만들던 흙으로 그릇을 빚고, 그 위에 백자를 만들 때 사용하는 백토를 발라 구운 자기이다. 그릇에 백토를 바르는 것을 분장이라고 하는데, '흰색의 분장토를 입힌 회청색의 사기'(분청회청사기)를 줄여서 '분청사기'라고 부른다. 고려 청자의 청색에서 조선 백자의 백색으로 넘어가는 사이에 위치한 과도기적인 양식으로도 볼 수 있다. 청자와 백자에서 주로 느껴지는 매트함, 우아함과는 다른, 다양한 텍스쳐와 질감의 친숙함이 돋보인다는 특징이 있다. 분청사기는 조선 초기에 유행했는데 13세기 경 청자에서 모티브를 얻어 변모, 발전한 자기로 조선 태종 때부터 약 200여년간 유행했으며, 특히 세종~세조 시기에 전성기를 맞았으나, 16세기 전반부터 점차 쇠퇴했다.

06 | ② 볼록 판화는 조각된 판의 볼록한 부분에 잉크를 묻혀 찍어낸다. 음각과 양각의 강한대비 효과로 인해 선명한 느낌이 난다. 볼록 판화의 종류에는 목판화, 고무판화, 리놀륨 판화, 지판화 등이 있다.

07 | ③ **피사 대성당**은 유럽 중세시기에 이탈리아의 상업도시였던 피사에 위치해 있는 이탈리아 로마네스크 건축을 대표하는 주교좌 성당(대성당)이다. 이 성당은 피사의 사탑이라는 이름으로 알려진 종루, 세례당, 묘지 캄포산토(성스러운 토지라는 뜻) 등을 갖추었다. 이 성당은 팔레루모 해전의 승리를 기념해서 1064년 그리스인 부스케투스의 설계에 의해서 기공하였고, 1118년 에 헌당되었으며, 12세기 말에 라이날두스가 서측 부분을 연장해서 돔을 설치하고 13세기에 파사드가 완해서 준하였다. **바우하우스**는 1919년부터 1933년까지 독일에서 설립,운영된 학교로 미술과 공예, 사진, 건축 등과 관련된 종합적인 내용을 교육하였다. 발터 그로피우스가 1919년 바이마르에 설립했다가 1925년 데사우로 옮겼다. 바우하우스는 독일어로 '건축의 집'을 의미한다. 바우하우스의 양식은 현대식 건축과 디자인에 큰 영향을 주게 되었다.

또한 이어지는 예술, 건축, 그래픽 디자인, 실내 디자인, 공업 디자인, 타이포그래피의 발전에 깊은 영향을 주었다. **파르테논 신전**은 그리스 아테네의 아크로폴리스에 있는 건축물로 아테나 여신에 봉헌된 신전이다. 황금비인 1 : 1.618 이 적용되어 만들어진 안정감과 균형감이 있는 건축물이다. 건축물이 제작 된 순서는 파르테논 신전→피사 대성당→바우하우스 이다.

08 | ④ 문화재 복원 전문가는 전통 기술과 현대의 과학 기술을 활용해 손상된 문화재를 본래의 모습으로 되돌리고 추가적인 손상을 예방한다. 문화재는 오랜 세월을 거치면서 자연적으로, 혹은 인위적인 원인에 의해 손상되는데 문화재 복원전문가가 이렇게 손상된 문화재를 보존 처리해 후대까지 온전히 유지하는 일을 한다.

09 | ③ 점이란 '차차 자리를 옮아가다'라는 뜻으로 점진적인 변화를 뜻하며, 흔히 그라데이션이라고 한다. 점이는 자연스러운 흐름과 변화를 나타낼 수 있는 원리로 색상, 명도 뿐만 아니라 형태와 크기로도 얼마든지 표현이 가능하다.

10 | ② 브레인스토밍은 문제 해결을 위해 다양한 아이디어를 자유롭게 제시하고 취합해 독창적인 아이디어를 얻는 발상법으로, 타인의 아이디어를 비판하지 않으면서 많은 아이디어를 자유롭게 내놓는 발상기법이다.

11 | ④ 일월오봉도는 한자어 그대로 해와 달, 그리고 다섯 봉우리의 산을 그린 그림이다. 주로 병풍으로 그려져 조선시대 어좌의 뒷편에 놓였다. 왕과 왕비 그리고 왕이 다스리는 국토를 의미하기도 하고, 해와 달 그리고 5개의 행성로 보는 관점에서는 조선의 유교교리인 음양오행설을 의미하기도 한다.

12 | ③ 염색 공예는 실이나 천에 여러가지 색의 염료를 사용하여 물들여 예술적인 물품을 만드는 것이다.

13 | ④ <가시목걸이와 벌새가 있는 자화상>은 멕시코의 화가 프리다 칼로가 그린 자화상이다. 이 그림에 반영된 사조 '마술적 리얼리즘'은 기묘한 분위기를 담고, 당대의 주제들로 다소 모호한 개념을 전달하고자 했던 미술과 문학운동이다. 프리다 칼로는 멕시코의 민속 전통에서 행운의 부적을 상징하는 죽은 벌새, 리베라를 상징하는 듯한 검은 원숭이, 그 원숭이가 목걸이를 잡아당겨서 가시가 피부를 찌르는 모습 등을 통해 자신의 신체적 고통과 자신의 우울감 등을 표현한다.

14 | ① 석굴암은 현존하는 통일신라시대의 유일한 인조 석굴이다. 석굴암은 불국사와 함께 토함산을 불국토로 구현하고자 했던 김대성의 의도가 반영 되어 있어 당대인들의 불국토사상을 엿볼 수 있다. 석굴암은 고대에 만들어진 인공적인 석굴이라는 점과 함께 불교 조각의 뛰어난 기술과 예술성을 인정 받아 1995년 불국사와 함께 유네스코 세계문화유산으로 등재되었다.

15 | ② 미디어 아트는 사진, 전화, 영화 등의 발명 이후 신기술들을 활용하는 예술들을 가리킨다. 뉴미디어 아트라고도 불리며 매체예술로 번역된다. 미디어 아드가 기존의 예술과 다른점은 작가와 관객의 상호작용에 있다. 전통적인 예술, 즉 회화나 조각은 정적인 제작물로서 심리적 상호소통이 우선적인데 비해서 미디어아트는 대중매체를 이용함으로써 심리적 상호작용뿐만 아니라 인터페이스를 통한 물질적인 상호작용도 일어난다. 대중과의 소통이 은유적인 것에서 보다 직접적으로 바뀐 것이다. 대중매체가 발달된 오늘날 미디어아트는 단순한 예술을 넘어서 일상으로 발전하고 있다.

<table>
<tr><td>

데칼코마니: 종이 위에 물감을 두껍게 칠하고 반으로 접거나 다른 종이를 덮어 찍어서 대칭적인 무늬를 만드는 회화 기법
물감 번지기: 종이에 물과 물감이 만나 번지는 효과를 내는 수채화 기법 중 하나이다.

</td></tr>
</table>

16 | ① 인상주의는 고유색을 부정하며 빛의 변화에 따른 순간의 인상을 담으려 했던 화파이다. 햇빛에 의해 시시각각 움직이는 색채의 변화 속에서 대상을 표현하려고 하였다. 대표 작가로 마네, 모네, 르누아르가 있다.

17 | ④ 이모티콘은 컴퓨터 문자를 조합하여 만든 그림 기호로 온라인에서 감정이나 메시지를 전달하기 위한 것이다 . 이름의 유래는 감정을 뜻하는 'emotion', 조각을 뜻하는 'icon'을 합친 말이다.

18 | ① 백묘법은 붓을 쓰는 방법인 용필법의 하나로 선으로만 그리는 방법이다.

19 | ④ 전각은 나무, 돌 등을 재료로 하여 글자나 그림을 새겨서 찍는 것으로, 보통 한문 서체 중 전서로 새기기 때문에 전각이라고 부른다.

20 | ② 개념미술은 작품의 물질적인 측면보다 아이디어 혹은 개념 그 자체를 예술이라고 생각하는 것으로 반미술적인 성격을 띤다. 헨리 플린트가 '개념미술'이라는 용어를 최초로 사용하였다. 그는 개념과 언어의 밀접한 관계를 전제한 뒤 결국 개념예술은 언어를 재료로 하는 예술이라고 정의하였다. 솔 르위트는 재료의 물질성을 벗어나 형식에 관계없이 아이디어를 활성화해야 한다는 점을 '개념미술'의 핵심으로 본다.

<table>
<tr><td>

옵 아트: 조형 요소를 반복적으로 배치하여 착시를 일으키는 추상표현의 한 방법이다. 대표 작가로 바자렐리, 라일리가 있다.
대지 미술: 산, 해변, 사막 등 거대한 자연 환경을 표현 매체로 적극적으로 이용하였다. 대표 작가로 크리스토, 스밋슨, 골즈 워디가 있다.
키네틱 아트: 움직임이 나타나는 작품을 뜻하는 말로 시간의 흐름에 따라 형태가 변화한다.

</td></tr>
</table>

21 | ④ 부조는 평면에 입체감이 나타나도록 하여 한쪽에서 감상할 수 있고, 환조는 3차원의 입체로 사방에서 감상할 수 있다. 입상은 서 있는 모습이고 좌상은 앉아 있는 모습이다. 로댕의 <생각하는 사람>은 3차원 입체로 사방에서 감상할 수 있어서 환조이고, 앉아 있는 모습이라서 좌상이다.

22 | ③ 3D 애니메이션은 디지털 환경에서 3차원의 움직이는 그림을 만들어 내는 것이다. 모든 움직임이 x축과 y축, z축으로 이루어져 입체감이 생겨난다.

<table>
<tr><td>

캐리커처: 인물을 익살스럽게 과장하여 표현한 그림이다.
픽토그램: 픽토(picto)와 전보를 뜻하는 텔레그램(telegram)의 합성어로, 사물과 시설 그리고 행동 등을 상징화하여, 불특정 다수의 사람들이 빠르고 쉽게 이해할 수 있도록 나타낸 시각 디자인이다.
유니버설 디자인: 성별, 연령, 국적, 문화적 배경, 장애의 유무 등에 상관없이 누구나 손쉽게 쓸 수 있는 제품 및 사용 환경을 만드는 디자인이다.

</td></tr>
</table>

23 | ① 환경 디자인은 인간 생활 환경 및 공간을 보다 적합(기능)하게 하기 위한 것으로 도시계획, 건축, 산업, 시각디자인 등 통합적인 관점에서 지속가능한 생태 체계로 보존, 관리하는 디자인이다. 환경 디자인의 조건은 인간을 위한 자연미와 인공미의 조화 즉, 보전과 개발의 균형을 통해 자연과 더불어 사는 삶을 추구하는 것과 재료의 자연색 존중과 같은 환경색으로서의 배경적인 역할 고려가 있고, 광선 및 온도 기후 등의 조건을 생각한 지속 가능성을 고려해야 한다. 환경디자인 영역은 도시 환경 디자인, 주거 환경 디자인, 환경 설비 디자인까지이다.

24 | ③ 양감은 작품에 표현된 대상의 덩어리감 또는 물체의 부피·무게·두께 등의 느낌이고, 질감은 작품의 표면에서 느껴지는 시각적인 촉감이다.

25 | ① 이 보고서에 나타난 것은 그림 안에 표현된 소나무와 잣나무를 통해 드러내고자 하는 작가의 의도를 파악하는 비평이다.

01	③	02	①	03	①	04	②	05	①
06	③	07	④	08	③	09	④	10	④
11	①	12	①	13	④	14	②	15	④
16	②	17	②	18	③	19	④	20	③
21	②	22	④	23	②	24	①	25	②

01 | ③ 드로잉은 선으로 어떤 이미지를 그려내는 것을 말하며 색채보다는 선적인 수단을 통하여 대상의 형태를 표현하는데 중점을 둔다. 데생, 소묘, 스케치라고 부르기도 한다. 선을 여러 번 겹쳐서 명암, 양감, 질감 등을 표현 할 수 있다.

02 | ① 조형 원리 중 하나인 균형은 어느 한 쪽으로 치우치지 않는 시각적 무게의 평형과 안정을 이룬 상태를 말한다.

🔍 개념 더 보기 　조형의 원리

조형 원리는 조형 요소를 유기적으로 조직하여 내적 질서를 부여하는 것으로, 통일, 균형, 조화, 비례, 율동, 변화, 강조, 동세 등이 있다.

통일: 화면에 질서를 부여하는 것으로, 정돈되고 안정된 느낌을 준다.

변화: 크기나 형, 색채 등을 서로 다르게 표현하여 다양함을 주는 것으로 지나치면 산만하다.

대비: 두 가지 이상의 요소를 비교하여 어울리게 하거나 반대되는 요소를 조화롭게 배치해 표현한다.

균형: 어느 한 쪽으로 치우치지 않는 시각적 무게의 평형과 안정을 이룬 상태를 말한다.

- 대칭균형(균제) 상하좌우의 형, 색, 크기가 같아서 균형이 된 상태이다.

- 비대칭균형(불균제) 형, 색, 크기 등은 다르지만 어느 쪽에 치우치지 않고 균형이 된 상태이다.

율동: 조형 요소의 반복과 점진으로 생기는 질서의 흐름으로, 리듬감과 운동감을 느낄 수 있다.

- 반복: 동일한 모양과 색이 연이어 나타나는 것을 말한다.

- 점증·점이: 크기, 간격, 굵기, 색 등이 점점 증가하거나 옮아가는 것을 말한다.

동세: 작품에 나타나는 운동감과 생명감, 대상의 움직임, 방향감을 말한다.

강조: 특정 부분을 강하게 표현하여 시선을 집중시키는 요소로 긴장감을 준다.

비례: 길이의 장단, 부분과 부분, 전체와 부분의 크기나 관계, 면적, 부피 등의 상대적 비율을 통해 아름다움을 만들어 낼 수 있다.

03 | ① 조형 요소 중 하나인 질감은 작품 표면에서 느껴지는 시각적인 촉감이다.

🔍 개념 더 보기 　조형 요소

조형 요소는 작품 제작에 필요한 기본적인 구성 요소로 점, 선, 면, 형, 명암, 양감, 색, 질감, 재질감 등을 통해 구체적 형태나 이미지가 나타난다.

점: 구성의 최소 단위이며 크기에 따라 면으로 느껴지기도 한다.

선: 대상의 윤곽이나 형을 암시하기도 하며 굵기, 속도, 방향, 힘 등에 따라 느낌이 다르다.

면: 선과 선의 연결로 만들어진 넓이를 지닌 2차원 평면으로, 양감이나 공간의 깊이를 암시한다.

형: 외관에 나타난 모양으로 회화에서는 2차원의 평면을, 조각 건축에서는 3차원의 입체를 말한다.
- 구상형: 사물의 모양을 구체적으로 알아볼 수 있는 형
- 반추상형: 인위적으로 변형하여 상징적으로 표현한 형
- 추상형: 사물의 모양을 구체적으로 알아볼 수 없는 형

양감: 작품에 표현된 대상의 덩어리감 또는 물체의 부피·무게·두께 등의 느낌을 말한다.

색: 빛의 스펙트럼 파장에서 지각되며, 본래의 물체색인 고유색과 자연 광선의 변화에 따른 인상의 색, 자기 감정이나 생각에 따라 표현되는 심상의 색 등으로 구분된다.

질감: 작품의 표면에서 느껴지는 시각적인 촉감을 말한다.

재질감: 작품에 쓰인 소재, 재료 표면에 대한 자연 그대로의 촉각적 느낌을 말한다.

명암: 색의 농담이나 밝기의 정도를 말한다.

04 | ② 신인상주의는 원색의 색점과 보색 대비의 병치 혼합을 활용한 점묘법으로 대상을 표현하였다. 점묘법은 물감을 섞지 않고, 작고 선명한 색 점들을 하나하나 찍어 그림을 완성하는 기법이다. 이 색 점들은 멀리서 보면 눈속임에 의해 혼합된 색처럼 보이게 하는 착시 효과를 준다. 이것을 시각적 혼합이라고 한다.

05 | ① 금속 공예는 금, 은, 동, 철 등의 금속을 이용하여 만든 공예이다. 대표적인 제작 기법으로 주금, 판금, 누금 등이 있다.

06 | ③ 전서체는 가장 오래된 서체로 둥글고 꼬불꼬불한 선이 특징이다. 획이 균일하고 장식적이며 마치 조각하듯이 새긴 듯한 느낌이다. 자형이 직사각 형태로 가로에 비해 세로가 길다. 대칭적 구조가 많아서 고전적이고, 엄숙하고, 신성한 느낌을 준다. 대표적인 사용 예는 도장 글씨, 비석, 고대 문서 제목 등이다.

07 | ④ 문인화는 그림을 직업으로 하지 않는 선비나 사대부들이 여흥으로 자신들의 심중을 표현하여 그린 그림을 일컫는 말로서 사인지화 혹은 사대부화 · 문인지화로 불리다가 문인화가 되었다. 주로 서화나 서예, 인물화 · 사군자 등 주제에 구애 받지 않고 다양한 분야를 다루었다.

08 | ③ 책가도는 조선 후기 책장(책가)과 책, 문방구, 도자기, 꽃병 등을 함께 그린 정물화 형식의 상징적 회화이다. 학문과 지혜, 부귀와 교양을 상징하며 주로 사대부 집안이나 왕실, 서당 등에 장식용으로 걸렸다.

산수화 : 산과 계곡 등 자연의 경치를 그린 그림
의궤도 : 조선 시대 국가의 중요한 의식이나 행사를 기록한 '의궤' 속에 수록된 그림
일월오봉도 : 한자어 그대로 해와 달, 그리고 다섯 봉우리의 산을 그린 그림이란 뜻이다. 주로 병풍으로 그려져 조선시대 어좌의 뒷편에 놓였다.

09 | ④ 《금강전도》는 정선이 금강산의 실제 모습을 한 폭의 큰 그림으로 펼쳐 그린 대표작이다. 진경산수화란 실제 우리나라의 자연 경관을 바탕으로 사실적이면서도 화가의 감성을 담아 표현한 산수화다. 정선은 조선후기 대표화가로 진경산수화의 창시자이다.

불화 : 불교의 교리나 부처, 보살, 불교 세계를 표현한 그림으로, 주로 절(사찰)의 벽화, 탱화, 불단 장식 등 신앙의 대상으로 그려진다.
북종화 (북송화) : 중국 송나라 북송 시대를 중심으로 발달한 회화 양식으로, 정교하고 사실적인 표현, 화려한 채색과 구성미를 특징으로 하는 궁정 중심의 화풍
기명절지화 : 그릇, 꽃, 나뭇가지 등 일상의 용품을 배치하여 그린 그림

10 | ④ 픽토그램은 픽토(picto)와 전보를 뜻하는 텔레그램(telegram)의 합성어로 사물, 개념, 행동 등을 단순화된 그림이나 기호로 표현한 시각 언어이다. 문자 없이도 누구나 쉽게 의미를 이해할 수 있도록 만든 그래픽 아이콘이다.

11 | ① 에코 디자인은 환경을 고려하여 자원과 에너지를 절약하고, 폐기물 발생을 줄이는 지속가능한 디자인이다.

의상 디자인 : 의상 디자인은 사람의 신체에 착용하는 옷을 심미적, 기능적, 사회적 목적에 따라 창조하고 설계하는 디자인 분야
셉테드 디자인 : 범죄 예방 환경 디자인의 약자로 안전하고 쾌적한 삶을 위한 공공 디자인
스트리트 퍼니처 : 쉽게 말해 거리의 가구라는 뜻이다. 공원이나 광장 등 시민들이 공동생활을 하는 공동 공간에 존재하는 다양한 목적으로 설치된 시설물

12 | ① 제거는 스캠퍼 발상 기법 중 하나로 어떤 것의 일부분을 없애 아이디어를 찾는 방법이다.

 **스캠퍼(SCAMPER) 발상 기법**

대체(Substitute) :
대상의 소재, 형태, 용도 등을 바꿈.

결합(Combine) :
대상에 다른 대상을 결합함.

적용(Adapt) :
대상에 다른 방식이나 원리를 적용함.

수정(Modify)/축소(Minify)/확대(Magnify) :
대상의 형태를 수정하거나 축소하거나 확대함.

다른 용도로 사용(Put to other uses) :
대상을 본래의 용도와 다른 용도로 사용함.

제거(Eliminate) :
대상의 일부분을 제거함.

재배열(Rearrange)/뒤집기(Reverse) :
대상을 뒤집거나 다시 배열함.

13 | ④ (가)는 서 있는 조각상으로 입상이고, (나)는 머리, 팔, 다리가 없는 몸통 조각으로 토르소다.

조소 인물상 명칭 정리

명칭	뜻	특징 및 설명
입상	서 있는 조각	- 인물이 똑바로 서 있는 자세 - 가장 일반적 형태 예 장군상, 성인상
좌상	앉아 있는 조각	- 의자 또는 땅에 앉아 있는 모습 - 안정감과 위엄을 표현 예 석가모니 좌상
와상	누워 있는 조각	- 인물이 누운 자세 - 주로 휴식, 죽음, 평화 상징 예 열반에 든 부처
군상	여러 인물이 함께 있는 조각	- 다수 인물을 표현 - 역사적 사건, 군중 장면 등 예 독립운동가 군상

흉상	가슴 윗부분까지 표현한 조각	- 머리부터 어깨 또는 가슴 위까지만 표현 - 주로 기념, 초상용 예 위인 흉상
두상	머리만 표현한 조각	- 얼굴과 머리 중심 - 감정 표현, 표정 강조 예 인체학 조각 연습 등
전신상	머리부터 발끝까지 전신 표현	- 인물의 전체 모습을 묘사 - 입상 · 좌상 등도 전신상이 될 수 있음
토르소	머리, 팔, 다리가 없는 몸통 조각	- 몸통만 표현한 조각 - 고대 그리스 조각에서 유래 - 인체의 근육과 형태 표현 중심 예 벨베데레 토르소

14 | ② 오윤의 <바람 부는 곳>은 볼록판화로 볼록한 면에 잉크를 묻혀 찍어 낸다. 음각과 양각의 강한 대비 효과로 인해 선명한 느낌이 난다.

판화 4대 기법

분류	설명	대표 재료	특징	예시
볼록 판화	그림이 올라온 부분(볼록한 부분)에 잉크를 묻혀 찍는 판화	목판, 고무판	- 조각칼로 파낸 부분은 잉크가 묻지 않음 - 강한 선, 명확한 윤곽	목판화, 고무 판화
오목 판화	그림을 파낸 오목한 부분에 잉크를 채워 찍는 판화	금속판 (동판 등)	- 파인 부분에 잉크가 들어가고 표면은 닦아냄 - 섬세하고 부드러운 선 표현	동판화 (에칭, 드라이 포인트)
평판 판화	판의 높낮이 없이 화학적 반응으로 인쇄 부위와 비인쇄 부위 구분	석판, 알루미늄판	- 표면은 평평함 - 물과 기름의 반발성 이용 - 자유로운 선과 붓질 표현 가능	석판화 (리소 그래피)
공판 판화	판에 구멍을 뚫어 잉크가 통과하게 만든 판화	실크 스크린, 스텐실	- 구멍난 부분에만 잉크 통과 - 강한 색채, 넓은 면 표현 가능 - 다양한 소재에 인쇄 가능	실크 스크린, 포스터 인쇄

15 | ④   소조는 점토(찰흙), 석고, 종이 등 무른 재료를 덧붙이거나 빚어가며 형상을 만드는 입체 조형 기법이다. 조각 칼로 깎는 조각과 달리, 형태를 쌓고 더하는 방식이다. 손맛과 질감이 살아 있어서 부드럽고 유기적인 표현이 가능하다. 조각보다 수정이 자유롭다. 완성 후에는 형을 떠 보존 하기도 한다.

16 | ②   마사초의 《성 삼위일체》와 라파엘로의 《아테네 학당》은 모두 서양 르네상스 미술을 대표하는 걸작으로, 공통적으로 르네상스 정신과 회화 기법의 발전을 보여주는 작품이다.

작품 더 알아보기

1) 마사초 - 성 삼위일체 (1427년경)
 - 르네상스 초기 이탈리아 화가
 - 서양 회화 최초로 선원근법을 정밀하게 적용한 작품
 - 그림 속 건축 공간이 실제 공간처럼 보이게 함
 - 하단에 무릎 꿇은 신자(후원자) 포함 → 인간 중심 시선 등장

2) 라파엘로 - 아테네 학당 (1509~1511)
 - 르네상스 전성기의 대표 화가
 - 고대 그리스 철학자들(플라톤, 아리스토텔레스 등)을 르네상스 화가들의 얼굴로 표현
 - 도서관 벽화로, 학문과 철학을 시각적으로 표현한 인문주의 예찬
 - 정확한 원근법, 건축 공간 속 인물 배치가 매우 균형 잡혀 있음

17 | ②   <빌렌도르프의 비너스>의 제작 시기는 BC 25000년 전으로 구석기 시대로 추정하고 있고 빈센트 반 고흐의 명작 《별이 빛나는 밤》은 1889년 6월경, 프랑스 남부 생레미(Saint-Rémy)의 정신병원에 입원해 있던 시기에 그려졌다. 백남준의 《TV 첼로(TV Cello)》, 《TV 안경 (TV Eyeglasses) 1971년에 제작 되었다.

18 | ③   마르셀 뒤샹의 《L.H.O.O.Q.》는 패러디의 대표적인 예술 작품이다. 패러디는 기존의 잘 알려진 작품이나 인물, 형식을 모방하거나 변형하여 새로운 의미, 풍자, 비판을 전달하는 표현 방식이다.

뒤샹의 L.H.O.O.Q.에서의 패러디 요소

요소	설명
원작 차용	모나리자라는 고전 명화를 사용 → 누구나 아는 대상 선택
낙서 행위	수염과 콧수염을 그려 넣음 → 권위 파괴, 성별 전복의 의미 포함
제목 장난	L.H.O.O.Q. → 프랑스어로 발음 시 성적 농담이 됨 → 도발적 유머
예술 제도 비판	"예술은 무엇인가?"라는 질문 제기 → 예술의 기준 자체를 패러디

19 | ④   리히텐슈타인(Lichtenstein, Roy/1923~1997/미국) 뉴욕 출신의 팝아티스트. 미국의 대중적인 만화를 작품 소재로 선택하였다. 밝은 색채와 단순화된 형태, 뚜렷한 윤곽선, 기계적인 인쇄로 생긴 점(dot)들을 특징으로 한다. 저급문화로 알려진 만화를 회화에 도입해 일상과 예술의 경계를 허문 팝아트의 대표적인 작가이다.

20 | ③   하우스만의 작품 《미술 비평,(1919-20)》는 포토 몽타주기법의 대표 사례이다. 포토 몽타주는 사진, 인쇄물, 문자, 그림 등을 오려 붙여 새 이미지를 창조하는 표현 기법이다. 여러 시각 자료를 조합해 새로운 의미와 메시지를 만드는 시각적 콜라주(collage)의 한 형태이다. 하우스만은 포토몽타주를 주로 정치적 풍자에 활용했다. 이처럼 기존 질서, 권위자에 대한 조롱으로 정치적, 사회적 메세지를 전달하기 위해 포토 몽타주가 사용된다.

21 | ②   비엔날레는 현대 미술 전시나 예술 행사에서 자주 등장하는 용어로, 이탈리아어로 "2년에 한 번" 이라는 뜻이다. 현재는 예술 분야에서 2년에 한 번 개최되는 국제 예술 전시회 또는 축제를 지칭한다. 특히 현대미술, 건축, 무용, 영화 등 다양한 장르에서 사용되고, 세계 여러 도시에서 정기적으로 개최되어 국제적인 문화 교류의 장이 된다.

22 | ④ 애니메이션 제작은 5단계로 기획, 스토리보드 제작, 디자인 및 애니메이팅, 편집 및 음향작업, 완성 및 상영 순이다.

①	기획	어떤 이야기를 만들지 정하는 단계	→ 주제, 줄거리, 등장인물, 분위기 설정 등 전체 방향 기획
②	스토리보드 제작	장면을 그림으로 나열해 영상 흐름을 시각화	→ 컷 구성, 화면 전환, 대사, 카메라 움직임 등을 미리 설계
③	디자인 및 애니메이팅	캐릭터, 배경, 소품 등을 디자인하고 실제로 움직이는 장면을 그림	→ 셀 애니메이션, 디지털 애니메이션, 3D 등 다양한 방식
④	촬영 및 편집, 음향 작업	촬영 및 완성된 영상에 배경음악, 효과음, 목소리 더빙, 장면 전환 등을 추가	
⑤	완성 및 상영	최종 영상으로 합쳐 파일 출력 또는 상영	→ 영화관, 유튜브, TV 등에서 공개

23 | ② 영화 《아바타, 2009, 감독 제임스 카메론》는 모션 캡처 기술을 혁신적으로 활용한 작품이다. 모션 캡처는 배우나 사람의 실제 움직임을 센서나 카메라로 추적하여 디지털 캐릭터에 그대로 적용하는 기술이다. 줄여서 "모캡(MoCap)"이라고도 부른다.

홀로그램: 빛의 간섭 원리를 이용해 입체적으로 보이게 만든 3차원 영상 기술이다. 특별한 안경 없이도 공중에 영상이 떠 있는 것처럼 보이는 시각 효과를 준다.

미니멀 아트: 1960년대 미국을 중심으로 등장한 예술 사조로, 형태와 색을 극도로 단순화하여 감정을 배제하고 본질만 표현하는 극단적 단순성의 미술이다.

UCC: User Created Contents, 사용자 제작 콘텐츠의 약자로, 일반 사용자(일반인, 학생 등)가 직접 기획·제작·편집하여 온라인에 올리는 디지털 콘텐츠이다. 즉, 누구나 만드는 영상·글·이미지 등의 미디어 콘텐츠이다.

24 | ① 바자렐리의 《베가 200》은 옵 아트의 대표작이다. 옵 아트는 조형 요소를 반복적으로 배치하여 착시를 일으키는 추상표현의 한 방법이다. 대표 작가로 바자렐리, 라일리가 있다.

사실주의: 눈에 보이는 현실의 모습을 꾸밈없이 사실적으로 표현하였다. 대표 작가로 쿠르베, 도미에가 있다.

야수주의: 20세기의 미술로 대상의 변형, 강렬한 색채, 자유로운 붓질, 평면적이고 장식적인 표현이 특징이다. 대표 작가로 마티스, 루오, 블라맹크가 있다.

신고전주의: 고대 그리스 미술의 이상적 아름다움을 다시 보여 주고자 하였으며, 신화와 역사적 주제를 엄숙하게 표현하 였다. 대표 작가로 다비드, 앵그르가 있다.

25 | ② 미술 감독(Art Director)은 영상물이나 공연의 시각적 요소 전체를 책임지고 관리하는 사람이다. 화면 속 색감, 배경, 소품, 세트, 조명 분위기, 의상, 소도구까지 전반적인 시각 콘셉트를 통합적으로 설계한다.

01	①	02	②	03	②	04	②	05	④
06	③	07	④	08	④	09	④	10	②
11	②	12	④	13	③	14	③	15	④
16	③	17	④	18	①	19	④	20	③
21	②	22	③	23	①	24	③	25	②

01 | ① 카툰은 시사적·사회적 사건을 한 컷 또는 몇 컷으로 풍자·비판하는 만화다. 신문 사설 만평 형태로 많이 사용된다.

플립 북:여러 장의 그림을 빠르게 넘겨 움직임이 나타나는 애니메이션 초기 형태로, 연속동작을 시각적 착시로 표현한다.

이모티콘:문자나 기호로 감정·표정을 단순하게 나타내는 표현 방식으로 디지털 대화에서 감정 전달 도구로 사용된다.

애니메이션:정지된 그림이나 사진을 연속적으로 연결해 움직임을 만드는 영상 예술이다. 영화·TV·게임 등에서 활용되는 동적 표현이다.

02 | ② 마인드맵은 중심 개념을 가운데 두고 가지(branch)처럼 관련 아이디어를 구조적으로 확장해 나가는 시각적 사고 도구이다. 정보 간의 관계를 체계적으로 정리할 때 사용된다.

확산적 사고 기법

확산적 사고 기법:문제를 확인 하고 이를 해결하기 위한 다양한 아이디어를 내는 발상 기법

1) **브레인 스토밍**:어떤 구체적인 문제에 대한 해결 방안을 생각할 때, 서로 비판하지 않고, 머릿속에 떠오르는 대로 아이디어를 내게 하는 방법

2) **마인드맵**:생각지도, 중심 주제로부터 가지에 가지를 계속 붙여 나가면서 생각이나 아이디어를 확장 시켜 시각화 하는 방법

3) **스캠퍼**:대치하기, 혼합하기, 적용하기, 수정하기, 다른 용도로 사용하기, 제거하기, 재배열하기 등 항목을 제시하여 다양한 아이디어를 발상하도록 하는 방법

03 | ② 비례는 전체와 부분, 부분과 부분의 크기 관계를 고려하여 작품이 조화롭고 안정되게 보이도록 하는 원리이다. 안정감과 균형감을 형성하며 미적 질서를 만든다.

조형원리

조형 원리는 조형 요소를 유기적으로 조직하여 내적 질서를 부여하는 것으로, 통일, 균형, 조화, 비례, 율동, 변화, 강조, 동세 등이 있다.

통일:화면에 질서를 부여하는 것으로, 정돈되고 안정된 느낌을 준다.

변화:크기나 형, 색채 등을 서로 다르게 표현하여 다양함을 주는 것으로 지나치면 산만하다.

대비:두 가지 이상의 요소를 비교하여 어울리게 하거나 반대되는 요소를 조화롭게 배치해 표현한다.

균형:어느 한 쪽으로 치우치지 않는 시각적 무게의 평형과 안정을 이룬 상태를 말한다.
- 대칭균형(균제):상하좌우의 형, 색, 크기가 같아서 균형이 된 상태이다.
- 비대칭균형(불균제):형, 색, 크기 등은 다르지만 어느 쪽에 치우치지 않고 균형이 된 상태이다.

율동:조형 요소의 반복과 점진으로 생기는 질서의 흐름으로, 리듬감과 운동감을 느낄 수 있다.
- 반복:동일한 모양과 색이 연이어 나타나는 것을 말한다.
- 점증·점이:크기, 간격, 굵기, 색 등이 점점 증가하거나 옮아가는 것을 말한다.

동세:작품에 나타나는 운동감과 생명감, 대상의 움직임, 방향감을 말한다.

강조:특정 부분을 강하게 표현하여 시선을 집중시키는 요소로 긴장감을 준다.

비례:길이의 장단, 부분과 부분, 전체와 부분의 크기나 관계, 면적, 부피 등의 상대적 비율을 통해 아름다움을 만들어 낼 수 있다.

04 | ② 증강현실(AR)은 현실 영상 위에 가상 이미지나 정보를 실시간으로 겹쳐 보여주는 기술이다. 교육·의료·게임 등 다양한 분야에서 활용된다.

키오스크 : 무인 정보 단말기로, 주문·안내·발권 등을 사용자가 직접 처리할 수 있는 전자장치

모노타이프 : 평판화의 예로 평평한 판 위에 물감으로 그림을 그린 후 종이를 덮어 찍어 내는, 한 장 밖에 찍을 수 없는 판화이다.

스토리보드 : 영상 제작 전에 장면 구성·카메라 움직임 등을 그림으로 순서대로 정리한 기획 도구

05 | ④ 스트리트 퍼니처는 공공장소에서 시민을 위해 설치된 시설물(벤치·정류장·가로등 등)이다. 도시 환경 디자인의 핵심 요소이다.

퍼포먼스 : 신체·행위를 중심으로 시간과 공간에서 이루어지는 실험 예술. 연출된 행위 자체가 작품이 된다.

픽토그램 : 픽토(Picto)와 전보를 뜻하는 텔레그램(Telegram)의 합성어로, 사물과 시설 그리고 행동 등을 상징화하여, 불특정 다수의 사람들이 빠르고 쉽게 이해할 수 있도록 나타낸 시각 디자인이다.

타이포그래피 : 글자의 형태, 색상, 배치 등의 요소를 디자인하여 의미와 감정을 시각화한다.

06 | ③ 작품 <우는 여인>은 피카소 작품이고, 여러 시점을 한 화면에 재구성하는 것은 입체주의(입체파)의 핵심 특징이다. 입체주의(Cubism)는 대상을 한 시점에서 보는 대신 여러 각도에서 본 형태를 분해하고 다시 재구성하여 한 화면에 표현하는 현대미술 사조이다. 형태를 기하학적으로 단순화하며, 입체적 구조·분석적 시각을 강조한다. 대표적인 화가는 피카소와 브라크다.

자연주의 : 자연과 현실을 왜곡 없이 사실적으로 관찰하고 그대로 재현하려는 예술 경향이다. 주관적 감정 표현을 배제하고, 객관적·사실적 묘사를 중시한다. 19세기 사실주의와 연관되며 일상적 장면을 있는 그대로 담는 것을 특징으로 한다. 대표적인 회기는 질 비스디앵–르파쥬이다.

07 | ④ 자동기술법은 초현실주의 대표 기법으로 앙드레 브르통이 강조했다. 작가의 의식적 통제를 최소화하고, 무의식의 흐름을 따라 즉흥적으로 표현하는 방식이다.

템페라(Tempera)
: 안료를 계란 노른자 등 유화성 매체와 혼합해 사용하는 전통 회화 기법이다. 건조가 빠르고 선명한 발색이 특징이다.

홀로그램(Hologram)
: 빛의 간섭 원리를 이용해 3차원 영상처럼 보이게 만드는 입체 영상 기술.

데페이즈망(Dépaysement)
: 서로 어울리지 않는 사물을 비논리적으로 결합해 낯설게 만드는 표현 방식.

08 | ② 겸재 정선은 조선 후기에 우리나라 실제 자연 경관을 직접 보고 그린 진경산수화를 개척한 화가이다. 대표작) 인왕제색도, 금강전도

안견 : 조선 초기 화가로, 관념산수화 계열의 회화를 그렸다. 대표작) 몽유도원도

김홍도(단원) : 서민의 생활 풍속을 사실적이고 생동감 있게 담은 풍속화가. 대표작) 씨름, 서당

안평대군 : 세종의 셋째 아들, 세조의 형이다. 안견에게 몽유도원도를 그리게 한 인물이다.

09 | ② 기운생동은 화론육법의 핵심이자 첫 번째 원칙으로 형상을 넘어서 대상의 '기운'과 '생동감'을 포착해 표현하는 것이다.

 사혁의 육법

사혁은 남북조 시대의 화론가로, 그림의 기준을 여섯 가지 원리로 정리했다. 이것이 동양 회화 이론의 기초가 되는 육법이다.

1) 기운생동(氣韻生動)
   생명력과 정신적 기운이 살아 움직이듯 표현되어야 한다.
   → 가장 중요한 원칙
2) 골법용필(骨法用筆)
   붓을 쓰는 법, 즉 필력과 선의 힘
   → 서예적 필치 강조
3) 응물상형(應物象形)
   대상을 보고 그 형상을 닮게 표현함
   → 기본적인 형태 재현
4) 수류부채(隨類賦彩)
   대상의 종류에 맞게 색을 사용함
   → 자연에 맞는 채색
5) 경영위치(經營位置)
   화면 구도와 배치를 계획함
   → 구성 원리
6) 전이모사(傳移模寫)
   옛 그림을 베끼고 전통을 계승함
   → 모사와 학습의 중요성

10 | ② 셉테드 디자인은 조명·색채·개방성 등 시각적 요소를 활용하여 범죄를 예방하는 환경 설계 기법이다. "환경을 바꾸면 범죄가 줄어든다"는 원리에 기반한다.

에코 디자인(Eco Design)
: 자연환경 보호와 지속 가능성을 고려한 친환경 디자인으로 재활용, 절약, 환경영향 최소화가 핵심이다.

업사이클링 디자인(Upcycling)
: 폐기물이나 버려진 제품을 새롭게 재가공해 가치 있는 제품으로 만드는 디자인.

사용자 경험 디자인(UX Design)
: 사용자의 감정 · 편의 · 만족을 중심으로 제품이나 서비스를 설계하는 방식.

11 | ② **작품 분석**
(가) 반구대 암각화
   • 선사시대(신석기~청동기)
   • 한국 회화 중 가장 이른 시기
(다) 김명국, <달마도>
   • 조선 후기(17세기) 대표 문인화가
   • 추상적 묵법과 힘 있는 필치가 특징
(나) 박수근, <나무와 두 여인>
   • 근현대 한국 화가(20세기 중반)
   • 평면적 질감과 단순화된 형태가 특징

시대순서대로 하면 선사시대(가) → 조선 후기(다) → 20세기 현대(나) 이다.

12 | ④ 경천사지 십층 석탑은 고려 후기 1348년에 제작된 석탑으로, 원나라 라마교 양식의 영향을 받아 화려하고 장식적인 조형미가 특징이다.

석굴암 : 통일신라 시대의 석조 석굴 사원. 균형·비례가 뛰어난 고전적 조형미를 보인다.
첨성대 : 신라 선덕여왕 때 세워진 천문 관측대.
성덕대왕 신종(에밀레종) : 통일신라 시대 거대한 범종.

13 | ③ 초서체는 빠른 속도로 간략하게 쓰는 한자 서체로, 점·획이 생략되고 흘림이 많아 읽기 어렵다. 작가의 속도감·개성 표현이 강하다.

고딕체 : 획의 굵기가 일정하고 직선적이며 기계적인 서체.
궁서체 : 조선 시대 궁중에서 사용된 단정하고 우아한 전통 한글 서체.
판본체 : 목판 인쇄의 영향을 받은 정자형 글씨체.

14 | ③ 실크스크린은 실크나 합성섬유 망에 잉크를 통과시키는 공판화 기법이다. 그림의 좌우가 바뀌지 않는다. 대량 생산이 가능하고, 팝아트에서 많이 사용된다.

에칭(Etching)
: 오목판화의 한 종류로 금속판에 방청제를 바른 뒤 바늘로
긁고 산(염산 · 질산 등)으로 부식시켜 이미지를 만드는 동
판화 기법. 좌우가 반전되어 찍힌다.

목판화(Woodcut)
: 볼록판화의 한 종류로 나무판의 볼록한 면을 이용해 찍는
가장 오래된 판화 기법. 좌우가 반전되어 찍힌다.

콜라그래프(Collagraph)
: 목판이나 하드보드지 위에 종이, 천, 실 골판지 등 다양한
재료를 콜라주하여 판을 만든 후에 프레스를 사용하여 찍
어내는 판화.

15 | ④ 상감기법은 흙으로 모양을 만든 후 표면이 마
르기 전에 무늬를 음각한 다음, 그 부분에 다른
색의 흙으로 메워 무늬를 나타내는 기법이다.
주로 고려 청자에 쓰였다. 따라서 ㉠에 알맞은
것은 상감 작업, 즉 다른 색 흙을 메워 넣는 과
정이다. 흑상감·백상감 등으로 표현된다.

16 | ③ 잭슨 폴록의 드리핑(액션 페인팅) 기법이며, 추
상 표현주의의 대표적 특징이다.
추상 표현주의는 즉흥적 행위와 감정의 에너지
를 추상적 형태로 투사하는 것이다.

미래주의 : 기계의 속도와 움직임에 긍정적인 관심을 두고
이를 표현하고자 하였다. 대표 작가로 보초니, 발
라, 카라가 있다.
사실주의 : 현실을 이상화하거나 미화하지 않고 당대 사회의
모습을 객관적이고 사실적으로 표현한 미술 사조
이다. 대표 작가로 쿠르베, 도미에가 있다.
후기 인상주의 : 인상주의의 빛·색 연구를 넘어서, 작가의 개
성·감정·구조를 중시, 인상주의보다 더 주관
적이고 독창적인 표현으로 나아감. 대표적
인 작가는 고흐, 고갱, 세잔 등이 있다.

17 | ④ 화각공예는 조선 후기에 발전한 대표적인 공예,
동물의 뿔을 얇게 가공해 색을 넣고, 이를 나무
상자나 함에 붙여 장식하는 전통 공예이다.

금속 공예 : 금, 은, 구리 등 금속을 두드리고 깎아 장식·용구
를 만드는 공예.
염색 공예 : 천이나 실을 염료로 물들여 무늬를 만드는 공예
(**예** 낭자, 배채, 쪽염).
유리 공예 : 유리를 녹여 성형하거나 절단·연마해 만드는 공
예, 투명성과 광택이 특징.

18 | ① 민화는 조선시대 후기 때 유행한 서민 문화로 주
로 생활공간을 장식할 목적이나 그 밖의 실용적
인 목적으로 그린 그림으로 복을 기원하는 세속
적 주제를 다루었다. 형식에 얽매이지 않고 자유
롭게 그린 그림으로 화조, 동물, 산수, 설화, 풍속,
윤리 등 전통 회화의 화제 뿐 아니라 기록화, 궁중
장식화(십장생, 일월오악도) 등 다양한 내용을 나
타내었다. 또한, 작가명이 기록되지 않아 대체로
누가 그렸는지 알 수가 없다.

19 | ④ 형식주의는 작품의 내용보다 선·색·면 등 조형 요
소와 구성 원리를 중심으로 작품의 미적 가치를
평가하는 이론이다.

🔍 **개념 더 보기**   **미술 비평 관점 4가지 비교**

관점	무엇을 중심으로 보나?	핵심질문	핵심 키워드
형식 주의	조형 요소와 구성	어떻게 표현되 었는가?	선·색·면·균 형·구조
도구 주의	사회적 기능·효과	어떤 역할을 하는가?	교육·도덕· 선전
맥락 주의	시대·사회적 배경	어떤 배경에서 나왔는가?	역사·문화· 환경
의도 주의	작가의 의도	무엇을 말하려 했는가?	작가의 생각

형식주의 : 작품의 형식과 구조를 중심으로 평가한다.
도구주의 : 예술의 사회적 기능과 효과를 중시한다.
맥락주의 : 작품을 역사·사회적 맥락 속에서 이해한다.
의도주의 : 작가의 의도를 기준으로 작품을 해석한다.

🔍 **구분하는 Tip**

"조형 요소·균형·구성" → 형식주의
"교육·사회 변화·선전" → 도구주의
"시대 상황·사회 배경" → 맥락주의
"작가가 말하려는 바" → 의도주의

20 | ③ 바우하우스는 1919년 독일 바이마르에 설립된 예술·공예·건축 통합 학교로, 기능 중심의 디자인 원리를 발전시켜 현대 디자인과 건축의 기초를 마련했다.

앵포르멜(Informel)
: 제2차 세계대전 이후 등장한 비정형 추상 미술로, 즉흥성과 강한 질감을 강조한 경향.

극사실주의(Hyperrealism)
: 사진처럼 혹은 그 이상으로 정밀하게 현실을 재현하는 미술 경향.

미술 공예 운동(Arts and Crafts Movement)
: 산업혁명 이후 기계적 대량생산에 반발하여 수공예의 가치와 장인 정신을 강조한 영국의 디자인 운동.

21 | ② **표현 방법** : 작품의 일부를 뚫어서 표현
→ 이는 투조(透彫)
표현 부위 : 머리에서 목까지 표현
→ 이는 두상(頭像)

개념 더 보기   조소의 표현방법

환조 : 가장 전형적인 조각 방식으로, 사방에서 볼 수 있는 입체 조각이다. 동상, 불상처럼 360도 감상이 가능하다.
부조 : 평면 위에 조각이 부분적으로 돌출된 상태로 벽면, 기념비, 건축 장식에 많이 사용된다.
투조 : 조각 일부를 뚫어서 비워내는 방식이고, 빛이 통과하고 공간감이 강조된다. 문양·장식적 조각에서 자주 사용된다.
소조 : 점토, 찰흙 등 부드러운 재료를 붙이고 빚어 형체를 만드는 방식으로 수정과 변형이 쉽다.
캐스팅(주조) : 석고 · 금속 등을 틀에 부어 굳혀 만드는 방식으로 청동상처럼 동일 작품을 여러 개 만들 수 있다.

22 | ③ 글씨를 파내고 바탕이 남는 것은 음각(陰刻). 바탕은 빨갛고 글씨는 희게 나오니 백문인(白文印).

양각 : 글씨나 무늬를 도드라지게 남기고 주변 바탕을 파내는 각법.
주문인(朱文印) : 인주로 찍었을 때 글씨가 붉게 나타나는 인장(양각 인장에서 나타난다).

23 | ① 왼쪽 : 렘브란트(Rembrandt) 자화상
오른쪽 : 윤두서(조선 후기) 자화상
→ 두 작품의 공통점은 모두 작가 본인을 그린 자화상이다.

24 | ③ 비디오 아트는 1960년대 백남준이 개척하여 현대 미디어 아트의 기반이 되었다. 텔레비전, 카메라, 영상 신호 등을 활용한 실험적 예술 형태다.

야수파(Fauvism)
: 강렬한 원색과 주관적 색채 표현을 통해 감정을 자유롭게 드러낸 20세기 초 프랑스 미술 사조이다. 대표적인 화가는 앙리 마티스이다.

팝 아트(Pop Art)
: 대중문화 이미지(광고, 만화, 상품)를 미술로 끌어온 경향. 대표적인 작가는 앤디 워홀, 리히텐슈타인 등이 있다.

콤바인 페인팅(Combine Painting)
: 회화에 실제 사물(오브제)을 결합하여 평면과 입체의 경계를 허문 작품 형식이다. 대표적인 화가는 로버트 라우센버그이다.

25 | ② 시각 문화는 사회가 만들어낸 시각적 인공물(광고, 영상, 미디어 이미지 등) 전체를 의미한다. 현대인은 이를 비판적으로 해석할 수 있어야 한다.

모션 캡처
: 배우나 사람의 실제 움직임을 센서나 카메라로 추적하여 디지털 캐릭터에 그대로 적용하는 기술이다. 줄여서 "모캡(MoCap)" 이라고도 부른다.

어셈블리지(Assemblage)
: '집합', '조립'을 나타내는 말로 우리 주위에서 볼 수 있는 폐품이나 일회용품, 잡다한 물건들을 쌓거나 조립해 만든 작품을 말한다.

2026 100% 무료강의 고졸검정고시 기출문제집(해설편)

- 유튜버 블랙고시마스터 SHIN -

발행일	초판 1쇄 발행일 2025년 1월 2일
	개정판 1쇄 발행일 2026년 2월 27일
발행인	조순자
펴낸곳	인성재단(지식오름)
편저자	블랙고시마스터 신
편집디자인	김지원

※ 낙장이나 파본은 교환해 드립니다.
※ 이 책의 무단 전재 또는 복제행위는 저작권법 제136조에 의거하여 처벌을 받게 됩니다.

정가	35,000원
ISBN	979-11-7491-094-3(해설편) / 979-11-7491-092-9 (전 2권)